Louise Élisabeth Vigée Le Brun

Geneviève Haroche-Bouzinac

Louise Élisabeth Vigée Le Brun

Histoire d'un regard

Ouvrage publié avec le concours du Centre national du livre

Flammarion

Entre deux siècles comme au confluent de deux fleuves...

François René de CHATEAUBRIAND,
Mémoires d'outre-tombe

AVANT-PROPOS

« Il ne faut envier le sort de personne même de ceux que l'on croit le plus heureux [1]. » Tel est l'aveu qui échappe à la plume de Louise Élisabeth Vigée Le Brun. Au soir de sa vie, le peintre de la reine Marie-Antoinette, réputée pour la délicatesse de ses portraits et la cherté de ses cachets, agréée par les académies d'Europe les plus prestigieuses, reçue à la cour de plusieurs souverains, regarde les chemins parcourus et ajoute : « On a pu croire que j'étais la femme la plus heureuse, eh bien, mon ami, ces hommages, ces distinctions si honorables, et si flatteuses, ont été traversées par des peines bien cruelles causées par ce qui m'était le plus proche [2]. »

Ces quelques mots griffonnés sur un feuillet isolé dans une liasse de manuscrits ont longtemps conservé pour nous leur mystère. Ne pas se fier aux apparences du bonheur, étrange confidence d'une femme rayonnante et aimable, à qui tous les hommages ont été offerts, les récompenses les plus flatteuses, succès, fortune, amitiés. « Ce qui m'était le plus proche », que voulait-elle dire ?

Afin d'éviter qu'on ne s'empare du récit de sa vie, Mme Le Brun entreprend, sur le conseil de ses amis, de la raconter elle-même. De son écriture aux jambages échevelés, elle se met à couvrir des cahiers et, durant presque dix années, recompose sa destinée sur le papier, éclaire les zones qui lui plaisent et laisse dans l'ombre ce qui l'inquiète, rationalise ses choix et détourne peut-être la postérité de l'essentiel.

Écrire ses mémoires, c'est séduire de futurs biographes, leur offrir l'information qui les rendra prisonniers de la légende dorée de l'artiste. « Ici, enfin je repose », souhaitait-elle qu'on écrive sur sa tombe. N'était-ce pas dire : ici enfin, la calomnie me laissera en paix car j'ai écrit ma propre histoire ? Les biographes sont priés de s'en servir. La plupart du temps c'est ce qu'ils ont fait.

Consolidant sans le vouloir cette protection, sa nièce Eugénie Le Brun et, surtout, son neveu par alliance, Justin Tripier Le Franc ont conservé des autographes, recopié des actes d'état civil et des inventaires après décès. La somme d'informations considérable réunies par Eugénie et Justin a constitué un second filet, dont les mailles ont empêché les candidats à la biographie d'aller plus loin. La plupart de ces pièces avaient servi à élaborer les notices biographiques parues du vivant de Mme Le Brun. Rien d'étonnant à ce que, tout en donnant l'impression de travailler sur des documents fiables, l'utilisation de ces sources renforce une certaine image de l'artiste délivrée dans ses *Souvenirs*. Une représentation nourrie aux clichés les plus anciens des « Vies d'artistes » se mettait en place.

Disposant de ces nombreuses sources manuscrites déjà rassemblées par la famille, le biographe ne pourrait-il considérer qu'il est suffisamment pourvu d'information ? S'il ajoute à ces documents les trois volumes autobiographiques publiés en 1835-1837 par la portraitiste, ne peut-il dormir la conscience tranquille ? Oui, mais à condition de lire le bon texte des *Souvenirs*. Car, après la mort de l'artiste, en 1869, un nouvel éditeur, Charpentier, publie le texte d'origine dans une présentation nouvelle. Sachant le lecteur parfois incommodé par les notes de bas de page, l'éditeur Charpentier intègre ces notes dans le texte original, au prix d'une réécriture de certains passages. Puis, jugeant sans doute que le style naturel de Mme Le Brun manquait d'emphase, il le manière pour le rendre conforme à l'image mignonne que l'on se faisait d'une artiste d'Ancien Régime à la fin du Second Empire. Avec cette édition, on offre au lecteur une image du peintre de Marie-Antoinette susceptible de plaire à l'impératrice Eugénie, qui vouait un culte à la reine décapitée et avait patronné, deux années auparavant, la première exposition rétrospective destinée à célébrer en grande pompe son souvenir [3]. Dès les premières décennies du XIXᵉ siècle en effet, l'iconographie s'était emparée de l'image de la reine dont certains voulaient commémorer le « martyre ».

C'est avec l'ensemble de ces matériaux que le récit de la vie de Mme Vigée Le Brun et ses premières biographies ont été constitués. Plusieurs témoignages issus des mémoires de contemporains de l'artiste sont venus compléter cette première documentation.

Moins de cinquante ans après la disparition de l'artiste, Charles Pillet rédige une première monographie. Sans entreprendre une enquête factuelle qui n'est pas dans l'esprit du temps et sans profiter de la présence des derniers témoins, il s'en tient aux informations offertes par les *Souvenirs*. Il est vrai qu'en 1890, les documents familiaux ne sont pas encore librement consultables [4]. En 1908, un second biographe, mais le premier dont l'ouvrage aura un réel retentissement, Pierre de Nolhac, s'appuie avec raison sur le texte d'origine des *Souvenirs* et sur quelques lettres retrouvées. Le conservateur du château de Versailles souligne qu'il faut considérer le témoignage des mémoires avec prudence, il y découvre en effet quelques incohérences chronologiques. Son interprétation est essentiellement celle d'une Mme Vigée Le Brun « peintre de Marie-Antoinette »[5]. Seules comptent les années rayonnantes de la femme jeune, artiste talentueuse et mondaine dont l'art doit beaucoup aux « influences » de son entourage masculin. Cette vision dérive en partie de celle d'Edmond de Goncourt, qui ne croyait pas Louise Élisabeth capable de tenir une plume elle-même [6]. Cinq années après Pierre de Nolhac, Louis Hautecœur s'empare à son tour du sujet. À ses yeux, Mme Le Brun reste une « charmante femme », une « charmante artiste ». Toujours sous influence, elle parviendrait à se « hausser » parfois jusqu'au niveau de la peinture d'histoire où au fond elle ne serait pas à l'aise. De l'ouvrage de Louis Hautecœur, se dégage l'image d'une femme « habile » à trouver des recettes picturales qui émeuvent, et assez rusée pour « dicter à la postérité » ses jugements.

André Blum, en 1919, décode l'interprétation de ses prédécesseurs en notant qu'« il y a un fond de mépris dans la gloire que les hommes réservent aux femmes. Ils ne célèbrent d'elles que la beauté [7] ». Ce nouveau biographe rassemble les éléments d'un embryon de catalogue et emploie la transcription de quelques documents d'archives qui viennent de resurgir. Malgré tout, André Blum persiste à voir l'amour maternel de la portraitiste comme une posture : elle ne serait une « tendre mère » que parce que Jean-Jacques Rousseau a écrit *Émile*. Comme si, dans la culture de Mme Le Brun, les théories de Jean-Jacques avaient pesé plus lourd que l'iconographie des Vierges à l'Enfant de Raphaël.

Les biographies qui ont suivi ont été principalement rédigées par des femmes, à mesure qu'un autre aspect de la personnalité de l'artiste commençait à intéresser leurs auteurs : son rôle de mère. Ces études ont utilisé l'édition « Second Empire » dont plusieurs éditions modernes, sans prendre garde à ces altérations, et ont reproduit le texte falsifié [8].

Certains de ces travaux ont mis l'accent sur le partage de la vie de la portraitiste entre deux pôles : « la peinture, la maternité ». Ne peut-on se demander si cette vision n'est pas celle que notre époque projette sur la dualité du rôle féminin ? Louise Élisabeth Vigée Le Brun n'a pas vécu dans la contrainte qui oblige quotidiennement les mères d'aujourd'hui à arbitrer entre des priorités éducatives et des choix professionnels. Cette tension entre son rôle de mère et sa place d'artiste lui a probablement été épargnée. En outre, ces biographies réutilisent certains des arguments employés par leurs prédécesseurs insinuant que la réussite de Mme Le Brun serait due, avant tout, à son habileté manœuvrière. Présentée en jeune femme issue de la bourgeoisie, qui se servirait de la peinture afin de gravir les échelons de l'échelle sociale, Louise Élisabeth Vigée Le Brun serait une « maligne [9] » éblouie par les formes de la vie aristocratique et rêvant de s'y assimiler. Rectifions dès maintenant ce qui n'est pas un détail de l'histoire : le milieu dont Mlle Vigée est issue n'est pas ce qu'il convient de nommer « la bourgeoisie », mais une bohème artistique tentant de se dégager progressivement des formes corporatives de l'artisanat. Enfin, considérer la jeune artiste avant tout comme rusée, c'est refuser d'attribuer sa réussite à l'évidence d'un talent que les connaisseurs les plus experts de son temps avaient reconnu.

À l'inverse, les études féministes ont cherché à comprendre les facteurs qui ont permis à Mlle Vigée, non seulement de « faire carrière » en dépit de l'oppression subie par les femmes en général et par elle-même en particulier, mais surtout de devenir l'archétype de « la femme exceptionnelle [10] ». Il s'agirait ici d'élaborer une conception de la femme de génie. L'hypothèse est attirante. Mais, plutôt que de brosser un pendant historique au portrait esquissé par Diderot de « l'homme de génie », ces essais associent des considérations volontairement choisies hors contexte à leur lecture. Ces interprétations revendiquent leur appartenance à un débat sur le « genre » et tiennent leurs promesses conceptuelles. Malgré leur intérêt théorique, sans doute se servent-elles davantage du sujet qu'elles ne le servent.

Enfin, un courant anglo-saxon féminin, sans être féministe, choisit d'observer la vie de Mme Le Brun du point de vue de la « douceur de vivre [11] » et de la nostalgie. Il reconstruit l'image d'une royaliste qui n'aurait su ni voulu s'adapter aux temps nouveaux. Ce courant biographique, parfois documenté, souligne les excès des lectures féministes, mais fait encore de l'artiste une arriviste [12], dont l'attitude se teinte de « snobisme ».

On le voit, le reproche d'arrivisme revient régulièrement sous la plume des biographes. A-t-on reproché à Vernet d'avoir cherché à entrer à l'Académie royale de peinture ? Ou à Hubert Robert de trop dîner en ville ? Mme Le Brun a souhaité obtenir les signes de reconnaissance de son talent d'artiste. Et, en son temps, quels sont-ils ? Qui délivre les signes de distinction si ce n'est le pouvoir royal, les sphères qui l'entourent et les puissantes académies ? L'argent est pour un artiste le signe de reconnaissance le plus immédiat. Il est aussi le gage d'une sécurité future.

En ouvrant à nouveau le dossier de la vie de Mme Vigée Le Brun, nous n'avons pas travaillé pour la juger, ni pour l'absoudre, et surtout pas en transposant des critères moraux ou économiques qui seraient ceux d'aujourd'hui, dans un temps qui n'est pas le nôtre.

Une enquête, dans laquelle il n'y a ni suspect ni accusé, nous a conduit à étudier les pièces en archives : la comptabilité qui éclaire une transaction, les procurations, les testaments et les inventaires après décès des membres de sa famille, les témoignages d'époque, les correspondances publiées ou inédites où l'on guette les traces des personnes qu'elle a croisées. Nous avons pu retrouver certains descendants de sa famille et de ses amis possédant encore lettres ou carnets inédits. Dans ce labyrinthe, nous avons eu la chance de retrouver des fonds d'archives, de pouvoir exploiter plusieurs volets inédits des brouillons de ses *Souvenirs* contenant des passages non retenus. Nous avons eu la surprise de voir apparaître un fonds d'une soixantaine de lettres inédites [13]. Après avoir interrogé les pièces du dossier dont nous disposions, et devant les quelques énigmes qu'il présentait, nous ne nous sommes pas contenté de l'assertion de La Rochefoucauld qui veut qu'il y ait du « mystère » en de nombreuses attitudes humaines. Nous avons donc suivi des pistes – certaines ont été des impasses et sont restées (momentanément) fermées, d'autres pas. Nous nous sommes posé des questions sur son enfance : où se trouvait le couvent qu'elle a si fort détesté ? Quelle était réellement sa vie familiale ? Qu'est devenue la maison de Neuilly que Louis Vigée avait achetée pour faire plaisir à sa famille ? Pourquoi son frère Étienne a-t-il détruit les lettres du comte de Vaudreuil ? Pourquoi la présence d'Étienne n'est-elle plus signalée dans son cercle après son retour d'Angleterre et que sont devenues leurs relations ? Et la colère de l'artiste vis-à-vis de son époux, quelles pièces au dossier peuvent la justifier ? Pourquoi ce silence sur sa fille à partir de 1810 ? Que fait cette Mme de Noiseville dans la chambre de Julie au moment de sa mort ?

« Croire à des sentiments simples, c'est une façon simple de voir les sentiments », disait André Gide. Nous avons gardé en ligne de mire cette affirmation. Progressivement le puzzle s'est reconstitué, grâce, parfois, au plus ténu des indices.

En aucun cas, l'enquête biographique ne devrait masquer l'œuvre de Louise Élisabeth Vigée Le Brun. Nous avons tenté de comprendre la formation de son métier de peintre. À cet effet, le savoir des spécialistes de sa peinture nous a été indispensable. Les contributions de plusieurs historiens de l'art nous ont été utiles [14]. Le travail de Xavier Salmon, qui a organisé l'exposition consacrée à Marie-Antoinette, a éclairé un aspect majeur de la production de l'artiste. Le catalogue de Joseph Baillio, qui a conçu la première exposition monographique consacrée à Louise Élisabeth Vigée Le Brun, nous a accompagné durant toutes ces années. Ses notices établissent la datation de nombreux portraits. Elles ont été des apports irremplaçables dans notre enquête. En outre, les articles de Joseph Baillio, dont la connaissance savante et fine de l'œuvre de la portraitiste est nourrie par sa familiarité avec elle, nous auront évité, peut-être, bien des erreurs.

Mais ce livre n'est pas seulement le résultat d'une enquête factuelle, il souhaiterait être aussi l'histoire d'un regard et d'un goût. De sa jeunesse à l'âge mûr, les œuvres, les monuments vus au cours de son périple transforment sa manière de peindre. Sa curiosité est insatiable, et jusqu'à ses derniers jours presque, Mme Le Brun cherchera à découvrir des peintures nouvelles. Cet art qu'elle pratique si bien, elle le relie sans cesse à d'autres arts. Mme Le Brun n'envisage pas de vivre sans musique ou sans poésie. Et, en écrivant ces pages, nous avons souvent regretté qu'il n'existe pas de livre sonore. Elle apprécie les opéras et les compositions les plus modernes de son temps, comme celles de cette Mme de Montgeroult dont la virtuosité est à l'aune de celle d'un Chopin. À l'aube du romantisme, elle continue à découvrir la musique nouvelle et la poésie qui s'écrit : elle écoute Marceline Desbordes-Valmore et Alfred de Vigny dire leurs poésies.

Après avoir suivi les pas d'une personne durant des années, un biographe aime évoquer les facettes, les images parfois contradictoires du personnage auquel il s'intéresse. En effet, la personne *biographiée* est devenue un « personnage ».

En ce qui concerne Louise Élisabeth Vigée Le Brun, rien de semblable. Sa vie est placée sous le signe de la continuité. Elle est fidèle aux choix de sa jeunesse, et fidèle à ceux qui l'ont aidée. Capable d'éprouver la douceur de la reconnaissance, la gratitude n'est jamais pour elle un fardeau. Sur ce point elle ne changera pas.

Rigoureuse dans la conduite de sa propre vie, aimant la ponctualité jusqu'à l'excès, protégeant le plus possible sa sensibilité dans un siècle de violences, elle est témoin de trois révolutions, de plusieurs coups d'État, et côtoie un nombre impressionnant de régimes politiques. Dans ce siècle où foisonnent les « Girouettes », elle parvient à tenir son cap, car sa qualité fondamentale est la loyauté, et une droiture qui peut aller jusqu'à la brusquerie. Elle porte en elle cette « statue intérieure [15] », cet être moral que la vie sculpte en chacun de nous, qui devient le noyau de la personne et qui la fait se tenir debout.

Cette exigence, qui frôle la raideur dans certains domaines, n'exclut pas l'ironie, ni la dérision vis-à-vis d'elle-même. C'est que, malgré les dorures un peu clinquantes dont ses héritiers sont parvenus à la convaincre de se parer dans son autobiographie, elle ne se prend pas au sérieux. Se croyant un artisan qui cherche la perfection sans s'en approcher, elle ne craint pas la critique car, dit-elle, personne n'est plus impitoyable à son égard qu'elle-même. Lorsque son ami Gros se suicide, sentant qu'il survit à sa propre réputation, il y a déjà longtemps que, lucide sur ses propres possibilités au siècle du romantisme, la portraitiste ne tente plus d'entrer en compétition avec elle-même et n'expose plus au Salon de peinture.

L'enfant apeurée et laide qu'on conduit par la main au couvent, la fillette éperdue d'admiration pour son père Louis bientôt disparu ; la sœur aidant son jeune frère à grandir et protégeant sa mère ; la jeune fille grisée de sa passion pour la peinture et se promenant avec délices dans le Paris du début du règne de Louis XVI ; l'épouse éblouie par un mari savant et habile ; puis la ravissante artiste passant des heures à l'atelier à la recherche de la perfection, gagnant le respect de ses confrères à la force du poignet ; enfin la jeune académicienne, étonnée de se voir si vite promue, cherchant à se dépasser toujours, améliorant chaque jour sa technique, devenue peintre de Marie-Antoinette, la femme sensible s'ouvrant à la contemplation du paysage : tous ces personnages sont bien la même personne. Peintre de la reine, c'est ce que la postérité retiendra d'elle, avant tout, alors qu'elle ne remplira cette fonction que durant une dizaine d'années [16]. Mais ce peintre de la reine aime la vie passionnément, l'amitié, la campagne, les soirées entre artistes. Elle idolâtre sa fille Julie pour laquelle son projet est la perfection de l'éducation. Aimée, aimante, est-elle amoureuse ?

La gloire expose ceux qu'elle choisit. Fêtée, célèbre, Louise Élisabeth Vigée Le Brun est la proie de médisances et ne se reconnaît plus dans l'image qu'on lui renvoie d'elle-même. Trop proche de l'entourage de Marie-Antoinette pour être en sécurité lors des premières émeutes, elle traverse les Alpes avec Julie et devient voyageuse. Tout ou presque est alors à reconstruire. Elle puise dans les chefs-d'œuvre de l'Italie des leçons, puis reconquiert un nouvel espace pour sa peinture dans une Europe dont le français est la langue. L'émigration la libère paradoxalement de la tutelle conjugale qui jusqu'alors la dépossédait du fruit de son propre travail. Reçue par les diplomates et les rois qui constituent sa nouvelle clientèle, elle est assez élégante et sensible pour faire des rencontres d'amitié parfois princières. Charmée par la couleur des étés russes, elle songe même à passer sa vie sur les bords de la Neva.

Après les orages de la Révolution, viennent les tempêtes familiales. Un jour, elle ne reconnaît plus sa fille. L'enfant docile est devenue une femme impérieuse. Écoute-t-on ses parents à dix-neuf ans ? Alors, Mme Le Brun éplorée rentre à Paris, retrouve ce qui lui reste de famille et ce que la guillotine lui a laissé d'amis.

Son frère Étienne, elle le découvre tel qu'il est, vaniteux, inconsolé de n'avoir pas reçu la consécration littéraire qu'il recherche. Mais elle ne lui refuse pas son aide. Son audacieux mari se débat dans des entreprises coûteuses, elle dégage peu à peu ses intérêts des siens, tout en continuant à payer ses dettes. Ses bénéfices sont engloutis par la dot de Julie, par les secours portés à sa famille. Un dernier champ lui reste à conquérir : l'Angleterre dont les ports sont ouverts grâce à la paix d'Amiens. Elle se dispose à portraiturer la blafarde aristocratie anglaise et à s'ennuyer dans leurs *routs* pour des cachets mirobolants.

Être et avoir été. C'est ce à quoi elle s'emploie à son retour de Londres. Les fastes de l'Empire ne l'éblouissent pas. Napoléon la tolère, elle ne le regarde que de biais. Son pinceau donne ici et là de belles étincelles, mais ce ne sont plus les œuvres admirables d'autrefois. Elle peint ses amis et leurs enfants. Un voyage en Suisse lui donne le goût du paysage : elle le peint « d'impression ».

Elle accepte de devenir ce que l'on veut qu'elle soit : une ombre délicate de l'Ancien Régime qui peint Marie-Antoinette « de souvenir ». Elle feint d'obéir à ce qu'on lui suggère : écrire le récit de sa vie, mais elle n'entend pas pour autant cesser de vivre. Si tout récit de vie est une traversée, celle de Louise Élisabeth Vigée Le Brun l'est à plusieurs titres : périples à travers l'Europe, grand écart d'un siècle à l'autre dans un esprit de curiosité infinie.

Mademoiselle Vigée

1755-1776

1

FILLE DE PEINTRE

> « On naît peintre ou poète et nul pouvoir humain
> De ce noble ascendant ne change le destin. »
> Girodet[1].

En nourrice à Épernon

« C'était le soir au clair de lune, et comme il fallait traverser une haie pour aller reprendre le grand chemin où se trouvait le cabriolet de mon père, on me mit dans un des paniers de l'âne de ma bonne femme. » La nuit est si claire qu'il n'est pas besoin de torche. Le mulet, guidé par le fermier, avance doucement dans le chemin creux. Dans l'un des deux paniers qui chargent son échine, un ballot proprement noué, dans l'autre, une enfant qui, bercée par le mouvement, chantonne. Elle se nomme Élisabeth Louise Vigée. On l'appelle Louise ou Lisette. Elle se souvient de cette nuit[2].

Sur le seuil de la maison basse dont la porte est ouverte, une femme écarquille les yeux afin d'apercevoir le mulet qui s'éloigne. Elle tient dans ses bras un bébé emmailloté qui s'endort. Comme à chaque fois que l'un de ses enfants de lait la quitte, elle est triste. Depuis presque cinq années, elle a élevé cette fillette aux cheveux clairs. Elle sait qu'elle ne reverra plus son regard éveillé et doux.

Le mulet aborde une route damée, le chemin d'Épernon à Paris, où attend un cabriolet attelé d'un seul cheval. Un homme d'une quarantaine d'années descend et s'approche des paniers. Louis Vigée se penche pour contempler le visage de la petite dans la nuit. « Je tendis les bras à mon père, se souvient-elle, ce qui lui fit croire au prestige paternel. » Elle lui fait fête. C'est une conquête. Près de lui une voix murmure : « Louis, elle t'a reconnu ! »

Le père prend le baluchon, donne l'accolade au paysan et remonte dans la voiture. En souriant, il tend l'enfant à la jeune femme qui est à ses côtés. Et la voiture repart vers Paris. L'enfant est assise entre ses parents, presque des inconnus pour elle. Sa mère Jeanne porte des rubans, un col et des manchettes de dentelle, une bague entourée de brillants, elle est parfumée. Louis, son père, est vêtu d'une simple veste de velours, mais ses bas de coton blanc sont immaculés et il a des boucles d'argent à ses chaussures.

L'enfant ne comprend pas que la première page de sa vie est tournée. C'en est fini des jeux indisciplinés à la campagne chez la bonne fermière.

En cette année 1760, dans les familles d'artisans, il n'est pas de coutume de garder les nouveau-nés à la maison. Louis et Jeanne Vigée s'étaient-ils procuré le nom d'une nourrice par un des offices de placement situés rue Saint-Martin et rue Quincampoix ? Ces bureaux, nommés « bureaux des recommandaresses », salariaient les nourrices et garantissaient aux parents un berceau séparé pour l'enfant, un pare-feu et de bonnes mœurs. Des commis passaient régulièrement. Ou les jeunes parents avaient-ils choisi comme le faisaient les familles aisées, par relations, une nourrice dans les environs immédiats de Paris [3] ?

L'enfant, à peine âgée de trois mois, a quitté sa première nourrice dont le lait s'était tari. Ensuite on l'a placée là, à Épernon chez ce couple de cultivateurs [4]. Tout s'était bien passé. La fillette, convenablement nourrie, affectueusement traitée est en bonne santé. Plus tard, elle attribuera aux soins de sa « bonne femme » la santé résistante dont elle jouira tout au long de sa vie.

À Épernon, elle dort dans une chambre éclairée par une porte vitrée donnant sur la pièce où dorment les fermiers. Parfois, on ferme le loquet. Le rideau de porte est placé du côté de la chambre de l'enfant. Un jour, intriguée par des bruits, elle soulève le rideau et observe une étrange scène. Des rires, des plaintes étouffées sortent du lit de la nourrice, du linge est en désordre. Cette « scène conjugale », selon son expression, demeurera dans sa mémoire longtemps inexpliquée, comme tout ce qu'elle ne comprend pas immédiatement. Elle se souviendra, dit-elle, de se méfier de la curiosité des enfants, « si jeunes qu'ils soient [5] ». De là, peut-être, son goût du secret.

Tant de choses qu'elle ne comprend pas alors. Il n'est pas d'usage d'expliquer la vie aux enfants : on apprend en observant, et l'obéissance est de règle.

La voiture traverse la forêt de Rambouillet, passe la barrière de Paris, s'engage dans la rue Coquillière et tourne rue Coq-Héron, où elle s'immobilise [6]. L'enfant pénètre alors dans un univers inconnu. À la lueur de la chandelle elle découvre émerveillée des murs garnis de tableaux. Dans un salon, un Arlequin portant un large béret la regarde avec un demi-sourire mélancolique. C'est l'acteur Carlo Bertinazzi, le fameux Carlin [7].

On dépose l'enfant dans une couchette de bois blanc. Sur un des murs de la chambre, une femme portant un voile noir de veuve et un bonnet blanc garni de dentelle, a glissé les mains dans un manchon de fourrure. Un ruban de velours noir au cou, des bordures d'hermine aux manches de sa veste laissent penser qu'elle est encore coquette malgré son âge. C'est Marguerite Trouvery, sa grand-mère paternelle au regard plein de bonté [8].

Le lendemain matin, lorsqu'elle s'éveille, une autre dame, beaucoup plus jeune sourit dans un cadre doré, le menton appuyé sur la main. Ses cheveux relevés par un bouquet sont poudrés. De fines dentelles et des ruchés ornent sa robe, elle porte un ruban de cou soyeux. L'enfant reconnaît sa mère en belle toilette. Sur un chevalet un portrait attend d'être achevé : c'est celui d'un client de Louis Vigée, un fermier général en perruque. Il porte un costume de velours, veste bleue et gilet beige, et glisse la main dans son gilet de façon à faire valoir le plissé de sa manchette [9]. L'enfant est fascinée, tous ces visages paraissent vivants.

Intriguée, elle s'approche d'une boîte posée sur un meuble à tiroir. Elle l'entrouvre : des bâtons de couleur sont rangés. Certains sont brisés, usés, d'autres sont neufs. Elle caresse du doigt la poudre soyeuse des pastels. Puis elle sursaute, c'est le pas de Louis. Il s'approche de l'enfant, ouvre largement la boîte et la laisse contempler les couleurs. Il se met à l'ouvrage et reprend ses craies. Lorsque intimidée Lisette se saisit d'un pastel, Louis l'encourage du regard et lui tend une feuille de papier. Durant la matinée, l'enfant reste près de son père et griffonne en l'imitant. Louis Vigée travaille par hachures rapides, il excelle à rendre les effets de lumière en usant d'ombres bleutées.

Un heureux mariage : Jeanne et Louis

Louis Vigée a vu le jour à Paris, rue Transnonnain [10], paroisse Saint-Nicolas-des-Champs. Il appartient à une famille qui compte des artisans et des artistes. Si nous ignorons la profession exacte de son père, Alexandre Vigée, nous savons que son frère Nicolas-Alexandre et son parrain Pierre Poissant sont sculpteurs. Sa marraine, Geneviève Bertin, est veuve du marchand pâtissier Declair.

À trente-cinq ans, Louis a épousé Jeanne Maissin. Sans doute a-t-il attendu la promesse de sa promotion au titre de « professeur adjoint » à l'Académie de Saint-Luc pour épouser sa jolie fiancée âgée de vingt-deux ans. Louis Vigée peut se flatter d'avoir déjà une bonne clientèle. Ses parents, Alexandre et Marguerite ont disparu, et le même homme qui l'a tenu sur les fonts baptismaux, Pierre Poissant, sera témoin lors de son mariage. Le frère de Louis, Nicolas-Alexandre, signe aussi le registre. Son talent de sculpteur a été reconnu par l'ambassadeur de Suède et il a œuvré à la décoration du Palais-Royal de Stockholm [11]. À présent, il est domicilié non loin de là, rue Simon-le-Franc.

La bénédiction nuptiale a lieu le 20 juillet 1750 dans la paroisse de la promise, Saint-Gervais-Saint-Protais [12], l'une des plus anciennes églises de la rive droite.

Jeanne loge depuis plusieurs années rue des Écouffes [13], mais elle n'est pas parisienne. Elle est née à Orgeo, un bourg situé dans la province de Luxembourg [14] dans une famille de cinq enfants. Sa mère Catherine Grandjean est décédée, mais Christophe Maissin, son père, est venu de loin afin d'assister aux noces. Il est parti de Rossart, également dans la province du Luxembourg, et loge chez le promis pour quelques jours [15]. Les grands-parents Maissin et Grandjean appartenaient à une famille des environs de Neufchâteau, dans les Vosges. Christophe est « marchand laboureur ». Ces modestes entrepreneurs que sont les laboureurs possèdent quelques arpents de terre et leurs charrues. Souvent, ces notables villageois exercent un métier complémentaire, ils sont huiliers, maîtres de poste, maçons. Christophe Maissin, quant à lui, est également marchand, ce qui le conduit à sortir de sa province.

Le cousin de la mariée, Daniel Pecquerie, qui arbore le titre de bourgeois de Paris [16], habite comme la fiancée rue des Écouffes, il est son premier témoin. Vraisemblablement, les parents de Daniel, alliés aux Maissin, accueillent Jeanne à Paris. Le commerce de Christophe Maissin l'a-t-il conduit, après son veuvage, à confier Jeanne à sa famille ? Les Pecquerie appartiennent à une famille de peintres doreurs et de peintres sur porcelaine [17] et un Noël Pecquerie a été reçu académicien de Saint-Luc vers 1750. Peut-être même est-ce grâce à son cousin Pecquerie que Jeanne a rencontré Louis.

Un autre témoin, maître maçon, Louis Archambault, loge rue Saint-Maur, paroisse Saint-Sulpice, il est désigné comme ami de la mariée.

Trois jours avant la bénédiction nuptiale, le 17 juillet 1750, les fiancés ont apposé leur signature au bas du contrat établi par leur notaire, maître Guesnon [18]. Jeanne signe d'une main tremblée : « Jeanne Messin [19] ». Aucune mention d'une éventuelle profession n'est indiquée sur cet acte ni sur aucun autre [20]. Elle apporte une dot de mille livres tournois en objets mobiliers, un cinquième de la succession de sa mère ; un douaire de deux cents livres tournois de rente viagère et mille cinq cents livres en toilette et en bijoux. Si son apport n'est pas considérable, il se situe dans la moyenne des dots de cette catégorie sociale de maîtres artisans et de petits marchands. Louis Vigée est à la tête de quatorze mille livres en meubles meublants, objets et « deniers comptants ».

Selon l'usage, quelques témoins apposent leurs noms à ce contrat : ils proviennent du milieu de la bourgeoisie d'office. La plupart sont des clients de Louis [21]. Pierre Gaultier est procureur au Parlement [22], Jacques-Olivier Vallée, Étienne-Paul Boucher, Jean-Olivier Boutray, M. Brontier ont titre de « conseillers du Roy ». Le sieur Germain, ancien échevin de Paris, est fournisseur royal, « orfèvre ordinaire du Roy » ; un officier, Jean-Félix Gourdains, est « écuyer colonel de la Garde et de la Ville ». Un seul confrère de Louis, un peintre de l'Académie de Saint-Luc, Tramblin [23], signe le contrat. Les Tramblin forment une dynastie de peintres ornemanistes qui ont participé à la décoration de l'Opéra. La présence des épouses de plusieurs de ces bourgeois indique que la signature sera suivie d'un repas de fête.

Le promis demeure déjà rue Coquillière, adresse qui sera celle des jeunes époux pour un moment. Dans cette rue, d'autres artistes, tel le peintre Lautherbourg, ont leur atelier. Des fournisseurs réputés offrent leur pratique. Les dames peuvent se rendre chez des couturières : Mme Galicien, qui travaille pour la vicomtesse de Castellane, ou Mme Victoire, qui habille Mme de La Rochefoucauld. Chez le rôtisseur Langlois, fournisseur du duc de Penthièvre, les Vigée peuvent acheter de bons plats.

Voilà sept années que Louis a été reçu maître de l'Académie de Saint-Luc. Au début du siècle, en 1705, des peintres, des sculpteurs et des graveurs regroupés en une corporation s'étaient dotés d'une école puis, en 1723 d'une académie. Celle-ci avait établi son siège dans une chapelle portant le nom de Luc, saint patron des peintres et sculpteurs [24]. Certains peintres comme Chardin ou Watteau y avaient fait leurs débuts. Le titre d'académicien de Saint-Luc a permis à Louis de s'émanciper du statut d'artisan pour atteindre celui d'artiste. Il peut ainsi exposer ses tableaux ailleurs que dans son atelier ou dans une échoppe et participer à des salons. Les Salons de l'Académie de Saint-Luc se tiennent au mois de mai dans une salle de l'Arsenal, puis, ils auront lieu à l'hôtel d'Aligre.

La seconde génération d'artistes de Saint-Luc, à laquelle Louis appartient, tente de libérer l'association du système artisanal des corporations, sans parvenir toutefois à concurrencer l'Académie royale de peinture. Louis participe à ce mouvement de manière active en signant une pétition par laquelle les peintres s'opposent à la mainmise par des maîtres artisans sur le bureau de l'académie [25].

Rue Coq-Héron

En 1760, l'année du retour de Lisette, Louis est dans la pleine maîtrise de son art. À quarante-cinq ans, il a accédé au titre de « conseiller » de l'Académie de Saint-Luc. Il jouit d'un certain renom.

Ses modèles se recrutent parmi les acteurs de la Comédie-Française, de l'Opéra, des musiciens du roi, des architectes, tels Blondel et Mansart. Depuis quelque temps, sa clientèle est plus huppée : le marquis de Bonnac, le duc de Nivernais, ambassadeur auprès du Saint-Siège, le peintre Natoire, et Bellot, trésorier de la Monnaie, posent devant son chevalet.

Affable, souriant, Louis a le contact facile, il distrait ses modèles en racontant des anecdotes. Il excelle à peindre les enfants qu'il représente en petit hussard jouant du tambour, ou avec un moulin. Souvent on lui demande des pendants. Des portraits de couples élégants, comme celui qu'il réalise en 1760, de Jean-Marie d'Arbuzon et de son épouse Hélène Geneviève, tenant un loup noir à la main. Robes lacées sur le devant, nœuds et rubans de cou, travestissements mythologiques, les modèles féminins de Louis Vigée sont en harmonie avec les modes de leur temps. S'il ne possède pas la pénétration psychologique à laquelle atteint un maître qu'il vénère, le pastelliste La Tour [26], si ses attitudes paraissent parfois figées, le regard de ses personnages ne manque pas d'intensité, ni de profondeur. Leurs traits reflètent une sérénité qui pourrait être celle de leur peintre. On sait que, de son vivant, plusieurs de ses œuvres furent comparées à celles de La Tour. Et la postérité s'y trompera plusieurs fois. Hommage indirect et flatteur à l'avenant pastelliste.

Après avoir habité rue Coquillière, Louis et Jeanne se sont installés à deux pas, rue Coq-Héron. Cette rue doit son nom à une enseigne ancienne représentant cet oiseau. C'est là que Louise Élisabeth est née et a été baptisée un vendredi 19 avril 1755 à l'église Saint-Eustache. Son parrain Jean-Baptiste Restier est musicien, et sa marraine Louise Doublot est l'épouse d'un maître chirurgien. Dans la rue Coq-Héron sont édifiés quelques beaux hôtels particuliers, dont celui construit pour le fermier général Thoinard de Vougy. La famille de Coigny s'y est installée, sensiblement à la même date. Aimée, future duchesse de Fleury, naît non loin des lieux d'enfance de celle qui sera son amie [27]. Le quartier, proche du Louvre, est également fréquenté par des artistes. Bien plus tard, une autre femme peintre y logera : Anne Vallayer-Coster.

Dans la plupart des familles de marchands et de maîtres artisans, les enfants ne sont pas élevés à la maison mais confiés à des institutions. Après avoir quitté sa bonne nourrice d'Épernon, Louise Élisabeth sera pensionnaire. Ses parents ont cherché une maison religieuse capable de l'accueillir. La fillette n'a pas le temps de s'habituer à sa nouvelle demeure qu'il lui faut déjà repartir.

Le couvent

Munie d'un trousseau, Lisette est conduite au couvent. Dans le quartier aéré du faubourg Saint-Antoine sont établies de nombreuses maisons religieuses, qui reçoivent chacune entre quinze et vingt-cinq élèves. Les bâtiments conventuels des religieuses de La Croix, des Bénédictines de la Madeleine-de-Trenelle et des dames du Bon-Secours se côtoient rue de Charonne, tandis que les Mathurines de la Trinité sont installées rue Basse-de-Reuilly [28]. C'est ce dernier couvent que les parents de Louise Élisabeth ont choisi [29].

Mlle Vigée est parmi les plus jeunes, car la plupart des fillettes qui entrent en pension ont entre six et huit ans. Ses camarades sont des filles de la petite noblesse, des filles de maîtres artisans, de commerçants, de financiers. Dans les bâtiments annexes [30], les religieuses louent des appartements à des dames seules. Elles complètent leurs revenus en vendant des fruits, en cuisinant des gimblettes, ces biscuits en forme d'anneau parfumés à la fleur d'oranger, qui, si on en croit leurs livres de comptes, ont un grand succès [31]. Les sœurs de La Trinité reçoivent gratuitement quelques filles pauvres du quartier, mais elles font payer aux familles plus aisées une pension d'un coût raisonnable, entre deux cent cinquante et trois cents livres par an. Hormis le blanchissage du linge et le couvert d'argent gravé au nom de chaque élève, les sœurs fournissent le nécessaire. Parfois elles font payer un supplément pour procurer un meilleur lit. Le couvent des sœurs Trinitaires est loin d'être aussi élégant que celui de Panthémont fréquenté par les filles de la haute noblesse, où les parents paient de six cents à huit cents livres par an [32].

Dans le récit publié de sa vie, Louise Élisabeth évoque peu ses années de pension. Toutefois ses notes manuscrites révèlent combien elle conserve un mauvais souvenir de ce séjour. Au couvent, la vie quotidienne n'est pas douce pour une enfant de six ans éloignée des siens. Le dortoir n'est pas chauffé. La petite est souvent malade. Les bouillons, les soupes, le pain constituent l'ordinaire des réfectoires. La nourriture n'est ni bonne, ni suffisante [33].

D'un couvent à l'autre, l'emploi du temps est réglé selon le même rythme : levée à six heures, la pensionnaire doit être habillée à sept heures moins le quart pour se rendre à la messe à sept heures. Puis, on sert le déjeuner. Il est suivi dès sept heures trente des exercices collectifs :

ouvrages, couture. Malgré cet apprentissage, Louise Élisabeth avouera n'avoir jamais su tenir l'aiguille convenablement. À dix heures trente, vient le « dîner », repas durant lequel une élève fait la lecture de l'Écriture sainte. Ensuite, vient la première récréation qui dure jusqu'à midi et quart.

Ce moment est le plus agréable de la journée pour Lisette, qui se découvre la « passion du jardinage ». En effet, outre la demeure conventuelle, les religieuses de La Trinité possèdent quelques arpents de terres cultivables, et certaines modes éducatives ont traversé la clôture. Planter, déplanter, tracer des allées amuse Lisette. Plutôt que de jouer avec ses camarades, elle préfère s'occuper de son « coin de terre ».

Puis l'étude reprend jusqu'aux vêpres, suivies du catéchisme. Enfin, une demi-heure d'apprentissage de l'orthographe. Dans certains couvents, on s'occupe individuellement des élèves un quart d'heure par jour afin de les aider à écrire, mais ce n'est pas le cas rue Basse-de-Reuilly. Mme Campan, ancienne femme de chambre de Marie-Antoinette et directrice d'un pensionnat sous le Consulat, déplore que la plupart du temps les filles sortent du couvent sans savoir écrire « deux mots de français ». L'orthographe de Louise Élisabeth prouve ce laisser-aller. Des professeurs extérieurs viennent donner des leçons, à jours fixés. Le maître de dessin, que Lisette n'aime pas parce qu'il est « beau fils », « un vrai faro » habillé à la mode, plaît à ses amies mais elle le déteste. Du haut de ses huit ans, elle juge que ce prétentieux ne sait pas tracer un ovale.

Enfin le souper est donné à cinq heures. Il est suivi d'actions de grâces, puis la dernière récréation précède les prières et le coucher qui a lieu à huit heures. Il s'agit d'apprendre aux filles la soumission et le respect de leurs devoirs [34].

Malgré la régularité de la vie qu'on y mène, l'univers de ce petit couvent est inquiétant. Le prêtre chargé de dire les offices impressionne l'enfant. Sa haute taille et sa robe noire l'effraient : « Je courrais à toutes jambes pour le fuir [35] », écrit-elle. Sa présence austère scande la vie conventuelle. Lorsqu'une religieuse meurt, en attendant le jour des obsèques, le corps entouré de cierges est exposé dans le corridor qui mène au réfectoire [36], et les enfants n'ont pas d'autre choix que de passer devant le cercueil ouvert pour se rendre à table. La nuit, dans le dortoir, une lampe veille, mais lorsqu'elle s'éteint, la fillette imagine que les ombres sur les murs du dortoir sont celles de revenants, et blottie dans son lit, elle meurt de peur.

Pour se rassurer, elle dessine. Dans les marges de ses carnets et sur les cahiers d'une compagne, sur les murs, elle trace de petites têtes au charbon de bois. Les religieuses ont vite fait de trouver la coupable : il suffit de comparer les graffitis avec les croquis de ses cahiers. Malgré elle,

Lisette entraîne sa camarade en pénitence. Les punitions sont fréquentes et le cas de Louise Élisabeth Vigée ne fait pas exception. Éléonore, future comtesse de Sabran, qui sera son amie plus tard, évoque elle aussi la sévérité parfois absurde des sanctions au couvent, privant les enfants de l'activité qu'elles préfèrent [37]. Dans le cas d'Éléonore, du plaisir d'écrire des lettres, dans celui de Louise Élisabeth, de celui de dessiner. Les religieuses ne se trompent pas : elles repèrent ce qui sera le point fort de l'enfant à l'âge adulte.

Les jours de fête où l'on dit la grand-messe, les chants nobles et la mélodie de l'orgue émeuvent la fillette. Elle se cache pour pleurer. Plus jamais, elle ne pourra entendre les orgues sans verser de larmes.

« Tu es née peintre »

Durant les vacances, Lisette partage la vie de ses parents. Depuis 1758, elle a un frère prénommé Étienne. Ce bel enfant est adoré de sa mère. Lisette, elle, a grandi trop vite. Mal nourrie, les yeux enfoncés, les joues maigres, souvent malade, elle voit sa laideur dans les yeux de sa mère. Alors, plutôt que de disputer à Étienne les faveurs maternelles, elle se tourne vers son père qu'elle admire et veut imiter. Elle observe Louis travailler : sa façon spirituelle de faire valoir son modèle, sa bonhomie enjouée, ses gestes.

L'enfant remarque que le papier bleu soigneusement préparé prend bien le pastel. Avec une brosse, Louis enduit un châssis de bois de colle d'amidon, puis il applique une toile qu'il replie vers les bords et qu'il fixe par quelques pointes. Ensuite, il étend la colle sur les bords de la toile et la recouvre avec le papier tendu. Souvent, il mouille ce papier afin de l'assouplir en le tirant par les bords sans le déchirer. En séchant, le papier se rétracte et offre ainsi un support parfait [38]. On vend des bâtons de craie chez les marchands de couleurs, Moreau, rue Saint-Denis ou Serise, rue Greneta [39]. Certains confrères fabriquent leurs craies eux-mêmes, mais l'instabilité des préparations exige du savoir-faire et surtout une main-d'œuvre que seuls les grands ateliers peuvent employer. Louis a une « manière heurtée » et rapide de travailler. De légers coups de crayon signalent la coiffure. Le pastelliste n'impose pas à sa clientèle de nombreuses séances de pose, mais il saisit le masque rapidement, puis « explique » les détails du costume et des dentelles sans les travailler à l'excès.

Lisette attend que les séances de pose soient terminées pour ramasser les papiers tombés et barbouiller avec les couleurs. Son père ne la gronde jamais pour avoir touché les pastels, au contraire il en paraît enchanté [40].

Louis réalise le portrait d'Étienne à trois ans au pastel [41] et, certainement, bien que nous n'en ayons pas de trace formelle, celui de Louise Élisabeth : peut-être, la *Petite fille jouant avec un hamster*, est-ce elle [42].

Louis Vigée, comme beaucoup de ses confrères, tient école. C'est ainsi qu'un soir, il propose à ses élèves de dessiner des têtes d'après un modèle vivant : un homme à barbe. Louise Élisabeth veut s'y essayer aussi, mais les élèves, de jeunes garçons, se moquent d'elle et la bousculent pour prendre les meilleures places. La voilà reléguée derrière leurs larges dos. Sans se décourager, elle tente elle aussi de saisir la ressemblance. La classe terminée, Louis découvre son dessin. Médusé, il s'exclame : « Tu es née peintre mon enfant ou il n'en sera jamais [43] ! » Elle n'a pas encore huit ans [44].

C'est là que se cristallise une vocation. En faisant le récit de cette scène de reconnaissance paternelle Louise Élisabeth inscrit sa destinée dans la lignée des « vies d'artiste » où le talent de l'enfant est récompensé par un regard protecteur. À partir de cette parole prophétique, la fillette rêve son avenir. Ce dessin demeurera pour elle une sorte de fétiche et un souvenir de l'encouragement paternel. Grâce à Jean-Baptiste Pierre Le Brun, son époux, qui en prendra soin durant la Révolution, cette feuille de papier, premier signe de la vocation de sa femme, sera sauvée de la destruction [45].

Des soupers bohèmes

Le soir, Louis reçoit ses amis : des artistes, des gens de lettres, des acteurs. Puisqu'elle n'est là que pour quelques jours, on autorise l'enfant à rester souper. La table des Vigée est généreuse : selon les saisons, le premier service se compose d'un potage aux choux ou aux concombres, accompagné de pâtés de mauviette farcis de chez Delormes, puis un poulet *à la reine* ou un rôti acheté chez Langlois, qui tient boutique rue Coquillière, forme le second service. Pour terminer, on sert le fruit : gâteaux d'amande, compotes et confitures avec une assiette de gaufres [46]. La société que fréquente Louis Vigée est cultivée, mais sans pédanterie. On chante, on se divertit, on commente l'actualité. Avant la fin du repas, on envoie les enfants se coucher. De son lit, Lisette entend les conversations :

> […] quoique je fusse à peine sortie de l'enfance alors, je me rappelle parfaitement la gaieté de ces soupers de mon père. On me faisait quitter la table avant le dessert ; mais de ma chambre j'entendais des rires, des joies, des chansons, auxquels je ne comprenais rien, à vrai dire, et qui pourtant n'en rendaient pas moins mes jours de congé délicieux [47].

Parmi les amis de cette bohème artistique, un confrère de Louis, Pierre Davesne [48], tente d'apprivoiser la gloire par le pinceau et la plume. Il a écrit des livrets, celui d'un opéra-comique, *Nina et Lindor*, celui d'une parodie, *L'Écosseuse*. Admis à la maîtrise de Saint-Luc, Davesne, excellent coloriste, a une clientèle d'officiers et d'acteurs de la Comédie-Italienne [49]. Certains de ses modèles ont un rôle dans ses pièces, telles la jolie Mme Bérard qui joue la Perrette dans sa comédie *Les Jardiniers* [50]. Touchée de son immense gentillesse, Lisette se souvient mot à mot d'une des chansons qu'il fredonnait. Sans doute parce qu'elle y retrouve son prénom...

> Les vers que l'amour me dictait
> Ne répétaient que le nom de Lisette,
> Et Lisette les écoutait.
> Plus d'un baiser payait ma chansonnette.
> Au même prix qui n'eût été poète [51] !

La table des Vigée accueille aussi un poète avec lequel Davesne a collaboré, Antoine Alexandre Poinsinet [52], convive apprécié pour son esprit et sa gaieté. Poinsinet est d'une naïveté confondante. Ce travers l'expose à être victime de supercheries. Diderot, qui aimait les mystifications, ne se prive pas de le railler dans son *Neveu de Rameau*. Mais le crédule poète était aussi l'auteur d'œuvres qui eurent les honneurs des scènes royales, Opéra lyrique, Comédie-Française et Opéra-Comique [53].

Un autre habitué des soupers des Vigée, le peintre d'histoire Doyen [54], membre de l'Académie royale de peinture, ne dédaigne pas ses camarades de Saint-Luc. À table, il est si éloquent que la fillette boit ses paroles : « L'ami intime de mon père, et mon premier ami, écrit-elle, Doyen était le meilleur homme du monde, plein d'esprit et de sagacité ; ses aperçus sur les choses et sur les personnes ont toujours été d'une justesse extrême ; et, de plus, il parlait avec tant de chaleur de la peinture, qu'il me faisait battre le cœur [55]. » Que raconte Doyen pour tenir ainsi son auditoire en haleine ? Son séjour à l'Académie de Rome et sa dévotion pour l'œuvre de Cortone au palais Barberini. Il révèle comment à la vue de la chapelle Sixtine, il s'est senti comme frappé par la foudre. Il a, dit-il, copié presque toutes les coupoles de Rome. Et à Parme, il est tombé sous le charme du Corrège. À l'époque où Louise Élisabeth assiste à ces soupers, Doyen travaille à la fresque de *Sainte Geneviève des Ardents* pour l'église Saint-Roch, une œuvre lyrique et forte. Cet homme érudit, étourdissant et doué pour l'amitié fréquente des littérateurs comme Diderot et Ducis, des artistes tels Vernet, Pigalle et Chardin, mais son ami intime est l'astronome Bailly. Une sympathie se crée entre la fillette et l'ami de son père.

Lorsque Louis ne reçoit pas à souper chez lui, il rencontre ses amis à l'extérieur. Sans doute cet homme curieux s'est-il approché du salon de

Mme Geoffrin, dont il a réalisé le portrait[56], et qui reçoit le lundi les artistes. Peut-être a-t-il même fréquenté la demeure ouverte du fermier général La Poupelinière, mécène dont il fit un portrait au gilet richement brodé. À l'occasion, il partage des repas avec les amis de Diderot. Ce dernier a été voisin et ami de Johann Georg Wille, le graveur qui, en 1750, a popularisé l'effigie du mathématicien Bernard Belidor réalisée par Louis[57].

Cependant Louis Vigée est un homme politiquement prudent, un modéré. Une anecdote le montre. Un après-midi, il rentre d'un repas pris en compagnie de ceux qu'on nomme « les philosophes », d'Alembert, Helvétius et Diderot, complètement bouleversé. Son épouse le sent si troublé qu'elle l'interroge. « Tu vois bien le monde comme ça », lui répond-il, et accompagnant la parole du geste, il ouvre la paume de sa main vers le haut. « Plus tard, tu le verras comme ça en retournant sa main[58] » vers le bas. Belle intuition des renversements à avenir. Autre parole prémonitoire dont Jeanne rappellera le souvenir à sa fille en 1789.

La clientèle de Louis s'accroît de jour en jour. Le pastelliste expose au Salon de 1764 le portrait du lieutenant de police de Louis XV, M. de Sartine, de son épouse et de leur fils[59]. Louis profite du furieux essor de la peinture de portrait en ce milieu du siècle. Un journal épingle malicieusement cette mode : « Tout le monde se fait tirer [le portrait] aujourd'hui, sans en excepter le dentiste, le limonadier et le tailleur. Ces derniers, non contents de ce ridicule ont encore la fureur d'être étalés dans un salon de peinture[60]. »

Le succès de Louis est tel que la famille, à l'étroit dans le logis de la rue Coq-Héron, déménage dans un appartement situé rue de Cléry. Louis et Jeanne y ont chacun un domestique à leur service[61]. Les cachets du peintre lui permettent alors de vivre avec une certaine aisance, car la pingrerie n'est pas son fort. Jeanne aime la toilette. Elle possède quelques discrets bijoux : à sa belle main, une bague d'aigue-marine sertie de quatorze petits brillants, une autre sertie de diamants roses, aux oreilles des boucles de diamants assorties, en forme de fleurs. Nombreuses sont ses jupes de taffetas. Ses tiroirs sont remplis de manchettes à trois rangs de dentelles[62].

Louis arbore des jabots de mousseline et des vestes de drap ornées d'un fin galon. Lorsqu'il sort en ville, tel un gentilhomme, il porte perruque. Il aime être admiré des jolies grisettes. Louise Élisabeth a tout lieu d'être fière de l'élégance de ses parents.

Une année heureuse

Au printemps 1766, à onze ans, Lisette fait sa première communion, un rite de passage à l'adolescence. On considère qu'à cet âge l'éducation d'une fille est achevée. Pour Louise Élisabeth, la célébration est doublement importante car ses parents décident de la retirer du couvent et de la garder avec eux. Elle sera restée presque six années à l'internat ; c'est un peu plus que la moyenne des séjours effectués par les filles de ce temps dans les couvents.

Le logement de la rue de Cléry, s'il n'atteint pas le luxe des appartements aristocratiques, est confortable et meublé avec goût. Un tapissier a posé des voilages de coton blanc encadrés d'indienne pour filtrer le jour [63].

Dans une antichambre à plusieurs fenêtres qui sert de salle à manger, les convives se rafraîchissent avant les repas grâce à une fontaine à laver les mains. La pièce est suffisamment pourvue de chaises. Dans le buffet à la tablette de marbre de Languedoc brillent quatorze couverts complets et des gobelets, signe d'aisance, tous d'argent au poinçon de Paris. En revanche la vaisselle est de faïence blanche et de verrerie. Des rideaux de toile cirée d'Allemagne, à fleurs sur fond gris, protègent l'intimité des soupers. Des candélabres d'argent éclairent la table. La chère est toujours généreuse, simple et bonne.

L'après-midi, Jeanne reçoit dans la salle de compagnie. Au plafond un lustre de cristal de Bohème illumine la pièce. Une pendule de porcelaine ancienne, en forme d'éléphant, retient l'attention des enfants. Une statue de bacchante en terre cuite, deux pagodes d'ancienne porcelaine, une figurine représentant un violoncelliste complètent cet ensemble précieux [64]. Sur les murs de ce salon sont placés trois petits tableaux à l'huile « dans le goût de Watteau », l'un figure une *Jeune mariée de village*. Ces peintures dont Lisette admire la délicatesse sont l'œuvre de son père : elle conservera l'un d'eux jusqu'à son dernier jour. Étienne en possédera un autre [65]. De sa propre production Louis expose le meilleur : le jeune *Carlin*, déjà accroché rue Coq-Héron, et un *Scapin*, protégés par un verre et encadrés d'une bordure dorée. Ces personnages voisinent avec des copies au pastel de Van Dyck et de Rubens.

Louis Vigée a constitué une petite collection : des peintures sur cuivre, des portraits flamands sur bois, quelques paysages, un peintre à l'atelier, des portraits. Deux tableaux, dont l'un met en scène un *Souper chez Le Moyne*, évoquent des scènes de genre. Quatre autres tableaux peints sur panneaux de bois, dont deux flamands représentant une ruine et un paysage, témoignent de l'intérêt de Louis pour les peintres du Nord. Une scène biblique figurant *Le Bon Samaritain* est le seul tableau dont la connotation est religieuse. Un perroquet, peint sur panneau de bois, entouré de fruits colorés, vient jeter une note vive dans cet ensemble harmonieux.

Parfois, Jeanne déplie une « table de quadrille marquetée en damier » pour jouer aux échecs ou aux dames. Afin de servir ses hôtes installés sur

les fauteuils de velours d'Utrecht, Louis prend des gobelets dans un cabaret de bois verni et des liqueurs dans une petite cave de marbre. Pour
adoucir les boissons, un sucrier circule parmi les invités ; le sucre est une
denrée coûteuse encore. Afin de purifier l'air des odeurs de tabac, on se
sert de deux pots-pourris en rocaille de porcelaine de Chantilly.

On déploie des paravents de taffetas émeraude qui rappellent le vert
d'Angleterre des rideaux, pour isoler des joueurs de piquet, se protéger
des courants d'air, ou pour cloisonner ce vaste espace car Louis reçoit sa
clientèle de qualité dans cette pièce. Sur le côté de la cheminée, en effet,
une porte vitrée voilée d'une tenture verte ouvre sur un cabinet. C'est là
que le peintre range ses pastels et ses crayons dans un corps de meuble à
tiroirs. Chaque jour il choisit ses pastels et les place dans une boîte recouverte de cuir, qu'il pose à côté de lui pour travailler. Le soir, cette boîte
revient à sa place avec le chevalet dans la pièce vitrée. C'est là aussi que
se trouve la bibliothèque familiale, une quarantaine d'ouvrages de religion : probablement des vies des saints, des sermons et livres de conduite
dont la piété de Jeanne se nourrit.

Dans la chambre des parents, sont accomplis des gestes d'une vie
plus privée. Sur le secrétaire et la table à écrire, on peut faire des
comptes et rédiger des lettres. Une toilette à dessus de marbre enferme,
dans ses tiroirs, des pots de faïence remplis de pâtes d'amandes douces.
Jeanne prend soin de sa peau claire de Lorraine avec des pommades au
miel et à la vanille [66]. Un chiffonnier de noyer renferme des garnitures
de dentelles de Valenciennes, des mitaines, de nombreux gants. Peut-
être Jeanne les a-t-elle achetés chez les frères Benoist, *À la toilette de la
Reine*, rue Coquillère ou *À l'Oranger*, rue du Four. Dans les encoi-
gnures sont rangés les habits. Tous les meubles sont de hêtre ou chêne,
sans aucun bois précieux, cependant le velours bleu d'Utrecht des
sièges, la moire bleue des rideaux d'alcôve témoignent d'un souci de
l'harmonie des teintes. Des instruments de musique anciens, musette
relevée d'argent et vielle, peuvent avoir servi d'accessoires pour des portraits. Louis place son tabac fin dans des pots de porcelaine chinoise
garnis de cuivre. Aux murs une dizaine de tableaux et estampes de différents maîtres.

Une chambre plus modeste, mais avec une belle fenêtre, se situe en
enfilade de la salle de compagnie. S'agit-il de celle que se partagent les
enfants ? Ici, on trouve un lit de sangle et une alcôve fermée de rideaux
vert et blanc. Toute sa vie Louise Élisabeth appréciera les tentures vertes,
couleur qui – dit-elle – repose sa vue [67].

La famille Vigée apprécie les plaisirs de la vie quotidienne et, dans ce
cadre raffiné, la petite se sent heureuse. Étienne, toujours turbulent, est

maintenant inscrit au collège Sainte-Barbe, l'un des plus anciens collèges de Paris. Alors que le collège Louis-le-Grand est réservé à l'aristocratie ou à la robe, cet établissement est fréquenté par des fils d'officiers, de parlementaires, de maîtres artisans et commerçants et d'une frange de petite noblesse. On fait de bonnes études à Sainte-Barbe. Parmi les condisciples d'Étienne, Nicolas Corvisart qui deviendra un habile médecin, et François Chauveau-Lagarde, futur avocat de la sœur de Louis XVI, Madame Élisabeth. Étienne rentre le soir après l'étude. Lisette lit les livres d'histoire qu'il rapporte, et dérobe ainsi un peu de ce savoir réservé aux garçons.

Souvent le frère et la sœur se chamaillent [68]. Lisette remarque que leur mère donne raison à Étienne : Jeanne protège son cadet, « beau comme un ange ». Mais Lisette est proche de son père : il l'emmène à la Comédie-Italienne où Carlin, dont il a fait le portrait, triomphe dans des pièces de Goldoni. Louis Vigée, comme son œuvre en témoigne, aime l'animation de la vie parisienne, les spectacles de la foire. Il conduit aussi ses enfants à l'Opéra-Comique ; il connaît les danseurs dont il a fait les portraits [69]. Sans doute est-ce de cette époque qu'il faut dater le goût de Louise Élisabeth pour le théâtre à ariettes et l'opéra. De ces quelques sorties, elle conservera un souvenir ému.

Si Louis n'est pas propriétaire de l'appartement de la rue de Cléry, il a acquis en 1761, au moyen d'un emprunt, une maison de campagne au village de Neuilly [70].

L'été, la famille cherche à fuir la rue de Cléry. Des ateliers, des échoppes occupent les rez-de-chaussée des immeubles et des cours. Les marteaux claquent, les ouvriers s'interpellent. Louise Élisabeth se souviendra longtemps des coups frappés à l'enclume d'un serrurier, la réveillant au point du jour, ou encore du bruit de la poulie résonnant à l'aube dans la courette sur laquelle donne sa chambre à coucher [71]. La famille Vigée va se rafraîchir près de la Seine lors des fortes chaleurs. Louis possède un cabriolet et un cheval. L'équipage est bien suffisant pour emmener quatre personnes jusqu'au pont de Neuilly à côté duquel se situe le modeste domaine.

Close par une grille de fer et entourée de murs, la demeure est proche d'un bras de rivière. Sans être une maison de maître, elle est bien distribuée [72]. Lorsque Louis Vigée l'acquiert, elle comporte un ameublement sommaire. Aux fenêtres, les rideaux de toile de coton blanc bordés d'indienne voilent la lumière des coteaux de la Seine. Les meubles sont de bois ordinaire, commodes de noyer sans ornement de cuivre, tables de nuit et chaises robustes, quelques fauteuils. Dans les buffets est rangée la vaisselle de faïence, il n'y a aucune pièce d'argenterie.

Dans le jardin, une quantité de fauteuils de paille cannés permet de recevoir les voisins au frais. Des vases de faïence pourvus de fleurs en pot garnissent le perron. Jeanne et Louise Élisabeth mettent des chapeaux de paille garnis de ruban afin de ne pas gâter leur teint. Une vie douce s'écoule pour la fillette qui oublie peu à peu la tristesse et le malheur du couvent.

Louis est décidé à cultiver les dons de la petite. Connaissant le savoir-faire de son ami Davesne, il l'envoie passer quelques matinées à son atelier rue Montmartre, dans l'hôtel Charost. Lisette y apprend à charger une palette. En effet, *L'Almanach des artistes* note que Davesne « connaît très bien le choix et l'application des couleurs [73] ». On accorde à ses portraits de « la ressemblance, le grand effet, et la correction du dessin ». Son morceau de réception à l'Académie de Saint-Luc, représentant Diane accompagnée d'Endymion, a été bien reçu [74].

Lorsqu'elle n'a pas terminé son travail à l'heure du repas, la fillette est invitée à se mettre à table avec son professeur, mais elle s'étonne de la frugalité de la chère : une soupe et des pommes cuites sur le poêle. Davesne peine à nourrir convenablement sa famille. Sans doute sa renommée ne lui permet-elle pas d'exiger des cachets équivalents à ceux de Louis Vigée. Lorsqu'il deviendra à son tour « adjoint à professeur », sa clientèle s'étoffera, et il exposera les portraits de personnes de qualité, comme ceux du comte et la comtesse de La Tour d'Auvergne.

Cependant, l'année 1767 commence par de nouveaux conflits au sein de la turbulente Académie de Saint-Luc. Les différents corps d'artisans, doreurs, peintres laqueurs ou sur carrosses, qui n'ont pas mêmes préoccupations que les peintres de portrait ou de paysage, tentent de prendre le pouvoir dans la corporation. Cette fois, Louis se tient en retrait ; il ne signe pas les pétitions qui circulent. À cinquante-deux ans, retiré de l'enseignement, il travaille encore beaucoup, mais il n'a pas exposé au Salon de Saint-Luc depuis trois ans. Nul n'en connaît la raison. Juge-t-il qu'il n'a plus besoin d'élargir une clientèle déjà importante ? Sa confiance en une institution en crise est-elle entamée ?

« Soyez heureux mes enfants »

Au mois de mars de la même année, lors d'un repas, Louis goûte à un plat de poisson. Soudain il tousse, il s'étrangle. Jeanne s'empresse auprès de lui. Une arête s'est plantée dans sa gorge. Vite, manger de la mie de pain, boire un verre d'eau. Rien n'y fait. Impossible de l'enlever. La vie bascule.

On appelle un médecin qui loge rue des Poulies, un des chirurgiens les plus habiles de Paris, Jean Baseilhac, dit frère Cosme. Ce spécialiste, qui descend d'une illustre famille de chirurgiens, a fondé un hôpital, près de la porte Saint-Honoré, où il opère les calculs. Frère Cosme a mis au point des instruments nouveaux pour faciliter les interventions. Hélas, son savoir-faire et son dévouement échouent à sauver le peintre. L'opération entraîne une infection impossible à juguler. En deux mois à peine, Louis Vigée est emporté.

Louise Élisabeth n'oubliera jamais le moment qui mit fin à son insouciance : « Ma mère pleurait jour et nuit, et je n'essayerai pas de vous peindre ma désolation : j'allais perdre le meilleur des pères, mon appui, mon guide, celui dont l'indulgence encourageait mes premiers essais [75] ! »

Au mur de la chambre un grand christ de bronze sur sa croix de bois noir veille le malade [76]. Louise Élisabeth vient d'avoir douze ans, Étienne en a neuf. À la demande de Louis, les enfants s'approchent du lit en sanglotant : « Nous prîmes sa main glacée, et nous la couvrîmes de baisers en l'arrosant de larmes. Il fit un effort, se souleva pour nous donner sa bénédiction : Soyez heureux, mes enfants, dit-il [77] ».

Tel fut le dernier mot de ce père, qui fut la bienveillance et la générosité mêmes. Désormais Jeanne, Lisette et Étienne sont seuls.

On pose les scellés. Jeanne attend le notaire. Mais elle connaît les comptes. La maison de Neuilly n'est pas entièrement soldée. Les enfants disposent de petites rentes, provenant probablement de la conversion du paiement d'un tableau. Lorsqu'un débiteur ne réglait pas en argent comptant, il pouvait proposer, à la place, de céder une rente. Louis avait placé ces deux maigres pensions sur la tête de ses enfants. Jeanne dispose en son nom de deux cents livres annuelles de rente viagère. C'est bien peu pour vivre.

Une année de pension au collège coûte au moins cinq cents livres. Il faut trouver moyen de s'acquitter de la pension d'Étienne ou se résoudre à le retirer du collège Sainte-Barbe. Ce n'est pas Nicolas-Alexandre Vigée, frère de Louis, nommé tuteur des enfants, qui pourra subvenir aux besoins de trois personnes supplémentaires avec ses gains de sculpteur.

Une fois réglés les honoraires du médecin et les frais d'obsèques, il reste à Jeanne cent vingt livres. Pas de quoi aller bien loin. Malgré sa belle clientèle, Louis Vigée ne s'est pas enrichi ; « Il dépensait avec facilité [78] », se souvient sa fille. Au moins, il ne laisse pas de dettes [79]. Jeanne vend ce qui a le plus de prix, le cabriolet et le cheval, dont la valeur équivaut au prix d'une berline aujourd'hui. Sagement, afin de pouvoir en honorer l'emprunt, elle met la maison de Neuilly en location [80].

Très vite, cependant, un homme apparaît. Sans doute est-il déjà connu du couple Vigée car il est présent lors de la mort de Louis et signe comme témoin l'acte de notoriété qui suit le décès. Marchand orfèvre de son état, il se nomme Jacques François Le Sèvre, il est âgé de quarante-trois ans. Dans sa jeunesse il a fréquenté le quartier des Vigée puisque son maître d'apprentissage logeait rue de la Fromagerie [81]. C'est un familier de la maison. Jeanne, éperdue, accepte de l'aide, les conseils des uns et des autres et ceux de Le Sèvre. Est-ce grâce à lui qu'elle revend rapidement les chandeliers d'argent « au poinçon de Paris » qui éclairaient la table de la famille Vigée ?

À trente-neuf ans, Jeanne est belle : le teint clair et lumineux, le nez fin, la chevelure blonde relevée en chignon bouclé. Un léger embonpoint lui donne de l'allure. Lorsqu'elle se promène avec sa fille aux Tuileries, on s'intéresse à elle aussi bien qu'à la jeune fille dont la beauté commence à s'épanouir.

2

DEVENIR PEINTRE

> « C'est à cette divine passion que je dois les encourage-
> ments que l'on n'a pas cessé de m'accorder durant ma
> grande jeunesse [1]. »
>
> Louise Élisabeth VIGÉE LE BRUN.

Depuis le 9 mai 1767, Louise Élisabeth demeure prostrée. Nombreuses sont les visites [2], mais seules celles de Doyen la tirent de son
désespoir. Celui-ci l'engage à reprendre crayons et pinceaux, unique
moyen pour elle de sortir de sa peine. Et de gagner sa vie. Car à la douleur s'ajoute l'insécurité matérielle. Fidèle à la mémoire de son ami,
Doyen encourage la jeune fille en achetant ses premiers dessins, « ou en [fait]
le semblant [3] ». Les quelques sous qu'il lui donne, se souviendra-t-elle,
réchauffaient plus son cœur que les cachets magnifiques qu'elle touchera
plus tard [4]. « Il voulait me persuader que mes dessins étaient dignes de
lui », se souviendra-t-elle. Doyen, qu'elle retrouvera en Russie [5], restera la
figure tutélaire de son enfance. C'est grâce à lui qu'elle se met au travail.

La fréquentation des maîtres : les collections

Voyant le désespoir de sa fille, Jeanne lui donne à voir ce qu'elle préfère : de la peinture. Accompagnée de sa mère, la jeune fille visite les plus
grandes collections privées. À une époque où il n'existe pas de collection
publique constituée, la plupart des galeries sont ouvertes au public à jour
fixé. Ainsi peut-on librement entrer au palais du Luxembourg, alors propriété des Orléans [6], le mercredi et le samedi. La reine Marie de Médicis
avait fait orner à sa gloire la galerie par Rubens. Vingt et un tableaux
représentaient l'image que Marie souhaitait transmettre à la postérité,
celle d'une « femme forte [7] ». De cette première visite date l'engouement

de Louise Élisabeth pour le maître d'Anvers et peut-être sa fascination pour les femmes de pouvoir.

Puis, elle découvre la galerie de Randon de Boisset, riche en tableaux flamands et français [8]. Le fermier général avait constitué cette collection au cours de ses voyages en Italie et dans les Flandres et avait bénéficié des conseils de Boucher, de Greuze, et du marchand Pierre Rémy. Parmi ses trésors, un tableau de Véronèse, quatre de Rubens, quatre paysages de Brueghel de Velours [9], quatre œuvres de Rembrandt, dont *Le Philosophe en méditation* et *Les Pèlerins d'Emmaüs*. Les tableaux de Watteau, *La Sérénade italienne* et *La Fête vénitienne* côtoient ceux de Van Loo. Dix-neuf toiles de Boucher, et quatorze de Greuze, six tableaux de Joseph Vernet compléteront progressivement cette collection. Dans l'œuvre de Greuze, avec qui les premiers critiques lui trouveront une parenté, la jeune artiste observe les demi-tons, dont elle retrouve la finesse chez Van Dyck. Comment ne pas être étourdie en pénétrant dans cette galerie où ne se trouve que le meilleur ? Louise Élisabeth Vigée va de l'une à l'autre toile, remplissant ses yeux de ces merveilles, en pleine euphorie, butinant chez les maîtres anciens et contemporains les fragments de sa technique future, « telle l'abeille [10] ».

Les collections du duc de Praslin [11] et du marquis de Lévis [12], celle de Harenc de Presle [13], rue du Sentier, bien pourvue en tableaux de maîtres italiens, fournissent à la jeune fille d'autres occasions d'apprécier les œuvres. Mais « aucune ne pouvait se comparer à celle du Palais-Royal constituée par le régent, et dans laquelle se trouvaient tant de chefs-d'œuvre des grands maîtres de l'Italie [14] ». Dans la galerie à la lanterne sont placés une *Sainte Famille* du Corrège, un portrait de Titien par lui-même, six frises de Jules Romain. Dans la petite galerie, sont rassemblés les tableaux de l'école flamande. Sans doute est-ce à cette époque qu'elle découvre celui qui deviendra son maître favori, Raphaël. Louise Élisabeth détaille du regard les dégradés de lumière sur les parties saillantes des visages réalisés par le « divin maître ». Dès ce moment, elle copie deux têtes de Van Dyck, trois de Rubens, un enfant de Raphaël et étudie quelques têtes de Greuze [15]. N'est-il pas de meilleure école pour un débutant que l'imitation ? À partir d'observation puis d'emprunts, la jeune fille élabore le miel d'une œuvre personnelle et, de jour en jour, progresse.

Les premières leçons et l'amitié de Rosalie

Louise Élisabeth s'exerce au portrait « d'après la bosse [16] », et d'après nature, en prenant pour modèle les membres de sa famille, et même la domestique qui vient aider à la maison [17].

Bientôt, elle a une amie de cœur, Rosalie Boquet [18], dont le père, Blaise Louis Boquet, est peintre éventailliste et tient boutique rue Saint-Denis, face à la rue de la Truanderie. L'oncle de Rosalie, Louis René, peintre costumier pour l'Opéra royal, porte le titre de « peintre et dessinateur des Menus Plaisirs ». Sous la houlette de la mère de Rosalie [19], Marie-Rose, les deux amies s'entraînent le soir « à la lampe ». Parfois, elles dessinent d'après « le modèle drapé [20] ». Marie-Rose avait exposé au Salon de l'Académie de Saint-Luc de 1751 des portraits en miniature [21], mais on ignore quelle était son activité principale. Réalisait-elle pour le commerce de son époux des figures sur éventails ? Jusqu'à quel point la finesse d'exécution propre aux miniaturistes, qui se retrouve dans la peinture de la fille de Marie-Rose, a-t-elle pu également infuser l'œuvre de Mlle Vigée ? Le double portrait, dit « des enfants de la baronne d'Esthal », ou encore le visage mignard de la petite fille au panier pourrait y faire songer [22].

Les jeunes filles au XVIIIᵉ siècle n'ont pas accès à l'enseignement des classes d'académies où s'étudie l'anatomie, il leur faut trouver un autre moyen de se renforcer. Rosalie et Élisabeth Louise fréquentent l'atelier de Gabriel Briard, autrefois compagnon de Doyen à Rome [23]. Elles traversent les jardins du Louvre pour se rendre à l'atelier. On admire leur jeune beauté. Rosalie offre à son amie une tabatière afin qu'elle mette en valeur son joli nez. Les fillettes font semblant de priser [24]. Les rires de la jeunesse sont de retour et Louise Élisabeth et ses amies se livrent au plaisir de garnir leur panier de déjeuner chez le concierge du Louvre d'un succulent bœuf mode. Ces trajets sont l'occasion de vérifier le pouvoir de leur séduction naissante. Mais Louise Élisabeth ne paraît pas avoir le cœur à se laisser conter fleurette comme Rosalie.

D'autres jeunes filles prennent des leçons. L'élégante Marie Louise Semen de Brémond, fille de planteurs de Saint-Domingue, dont Mlle Vigée fera un délicat portrait [25], fréquente aussi l'atelier de Briard.

Gabriel Briard a obtenu le prix de Rome et on loue l'exactitude de son dessin. Cet ancien élève de Natoire et de Van Loo, peintre de plafond réputé, a gagné ses galons avec la réalisation d'un sujet difficile, *Le Passage des âmes du purgatoire au ciel* pour une chapelle de l'église Sainte-Marguerite. Son *Olympe assemblée* ornant le plafond de la salle du banquet royal à Versailles et ses *Noces de Psyché* commandées pour l'Opéra font preuve de sa maîtrise de la composition et « de l'agencement des figures [26] ». Vers 1771, vraisemblablement l'époque à laquelle la jeune fille fréquente son atelier, il est un artiste suffisamment à la mode pour que Mme Du Barry le sollicite : il a décoré le plafond du pavillon construit par Ledoux dans le parc du château de Louveciennes où Louis XV aimait venir se délasser [27].

Briard ouvre son atelier « à ceux qui privés des moyens d'apprendre, [ont] reçu de la nature d'heureuses dispositions [28] ». Ainsi prête-t-il aux deux jeunes filles ses modèles de figures académiques, dont certains ont été gravés, et des plâtres. Briard, dit-on encore, « avait une grande connaissance des maîtres des différentes écoles, et c'était un guide sûr d'après lequel on ne pouvait point s'égarer [29] », quoique ses contemporains lui aient reproché son trop d'indulgence. Toutefois, il vaut mieux que le jugement de « peintre médiocre » que Mme Le Brun formule à son égard. Le type de peinture qu'il pratique ne peut se faire valoir de même façon que la peinture de chevalet. Discret sans doute, médiocre sûrement pas, il semble que Louise Élisabeth ait été trop jeune pour apprécier le mérite de Briard.

Une chose est certaine, la fréquentation sporadique de cet atelier n'a pas permis de compenser le défaut de connaissances anatomiques que les commentateurs du Salon de peinture reprocheront plus tard à Mme Le Brun. Briard disparaîtra à cinquante-deux ans en 1777, trop tôt pour pouvoir féliciter Mlle Vigée de ses succès.

C'est de cette époque d'apprentissage qu'est daté le portrait d'Étienne en écolier où la jeune artiste saisit la vivacité du regard sombre de son cadet [30]. Sans doute la jeune fille s'est-elle inspirée du motif du jeune élève popularisé par Drouais [31]. Mais elle a pu connaître un tableau de son père reprenant le même motif, et réalisé avant sa naissance [32]. Étienne tient sous le bras un carton d'où dépasse une feuille, dans la main droite il serre un porte-mine [33]. Un autre de ses portraits dans un ovale, celui de Jeanne, en pelisse blanche, fait, dit-elle, grand bruit dans Paris. Elle n'aurait que treize ans et demi [34].

Sur la réputation de ces premiers essais, quelques clients viennent lui passer commande.

Vernet et l'école de la nature

Un autre ami proche de Louis Vigée, Joseph Vernet [35], n'oublie pas la famille de son ami défunt. À son tour, il donne des conseils à la jeune artiste :

> Mon enfant, me disait-il, ne suivez aucun système d'école. Consultez seulement les œuvres des grands maîtres de l'Italie, ainsi que celles des maîtres flamands ; mais surtout faites le plus que vous pourrez d'après nature : la nature est le premier de tous les maîtres. Si vous étudiez avec soin, cela vous empêchera de prendre aucune manière [36].

La notion de *manière* évoquée par le peintre des *Ports français* peut être entendue de multiples façons au XVIIIe siècle. L'une est positive : la

manière est une façon de faire, un je-ne-sais-quoi qui permet de reconnaître les ouvrages d'un peintre. L'autre est négative. On dit alors « tomber dans la manière », c'est-à-dire dans le systématique. Le peintre se
copie lui-même, dans ses airs de tête, dans ses formules, ce qui devient
un défaut [37]. Le danger qui guette l'artiste est d'appliquer les procédés
qui lui ont réussi.

Louise Élisabeth Vigée n'appartient à aucun atelier en particulier, et
comme Joseph Vernet le lui avait conseillé, elle évite tout « système
d'école ». « Je n'ai jamais eu de maître proprement dit [38] », affirme-t-elle.
Elle va de l'un à l'autre, s'imprégnant si bien de la technique de son
maître qu'on confond parfois sa copie avec l'original. Certaines de ses
copies de Vernet, confiera-t-elle dans ses notes, ont été vendues comme
des originaux [39].

Le débat autour de la notion de manière est important dans la critique
picturale au XVIIIe siècle. Le terme devient si péjoratif que Diderot, pour
caractériser la touche de Chardin, se corrige ainsi : « Il n'a point de
manière, je me trompe, il a la sienne. » Afin de caractériser un artiste qui
a du style, on se sert de la notion de *faire*, qui n'est pas péjorative [40].

Roger de Piles, conseiller de l'Académie royale de peinture, considérait
que cette étape était inévitable dans l'évolution d'un artiste : un peintre
disposerait successivement de trois *manières*. Premièrement, il acquiert
des techniques et engrange des archétypes sous l'influence d'un maître ;
deuxièmement, il accède à l'épanouissement de ses moyens personnels et
conquiert son inventivité ; enfin, il adopte une *manière* qui s'approche
du procédé « parce qu'un peintre après avoir longtemps étudié d'après la
nature veut jouir, sans la consulter davantage, de l'habitude qu'il s'en est
faite [41] ». La formation artistique de Mlle Vigée ne reflète pas le parcours
décrit par Roger de Piles. Le peintre Jean Gigoux rapporte que l'artiste
lui « conta qu'elle n'avait jamais eu d'autres maîtres que l'instinct [42] ».
Louise Élisabeth a conscience de prendre ici et là ce qui lui convient. En
ce sens la métaphore de « l'abeille », quoique banale, est éclairante. Elle
fait l'économie du stade d'émancipation. Il est plus difficile, en revanche,
d'affirmer qu'elle échappera aux formules, surtout dans ses moments de
grande productivité.

Vernet ne se contente pas de conseiller la jeune artiste, il joue aussi
le rôle d'intermédiaire entre la jeune fille et des collectionneurs étrangers, tel le duc de Deux-Ponts [43]. Bientôt grâce à ses premiers cachets,
elle peut régler la pension de son jeune frère. Mais même ajoutés à la
rente de Jeanne, ces cachets ne peuvent faire vivre la maisonnée. C'est
à cette époque que Louise Élisabeth Vigée acquiert un précoce sens
des responsabilités vis-à-vis d'une mère et d'un frère qu'elle cherche à
protéger.

Jeanne se remarie

À la fin de l'année 1767, Jeanne Maissin accepte l'offre de mariage de
Jacques François Le Sèvre. Malgré sa rapidité, moins de neuf mois après
le décès de Louis, ce remariage n'est pas un caprice : Jeanne pressent qu'elle
ne pourra faire vivre ses enfants sur le pied auquel ils sont habitués.

Malgré les apparences, Jacques François Le Sèvre n'appartient pas au
même monde que Louis. Un marchand orfèvre n'a rien d'un artiste.
Jacques François a vu le jour à Seyssel-en-Bugey dans le diocèse de
Genève. Sa mère, Anne Marguerite Deubler, est sans doute genevoise.
L'enfant a reçu les prénoms de son père, dans un ordre inversé ; en effet,
il est le fils de François Jacques Le Sèvre, un officier qui a obtenu les
droits de bourgeoisie de Paris [44]. À seize ans, Jacques François a été placé
en apprentissage chez le maître marchand orfèvre Henry Cain, rue de la
Fromagerie. Son père a paraphé pour lui au bas d'un contrat de huit
années, qui précise qu'il sera nourri, chauffé, éclairé et son gros linge
blanchi, moyennant six cents livres annuelles.

Henry Cain n'est autre que le père de l'acteur Henry Louis Cain,
célèbre sous le nom de Lekain [45]. Durant trois ans, Jacques François
Le Sèvre a pu côtoyer le jeune Henry Louis qui sortait du collège. Chez
Cain, Le Sèvre a appris la fabrication de pièces d'orfèvrerie, mais peut-
être aussi celle d'instruments chirurgicaux, spécialité de l'atelier. Comme
les jeunes apprentis de sa génération, Jacques François a subi l'autorité
d'un maître dont il était totalement dépendant [46]. Il a travaillé dur pour
acquérir sa propre boutique d'orfèvrerie rue Saint-Honoré et, comme
beaucoup d'artisans, il a attendu la quarantaine pour se marier.

Dans les premiers temps, mère et fille espèrent de cette union une vie
plus facile. Louise Élisabeth réalise même le portrait de son beau-père
vêtu d'une robe de chambre de satin luxueuse, tenant à la main la loupe
qui permet de lire les poinçons. Ce portrait en robe de chambre fut longtemps pris pour celui du directeur de l'*Encyclopédie* [47], Diderot, qui
posait volontiers dans cette tenue.

Hélas, Le Sèvre n'est pas aussi fortuné que l'escomptait Jeanne. S'il
possède quarante mille livres en marchandises, objets et meubles – soit
presque le triple de ce que possédait Louis le jour de ses noces –, s'il
réside près de sa boutique rue Saint-Honoré, la vie qui attend Lisette n'a
rien à voir avec celle qui était la sienne dans le clair appartement de la
rue de Cléry. Bien que situé face aux jardins du Palais-Royal, le logement
manque d'air, il est bruyant. La pièce qui lui sert d'atelier donne sur le
marché de la place du Palais. La nuit, durant la saison des bals, elle
entend les équipages se mettre en train à grand renfort de cris [48]. De
plus, elle n'a pas de chambre personnelle et dort sur une couchette dans

la chambre de sa mère. Dans ce quartier animé, à côté du magasin de l'orfèvre, sont établies des marchandes de modes. Rose Bertin tient boutique à l'enseigne du *Grand Mogol*, Mme Dubois à l'enseigne du *Dauphin* et Sainteré *Au Trait galant*. Des marchands de galons, de soie, de manchettes, de garnitures, de bijoux entourent la boutique de l'orfèvre.

En se mariant avec Jeanne, Jacques François Le Sèvre considère qu'il peut s'approprier les vêtements du défunt. Sans doute est-il plus petit que Louis, car il les porte, sans les faire ajuster à sa taille. Louise Élisabeth en est choquée. De plus, en compensation de leur nourriture et de leur logement, Le Sèvre a obtenu l'usufruit des deux rentes annuelles dont bénéficient les enfants de Louis [49]. Le bougon personnage s'empare aussi des premiers cachets de sa belle-fille, qui bientôt dépassent le montant de la pension et de l'entretien des enfants. La jeune fille n'est pas plus choyée pour autant. La gestion économe, voire pingre, de Le Sèvre, contraste avec le mode de vie généreux de Louis Vigée. L'orfèvre fait vivre ses beaux-enfants de façon chiche, leur refusant « jusqu'au nécessaire ».

C'est à cette époque que Louise Élisabeth apprend à vivre modestement et à ne compter que sur ses propres ressources. Sa mère, fragilisée par son remariage, ne peut rien pour elle. Mlle Vigée n'a d'autre solution que de prendre en main sa propre survie économique.

Joseph Vernet s'interpose et conseille à la jeune artiste, qui travaille beaucoup, de ne verser à son beau-père que le montant d'une pension et de conserver pour elle le reliquat de gains qui commencent à être importants. Mais celle-ci craint des représailles dont sa mère aurait à souffrir et elle abandonne la totalité de ses revenus à Le Sèvre. Être privée de la récompense de son travail ne va pas sans amertume. Sans doute n'en tire-t-elle pas encore des conclusions assez prudentes : « J'avais sur l'argent une telle insouciance », écrira-t-elle, se reprochant de n'avoir pas été assez méfiante. Son « épargne de peinture » sera, à cause de Le Sèvre, sensiblement inférieure à celle de ses amies du même âge.

La jeune artiste réalise les portraits des personnes qui vivent autour d'elle, dont une autre version à l'huile du portrait d'Étienne en écolier. Dans sa quatorzième année, selon la datation donnée dans ses *Souvenirs*, elle représente au pastel sa mère *en sultane* [50]. Cette œuvre sensible intéresse les dames qui logent en face de la boutique de Le Sèvre au Palais-Royal.

Premiers succès

Intriguée par le talent précoce de la jeune fille qu'elle croise rue Saint-Honoré, la duchesse de Chartres, future duchesse d'Orléans, l'invite à lui donner séance au Palais-Royal. La duchesse est une femme qui sait repérer les talents, c'est elle qui a mis Rose Bertin à la mode. De ce premier portrait qui aurait été réalisé vers 1770, il ne reste pas de trace [51]. Un second portrait par Louise Élisabeth révèle ses traits fragiles et mélancoliques [52]. Enthousiasmées, les amies de la duchesse, la comtesse de Brionne [53] et sa fille, la princesse de Lorraine, veulent aussi leurs portraits. Malgré leur noblesse, celles-ci ne figurent pas dans les répertoires des œuvres de ses premières années. La jeune fille ne semble pas tenir de registre au jour le jour, ce qui peut expliquer ces oublis.

Avoir portraituré Marie-Adélaïde de Bourbon-Penthièvre et la belle Brionne est un passeport qui ouvre à la jeune artiste les portes des salons du faubourg Saint-Germain. Voltaire avait fait prononcer à un personnage de sa comédie, *L'Indiscret* : « Le premier pas, mon fils, que l'on fait dans ce monde, est celui dont dépend le reste de vos jours [54]. » Cette observation se vérifie pour Louise Élisabeth. Ces éclatants débuts augurent la naissance d'une belle clientèle.

Pour une jeune fille aussi jolie la célébrité n'est pas sans danger. Ceux qu'elle nomme avec malice des « amateurs de [sa] figure » demandent à s'asseoir devant son chevalet et lui font les yeux doux. Le comte Du Barry, connu pour sa « rouerie », et le comte de Stainville, redoutable séducteur, prétendent attirer l'attention de la débutante. Jeanne Maissin assiste toujours aux séances de pose, veille sur la conduite de sa fille, et particulièrement sur son éducation morale et religieuse : jamais elle ne lui laisse manquer la messe.

Quoi qu'il en soit, Louise Élisabeth a la tête sur les épaules, et n'est pas sensible aux avances de ses soupirants. Son ambition n'est pas de devenir une grande amoureuse. La bibliothèque familiale ne comporte que des livres saints et aucun roman. Selon une opinion répandue en ce temps, les romans donneraient aux filles de fausses idées de la vie et de l'amour. Au contraire, elle se félicitera d'avoir été préservée de leur pernicieuse influence. Elle n'attend pas un mariage au-dessus de sa condition. Elle veut être peintre, avant tout.

Pour se débarrasser des galants, elle trouve une astuce, efficace durant quelque temps : elle représente ces jolis cœurs « à regards perdus », c'est-à-dire le regard de biais, dans le vague. Ainsi ne peuvent-ils pas rouler des yeux langoureux. « J'en suis aux yeux », dit-elle en riant sous cape. Un portrait d'un élégant à l'air avantageux et à la mise raffinée datant de cette époque, mais dont le modèle n'est pas identifié, correspond à la description des *Souvenirs* [55].

Parmi les galants, un comte de Brie est plus tenace. Cet amoureux de trente-deux ans la suit partout. La jeune fille de dix-neuf ans l'intimide : il en bafouille. Sans pitié, Louise Élisabeth se moque de lui, elle le trouve trop âgé. Un jour, le comte de Brie tente le tout pour le tout. Lorsque la jeune fille a le dos tourné, il dépose des titres de rente d'une valeur de quinze mille francs sur la commode. C'est une somme énorme. Jeanne voit l'offense, se met en colère. À la séance suivante, elle rend au galant homme son argent : sa fille n'est pas à vendre. Une chance pour Louise Élisabeth que la sévérité de sa mère. D'autres filles mineures n'auront pas ce bonheur [56].

Lorsque la jeune fille traverse en compagnie de Jeanne les jardins du Palais-Royal, l'on se retourne sur leur passage et elle éprouve une satisfaction de vanité. « À cette époque réellement la beauté était une illustration [57] », songe l'artiste en écrivant ses *Souvenirs*. Ceci n'est pas du goût de Le Sèvre qui prend au sérieux son rôle de protecteur de la vertu de sa belle-fille.

3

Une vie parisienne

« Hé, oui ! Dans la jeunesse où tout paraît nouveau,
Comme on ne connaît rien, on se peint tout en beau. »
Étienne VIGÉE, *L'Entrevue*.

Lorsque la jeune artiste pose sa palette les soirs d'été et les dimanches, elle aime follement sortir. En cette seconde moitié du XVIIIe siècle, la promenade à Paris est plus qu'une habitude ou un loisir, elle est devenue un art. « Il n'y a que les Français qui sachent se promener à pied, et qui aient fait de cette innocente récréation, un spectacle des plus amusants et des plus curieux », affirme sans hésiter un auteur à succès [1]. Les étrangers en visite trouvent originale cette façon de déambuler « à la française » et, à Paris, on n'a que l'embarras du choix : les lieux de promenade sont nombreux.

Les jardins du Palais-Royal

Dans le jardin du Palais-Royal, alors plus vaste qu'aujourd'hui, et planté d'ormes, des fontaines alimentées par l'eau clarifiée de la Seine, apportent la fraîcheur. Le dimanche, tous les étages de la société se côtoient, sans se mêler. Dans l'allée de gauche se réunit l'aristocratie la plus raffinée, tandis que sous les quinconces de tilleuls des élégantes aux mœurs dissolues font des clins d'œil aux passants.

Le Palais-Royal est une ville dans la ville. Les hommes du duc de Chartres [2], qui a reçu du duc d'Orléans, son père, la jouissance du palais, y exercent déjà un contrôle des visiteurs. Des cafés bordent les arcades. Les uns sont ornés d'arabesques comme le *Café de Foi*, d'autres, de bustes de musiciens comme le *Caveau*. Le *Café mécanique* est pourvu de tables animées par un monte-charge qui apporte la commande des clients. Sur le côté, le passage des « galeries de bois » abrite des tripots et une population moins recommandable.

Les jeunes filles flânent sous les arcades, où les devantures présentent des porcelaines, des jouets, des lunettes, des éventails et du tabac, tout ce qui peut rendre la vie agréable. À l'angle de la rue de Richelieu, Rouget vend des boîtes décorées remplies de « biscuits du Palais-Royal ».

Le spectacle de l'Opéra, tout proche, commence à cinq heures. L'été, à la fin de la représentation, vers huit heures et demie, il fait encore jour. Louise Élisabeth admire les dames, avec leurs toilettes garnies de bouquets. Les poudres de cheveux « aux mille fleurs », à la violette ou à la « Jamaïque », rendent l'air étourdissant.

Plus tard dans la soirée, on fait cercle autour des musiciens qui se produisent dans les jardins. Louise Élisabeth aime entendre le chevalier de Saint-Georges [3] y interpréter au violon son fameux menuet.

De loin, la jeune fille aperçoit quelques femmes à l'allure bien différente de celle de la sévère Jeanne. Parmi elle, se distingue Rosalie Duthé [4], la capricieuse maîtresse du duc de Durfort. Les gazettes rapportèrent que Rosalie est apparue, un jeudi saint, à Longchamp avec un extravagant équipage, dont l'habitacle reposait sur une coquille nacrée. Rosalie, dont les cheveux blonds moussent autour d'un visage mutin, sera représentée par Danloux dans son boudoir anglais. Nombreuses sont les anecdotes piquantes qui circulent dans Paris sur son compte. On dit qu'elle pouvait écrire sur trois colonnes les noms de ses amants. Elle-même racontait qu'un jour, ayant reçu vingt-quatre mille livres en or, elle répandit les pièces sur le parquet et s'allongea dessus, puis s'exclama : « Si jamais je deviens malheureuse, comme je le crains, je pourrai dire au moins que j'ai roulé sur l'or [5]. » Louise Élisabeth se souviendra que, en ce temps-là, les apparences restaient sauves et que jamais un homme du monde ne se serait montré en public avec sa maîtresse [6].

L'ombre des tilleuls du Palais abrite aussi les amoureux qui chantent ces strophes :

> Sur le jardin quand de ton ombre
> La Nuit étend le noir rideau,
> À la beauté cet endroit sombre
> Donne encore un attrait nouveau [7].

Mais Le Sèvre et la prude Jeanne veillent. Louise Élisabeth n'a pas le droit de se promener sans chaperon à la nuit tombée.

Des boulevards aux Champs-Élysées

D'autres espaces dans Paris sont plus ouverts que le Palais-Royal. La promenade des boulevards du Temple, notamment, attire des foules. Installée sur les anciens remparts, cette allée est garnie de bancs où l'on s'assoit gratuitement, mais des loueurs qui en ont obtenu le « privilège » disposent des chaises payantes. Qui en a les moyens peut donc s'asseoir et regarder passer les élégantes. Ce sont de vieilles dames du Marais qui profitent de ces sièges pour admirer la jeunesse. La jeune artiste se moque de leurs joues fardées de rouge, de leurs cheveux couverts de poudre rose. Déjà, ces artifices de toilette lui semblent ridicules.

Le jeudi sur les boulevards est un jour spécial : la noblesse s'y promène en voiture. Des gandins font admirer leurs rubans en caracolant dans l'allée centrale. Sur les côtés, les badauds déambulent. Des pâtissiers vendent des tourtes, des pains d'épices, et les cabaretiers proposent des boissons rafraîchies. Les établissements sont plus modestes qu'au Palais-Royal. L'été, afin d'éviter les tourbillons de poussière, une charrette équipée d'un réservoir arrose les contre-allées.

Des théâtres sur tréteaux donnent des pièces en un acte, des parades qui amusent toutes classes de la société. Le dessinateur Gabriel de Saint-Aubin a laissé des images vivantes des assemblées du boulevard du Temple. Sa *Parade du boulevard* montre une escarmouche sur les planches. Dans la *Vue du boulevard*, il croque les couples attablés et les promeneurs s'observant réciproquement [8].

Louise Élisabeth et sa mère aiment aussi assister aux feux d'artifice du Vauxhall d'été. Dans ce jardin d'attraction, des sièges en gradins sont protégés par des tonnelles [9], où l'on déguste des glaces. Les traiteurs préparent des granités parfumés grâce à des blocs gelés conservés dans des glacières semi-souterraines et débités à la demande. Lisette raffole des sorbets.

En compagnie de Jeanne, la jeune fille se rend aussi le dimanche aux Tuileries, alors le plus beau jardin de Paris. Bien planté, orné de bassins, de jets d'eau et ventilé par l'air de la Seine toute proche, il offre des terrasses propices à la promenade. L'entrée est gardée par des portiers qui refoulent ceux qui portent livrée ou qui ont mauvaise mine. Aussi la tranquillité des promeneurs est-elle à peu près sauve. C'est dans l'allée centrale que se concentrent les élégances. Le rituel consiste à arpenter cette voie dans les deux sens pendant environ une heure. Voilà ce que l'on appelle se promener aux Tuileries.

Dans ses *Souvenirs*, Louise Élisabeth se rappellera avec émotion avoir été suivie bien des fois avec sa mère dans ce jardin. Cependant les admirateurs de sa « jolitée [10] », selon son expression, restent à distance. S'il n'est pas question d'aborder une honnête femme dans la rue, il est permis de témoigner son enthousiasme de loin. La beauté provoque des attroupements dont certaines dames sont fières. La grâce de Louise Élisabeth est remarquée. On chuchote qu'elle peint à merveille. Ainsi se forge petit à petit sa jeune réputation.

En observant du coin de l'œil les parures des uns et des autres, les jeunes femmes se livrent au plaisir de la conversation. L'idée selon laquelle la promenade est un délassement pour le corps commence à se faire jour. On marche sous le prétexte de conserver sa santé. Parfois, on fait halte à la terrasse des buvettes qui servent de la limonade.

Lorsque le temps le permet, mère et fille prolongent la promenade jusqu'à une large allée plantée nommée les Champs-Élysées [11]. Les jardins de magnifiques hôtels donnent directement sur les arbres. Comme la promenade est entièrement libre, la police de Paris doit régler de nombreux cas de délinquance. Des compagnons-ouvriers ou des commis, qui font la sieste dans les quinconces, sont détroussés par des voleurs de chapeaux. Les écoliers du collège Louis-le-Grand font des parties de « barres », alors que ce jeu n'est pas autorisé. Des cavaliers empruntent les allées interdites. Selon l'officier de police chargé de la surveillance du site, un certain Federici qui a fort à faire, des dames de « moyenne vertu » tentent de fronder les règles.

Le directeur des Bâtiments, le comte d'Angiviller, lutte pour conserver à ce bel espace les avantages d'une promenade sûre et ouverte au peuple. Mais les Champs-Élysées sont la voie de passage vers Versailles, et les dames de qualité qui s'y aventurent en calèche ouverte sont fréquemment importunées.

À tous égards, Louise Élisabeth et sa mère préfèrent le côté opposé, plus proche des Tuileries. Près de la grande porte de ce jardin, tous les ans, la veille de la Saint-Louis, l'Académie royale de musique exécute un concert symphonique. C'est un rendez-vous exceptionnel où se pressent le peuple de Paris, la bourgeoisie et la noblesse [12].

Alors que Louise Élisabeth entre dans sa quinzième année, dans un des quadrilatères au bas des Champs-Élysées, un édifice, dont la forme évoque un cirque romain, est inauguré. L'architecte Le Camus a construit un amphithéâtre qui contient jusqu'à quarante mille personnes [13]. On l'a nommé le Colisée. La réalisation est pharaonique. Un immense bassin central permet des joutes aquatiques. Décoré de façon clinquante, cet espace de loisir attire toutes les couches de la société. À l'étage, une galerie marchande offre des boutiques au tout-venant. La reine Marie-Antoinette elle-même s'y rendra par deux fois. De vastes salles offrent des concerts. Louise Élisabeth se souvient d'y avoir entendu l'un des derniers récitals de la cantatrice réputée, la Lemaure [14].

La salle de concert ouvre sur un perron devenu le rendez-vous des galants. Ces petits marquis dévisagent insolemment les femmes qui entrent et sortent et font à voix haute des commentaires peu respectueux. Trois mots suffisent à détruire une réputation. Un soir, non sans appréhension, Louise Élisabeth et sa mère se retrouvent nez à nez avec deux libertins connus pour leur absence de scrupules : le duc de Chartres et son complice, le comte de Genlis [15] :

> Ah ! pour celle-ci, dit le duc très haut en me désignant, il n'y a rien à dire. Ce mot, que beaucoup de personnes entendirent ainsi que moi, me causa une si grande satisfaction, que je me le rappelle encore aujourd'hui avec un certain plaisir [16].

Ce mot prononcé par le futur Philippe Égalité, « pour celle-ci, il n'y a rien à dire », restera fixé dans la mémoire de Louise Élisabeth comme un idéal de vie : être au-dessus de tout soupçon. Bien difficile de s'y tenir dans un siècle où la calomnie nourrit les pamphlets et les gazettes.

Le mariage du dauphin et la fête de la place Louis-XV

Le 30 mai 1770, pour rien au monde Jeanne et sa fille ne manqueraient la fête donnée en l'honneur du mariage du dauphin Louis avec l'archiduchesse d'Autriche, Antonia. Le Sèvre accepte de les y emmener. En passant par la rue Royale, la famille se rend à pied place Louis-XV (actuelle place de la Concorde), où a lieu la fête. L'atmosphère est à la liesse. La place est superbement décorée. Des distributions de nourriture et de boissons ont été organisées. Un feu d'artifice lance ses fusées au-dessus des jardins, et la Seine étincelle de lumières. La dernière étoile explose dans le ciel. Les yeux éblouis, repus, les Parisiens s'apprêtent à regagner leur demeure. Louise Élisabeth, Étienne, leur mère et leur beau-père sont fatigués, ils décident de prendre un raccourci par le chemin des Tuileries, qui longe le fleuve afin de regagner rapidement la rue Saint-Honoré [17]. Bien leur en prend. Car soudain des hurlements fusent. Ce ne sont pas des cris d'allégresse.

Le feu a pris à des baraques de bois qui bordent la place encore emplie de centaines de spectateurs : la panique s'empare des badauds que l'issue de la rue Royale ne parvient pas à canaliser. La bousculade devient générale, des gens sont piétinés. Le lendemain, la famille Le Sèvre lit la liste des morts et des blessés dans les journaux, atterrée d'y trouver des noms connus [18] : plus d'une centaine de morts. On murmure que ce sont de mauvais augures pour le dauphin et la dauphine. Ce n'est pas la première fois qu'une fête entraîne une telle hécatombe. Les plus âgés se souviennent encore de la bousculade de février 1749, la « grande tuerie » du quai Pelletier où pour assister au feu d'artifice de la paix, plus de deux cents personnes furent tuées ou blessées [19]. À partir de ce jour, Louise Élisabeth détestera les grands rassemblements de foule.

Parties de campagne

Le Sèvre, jaloux ou protecteur, juge que Jeanne et sa fille se promènent trop souvent et, vers l'été 1770, annonce qu'il va louer une « campagne » afin de fuir la chaleur de Paris. On y respirera mieux que rue Saint-Honoré : il a trouvé une maisonnette sur les hauteurs de la colline de Chaillot. Chaillot est un village assez proche pour que la famille y dorme la nuit du samedi et rentre le lundi matin. En comparaison de la demeure de Louis Vigée à Neuilly [20], la maison de Chaillot manque de charme. Le jardin est étriqué, le voisinage bruyant. Les échappées sont interdites car Le Sèvre a cadenassé la porte du clos qui ouvre vers les champs.

Pendant ce temps, au faubourg du Gros-Caillou, à la Petite Pologne, ou à la plaine de Grenelle dans des cours ombragées, les enfants des familles d'artisans dansent de bon cœur les dimanches au son des violons. Un peu plus loin, à Mesnil-Montant, Belleville, et au pré Saint-Gervais, des auberges offrent, pour une livre et demie, l'ombre de leurs charmilles aux Parisiens assoiffés de bon air et de bon vin [21], tandis qu'à Chaillot, Louise Élisabeth s'ennuie ferme.

Par chance, un ancien confrère de Louis Vigée, le sculpteur Charles Louis Suzanne [22], et sa femme viennent passer un dimanche dans la vilaine maison louée par Le Sèvre. Mme Suzanne est une amie de Jeanne et supporte un époux dont la réputation est d'être lunatique : un jour il a un pied dans la tombe, l'autre il est gai comme un pinson. Le sculpteur gagne bien sa vie en travaillant pour la manufacture de Sèvres. Mme Suzanne propose d'emmener la jeune fille en promenade à Marly-le-Roi. Lisette découvre alors les routes de campagne. Pour la première fois de sa vie, les perspectives dégagées du domaine de Marly lui donnent « l'idée d'un séjour enchanteur ». Jamais, elle n'avait pensé que la nature pouvait être ordonnée de façon aussi harmonieuse :

> De chaque côté du château, qui était superbe, s'élevaient six pavillons, qui se communiquaient par des berceaux de jasmin et de chèvrefeuille. Des eaux magnifiques, qui tombaient en cascades du haut d'une montagne située derrière le château, fournissaient un immense canal, sur lequel se promenaient des cygnes. Ces beaux arbres, ces salles de verdure, ces bassins, ces jets d'eau, dont un s'élevait à une hauteur si prodigieuse qu'on le perdait de vue ; tout était grand, tout était royal, tout y parlait de Louis XIV [23].

De l'avis unanime le parc de Marly était un rêve. Diderot, lors d'une promenade avec Grimm, en avait été ébloui. Les berceaux et les bosquets, les pavillons séparés et à demi enfoncés dans une forêt lui semblaient être la demeure de génies agrestes et de fées [24]. La jeune fille n'aura de cesse que d'y revenir avec sa mère. C'est là que, quelques années plus tard, elle verra la reine pour la première fois, dans ce riant Marly voué à disparaître avec la Révolution.

La famille Suzanne invite aussi la jeune fille à séjourner dans leur maison de campagne où elle est logée dans une chambre sous les toits [25]. La bonne Mme Suzanne la conduit au parc de Sceaux. Ce domaine appartient alors au duc de Penthièvre, gouverneur de Bretagne, il en ouvre les grilles aux promeneurs le dimanche [26]. Des parterres fleuris à la française et des jardins anglais traversés par un canal varient les perspectives. Ces excursions, seules éclaircies dans les tristes jours de Chaillot, donnent à la jeune artiste, qui a toujours vécu dans le cadre fermé de la ville, le goût de points de vue dont elle n'avait pas l'idée. Reconnaissante, Louise Élisabeth fera le portrait, aujourd'hui perdu, de Mme Suzanne.

La jeune fille reçoit ces attentions comme un trésor dont elle jouit au centuple. C'est là qu'elle puise une partie de sa vitalité. La générosité des amis du défunt Louis a le pouvoir d'ensoleiller une adolescence parfois mélancolique.

Premières sorties

La vie de la jeune fille se partage entre les quelques moments de bonheur que lui offrent les sorties et l'univers familial triste où elle subit l'autorité de Le Sèvre. Le souvenir de son père est moins douloureux à présent qu'elle s'est fixé l'objectif d'exceller dans l'art qu'il avait cultivé.

Son oncle, le sculpteur Alexandre Vigée est aussi son tuteur. Est-ce par son intermédiaire qu'elle fait connaissance de Mlle Pigalle, peut-être la nièce du célèbre sculpteur ? Elle demande à la jeune artiste son portrait en robe de satin rayé. Cette pimpante jeune femme est marchande de modes de Mme Du Barry et de la reine [27], elle excelle à fixer les poufs sur lesquels on épingle la décoration des coiffures. Louise Élisabeth portraiture aussi son commis.

Parmi ses modèles, les personnes de qualité se font de plus en plus nombreuses. Durant l'année 1772, elle réalise le portrait de la baronne d'Esthal, puis celui de ses deux enfants [28]. Elle choisit un motif souvent employé pour les portraits d'enfance, la construction du château de cartes. Les deux jeunes enfants sont vêtus de costumes de fête. Bonnet de dentelles, chapeau orné de plumes, ceinture de satin et boutons précieux font de ce double portrait inscrit dans un ovale un exercice réussi. La pose tendre – le bras du garçon entourant l'épaule de sa sœur – sera reprise plus tard pour les Enfants de France. La jeune artiste de dix-sept ans rend avec esprit le caractère poupin de ses modèles et capte l'intensité pure de leur regard. Peu de temps après, elle inscrit aussi dans sa liste le portrait de Mme de Fossy et celui de son fils [29]. Ces tableaux inaugurent une longue série de représentations enfantines.

Dès sa seizième année, la jeune fille a commencé à recevoir des invitations à des dîners (c'est-à-dire le déjeuner d'aujourd'hui) d'artistes. Le premier de ces repas est resté fixé dans son souvenir : il a lieu chez le sculpteur Jean-Baptiste Lemoyne [30], membre de l'Académie des beaux-arts. Peut-être Louis Vigée avait-il connu Lemoyne, car un tableau représentant son cabinet de collectionneur figurait dans l'appartement de la rue de Cléry [31]. À la table du sculpteur se côtoient des acteurs, des hommes de loi, des hommes de lettres, des musiciens, des peintres. Aux yeux de Mlle Vigée, ce sont les meilleurs, « la fleur des pois », selon son expression familière [32].

Lemoyne cependant n'aime pas le luxe des apparences. Sa toilette est si peu recherchée qu'il aurait eu l'air d'un simple ouvrier, si ses yeux vifs et pétillants ne signalaient l'homme de génie [33]. « Aux louanges qu'on lui donnait, il répondait à peine, se souvient Marmontel. Sur son art qu'il possédait si bien, il parlait peu [34]. » On peut être artiste, dédaigner les apparences d'un grand seigneur et recevoir chez soi les convives les plus brillants.

Lemoyne place à la même table ses confrères et certains de ses modèles. L'acteur Lekain [35], l'un des interprètes favoris du théâtre de Voltaire, impressionne Mlle Vigée avec son « air sombre et farouche ; ses énormes sourcils ». Il dévore la nourriture sans trop de façons [36]. Lekain se souvient-il d'avoir croisé le beau-père de Louise Élisabeth, Le Sèvre dans l'atelier de son père, l'orfèvre Henry Cain ? Une autre célébrité, l'avocat Gerbier [37] est là avec sa fille, Mme de Roissy, dont Louise Élisabeth fera le portrait en 1773.

C'est à Lemoyne que la jeune fille doit plusieurs de ses relations déterminantes : « la plus jolie femme de Paris », Mme de Bonneuil [38], à la personnalité énigmatique, est accompagnée de sa fille Laure, comtesse Regnaud Saint-Jean d'Angély [39]. Captivée, la jeune fille observe en silence ces beautés au teint lumineux. Lors de ces repas, elle aperçoit aussi un pastelliste que son père admirait, Maurice Quentin de La Tour, peintre du roi [40]. On ne sait à quelle occasion, ce dernier aurait fait le portrait de la jeune fille.

Le compositeur Grétry [41], alors en plein succès, est également convié chez Lemoyne. Les duos qu'il compose ont le mérite de pouvoir être facilement repris. Sa popularité s'étend à toutes les classes sociales et, si l'on en croit le témoignage de Mme de Bawr, « depuis le maréchal de France jusqu'au chiffonnier de Paris, tous connaissaient Grétry, tous savaient par cœur quelques-unes des airs qu'il avait composés ; en un mot tous lui devaient des jouissances [42] ». À la fin du repas, Mme de Bonneuil reprend avec son mari un des duos de *Zémire et Azor* ou de *La Rosière de Salency*. Louise Élisabeth surmonte sa timidité pour chanter devant le grand compositeur, et Grétry a l'indulgence de trouver qu'elle a des sons « argentés » dans la voix. Dans cette société aimable, Lisette trouve, sans les avoir cherchées, des protections nouvelles, un réseau de clientèle et des amusements émerveillés. Les adultes sont sensibles à sa jeunesse, à sa beauté, à son talent.

Un déjeuner de philosophes

Dans sa seizième année, une des amies de Louise Élisabeth, Anne Catherine de Chastenay [43], l'entraîne à un déjeuner de philosophes, rue Royale-Saint-Roch, à l'hôtel d'Holbach [44]. Anne Catherine est une fille de la noblesse lorraine, blonde et à la peau laiteuse. Mme Le Brun, dans ses mémoires, la présentera toujours, malgré l'écart social, comme sa « plus ancienne amie », mais les circonstances de leur rencontre ne nous sont pas connues [45].

Le père d'Anne Catherine, comte de Chastenay et marquis de Noviant, possède le domaine de Champigneulles en Lorraine. Sa mère, Charlotte Thérèse Marie-Françoise, est née Barbarat de Mazirot. Deux des oncles maternels d'Anne Catherine sont chevaliers de Malte, et son oncle paternel est président du parlement de Metz. Les Chastenay fréquentent des fermiers généraux. De plus, par sa mère et sa marraine, la jeune fille est apparentée aux Helvétius [46], et sa tante est née d'Holbach [47].

D'Holbach, cet homme « simplement simple », selon le mot de Mme Geoffrin, tient table ouverte, deux fois par semaine. Chez lui, la jeune fille rencontre pour la première fois ceux qu'on nomme « les philosophes » et dont elle a entendu parler par son père. Les propos qu'ils échangent lui paraissent vivants mais obscurs : « J'avoue que la conversation trop animée de ces messieurs m'avait fort ennuyée et que je ne comprenais pas souvent les obscures sublimités de Diderot, d'Alembert et d'Helvétius [48]. » Louise Élisabeth n'a pas le goût des spéculations théoriques et préfère les discussions entre peintres. Il existe bel et bien un fossé entre les dîners des « philosophes » et les rencontres bohèmes auxquels elle est habituée.

On reproche aux artistes en général leur peu de goût pour l'abstraction. Marmontel, lui-même, lors des lundis de Mme Geoffrin, est étonné de constater qu'« avec de l'esprit naturel, [les artistes] manquent presque tous d'instruction et de culture ». Même la conversation du peintre des *Ports de France*, que Louise Élisabeth admire, lui paraît décevante :

Vernet, admirable dans l'art de peindre l'eau, l'air, la lumière et le jeu de ces éléments, avait tous les modèles de ces compositions très vivement présents à la pensée, mais hors de là, quoique assez gai, c'était un homme du commun [49].

La Tour lui-même, qui a portraituré Diderot et Rousseau, n'échappe pas à la sévérité de Marmontel : il trouve le cerveau du fameux pastelliste « brouillé », incapable de raisonner savamment. Aux yeux du secrétaire de l'Académie, la pensée de La Tour ne semble pas s'envoler plus haut que la poudre de ses pastels.

Les remarques de Marmontel sont révélatrices, surtout si on les rapproche de la réaction de recul de Louise Élisabeth. Attrait mêlé d'incompréhension de part et d'autre. Le monde concret des peintres et des sculpteurs est fondé sur leur mémoire visuelle, leur capacité à se représenter les formes et les couleurs, et à les résoudre en solutions techniques. Cette dimension non intellectuelle de l'art échappe à l'académicien parce qu'elle ne se résout pas en paroles. Les philosophes admirent le *faire* des artistes et attendraient qu'il se réduise en mots. Le portraitiste Reynolds déjà mettait en garde les artistes contre une trop grande habileté de parole, qui affaiblit le langage du pinceau [50]. Sortis de l'atelier, les artistes échangent des visions et non des concepts, transcrivent des impressions provenant d'un second langage, des gestes, des regards, des couleurs. C'est une des raisons pour lesquelles Louise Élisabeth, durant toute sa vie, s'entendra mieux avec les peintres, les poètes et les musiciens qu'avec les philosophes.

Avant de quitter l'hôtel d'Holbach, en passant dans le salon, peut-être a-t-elle entrevu les pastels d'Anton Mengs qui font l'admiration de tous les invités du baron, *Le Plaisir* et *L'Innocence* [51]. Ces figures vêtues à l'antique et couronnées de fleurs évoquent l'inspiration qui s'épanouira dans les premiers tableaux allégoriques de la jeune fille, tel sa *Junon demandant à Vénus sa ceinture* [52].

Dans Paris, on continue à parler de Louise Élisabeth comme d'un prodige. Le graveur allemand Johann Wille, qui demeure quai des Augustins, est à l'affût de nouveaux talents [53] : il aide de jeunes artistes à achever leur formation à Paris. En février 1774, désireuse de s'instruire, Louise Élisabeth a demandé à Wille de lui montrer ses collections. L'apparence du graveur qui ouvre la porte à la portraitiste nous est connue grâce à un portrait exécuté par Greuze. L'élégance de Wille est sans apprêt, il arbore un discret jabot de dentelles et un gilet de satin sous une veste de velours souple. Son visage large et ses yeux clairs reflètent la bienveillance. Il fait découvrir ses trésors. Son cabinet de dessins se compose de deux pièces : dans l'une, des estampes sont exposées sous verre, dans l'autre, des dessins anciens [54]. Wille possède une collection de paysages réalisés par ses élèves. Il les conduit parfois dans la campagne d'Île-de-France où ils dessinent d'après nature. Dans sa collection, la jeune fille découvre aussi des vues de montagnes suisses dont le graveur divulgue les images, alors peu connues. Wille a également gravé les œuvres hollandaises de Dow, de Metzu, celles de Dietrich. Ce graveur érudit correspond avec son compatriote, l'historien Winckelmann et le peintre suisse Füssli. Très intéressé par la visite de Louise Élisabeth, il en consigne le récit dans son *Journal* :

> Mademoiselle Vigée, fille de M. Vigée peintre, nous vint voir avec madame sa mère. Elles sont fort aimables l'une et l'autre et se sont très amusées dans mon cabinet de tableaux et de dessins. On m'assure que Mlle Vigée a beaucoup de talent pour la peinture. Je compte m'en instruire par mes yeux [55].

Wille est un proche de Diderot, dont il a été le voisin et l'ami de jeunesse ; toutefois la jeune artiste ne revoit pas le philosophe à l'occasion de cette visite. Durant l'hiver 1773-1774, le fameux critique des *Salons* séjourne alors à Saint-Pétersbourg [56].

4

L'ACADÉMIE DE SAINT-LUC

« *Une jeune virtuose* »

Mlle Vigée exerce son art et vend ses portraits en dehors des cadres institutionnels, et sans licence. Or des représentants élus des corps de métier sont chargés de réglementer le travail des peintres et des artisans car nul ne peut monnayer son travail sans autorisation de la corporation. Cette jeune célébrité finit donc par attirer l'attention de la jurande. À la suite d'une plainte déposée auprès de la corporation, on saisit ses instruments de travail à son atelier. Force lui est faite de se soumettre aux règles. C'est pourquoi la jeune fille demande à être reçue à l'Académie de Saint-Luc à laquelle appartenait son père.

Lors de la séance solennelle du 19 octobre 1774, les académiciens de Saint-Luc accueillent solennellement sept « peintresses qui en ont fait la demande » : parmi elles, Louise Élisabeth Vigée, « reçue par mérite », et son amie, Anne Rosalie Boquet [1]. Au Salon de l'Académie de Saint-Luc, qui a lieu au printemps à l'hôtel Jabeck, Louise Élisabeth expose une dizaine d'œuvres. Deux d'entre elles sont des gestes de soumission aux autorités de l'institution : des portraits du recteur Pierre Louis Dumesnil et de l'officier Pierre Fournier.

Trois allégories à l'huile représentent la *Peinture*, la *Poésie* et la *Musique* et s'inscrivent également dans un esprit académique. L'allégorie de la *Peinture*, que la postérité attribuera par erreur à Vincent, a récemment réintégré la liste des peintures identifiées : placée dans un ovale, une jeune femme tenant une palette est représentée la tête gracieusement inclinée et le regard perdu [2]. La *Poésie* est incarnée par une femme aux proportions solides, regard levé et presque dévêtue [3]. À cette liste d'exposition, s'ajoute un buste au pastel non identifié et une série de portraits et d'études qui témoignent de sa productivité soutenue à cette période : parmi ces toiles, un érudit M. Lecomte, dans le cadre de son cabinet de travail « avec un globe et des livres ». Un périodique, *Le Mercure de France*, l'appelle « jeune virtuose » et juge qu'elle a « le coloris agréable, le pinceau facile, la touche sûre » [4].

Rosalie Boquet propose également le portrait d'un adjoint au recteur de l'académie, M. Eisen. Elle ajoute un portrait de sa mère et un *Panier de prunes*, au pastel. L'abbé Le Brun dans son *Almanach raisonné* lui consacrera bientôt une élogieuse notice.

Parmi les jeunes femmes qui exposent au Salon de 1774, une artiste de vingt-cinq ans, Adélaïde Labille-Guiard, paraît promise à un brillant avenir. Blonde, le menton volontaire, de corpulence robuste, elle est habillée avec raffinement, sans doute plus richement que Louise Élisabeth qui, à cette époque, dispose de peu d'argent. Adélaïde est la fille d'un marchand de modes dont la boutique se nomme *À la toilette* et qui a compté parmi ses employées Mlle Lange, la future comtesse Du Barry. Adélaïde a épousé Nicolas Guiard en 1769 et lui a apporté une dot confortable. Sans appartenir, comme Louise Élisabeth, à une famille d'artistes, elle peint, elle aussi, avec acharnement. Pour ce Salon, cette élève de La Tour n'expose que deux œuvres : le portrait d'un magistrat au pastel et un portrait de femme en miniature [5]. Elle ne maîtrise pas encore la technique de l'huile.

Grâce à ces preuves de compétence, Louise Élisabeth et Rosalie reçoivent leurs lettres de patente et gravissent les premières marches d'un univers professionnel. Certes, Louise Élisabeth est privée de la liberté totale dont elle jouissait dans ses débuts, mais l'appartenance à l'Académie de Saint-Luc étend sa réputation. Elle n'aura pas l'occasion de présenter d'autres œuvres au Salon de cette institution. Par une ordonnance de Turgot, en effet, l'Académie de Saint-Luc sera dissoute en 1776.

Une belle clientèle

Dans les familles de la bonne bourgeoisie et de la noblesse, se faire « tirer le portrait » est devenue une obligation sociale. Devant le chevalet de la jeune fille, défilent de plus en plus de modèles appartenant à l'aristocratie, telles Antoinette Savalette de Magnanville [6], dont la famille compte des fermiers généraux ou la comtesse d'Hunolstein [7].

À cette clientèle parisienne s'ajoute la demande des étrangers, signe de notoriété. Les Russes séjournant à Paris sont parmi les premiers à vouloir connaître sa peinture, elle reçoit la visite d'un géant balafré, Aleksei Grigorievitch Orlov [8], « l'un des assassins de Pierre III ». « C'était un homme colossal, ajoute-t-elle, qui portait au doigt un diamant remarquable par son énorme grosseur [9]. »

Ivan Ivanovitch Chouvalov, fondateur de l'université de Moscou, ne tarde pas à suivre l'exemple d'Orlov [10].

> Celui-ci alors était âgé, je crois, de soixante ans, et avait été l'amant de l'impératrice Élisabeth II de Russie [11]. Il joignait une politesse bienveillante à un ton parfait, et, comme il était de plus excellent homme, la meilleure compagnie le recherchait [12].

Une figure de proue de la société parisienne a entendu parler de l'artiste prodige : il s'agit de Mme Geoffrin [13]. Veuve de l'un des principaux actionnaires de la Manufacture royale des Glaces, Marie-Thérèse Geoffrin reçoit, deux fois par semaine, dans son hôtel de la rue Saint-Honoré artistes et hommes de lettres pour un « dîner » (déjeuner). Cette collectionneuse attentive à découvrir les talents se souvient sans doute du père de Louise Élisabeth. Malgré ses soixante-seize ans, elle se déplace jusqu'à l'atelier de la fille de Louis Vigée. Son prestige ne doit rien à la coquetterie : vêtue d'une robe grise, elle porte une coiffe de « taffetas noir sur un fin bonnet de batiste à grand papillon [14] ». Cette femme, connue à travers toute l'Europe, et qui a su s'attacher l'amitié du jeune prince Stanislas Poniatowski, apparaît aux yeux de la jeune fille comme la prêtresse d'un monde finissant. Louise Élisabeth ne reverra pas Mme Geoffrin qui disparaît en 1777.

La renommée de la portraitiste lui vaut aussi d'être sollicitée par la famille de Rohan-Rochefort pour laquelle elle exécute plusieurs commandes : les portraits du prince Jules, de Mlle de Rochefort. Être conviée aux déjeuners de la princesse de Rohan-Rochefort [15] est un privilège pour une jeune fille à qui beauté et pinceau tiennent lieu de noblesse. Un jour, vêtue d'une robe de satin blanc qu'elle étrenne pour l'occasion, elle se prépare à se rendre à l'hôtel de Rohan. Au moment de partir, soucieuse de revoir un tableau qu'elle vient de commencer, elle retourne dans la pièce qui lui sert d'atelier :

> Je m'assieds sur une chaise, qui se trouvait en face de mon chevalet, sans m'apercevoir que ma palette était posée dessus ; vous jugez que je mis ma robe dans un tel état que je fus obligée de rester chez moi [16].

Comme son père qui mettait sa perruque sur son bonnet de nuit, tant il était préoccupé par son art, la jeune fille oublie tout devant son travail. Mais l'incident souligne un détail : Louise Élisabeth ne possède alors qu'une robe digne de figurer dans un repas en ville. Absence de coquetterie ou absence de moyens ? Les deux probablement. Elle n'a pas un goût effréné pour la toilette et dispose de peu d'argent, puisque Jacques François Le Sèvre tient les comptes. À partir de ce moment, dit-elle, elle évitera d'interrompre sa journée de travail et n'acceptera plus que des « soupers priés ». Déjà, elle a assez d'autorité pour faire des choix et décider de son rythme de vie.

Les soupers de la princesse de Rohan [17] sont réputés. On se met à table à dix heures. L'éclatante comtesse de Brionne dont la jeune fille a déjà fait le portrait est parmi les convives, avec le ministre Choiseul et le cardinal de Rohan [18]. Le duc de Lauzun [19], galant homme réputé pour ses reparties, participe à ces soirées. Claude Carloman de Rulhière [20], le voyageur poète, lui donne la réplique. La jeune fille est tout ouïe : cet univers est si différent des cercles d'artistes un peu bohèmes qu'elle connaît. Elle y découvre ce que peut être le bon ton, un ton de cour. Aussi avoue-t-elle que cette compagnie finit par la « dégoûter de beaucoup d'autres ». On lui demande parfois de chanter, ce qu'elle fait volontiers en pinçant les cordes de sa guitare.

S'adressant à son amie Natalia Kourakina, à qui elle a dédié ses *Souvenirs*, l'artiste, revenant sur son passé, écrit encore :

> Je vous ai dit souvent, chère amie, que ma vie de jeune fille n'avait ressemblé à aucune autre, non seulement mon talent, tout faible que je le trouvais, quand je pensais aux grands maîtres, me faisait accueillir et rechercher dans tous les salons ; mais je recevais parfois des preuves d'une bienveillance pour ainsi dire publique, dont j'éprouvais beaucoup de joie [21].

Si la jeune fille accepte les invitations d'une aristocratie désireuse d'ouvrir ses portes aux artistes, elle cherche instinctivement la compagnie de personnes cultivées dont la conversation fait écho en elle. Un Académicien, l'abbé Arnaud [22] l'intéresse car, dit-elle, dans une formule naïve, sa « conversation l'enrichissait d'idées ». L'abbé Arnaud fait partie de ceux qui savent partager leur culture et surtout rendre leur interlocuteur intelligent. Elle, qui n'est pas lettrée, écoute, saisit au passage des bribes d'un savoir sur lequel elle réfléchit. Sans être timide, elle est réservée et suit attentivement les conversations. Elle aime aussi entendre parler musique. Or l'abbé Giroust, lauréat du concours du *Meilleur Grand Motet* et compositeur de la musique du sacre de Louis XVI, fréquente la salle de compagnie de Jeanne Maissin. Il posera devant le chevalet de la jeune fille [23].

Est-ce au contact de ces amis cultivés qu'elle aura l'idée de réaliser, en s'inspirant de gravures, les portraits de deux figures historiques : le cardinal de Fleury [24], ministre de Louis XV et le moraliste du siècle de Louis XIV, auteur des *Caractères*, La Bruyère ? Il est difficile d'imaginer que ces œuvres puissent avoir été de sa seule initiative. Comment aurait-elle pu entendre parler du cardinal de Fleury, si ce n'est par Arnaud, lui-même Académicien, et qui l'a connu ?

Ces tableaux sont offerts à l'Académie française [25]. Cet hommage vaut à la jeune fille une lettre de remerciement de la main de son secrétaire perpétuel, alors d'Alembert [26], l'un des piliers de l'*Encyclopédie*. Elle en

reproduit fidèlement le texte dans ses mémoires. Bien que cette lettre soit
très protocolaire, l'artiste la conservera comme un trésor. On l'invite à
assister aux séances de l'Académie, qui réunissaient une nombreuse assistance. Lorsqu'elle se rend sous la coupole, le poète La Harpe prononce
son discours *Sur les talents des femmes*. Voilà que, parmi les « femmes
illustres », il cite Louise Élisabeth en exemple devant toute l'assemblée :

> Le Brun, de la beauté le peintre et le modèle,
> Moderne Rosalba, mais plus brillante qu'elle,
> Joint la voix de Favart
> Au souris de Vénus [27]…

Jeanne Maissin pleure de joie. La duchesse de Chartres applaudit et le
roi de Suède s'incline. Louise Élisabeth rougit en entendant l'avantageuse
comparaison : « moderne Rosalba [28] ». Dès ce moment, elle fera tous ses
efforts pour mériter la réputation qu'on lui fait en ce siècle. Mais a-t-elle
entendu ce vers par lequel La Harpe découvre chez les femmes « ce
besoin de sentir si puissant sur leur âme » ?

Étienne est venu avec sa sœur. Il admire l'éloquence de La Harpe.
Déjà, il fréquente des cercles de poètes et ne se sent pas fait pour le
bureau du procureur où il a été placé en sortant du collège. Pourquoi ne
pas rêver devant les portraits des Académiciens ? Est-ce à ce moment
qu'il décide de s'engager dans la carrière des lettres et de tourner le dos à
ses études de droit ? Un fauteuil dans cette glorieuse assemblée ne lui
déplairait pas. Il se met au travail et, dès l'année suivante, dédiera un
éloge aux Académiciens [29].

Ce moment est décisif dans la vie des jeunes gens. Frère et sœur se
sentent promis à un brillant destin et rêvent de lire leurs deux noms inscrits au panthéon des arts.

5

UN DÉMÉNAGEMENT DÉCISIF

Rue de Cléry

Durant l'année 1775, Le Sèvre, qui a acquis une certaine aisance, cède son fonds de commerce de marchand orfèvre. La famille ne logera donc plus rue Saint-Honoré. Le Sèvre trouve un appartement à louer dans une demeure flanquée d'un jardin, l'hôtel Lubert, rue de Cléry [1]. Cette rue comporte plusieurs hôtels particuliers prestigieux dont celui de la famille Necker. L'appartement est de proportions modestes : il comporte deux chambres donnant sur la rue et une cuisine. On ne sait où Louise Élisabeth travaille : dispose-t-elle déjà d'un atelier dans les mansardes ?

Les enfants Vigée et leur mère, qui ont déjà vécu rue de Cléry avec Louis, reviennent donc sur leurs pas, exactement face à leur ancienne demeure. L'hôtel Lubert est occupé par un jeune peintre, Jean-Baptiste Pierre Le Brun. Il a obtenu un bail pour la totalité de l'immeuble et a entrepris sa rénovation avec la promesse de l'acheter à la famille de Lubert, trésorier de la Marine. Le Brun y pratique le commerce de tableaux et sous-loue plusieurs appartements.

Plusieurs fois par jour, Louise Élisabeth aperçoit son nouveau voisin. Il est élégant, il a de la prestance. On ne peut que le remarquer. Son neveu par alliance se souviendra d'avoir été impressionné par son allure :

> Il avait environ cinq pieds deux pouces. Il était bien fait. Il avait les cheveux, les sourcils et les yeux noirs. Il avait le regard perçant, plein d'intelligence et de vivacité. Il avait le front haut, le nez droit et fin, la bouche moyenne et bien faite. La lèvre supérieure indiquait la finesse et la lèvre inférieure qui était un peu forte, pronostiquait une vie ardente et sensuelle. Il avait de très belles mains [2].

De son côté, Louise Élisabeth est une beauté sur laquelle on se retourne : grande, svelte, le nez spirituel et retroussé, les yeux changeants, une belle voix. Le buste réalisé par Pajou [3] quelques années plus tard rend compte d'un visage aux traits plus affirmés que ceux qui apparaissent dans les autoportraits. La finesse du profil discrètement aquilin, les narines fines et très fendues, la courbe de pommettes assez larges, la délicatesse de l'ovale et le modelé parfait des lèvres donnent une idée plus précise du charme éclatant qui se dégage du visage du peintre. Indéniablement elle a du caractère et cette élégance innée acquise au contact de sa mère.

Ils se croisent.

Jean-Baptiste Pierre Le Brun, peintre, écuyer du roi

Mais qui est ce Le Brun ? Une tradition fait de lui le petit-neveu de Charles Le Brun, peintre de la galerie d'Apollon, premier peintre de Louis XIV. Cette filiation n'est cependant pas clairement prouvée.

François Le Brun, second fils du frère du peintre du roi, Nicolas, pourrait être le grand-père de Jean-Baptiste Pierre. On sait peu de chose sur lui, si ce n'est qu'on le retrouve, à Paris en 1704, maître serrurier et « bourgeois de Paris » convolant avec Marguerite Vallée, belle-sœur d'un gagne-deniers [4].

Le frère aîné de François, Charles, est protégé de l'oncle prestigieux dont il porte le prénom. Auditeur à la Chambre des comptes, il se fait appeler Le Brun, seigneur de Thionville et de Villeneuve [5]. Le testament du peintre de Louis XIV exprime clairement sa préférence pour Charles, qui reçoit des biens considérables, sans mesure avec la pension de sept cents livres, octroyée à son cadet François, qui doit promettre de se désintéresser de la fortune laissée à son aîné. Pour des raisons inconnues, en effet, les relations du peintre de Louis XIV et de son second neveu étaient détestables : Charles Le Brun avait même fait emprisonner François chez les religieux de la Charité de Charenton, par une lettre de cachet [6].

Dans cette hypothèse, Jean-Baptiste Pierre serait l'arrière-petit-neveu du grand peintre. Et François Le Brun, peut-être, un mauvais sujet.

Que cette ascendance soit proche ou lointaine [7], véritable ou fausse, Jean-Baptiste Pierre laisse planer un doute. Dans ses collections, il possède un buste représentant son « grand-oncle », ce qui ne prouve rien [8]. Mais dès 1778, à trente ans, il se fait désigner, dans les actes notariés comme « peintre, écuyer du Roi [9] ». Le terme écuyer signale une noblesse sans titre, à laquelle certaines fonctions officielles peuvent donner droit. En réalité, Jean-Baptiste Pierre n'a pas de légitimité à porter la distinction qui avait été celle de son présumé arrière-grand-oncle. Il n'est pas seul dans le siècle à agir de la sorte. Toutefois, il fait preuve d'une modestie de bon

aloi : « Si j'ai hérité du nom de Le Brun, écrit-il, je n'ai point hérité de
ses talents [10]. » « Hérité du nom » ne signifie pas qu'il soit de la lignée du
grand Le Brun.

Pierre Le Brun, le père de Jean-Baptiste Pierre, était maître peintre
de l'Académie de Saint-Luc et miniaturiste. À sa pratique de la peinture il ajoutait celle du commerce d'art et de la curiosité : il vendait des
meubles en marqueterie de Boulle, des candélabres, des bronzes dorés,
des porcelaines, des statues. Pierre disposait d'une boutique rue de
l'Arbre-Sec et d'une salle des ventes distincte, à l'enseigne *Au Roi des
Indes* [11]. Dans ses entresols et son magasin, il pouvait stocker une
moyenne de trois cent cinquante tableaux. Parmi ces peintures, prédo-
minait l'école française du Grand Siècle où Lubin Baugin et Sébastien
Bourdon se taillaient la part du lion, à côté de panneaux de Simon
Vouet, d'un Watteau et d'un Chardin. Quelques œuvres italiennes, parmi
lesquelles trois Caravage, encore peu prisé, et des peintures hollandaises faisaient également partie de ses réserves. Pierre Le Brun était donc un marchand de premier plan sur la place de Paris. Il proposait des œuvres à des
prix modiques, de deux à six livres, jusqu'à des objets atteignant deux mille
quatre cents livres [12].

La mère de Jean-Baptiste Pierre, seconde épouse de Pierre, Françoise
Bouffé, appartient à une famille de maîtres ceinturiers. Sa sœur Anne,
marraine de Jean-Baptiste Pierre, est la femme d'un peintre de l'Académie de Saint-Luc, Jérôme Cheron. Ainsi cousins, neveux, beaux-frères se
retrouvent aux réunions de la corporation.

À la mort de son père en 1771, Jean-Baptiste Pierre, qu'on surnomme
Brunet [13], est, à vingt-trois ans, le seul fils majeur émancipé, et désigné
tuteur de ses cinq frères [14]. Joseph Alexandre, né en 1754, qui se fera
appeler Le Brun le jeune, exercera des activités commerciales semblables
à celles de son aîné. Le troisième, Pierre Louis, né en 1760, le plus
proche de Jean-Baptiste Pierre, logera rue Montmartre et prendra part au
commerce de son frère. Afin de se distinguer de ses frères, il se fera
connaître sous le nom de Le Brun de Villeneuve. Le choix de ce patronyme pourrait signifier que Pierre Louis revendique également une
parenté avec le peintre de Louis XIV. Il est tentant pour ces jeunes ambitieux de souligner une prestigieuse ascendance [15].

Les plus jeunes frères de Jean-Baptiste Pierre seront artisans : Pierre
Laurent, né en 1762, apprendra l'horlogerie et s'installera à Genève [16], le
benjamin Jean Charles, né en 1764, devient marchand tapissier. Le seul
absent de Paris, né en 1763, est l'avant-dernier, Marie François. Il s'est
embarqué comme officier pour les « îles d'or ». Sans nouvelles depuis
longtemps, Françoise Bouffé fera faire des recherches : elle apprendra en
1780 que son fils est enterré à Saint-Pierre de la Martinique.

Françoise est une femme énergique. À son veuvage, avec l'aide de Jean-Baptiste Pierre, elle a repris le commerce de son époux. Elle a sauvé de la vente de la collection de Pierre Le Brun quelques belles toiles hollandaises. À son décès, ce sont probablement celles que l'on retrouve à son inventaire. En 1773, elle se remarie avec un marchand de tableaux de moindre envergure, mais doté de discernement, Nicolas Le Rouge[17]. Celui-ci possède dans son fonds des œuvres hollandaises prisées. Le couple vit dans l'aisance, rue Troussevache, paroisse Saint-Jacques-de-la-Boucherie. Le Rouge a su faire évoluer son activité et obtient un privilège dans une affaire rentable, la Loterie royale de France.

Un jeune homme ambitieux

Tradition familiale oblige : l'aîné des fils Le Brun a commencé par prendre le pinceau. Il évoque dans une lettre l'importance du bain artistique dans lequel il a grandi : « aiant dès ma plus tendre enfansses été élevé au milieu des chefs d'œuvres des plus grands maitres tel que la collection Croza, baron de Thiers[18]. » S'il a suivi les cours de l'école du modèle à l'Académie royale[19], le jeune homme n'a pas été au collège, comme en témoigne son absence de maîtrise de l'orthographe, mais il s'est donné à lui-même une culture par la lecture, par l'observation des œuvres, en écoutant les amateurs lettrés.

Jean-Baptiste Pierre a fréquenté les ateliers de François Boucher, de Jean-Baptiste Des Hayes et d'Honoré Fragonard. Il a aussi bénéficié du patronage de Greuze qu'il appelle « mon ancien maître et ami[20] ». Rares sont ses œuvres identifiées à ce jour. Un portrait de femme exécuté dans sa vingt et unième année, avant la mort de son père, évoque les modes de la fin du règne de Louis XV : corsage bordé de perles et orné d'un bouquet. Le modèle tient une lyre à cinq cordes et suit distraitement du doigt les notes sur une portée. Le regard est lointain, et l'artiste a su donner une intériorité mystérieuse à ce visage inconnu. Jean-Baptiste Pierre s'adonne également à la peinture de genre qu'il continue à pratiquer durant quelque temps. Grâce aux gravures de Dambrun, on connaît de ses œuvrettes à la galanterie conventionnelle, comme la *Liberté perdue*, qui fait pendant à la *Toilette de la mariée*, dédié aux jeunes époux par « l'ami du beau sexe[21] », ou une paire représentant une *Famille dans un intérieur de cuisine*[22].

Très tôt, le jeune artiste vole de ses propres ailes et délaisse la palette pour se consacrer au commerce de tableaux. Déjà, avant la mort de son père, il fréquentait les ventes comme mandataire ou, parfois, à son propre compte. Il a d'abord repris le magasin de la rue de l'Arbre-Sec[23]. Une sorte de bottin des artistes publié en 1776, l'*Almanach historique et raisonné des architectes, peintres…* signale qu'il tient « magasin de tableaux de toutes les écoles et de dessins précieux » et qu'il joue le rôle d'expert : il fait lui-même « prisée et ventes [24] ». Pour emplir ses magasins, Le Brun voyage en Hollande et aux Pays-Bas, et constitue peu à peu un large réseau de marchands et d'artistes qui l'approvisionnent.

Avec ses frères, il a perfectionné les techniques de restauration apprises de leur père. Même Johann Baptist Wille, qui est un client exigeant, lui confie ses tableaux à restaurer [25]. Il relèvera un défi : remettre en état l'ensemble des tableaux de l'église de l'hôpital royal des Quinze-Vingts parmi lesquels se trouvent une *Apothéose de Saint Louis* de Charles Le Brun et des toiles de La Hire. En six semaines, pour la somme de trente louis, il réalise rentoilage, agrandissements et repeints [26]. C'est un travailleur acharné.

Non seulement Le Brun a le goût sûr, mais il se documente, devient érudit. Rien d'étonnant à ce que des connaisseurs cherchent à se l'attacher. Bientôt, il gagnera la confiance du duc d'Orléans et du comte d'Artois. Il devient « garde » de leurs collections, une sorte de conservateur de collections privées.

L'hôtel Lubert est en mauvais état. Mais Le Brun a de grandes vues : le locataire veut rénover la demeure de façon qu'elle fasse honneur au goût de la clientèle qu'il ambitionne d'acquérir. Il ne pouvait faire un meilleur choix : le bâtiment, placé sur un terrain en forme de L, dispose de deux entrées, séparées par une parcelle constructible. La porte cochère est située au numéro 4 de la rue du Gros-Chenet (actuelle rue du Sentier), l'autre issue ouvre au numéro 80 de la rue de Cléry [27].

En 1774, Le Brun se félicite d'avoir réalisé la première vente importante de sa carrière en association avec le marchand Rémy : celle des collections du comte Du Barry, qui comportaient de nombreux tableaux hollandais. Il aura les moyens de ses ambitions.

Le jeune homme fait consolider charpente et toiture. La porte cochère est ornée de sculptures de pierre, celle du salon du rez-de-chaussée de sculptures de bois, toutes exécutées par Pierre Hubert Coiffié. Louis Auger, sculpteur de l'Académie royale, réalise des décorations, Noël Mercier, les ferronneries et les serrures. Le Brun fait garnir les appartements d'armoires, d'étagères décoratives et de moulures. À elle seule, la facture de menuiserie s'élève à onze mille quatre cent vingt-sept livres. Les sols sont carrelés, les vitres réparées, et le jardin, remis en état, est planté de beaux arbustes. La rénovation, supervisée par l'architecte Guillaume de Besse, aura duré deux années. Les artisans donnent quittance à Le Brun en 1777 [28].

Afin de rentabiliser ses investissements, le marchand sous-loue tout le premier étage à une Mme Solard qui tient une maison de jeu, le rez-de-chaussée à un musicien amateur qui plaque les touches d'un clavecin fort bruyant [29], et plusieurs appartements à des artistes. Le comte de Paroy, collectionneur et graveur, est locataire d'un appartement de ce bel hôtel [30].

À l'étage noble, l'appartement de neuf pièces est destiné au maître des lieux. Il est rempli des tableaux dont il fait commerce. Des tableaux des diverses écoles, française, hollandaise et italienne, lui passent entre les mains.

Tel est l'homme avec qui Louise Élisabeth Vigée voisine dès 1775. L'appartement loué par le beau-père de la jeune fille se trouve au troisième étage de l'hôtel [31], elle passe tous les jours devant la porte de Le Brun. Le jeune marchand n'est pas un homme ordinaire : ses connaissances artistiques sont impressionnantes et il « parle peinture », presque aussi bien que les amis de son père Vernet ou Doyen. Comme Louise Élisabeth s'exerce à la copie, il lui prête des œuvres afin qu'elle les étudie. « Je mettais mes tableaux à côté des grands maîtres, écrit-elle, j'y voyais une telle différence que vite je les remportais pour les retoucher [32]. » Rapidement, Le Brun comprend les immenses possibilités de la jeune fille. Il lui apprend que les talents sont la seule vraie richesse : c'est sa maxime de vie. Car, ajoute-t-il, « rien dans le cours de la vie ne peut vous les ôter [33] ». Elle l'écoute fascinée. Il a de l'ambition pour deux. Il répète : « sans dessins, pas de forme et sans forme pas de peinture [34] », et encore ce conseil qu'il aime donner aux débutants : « Dites-vous je veux être cité parmi les artistes immortels [35]. »

Et en effet, la leçon semble être bien comprise puisque dès 1776, l'*Almanach historique et raisonné des architectes, peintres, sculpteurs* présente de façon prometteuse la jeune locataire de Le Brun :

> Mademoiselle Vigée a pris la route d'une artiste qui veut se faire une grande réputation. Remplie du désir d'exceller, elle écoute avec douceur et ses émules et ses maîtres dans l'art de rendre le portrait avec vérité. Déjà ceux qui sortent de son atelier se ressentent de ces heureuses impressions. Ils sont composés avec goût. Le sentiment y brille, les habillements sont bien faits, et sa couleur est vigoureuse [36].

Voilà un bel hommage. La notice réservée dans ce même *Almanach* à Rosalie Boquet, l'amie de Lisette, est louangeuse. Celle qui est consacrée à Adélaïde Guiard est enthousiaste : « touche hardie », « couleur brillante », « lumières larges et bien dégradées » [37]. La concurrence sera sévère, mais les trois jeunes artistes ont le vent en poupe.

Rivalités amoureuses

La clientèle de Louise Élisabeth lui a été fidèle et la suit rue de Cléry. Les galants aussi. Jean-Baptiste Le Brun n'est pas le seul intéressé par la jolie portraitiste. Un amoureux sincère se présente en la personne d'un gentilhomme écossais, « très délicat », se souvient-elle, nommé Oglivie : « Je ne voulus pas l'écouter, j'étais dévote encore [38]. » Oglivie est discret, plus timide sans doute que Le Brun, qui commence à lui faire la cour. Regrettera-t-elle parfois le bel Écossais ? Il est certain qu'elle ne l'a pas oublié. Son nom figure à plusieurs reprises dans ses notes manuscrites.

À un moment où l'on commence à parler de fiançailles à l'hôtel Lubert, le sieur de Brie, dont elle avait fait le portrait « à regards perdus », revient à la charge. Il importune la jeune fille au point que, en décembre 1775, son beau-père est contraint de le chasser *manu militari*. Une véritable scène de vaudeville. Le Sèvre menace le galant à coups de canne. De Brie, qui se dit comte, loge rue Jacob chez un « baigneur ». Lorsqu'il apprend les fiançailles de la jeune artiste, furieux de se voir évincé, il se déchaîne, adresse à Jean-Baptiste Pierre des lettres calomnieuses, se répand en injures. Le jaloux accuse le vieil abbé Arnaud, l'abbé Giroust et un certain Caze qui fréquentent la maison, d'être les amants de Louise Élisabeth [39].

Jean-Baptiste Pierre est là tous les jours. Ses manières sont douces. Il ne s'impose pas, mais sait se faire agréer de la famille Le Sèvre, qui le croit déjà propriétaire de l'hôtel Lubert. Sans doute la jeune fille discerne-t-elle en lui quelque chose d'un imperceptible « bon ton » auquel elle demeurera sensible toute sa vie :

> Il s'était acquis par le contact du grand monde, des manières et des formes exquises dans son langage et dans sa tenue. Il était toujours très recherché dans sa toilette. [...] Il se mettait avec le plus grand luxe [40].

Comme un caméléon, l'intelligent jeune homme a adopté le style de vie de ses riches clients. Il s'exprime avec élégance et a acquis ce vernis de culture qui éblouit sa jeune voisine.

Une scène espagnole

Une peinture de genre exécutée dans les mois où Louise Élisabeth fait la connaissance de Le Brun nous renseigne sur les états d'âme de la jeune femme avant son mariage. Elle l'intitule *Scène espagnole*. Dans l'intimité d'une pièce confortable – sol dallé, table recouverte d'un tapis d'orient –, une jeune femme blonde est assise sur un sofa, elle a ouvert un livret de musique. Derrière elle, un jeune homme portant une fraise et un chapeau à plume suit la partition par-dessus son épaule. Son bras frôle les cheveux de la jeune femme. Il accompagne son chant à la mandoline. Derrière un rideau, une servante écoute la mélodie et surveille les amoureux. Sa présence discrète signale que l'harmonie doit être protégée.

Ce tableau de petit format résulte de la commande d'un amateur, Christian IV, duc de Deux-Ponts. Mais le commanditaire disparaîtra avant la livraison de l'œuvre [41]. Cette œuvre étonnante représente, d'après la tradition, le couple Le Brun. Le jeune homme aux joues pleines et aux yeux légèrement bridés, c'est Jean-Baptiste Pierre. Cette jeune femme qui porte un nœud dans les cheveux, c'est Louise Élisabeth. Voici sans doute le seul tableau du pinceau de l'artiste qui représente Jean-Baptiste Pierre. Aussi incroyable que cela puisse paraître, elle qui exécutera plusieurs centaines de portraits ne fixera plus jamais ses traits. Le couple, dont elle a rêvé, a existé au moins quelques mois et sur la toile.

L'artiste a capté ici les prémices d'une inspiration *troubadour* déjà popularisée par Carle Van Loo [42]. Que chantent les personnages ? Leur posture, la présence de la servante font songer à une scène de sérénade de *L'Amant jaloux*, une comédie espagnole mêlée d'ariettes de Grétry et d'Hèle. Ils chantent *l'espoir divin, l'espoir flatteur.* Elle est sage comme la Léonore de l'opéra, lui volage comme le chevalier Florival. Espère-t-elle que l'amour accomplisse une métamorphose ? L'histoire du jeune couple ne se terminera pas de la même façon [43].

Cette rencontre n'est pas le début d'une bluette.

Lorsque Jean-Baptiste Pierre présente sa demande à Jeanne et à Le Sèvre, les parents, flattés, acceptent de le voir devenir leur gendre. Le prétendant est d'humeur aimable ; ce détail n'échappe ni à Jeanne ni à Louise Élisabeth qui se souviennent encore de la douceur de Louis Vigée.

Les jeunes gens ont en commun leur belle apparence et se reconnaissent en leur amour de la peinture. Sans le savoir tout à fait encore, ils partagent une ambition : vivre pour l'art. Louise Élisabeth sent qu'avec son voisin de l'hôtel Lubert, elle pourra construire un projet de vie commun, qu'elle ne sera pas obligée de renoncer à sa peinture et qu'elle pourra vivre en artiste. Cependant jusqu'à la veille des noces, elle hésite.

Madame Le Brun

1776-1789

6

CHANGER DE NOM

> « À l'époque où de rien l'âme n'est avertie,
> Où la timidité tient de la gaucherie,
> Où l'on parle toujours avant d'avoir senti,
> Où l'on répond toujours sans avoir réfléchi,
> Je contractais des nœuds flatteurs en apparence. »
> Étienne VIGÉE, *L'Entrevue*, scène 7.

Louise Élisabeth Vigée Le Brun

Tout pourrait être réuni pour une vie de bonheur. Mais au moment de s'engager dans le mariage, Louise Élisabeth se sent partagée. Contrairement à la plupart des jeunes filles de sa génération, elle ne convoite pas le statut de femme mariée : son pinceau lui assure une sécurité matérielle. L'exemple de sa mère a montré à la jeune artiste que l'absence d'indépendance économique pouvait conduire à des décisions précipitées. Et ce même exemple lui a dévoilé les malheurs d'un mauvais mariage.

Avant elle, des femmes peintres sont demeurées célibataires, telle la pastelliste italienne Rosalba Carriera, à laquelle on la compare. Cependant rester fille impliquerait de demeurer sous le joug de son beau-père. Le besoin de trouver une protection conjugale, alors que son métier l'expose aux hommages importuns, compte. Le désir d'échapper à la tutelle de son désagréable beau-père l'emporte.

La fille du pastelliste Louis Vigée s'est déjà fait connaître par son prénom. Le contrat de mariage lui ôtera le nom de son père, auquel son propre talent a contribué à donner de l'éclat. Au moment de ses noces, c'est un sentiment de dépossession que Mlle Vigée éprouve. Elle fait cette confidence : « Je ne quittais pas sans un grand regret mon nom de fille, sous lequel j'étais déjà très connue [1]. » Dans l'*Almanach historique et raisonné*, en 1776, elle est répertoriée comme Mlle Vigée. L'année suivante, en 1777, alors qu'elle se nomme déjà Mme Le Brun, elle est encore classée à son nom de jeune fille : « Vigée (madame Le Brun) ».

Pour une artiste dont la notoriété se confirme, l'abandon de son nom est ressenti comme une perte symbolique. Sans doute est-ce la raison pour laquelle elle signera à partir des années 1780 ses œuvres de son double nom : Vigée Le Brun. Elle n'est pas la seule à faire ce choix : ses consœurs, Mmes Vallayer-Coster et Labille-Guiard, ne renoncent pas non plus à leur nom de jeune fille.

Et son prénom, la seule chose qui soit vraiment sienne, quel est-il en réalité ? Sur un codicille à son premier testament, elle précise qu'elle a longtemps signé Louise Élisabeth, mais que son prénom est Élisabeth Louise [2]. Sur certaines pièces notariées, elle signe d'un Louise Le Brun, auquel elle ajoute sur la ligne au-dessus Vigée. Louise semble avoir été son prénom d'usage, les récits biographiques laissés par son neveu par alliance le montrent. S'appeler Louise, Lisette, n'est-ce pas une façon supplémentaire de faire vivre le souvenir de son père ? Les différents agencements de ses noms et prénoms dans sa signature – Louise Le Brun, Madame Le Brun, L[es] V. Le Brun et enfin Louise Élisabeth Vigée Le Brun – accompagneront la quête d'une identité toujours remise en question.

L. E Vigée Le Brun

Le 11 janvier 1776, sur le chemin qui la mène à l'autel de l'église Saint-Eustache, elle s'interroge encore : « Dirai-je oui ? dirai-je non [3] ? » S'agit-il de formules de circonstance, est-elle vraiment partagée ? Dans la chapelle du mariage, située à gauche du portail principal de l'église, deux fresques veillent sur les futurs époux : l'une représente le mariage d'Adam et Ève, l'autre les noces de la Vierge et de Joseph. Mlle Vigée acquiesce à la demande du prêtre. « Hélas ! j'ai dit oui, avouera-t-elle dans ses *Souvenirs*, et j'ai changé mes peines contre d'autres peines [4]. »

Deux actes signés par le notaire de la famille ont encadré la cérémonie. Tout d'abord, le 8 janvier, la liquidation de la communauté subsistant entre le défunt Louis Vigée et Jeanne Maissin. Après des calculs précis, Louise Élisabeth reçoit de sa mère 7 793 livres en « espèces sonnantes ». Puis, un contrat de mariage est signé chez les Le Sèvre ; le régime choisi est celui de la communauté « selon la coutume de Paris ». L'acte est daté du 20 janvier [5]. Louise Élisabeth apporte une petite rente de 99 livres, 12 sols et une dot de 15 242 livres constituée par son héritage, auquel s'ajoute une « épargne de peinture » de 7 449 livres. Les économies de

Mlle Vigée ont été écornées par sa contribution à la vie de la famille Le Sèvre. À titre de comparaison, son amie Rosalie Boquet dispose de 16 000 livres de plus en épargne de peinture. Un paragraphe en marge de l'acte précise, à la demande des enfants Vigée, qu'il faut ajouter les loyers de la maison de Neuilly à l'actif dont disposent les héritiers, précaution utile vis-à-vis de Le Sèvre.

De son côté, Jean-Baptiste Pierre apporte 85 271 livres en tableaux, meubles et objets. Il est fort de la promesse d'acquisition de l'hôtel Lubert, déduction faite des sommes importantes consacrées aux travaux engagés, soit 12 599 livres déjà acquittées. Le contrat fait état des sommes qui lui sont dues, tant par des créanciers (6 320 livres) que par des rentes viagères (3 500 livres dues par le prince de Conti). L'homme a également des dettes qui s'élèvent à 29 390 livres. Les mouvements d'argent mis en jeu lors du contrat de mariage montrent que Le Brun brasse des sommes importantes.

Un mariage secret

Sur le contrat, pas d'autres signatures que celles de la famille proche. À la demande de Jean-Baptiste Pierre, le mariage est tenu secret durant six mois ; le temps nécessaire pour le promis de se délier d'un engagement contracté avec la fille d'un marchand hollandais avec qui il est en affaires. Les parents de la mariée n'ont pas songé à mal. Après tout, l'orfèvre sait qu'en affaire les négociations sont complexes. Comment ne voient-ils pas là l'indice d'un manque de scrupule chez le fiancé ?

Après la cérémonie, la jeune fille commence à évoquer dans son cercle amical son projet d'union avec Le Brun. Les langues se délient. Ce sont des révélations d'un autre ordre. Aubert [6], joaillier de la Couronne, dont la boutique est installée aux galeries du Louvre, la met instamment en garde. « Vous feriez mieux de vous attacher une pierre au cou et de vous jeter dans la rivière que d'épouser Le Brun », prévient-il. Aubert sait des choses qu'elle ignore : Jean-Baptiste Pierre a-t-il fait des achats chez lui ? A-t-il reçu des confidences de ses clientes ? Il a des relations avec les frères Du Barry qui n'ont rien de rassurant. La duchesse d'Arenberg [7], Mme de Canilhac [8], la première Mme de Souza [9], épouse du marquis de Oporto et ambassadrice de Portugal, toutes lui déconseillent un mariage qui est célébré depuis plusieurs semaines :

> Au nom du ciel, me disait la duchesse, n'épousez pas M. Lebrun, vous seriez trop malheureuse. Puis elle contait une foule de choses que j'avais le bonheur de ne pas croire entièrement, quoiqu'elles se soient trop confirmées depuis [10].

Que lui apprend-on qu'elle ne rapporte pas dans ses *Souvenirs* ? Que son jeune époux est connu pour ses mœurs dissolues, qu'il aime le jeu, les soupers avec des filles de l'Opéra. Bref, il se conforme à la façon de vivre de la plupart des hommes de qualité : fréquenter ce qu'on appelle pudiquement des *petites maisons*, comme celle de la présidente Brissault à la barrière blanche [11], offrir des voitures et des bijoux, payer le loyer d'un hôtel dans un faubourg afin de se distraire en galante compagnie. Ce comportement va bien au-delà des incartades de Louis Vigée qui, selon le témoignage de sa fille, aimait caresser parfois les grisettes. Cette révélation est un choc et une promesse de malheur.

Jeanne Maissin, qui assiste à ces conversations, est au bord des larmes. Si elle avait été plus avisée, n'aurait-elle pas pris des informations sur son futur gendre ? L'imprudence de Jeanne se manifeste ici à nouveau. Tant que le mariage ne peut être annoncé, Louise Élisabeth séjourne chez sa mère. Avant de s'installer dans les appartements de Le Brun [12], elle attendra plusieurs mois. Elle n'est pas pressée.

Sa déconvenue est profonde. Sans doute plus éprise de Jean-Baptiste qu'elle ne veut le laisser paraître, elle refuse de laisser libre cours à sa déception. Étienne observe sa sœur ; plus tard, il écrira ces vers, qui traduisent sa tristesse : « C'est que souvent le cœur n'a pas ce qu'il souhaite / C'est qu'on voudrait souvent se déguiser son mal [13]. »

Une année de travail intense

La nouvelle Mme Le Brun a fort à faire : on se presse devant son chevalet. Elle se souviendra d'avoir réalisé quarante et un portraits l'année de son mariage. Pas une journée sans dessiner ou peindre, telle est la règle à l'hôtel Lubert.

L'année précédente, en 1775, l'abbé Giroust avait incité le prince de Nassau-Siegen [14] à visiter son atelier. Celui-ci se décide maintenant à commander son portrait en pied. Nassau, déjà connu pour son intrépidité, n'a pas plus de trente et un an. Toujours en voyage, il disait que son adresse était « sur les grands chemins ». Est-ce pour cette raison que Louise Élisabeth réalise ce portrait dans un ovale de petit format, facile à transporter [15] ? L'« invulnérable » Nassau, selon le surnom donné par le prince de Ligne, avait combattu les fauves à main nue. Il avait suivi Bougainville dans son tour du monde. C'est une satisfaction de portraiturer cet homme exceptionnel. La main reposant sur un globe, portant perruque et vêtu d'un habit brodé, ce héros, courageux au combat et timide à la ville, choisit de poser de façon conventionnelle.

Les débuts de son mariage ne font pas oublier à la jeune femme ses amitiés de jeunesse. Dans sa liste de portraits apparaît pour la première fois le nom de celle qu'elle désigne déjà comme « Mme de Verdun », alors qu'elle se nomme encore Anne Catherine Le Preudhomme de Chastenay. Celle-ci loge rue de Grenelle, faubourg Saint-Germain, dans l'hôtel de ses parents. Deux ans plus tard, elle épousera Jean Jacques Marie Verdun. Si son fiancé n'est pas d'aussi ancienne noblesse qu'Anne Catherine, il est protégé par son oncle, le fermier général Jean François Verdun. Ce dernier s'engagera par contrat à pourvoir aux besoins du jeune ménage : il offre un carrosse à deux chevaux avec cocher, les gages de quatre domestiques, la somme de vingt mille livres tournois pour installer la maison. Et surtout, il institue son neveu comme son légataire universel. De son côté, Anne Catherine est richement dotée, elle apporte dans sa corbeille de mariage cent soixante mille livres de dot et le château de Champigneulles en Lorraine [16].

Malgré l'importance de la différence sociale, Anne Catherine restera l'amie tendre et généreuse sur qui Élisabeth pourra toujours compter. Sa demeure de Colombes, acquise par Verdun, lui sera toujours ouverte. Celle que Louise Élisabeth nomme affectueusement ma « première et plus ancienne amie » est éprise de son époux, homme intègre et respecté des habitants de Colombes [17].

Au fil des séances de pose, le lien se renforce. Le portrait de 1776 est le premier de quatre autres réalisés durant la vie de l'artiste. Sur l'un d'eux, Anne Catherine est coiffée d'un chapeau de paille et vêtue d'un corset lacé de paysanne. Un autre portrait ovale réalisé en 1779 la montre parée d'une robe de moire bleue au reflet pêche. Un ruban ferme son fichu de gaze rayé de soie. Sur le haut du chignon poudré un ruban pervenche retient un bouquet de bleuets et de boutons d'or ; les mèches qui s'échappent sont roulées en anglaises. Un léger strabisme donne à ses yeux gris clair une grande douceur [18].

À côté des portraits où l'artiste peut laisser libre cours à sa créativité et traduire les émotions suggérées par le modèle, des commandes plus strictement lucratives lui parviennent. Elle réalise dans l'année 1776 un portrait de Monsieur, comte de Provence. Les séances de pose sont animées, car Monsieur aime causer et chanter...

> Quelquefois, pour varier sans doute, il me chantait, pendant nos séances, des chansons qui n'étaient pas indécentes, mais si communes, que je ne pouvais comprendre par quel chemin de pareilles sottises arrivaient jusqu'à la cour. Il avait la voix la plus fausse du monde. — Comment trouvez-vous que je chante, madame Lebrun ? me dit-il un jour. — Comme un prince, Monseigneur, lui répondis-je [19].

À l'atelier, l'artiste réalise douze répliques de ce portrait pour la somme de deux mille trois cents livres [20], une commande qui lui est parvenue par le réseau de relations qu'elle a tissé, peut-être par l'oncle de Rosalie Boquet, qui règne sur les commandes des « Menus Plaisirs ». Le travail de réplique est répétitif, mais exige une exécution parfaite. Nul ne doute que Jean-Baptiste Pierre, qui veille à sa carrière, ne lui ait conseillé d'accepter.

Un jeune voisin plein d'avenir

Grâce à son métier, Jean-Baptiste Pierre est en contact avec de nombreux artistes. Lors de ventes, il a sympathisé avec un miniaturiste de l'Académie de Saint-Luc, nommé Jean Antoine Gros, qui est collectionneur. Ce dernier loge rue Neuve-des-Petits-Champs, avec son épouse Madeleine Cécile Durand, fille d'un marchand orfèvre, et leurs deux jeunes enfants : Antoine Jean et Jeanne Marie Cécile. La famille Gros accueille la nouvelle mariée chaleureusement et celle-ci se prend d'amitié pour leur garçonnet, qui vient souvent à l'hôtel Lubert. Antoine s'intéresse beaucoup à la peinture, il adore que son père l'emmène avec lui visiter la galerie de l'académie ou les collections des amateurs. Lorsque Jean Antoine Gros vient voir les nouveautés exposées par Le Brun, Louise Élisabeth en profite pour gâter le jeune garçon : des tartelettes, des figues, des bonbons. Le baron Gros se souviendra longtemps de ces friandises, et particulièrement des « poires tapées », dont il était friand, ces fruits confits au four que Louise Élisabeth lui donne dans un morceau de papier huilé [21].

Louise Élisabeth prête à l'enfant de quoi dessiner et reconnaît en lui des dons de « coloriste », qui ne se démentiront pas [22]. Un jour de l'été 1776, alors qu'Antoine s'amuse dans l'atelier de la rue de Cléry, l'artiste cède au plaisir de dessiner au crayon le portrait de son jeune apprenti. L'enfant l'offre à son père le jour de la Saint-Jean, avec un bouquet [23]. Antoine et ses parents conserveront ce dessin précieusement.

La famille Gros habite juste en face des écuries du duc d'Orléans. Tous les jours, l'enfant guette les chevaux qui entrent et sortent. Un jour, alors qu'il dessine une tête auprès de sa grande amie, il lui demande :

> « Pourquoi donc fais-tu toujours dans tes tableaux des messieurs et des dames, et jamais des chevaux ?
> — Mais parce que je ne sais pas les faire
> — Comment tu ne sais pas faire des chevaux ! Toi ! Alors je vais te montrer comme on fait. »

L'enfant [prend] un morceau de papier et en quelques secondes [dessine] un ravissant petit cheval en disant :
« Tiens, vois ce n'est pas plus difficile que cela [24]. »

Mme Vigée Le Brun aimera se souvenir de cette anecdote lorsque l'enfant sera devenu le peintre de la geste napoléonienne, des *Batailles d'Aboukir et de Wagram*.

La classe des demoiselles

Une année après le mariage de Louise Élisabeth, en 1777, son ami Doyen est chargé de l'organisation du « prix Caylus ». Ce concours, qui récompense un portrait de « tête d'expression », est réservé aux garçons. Sans pouvoir se présenter, l'année suivante, la jeune Mme Le Brun réalise, dans l'esprit des figures imposées, sa « tête » coiffée d'une couronne de roses, regard levé [25]. C'est chez Greuze, le maître des « têtes d'expression », qu'elle a étudié la dégradation de la lumière sur un visage, et la délicate transition entre les cheveux et le front [26]. Cette tête est une façon d'aborder l'autoportrait.

Alors qu'elle étudie toujours, Le Brun l'incite à créer une école. Il est à la mode de cultiver un « talent », et les jeunes filles de famille désireuses d'apprendre les rudiments de la peinture et du dessin sont nombreuses. Le couple installe des sièges et des chevalets dans une dépendance de l'hôtel Lubert. Certaines élèves sont plus âgées que leur professeur, si bien qu'il est parfois difficile de maintenir un semblant de discipline comme le montre cette anecdote :

> J'avais établi l'atelier de ces demoiselles dans un ancien grenier à fourrage, dont le plafond laissait à découvert de fort grosses poutres. Un matin, je monte et je trouve mes élèves, qui venaient d'attacher une corde à l'une de ces poutres, et qui se balançaient à qui mieux mieux. Je prends mon air sérieux, je gronde, je fais un discours superbe sur la perte du temps ; puis voilà que je veux essayer la balançoire, et que je m'en amuse plus que toutes les autres. Vous jugez qu'avec de pareilles manières il m'était difficile de leur imposer beaucoup [27].

Mme Le Brun note avec humour que ce genre d'incident « nuisait prodigieusement au respect que doit imprimer un chef d'école ». Malgré ces fantaisies, une ou deux personnalités émergent de ce turbulent cénacle, Marie Guilhemine Le Roux de Laville [28] et sa sœur, Marie Élisabeth avec qui se tissent les liens les plus durables. Marie Élisabeth épousera l'habile chirurgien Larey. Quant à Marie Guilhemine, future comtesse Benoist d'Angers, elle deviendra célèbre sous le prénom d'Émilie, lorsque Demoustiers [29] lui dédiera en 1786 ses *Lettres sur la Mythologie*. Les dons d'Émilie s'épanouiront dans un magnifique autoportrait à l'huile où, vêtue à la grecque, elle rend un discret hommage à David en copiant l'un de ses tableaux resté inachevé [30].

Lorsque à la suite de travaux entrepris à l'hôtel Lubert Mme Le Brun fermera son école, plusieurs élèves, dont Émilie, seront accueillies par David [31]. L'audacieux *Portrait d'une négresse* vêtue de blanc [32], se détachant sur un fond clair, qu'Émilie exposera au Salon de 1800, fera également parler d'elle.

L'« école des demoiselles » est également fréquentée par trois des sœurs Lemoine. L'aînée, Marie-Victoire, la plus connue, a presque le même âge que son professeur [33]. Elle a réalisé un « intérieur d'atelier », dont on a longtemps pensé qu'il pouvait être celui de Louise Élisabeth, mais qui représente plus probablement Marie-Victoire elle-même corrigeant un exercice d'une de ses sœurs. Marie-Victoire, qui aurait reçu également les conseils de Ménageot, exposera plusieurs fois au Salon. Ses sœurs cadettes, Marie Élisabeth et Marie Denise, suivent aussi les leçons de Mme Le Brun. Mieux connue par son diminutif Nisa et son nom d'épouse, Villers, Marie Denise est l'auteur d'un autoportrait, où vêtue d'une robe blanche elle dessine dans le contre-jour d'une soirée qui s'achève [34]. Leur jeune cousine, Jeanne Élisabeth Gabiou, qui s'épanouira dans la peinture de genre, fera elle aussi partie de la classe de la rue de Cléry où les jeunes filles apprennent en famille. Mlle Gabiou épousera un familier des Le Brun, le statuaire Antoine Denis Chaudet.

Plusieurs des élèves de « l'école des demoiselles » laisseront des œuvres dignes de passer à la postérité. Il faut croire que, malgré son impatience, les qualités éducatives de Mme Le Brun sont réelles. Réfléchissant sur son enseignement, elle composera des *Conseils sur la peinture du portrait* destinés à sa nièce Eugénie, traité qui prend sa source dans les expériences pédagogiques de la jeunesse [35].

Contrairement à ce qu'affirmera Louise Élisabeth dans ses *Souvenirs*, le but visé par son époux en l'incitant à tenir école va au-delà du profit immédiat. Les heures passées à enseigner sont peut-être une perte de temps et auraient pu être mieux rentabilisées par l'exécution de tableaux, mais il s'agissait d'un calcul à long terme, car Jean-Baptiste Pierre nourrissait d'amples ambitions pour son épouse : il voulait faire d'elle, à l'égal des maîtres, l'initiatrice d'un art personnel du portrait, avec en arrière-pensée, la possibilité d'animer un atelier où les élèves contribueraient à la production de l'artiste, à l'image de ce qu'avaient réalisé Rubens ou Van Dyck. Le nombre élevé des commandes passées en 1776 et 1777 pouvait rendre envisageable pareil projet.

Vernet et Lekain

Si elle songe aussi à l'avenir, Louise Élisabeth reste fidèle à son passé, c'est un trait de son caractère qui ne cessera de s'affirmer. Elle peint un portrait en buste de Joseph Vernet. L'ami de Louis Vigée, les cheveux

poudrés, est sobrement vêtu d'une veste de velours d'où dépassent de discrètes manchettes et une cravate de dentelle. Ses doigts fins tiennent le
pinceau. Sérieux et serein, il a les yeux attachés sur un modèle que l'on
ne voit pas. Nulle allusion à l'œuvre du peintre des *Ports de France* ici.
Cet hommage à un homme à qui les honneurs n'ont pas tourné la tête
est un des portraits les plus discrets et les plus attachants de l'artiste [36].

Si la jeune femme sait rendre la douceur de Vernet, elle est capable
aussi de mettre en valeur des physionomies plus rudes. À la même
époque, vers 1778, Lekain, l'acteur apprécié de Voltaire, vient de disparaître. Peut-être l'artiste a-t-elle souhaité fixer ses traits « de souvenir »
pour ceux qui l'ont admiré. En effet, de la laideur de Lekain, ici atténuée, Louise Élisabeth dégage une force placide : les traits épais de
l'acteur suggèrent sa détermination. Il est vêtu d'un costume débraillé et
sans recherche [37]. La forme d'animalité à laquelle la jeune femme avait
été sensible lorsqu'elle avait croisé l'acteur pour la première fois chez
Lemoyne est ici parfaitement restituée. Dans les portraits de cette
période, qui ne sont pas des portraits de cour, et où sa technique se
cherche, la jeune artiste songe davantage à comprendre l'esprit du
modèle qu'à lui composer un air, elle cherche à exprimer une intériorité.

7

PREMIER PORTRAIT DE LA REINE

L'attente de la reine

En janvier 1778, la réputation de Mme Le Brun est telle qu'on se dispute ses œuvres : lors d'une vente à l'hôtel d'Aligre, deux petites têtes d'étude sont adjugées à mille cinq cents livres [1]. Ses ouvrages sont recherchés « à très grand prix » par tous les amateurs. Un répertoire des femmes artistes estime que son « talent décidé » ne fait plus de doute [2].

C'est à ce moment qu'une demande lui est faite de se présenter à la cour. Louise Élisabeth est priée de prendre ses dispositions pour exécuter un portrait de la reine. Marie-Antoinette cherche « un peintre qui attrape [sa] ressemblance » afin d'envoyer à Marie-Thérèse d'Autriche, sa mère, l'image que celle-ci attend depuis si longtemps. En octobre 1774, la toute jeune reine écrit : « Les peintres me tuent et me désespèrent ; j'ai retardé le courrier pour laisser finir mon portrait ; on vient de me l'apporter : il est si peu ressemblant que je ne puis l'envoyer. J'espère en avoir un bon pour le mois prochain [3] ».

Ni le pinceau de Duplessis, ni celui de Drouais, pas plus que celui du chevalier de Lorges ne sont parvenus à satisfaire l'exigeant modèle. En 1775, la reine fait une nouvelle tentative avec Jean-Baptiste André Gautier-Dagoty, qui réalise un portrait en grand habit de cour, d'après nature. L'œuvre représente la reine en une parure chargée de fleurs de lys, d'hermine, de pampilles, de tentures de velours et d'objets au symbolisme pesant. La main posée sur un globe, hiératique, la souveraine est placée dans un décor qui l'écrase. Déçue, elle n'envoie pas le tableau à Vienne, mais en fera présent au prince Starhemberg deux années plus tard [4].

Marie-Thérèse espère toujours qu'un portrait de grande dimension vienne tenir compagnie à ceux des membres de la famille, dans une salle de son palais de la Hofburg qu'elle a réservée à cet effet. Les Viennois se plaignent, affirme l'impératrice, à « madame sa chère fille », puisque c'est ainsi qu'elle s'adresse à elle. Le comte de Lacy, un important dignitaire de l'Empire, écrit-elle, « est scandalisé de ne trouver chez moi qu'un seul portrait de vous, qui est celui avant votre départ de la Bertrand [5] ». D'une plume affectueuse, l'impératrice insiste :

> Je voudrais avoir votre figure et votre habillement de cour, même si le visage même ne sera pas si ressemblant. Pour ne pas trop vous incommoder, il suffira que j'aie la figure et le maintien, que je ne connais pas et dont tout le monde est si content. Ayant perdu ma chère fille bien petite et enfant, ce désir de la connaître comme elle s'est formée doit excuser mon importunité, venant d'un fond de tendresse maternelle bien vive [6].

C'est dans ce contexte que Louise Élisabeth est appelée à Versailles. Par quel biais son nom est-il parvenu jusqu'à la reine vers le milieu de l'année 1777 ? Plusieurs voies sont possibles. On se rappelle que Louise Élisabeth a copié douze effigies du comte de Provence. Entre 1776 et 1777, elle a également livré quatre copies de portraits de la reine réalisés par d'autres peintres. À Versailles, une officine se charge de répartir entre les artistes ce type de travaux [7]. Mais le Trésor paie mal. Le tarif pour ces copies était de deux cent quarante livres pour un buste et quatre cent quatre-vingts livres pour un grand tableau. Deux années après la réception de son travail, seule une moitié de la somme lui a été versée [8].

Cependant, si son nom circule déjà dans Paris, la portraitiste n'est pas directement connue de la famille royale. Une autre entremise paraît vraisemblable, celle de la duchesse de Chartres. C'est sur ses conseils que Marie-Antoinette a confié le soin de sa toilette à l'habile marchande de modes, Rose Bertin. Et la mélancolique duchesse de Chartres avait déjà fait réaliser son portrait par Louise Élisabeth [9].

Une apparition

Une page se tourne. D'où qu'elle vienne, cette recommandation est décisive pour la carrière de la jeune artiste. Se montrera-t-elle à la hauteur de la confiance accordée par la reine ?

Sur le chemin qui la conduit à Versailles, dans la voiture avec Jeanne à ses côtés, Louise Élisabeth se remémore-t-elle l'instant où Marie-Antoinette lui est apparue pour la première fois dans son adolescence ? Un souvenir datant de presque huit années lui revient : c'est à Marly, où elle se promène avec sa mère. Comme dans un rêve, au détour d'une allée, un groupe de jeunes femmes surgit. « Toutes étaient en robes blanches, si jeunes, si jolies qu'elles me firent l'effet d'une apparition », se

souviendra-t-elle dans ses mémoires [10]. Une belle femme s'approche de la
jeune fille inconnue et l'invite à poursuivre sa promenade. Louise Élisabeth
a reconnu Marie-Antoinette. Proche et lointaine, l'apparition de la reine
a quelque chose d'un épisode de légende.

Lorsqu'elle la revoit à Versailles, c'est son port de tête que la portraitiste remarque d'abord :

> Elle était la femme de France qui marchait le mieux ; portant la tête fort
> élevée, avec une majesté qui faisait reconnaître la souveraine au milieu de
> toute sa cour, sans que pourtant cette majesté nuisît en rien à tout ce que son
> aspect avait de doux et de bienveillant [11].

D'autres témoignages féminins ont décrit la reine. Les mémoires de
Mme Campan, parfois taxés d'hagiographie, évoquent le souvenir de
Marie-Antoinette dauphine, sans lui attribuer la régularité de traits qui
lui faisait défaut :

> Madame la dauphine, alors âgée de quinze ans, éclatante de fraîcheur,
> parut mieux que belle à tous les yeux. Sa démarche tenait à la fois du main-
> tien imposant des princesses de sa maison et des grâces françaises ; ses yeux
> étaient doux, son sourire aimable [12].

Une femme rayonnante, à la fois majestueuse et simple, c'est l'image
dont se souvient Mme de La Tour du Pin :

> Elle ouvrit (le bal) avec un simple jeune garde, vêtue d'une robe bleue,
> toute parsemée de saphirs et de diamants, belle, jeune, adorée de tous, venant
> de donner un dauphin à la France [13].

Le portrait

Malgré son émoi, Mme Le Brun agit en professionnelle. Elle relève
avec précision les proportions réelles de son modèle, les particularités de
son corps, sa haute taille, son embonpoint, ses membres harmonieux.
Son visage : des traits irréguliers, un ovale un peu étroit, des lèvres fortes,
un nez fin, de petits yeux bleus. Loin d'idéaliser la jeune femme, l'artiste
prend en compte ces imperfections afin de mieux distinguer les caractéristiques physiques des effets qu'elles produisent. Le port de tête et la
démarche en imposent par leur grâce, le regard est « spirituel et doux ».

Plus que la beauté des traits, c'est l'éclat de Marie-Antoinette qu'elle
tente de mettre en valeur et pour lequel elle cherche une solution technique. Le rayonnement produit par la luminosité de ce teint est inaccessible aux nuances de la palette : « Je n'en ai jamais vu d'aussi brillant, et
brillant est le mot ; car sa peau était si transparente qu'elle ne prenait
point d'ombre [14]. » Affirmer que l'éclat de la reine ne peut être reproduit,
c'est dire qu'elle fut inimitable et lui rendre un ultime hommage.

L'artiste conserve l'implantation haute des cheveux, le nez busqué et la lèvre charnue. Elle restitue l'élégance de la stature qui se détache sur des arrière-plans sobrement ornés. La robe de satin blanc à paniers bordés d'or, les dentelles et les rubans créent une harmonie monochrome en accord avec les voiles de l'arrière-plan. Les masses cramoisies des velours du fauteuil et de la nappe ponctuent cet équilibre. En plaçant le corps de la reine de biais, le peintre rompt, de façon imperceptible, avec la frontalité du tableau de Gautier-Dagoty, mais conserve à la pose sa majesté. La reine semble en mouvement : elle vient de se lever de son siège. Un buste de Louis XVI en retrait et une couronne posée sur un coussin évoquent sa souveraineté. Toutefois, ce n'est pas un insigne royal que la reine tient à la main mais une rose, semblable à celles qui s'épanouissent dans le vase placé à côté d'elle.

Le résultat obtenu est à la hauteur des espérances de la reine et surtout de sa mère. Marie-Thérèse d'Autriche affirme que le prince de Ligne, qui est à Vienne, y trouve de la ressemblance : « Votre grand portrait fait mes délices », confie l'impératrice à sa fille [15]. Mme Vigée Le Brun est parvenue à concilier grâce et majesté dans un tableau de grand format. Marie-Antoinette est satisfaite. Le portrait sera exposé à l'hôtel Lubert avant d'être remis à ses commanditaires.

Achat de l'hôtel Lubert

Les affaires du couple Le Brun sont prospères. Pour le portrait en pied de la reine, Louise Élisabeth a obtenu un cachet de 6 000 livres [16]. À cela s'ajoutent 2 400 livres (250 louis) pour en exécuter une copie destinée à l'appartement du ministre des Affaires étrangères à Versailles. La somptueuse « bordure » (l'encadrement) réalisée par Butteux augmente le prix du tableau d'un tiers, soit de 1 800 livres pour l'original et de 1 400 livres pour la copie. Gautier-Dagoty était payé trois fois moins pour le même type de travail [17].

Durant l'année 1778, dans sa trentième année, Jean-Baptiste Pierre a organisé six prestigieuses ventes qui ont mérité un catalogue soigneusement rédigé. Parmi celles-ci, le cabinet du peintre Gros (le père) au mois d'avril, celui du sculpteur Lemoyne en août, celui de Mme de Jullienne en novembre [18]. Le marchand jongle avec sa trésorerie. Lorsqu'il se porte adjudicataire des œuvres qu'il souhaite acquérir pour des montants excédant souvent les 20 000 livres, on lui fait crédit durant une année, le temps de réaliser les transactions. Mais il est parfois contraint de rendre les œuvres à leur propriétaire s'il ne trouve pas preneur en temps voulu. C'est ainsi qu'il doit renoncer à une *Fête vénitienne* de Watteau à la vente Randon de Boisset en 1777 [19].

Jean-Baptiste Pierre envisage maintenant de concrétiser l'accord passé avec les Lubert et d'acquérir définitivement l'hôtel dans lequel il a déjà effectué des transformations. L'acte de vente est conclu pour la somme de 200 000 livres, qu'il s'oblige à payer en quatre fois jusqu'en mars 1781, moyennant intérêts. Il contracte aussi divers emprunts pour lesquels les créanciers prennent des hypothèques [20].

Avec de telles sorties d'argent, il est difficile d'équilibrer les comptes. Le train de vie des époux Le Brun paraît pourtant raisonnable, si l'on en croit la description qu'en fait Jean-Baptiste Pierre. Une cuisinière pourvoit aux repas de la maisonnée ; un domestique partagé par les époux suffit à leur service personnel ; deux autres personnes, probablement un cocher et une servante, assurent les besoins de la vie courante. Le Brun, soucieux de montrer que sa famille ne vit pas dans le luxe, ne mentionne pas la gouvernante qui sera bientôt attachée à l'éducation de leur fille, Julie [21]. Louise Élisabeth, habituée à l'économie, vit simplement. Elle ne porte de robes parées que pour les séances de pose à Versailles et n'a pas des goûts fastueux [22]. Cependant Jean-Baptiste Pierre n'a rien changé à ses manières de vivre : il aime le jeu, entretient des maîtresses et, puisque la dépense est la marque d'un style de vie élégant, il vit en grand seigneur.

Plusieurs appartements de l'hôtel Lubert sont toujours loués à des amis du couple. Le comte de Paroy, qui a servi dans les armées royales, se passionne pour la gravure et la peinture en miniature qu'il exerce en marge de son métier. Un étrange personnage habite quelque temps un appartement, donnant peut-être sur la rue du Gros-Chenet. Ce poète et aventurier du nom d'Alexandre Frédéric Jacques Masson s'est affublé du titre de marquis de Pezay, sans avoir la moindre lettre de noblesse, donnant ainsi raison à Voltaire qui écrivait : « En France est marquis qui veut [...] et peut dire un homme comme moi, un homme de ma qualité [23]. » Ce pseudo-marquis est l'amant de l'épouse du ministre de la Guerre, le prince de Montbarrey, dont l'artiste réalise le portrait au pastel en 1779 [24]. Sa sœur, Mme de Cassini, est la maîtresse du maréchal de Maillebois. Pezay a épousé la jolie Caroline de Murat, qu'il laissera veuve en 1777 [25]. Cet intrigant gravite dans l'entourage de Jean-Baptiste Pierre.

À la liste de ces locataires s'est ajouté le peintre François Guillaume Ménageot. Celui-ci a quitté la rue Saint-Thomas-du-Louvre où il habitait depuis son retour de Rome et s'est installé rue de Cléry dans le courant de l'année 1778. Comme Le Brun, Ménageot est fils d'un marchand de tableaux, peintre de l'Académie de Saint-Luc, il est de quatre ans son aîné. Afin de l'aider, Jean-Baptiste Pierre lui loue un appartement pour une somme dérisoire. Louise Élisabeth apprécie beaucoup cette nouvelle compagnie. Personne, écrit-elle, dans ses notes manuscrites, ne parlait mieux peinture que lui. « Sa conversation m'électrisait [26]. » Peu de peintres ont été « si connaisseurs » que lui, affirmera-t-elle. « C'était l'homme de ma société qui avait le plus de charme. »

L'hôtel Le Brun est une ruche. Durant le jour les ateliers sont actifs, les tableaux entrent et sortent des magasins. Le soir, dans l'enthousiasme du travail accompli, on se réunit. De quoi parle-t-on encore ? De peinture.

Un amour de miniature

Le 30 mars de la même année 1778, un événement fait courir les Parisiens : le retour de Voltaire. Celui-ci a quitté son ermitage de Ferney pour la création de sa tragédie *Irène* [27]. Mais, souffrant, l'illustre exilé n'a pu assister à la première représentation, il ne sera présent qu'à la sixième. Louise Élisabeth est dans la salle lorsque le public déchaîné acclame l'auteur en criant : « Vive le Sophocle français ! » Dans la rue, on hurle : « Vive le défenseur des Calas ! » Le culte rendu à « l'aubergiste de l'Europe » est sans précédent. L'artiste racontera cet épisode marquant :

> De ma vie je n'ai assisté à un pareil triomphe. Quand le grand homme entra dans sa loge, les cris, les applaudissements furent tels, que je crus que la salle allait s'effondrer. Il en fut de même au moment où on lui plaça la couronne sur la tête, et le célèbre vieillard était si maigre, si chétif, que d'aussi vives émotions me faisaient trembler pour lui. Quant à la pièce, on n'en écouta pas un mot, et cependant Voltaire put quitter la salle, persuadé qu'*Irène* était son meilleur ouvrage [28].

Le Tout-Paris des artistes et des gens de lettres défile rue de Beaune, demeure du marquis de Villette, où Voltaire est logé. Épuisé par un train auquel il n'est plus habitué, le philosophe demande que s'espace le rythme des visites. Louise Élisabeth renonce donc à aller le voir. Cependant elle est « vue » par le grand homme. Voici comment :

> Hall [29], le plus habile peintre en miniature de cette époque, venait de finir mon portrait. Ce portrait était extrêmement ressemblant, et Hall étant allé voir Voltaire le lui montra. Le célèbre vieillard, après l'avoir regardé longtemps, le baisa à plusieurs reprises [30].

Avec une satisfaction amusée, la jeune artiste aime à se souvenir de cet hommage peu commun : avoir été embrassée en image par un si grand homme.

8

Une naissance désirée

Brunet, Brunette et Brunette grande

Après deux années de mariage, le couple Le Brun fonde une famille. Vers le mois de juillet, l'annonce de sa grossesse remplit Louise Élisabeth de joie. L'enfant est désiré. Mais est-il attendu ?

La jeune femme achève alors une ambitieuse œuvre au pastel dans laquelle elle renoue avec l'esprit allégorique des tableaux exposés à l'Académie de Saint-Luc : *L'Innocence se réfugiant dans les bras de la Justice.* L'expression de la Justice évoque la douceur des modèles de la Rosalba, tandis que le visage de l'Innocence effrayée fait songer à certaines têtes de Greuze. Les couleurs tendres, la gamme des bleus et des ocres, l'indication du mouvement suggérée par le voile flottant de l'Innocence, font de ce pastel une œuvre digne de figurer parmi les peintures d'histoire. Il sera exposé quelque temps dans les appartements destinés à la clientèle de Le Brun avant d'être acquis par un amateur angevin, M. de Livois [1]. Puis, le public pourra l'admirer au Salon de la Correspondance, quatre années plus tard.

Sa grossesse n'empêche pas Louise Élisabeth de se déplacer là où ses commandes l'exigent. Durant l'hiver 1779, elle se rend au domaine du Raincy où séjourne le duc d'Orléans : il s'agit de faire le portrait du duc et de sa compagne officielle, Mme de Montesson, à raison de plusieurs séances de pose par jour [2]. L'ennui règne au château du Raincy. Le ton compassé est celui de l'ancienne cour. La princesse de Conti, qui se trouve parmi les invités, s'adresse à Louise Élisabeth en l'appelant « mademoiselle », alors que sa grossesse est fort visible. Voilà un rappel des usages et des préséances. Seules les dames de la noblesse ont droit au titre de « madame », et les bourgeoises sont désignées comme

« mademoiselle ». Le fait que Louise Élisabeth ait portraituré la reine n'y change rien. Mais, l'artiste, sensible au mépris comme aux honneurs, note que cette « morgue de la cour » se fait de plus en plus rare [3].

La réalisation du portrait de la duchesse de Mazarin date de la même période. Voici le portrait que fait la baronne d'Oberkirch de cette femme connue pour ses excentricités :

> Elle était belle mais sa beauté ne lui a servi qu'à faire valoir celles des autres ; grande, forte comme une figure de cariatide, elle semblait toujours embarrassée de sa taille et de sa tournure. Elle avait de l'esprit, une fortune immense, et dépensait l'un et l'autre pour se faire moquer d'elle. On ne s'en faisait faute [4].

Cette femme superbe avait conquis le cœur des ambassadeurs de la Turquie en visite à Paris. « Comme on leur demandait à l'Opéra quelle femme leur plaisait davantage de toutes celles qui remplissaient les loges, ils répondirent sans hésiter que la duchesse de Mazarin était la plus belle, parce qu'elle était la plus grosse [5]. » L'aimable duchesse ne savait quoi inventer d'original pour plaire à ses invités :

> Un soir qu'elle donnait à souper à soixante personnes, [la duchesse] imagine de faire placer au milieu de la table un énorme pâté, dans lequel se trouvaient enfermés une centaine de petits oiseaux vivants. Sur un signe de la duchesse, on ouvre le pâté, et voilà cette volatile effarouchée qui vole sur les visages, qui se niche dans les cheveux des femmes, toutes très parées et coiffées avec soin. Vous imaginez l'humeur, les cris [6] !

Comment ne pas rire sous cape en fixant sur la toile les traits de la duchesse ?

L'année 1779 s'achève, et malgré l'état de la jeune femme, son activité est intense. Sur sa liste, elle indique avoir peint dix portraits de la reine et leurs répliques en cette même année ; à quoi s'ajoutent vingt-sept autres tableaux et des répliques. A-t-elle pu venir à bout, seule, d'une telle tâche ?

Les semaines passent et l'heure de la naissance s'approche. Le 12 février 1780, les premières douleurs se font sentir, Louise Élisabeth travaille à un pastel : *Vénus liant les ailes de l'amour*. Cupidon se blottit sur les genoux de Vénus, dont l'attitude est maternelle, motif allégorique traditionnel certes, écho peut-être aux circonstances de la création de l'œuvre. Entre les contractions, elle se lève et reprend son ouvrage. Son amie, Anne Catherine de Verdun, venue lui rendre visite dès le matin, s'aperçoit que rien n'est préparé. Vraisemblablement, sa mère Jeanne ne l'y a pas aidée. La maison de Neuilly est-elle déjà sa résidence principale en 1780 ? On l'ignore. « Vous êtes un vrai garçon ! » s'exclame Anne Catherine devant son imprévoyante amie concentrée sur son papier et ses craies. Immédiatement, Mme de Verdun va faire chercher du linge et appelle l'accoucheur. Louise Élisabeth proteste : elle a « demain séance ». Elle n'est pas femme à préparer corbeille et layette.

Quelques heures plus tard, le nouveau-né est là, et tout change. Son ravissement fait oublier à la jeune mère les douleurs de l'enfantement : « Je n'essaierai pas de décrire, écrit-elle, la joie qui me transporta quand j'entendis crier mon enfant [7]. » Jeanne Maissin portera sur les fonts baptismaux l'enfant prénommée Jeanne Louise Julie. Jeanne, comme sa grand-mère et Louise, comme son défunt grand-père et sa mère. Son prénom d'usage est une concession à la mode : Julie, sans doute comme l'héroïne de *La Nouvelle Héloïse*.

Des dispositions sont prises rapidement car dès les lendemains de la naissance, l'enfant est mise en nourrice, à la campagne de Neuilly où il est facile de se rendre et où sa grand-mère Jeanne séjourne souvent. La jeune accouchée pleure à chaudes larmes lorsqu'on lui prend son enfant [8]. Malgré la vogue qui commence à préconiser l'allaitement maternel, le couple Le Brun ne suit pas le mouvement. Bien vite, le nouveau-né devient une jolie fillette, elle a les yeux légèrement obliques de son père. On la surnomme Brunette, en féminisant le surnom de son père, Brunet, car ses cheveux ont des reflets auburn. Un jour où elle va l'embrasser chez sa nourrice, sa mère la croque en un dessin rapide avec ses joues rebondies et son bonnet [9]. Bientôt, par analogie avec la petite, on appelle Louise Élisabeth « Brunette grande [10] ». Ils forment un trio.

Après le départ de Julie en nourrice, le tourbillon des activités reprend. Six semaines après ses couches [11], l'artiste doit faire face aux nouvelles commandes : un grand portrait de la reine et sa copie, qui demande beaucoup d'énergie, et quatre portraits pour son amie intime Anne Catherine de Verdun, peut-être pour décorer sa demeure de Colombes [12].

Sur sa liste de cette année 1780, se mêlent les noms de bourgeoises, une Mme Genty et une Mme Lesould, à l'expression sérieuse, dans une robe au col de dentelle [13], et ceux de dames de la noblesse : la baronne de Montesquiou et Mme de Montaudran [14]. La naissance de Julie a, malgré tout, ralenti sa production : elle réalise treize portraits en 1780.

9

AUTOPORTRAITS

Le voyage aux Pays-Bas

Les affaires de Jean-Baptiste vont bon train. Entre 1780 et 1789, le marchand aura organisé soixante-huit ventes. Il compte d'illustres clients : il a notamment acquis, pour le compte de la reine, lors de la vente du duc d'Aumont, une coupe ronde de jaspe fleuri de Gouthière [1]. Ce flux de ventes et d'achats ne signifie pas que sa trésorerie est excédentaire. Le 6 décembre 1781, Louise Élisabeth accepte de se déclarer solidaire des emprunts de son époux, qui a besoin de liquidités. En juillet de la même année, celui-ci prend une nouvelle hypothèque sur leurs biens [2].

En 1782, on annonce une vente importante, la dispersion de la collection du prince Charles de Lorraine [3] à Bruxelles. Le Brun veut y assister et propose à son épouse de l'accompagner. Ce sera son premier voyage.

Parmi l'assistance, la jeune femme retrouve quelques-unes de ses clientes. La duchesse d'Arenberg [4], qu'elle a portraiturée en 1776, présente au couple Le Brun, un de ses parents, Charles Joseph, prince de Ligne [5]. Familier de l'entourage de Louis XVI, Ligne appartient à la noblesse la plus ancienne. Sa réputation de sociabilité et de charme n'est plus à faire et il a un point commun avec Mme Le Brun : il est un admirateur quasi inconditionnel de la reine Marie-Antoinette. Le prince invite le jeune couple à visiter la galerie de son palais à Bruxelles. Dans sa collection prédominent les écoles du Nord : des Van Dyck et des Rubens, des Holbein et des Pourbus, mais peu de tableaux italiens. Ligne fait aussi les honneurs de son domaine de Belœil. Parmi les trésors rassemblés par les Ligne, figurent les précieux ouvrages de la bibliothèque. Du Belvédère, on admire les bassins aux formes variées et les jardins dessinés par l'architecte Le Nôtre.

À Belœil, tout plaît aux deux visiteurs : les reflets des bâtiments dans les douves, la pureté de l'air et par-dessus tout, l'accueil étourdissant du prince. Cet amateur de jolies femmes, qui réussissait l'exploit d'être à la fois dans les bonnes grâces de Mme Du Barry et dans celles de la reine, n'oubliera pas sa rencontre avec la jeune artiste. Elle aimera, plus tard, rapporter le mot de Mme de Staël au sujet du prince : « C'est le seul étranger qui, dans le genre français, soit devenu modèle au lieu d'être imitateur [6]. » Louise Élisabeth réalisera le portrait du prince peu de temps après son retour à Paris [7].

Les jeunes gens quittent la prospère ville de Bruxelles pour se rendre aux Pays-Bas. Comme tous les voyageurs du temps, Louise Élisabeth est frappée par la propreté des villes. Quel contraste avec la confusion et la saleté des rues de Paris ! Maasluis, ville de canaux, l'enchante avec ses maisons basses. Elle en apprend la particularité : ces maisons ont deux portes : l'une pour la naissance, l'autre pour la mort « par laquelle on ne passe que dans un cercueil », se souviendra-t-elle. Étranges habitants qui vivent toute leur existence dans la même maison, semble-t-elle se dire, sans savoir encore que plus de la moitié de sa vie sera dévolue aux voyages. Mais la méditation ne dure jamais longtemps, et son attention est attirée par de nouveaux objets : les toits étincelants, et devant la boutique d'un maréchal-ferrant, une « lanterne dorée et polie comme pour un boudoir [8] ».

À Amsterdam, dans l'hôtel de ville, elle tombe en admiration devant un tableau représentant *Les Chefs de la corporation de Saint-Sébastien à Amsterdam* de Bartholomeus Van der Helst. Cette œuvre déjà remarquée par Diderot et Reynolds [9] lui laisse un souvenir intense :

> Je ne crois pas qu'il existe en peinture rien de plus beau, rien de plus vrai : c'est la nature même. Les bourgmestres sont vêtus de noir ; les têtes, les mains, les draperies, tout est d'une beauté inimitable : ces hommes vivent, on se croit avec eux. Je suis persuadée que c'est le tableau de ce genre le plus parfait : je ne pouvais le quitter, et l'impression qu'il m'a faite me le rend encore présent [10].

Louise Élisabeth ne cesse de cultiver son exceptionnelle mémoire visuelle. Elle a ce trait en commun avec Le Brun, qui lui aussi sait se pénétrer de la manière d'un peintre, et reconnaître son *écriture*. Les deux époux aiment voir et revoir. Au retour, ils s'attardent encore devant les Rubens. Il y en a tant et tant à cette époque, dans les églises, dans les collections privées.

L'artiste a noté dans ses brouillons qu'un après-midi, à Bruxelles, Jean-Baptiste Pierre est sorti après le déjeuner tandis qu'elle se repose [11]. Soudain d'une cour voisine parviennent des cris affreux : c'est un cochon qu'on égorge. La jeune femme ne peut le supporter et veut sortir, mais la porte résiste. Son mari a emporté la clef. La voilà prisonnière à l'auberge. Pourquoi l'a-t-il enfermée ainsi ? Le voyage en Hollande n'est pas une nouvelle lune de miel. Désormais, la jeune femme a fait le deuil du bonheur conjugal pour ne penser qu'à sa peinture.

Premiers autoportraits

Une révélation a lieu à Anvers. Louise Élisabeth découvre, chez un collectionneur nommé Jean Michel Joseph Van Havre, un portrait de Rubens, celui de sa belle-sœur Suzanne Fourment. L'œuvre, parfois étrangement désignée sous le nom de *Chapeau de paille*, représente une jeune femme au teint lumineux, coiffée d'un chapeau de feutre noir, orné de plumes noires et blanches [12]. « Son grand effet, écrit-elle, réside dans les deux différentes lumières que donnent le simple jour et la lueur du soleil. [...] Ainsi, ajoute-t-elle, les clairs sont au soleil et ce qu'il me faut appeler les ombres, faute d'un autre mot est le jour [13]. » Louise Élisabeth observe en se souvenant peut-être de la leçon que le « Prince des peintres flamands » aurait délivrée à ses élèves : « Commencez à peindre légèrement vos ombres ; gardez-vous d'y laisser glisser du blanc, c'est le poison d'un tableau, excepté dans les lumières [14]. »

Sans plus attendre, et en utilisant le même support – un panneau de chêne préparé tel qu'on les trouvait en Hollande –, Louise Élisabeth cherche à transposer ces effets. Cette technique sur bois qu'elle apprend à maîtriser sera celle de deux de ses œuvres les plus abouties : le portrait d'Hubert Robert et celui d'Alexandrine Brongniart. Elle l'utilisera à de nombreuses reprises avant l'émigration. Dans un autoportrait estival réalisé sur place, elle porte à son tour un chapeau, orné d'une plume et d'une guirlande de fleurs des champs. Elle étudie la façon dont Rubens pose les couleurs : dans les lumières, il les tient très pures, en plaçant chaque teinte proche l'une de l'autre ; puis d'un léger mélange fait avec la brosse ou le pinceau, il parvient à les fondre en les passant l'une dans l'autre sans trop les « tourmenter ». C'est alors qu'il revient sur cette préparation et donne les « touches décidées », qui sont selon lui « les marques distinctives d'un grand maître [15] ».

Dans le portrait de Louise Élisabeth, le chapeau est bien de paille. Le parti pris qui consiste à laisser le visage dans une semi-pénombre permet d'étudier les dégradations de la lumière sur le front et la joue, et crée un effet audacieux de clair-obscur [16], qui laisse deviner ses traits plus qu'il ne les dévoile – comme si l'artiste souhaitait rester en retrait. Lorsque le tableau sera exposé au Salon de 1783, des critiques loueront le procédé :

On se plaindrait d'une ombre qui cache la moitié des agréments de son visage, si cette ombre n'était pas une très belle demi-teinte qui ne fait peut-être que lui donner un air plus piquant [17].

Cet autoportrait rayonnant contribuera à asseoir la notoriété de Mme Le Brun. Un journaliste, « L'Ami de tout le monde », rapproche ce tableau du modèle de *La Cruche cassée* de Greuze : Mme Le Brun a, note-t-il avec finesse, « l'attitude immobile et l'expression stupéfaite et vague » du modèle de Greuze [18]. L'auteur de cet article ne manque pas d'intuition, la jeune fille avait longuement étudié les têtes de Greuze.

L'impression ressentie par le critique reflète une intention du peintre : celle qui voue l'artiste à l'impassibilité. Ce qui pourrait passer pour de l'inexpressivité s'inscrit dans la tradition des autoportraits à la manière de Rembrandt ou de Chardin. Les traits au repos, le peintre s'observe. Le geste de la main droite crée une liaison entre les plans. Les instruments de l'art, palette et pinceaux qui la consacrent comme artiste [19], occupent dans l'espace une place majeure. Sa silhouette se détache sur un fond où l'on reconnaît la couleur du ciel des Flamands. Comme dans l'œuvre de Rubens, Mme Le Brun fait jouer la lumière sur des boucles d'oreilles de pâte de verre en gouttes d'eau. Grimm, dans la *Correspondance littéraire*, commente cet effet indicible :

> Rien ne saurait décrire le charme de ce délicieux ouvrage. J'ai vu même à côté de cet ouvrage des beautés d'un ordre bien supérieur, mais je n'en ai point vu qui respirent davantage ce je ne sais quoi qui plaît... On sent qu'il n'y a qu'une femme et qu'une jolie femme qui puisse avoir conçu cette charmante idée, qui puisse l'avoir rendue avec une grâce si brillante et si naïve [20].

Voilà qui est dit : Louise Élisabeth Vigée Le Brun a du « je-ne-sais-quoi », un presque rien qui plaît à coup sûr. Les artistes qui, avant le Salon, ont vu le tableau, en parlent dans Paris. Joseph Vernet aurait même évoqué l'Académie devant la jeune artiste. Il n'y a guère que le critique grincheux de *Malborough au salon du Louvre* pour souligner un manque de ressemblance [21].

Müller [22] gravera le tableau et la diffusion que permet la gravure contribuera à accroître la célébrité de la jeune femme [23].

La même année, sans qu'on sache s'il lui est antérieur ou non, l'artiste exécute un second autoportrait, sur toile cette fois. Un chapeau, orné d'une plume, porté en arrière, dégage presque entièrement le visage. La tonalité franche du ruban de satin cerise qui ferme le corsage à trois volants est mise en valeur par les dentelles noires de son fichu. Aux oreilles, elle porte les mêmes pendants en pâte de verre translucide qui éclairent le bas du visage. Le buste se présente de biais, effaçant légèrement la carrure. Comme dans le portrait *au chapeau de paille*, un léger sourire flotte sur les lèvres de l'artiste [24].

Mme Du Barry

Le charme de cette ombre légère voilant le visage a eu un tel succès que l'artiste exploite à nouveau la formule pour un portrait commandé par le duc de Brissac. Louis Hercule Timoléon de Cossé-Brissac est l'amant en titre de la favorite du feu roi, Mme Du Barry, dont il souhaite un portrait [25].

Louise Élisabeth sait rendre le charme indolent des paupières à demi fermées de la comtesse : « Ses yeux allongés n'étaient jamais entièrement ouverts, sa prononciation avait quelque chose d'enfantin [26] », observe-t-elle. Sur ce premier portrait, l'ancienne demoiselle de mode du magasin « à la toilette » est vêtue d'un de ces déshabillés blancs qu'elle faisait confectionner chez Gruel ou Vanot, garni d'un double rang de point d'Angleterre et fermé d'un ruban de satin bleu. Ses boucles cendrées s'échappent du chapeau de paille à peine incliné. L'œuvre donnera lieu à une réplique autographe et à plusieurs miniatures. L'une d'elles appartiendra à celui qui Mme Du Barry consola après la mort de Brissac, Louis de Rohan-Chabot.

C'est un excellent client que le duc de Brissac durant cette décennie. Il acquiert une *Femme en lévite*, son propre portrait, plusieurs têtes d'étude et demande à nouveau un grand portrait de sa maîtresse [27]. L'artiste s'attache à rendre les détails du costume : robe de soie, garnie de perles aux manches et d'un double rang de valenciennes, corsage bordé d'un « tour de gorge » assorti. Sa coiffure s'orne de coûteuses plumes d'autruche. À la main, elle tient une couronne de fleurs, hommage au portrait de Drouais qui avait représenté la favorite *en Flore* dès 1769. Si cette tenue soyeuse reflète le goût dispendieux d'une des meilleures clientes de Rose Bertin, depuis la mort de Louis XV, Mme Du Barry préfère les robes blanches qui soulignent sa beauté grecque célébrée par Choderlos de Laclos : « Depuis ses superbes cheveux, si richement fournis et teints d'une si belle couleur, jusqu'aux pieds, modelés par la main des Grâces, tout avait le caractère de ce beau idéal que les Grecs ont conservé dans leurs ouvrages immortels [28]. »

On ne sait si Louise Élisabeth se déplaça à Louveciennes pour ces deux premiers tableaux ou si la comtesse posa chez le duc de Cossé-Brissac à Paris. Le premier séjour prolongé de l'artiste au château de Louveciennes n'aura lieu qu'en 1787. Mais dès lors, une sympathie s'est établie entre le peintre et son modèle.

10

L'Académie

Des tarifs élevés

Au début des années 1780, la clientèle de Louise Élisabeth est prête à payer un prix élevé pour poser devant son chevalet. Le cachet est calculé en fonction de la difficulté de réalisation [1]. Une grille de tarif détaillée, probablement établie par Jean-Baptiste Pierre annonce qu'il faut prévoir cinquante louis (mille deux cents livres) pour un buste sans les mains et soixante-quinze louis pour un buste avec une main et un accessoire. Pour un portrait avec les deux mains, aux trois quarts, le modèle doit débourser cent louis (deux mille quatre cents livres), et cent vingt-cinq louis (trois mille livres) s'il souhaite un grand format.

Pour un grand portrait en pied avec « ses attributs », s'il s'agit d'un enfant, les parents devront régler entre cent soixante-sept et deux cent huit louis. Pour un adulte, deux cent cinquante louis, soit six mille livres [2].

La portraitiste en effet ne semble pas avoir en mémoire ces prix. Une anecdote révèle son ignorance :

> J'avais sur l'argent une telle insouciance, que je n'en connaissais presque pas la valeur : la comtesse de La Guiche [3], qui vit encore, peut affirmer qu'étant venue chez moi pour me demander de faire son portrait, et me disant qu'elle ne pouvait y mettre que mille écus, je répondis que M. Lebrun ne voulait point que j'en fisse à moins de cent louis [4].

Ces tarifs sont justifiés par la notoriété de celle qui, à moins de trente ans, est désormais dite « peintre de la reine ». Si, aux yeux de l'artiste, les cachets ont avant tout une valeur symbolique, pour Jean-Baptiste Pierre, qui les encaisse, ils sont un moyen de se procurer les liquidités dont il a toujours besoin. Le statut juridique des femmes, qui en fait des

mineures, ne permet aucun recours légal contre ce type de pratique mari-
tale, et les époux sont unis sous le régime de la communauté dite « de
Paris ». Devant l'accumulation des dettes de son époux, Mme Le Brun
envisage sérieusement une séparation de biens. Voici ce que dit le projet
de requête :

> [la plaignante] espérait qu'avec une pareille dot et talent qu'elle avait dans
> l'art de la peinture, son travail, celui de son mari et le commerce qu'il pour-
> rait faire, elle pourrait vivre tranquillement à l'abri de la gêne mais elle s'est
> cruellement trompée. Son mari par de fausses spéculations a fait des pertes
> considérables de sorte qu'il a fait beaucoup de dettes et qu'il est actuellement
> poursuivi par les créanciers [5].

La demande n'est pas conduite à son terme. Cette initiative révèle
cependant l'insécurité éprouvée par la jeune femme. Entièrement livrée à
son art, elle vit dans l'insouciance des nécessités économiques. C'est à
peine si elle connaît le prix des denrées. Cette ignorance n'est pas incompatible avec son anxiété. Partagée entre une inquiétude réelle pour son
avenir et celui de sa fille et une aspiration noble : se libérer de la
contrainte de l'argent pour vivre pleinement sa vocation. C'est ce qui,
dans la seconde moitié du siècle, distingue l'artisan de l'artiste :

> L'artisan fait absolument dépendre ses aises des richesses, et il n'assure son
> existence sociale que par ses consommations ; l'artiste a pour moteur l'estime
> publique : il fait le bien par une abnégation entière de lui-même [6].

L'argent est un signe de reconnaissance tangible. Mais il est d'autres
gratifications plus difficiles à obtenir peut-être.

Le bastion de l'Académie

Depuis son mariage, plus aucune contrainte corporative ne pèse sur la
jeune femme. Turgot, libéral ministre de Louis XVI, a compris que les
corporations bridaient les initiatives. Afin de favoriser les mouvements
économiques, il a cherché à éliminer ces structures rigides. C'est pourquoi en 1776, il fait dissoudre l'Académie de Saint-Luc, où un système
archaïque bride les artistes.

Cependant, si la corporation fait subir des contraintes, elle est aussi
une protection, elle offre l'avantage d'un Salon régulier où exposer les
œuvres. Après sa dissolution, les peintres et les sculpteurs, hormis ceux
qui ont accédé à l'Académie royale, n'ont plus accès à un espace collectif
d'accrochage. Seules persistent des expositions en plein air, telle celle de
la place Dauphine, fréquentée par les jeunes peintres. Afin de compenser
cette disparition, une transition se met en place. Claude Pahin de
La Blancherie fonde en 1779 le Salon de la Correspondance : il fournit

un lieu d'exposition avec, pour les artistes, des possibilités de vente. Ce Salon est couplé à un périodique intitulé *Journal de la République des lettres et des arts*[7], qui rend compte des assemblées organisées par Pahin, chaque mercredi, durant huit années. Ces réunions de discussion artistique n'admettent les femmes que jusqu'à quinze heures[8].

Mme Le Brun participe à quatre expositions du Salon de la Correspondance, de 1779 à 1783. C'est là qu'en 1782 elle donne à voir pour la première fois l'autoportrait dit *au chapeau de paille*. En 1783, elle expose à la Correspondance pour la dernière fois : à cette occasion elle signale son souhait d'accéder à la maîtrise de la peinture d'histoire, avec plusieurs œuvres : *L'Innocence se réfugiant dans les bras de la Justice*, *Vénus dérobant la ceinture de Vénus* et une *Diane*. Elle ajoute le beau portrait de Joseph Vernet réalisé en 1778 et celui du duc de Cossé.

Face à ces organisations qui structurent tant bien que mal les métiers de l'art, se dresse la prestigieuse Académie royale. C'est le premier peintre du roi, Jean-Baptiste Marie Pierre, qui en est le directeur[9]. Les artistes, qui peuvent compter sur un parrainage, postulent. Fondée en 1648, l'Académie royale de peinture équivaut à une aristocratie culturelle. Être admis à s'asseoir sur les bancs de l'illustre assemblée est un signe éclatant de réussite aux yeux de tout le corps social. L'admission garantit en outre des avantages concrets. En effet, les privilèges associés au statut d'Académicien ne sont pas tous honorifiques : des allégements fiscaux, des logements sont octroyés ainsi qu'un droit de rencontre et de réunion[10]. L'avantage le plus important demeure la possibilité d'exposer les œuvres au Salon qui ouvre ses portes au Louvre, tous les deux ans, le jour de la Saint-Louis : il constitue une assurance de notoriété dans tous les étages de la société. En effet, au Louvre, l'entrée est gratuite au public, contrairement à ce qui se passe à la Royal Academy de Londres, où il faut payer un shilling à chaque entrée. À Paris, « le malheureux, écrit un journaliste, peut y oublier sa médiocrité[11] ». Nul besoin d'être riche ou savant pour y avoir du plaisir[12].

Le Salon est un événement de la vie parisienne. Dans le vestibule, les visiteurs peuvent acheter le livret qui propose la liste de presque tous les tableaux exposés et permet de les identifier. En 1787, par exemple, il s'est vendu jusqu'à 21 940 livrets. Tous les visiteurs n'ayant pas les moyens d'acheter cet opuscule, on peut estimer à quatre fois plus le nombre de visiteurs[13].

Si l'Académie de Saint-Luc accueillait assez facilement les femmes – cent trente femmes en soixante-dix ans d'existence –, l'Académie royale n'en est pas là. Après avoir reçu six femmes au titre de peintres de nature morte, elle leur avait fermé ses portes en 1706. Mais une brèche est en train de s'ouvrir. La candidature de Mme Vigée Le Brun à l'Académie royale s'inscrit dans ce contexte en évolution.

L'opposition de Pierre

Comment l'assemblée royale est-elle composée ? Trois catégories d'Académiciens se côtoient. Le premier groupe est constitué par ceux qui ne sont pas spécialisés. Le second est formé de ceux dont l'activité est concentrée sur un ou deux genres, portraitistes, paysagistes, peintres de fleurs. Enfin la troisième faction, loin d'être la dernière en influence, rassemble des gens de goût compétents dans les Beaux-Arts : les « conseillers-amateurs [14] ».

Nous avons la preuve que, très tôt, Louise Élisabeth pense à l'Académie. Plus tôt qu'elle ne veut bien l'avouer ou s'en souvenir. Elle allègue dans ses mémoires que c'est seulement à son retour de Flandres, vers 1782, que Vernet, découvrant l'autoportrait *au chapeau de paille*, lui propose de la parrainer. Or, son projet de candidature remonte au moins au début de l'année 1780, avant l'intervention de Vernet.

Dès janvier 1780, Pierre, le directeur, est sollicité par le couple Le Brun. Il se plaint à Vien d'avoir subi « un assaut » au sujet de Mme Le Brun. « Quoique neutre *dans son affaire*, tout m'est *tombé* sur le corps [15] », écrit-il. L'artiste se heurte à un premier refus du directeur, dont elle critique le caractère misogyne.

La misogynie de Pierre n'est pas, comme on l'a dit parfois, inventée de toutes pièces par Mme Le Brun. Dans une lettre adressée à Vien, Pierre tient des propos dépréciatifs sur Louise Élisabeth : « Elle vieillira, par conséquent, enlaidira et alors on la mettra à son vrai taux [16] ». Mais la popularité de la portraitiste auprès de son public d'amis et de clients est suffisante pour motiver « une cabale contre celle de M. Pierre ». On se bat par des couplets chantés sur un air du répertoire de la foire :

> Au salon ton art vainqueur
> Devrait être en lumière
> Pour te ravir cet honneur,
> Lise, il faut avoir le cœur
> De Pierre, de Pierre, de Pierre [17].

Quelles sont les raisons fondamentales du refus de Pierre ? Jalousie masculine devant le réel talent et les honoraires exorbitants que Mme Le Brun commence à obtenir par sa peinture ? Peut-être. Opposition politique dans un souci louable de protéger l'art de sa dimension mercantile ? Sans doute. Volonté de renforcer sa place au sein de l'institution académique ? Assurément.

Il semble que la version des faits présentée par Mme Le Brun obscurcisse le rôle de Pierre. « Le premier peintre du Roi, dit-elle, ne voulant pas que l'on reçût des femmes. » De fait, l'interdiction de recevoir des femmes, prononcée en 1706, a été assouplie en 1770, et le seuil fixé pour l'admission d'Académiciènnes a été fixé à quatre. C'est ce qui s'appelle entrouvrir une porte.

Pour Pierre, la présence de l'épouse d'un marchand de tableaux connu représente un accroc à la politique académique, qui tenait à séparer les sphères artistique et commerciale. Or, sous l'Ancien Régime, le statut juridique des femmes était lié à celui de leur époux [18]. Le directeur de l'Académie tente de trouver un moyen de conciliation. Il écrit au directeur des Bâtiments qu'il « a toujours parlé en bien [de Mme Le Brun] parce la valeur n'a rien en commun avec la cause de ses chagrins [19] ». Pierre imagine même une solution qui semble prouver sa bonne volonté : que Le Brun achète une autre charge que celle de marchand de tableaux. Pour mettre fin à la polémique, d'Angiviller intercède au nom de la reine le 16 mai 1783 : « La Reine honore la dame Le Brun de ses bontés, cette femme en est digne, non seulement par ses talents mais encore par sa conduite. » Il demande « sans détruire la loi et en lui laissant toute sa force, de faire admettre Madame Le Brun dans cette compagnie » [20].

Dans le discours de réception, dont les minutes ont été retranscrites, Pierre retracera l'historique de cette requête. Il oppose la force ancestrale de l'institution au bon plaisir de la souveraine :

> Sur de nouvelles marques d'intérêt que la Reine m'a données à l'égard de madame Le Brun, j'ai eu l'honneur de lui mettre sous les yeux l'article des statuts qui interdit de la manière la plus précise, à tous les membres de l'Académie le commerce de tableaux [21].

Ce qui affleure dans cette affaire dépasse de beaucoup le cas individuel de Mme Le Brun. C'est un bras de fer entre le pouvoir royal et Pierre. Ce dernier souhaiterait que l'Académie constitue un État dans l'État, dont les règles seraient inviolables, y compris par la reine. Il faut donc que le roi, en personne, intervienne afin de faire fléchir l'assemblée. Dans son discours, Pierre tente, par une pirouette, de proclamer la souveraineté des règles académiques : l'exception confirmerait la règle.

> Sa Majesté considérant que le cas où se trouve Madame Le Brun est de nature à ne pouvoir se renouveler, et qu'une exception en faveur de son talent, fondée sur un aussi puissant motif que celui de la protection de la Reine, était bien plutôt une confirmation qu'une infraction de la loi, sa Majesté, dis-je, a bien voulu agréer que l'Académie pût recevoir cette artiste au nombre de ses membres [22].

Nul n'est dupe. Mais, dans les *Souvenirs*, Mme Le Brun apportera une nuance. Elle affirme qu'elle ne doit pas exclusivement son succès à la faveur royale : elle aurait bénéficié de l'appui d'une partie des Académiciens, cette troisième faction de « conseillers amateurs ». Le poids de ce groupe équivalent en influence à celui que Diderot désigne comme les « connaisseurs » ne doit pas être sous-estimé.

Malgré cet épisode, Pierre continue de témoigner son admiration pour l'œuvre de Mme Le Brun. Il loue son portrait de la reine qu'il juge le plus beau du Salon. Lors d'un déjeuner chez Mme d'Angiviller [23], il dit apprécier sa compagnie. Toutefois, ces témoignages proviennent de lettres adressées à Ménageot, ami proche de Louise Élisabeth. Lorsqu'il écrit à Vien par exemple, sa plume est moins amène.

Sans l'intervention de la reine, Louise Élisabeth Vigée Le Brun aurait-elle vraiment pu être élue ? Le procès-verbal de la séance de réception semble le prouver. On pouvait y lire ces mots : Mme Vigée Le Brun « a fait apporter de ses ouvrages dont la compagnie a été satisfaite ». Mais, la phrase a été « surchargée de ratures [24] ». Pour quelle raison ? Le terme « satisfaite », signifiant que le travail de Louise Élisabeth Le Brun est approuvé, rend suspecte l'opposition de Pierre. La misogynie du directeur se double d'une crainte pour son autorité.

Louise Élisabeth en voudra à Pierre. Dans ses *Souvenirs*, elle affirmera : il ne connaissait en peinture que « le maniement de la brosse ». À ses yeux, la technique du directeur de l'Académie manque de subtilité.

Bon gré mal gré, Louise Élisabeth a accepté l'appui de sa protectrice afin de pénétrer dans le bastion de l'Académie de peinture. Cependant, jamais elle ne recevra de pension royale. Elle déclinera ostensiblement toute forme d'honneur susceptible de lui attirer des inimitiés. Louis XVI ayant eu l'idée de lui offrir le cordon de Saint-Michel, parfois accordé aux artistes, elle priera d'Angiviller de lui faire oublier ce projet. Cette décoration était considérée comme un premier pas vers l'obtention d'un titre nobiliaire [25]. L'ambition de Mme Le Brun n'est pas de renier ses origines.

Le succès

Quoi qu'il en soit, le 31 mai 1783, Mme Le Brun est élue. Certains historiens rapportent qu'il n'est pas fait mention de sa catégorie : elle aurait donc été reçue hors concours.

Une autre tradition établit que, comme sa concurrente directe, Adélaïde Labille-Guiard, future peintre de Mesdames, elle aurait été classée comme « peintre de portrait et d'histoire ». Le critique des *Mémoires secrets* affirme qu'elle en est digne [26]. La pièce de réception qu'elle présente, *La Paix ramenant l'Abondance*, un tableau réalisé trois années auparavant, en 1780, offre un compromis qui répond à cette double appellation [27].

La toile, de grand format, fait l'admiration des visiteurs du Salon. Pour réaliser cette composition complexe, Louise Élisabeth a réalisé des études préalables, notamment des têtes [28]. Les deux figures portent leurs emblèmes traditionnels. Les lauriers et le rameau d'olive sont glissés dans les doigts de la Paix, qui, d'un bras souple, entoure les épaules de l'Abondance. Les fruits et les fleurs s'échappent du cornet d'abondance, dirigé vers le bas [29], tandis que les brins de blé sont tenus d'une main par la jeune femme, mais ces symboles ne sont pas placés au centre de la représentation. L'artiste, comme la critique du temps l'a mis en évidence, avait documenté l'allégorie en observant des œuvres antérieures [30]. À Pompeo Batoni, elle a pu emprunter le jeu des regards et l'amorce des drapés de la jupe [31]. Du trio de Simon Vouet, *La Prudence conduisant la Paix et l'Abondance*, elle néglige le caractère solennel pour conserver les lignes des épaules de la Paix. À la représentation de Rosalba Carriera qu'elle admire, *La Paix et la Justice*, elle emprunte la position légèrement oblique du visage de la Justice, sans reproduire l'étroite proximité des visages. Ce qui distingue le travail de Mme Le Brun de celui de ses devanciers, c'est la vitalité du mouvement qui anime les personnages : la Paix engage l'Abondance à poursuivre son avancée. Cette impression est accentuée par la disposition des drapés soulevés par un souffle de vent dans un esprit presque baroque. La critique y reconnaît « la force et le brillant des Flamands [32] ».

Dans la représentation des visages l'artiste met à profit l'étude des « têtes d'expression » qui lui a toujours tenu à cœur et dont elle a trouvé des modèles dans des dessins de Charles Le Brun et chez Greuze. Elle aime particulièrement rendre le regard levé, comme en témoignent quelques dessins qui nous ont été conservés [33].

Quel est l'accueil de la presse du Salon ? Dans le vestibule du Louvre, on débite des brochures de toutes sortes. Des journaux établis tels *Le Mercure* ou *L'Année littéraire* consacrent des pages à l'exposition ; à côté se vendent des feuilles éphémères comme *Lustucru au Salon* ou *Momus au Salon*. Quelques gazettes se présentent comme ayant une envergure internationale : c'est le cas de *L'Impartialité au Salon*, publié à Boston et à Paris, ou de la *Réponse à toutes les critiques* publiée à Rome. Vraies ou fausses, ces localisations sont le signe de la diffusion étendue de cette presse. Quant aux pages consacrées à l'exposition dans les *Mémoires secrets*, elles sont lues par de nombreux collectionneurs en Europe [34]. Exposer au Salon de l'Académie est la voie vers une reconnaissance internationale.

Dans les journaux, l'accueil réservé au morceau d'Académie de Mme Le Brun est favorable. La composition « savante et agréable » n'échappe pas au rédacteur de *La critique est aisée*, qui trouve les draperies « du plus beau style » [35]. Si on reproche parfois à l'artiste la mollesse du dessin, tous s'accordent à louer le coloris brillant et « vigoureux » :

> Quel relief ! Les figures sortent et s'avancent hors du tableau. Quelle vivacité, quelle fraîcheur de carnation ! Le sang y circule principalement dans les doigts qui sont d'une délicatesse charmante. Quelle entente, quel bel accord de couleurs bien fondues, bien empâtées, maniées avec autant d'agrément que de science [36].

Le rédacteur des *Mémoires secrets* admire les « fortes proportions indices de la santé, de la vigueur et de la joie » de l'Abondance qui lui évoquent l'art de Rubens [37].

Au même Salon, Élisabeth Le Brun expose deux autres tableaux d'histoire. Le second sujet inspiré d'Homère, *Junon venant emprunter la ceinture de Vénus*, pourrait, selon les commentateurs, lui faire mériter le rang de peintre d'histoire. Dans une troisième allégorie, *Vénus liant les ailes de l'amour*, l'artiste montre encore qu'elle est capable d'illustrer des sujets « plus folâtres » en conservant la dignité de l'expression.

Parmi ce chœur de louanges, quelques voix acerbes se font entendre. On souligne les prix élevés pratiqués par l'artiste : celui de la *Junon*, quinze mille francs, celui de la *Vénus*, vingt mille livres. Et le portrait de la reine « en chemise », qui défraie les chroniques, jette une légère ombre sur cet éclatant succès [38]. Enfin, comme les critiques du Salon sont plus misogynes que les poètes, on insinue qu'un tel talent ne saurait être le fruit d'un pinceau féminin. Ménageot, son voisin, qui serait « amoureux d'elle », aurait corrigé ses tableaux [39].

Parmi les autres portraits de l'artiste exposés en 1783, on admire particulièrement celui d'une jeune femme aux cheveux cendrés, inscrit dans un ovale. La tête inclinée, le regard levé, cette beauté porte une robe audacieusement décolletée, les bras à peine voilés par des manches de gaze bordées de dentelles. Du bout de ses doigts fins, elle tient une partition. Le modèle se nomme Catherine Noëlle Worlée. À seize ans, Noëlle a épousé Sir George Francis Grand, dont elle porte le nom. Désormais séparée de son époux, elle habite près de l'hôtel Lubert. On prête à l'indolente Mme Grand de nombreuses liaisons et on colporte de bons mots sur sa naïveté, pour ne pas dire sa stupidité. Une fois, lorsqu'on lui demandait quel était son lieu de naissance, elle aurait répondu : « Je suis d'Inde. » Plus tard, elle parviendra à séduire Talleyrand et à s'en faire épouser. Un soir que l'ambassadeur reçoit Vivant

Denon, il recommande à son épouse de lire ses récits de voyage dont il a placé un volume sur son bureau. L'étourdie se trompe de livre et lit les aventures de *Robinson Crusoé*. Voulant être aimable avec Denon, elle s'exclame à la stupéfaction des invités : « Ah ! Monsieur, avec quel plaisir je viens de lire votre voyage ! Qu'il est intéressant surtout quand vous rencontrez ce pauvre Vendredi [40] ! » D'après Mme Le Brun, l'anecdote fit le tour de l'Europe, au grand dam de Talleyrand. Le tour de force de l'artiste consiste à donner du caractère à la beauté somme toute assez fade de cette jolie dinde [41].

Le premier Salon de l'Académie royale permet à l'artiste de franchir un pas décisif vers la renommée, au point qu'on entend bruire le nom de Louise Élisabeth à l'entrée du Salon. « Avez-vous vu madame Le Brun ? Que pensez-vous de madame Le Brun [42] ? »

Les trois Grâces

Ce Salon de 1783, où est exposé à nouveau l'autoportrait *au chapeau de paille*, est décidément un triomphe féminin, car Louise Élisabeth n'est pas la seule femme à être remarquée. Un poète offre une consécration aux trois femmes distinguées cette année-là : Mme Labille-Guiard, Mme Vallayer-Coster et Mme Le Brun :

> Honneur à ce trio charmant,
> Doublement fait pour plaire,
> Lebrun a broyé sûrement
> Ses couleurs à Cythère.
> Vallayer, Lebrun et Guiard
> Suivent les mêmes traces,
> Et le pinceau brille avec art
> Dans les mains des trois Grâces [43].

Enfin, des trois artistes célébrées par les feuillistes du Salon, c'est la plus jeune des trois qui reçoit l'hommage suprême, celui d'être comparée à l'artiste italienne la plus réputée : Mme Le Brun peint « des tableaux dont on n'a pas vu de pareils depuis la mort de la pastelliste vénitienne Rosa Alba [44] ».

Anne Vallayer-Coster, fille d'un orfèvre compagnon des Gobelins, est entrée à l'Académie en 1770, dans la catégorie de peintre de nature morte. Lors de l'admission de Mme Le Brun, elle a déjà trente-neuf ans. Son talent est reconnu. Bien qu'elle soit aussi auteur de portraits, elle ne concurrence pas sa consœur sur son terrain.

Quant à Adélaïde Labille-Guiard, que Louise Élisabeth a aperçue au Salon de l'Académie de Saint-Luc l'année de son admission, elle a six ans de plus qu'elle. Les deux artistes se sont côtoyées au Salon de la Correspondance, en 1782, où chacune exposait un « portrait d'elle-même ». Adélaïde maîtrise la technique du pastel qu'elle a acquise avec La Tour. Sur l'autoportrait au pastel sur papier bleu de 1782, elle s'est représentée brosses et palette à la main. Dans le maniement de l'huile qu'elle ne pratique que depuis les années 1780 [45], elle est toutefois moins à l'aise. C'est pourquoi, sous la houlette du peintre François André Vincent, son ami d'enfance, elle travaille d'arrache-pied, depuis que ce dernier est revenu d'Italie.

Certains modèles seront communs aux deux peintres, tels Madame Élisabeth, le comte de Provence, la comtesse de Clermont-Tonnerre, Joseph Vernet, Hubert Robert, et plus tard les tantes de Louis XVI, Madame Adélaïde et Madame Victoire. L'œuvre de réception d'Adélaïde représente Pajou sculptant le buste de Lemoyne : un double portrait au pastel sur papier gris-bleu. La vigueur de ce portrait qui restitue la physionomie « parlante » du sculpteur est appréciée. Il s'agit là d'un hommage, car Pajou avait réalisé le buste de Claude-Edme, le père d'Adélaïde.

Comme Louise Élisabeth, Mme Guiard a connu des deuils, et son mariage n'est pas plus heureux que celui de sa consœur, mais elle est allée jusqu'au bout d'une demande de séparation d'avec son époux, Nicolas Guiard. Pour elle, l'accession à l'Académie est donc vitale. Elle espère une pension, qu'elle obtiendra en novembre 1785 [46]. Par-delà leurs points communs, une rivalité sépare les deux femmes. Au point que la mémorialiste des *Souvenirs* omettra jusqu'au nom d'Adélaïde, la désignant comme « une femme artiste » malveillante à son égard.

Louise Élisabeth entretient cependant des amitiés féminines avec Émilie Vernet, et Rosalie Boquet. Dès l'adolescence, elle a noué des liens affectueux avec Anne Catherine de Chastenay, puis, avec Mme de Sabran. Avec la duchesse de Fleury et les demoiselles de Bellegarde, elle aura de la complicité. Durant son exil russe, elle se sentira des affinités avec Natalia Kourakina et la comtesse Tolstaïa. Mais, envers Adélaïde elle n'éprouve aucune sympathie. Les deux femmes s'affirment sur le même terrain, et les journalistes attisent cet antagonisme, en les comparant, tantôt à l'avantage de l'une, tantôt de l'autre. Plus probablement, c'est la suite de leur histoire qui aigrira la relation entre les deux femmes [47].

Mais la renommée expose ses élus, la nouvelle Académicienne en fait l'amère expérience. Si des poèmes louangeurs circulent, d'autres couplets infâmes sont vendus aux portes du Louvre, qui mettent en cause le même trio, Adélaïde Guiard, Anne Vallayer-Coster et Louise Élisabeth Le Brun. La critique n'est guère inventive : elle accuse François André

Vincent de retoucher les tableaux d'Adélaïde et reproche à Mme Le Brun
son train de vie :

> Si votre équipage est brillant
> Ne vous glorifiez tant, la belle
> Votre orgueil est impertinent
> Et votre couleur infidèle [48].

À tel point que le 21 septembre, d'Angiviller ordonne la saisie de ces
textes [49]. Gardien sévère d'une institution où il est difficile de pénétrer, le
directeur des Bâtiments protège, après leur réception, les Académiciennes.

11

LES IMAGES DE LA REINE

Un royal modèle

Durant l'année 1783, Mme Le Brun réalise trois portraits de la reine auxquels s'ajoutent les variantes et les répliques. Avec les portraits du premier dauphin, de la petite Madame, de Madame Élisabeth, de la comtesse d'Artois, le nombre des portraits exécutés pour la famille royale s'élève à une vingtaine. Ce chiffre donne une idée du rythme de travail de l'artiste, surtout si l'on considère qu'elle a exécuté une dizaine d'autres commandes la même année.

À Versailles, les séances de pose ont lieu le matin. La reine reçoit dans sa chambre d'apparat.

Pour être dispose, la veille des jours de séance à Versailles, la portraitiste dort chez Mme Rousseau, qui bénéficie d'un logement au palais. Julie Rousseau, née Genet [1], sœur de Mme Campan, occupe la charge de femme de chambre du premier dauphin, qui lui est tendrement attaché. Des quatre sœurs Genet, Jeanne Louise Campan, Julie Rousseau, Sophie Pannelier d'Arsonval et Henriette Auguié, c'est avec la dernière que Louise Élisabeth s'entend le mieux. Mme Campan, proche de Mesdames, et dont le peintre attitré est Adélaïde Labille-Guiard, semble garder ses distances. Henriette Auguié, déjà mère d'Aglaé [2] et d'Adèle, la reçoit chez elle, à Marly.

Une gouache sur papier du pinceau de Gautier-Dagoty nous donne l'idée de ce que pouvait être *La Matinée de la reine* [3]. Marie-Antoinette fait une première toilette ; on lui passe des jupons, une chemise et un « grand négligé » orné de dentelles, qu'elle porte sans panier. Puis, on la maquille avec du blanc et un peu de rouge de chez Madame Martin, on la parfume avec des eaux de senteurs de Fargeon ou d'Houbigant. Après s'être reposée un instant des fatigues de la toilette, selon la prescription de ses médecins, elle affronte le reste des activités de sa matinée.

La mise en scène de Dagoty présente en un seul plan des occupations qui en réalité se succèdent : tandis que sa marchande de modes lui propose des plumes et des rubans, la reine écoute une dame d'honneur lui lire les « placets », qui expriment des demandes de services. Léonard, son coiffeur, attend d'officier à son tour. Pendant qu'elle pince d'une main distraite les cordes d'une harpe sous le regard de son maître de musique, elle pose pour son peintre, Gautier-Dagoty [4]. Ce dernier se représente traçant à la craie blanche le portrait de la reine. Cette scène, associant musique et peinture, permet de se faire une idée du cadre dans lequel Louise Élisabeth travaille, même si le décor de la chambre royale évolue souvent.

Les séances de pose de Mme Le Brun se déroulent-elles de la façon dont les représente Dagoty ? Sans doute pas, car l'artiste évite, dans la mesure du possible, d'être entourée de trop de spectateurs. Avant la séance de pose, Louise Élisabeth aime se recueillir. Sa palette est prête. Elle a étudié la composition du tableau et choisi l'attitude qui mettra en valeur son royal modèle. Une fois Marie-Antoinette arrivée, capter son attention n'est pas aisé : la souveraine a des difficultés à se concentrer plus d'un quart d'heure. L'artiste bavarde avec elle afin de détendre ses traits. Louise Élisabeth, enjouée et naturelle, transforme la séance de pose en moment agréable. Elle résumera dans un bref traité les principes de l'art de conduire une séance :

> Il faut tâcher de faire la tête (le masque surtout) dans trois ou quatre séances d'une heure et demie chaque, deux heures au plus ; car le modèle s'ennuie, s'impatiente (ce qu'il faut éviter) son visage change visiblement ; c'est pourquoi il faut le faire reposer, et le distraire le plus possible. Tout cela est d'expérience avec les femmes ; il faut les flatter, leur dire qu'elles sont belles, qu'elles ont le teint frais, etc., etc. Cela les met en belle humeur, et les fait tenir avec plus de plaisir. Le contraire les changerait visiblement. Il faut aussi leur dire qu'elles posent à merveille ; elles se trouvent engagées par là à se bien tenir [5].

Le secret de l'entregent de l'artiste est simple : complimenter les femmes. Son talent fait le reste. Elle a adopté une technique qui permet de travailler rapidement : elle place une glace derrière son modèle de façon à pouvoir comparer le tableau et l'original, car la patience n'est pas la vertu principale de la reine.

Marie-Antoinette en gaulle

Pour cette nouvelle suite de portraits, le choix de l'artiste se fixe sur une attitude de trois quarts. Mettre en valeur l'opulente poitrine de la souveraine, dégager l'ovale de son visage en masquant le double menton naissant est l'objectif recherché. La reine entoure des tiges de rose d'un ruban de satin. Selon les différentes versions de ce portrait, les fleurs se trouvent dans un panier ou sur leur buisson. Le geste occupe les mains en mettant en valeur leur finesse. Sur le portrait qu'on désigne sous le nom de *Marie-Antoinette en gaulle*, la toilette de la reine correspond parfaitement à la description que fait Mme Campan de la tenue de la souveraine et de ses amies l'été : « Une robe de percale blanche, un fichu de gaze, un chapeau de paille étaient le seul ornement de ces princesses [6]. »

Ce portrait s'inscrit dans l'inspiration d'une série aux caractéristiques communes. L'année précédente, en 1782, Mme Le Brun a réalisé dans le même esprit estival, un portrait de l'amie intime de la reine, la duchesse de Polignac, nommée comtesse Jules [7] afin de la distinguer de ses belles-sœurs. Vêtue d'une robe chemise ornée d'un ruché, avec pour tout bijou d'imperceptibles anneaux d'oreilles, la duchesse, appuyée sur un meuble à mi-hauteur, tient une rose qui s'effeuille. Son chapeau de paille incliné est orné de fleurs des champs. Un châle noir, peut-être un accessoire d'atelier puisqu'on le retrouve sur plusieurs portraits, introduit des transparences [8]. La vacuité du regard de Mme de Polignac reflète sa lassitude ennuyée [9] : elle correspond à la description de ces femmes « sans physionomie » évoquées par l'artiste dans ses mémoires. Mais peut-être s'agit-il de ce que l'agent de Marie-Thérèse, le comte Mercy-Argenteau, nomme le « peu d'esprit » de la comtesse Jules, cette jeune femme « dont la parenté n'est pas en mesure de figurer à Versailles ». De plus, Mme de Polignac a, ajoute Mercy, « une réputation de conduite assez équivoque et fort mince pour l'esprit [10] ». Telle est la favorite de la reine.

La même année 1782, Mme Le Brun a le privilège de faire poser Madame Élisabeth, sœur de Louis XVI, dans l'éclat de ses dix-neuf ans. Marie-Antoinette joue volontiers à la grande sœur avec Élisabeth à qui elle réservera un appartement à Trianon. Madame Élisabeth, le bras appuyé sur un talus, a amassé des fleurs dans un pan de son fichu : églantines, roses pompon, myosotis. Sa tenue est champêtre : corselet de velours noir fermé d'un lacet rouge, voile de gaze, jupon écarlate de paysanne. Elle aussi porte un chapeau de paille orné d'épis et de fleurs. Malgré la chevelure poudrée, la carnation délicate de celle que Mme Le Brun nomme une « jolie bergère [11] » resplendit de fraîcheur.

Rien d'apprêté, rien qui évoque le luxe dans ces portraits. Rien de précieux ni d'ostentatoire dans la façon dont le peintre crée ses effets. Cette série de tableaux révèle l'entente qui s'est créée entre l'artiste et ses modèles. Le goût personnel de l'artiste pour une élégance qui ne dépend pas des colifichets coïncide avec le désir de fuir les ornements qu'exprime maintenant la reine. Sans doute celle-ci n'a-t-elle pas abandonné la parure qu'elle a aimée avec fureur, mais, dans l'îlot protégé que constitue

son « petit Vienne », elle échappe aux raideurs des paniers et bannit l'excès
de protocole. Sur le portrait *en gaulle* la reine porte une robe de fil blanc,
bordée de mousseline au col et aux poignets, qu'on nomme parfois « robe
à l'anglaise ». La taille est marquée par une écharpe souplement nouée, le
chapeau de paille orné de plumes et de rubans bleus. La bienveillance de
l'expression saisie par le peintre montre que des liens de confiance se sont
tissés. Si la reine, à qui la maternité a donné une sérénité nouvelle, pose
dans cette tenue simple, elle refuse néanmoins d'ôter la poudre de ses cheveux. L'artiste aurait aimé laisser flotter des boucles sur son front, mais la
souveraine craint de provoquer de nouvelles critiques [12].

Au Salon de peinture de 1783, l'année de l'entrée à l'Académie de
Louise Élisabeth, le portrait *en gaulle* est exposé avec celui de la comtesse
de Provence, vêtue d'un costume comparable. Les visiteurs sont choqués
de voir la reine dans une tenue aussi aérienne. C'est une tempête. On
rend Marie-Antoinette responsable de ce choix. Les *Mémoires secrets* s'en
font l'écho : « Bien des gens ont trouvé déplacé qu'on offrît en public ces
augustes personnages sous un vêtement réservé pour l'intérieur de leur
palais ; il est à présumer que l'auteur y a été autorisé et n'aurait pas pris
d'elle-même une pareille liberté [13]. » Toutefois, le journaliste, qui souhaite se montrer conciliant, ajoute : « Quoi qu'il en soit, Sa Majesté est
très bien ; elle a cet air leste et délibéré, cette aisance qu'elle préfère à la
gêne de la représentation, et qui chez elle ne fait point tort à la noblesse
de son rôle. »
Malgré tout, on décroche rapidement le portrait. Mme Le Brun lui
substitue une variante transposant la formule dans un cadre végétal [14]. La
reine est vêtue d'une robe de soie gris-bleu, dite « suie des cheminées de
Londres », et un turban garni de plume remplace le chapeau de paille.
Pourquoi cet émoi à propos de la toilette de la reine ? Aux yeux du
public, cette tenue ne correspond pas à une représentation officielle de la
royauté. Alors qu'à Vienne, où Marie-Antoinette a été élevée, les habitants ne sont pas choqués de voir la famille impériale en simple toilette
se mêler au peuple sur le Prater, l'opinion parisienne habituée aux fastes
des grands règnes s'attend à plus de solennité et refuse l'irruption du
naturel dans la représentation du pouvoir. On trouve là une occasion
supplémentaire de discréditer la reine.
Ce portrait n'en eut pas moins un grand succès, et Marie-Antoinette
commandera à l'artiste plusieurs variantes dont on trouve les traces dans
le registre des présents du roi. L'un d'eux est envoyé au Congrès des
États-Unis de l'Amérique septentrionale [15]. Une réplique de la version en
pied est confiée au comte d'Adhémar, ambassadeur à Londres [16]. Un
autre portrait à mi-corps, dit *au livre*, sera placé dans l'appartement du

ministre des Affaires étrangères et sera vu de nombreux ambassadeurs [17]. Louise Élisabeth Vigée Le Brun est devenue la messagère de l'image de Marie-Antoinette en Europe.

La bonté qu'elle m'a toujours témoignée...

Bien que les relations entre la reine et sa portraitiste ne puissent être intimes, un climat de confiance s'établit. Marie-Antoinette et Louise Élisabeth ont le même âge. Elles partagent quelques goûts musicaux, dont les opéras de Gluck et de Grétry. La reine, qui joue de sa « chère harpe » plusieurs heures par jour, aime se délasser en chantant. Mme Le Brun connaît le répertoire de Grétry, qui offre la primeur de ses airs dans le salon de la rue de Cléry. La séance de pose est presque toujours suivie d'un duo qui réunit le peintre et son modèle. La portraitiste évoquera ces moments dans ses *Souvenirs* :

> La timidité que m'avait inspirée le premier aspect de la Reine avait entièrement cédé à cette gracieuse bonté qu'elle me témoignait toujours. Dès que Sa Majesté eut entendu dire que j'avais une jolie voix, elle me donnait peu de séances sans me faire chanter avec elle plusieurs duos de Grétry, car elle aimait infiniment la musique, quoique sa voix ne fût pas d'une grande justesse [18].

Une des anecdotes les plus connues, également relatée dans les *Souvenirs*, met en scène la patience de la reine. Durant l'hiver 1783-1784, Louise Élisabeth est à nouveau enceinte. Elle réalise à ce moment le portrait *au livre* dans lequel l'habit de la reine est orné de valenciennes [19]. Mais un matin, elle éprouve un malaise et ne peut se rendre à la séance de pose prévue à Versailles. Le lendemain, l'artiste se présente au palais afin de prendre une nouvelle date. Le garçon de la chambre, M. Campan, l'accueille rudement avant de l'introduire auprès de Marie-Antoinette :

> Sa Majesté finissait sa toilette : elle tenait un livre à la main pour faire répéter une leçon à sa fille, la jeune Madame. Le cœur me battait, j'avais d'autant plus peur que j'avais tort. La Reine se tourna vers moi et me dit avec douceur : — Je vous ai attendue hier toute la matinée, que vous est-il donc arrivé ? — Hélas, madame, répondis-je, j'étais si souffrante que je n'ai pu me rendre aux ordres de Votre Majesté. Je viens aujourd'hui, pour les recevoir et je repars à l'instant. — Non ! Non ! Ne partez pas, reprit la Reine ; je ne veux pas que vous ayez fait cette course inutilement. Elle décommanda sa calèche et me donna séance. Je me rappelle que dans l'empressement où j'étais de répondre à cette bonté, je saisis ma boîte de couleurs avec tant de vivacité qu'elle se renversa ; mes brosses, mes pinceaux tombèrent sur le parquet ; je me baissais pour réparer cette maladresse ; — Laissez, laissez, dit la Reine, vous êtes trop avancée dans votre grossesse pour vous baisser ; et quoique je puisse dire, elle releva tout elle-même [20].

On a tant commenté cet épisode que sa véracité fut mise en doute. Cependant, rien ne permet de supposer qu'il fût inventé. La reine est présentée ici dans une posture humaine, en bonne mère – elle fait répéter les leçons de sa fille – et en femme compatissante – elle a pitié de la fatigue de l'artiste. Tout l'opposé de l'image hautaine qui sera bientôt répandue dans les libelles.

Quant à Mme Le Brun, par ce geste royal, elle entre dans la lignée des grands artistes distingués par leur monarque. L'iconographie s'emparera de cette scène et, sous le règne de Napoléon III, le peintre Perrignon réussira une illustration animée de cet épisode [21]. Les biographes, dont Louis Hautecœur le premier [22], ont mis en relation le geste de la reine avec celui qu'on a prêté au roi Charles Quint, ramassant les pinceaux du Titien. La tradition de cette anecdote remonte au XVIᵉ siècle et voici la version qu'en donne Félibien :

> Ce fut pour lors qu'en travaillant, on dit qu'il lui [le Titien] tomba un pinceau de la main et que l'empereur l'ayant ramassé, le Titien se prosterna aussitôt pour le recevoir, en disant ces mêmes paroles, *Sire, non merita cotanto honore un servo suo* : à quoi l'empereur répondit, *È degno Titiano essere servito da Cesare* (Sire, votre serviteur ne mérite pas un tel honneur – Titien est digne d'être servi par César) [23].

L'anecdote concernant le Titien est probablement imaginaire [24], mais elle est révélatrice de la façon qu'avait Charles Quint de traiter son peintre comme un égal par le génie, à défaut de l'être par le rang. Plus vraisemblable, l'anecdote des *Souvenirs* n'est pas relatée sans bénéfice. Elle a pour effet de hisser Mme Le Brun à la dignité d'un maître qui fut le portraitiste exclusif de Charles Quint.

12

FRÈRE ET SŒUR

« Unis dès la plus tendre enfance
Nous n'avions qu'un même désir... »
GLUCK, *Iphigénie en Tauride*.

La sieste de l'artiste

Louise Élisabeth ne peut ni ne veut ralentir son activité, aussi sa seconde grossesse est-elle épuisante. Le second enfant vient au monde sans doute dans les premiers mois de l'année 1784. Il s'agit d'une fille, dont on ignore jusqu'au prénom et qui ne vécut que trois mois, sans même avoir été sevrée [1]. À une époque où l'on s'attache peu aux nouveau-nés, son souvenir ne s'inscrit que fugacement dans la mémoire de sa mère. Aucun document retrouvé à ce jour n'évoque cette brève vie. Julie demeurera enfant unique.

Cette année 1784 est pour l'artiste une année éprouvante : retombée de la tension qui suit l'élection à l'Académie, chagrin non exprimé du décès de sa seconde fille, excès de travail, parfois trois séances de pose par jour. La portraitiste ne digère plus, maigrit. Sa production ralentit. Une dizaine de tableaux [2] cette année-là. Son frère et ses amis l'incitent à consulter un médecin, qui, par chance, ne lui prescrit pas de ces médecines qui achèvent le malade – saignées, vésicatoires ou sangsues – comme il arrivait fréquemment. Ce praticien raisonnable ordonne à la jeune femme de faire la sieste. Tous les jours :

> D'abord j'eus quelque peine à prendre cette habitude ; mais on m'enfermait dans ma chambre, les rideaux fermés, peu à peu le sommeil arrivait. Je suis persuadée que je dois la vie à cette ordonnance. Vous savez, chère amie, combien je tiens à ce que j'appelle mon *calme*. C'est qu'un travail forcé, joint à la fatigue de mes longs voyages, me l'a rendu tout à fait nécessaire ; sans ce

court et léger repos, dont j'ai conservé l'habitude, je n'existerais plus. Tout ce que je puis reprocher à cette *sieste* obligée, c'est de m'avoir privée sans retour du plaisir d'aller dîner [déjeuner] en ville ; et comme je consacrais la matinée entière à la peinture, il ne m'a jamais été permis de voir mes amis que le soir [3].

Elle écoute les conseils du médecin avisé qui a compris sa nature nerveuse. Cette sieste, dont il est souvent question dans les *Souvenirs*, la contraint à sélectionner les déjeuners. Elle quitte l'assemblée en s'excusant avec un sourire : « Je vais calmer. » Elle refuse les visites de l'après-midi et son personnel répond aux importuns : « Madame calme » [4].

Rigoureuse dans son travail, Louise Élisabeth le sera aussi sur ces principes, ce qu'on appellerait aujourd'hui son hygiène de vie. De même, durant toute sa vie, quoique gourmande – elle aime le poulet, les omelettes, les melons et les cerises –, elle mangera peu, au point de garder une svelte silhouette jusqu'à un âge avancé.

Aux remèdes à la mode, elle préfère le bon sens. C'est pourquoi elle regarde comme une folie collective l'engouement pour la médecine du fameux Mesmer qui fait rage à Paris. Un soir, cédant à la curiosité, elle va voir par elle-même ce dont il s'agit et se rend à son cabinet, situé dans l'hôtel Bullion, rue Montmartre, tout près de chez elle. On la fait entrer dans l'appartement encombré de patients, où trône le « baquet de santé », cette cuve goudronnée censée rendre la santé à ceux qui l'ont perdue. Les baguettes magnétiques qu'on dirige vers elle ne la séduisent pas. Et la vue d'une femme en transes achève de la persuader qu'il s'agit d'une charlatanerie. Jamais elle ne cède, sans réflexion, à l'attrait de la nouveauté.

Le mariage d'Étienne

Si son *calme* l'éloigne momentanément du monde, il la rapproche d'Étienne. Celui-ci, attentif, veille sur sa sœur. Souvent, il lui fait la lecture afin qu'elle trouve le sommeil. C'est l'occasion d'une intimité familiale. Étienne lui lit ses poèmes préférés. La Fontaine est un de ses auteurs de prédilection, mais Le Tasse, Walter Scott ou Schiller lui plaisent. Il classe dans ses portefeuilles les textes qui donneront naissance au manuel de littérature qu'il publiera plus tard [5]. C'est grâce à ces lectures que Louise Élisabeth augmente ses connaissances. Étienne se sert de la voix et du geste pour faire vivre les poèmes qu'il lui fait découvrir.

Le frère et la sœur ont un point commun, chacun dans son domaine : le souci d'embellir la nature. Louise Élisabeth minimise les défauts de ses modèles et met en valeur leur personnalité. Étienne croit que l'éloquence et le geste peuvent transformer une physionomie. « Il faut choisir la nature, cacher ses disgrâces, conseille-t-il, et ne la présenter que sous les traits qui la rendent intéressante ou aimable[6]. » Chacun poursuit dans sa voie. Ambitieux, Étienne demande à son aînée de lui montrer le chemin vers la gloire : « Daigne me conduire des yeux », écrit-il, et en 1783, il consacre ces vers à la renommée de Louise Élisabeth :

> Apprends-moi par quelle magie
> Tu sais dans cet art si vanté,
> Qu'Amour, dit-on, a inventé,
> Te frayer la route hardie
> Qui mène à l'immortalité [7].

Louise Élisabeth fait plus que guider son frère « des yeux », elle le protège. À cette époque de leur vie, le frère et la sœur sont soudés. Ensemble ils ont fait face. À l'adversité, aux difficultés matérielles et à l'intrus, leur beau-père, Le Sèvre. Tandis que Louise Élisabeth est à son atelier, Étienne cultive les muses. Voici comment le jeune poète présente leur ambition commune dans une poésie autobiographique :

> Un même sang nous a formés.
> Nous nous aimions dans notre enfance,
> Et du même esprit animés,
> Dans notre active adolescence,
> C'est sur des loisirs studieux
> Que d'un avenir glorieux
> Nous osions fonder l'espérance [8].

Doué pour la déclamation et les belles-lettres, le bel enfant est devenu un séduisant jeune homme. Le 11 octobre 1784, il se marie. Il a de bonnes résolutions vis-à-vis du mariage. N'écrit-il pas dans *La Fausse Coquette*, une pièce représentée en novembre de la même année : « Étudier les goûts, prévenir les désirs, / C'est la loi de l'hymen, ce seront mes plaisirs [9]. »

Sa promise est une jeune fille de vingt ans. Même si, de l'aveu de sa belle-sœur, Suzanne Rivière n'est pas une « beauté », elle a un intense regard brun, chante à merveille et lit la poésie avec expression. Suzanne appartient par son père à une famille protestante établie en Saxe au moment de la révocation de l'édit de Nantes, qui avait contraint de nombreuses familles à l'exil.

La famille de Suzanne vit maintenant à Paris, dans un hôtel de la Chaussée-d'Antin. Son père, Jean-Baptiste Rivière, exerce des fonctions diplomatiques pour l'Électeur de Saxe : il est conseiller de légation. La famille ne porte pas encore la particule et le titre dont se revendiquera la génération suivante. On ne sait si Étienne et Suzanne ont fait connaissance grâce à Louise Élisabeth ou si l'inverse s'est produit. Toujours est-il que plusieurs coïncidences peuvent les avoir rapprochés.

D'abord leurs familles. La mère de Suzanne appartient à une lignée de musiciens et d'acteurs. Marie Catherine Antoinette Foulquier a connu son heure de gloire à la Comédie-Italienne sous le diminutif de Catinon. Sa sœur cadette, Françoise Suzanne, dite Suzette, assiste à la noce. Cette accorte femme est veuve de Charles Antoine Bertinazzi, dit Carlin, l'acteur de la Comédie-Italienne, dont Louis Vigée avait réalisé le portrait en Arlequin. Carlin avait eu, dit-on, de l'indulgence pour les liaisons de son épouse, Suzette [10]. Peut-être, à l'occasion des séances de pose, les Vigée sont-ils entrés en relation avec les sœurs Foulquier.

Puis, les fonctions exercées à la cour par les jeunes mariés peuvent les avoir mis en présence. Étienne occupe l'emploi de « secrétaire du cabinet de Madame, comtesse de Provence », tandis que Suzanne exerce la charge de « femme de chambre de Marie-Thérèse », fille aînée du couple royal [11].

Grâce au registre tenu par le notaire Griveau [12], nous connaissons le cercle de relations des familles qui s'unissent par l'intermédiaire de leurs enfants. La famille proche se tient aux côtés d'Étienne : Louise Élisabeth et Jean-Baptiste Pierre, sa mère, Jeanne Maissin et son beau-père Jacques François Le Sèvre, qui n'est pas cité parmi les témoins, mais qui a signé l'acte. Une sœur ou une nièce de Jeanne, prénommée Marie-Jeanne, est accompagnée de son époux Noël Baudouin. Aucun membre de la famille Vigée n'est présent. Puis, les amis : deux noms prestigieux dans les arts, le peintre Ménageot, proche des Le Brun, le compositeur Martini, auteur de L'Amoureux de quinze ans.

C'est en voisin que le fermier général Le Normand d'Étioles, dont Louise Élisabeth avait portraituré la seconde épouse en 1774, est venu. Le comte de Vaudreuil, client de Jean-Baptiste Pierre Le Brun, et à qui Étienne doit ses fonctions, honore de sa présence l'assemblée.

Du côté de Suzanne, ses parents, sa tante, une ribambelle de frères, sœurs et cousins, Auguste, Charles, Antoine, Xavière, Louis signent à la fin du contrat. La cousine de Suzanne, Adélaïde Bertinazzi, fille de Carlin, est là avec son époux Michel Rateau, un agent de change.

Deux fonctionnaires du Trésor, deux avocats au Parlement et Jacques Le Sieur Desbrières de Montesson complètent une assemblée qui ne manque pas de lustre. L'abbé Bazin ajoute sa signature au contrat.

Hommes de loi, commis de l'État, artistes, diplomates, banquiers : même si ces personnes n'appartiennent pas aux sphères les plus élevées de ces professions, elles témoignent par leur présence de l'ascension sociale concrétisée par le mariage d'Étienne. Les témoins les plus prestigieux ne sont pas tous du côté de la mariée. Charles Pierre Paul Savalette, baron de Langes, garde du Trésor royal et directeur de la caisse d'escompte cautionne cette union. La famille Savalette, également cliente du pastelliste La Tour [13], est familière de l'hôtel Lubert : Louise Élisabeth a en effet portraituré une des sœurs, Antoinette Savalette de Magnanville. L'artiste et son époux apportent donc par la caution de leurs relations le gage d'une vie bien remplie et d'une activité qui porte ses fruits.

Le soir des noces, un souper où est invité le prince Henri de Prusse est offert chez le contrôleur général des Finances, Calonne. Celui-ci dépose dans la corbeille de mariage la charge lucrative de contrôleur des amortissements, assortie du considérable salaire de douze mille livres pour Étienne. De quoi assurer l'avenir du jeune couple [14], qui ira s'installer pour quelque temps rue du Cherche-Midi [15].

Entre le mariage de Louise Élisabeth et celui d'Étienne, un pas très net a été franchi.

Un jeune homme de grande espérance

Étienne a du talent et une bonne plume ; il ne doit pas ses résultats qu'à la faveur. Il a quitté le collège après la classe de rhétorique, puis il a été placé chez un procureur [16]. Plutôt que de fréquenter l'école de droit, à dix-sept ans il a adressé des vers à Claude Joseph Dorat [17], le rédacteur du *Journal des dames*. Ses modèles en poésie sont le grave et léger Chaulieu, celui qu'on nommait « l'Anacréon du Temple », et bien sûr Voltaire.

À dix-huit ans, il a composé un *Dialogue des morts* qui met en scène Ovide et Chaulieu. Son projet de carrière se dessine : il se veut polygraphe. Poésie sentimentale, épique, héroïde, comédie, il semble prêt à exploiter tous les genres, condition indispensable pour gravir les échelons de la carrière littéraire.

Outre son talent de plume, Étienne a d'autres atouts : il est bon acteur. Un poème mal récité n'a aucune chance de succès à une époque où la poésie est lue dans les salons. Il n'est pas rare qu'un homme de lettres se taille une réputation uniquement grâce son éloquence. Un confrère d'Étienne, le poète méridional, Antoine Roucher, remporte un succès en déclamant ses *Mois* en société. Ainsi Étienne fait-il partie de cette troupe d'hommes de lettres qui espèrent se frayer un chemin grâce à la voix et à la plume.

En février 1783, le jeune homme a vu sa pièce *Les Aveux difficiles* jouée au théâtre de l'Odéon et, le lendemain, devant le roi et la reine. L'année même de ses noces, la Comédie-Italienne a accepté deux de ses comédies, *La Fausse Coquette* et *Les Amants timides* [18]. La distribution est éclatante : Mlles Contat et Doligny, les acteurs Molé, Préville et Fleury.

Il n'a que vingt-six ans et ces débuts sont remarqués par le dramaturge Goldoni, familier des sœurs Foulquier [19]. Sa sœur aînée peut être fière de lui.

Une bonne alliance

Que des liens antérieurs entre les Rivière et les Vigée Le Brun aient existé ou non, l'alliance scellée en octobre 1784 est un moment d'importance dans la vie de la portraitiste. Elle établira d'affectueuses relations avec sa belle-sœur et les parents Rivière qu'elle appelle le « bon père » et la « bonne mère ». Louise Élisabeth sera adoptée par cette famille de neuf enfants, dans l'atmosphère bohème de leur hôtel de la Chaussée-d'Antin, fréquenté par des artistes, des musiciens, et des acteurs. Plus tard, le frère aîné de Suzanne, Auguste Louis Jean-Baptiste Rivière, qui a des talents de peintre, accompagnera l'artiste dans son périple d'émigration. Auguste vient de remporter un prix de l'Académie institué par Quentin de La Tour, celui de la « demi-figure avec deux mains [20] ».

L'année suivante, Suzanne posera devant sa belle-sœur, pour un buste sans les mains. Les épaules enveloppées du châle bordé de dentelle noire appartenant à l'atelier, la tête inclinée, les cheveux mousseux et sans autre ornement qu'un ruban de col, elle fixe de son regard sombre l'artiste [21]. Douce, compréhensive, discrète, Suzanne restera dans l'ombre d'Étienne. Goldoni, qui l'a vue naître, trouve la jeune femme « remplie de vertus et de talents [22] ».

Étienne et Suzanne sont des alliés dans l'épanouissement de la vie sociale de la jeune artiste. En 1784, Louise Élisabeth n'a que vingt-neuf ans. Elle est mère, elle a réalisé plusieurs portraits de la reine. Son époux est un homme dont l'expertise est estimée dans Paris. Son rêve d'harmonie conjugale n'est pas réalisé car Jean-Baptiste Pierre est loin d'être aussi bon époux que Louis Vigée l'a été pour Jeanne. Mais, après tout, peut-elle se dire, même dans La Nouvelle Héloïse, un des seuls romans qu'elle connaît, l'héroïne, Julie, ne rencontre le véritable amour, fût-il platonique, qu'en dehors des liens du mariage.

Dans Paris, on sait que Le Brun entretient des maîtresses et que Louise Élisabeth vit de son côté, dans son propre cercle. Voilà la source de commérages. On prête à la portraitiste un amant. Qui croire lorsque tous les témoins ont disparu ?

13

L'ENCHANTEUR ET LA FÉE

> « Tant qu'un homme et une femme sont jeunes encore, je
> ne crois guère à leur amitié, à moins que l'amour ne l'ait
> préparée [1]. »
>
> Étienne VIGÉE, *Mes Conventions*.

Le comte de Vaudreuil

Il se nomme Joseph Hyacinthe François de Paule, comte de Vaudreuil [2]. À son sujet, le poète Écouchard Le Brun dit : « Aimer tous les arts fut sa gloire / Se faire aimer fut son bonheur [3]. »

Le comte de Vaudreuil fréquente l'hôtel Lubert. L'un de ses cousins au second degré, le comte de Paroy [4], loue un appartement dans cette maison d'artistes. Paroy, collectionneur d'antiques, membre honoraire associé de l'Académie royale, a quitté les armes, contre l'avis de ses parents, afin d'exercer ses talents de graveur et de miniaturiste. Vaudreuil lui rend visite, et devient client de Jean-Baptiste. L'année même du mariage d'Étienne, Louise Élisabeth exécute le portrait de Vaudreuil et cinq de ses répliques.

Vaudreuil vaut plus qu'il ne paraît. Son élégance raffinée, son fin visage et son air maniéré pourraient faire croire à un esprit superficiel : il n'en est rien. Cultivé dans les arts, il sait apprécier un tableau. C'est un *connaisseur*. L'histoire prouvera que sous le vernis de l'homme de cour, un homme affectueux, humain, parfois profond, se cache.

Petit-fils d'un gouverneur du Canada, fils d'un commandant des îles Sous-le-Vent qui avait épousé la veuve [5] d'un colon de Saint-Domingue, Joseph Hyacinthe François a conservé dès sa naissance insulaire une insouciance et cette gaîté si recherchée à la fin du siècle. À la mort de son père, à vingt-quatre ans, il est entré en possession d'une immense fortune. Son train de vie est celui d'un grand. C'est un des meilleurs acteurs des « théâtres de société » de Paris. À son sujet, Mme de Genlis rapporte le mot de la princesse d'Hénin : « Il n'y a que deux hommes qui sachent parler aux femmes, Lekain sur le théâtre et M. de Vaudreuil à la ville [6]. » C'est tout dire.

Qui connaît le portrait en pied de Drouais représentant Joseph Hyacinthe François à dix-huit ans peut se faire une idée de son allure. Le jeune homme est vêtu d'un pourpoint de velours bleu richement garni de brandebourgs et ses chaussures ornées de boucles d'argent arborent de discrets talons rouges [7]. Dans une galerie décorée de cartes géographiques, il pointe du doigt l'île de Saint-Domingue (Haïti), où sont dessinées les limites des plantations auxquelles sa mère était attachée. Il est à l'aube d'une carrière militaire – il a servi le roi durant la guerre de Sept Ans – comme l'indique l'armure posée à terre.

Proche du comte d'Artois, Vaudreuil organise ses chasses, et depuis 1780, a reçu la charge de « grand fauconnier du roi ». Ce célibataire est l'amant en titre de la mélancolique comtesse Jules de Polignac. D'une précédente liaison, il est père d'une fillette, qui porte l'un de ses prénoms, Marie Hyacinthe Albertine [8] et qu'il fait élever discrètement sous le nom de Fierval. Grâce à sa maîtresse, il bénéficie de la protection de Marie-Antoinette.

Lorsque la guerre contre les Anglais le prive des revenus de ses plantations, il est pourvu, en compensation, d'une pension royale de trente mille livres. Apprenant cette largesse, Marie-Thérèse d'Autriche en fait vivement reproche à sa fille : « Un certain comte de Vaudreuil que l'on prétend trop intimement lié avec la comtesse [Jules] a obtenu par ce moyen trente mille livres de pension et un domaine du comte d'Artois et cela par votre intervention [9]. »

Marie-Antoinette se défend : « Monsieur de Vaudreuil […] a beaucoup de biens aux îles, mais il n'en reçoit rien à cause de la guerre. Le roi lui avait donné 30 000 frcs non de pension mais jusqu'à la paix. […] Je n'ai pas eu part à cette générosité. Tout le monde sait ici que M. de Vaudreuil est assez aimé de mon frère [Artois] pour n'avoir pas besoin de protection auprès de lui [10]. »

Vaudreuil ne change rien à ses façons de vivre. Insouciant, il fait bénéficier de sa faveur de nombreuses personnes. Il parraine des auteurs, Écouchard Le Brun, Ginguené, Chamfort et Étienne Vigée. Ce n'est pas pour rien qu'on le surnomme « Mécène Vaudreuil ». Proche de Charles Alexandre de Calonne, il fera tout pour porter son ami au contrôle des Finances.

Un talon rouge ?

Sur Vaudreuil, on entend toutes sortes de choses. Est-il vraiment un de ces petits-maîtres aux belles manières mais sans scrupules qu'on appelle « talons rouges [11] » ? Il aurait un goût, d'ailleurs attesté par les rapports de police [12], pour les parties fines, en compagnie de ses amis Coigny et Fronsac. On lui reproche sa proximité avec la coterie des Polignac, accusée d'exploiter la reine. Aux yeux de Mme Campan, Vaudreuil est un homme impérieux et autoritaire. Quant à la comtesse de Boigne, l'une des langues les plus acérées de l'Ancien Régime, elle voit en Vaudreuil un « homme aussi léger qu'immoral [13] », et elle égratigne Mme Le Brun au passage.

Or, le goût de Vaudreuil pour les arts est réel, sa conversation peut être érudite – ce que Mme de Boigne traduit par « pédante » –, et il est capable de s'enthousiasmer, ce qui est rare, parmi ces seigneurs blasés. « Chez madame Le Brun, poursuit la comtesse, il se pâmait devant un tableau et protégeait les artistes [14]. » Mme de Boigne, qui a quarante ans de moins que Vaudreuil, presque deux générations, rapporte des faits et des propos de seconde main.

À son témoignage s'oppose celui d'un homme de lettres qui gravite dans l'entourage du comte, Chamfort. La causticité de Chamfort est de notoriété publique ; il déteste les manières des grands dont il reçoit les faveurs. Cependant Vaudreuil trouve grâce à ses yeux [15]. Derrière l'apparence mondaine de son protecteur, Chamfort décèle de la générosité et une ouverture aux idées nouvelles. Louise Élisabeth, qui n'apprécie pas les protégés de Vaudreuil, à ses yeux des parasites, déteste l'« air cynique » et la tenue négligée de Chamfort. Elle en parle librement à Vaudreuil : « il est si sale qu'il m'infecte [16] », lui confie-t-elle.

Louise Élisabeth, à qui son expérience de portraitiste a donné de l'intuition, est touchée par la personnalité du comte. Au-delà de ses apparences frivoles de « talon rouge », elle discerne des qualités solides. Voici comment elle fera son panégyrique dans ses *Souvenirs* :

> Soit que la conversation fût sérieuse ou plaisante, il en savait prendre tous les tons, toutes les nuances, car il avait autant d'instruction que de gaieté ; il contait admirablement, et je connais des vers de lui que les gens les plus difficiles citeraient avec éloge ; mais ces vers n'ont été lus que par ses amis [17].

Louise Élisabeth est émue par la sensibilité du comte – « il s'exaltait vivement pour tout ce qui était bien » –, son courage – « si l'on attaquait ses amis, il les défendait avec tant d'énergie, que les gens froids l'accusaient d'exagération » [18]. Ce portrait est celui du parfait honnête homme, dans la tradition du siècle précédent. Vaudreuil serait une sorte de Philinte sachant s'adapter, écouter [19]. Mme Le Brun trouve en lui le reflet qu'elle cherche. Son défaut principal est le revers de ses qualités : Vaudreuil dépense plus qu'il ne possède, et vit dans le court terme à tous points de vue. Bien qu'il applaudisse aux idées de liberté, il ne comprendra qu'après coup le sens des événements, il fait partie de ceux qui croient que l'orage n'éclatera pas, que quelques « coups de bâton » suffiront à faire taire les libellistes [20] : « Nous étions tous des novices, nous n'avions pas vu de révolution [21] », dira-t-il bien après la tourmente.

Le jardin de Gennevilliers

Pour répondre au goût de la chasse du comte d'Artois, Vaudreuil a loué au duc de Fronsac un « rendez-vous » entouré d'un vaste domaine à Gennevilliers. Le gibier introduit sur les terres détruit tous les ans la récolte de trois cents arpents. Les vignes, les légumes et les arbrisseaux sont perdus, ce qui cause, se plaignent les habitants de Gennevilliers, la misère de trois cents familles [22]. Les cultivateurs de Gennevilliers expriment ouvertement leur mécontentement. Vaudreuil, Artois et leurs amis n'y prennent pas garde. Un tel mépris augmente le mécontentement des paysans.

Si les chasses sont giboyeuses, le château est rustique, meublé de façon simple [23]. En janvier 1784, Vaudreuil a l'occasion de l'acquérir pour la somme, raisonnable, de vingt mille livres. Il y fait des embellissements. Les dessus-de-porte du foyer du théâtre sont décorés par le pinceau rapide d'Hubert Robert. La salle de billard s'orne de trois paysages du même artiste et de tableaux de Boucher.

Les jardins de Gennevilliers ne sont pas au goût du jour. Malgré leur réaménagement par le dessinateur Étable de La Brière [24], aux yeux de Louise Élisabeth, le résultat est dépourvu de pittoresque. Les vues ne sont pas dégagées, les perspectives manquent de relief. Aussi fait-on venir le jardinier écossais Thomas Blaikie, réputé pour son habileté. Celui-ci est époustouflé de voir arriver Vaudreuil qui vient le chercher avec un attelage à six chevaux emprunté à la reine.

Louise Élisabeth les attend à Gennevilliers [25]. L'Écossais est fier d'exposer son savoir-faire devant une jolie femme qui a autant de goût et qui est un tel *connaisseur*. Sans équivoque, Blaikie identifie Mme Le Brun comme « la maîtresse du comte de Vaudreuil ». De toute évidence, à ses yeux, il s'agit d'un couple. Blaikie propose à la jeune femme une transformation des jardins : abattre quelques arbres et dévier les allées vers des points de vue plus satisfaisants. En quinze jours, affirme Blaikie, le tour est joué. Les remarques de Mme Le Brun impressionnent l'Écossais. Sans être paysagiste, l'amie d'Hubert Robert a des idées précises sur la manière de concevoir un jardin.

À Gennevilliers, dit-on, Louise Élisabeth se comporte en maîtresse de maison. La jeune baronne de Staël le confirme. Celle-ci rapporte les commérages de la vie parisienne au roi de Suède, Gustave III, qui en est friand. En 1786, Mme de Staël présente la relation entre la portraitiste et le comte comme déjà ancienne. « M. de Vaudreuil, écrit-elle, est toujours plus occupé que jamais de Mme Le Brun [26]. » Est-il tombé amoureux du modèle dont il a acquis le portrait original, le *Chapeau de paille* ?

Comment expliquer que Mme de Polignac, sa maîtresse officielle, ferme les yeux sur cet état de fait ? Comment croire que Louise Élisabeth accepte de jouer ce rôle ? Enfin, comment les deux femmes acceptent-elles que Vaudreuil ait d'autres aventures, dont certaines sont de notoriété publique ? Ne raconte-t-on pas dans Paris qu'en 1783, Vaudreuil rend souvent visite à une charmante comtesse de Caumont, épouse d'un chevalier de Saint-Louis [27] ? La jalousie n'est pas à la mode en France, même chez les amants, au point qu'un opéra à succès de Grétry et d'Hèle s'achève sur ce vers repris en chœur : « Ne soyez jamais jaloux [28]. »

À Gennevilliers, on rencontre Talleyrand, alors abbé de Périgord, qui vient passer la journée. L'acteur Caillot divertit les convives. Le soir, dans la salle de spectacle, on donne des opéras à ariettes. Dans *Rose et Colas* de Monsigny, Louise Élisabeth joue le rôle de Rose, et dans *La Colonie* celui de Marine. Elle a des talents comiques et excelle dans les rôles de soubrette. Tout le clan de l'hôtel Lubert, Guillaume Ménageot compris [29], participe, à l'exception de Jean-Baptiste Pierre, dont le nom n'est jamais mentionné dans le récit de ces loisirs. Occupé à ses affaires, fréquentant d'autres sociétés, il mène sa vie de son côté. Auguste Rivière et sa sœur Suzanne ont les dispositions de leur mère, l'actrice Catinon. Étienne Vigée a de l'aisance sur scène. Afin de distraire Artois, Vaudreuil donne des fêtes qui tiennent de la féerie, au point qu'on l'appelle « l'Enchanteur ».

Si Vaudreuil est un « Enchanteur », grâce à Lebrun-Pindare, Mme Le Brun devient « une charmante Fée » :

> Bien digne de mon Enchanteur.
> Elle avait tout : esprit, talent, grâce, candeur.
> Magique déité de qui la main savante
> Peignait l'âme et rendait une toile vivante [30].

Dans ce poème à la gloire de son protecteur, Lebrun-Pindare présente Louise Élisabeth comme formant un couple avec Vaudreuil. Amitié tendre… peut-être. Passion exclusive, assurément non, dans cette vie où les centres d'intérêt des protagonistes sont multiples. Mais affection fidèle, certainement. Comme Choderlos de Laclos le disait en songeant à Mme Du Barry : « La chasteté est une convenance sociale, plutôt que la mère des vertus, et [l']on peut être fort tendre et fort aimable [31]. »

Vers la fin de l'année 1783, le comte de Vaudreuil semble perdre la faveur de la reine. Une affaire – celle du *Mariage de Figaro* – cristallise la méfiance de Marie-Antoinette. À l'automne, Vaudreuil a arraché l'autorisation de représenter en privé, sur la scène de Gennevilliers, la pièce de Beaumarchais encore interdite. M. Campan, garçon de la chambre, assiste à la représentation le 26 septembre 1783. Il rentre bouleversé par ce qu'il a entendu [32]. Ni Vaudreuil, ni Breteuil, ni même Artois ne semblent prendre la mesure de ce que la pièce de Beaumarchais reflète : espoir d'anéantissement des privilèges dont ils jouissent, renversement de l'ordre social dont ils profitent. Louise Élisabeth, qui n'observe pas les faits du même point de vue, ne se laisse pas gagner par l'ivresse ambiante, comprend le péril et prend la mesure de l'audace de Beaumarchais. L'engouement de Vaudreuil pour la nouveauté frôle l'inconscience. Cette contradiction chez lui n'est pas la seule. Il arrive que ce mondain se plaigne de la vie mondaine, ce courtisan de la vie de cour. Vaudreuil aime la liberté, mais il est dépendant parce qu'il vit au-dessus de ses revenus, parce qu'il est impulsif. Il ne trouvera sa dimension morale que dans l'émigration, lorsque, dégrisé, il devra affronter les malheurs de l'exil.

Un collectionneur

Pour satisfaire son désir d'élégance, le comte achète en septembre 1784 un hôtel particulier situé rue de la Chaise [33]. Deux mois après son acquisition, il décide de se séparer d'une partie de sa collection. Il en confie la vente au mari de son amie, Jean-Baptiste Pierre Le Brun. Si le catalogue est disponible rue de Cléry, la vente se fait, pour des raisons ignorées, à l'hôtel Bullion [34]. Les journaux attribuent cette opération aux difficultés financières causées par le luxe extrême du train de vie du comte. Mais rien n'est moins sûr. En réalité, Vaudreuil a décidé de réorienter l'esprit de sa collection. Dans la préface au catalogue de vente qu'il rédige, Le Brun annonce que le comte se sépare de ses tableaux hollandais et italiens, mais qu'il conserve ses tableaux de l'école française [35]. Le marchand d'art souligne la forte proportion d'excellents tableaux par rapport au nombre : « Le goût le plus sûr et le plus difficile semble avoir présidé à ce choix [36] », écrit-il. Le comte d'Angiviller débloque des crédits considérables pour acquérir au nom du roi trente-trois tableaux de premier ordre [37]. La vente atteint la somme stupéfiante de 318 630 livres [38].

Le comte a acquis l'hôtel de la rue de la Chaise pour le prix de 260 000 livres [39]. Il peut donc songer à aménager sa nouvelle demeure avec la somme qui lui reste.

Il fait décorer le plafond du salon, les niches de la salle à manger et les dessus-de-porte par Simon Berthélemy [40]. Dans l'appartement de sa cousine par alliance, Victoire Pauline de Riquet de Caraman, vicomtesse de Vaudreuil, il place le portrait de la jeune femme en chapeau de soie plissée, par Mme Le Brun [41]. Vaudreuil a également fait réaliser le portrait de la duchesse de Polignac l'année précédente. C'est encore lui qui possédera la sensuelle *Bacchante* réalisée par son amie en 1785 [42].

Quelques années plus tard, le peintre américain John Trumbull en visite à Paris [43] témoignera de la splendeur de la réalisation : les meubles sont, dit-il, d'une « haute magnificence ». Trumbull note le parti pris de modernité. L'Américain remarque de beaux dessins et croquis de Rubens et tombe en extase devant le déjà célèbre portrait de Mme Le Brun par elle-même [44] et la *Vénus liant les ailes de l'amour* dont il connaît la gravure. Un *Coucher de soleil* de Vernet, le *Rendez-vous de chasse* de Watteau, et les *Plaisirs du bal* font partie de la collection, ainsi que des œuvres de David, Greuze, Fragonard et Boucher. La peinture du Grand Siècle est représentée par une toile de Le Nain, *Le Maréchal à sa forge*, et plusieurs Poussin. Bref, cette collection constituée d'œuvres d'artistes français modernes est une forme de manifeste : elle démontre que cette école est capable de concurrencer l'école italienne [45].

Vaudreuil n'est pas l'enthousiaste étourdi que ses détracteurs ont voulu caricaturer. Le tournant pris par sa collection est le reflet d'une politique d'acquisition réfléchie.

Cette même année 1784, le comte pose devant le chevalet de Louise Élisabeth pour son propre portrait [46]. Elle réalisera cinq répliques destinées à son entourage. Ce portrait de cour où le modèle est assis, à mi-jambe, le met en scène, revêtu des insignes de ses fonctions, dans le cadre d'une représentation officielle. Les séances de pose favorisent encore le rapprochement du peintre et de son modèle. Leur amitié dure alors depuis plusieurs années.

Un document nous manque pour décrire plus exactement les nuances du lien qui les unit. En 1782, Vaudreuil avait accompagné Artois dans la campagne qui visait à prendre Gibraltar, alors possession britannique. Durant son absence, Joseph Hyacinthe François écrit fréquemment à Élisabeth Louise. En 1789, elle possède encore ces lettres. Au moment de partir pour l'Italie, la jeune femme confiera cette correspondance à la garde de son frère. Que craint-elle alors ? L'indiscrétion d'un domestique gagné aux jacobins ? Et Jean-Baptiste Pierre ? Nous ne savons rien de ce qu'il pensait de la proximité de son épouse avec Vaudreuil. Occupé par ses affaires, ses liaisons, il ferme les yeux, mais jusqu'à quel point est-il informé ? En plusieurs occasions, il prouvera qu'il est plus attaché à son épouse que celle-ci n'a bien voulu le dire. Durant la Terreur, les lettres de Vaudreuil seront brûlées.

Quelle preuve ces messages auraient-ils apportée ? Aucun étalage d'intimité sans doute. Mais l'existence même de cette correspondance, sa régularité, puis la volonté de l'anéantir évoquent un lien durable et tendre. La suite de l'histoire ira dans le sens de cette hypothèse.

14

> « Une jeune et jolie femme, pleine d'esprit et de grâces,
> bien aimable, donnant des soupers fins aux artistes, aux
> auteurs, aux gens de qualité. »
>
> *Mémoires secrets*, 1783.

Rue de Cléry

Dans l'appartement simplement meublé de la rue de Cléry, Louise
Élisabeth reçoit chaque soir « la ville et la cour », attirées par le charme
dénué de prétention de sa compagnie. De la toile peinte aux impressions
de Jouy et du papier mural assorti, comme on en trouve chez Hayet au
coin de la rue des Lombards, suffisent à orner la pièce et le lit à rideaux.
Pas de soies, ni de brocarts dans les deux pièces qu'elle occupe.

En raison de son travail et aussi de sa sieste, les amis de Louise
Élisabeth lui rendent visite dans la soirée. Ainsi se forme spontanément
un cercle d'intimes. Contrairement aux bruits répandus de son vivant et
relayés par ses biographes, Louise Élisabeth ne cherche pas délibérément
à créer un salon. À ce titre, l'épithète de *salonnière* [1] dont l'affuble la critique moderne ne lui convient pas. Elle n'ambitionne pas de créer à tout
prix une société autour d'elle, comme ce sera le cas pour certaines
femmes de sa génération obsédées par l'idée de régner sur une coterie.
Les séances de pose sont recherchées comme un plaisir. Et de l'atelier au
salon, il n'y a qu'un pas.

Vers neuf heures, les amis arrivent, les uns après les autres, ce sont des
artistes, des poètes, des acteurs et des musiciens. Le comte de Paroy et
Ménageot viennent en voisins. Hubert Robert et sa femme, Théodore
Brongniart et Louise, Auguste Rivière, le frère de Suzanne, sont les plus
fidèles. Parfois, Joseph Vernet se joint à eux. Tout est placé sous le signe

de l'improvisation. Une camaraderie règne entre les convives jusqu'à favoriser l'éclosion de ce que la maîtresse de maison nomme « l'intimité ». Louise Élisabeth tutoie certains de ses amis masculins [2], comme le font les élèves entre eux à l'atelier.

> L'aisance, la douce gaieté, qui régnaient à ces légers repas du soir, leur donnaient un charme que les dîners n'auront jamais plus. Une sorte de confiance et d'intimité régnait entre les convives ; et comme les gens de bon ton peuvent toujours bannir la gêne sans inconvénient, c'était dans les soupers que la bonne société de Paris se montrait supérieure à celle de toute l'Europe [3].

Étienne, qui loge désormais avec Suzanne rue de Cléry [4], amène les poètes et les acteurs. Tout d'abord Lebrun-Pindare, dont le talent fascine Élisabeth Louise, et dont elle n'aperçoit pas la vanité. L'abbé Delille se fait souvent attendre. On le surnomme « chose légère » tant il vit dans la lune. Imprévisible, imprévoyant, incapable de contrarier qui que soit, il se laisse ballotter par la vie. Le comte de Choiseul-Gouffier l'a emmené, presque à son insu, en voyage en Grèce, sur le chemin de son ambassade à Constantinople. D'Athènes, il a écrit de belles lettres à Louise Élisabeth et a gravé son nom sur le temple de Minerve. Distrait, mais courageux, comme l'histoire le montrera, l'abbé n'a pas son pareil pour dire des vers dans la petite assemblée. Les jeunes gens épris de réputation commentent leurs derniers ouvrages, espérant, comme le chante Lebrun-Pindare, que leur nom « croissant avec les âges, / Règne sur la postérité [5] ».

L'esprit est à l'émulation. On bavarde. On vit dans l'instant, sans chercher à rebâtir le monde. « On pouvait alors causer librement sans parler politique [6] », note Louise Élisabeth. « Naturel, légèreté de ton, sens d'à-propos [7] » sont le propre de la causerie. Les sujets portent sur la littérature ou des potins sans méchanceté, insiste-t-elle. L'hôtesse regrettera de n'avoir pas tenu un journal de ces propos échangés si gaiement.

Vers dix heures, le peintre fait servir un souper, composé d'un seul service à la française : tous les plats sont posés ensemble sur la table, une volaille accommodée, un plat de poisson, une salade. On termine par un biscuit accompagné de compotes ou de gelées. Lorsque le cercle se limite au cénacle d'habitués, on entonne un chœur au dessert, on joue une scène de comédie.

Des chanteurs sont souvent de la partie. Garat et Assevedo vocalisent de façon éblouissante dans le duo des vieillards Dalin et Dorimon de la *Fausse Magie* de Grétry : « La jeunesse aime la jeunesse / Comme la rose le zéphyr. » Louise Élisabeth invite Rosalie Dugazon, qui tient les premiers rôles à l'Opéra-Comique. Adulée de Grétry et de Daleyrac, Rosalie enchante l'artiste par la sensibilité de son jeu. Son timbre n'est pas puissant, mais elle a tant d'aisance que son chant paraît naturel. Profondément émotive, capable de passer du rire aux larmes en un moment, Rosalie mêle sa voix à celle des autres convives lorsque le repas s'accompagne de chansons.

La belle Portugaise, Mme Todi [8], tout juste arrivée d'Angleterre, à l'émouvante voix grave de contralto, accepte de tenir sa partie dans des duos avec Suzanne Vigée, dont le timbre est plus aigu. Les jeunes femmes se mettent en valeur réciproquement, sans que la Todi cherche à voler la vedette à la belle-sœur de son hôtesse. Suzanne, qui sait lire les partitions, donne la réplique avec talent. Louise Élisabeth, bien qu'elle n'ait pas appris le chant, surmonte sa timidité pour entrer dans un duo ou un chœur.

Arrivent alors quelques personnes, comme le comte de Vaudreuil, qui ont commencé la soirée dans les appartements royaux à Versailles et viennent la terminer à Paris. Lorsque ces convives supplémentaires se présentent, on ajoute des couverts. Il arrive que la chère soit à peine suffisante et que les sièges manquent. Un soir, le bedonnant maréchal de Noailles s'assied par terre et ne peut se relever. Qu'importe, dans cette société agréable les heures passent comme des minutes [9].

Le quatuor des amies intimes de Louise Élisabeth est souvent là. La plus fidèle est son amie d'enfance, Anne Catherine de Verdun. La plus artiste et savante, la marquise de Grollier – le sculpteur Canova la surnomme le *Raphaël des fleurs* tant ses compositions florales sont délicates [10]. La plus mondaine, Geneviève Sophie Le Couteulx du Molay, épouse du banquier, propriétaire de Malmaison, arbore ses tenues sophistiquées. Enfin la plus spirituelle est la comtesse Éléonore de Sabran, qui, parfois, se laisse accompagner par le chevalier de Boufflers dont elle n'est pas encore l'épouse. Auprès d'elle, celui-ci oublie son passé d'homme volage.

Lorsque la soirée est plus délibérément organisée, le cercle s'élargit jusqu'à recevoir le comte d'Angiviller, surintendant des bâtiments et ordonnateur des commandes royales. Les peintres, les sculpteurs, les architectes côtoient les poètes, les musiciens, les compositeurs. Ce sont « les arts fraternisant ensemble », comme le dira Jean-Baptiste Pierre [11], lorsqu'il aura à défendre son épouse d'avoir reçu des « aristocrates ».

Une vie musicale

Une soirée exceptionnelle marque la mémoire des invités : le pianiste Hulmandel [12] présente sa talentueuse élève, la jeune Hélène de Nervo, future marquise de Montgeroult [13]. Hélène éblouit l'auditoire par son jeu étonnamment moderne. « Elle faisait parler les touches », se souviendra la portraitiste. Dans le cercle musical de Mme Le Brun, on s'intéresse aux avant-gardes. Si l'on apprécie les arias de Gluck, l'oreille est ouverte à une musique plus nouvelle et virtuose. La sensibilité et le rythme des *Nocturnes* et des études qu'Hélène compose évoquent au mélomane d'aujourd'hui l'inventivité d'un Chopin. Hélène de Montgeroult est un prodige, surtout si l'on considère que ses créations sont antérieures d'une vingtaine d'années à celles du compositeur polonais avec qui on la compare.

Le goût musical de Louise Élisabeth est bien de son temps : elle s'ennuie aux opéras de Rameau et trouve son *Castor et Pollux* mortel. Mais, elle est, comme Julie de Lespinasse, une inconditionnelle admiratrice de l'*Iphigénie en Tauride* de Gluck. Son goût ne se superpose donc pas exactement à celui, si souvent décrit, de sa contemporaine, la reine Marie-Antoinette. À la fois plus curieuse, peut-être plus raffinée, plus audacieuse, elle s'intéresse à des compositions d'une sensibilité *romantique* avant la lettre. Cet intérêt pour la nouveauté ne la quittera jamais. À Vienne, elle appréciera les symphonies de Haydn. À son retour d'émigration, elle pourra entendre la musique de Chopin chez le prince Czartoryski.

Pour une soirée, des orchestres de chambre s'improvisent dirigés par Jarnovic [14] ou par le chef de l'orchestre de Monsieur, Nicolas Mestrino [15]. Le violoniste Viotti [16], qui dédiera à Louise Élisabeth une *Romance* [17], le premier hautbois de l'opéra, Salentin [18], le pianiste Johann Baptist Cramer [19] composent l'orchestre. Un violoniste inattendu se joint aux musiciens de métier : un personnage venu à Paris sous le pseudonyme de comte d'Œls, le prince Henri de Prusse, passionné de musique.

À travers le filtre de ses souvenirs, Mme Le Brun évoquera son salon comme celui où l'on pouvait « entendre la meilleure musique qui se fît alors à Paris ». Prisme embellisseur de la mémoire ou réalité ? Si l'on en croit les noms évoqués, l'atmosphère artiste de la rue de Cléry attire les compositeurs les plus talentueux. Non seulement Grétry, Sacchini [20], mais aussi l'Allemand Schwarzendorf, qui a italianisé son nom en Martini, connu pour avoir mis en musique la romance intitulée « Plaisir d'amour » de Florian. Tous donnent en avant-première des arias de leur composition. L'assistance leur est acquise d'avance, mais ils apprécient de recevoir les avis de ces gens de goût avant de livrer leur œuvre au public. Le cercle de Louise Élisabeth est bientôt si réputé dans Paris que les interprètes les plus demandés ne font pas de manières pour s'y produire.

Mme Le Brun adore l'Opéra où elle applaudit ses interprètes favoris : Garat [21], dont la voix flexible est capable de couvrir plusieurs registres, le haute-contre Richer [22] et Asevedo [23], que Marie-Antoinette a entendu trois fois à Versailles. Les préférences de la portraitiste vont à *La Colonie* de Sacchini, dont elle trouve la musique « ravissante » [24]. De Grétry, elle aime *Les Événements imprévus* [25]. Mais, *Nina ou la Folle par amour*, succès international, est son favori absolu, au point qu'elle l'a entendu une vingtaine de fois. C'est dans le rôle de Nina que Rosalie Dugazon est insurpassable [26]. L'artiste est si impressionnée par son interprétation au point qu'elle la représente en Nina au Salon de 1787. Elle la saisit au moment où, écoutant le silence, celle-ci, égarée, bascule de la raison à la folie.

La portraitiste aime représenter interprètes et compositeurs et tente ainsi de donner une musicalité à sa peinture. Le public du Salon fredonnait-il les airs de Dalayrac ou de Grétry lorsqu'il voyait les portraits de Mme Le Brun ?

D'autres soirées musicales attirent Louise Élisabeth, celle de Mme de La Reynière, épouse d'un fermier général récemment anobli. Dans l'hôtel que son mari a fait construire sur un terrain situé, rue de la Bonne-Morue, près des Champs-Élysées [27], elle a confié la décoration des salons à Clérisseau [28]. Mme Le Brun admire les marbres précieux, les candélabres dorés ciselés placés en angles, les dessus-de-porte réalisés par Pierre Peyron [29] réintégrés dans ce nouveau cadre somptueux [30].

En épousant Laurent Grimod, Suzanne de Jarente [31] a redoré le blason familial. À la cinquantaine, belle, mais très pincée, elle supporte les phobies d'un époux riche, mais sans esprit. On dit de lui dans Paris : « On le mange bien, mais on ne le digère pas. » Grimod de La Reynière a des phobies : il est terrorisé par le tonnerre. Malgré ses manies, le fermier général est reconnu comme un *connaisseur*, et en 1787 l'Académie lui fait l'honneur de le recevoir comme membre associé libre.

Dans la galerie de son hôtel, Louise Élisabeth retrouve ses chanteurs préférés. Vaudreuil, Robert, Brongniart, et même l'ami de Louis Vigée, Doyen fréquentent le salon de La Reynière. Ce dernier est l'auteur d'un mot malicieux au sujet de Suzanne de La Reynière : « Comme on demandait un jour à Doyen le peintre, qui venait de dîner chez elle, ce qu'il pensait d'elle : "Elle reçoit fort bien, répondit-il, mais je la crois attaquée de noblesse." [32] »

La morgue aristocratique est mal reçue dans les milieux artistes. Louise Élisabeth Le Brun n'a pas l'idée de contester les privilèges d'une noblesse qui joue le jeu du mécénat. Mais, faire sentir la supériorité de sa naissance lui paraît démodé, voire incongru. Et marquer du dédain, inadmissible. Or Suzanne de Jarente méprise les origines de son époux, issu d'une famille de marchands. Elle ne craint rien tant que d'entendre leur fils, Alexandre, évoquer son oncle l'épicier ou son cousin le parfumeur. Pour taquiner sa mère, Alexandre se fait parfois appeler Grimod tout court [33]. Les artistes rient sous cape [34].

Hubert Robert et d'extravagants philanthropes

Dans le réseau d'artistes qui gravite autour de Mme Le Brun brille une personnalité étonnante : Hubert Robert. C'est un homme robuste, qui porte bien un léger embonpoint. Des sourcils fournis et très noirs rendent son visage expressif. Plus jeune que Joseph Vernet, dont il est proche, et que Doyen, Robert a vingt-deux ans de plus que Louise Élisabeth ; il fréquente l'atelier de Pajou qu'il a connu à Rome. Sans avoir été pensionnaire de l'Académie romaine, Robert a passé dix années en Italie. Le comte de Stainville, futur duc de Choiseul, l'a emmené dans ses bagages. Là, il a rencontré De Wailly [35], l'architecte, dont l'hôtel est voisin de celui de Pajou, puis Fragonard et l'abbé de Saint-Non.

Hubert Robert a beaucoup à partager avec Louise Élisabeth, qui l'aime beaucoup. Comme elle, il a été encouragé dans sa jeunesse. Son professeur au collège de Navarre, l'abbé Batteux lui aurait dit, découvrant au dos d'un devoir un de ses dessins : « Tu seras peintre. » Comme elle, Robert s'est formé hors des cadres institutionnels, en observant les uns les autres, en s'inspirant du *vedustiste* Panini. De Rome, il a rapporté des portefeuilles pleins de dessins, de sanguines de ces ruines sauvages mais vivantes qui ne ressemblent en rien aux sites archéologiques que nous connaissons aujourd'hui. Il les restitue, envahies de plantes, de treilles grimpantes. Tout un petit peuple vivant au jour le jour dans de légers abris s'y cache. La fontaine des jardins Barberini, les lavandières de la villa Madame, les cyprès de la villa d'Este [36] : autant de sites pittoresques comme les apprécie et les imagine son amie Louise Élisabeth.

À son retour d'Italie en juillet 1766, Robert a été reçu Académicien. Puis, il a obtenu la commande royale qui lui a mis le pied à l'étrier : les travaux des appartements de Bellevue pour les filles de Louis XV. Cette manne lui a permis d'épouser Anne Gabrielle Soos, de douze ans sa cadette : celle-ci élève avec bonne humeur leurs quatre enfants et accueille les amis du peintre. Très vite, ce plaisant personnage devient un familier de la rue de Cléry. Il connaît le Tout-Paris, sans être pour autant mondain. Ses talents de décorateur et d'ordonnateur de jardins le font rechercher partout. À la ville, Mme Geoffrin l'a appelé pour décorer son salon : elle venait de vendre ses tableaux de Van Loo à l'impératrice Catherine de Russie afin de renflouer ses finances. À la campagne, nombreux sont les propriétaires de domaines qui recherchent ses conseils, à commencer par le couple royal pour le Petit Trianon, le domaine de

Fontainebleau et la laiterie de Rambouillet. Mais il est demandé aussi par Jean Joseph de Laborde à Méréville. Toujours prêt à faire des charades, à grimper aux arbres, tel est celui qu'on appelle « le bon Robert ». Cet être labile passe d'une société à une autre sans se lasser : le monde le repose de l'atelier où il passe de nombreuses heures. Il est si souvent invité qu'il prend rarement un repas chez lui.

Louise Élisabeth ne lui trouve qu'un seul défaut : la facilité de son talent. Le fait est que son œuvre considérable est, aujourd'hui encore, délicate à répertorier.

Presque tous les jeudis, le financier Simon Charles Boutin [37] offre un repas où il réunit les invités qu'elle préfère. Pour Boutin, Louise Élisabeth accepte de « dîner » hors de chez elle. Il n'y a pas plus d'une douzaine de convives, ce que l'artiste considère comme une société intime, elle qui croise plusieurs dizaines de personnes par semaine. L'architecte Brongniart est convié, le comte de Vaudreuil aussi. Parmi les poètes, on compte l'abbé Delille et Écouchard Le Brun.

La maison de Boutin est construite sur les hauteurs de Clichy au milieu d'allées plantées d'arbres. À l'emplacement de l'actuelle rue de Clichy s'étend en effet un vaste domaine semé de fabriques, arrosé de fontaines, que Boutin a nommé Tivoli : c'est la « campagne à Paris ». Il y a installé des curiosités, il a fait venir un sarcophage antique d'Italie, il a réuni une collection de minéraux. De l'avis unanime c'est un lieu de plaisance ravissant. « Les surprises s'y trouvent à chaque pas [...] un charmant pavillon meublé avec un luxe de prince », s'exclame la baronne d'Oberkirch qui le visite avec Marie Fedorovna, épouse du pseudo-comte du Nord [38], le csarévitch Paul. Marie-Antoinette avait aimé y prendre le frais. Certains jours les jardins, qu'on surnommait « la Folie-Boutin », sont ouverts au public. Le créateur de ce jardin enchanté sera guillotiné le 21 juillet 1794. Et de ce « frais bouton », après la Révolution, il ne restera plus qu'une étroite promenade.

Si Boutin est riche et homme de goût, ce n'est pas le cas de tous les financiers. On peut être fortuné, généreux, et manquer de discernement. Ainsi, Nicolas Beaujon [39], créateur de nombreuses bonnes œuvres, souhaite avoir son portrait pour figurer dans l'hospice qu'il fait édifier. Beaujon est impotent et la portraitiste se déplace le matin pour les séances de pose. Elle visite ainsi l'hôtel où il réside, l'actuel palais de l'Élysée. Un luxe absolu règne dans les appartements : baignoire drapée de mousseline à bouquets doublée de rose, chambre ornée de colonnes et garnie d'une corbeille dorée renfermant un lit [40]. Sans se laisser éblouir, la portraitiste conserve une distance ironique avec cet étalage de richesses. Traversant le salon, elle note la présence de ce qu'elle appelle des « tableaux à effet ». Beaujon devait être mal conseillé, pense-t-elle, « tant il est aisé de tromper les amateurs quelque prix qu'ils puissent mettre à leur acquisition [41] ». L'argent ne remplace pas le goût : tout est en excès dans la demeure de Beaujon, les fleurs, les meubles, la nourriture à laquelle le maître de maison ne touche pas. L'obèse financier reçoit des jolies femmes qu'on nomme en ville ses « berceuses », car il est parfaitement inoffensif.

Louise Élisabeth réalise son portrait en quelques séances. Croyant bien faire, elle le représente tenant à la main le plan de son hôpital, mais le philanthrope, qui est modeste, refuse cet honneur. Donner une forme d'allure à l'ancien banquier de la cour est un tour de force car, de l'aveu du peintre, son modèle est « petit, gros, sans physionomie », mais il paie comme un prince.

Les étrangers à Paris

Paris est alors une ville cosmopolite, et nombreux sont les voyageurs qui veulent visiter la galerie de Jean-Baptiste Pierre Le Brun. Le marchand sait habilement mêler vie mondaine et affaires. Il invite à sa table les étrangers de passage. Le 10 août 1786 [42], John Trumbull partage un repas avec Ménageot, David, un des frères de Le Brun et le comte de Vaudreuil. L'Américain ne tarit pas d'éloges au sujet de Louise Élisabeth : « Madame Le Brun est une des femmes les plus charmantes que j'ai jamais vues, écrit-il dans son *Journal*. Ses tableaux sont d'un grand mérite [43]. » Après le repas, David raccompagne le peintre américain afin de voir ses peintures ; il les loue, ce dont Trumbull est flatté.

Les portes s'ouvrent facilement. Cinq jours plus tard, le même Trumbull est invité chez le comte de Vaudreuil avec l'abbé de Saint-Non, le comte de Paroy et Hubert Robert. L'Américain fera également connaissance d'Adélaïde Labille, qu'il trouve divertissante, mais en d'autres lieux, car la rivale de Louise Élisabeth n'est pas invitée à ces réceptions.

Parmi les étrangers de passage à Paris, figurent de potentiels clients. Dans sa jeunesse, Louise Élisabeth avait une clientèle cosmopolite : le comte Alexandre Sergueïevitch Stroganoff avait commandé son propre portrait [44]. Le comte de Deux-Ponts avait demandé le sien en 1776 [45], de même qu'une Anglaise, Lady Berkeley. Le prince Henri de Prusse [46] et la Landgrave de Salm-Salm [47] sont également inscrits sur les listes. Toutefois les commandes émanant d'étrangers semblent moins fréquentes à mesure que les prix de l'artiste, fort occupée par les ordres de la reine, augmentent.

Une princesse polonaise riche et déterminée, Izabella Czartoryska, ne craint pas de régler largement des cachets aussi élevés. Cousine du roi de Pologne, Izabella Czartoryska, princesse Lubomirska, est une personnalité que l'on remarque. Après avoir acquis, en Italie, des œuvres destinées aux collections de sa résidence de Lancut, près de Cracovie, elle a ouvert ses malles dans un luxueux appartement du Palais-Royal. Avec son gendre le comte Potocki, la princesse maréchale adore s'entourer d'artistes et elle n'est pas avare de commandes. Durant son séjour, entre 1786 et 1789 [48], sur ses fauteuils s'assoient David, Vivant Denon, Hubert Robert et le peintre de batailles Francesco Casanova. Mary Cosway [49], peintre de scènes mythologiques dont Thomas Jefferson était tombé amoureux, vient également lui rendre visite. La princesse, qui avait demandé son propre portrait à Angelica Kaufmann et celui de son neveu au sculpteur Canova, voudrait avoir dans ses collections une œuvre de Mme Le Brun.

15

LES ANNÉES TRIOMPHANTES

Un ministre et des bonbons très coûteux

Depuis plusieurs années, un personnage proche du trône gravite dans l'entourage du couple Le Brun. Vaudreuil le protège. Grand et bien fait, d'après Talleyrand, il a « une physionomie spirituelle et un son de voix agréable [1] ». L'esprit pétillant [2], il a le talent « d'embellir ce qu'il sait et d'écarter ce qu'il ne sait pas [3] ». Il s'agit de Charles Alexandre de Calonne [4]. C'est un client de Le Brun et un ministre en vue. Il est veuf et libre [5], séduisant et excellent connaisseur : il a réuni une collection de plus de deux cent quarante tableaux parmi lesquels figurent des peintres nordiques, Rembrandt, Van de Velde, Ruysdaël, Van Ostade, mais aussi une *Tempête* de Joseph Vernet et une *Sainte Famille* de Murillo.

Le ministre souhaite posséder son portrait par Mme Le Brun, mais il a peu de temps à consacrer à des séances de pose, au point que l'artiste ne réalise pas les mains d'après le modèle. Mme Le Brun choisit une attitude conventionnelle pour mettre en scène un homme qui se veut d'un raffinement extrême : pourpoint de satin, manchettes et mouchoir de valenciennes, dans un décor de brocard. Entouré de livres, d'encrier et d'écrits administratifs, le ministre s'apprête à remettre une lettre à l'adresse du roi. Il est assis, jambes croisées, sur un fauteuil de bois doré, devant un bureau sculpté de palmettes. Malgré la perruque « fiscale » bouclée et poudrée, qui le guinde, sa physionomie est ouverte, intelligente [6].

Le portrait est exposé, l'année suivant sa réalisation, au Salon de 1785. À cette époque, Calonne règne sur le contrôle des Finances. En ces temps de déficit permanent rien d'étonnant à ce que le portrait du ministre des Finances attire tous les regards et défraye les chroniques. La cantatrice Sophie Arnould [7], toujours spirituelle, se serait exclamée en le voyant : « Madame Le Brun lui a coupé les jambes, afin qu'il reste en place ! » Les journaux répètent à qui mieux mieux cette boutade. Et les sous-entendus se multiplient. Un critique, après avoir loué le portrait, insinue : « C'est dans cette occasion qu'elle s'est rendue le plus entièrement maîtresse de son sujet [8]. »

On brode sur la réalité : le ministre aurait caché dans un pâté offert à Mme Le Brun une somme considérable. Une autre rumeur circule dans Paris : « Le ciel est tombé sur la tête de Calonne et de Mme Le Brun ! » chuchote-t-on en riant. En réalité, durant la nuit, le lourd ciel du lit du ministre s'est brutalement décroché. Le marquis de Bombelles raconte dans son journal que « des méchants voudraient faire croire que Mme Le Brun était assez près de M. le ministre des Finances pour avoir été enfermée sous le même fardeau [9] ». Bombelles lui-même, qui s'amuse de l'anecdote, n'y ajoute pas foi.

On cherche à atteindre le ministre. Mme Le Brun, qui se sent l'âme en paix, néglige les rumeurs. L'affaire Calonne durera longtemps et les méchantes langues ne se calmeront pas. Deux années plus tard, en 1787, Calonne, toujours aux affaires, convoque l'assemblée des notables afin de poser les bases d'un impôt territorial payable par tous. Cette réforme fiscale est audacieuse et, si elle reçoit l'approbation d'une partie de l'opinion éclairée, elle fait des mécontents. Le ministre est alors la cible des journalistes payés à la feuille.

L'inventivité de la politique de Calonne est reconnue aujourd'hui, et certains historiens n'hésitent pas à le voir comme un des ministres les plus efficaces et créatifs de la monarchie d'Ancien Régime [10]. Mais, l'opinion du moment l'imagine entouré d'une clique qui se remplit les poches, au détriment des sujets du roi. La portraitiste est mise au rang des profiteurs. Un des journalistes, un nommé Carra, publie un livret intitulé : *Monsieur de Calonne tout entier tel qu'il s'est comporté dans l'administration des finances* [11]. Nouvelle invention : le ministre aurait enveloppé des bonbons dans des billets de la caisse d'escompte pour les offrir à Mme Le Brun.

Pièces d'or fourrées dans un pâté, sucreries enrobées dans des billets de banque, toutes ces histoires ont un point commun : l'argent et le secret. La fonction même de ministre des Finances permet à l'opinion de fabuler. Comme si un ministre ne pouvait régler honnêtement une facture. Dans ses *Souvenirs*, Louise Élisabeth tient à rétablir la vérité à ce sujet : dans une boîte ovale d'émail bleue, ornée de minuscules diamants dont la valeur est de quelques centaines de francs, M. de Calonne a envoyé quatre mille francs en billets [12]. Moins de la moitié de la somme payée par le financier Beaujon la même année.

Si l'affaire Calonne n'a pas autant de retentissement que celle du collier de la reine [13], c'est la première fois que la probité de Louise Élisabeth est mise en cause. La rumeur ne s'arrêtera pas là, car Calonne a aussi une réputation de libertin.

Je ne sais quoi d'amoroso

Au milieu des sarcasmes, le portrait du contrôleur général est accroché au Salon, mis en valeur, dit-on, au sein d'un aréopage de plusieurs aguichantes beautés : la comtesse de Clermont-Tonnerre *en sultane*, la comtesse de Grammont Caderousse *en jardinière*, la comtesse de Chastenay, et la baronne de Crussol. Les attitudes vivantes de ces dames sont remarquées par le chroniqueur des *Mémoires secrets*, qui commente : « Comme [Calonne] n'est point ennemi du sexe, les bonnes gens croient le voir au milieu de son sérail [14]. » Qui sont les belles personnes, dont on dit : « celle-là minaude, celle-ci agace ; la dernière séduit par les charmes de sa voix » ?

La duchesse de Grammont Caderousse, costumée en bergère, a accepté de ne pas mettre de poudre pour se faire peindre [15]. Après une séance de pose, la duchesse s'est rendue au spectacle avec ses boucles sombres, arrangées de façon naturelle. Ses cheveux noirs tranchant avec les chignons enfarinés des autres femmes, elle a fait vive impression sur l'assemblée. Une mode est lancée, affirme l'artiste. Le portrait inspire des vers au ton galant :

> Quelle est cette bergère au ton si délicat,
> À l'œil fripon, à la bouche mutine ?
> Un corset noir prend sa taille enfantine
> Et son jupon de pourpre en relève l'éclat.
> Elle sourit et craint qu'on la devine [16].

Avec un autre de ces portraits, celui de la baronne de Crussol, Louise Élisabeth a réalisé une œuvre magistrale sur un support qu'elle affectionne, le panneau de bois. La pose du modèle est originale, un trois quarts vu de dos. La jeune femme semble surprise, elle vient de s'arrêter de chanter et tient un livret de musique italienne à la main. Une partie de son visage est dans la pénombre tandis que, menton levé, son expression interrogative semble dire : pourquoi m'interrompre ? Sa robe de soie écarlate, sur laquelle elle porte une casaque de même teinte bordée de fourrure noire, est complétée par un chapeau porté en arrière [17].

Dans cette guirlande de beautés figure aussi une comtesse de Chastenay, qu'il est difficile d'identifier, car plusieurs personnes portent ce nom. Le dos presque entièrement tourné, le cou entouré d'un fichu de

linon, elle sourit imperceptiblement et toise le spectateur d'un air insolent [18].

Amusés de voir se constituer ce sérail autour de Calonne, les journalistes du Salon s'en donnent à cœur joie, mais ils apprécient l'art de
varier les attitudes, si particulier à Mme Le Brun, et qui ferait défaut,
selon eux, à sa rivale Adélaïde Labille-Guiard.

Un autre tableau provoque les commentaires, celui d'une bacchante.
L'ouvrage résulte d'une commande du comte de Vaudreuil. Une
femme « de grandeur naturelle », bras levé, se protège le visage en souriant. Une peau de panthère lui couvre les cuisses tandis que le buste
est dénudé. D'après l'avis du critique des *Mémoires secrets*, le corps est
« largement peint, d'une carnation admirable et séduisant par sa nudité
lubrique ». L'imagination des journalistes se déchaîne, c'est tantôt
l'esclave d'un harem, tantôt une Grâce, si elle avait des traits plus
mignons. L'un trouve que les « chairs ne sont point assez lacqueuses »,
c'est-à-dire « pas assez rougeâtres, assez fouettées de sang [19] », l'autre,
au contraire, affirme qu'elles le sont trop [20]. Un défaut de connaissances anatomiques, reproche déjà esquissé au Salon précédent, est souligné [21]. À juste titre, Louise Élisabeth n'a pas pu étudier le nu, réservé
aux garçons, et a dû se contenter, comme ses consœurs, des modèles
voilés de la classe de Mme Boquet et des dessins d'anatomie prêtés par
Gabriel Briard.

La polémique émoustille les critiques qui projettent sur cette robuste
bacchante leurs propres fantasmes. « Une bacchante divine qui avait l'air
de me sourire et dont je partagerais volontiers les tendres fureurs [22] ! »
s'exclame l'un d'eux. « Sa nudité agaçante couverte en partie par une
peau de tigre [fait] pétiller mon sang [23] », avoue l'autre. Ce type d'œuvre
est recherché. La même année, l'artiste exécute pour un autre commanditaire une seconde bacchante, sans les mains, tout aussi sensuelle et coiffée de pampres [24].

Mme Le Brun prouve qu'elle est capable de passer de sujets érotiques
à des représentations innocentes. Un journaliste observe le portrait des
Enfants de France, dénichant des oisillons, et celui de la *Bacchante* vêtue
d'une peau de panthère [25], sujets radicalement opposés. Il y trouve
cependant un point commun, un « je ne sais quoi d'*amoroso* » et il
ajoute : « C'est la mélodie de l'art » [26]. Ce compliment, car c'en est un,
caractérise bien le talent de l'artiste, qui évolue dans un univers si musical. D'ailleurs, lorsqu'elle a achevé un tableau, elle y met ce qu'elle
appelle « l'harmonie » : le coloris, les demi-teintes, la lumière, les ombres
se répondent en une savante orchestration.

En effet, tous s'accordent à louer la richesse et le brillant dans les couleurs, qui tient à la « vérité de Van Dyck [27] » et son « goût exquis pour les ajustements [28] ». Plusieurs critiques concluent en disant que Mme Le Brun fait preuve d'un talent qui distinguerait un homme, mais qu'elle doit rester dans son domaine, celui du portrait : « Lorsque je vois Mme Le Brun peindre l'histoire, je crois voir la massue d'Hercule soulevée par la main des grâces [29]. »

Ces propos, que certains peuvent interpréter comme sexistes, correspondent en réalité à l'application des critères de la doctrine classique, selon laquelle il ne faut pas forcer son talent et rester dans le style où l'on excelle. Ils soulignent également l'écart qui sépare le genre le plus noble (la peinture d'histoire) des autres genres (portraits, fleurs, paysages...). Entre les genres pratiqués par les femmes et la peinture d'histoire, semble exister un plafond de verre. Toutefois, qu'il s'agisse d'Adélaïde Guiard ou de Louise Élisabeth, les critiques ne croient jamais mieux faire qu'en affirmant : « Elle peint comme un homme. »

Pour clôturer le Salon de 1785, on donne au théâtre de la rue de Chartres une pièce intitulée *Le Triomphe des Arts* [30]. Alexandre-Théodore et Louise Brongniart réservent une loge pour leur amie. Le spectacle commence. Il s'agit d'un divertissement musical en cinq tableaux allégoriques : l'Architecture, la Poésie, la Musique, la Peinture et la Sculpture.

Au quatrième acte, apparaît le personnage qui représente la Peinture. Louise Élisabeth n'en croit pas ses yeux : une actrice, qui l'imite à s'y méprendre, peint sur scène un portrait de la reine. Immédiatement une ovation, des applaudissements montent des loges et du parterre. « Je ne crois pas, avouera-t-elle, que l'on puisse être jamais aussi touchée, aussi reconnaissante que je le fus ce soir-là [31]. »

À trente ans, sa réussite professionnelle est confirmée. Sa façon d'être est devenue un style aux yeux du public. Son image est connue, on cherche à l'imiter. Selon son expression, elle a « la vogue », à son étonnement. L'assistance vient d'acclamer celle qui dans l'ensemble de sa carrière aura bientôt réalisé une trentaine de portraits de la reine.

16

L'IMAGE DES JOURS HEUREUX

« Les îles sont des eaux la plus riche parure… »
Jacques DELILLE, *Les Jardins*, chant III, 1782.

Cur valle permutem Sabina divitias operosiores ?
« Pourquoi changerais-je ma vallée Sabine
pour des richesses tourmentées ? »
HORACE, *Odes*, III, 1, 45.

Moulin-Joli

Durant la belle saison, Louise Élisabeth et ses amis vont respirer l'air pur des campagnes environnant Paris. Parmi leurs destinations de prédilection figure le domaine de Moulin-Joli. Les passerelles de bois et l'île en font un séjour enchanté, que l'artiste évoque pour la princesse Kourakina : « Un de ces lieux qu'on n'oublie pas, si beau ! si varié ! pittoresque, élyséen, sauvage, ravissant enfin ! [...] Je ne puis vous dire combien je me sentais heureuse dans ce beau lieu, auquel, à mon gré, je n'ai rien vu de comparable [1]. »

Ce parc était la retraite du receveur général des Finances et Académicien, Claude Henri Watelet [2], dont on disait qu'il était l'homme « qui avait le mieux aménagé sa vie pour être heureux. Il s'était donné tous les goûts ; il aimait tous les arts ; il attirait chez lui les gens de lettres et les artistes [3] ».

L'histoire de Moulin-Joli est singulière. En 1750, lors d'une promenade le long de la Seine vers Colombes, à environ deux lieues de Paris, Watelet était tombé amoureux d'un moulin bâti sur pilotis, nommé « Moulin Jolly ». Séduit par la fraîcheur des îles sur le fleuve, leurs perspectives rassurantes comme un nid, Watelet décide sur-le-champ d'acheter la propriété, en la plaçant au nom de sa compagne Marguerite Le Comte, qu'il ne pouvait l'épouser car elle était mariée. Quelques années plus tard, il ajoute au moulin une bâtisse agrémentée d'une terrasse soutenue par des cariatides. Progressivement, il acquiert les terrains environnants. Ce jardin n'était pas dans l'esprit des parcs à l'anglaise, comme on l'a souvent dit, mais s'inspirait plutôt des paysages des pastorales de Boucher. Car Watelet avait reçu les conseils d'un peintre pour en dessiner les massifs. Non pas Hubert Robert, qu'il ne connut que plus tard, mais peut-être Pierre, directeur de l'Académie [4], ou Boucher lui-même.

Ces arts qu'il admirait, Watelet les pratiquait en compagnie de Marguerite. Peintre, graveur, dramaturge à ses heures, il ne cherchait que son plaisir. Il avait composé en 1760 un poème intitulé *L'Art de peindre* et des *Réflexions sur le paysage* dans un *Essai sur les Jardins*, en 1774. Les habitants de Moulin-Joli avaient fait le voyage d'Italie. Marguerite, qui gravait aussi, était académicienne des villes de Parme, Florence et Rome. De quoi faire rêver Louise Élisabeth. Hubert Robert partageait avec Watelet et sa compagne des souvenirs romains. D'ailleurs, il avait dédié à la *gentile e leggiadra mulinaia* (l'agréable et légère meunière) sa série de dessins gravés, *Soirées de Rome*. Sur l'une des vues, Marguerite est représentée descendant un escalier [5]. Nul doute qu'à Moulin-Joli le désir de connaître Rome s'intensifie pour Louise Élisabeth.

Watelet vivait sur un grand train. Il s'était octroyé sur l'argent du Trésor des avances personnelles, et n'avait pu les rembourser. Ruiné, il avait vendu son hôtel à Paris. C'est alors que, comme Académicien, il avait obtenu au Louvre, en 1773, la jouissance de l'ancien appartement du directeur des Bâtiments, d'Angiviller. Watelet y avait transporté ses collections : les peintres Poussin, Vernet, Pierre, Robert y étaient représentés, mais on y trouvait aussi le *Jeune garçon faisant des bulles de savon* de Chardin, *Vénus et Adonis* de Boucher, deux portraits de Rembrandt et deux pastels de la Rosalba. S'y ajoutaient des centaines de dessins des plus grands artistes : Rubens, Primatice, Le Parmesan. Watelet s'était fait portraiturer par Greuze, vêtu d'un soyeux vêtement de satin clair [6]. Sans aucun doute, alors qu'il partageait ses heures entre Moulin-Joli et Paris, avait-il fait admirer à Louise Élisabeth sa collection parisienne. Aucune œuvre de Mme Le Brun ne figure à l'inventaire, mais cela ne signifie pas qu'il n'en possédait aucune, Watelet pouvait les avoir conservées à Moulin-Joli même [7].

Le jardin de Moulin-Joli devient rapidement un modèle. Ses arbres chantés par les poètes, le saule pleurant sur la Seine, célébré par le prince de Ligne, en sont l'ornement. Sur l'écorce de leurs troncs, les amoureux gravent leurs chiffres entrelacés. Une tradition poétique veut que Lisette et Vaudreuil y aient laissé les leurs. Le pont flottant est une autre merveille du lieu. Mme Le Brun l'évoque dans ses *Souvenirs* :

> On passait d'un bord à l'autre sur un pont de bateaux, garnis des deux côtés par des caisses remplies de fleurs, que l'on renouvelait à chaque saison, et des bancs, placés de distance en distance, vous permettaient de jouir longtemps d'un air parfumé et de points de vue admirables ; de loin ce pont qui se répétait dans l'eau produisait un effet charmant [8].

Ces lieux magiques offrent la profondeur des reflets propices à la création : c'est là que Lebrun-Pindare et Étienne Vigée composent. Delille également chantera le « simple asile [9] » du jardin de Watelet, où la Seine se partage « en canaux ombragés ». Des inscriptions gravées parsèment les chemins. Telle celle-ci, proposant une philosophie sur l'usage de la vie :

> Vivez pour peu d'amis, occupez peu d'espace ;
> Faites du bien, surtout, formez peu de projets.
> Vos jours seront heureux et si ce bonheur passe,
> Il ne vous laissera ni remords, ni regrets.

Si ces sentences sont du goût de la plupart des hôtes de Moulin-Joli, Louise Élisabeth ne les apprécie pas. Selon elle, ces devises empêchent le vagabondage de la pensée. Elle, qui durant la promenade supporte mal les bavardages, qu'elle appelle les « parlages », préfère que la méditation devant le paysage reste libre. C'est une de ses façons de résister aux modes. À l'époque où Louise Élisabeth et ses amis séjournent chez Watelet, le moulin fonctionne toujours. Les villageois de Colombes s'y rendent, car leur droit de broyer les grains était protégé par le contrat de vente. Ce qui ajoute une saveur rurale à ce cadre bucolique.

La reine Marie-Antoinette, elle-même, est conquise ; elle se déplace à Moulin-Joli une première fois en compagnie de Louis XVI, puis revient à plusieurs reprises, au point qu'en juin 1774, l'ingénieur Perronet reçut l'ordre de réparer la route de Marly à Colombes. Ses visites précèdent la transformation des jardins du Petit Trianon en hameau à partir de 1783, hameau qui comporte également un véritable moulin. La propriété de Watelet est l'une des sources de l'inspiration de la reine pour son « petit Vienne ». Comme Ligne, épris de la campagne viennoise, Marie-Antoinette avait pu éprouver à Moulin-Joli cette « sensibilité délicieuse » et mélancolique inspirée par l'exil.

Un paradis perdu

Durant l'été 1786, la petite bande pleure la disparition de Watelet, et Marguerite Le Comte, qui en est pleinement propriétaire, vend le domaine, trop coûteux à entretenir, à un commerçant, Antoine Gaudran [10]. Celui-ci tient à perpétuer la tradition d'hospitalité établie par Watelet. Louise Élisabeth est reçue « avec sa famille », précise-t-elle, par le nouveau maître des lieux. Elle apprécie ces invitations dégagées de tout protocole, elle qui ne possède pas de résidence estivale.

Durant un mois, Julie, alors âgée de huit ans, peut profiter des agréments du parc. Comme s'il se doutait de la disparition prochaine de cet éden, Hubert Robert en multiplie les vues : la roue du moulin à l'encre brune et aquarelle, barques et pêcheurs devant le pont sur pilotis, dans une délicate sanguine [11]. C'est lors d'un de ses derniers séjours à Moulin-Joli que Louise Élisabeth réalise le portrait d'Hubert Robert sur panneau de chêne. Les larges dimensions du panneau et la technique mise en œuvre laissent supposer l'existence d'un atelier sur place. Sur ce portrait, vêtu à la diable d'une veste de drap, un mouchoir de coton blanc autour du cou, Hubert Robert, « regard perdu », tient sa palette tournée vers lui, il s'appuie sur un balustre de pierre. Le fond travaillé en halo verdâtre éclaire le modèle comme en un contre-jour. Les glacis, dont l'artiste maîtrise pleinement les effets, rendent presque palpables la texture du velours et du drap. Le caractère impétueux, la personnalité inspirée du « bon Robert » sont saisis en cette pose qui évoque les maîtres hollandais. Si ses cheveux grisonnent, ses sourcils fournis sont restés noirs. Seule coquetterie de sa tenue : un bracelet de poignet ouvert, orné de rosaces d'or, dont la forme évoque un goût étrusque. Peut-être un souvenir de Rome [12]?

La portraitiste, si rarement satisfaite de son travail, avoue que l'œuvre est réussie. M de Laborde, banquier de la cour, s'en portera acquéreur [13].

Avant la Révolution, une rumeur parmi d'autres, allègue que Calonne aurait offert Moulin-Joli à Mme Le Brun [14]. L'artiste publie un démenti. Plus tard, au retour d'émigration, le domaine se trouvera à nouveau en vente : elle sera tentée de l'acquérir. Mais à cause de difficultés à mobiliser la somme dans les délais requis, l'achat ne s'effectuera pas [15]. Bientôt, Moulin-Joli, exploité pour des coupes de bois, disparaîtra. Les îles, une à une, seront comblées. Il n'en restera plus qu'un souvenir heureux dans la mémoire de ses promeneurs.

De châteaux en châteaux

À deux pas de Moulin-Joli se trouve le domaine de l'amie d'Élisabeth Louise, Anne Catherine de Verdun. L'époux d'Anne Catherine, fermier général, avait acquis le manoir de la reine Henriette [16], à Colombes. De magnifiques compositions de Simon Vouet ornent encore les galeries et les salons. Son amie lui prépare une chambre à l'écart, tendue d'étoffe verte. Après le repas, on se réunit, on plaisante librement, Hubert Robert invente des tours et des farces pour faire rire l'assistance :

> Un jour, par exemple, à Colombes, il traça sur le parquet du salon une longue raie avec du blanc d'Espagne ; puis, costumé en saltimbanque, un balancier dans les mains, il se mit à marcher gravement, à courir sur cette ligne, imitant si bien les attitudes et les gestes d'un homme qui danse sur la corde, que l'illusion était parfaite, et qu'on n'a rien vu d'aussi drôle [17].

Un peu plus loin, dans la vallée de l'Oise, se cache un imposant château, ouvert à Louise Élisabeth et ses amis. Le châtelain, Louis Le Pelletier, petit-fils d'un ministre de Louis XV, est accueillant, bien que la maison soit assez mal tenue. Le Pelletier a pris le nom de sa propriété, Mortfontaine. Aucun protocole n'y règne. Le cénacle se reforme. Toujours les mêmes : Étienne, Brongniart, Robert, Auguste Rivière, Vaudreuil. De Jean-Baptiste Pierre, il n'est toujours pas fait mention, il n'est pas de la partie. On se promène dans le parc superbe. Louise Élisabeth vocalise dans les bosquets, et un poète la compare au rossignol, qui fait naître les amours [18]. Sur un rocher M. Le Pelletier a fait graver un vers de Delille, qui rappelle que l'existence est éphémère. On fait des charades jusque tard dans la nuit. La troupe des amis de Louise Élisabeth est si plaisante qu'elle ne peut accepter toutes les invitations qui lui sont faites. Par l'intermédiaire de Robert, M. de Laborde les invite tous à se rendre à Méréville, mais leur agenda est plein : ils doivent différer leur séjour [19].

En remontant vers le nord, les amis visitent les domaines de Chantilly et de Plessis-Villette. Si Louise Élisabeth est éblouie par les fastes du château des Condé, elle préfère le séjour, près de Pont-Sainte-Maxence, d'un château pourvu d'une terrasse à l'italienne et d'un escalier à double volée. En haut des marches, une jeune femme l'attend. On l'appelle « Belle et bonne » :

> Belle et bonne c'est votre nom.
> C'est le nom que vous donne un sage ;
> Il peint vos traits, votre raison,
> Votre cœur et votre visage.

Le sage évoqué dans ce poème n'est autre que Voltaire qui s'était pris d'affection pour la jeune Reine Philiberte Rouph de Varicourt, originaire du pays de Gex, et qui avait doté et marié la jeune fille à Charles Michel de Villette. Reine Philiberte guide sa visiteuse à travers les allées sinueuses de son jardin pittoresque. Sur une éminence, elle aime réunir les jeunes filles du village et s'improvise institutrice, comme l'aïeule de son mari, Mme de Maintenon. Belle et bonne se console ainsi des infidélités notoires du marquis de Villette [20]. Ce dernier compose pour

« l'immortel crayon » de l'artiste une ode dans le goût des épîtres de Voltaire, sans marchander les éloges et la nomme « ô sublime Lebrun ! Vous, l'orgueil de la France ».

Le frère de Reine Philiberte est garde du corps de Marie-Antoinette. Et ce jeune homme périra héroïquement en protégeant la reine le 5 octobre 1789. Sans doute est-ce pour cette raison que Mme Le Brun réserve une place particulière à *Belle et Bonne* dans ses *Souvenirs*.

Louveciennes et Mme Du Barry

C'est lors de l'automne 1786 ou du printemps 1787, que Louise Élisabeth fait une découverte importante pour elle, celle d'un village qu'on nomme alors Luciennes, aujourd'hui Louveciennes.

La comtesse Du Barry, qui a élu domicile en bordure du chemin de la machine de Marly, a demandé son portrait à Mme Le Brun [21]. La demeure dont elle a l'usufruit, une gentilhommière plus qu'un château, est plutôt disgracieuse. Cette maison avait été construite afin de loger l'ingénieur de « la machine de Marly », pompe qui alimentait les bassins de Versailles. Cossue mais de proportions lourdes, la bâtisse est sans grâce, cependant les pièces principales sont ornées de lambris de chêne sculptés de motifs évoquant la chasse. Une bibliothèque, garnie de mille deux cents volumes, témoigne du goût de la comtesse pour la littérature des voyages. Une galerie encombrée d'un bric-à-brac de meubles, de vases, de marbres rappelle la période fastueuse de la propriétaire. Et, dans les appartements privés, *La Cruche cassée* de Greuze voisine avec de nombreux tableaux de Drouais.

Tout près, posé au bord de la Seine, un édifice de couleur claire, offre une vue étendue sur la vallée. Ce temple aux proportions parfaites a été conçu par l'architecte Ledoux. Il a jailli de terre comme par un coup de baguette magique entre décembre 1770 et septembre 1771. Pour sa décoration Ledoux a mobilisé les meilleurs et les plus efficaces artisans de Paris [22].

Louise Élisabeth gravit les marches du péristyle à colonnes qui ouvre l'édifice côté jardin. L'architecture intérieure est placée sous le signe de la demi-lune et de l'ovale ; les proportions sont douces. Conçu pour les plaisirs de Louis XV, le pavillon est soigné dans les moindres détails. L'artiste admire les torchères sculptées, les boutons de porte et les serrures en bronze ciselé et doré par Gouthière. Un nouveau plafond peint par Restout s'est substitué à l'ancien, œuvre de l'ami de Louis Vigée, Doyen. Les dessus-de-porte ont été décorés par Drouais. La légendaire suite de quatre tableaux que Fragonard avait composée – *Le Rendez-vous*, *La Poursuite*, *Les Lettres d'amour*, *L'Amant couronné* [23] –, jugée trop hardie, a été remplacée par des œuvres de Vien.

C'est dans ce décor délicat que Louise Élisabeth est invitée, tous les jours, à prendre le café en compagnie de la comtesse. Le duc de Brissac, son compagnon, partage ces moments avec les deux femmes. Le trio converse familièrement. À la surprise de Louise Élisabeth, la comtesse vit simplement vêtue de « robes peignoirs de percale ou de mousseline blanche ». « Tous les jours, quel temps qu'il fît, elle se promenait dans son parc ou dehors, sans qu'il en résultât aucun inconvénient pour elle, tant le séjour de la campagne avait rendu sa santé robuste [24] ». L'artiste constate que la favorite de Louis XV est attentive aux pauvres gens de Louveciennes : elle soulage les accouchées, s'occupe des enfants. Choderlos de Laclos, qui l'a connue après sa gloire, a remarqué lui aussi sa sérénité éloignée des intrigues : la comtesse n'a pas ce type d'« inquiétude qui accompagne presque toujours les personnes qui ont joué un rôle, quel qu'il soit [25] ».

Mme Du Barry n'aime ni les prudes, ni les femmes légères, dit-on, et la compagnie de Louise Élisabeth, qui n'est ni l'une ni l'autre, lui convient parfaitement. Avec ce zézaiement un peu affecté qui lui donne un ton enfantin, elle bavarde, le soir au coin du feu, avec sa portraitiste. Ces deux Parisiennes, que le destin a amenées à fréquenter les plus grands, sont de plain-pied. La comtesse ne reçoit plus que deux ou trois amies : la marquise de Brunoy [26], belle-fille du financier Paris, et Mme de Souza, l'épouse de l'ambassadeur du Portugal. Un admirateur fidèle, François de Monville, propose à la comtesse et son peintre une excursion jusqu'à son « désert de Retz », planté d'essences rares [27]. Le séjour est parfait, et l'artiste reviendra bientôt à Louveciennes.

17

L'HÔTEL LE BRUN

Un projet ambitieux

Le succès grandissant de Louise Élisabeth et l'augmentation du volume des affaires de Jean-Baptiste Pierre rendent trop étroit l'espace où vit la famille Le Brun. Les appartements du marchand sont encombrés de tableaux. La parcelle en forme de L sur laquelle est construit l'hôtel Lubert permettrait un agrandissement de la demeure, voire la construction d'un nouvel édifice qui ouvrirait rue du Gros-Chenet, où se trouve un bâtiment ancien, facile à détruire.

Le Brun fait appel à un architecte toulousain, Jean Arnaud Raymond, qu'il connaît depuis une dizaine d'années [1]. L'objectif est multiple : construire une nouvelle salle de ventes dont l'emprise s'étendra sur l'arrière de l'hôtel Lubert, rue de Cléry, créer un atelier digne de l'activité de Louise Élisabeth, édifier une demeure privée où ses collections seront mises en valeur et où la vie familiale, amicale et mondaine trouvera son espace, enfin aménager un jardin, qui apporterait la douceur de ses ombrages. Sans doute Raymond commence-t-il à réfléchir à ce projet vers 1784-1785, les plans sont préparés dans les années suivantes, et le chantier s'ouvre progressivement.

L'architecte réorganise l'espace de la double demeure. Du côté de l'ancien hôtel, rue de Cléry, le rez-de-chaussée est réservé à des magasins et à un vaste vestibule. De ce vestibule s'élève un grand escalier conduisant à la salle de ventes principale [2], construite sur l'arrière. L'idée est d'offrir, dans cette salle de ventes, un espace destiné aux jeunes artistes, qui remplacerait les expositions en plein air. Une façon peut-être de protéger les talents et de les repérer.

Le Brun et Raymond ont pensé à faciliter la circulation du public : conçue comme un amphithéâtre, la salle de ventes est pourvue de quatre escaliers latéraux. À cet étage, un double vestibule permet de canaliser l'affluence des porteurs et des domestiques. Un lanterneau vitré coiffe la pièce, et l'éclairage zénithal place les œuvres dans une lumière naturelle. L'extrême originalité de cet agencement étonne les premiers visiteurs.

Des appartements élégants

L'habitation privée du couple Le Brun est désormais située au numéro 4 de la rue du Gros-Chenet [3], à la place du bâtiment détruit. La façade sur rue, sobre selon la norme des canons néoclassiques, ne vise pas à attirer l'attention, tandis que la façade sur cour s'ouvre sur les perspectives du jardin en un gracieux demi-cercle concave. Jean Arnaud Raymond avait admiré l'œuvre de Palladio en Vénétie. L'abondant recours à la demi-lune et aux ovales pour l'agencement interne des appartements résulte certainement de son initiative, mais on peut supposer que Louise Élisabeth, qui avait admiré les formes arrondies du pavillon de Mme Du Barry à Louveciennes, a pu avoir eu sa part dans ce choix.

À l'entresol, un appartement fonctionnel et bien éclairé est destiné à la location [4]. Au premier étage, deux appartements sont réservés au couple Le Brun. Une large antichambre qui les distribue sert d'espace de réception. Sans atteindre des proportions considérables, l'appartement de Louise Élisabeth est plus vaste que l'ancien : elle disposera d'une chambre en ovale et d'un salon de compagnie. Malgré ce supplément d'espace, l'artiste ne semble pas impatiente d'emménager. L'antichambre de la rue de Cléry a été le théâtre de réunions si agréables que l'artiste semble la regretter. On ignore où se trouvaient les pièces réservées à Julie et à sa gouvernante.

Le second étage est encore le domaine de Jean-Baptiste Pierre : une galerie longue de vingt-huit mètres, qui s'ouvre par une abside précédée de colonnes *in antis*, peut rivaliser avec celles qu'on admire en Europe chez les connaisseurs les plus raffinés. Le Brun a choisi une décoration de grisaille : arabesques et rinceaux pour les murs, cortèges de tritons et d'animaux marins pour la voussure. Des bas d'armoires en ébène, laiton et écailles de tortue [5] sont destinés à abriter les innombrables catalogues d'estampes et les livres : les *Métamorphoses* d'Ovide, *L'Iliade*, des *Mazarinades*, mais aussi des dictionnaires, des volumes de l'*Encyclopédie* et des guides parmi lesquels un *Voyage de Londres* [6]. Une bibliothèque qui permet les vérifications d'un connaisseur et l'organisation des voyages d'un commerçant. Des encadrements vides destinés à recevoir les tableaux surmontent ces meubles.

Située au dernier étage de la maison, ce qui la met à l'abri du tout-venant, la galerie appartient à un espace semi-privé. Seul Jean-Baptiste

Pierre, ses amis artistes et ses clients les plus familiers y ont accès. Tout près, un cabinet est éclairé en lanterne comme la galerie. On ne sait si le marchand y avait déplacé, outre ses tableaux, les collections décrites par le guide de Thiéry[7] : vases d'agate, jaspes et lapis, laques, coquilles et minéraux. Ou si ces trésors ont été placés dans ses meubles de l'ébéniste Boulle dans son appartement privé. Escaliers et appartements sont éclairés par des statuettes de plâtre bronzé représentant des déesses de l'Abondance portant des flambeaux. Des vases de granit des Vosges sont surmontés de candélabres de cuivre à trois lumières et ornés de guirlandes de perles qui en réfractent l'éclat[8]. L'effet produit est magique.

Enfin, parmi toutes ces nouveautés, un bâtiment trouve son emprise sur le côté du jardin. Sa forme circulaire répond à la façade concave de la nouvelle demeure. Orné d'une rangée de niches destinées à abriter des statues, cet édifice, dont les ouvertures permettent de jouir de la végétation, comporte un bas-relief. Le premier projet de sculpture mettait en scène un groupe de jeunes filles s'initiant au dessin – ce qui donne une indication claire de la destination du bâtiment –, mais ce fut une représentation d'Apollon qui, pour finir, fut choisie[9].

Durant la construction, Mme Le Brun doit s'installer dans un atelier de fortune et, faute de place, elle confie à David deux des jeunes filles qu'elle forme alors : Mlle Duchosal[10] et Émilie Le Roux de Laville. Ceci n'est pas du goût du directeur des Bâtiments qui souhaite éviter les présences féminines dans les couloirs du Louvre[11]. David fait étudier les jeunes filles dans un atelier séparé des jeunes gens, mais il est rappelé à l'ordre. Malgré les protestations du père d'Émilie Le Roux, directeur des Droits réunis, rien n'y fait. Suvée qui souhaitait lui aussi établir un enseignement féminin, avec l'aide de son épouse, s'était vu confronté à un refus[12]. L'heure est loin d'être à la mixité.

En mars 1787 la salle de ventes est inaugurée[13]. Jean-Baptiste Pierre Le Brun se félicite du travail de son architecte, mais les travaux durent encore presque deux années, au vif regret de Louise Élisabeth qui ne supporte pas le bruit des pioches, des scies et des marteaux. Le couple Le Brun ne prend possession des nouveaux appartements et du pavillon qu'au début de l'année 1789. La galerie sera achevée en 1790.

« La tendresse maternelle »

Malgré ces travaux, seule l'année 1786 semble marquer un ralentissement de la production de l'artiste. En réalité, elle travaille à plusieurs œuvres majeures, qui seront présentées au Salon suivant en 1787.

C'est à l'atelier que Trumbull découvre un tableau auquel l'artiste se consacre durant l'été 1786 : « Un portrait d'elle et de sa fille qui n'est pas encore terminé. [...] Dans la composition du tableau, écrit-il, il y a de la simplicité et de la douceur qu'on ne trouve chez aucun artiste et la brillance du coloris est charmante [14]. » Enthousiaste, il conclut : « Parmi les noms féminins, Angelica [Kaufmann] seule peut entrer en compétition avec Madame Le Brun [15]. »

Alors qu'elle réfléchit déjà à l'esprit d'un grand portrait de la reine et ses enfants, dont elle a reçu commande, l'artiste achève sur panneau de chêne un autoportrait où elle se met en scène avec Julie. Elle est une des rares artistes de son temps à maîtriser les effets d'un tel support. Afin que les panneaux présentent une surface parfaitement lisse, ils ont été apprêtés avec un mélange de pigments de chaux et de colle. Sur ce support, l'artiste esquisse la composition au crayon blanc, puis elle pose la couleur en glacis, en très fines couches dans les zones sombres. Elle crée ainsi un effet de transparence presque émaillée [16].

La mère protège de ses bras l'enfant dont la pose est indolente, semi-assoupie. La chevelure sombre et soyeuse de Brunette met en valeur celle de Louise Élisabeth dont les mèches sont d'un délicat châtain cendré. C'est un concert d'éloges : « La sérénité repose sur son front, la joie brille en ses yeux : elle triomphe de porter un si précieux fardeau et rend à son enfant tous les sourires qu'elle en reçoit [17]. »

La dimension mariale du tableau plaît. Au salon de 1787, certains jugeront que l'œuvre est digne de rivaliser avec la pureté des madones italiennes :

> La tendresse maternelle, ce sentiment délicat, cette douce affection de l'âme, est rendue avec un art si admirable, que ce tableau peut être comparé à ce que les plus grands maîtres de l'école d'Italie ont produit de plus sublime [18].

Le rédacteur du *Mercure* reconnaît « l'aspect du Dominiquin sous la couleur fine et séduisante de Van Dyck [19] ». Ce double portrait, une des œuvres les plus rayonnantes de l'artiste, fait apparaître la relation entre la mère et l'enfant comme symbiotique. Les exigences des critiques qui veulent que le Poème se dégage de la Peinture, selon l'adage *Sic Ut pictus Poesis erit*, sont ici pleinement satisfaites :

> En jetant les yeux sur un tableau, cherchez-y le Poème ; s'il vous frappe, si vous n'avez point de peine à le démêler, si toutes les parties de l'Ouvrage concourent pour ainsi dire à le faire saillir, le morceau est bon [20].

L'Ami des artistes au Salon de 1787 attribue encore à cette représentation une valeur édifiante : « Ainsi l'Art peut servir les mœurs, plus que des leçons de moraliste [21]. »

Seule réserve, certains journalistes reprochent au peintre la « mignardise » qui consiste à laisser voir ses jolies dents. À une époque où il est rare de pouvoir montrer une belle dentition, sourire avec les dents est considéré comme une coquetterie. Ce premier autoportrait avec enfant reflète l'image harmonieuse que la jeune femme souhaite donner de sa maternité. L'artiste transmet un second message implicite : il est possible de concilier une vie d'artiste et une vie de mère.

Julie Le Brun

En 1786, Julie vient d'avoir six ans. C'est l'âge auquel habituellement les enfants quittent leur nourrice. L'enfant revient habiter entre ses parents à l'hôtel Le Brun où les nouveaux appartements pourront l'accueillir. Louise Élisabeth est tout à la joie d'avoir retrouvé sa fille. Sans doute est-ce à ce moment que ses parents décident de ne pas l'envoyer au couvent. Bientôt, une gouvernante est attachée à sa petite personne. Elle se nomme Mme Charrot, et Julie l'appelle Mimi. C'est vers elle que l'enfant se tourne lorsqu'elle a besoin d'attention.

Julie sera un des modèles de prédilection de sa mère durant son enfance et son adolescence. La fillette est vêtue de robes de taffetas ou de linon, ornées d'un volant aux manches. Et sur ses cheveux bruns, elle porte un bonnet blanc ou un mouchoir ourlé d'un galon.

Durant l'année 1787, en effet, Louise Élisabeth réalise, sur panneau de bois, une délicate effigie de *Julie au miroir* [22], où, grâce à un léger gauchissement de perspective, l'enfant est vue de face et de profil. La formule du portrait au miroir multipliant le visage du modèle a pu être remarquée par la portraitiste dans plusieurs tableaux de la Renaissance [23]. Ici, la fillette est coiffée d'un foulard de coton blanc. Un fichu bordé de plissé est noué en cache-cœur dans le dos. Une émotion fraîche se dégage de cette œuvre, dont l'artiste proposera une réplique sur toile au Salon de 1787. Son voisin, le comte de Paroy fait l'honneur à Louise Élisabeth d'exposer une gravure à l'eau-forte et lavis d'après ce portrait [24]. La même année, la fillette est représentée par sa mère, dans une pose évoquant les enfants peints par Greuze : semi-assoupie, la joue sur son livre, coiffée d'un bonnet de nuit [25]. C'est toujours la même grâce et le même éclat, le même regard intense, Louise Élisabeth excelle à rendre les expressions enfantines.

Lorsque mère et fille se rendent chez les amis Brongniart dans le quartier des Invalides, Julie peut jouer avec Alexandrine Émilie, la seconde fille de l'architecte, surnommée Ziguette [26]. Le regard espiègle de la fillette charme tous ceux qui l'approchent. Alexandre et Louise l'ont déjà fait représenter, à quatre ans par le sculpteur Jean-Louis Couasnon. Lorsque Louise Élisabeth réalise à son tour son portrait sur panneau de bois, elle met en valeur son air malicieux. Sur ce portrait au chromatisme audacieux, la fillette est âgée de huit ans. Vêtue de blanc, elle tire un fil de laine rouge d'un sac de soie vert émeraude bordé de satin violet. Il s'agit là d'un des portraits d'enfance les plus aboutis de l'artiste : la transparence du plumetis, la douceur de la laine et de la soie, tout y est suggéré. Le menton volontaire de la petite annonce une personnalité déjà affirmée [27]. Comme celle de Brunette...

Tout est fait pour que les enfants deviennent des jeunes filles accomplies : elles apprennent la musique, le dessin, plus tard, les langues. Pour distraire Julie, le dimanche, sa mère l'emmène en promenade. Elle se montre avec elle en de nombreux endroits publics, promenades, théâtre. Elle la conduit aux marionnettes des Fantoccini animées par Carlo Perico sur le boulevard du Temple. La petite aime y retourner souvent.

Louise Élisabeth se plaît à rapporter les mots de Julie. Un jour, alors qu'elle a six ans, elle l'emmène à la Comédie-Française et l'enfant prend les acteurs pour des poupées : « Et ceux-là, maman, [...] dit-elle, sont-ils vivants [28] ? » Des spectacles d'ombres chinoises au Palais-Royal, un « musée des enfants » avec un spectacle à six heures, le Musée de cire : les divertissements ne manquent pas pour les petits Parisiens fortunés.

18

MARIE-ANTOINETTE ET SES ENFANTS

L'artiste est parvenue à un nouvel épanouissement : à trente-trois ans elle goûte pleinement les joies de la maternité. Durant l'année 1787, elle peint vingt-deux tableaux, dont plusieurs méritent le titre de chefs-d'œuvre, tout en conservant sa gaîté et son énergie. C'est dans l'amitié de ses proches qu'elle puise des forces, dans la présence quotidienne d'Étienne et de celles d'un quatuor d'amis fidèles : Mme de Verdun, Hubert Robert, Brongniart et Ménageot. Le départ de ce dernier, avec qui elle aime « parler peinture » le soir, crée un vide dans sa vie. Ménageot a été nommé au poste prestigieux de directeur de l'Académie de Rome. Les comtes de Paroy, Vaudreuil et le duc de Polignac feront le voyage avec lui. Louise Élisabeth caresse l'idée de les accompagner, elle qui ne connaît pas la patrie des Arts. Mais, une grande entreprise l'en empêche.

Les raisons de la reine

Pour comprendre l'importance de ce nouveau projet, il faut revenir à ses origines, deux années plus tôt. La reine Marie-Antoinette, dont la vocation de mère est maintenant satisfaite, souhaitait disposer d'un tableau où elle serait représentée avec ses enfants. À la suite de la venue de Gustave III, roi de Suède, on avait demandé à un artiste suédois, Adolphe Ulrich Wertmüller, récemment admis à l'Académie de peinture, la réalisation d'un tableau de la reine avec ses enfants. Cette commande manifestait bien sûr l'affection du couple royal pour ses enfants, mais les ministres pensaient qu'un grand portrait pourrait servir à des fins politiques.

Depuis quelque temps, l'image de la reine se dégrade dans l'opinion. Des libelles et des pamphlets colportant des rumeurs circulent dans Paris et dans le pays. Les dépenses de la reine, son esprit de clan, ses coiffures extravagantes et même ses mœurs, tout est prétexte à calomnie. La rumeur la plus grave porte sur l'illégitimité des enfants royaux. Présenter la souveraine comme la mère d'un futur roi de France est une façon de restaurer son image. Une exposition au Salon de ce tableau, qui servira de manifeste, a même été prévue.

Wertmüller est chargé de remplir cette difficile mission. Il semble en avoir mal estimé les enjeux, comme le prouve le résultat. Sur sa toile, Marie-Antoinette apparaît dans un costume dont la sophistication extrême est soulignée. Sa chevelure ornée semble postiche, et ses traits manquent d'expression et de majesté. Quant aux enfants, ils ont l'air de poupées endimanchées. Seule la petite Marie-Thérèse conserve un soupçon de grâce. L'ensemble est dénué de charme et de simplicité.

Lors du Salon, les comptes rendus sont sévères. On reproche à Wertmüller d'avoir figuré la reine en promeneuse indifférente. Les journalistes pointent le manque de ressemblance et l'absence de majesté. L'un note : « Il fallait ici représenter la Reine comme mère des enfants et comme *Souveraine*. » L'autre souligne : « Il fallait représenter la Reine, montrant ses enfants à la nation, appelant ainsi tous les regards et tous les cœurs [1]… » La composition ne délivre pas le message symbolique que les sujets du roi de France auraient été susceptibles d'entendre. C'est une déception.

Louise Élisabeth est sollicitée à son tour [2]. À l'automne 1785, alors qu'elle est absente de Paris, la direction des Bâtiments du roi cherche à la joindre. En 1784, la portraitiste de la reine a déjà montré qu'elle savait peindre les enfants royaux. Le double portrait de la petite Madame et du dauphin Louis Joseph est une réussite. Particulièrement habile à rendre l'indécision et la finesse des traits enfantins, l'artiste a saisi l'expression douce des enfants assis dans une prairie. Loin d'être engoncés dans leurs habits, comme sur le tableau de Wertmüller, ils sont vêtus d'étoffes légères, souples et satinées. Hormis l'élégance de leur mise et l'ordre de chevalerie agrafé sur le pourpoint du dauphin, rien n'indique que ces enfants sont différents des autres : ils viennent de découvrir un nid rempli d'oisillons. L'aînée pose une main protectrice sur l'épaule de son frère.

Sans doute ce tableau a-t-il laissé un bon souvenir dans la famille royale car, le 12 septembre 1785, Mme Le Brun reçoit une lettre émanant d'Angiviller, lui annonçant la « distinction particulière » que la reine a faite de ses talents. Pierre, le directeur de l'Académie, se chargera de lui expliquer la demande royale [3].

Sans se précipiter pour regagner Paris, peut-être est-elle encore à Moulin-Joli, où elle a séjourné durant un mois cette année-là, Mme Le Brun fait répondre le 16 septembre par Ménageot qu'elle accepte le rendez-vous avec Pierre. Soucieuse de ne pas créer de rivalité, elle fait tout pour ne pas blesser Wertmüller. Alors qu'il est question de déloger une œuvre du Suédois du Salon de 1785, afin de placer un des portraits de la reine qu'elle a réalisé pour les ambassades – la reine elle-même en ayant donné l'ordre – Mme Le Brun refuse catégoriquement d'infliger cette vexation à son confrère suédois. Personne n'est plus « inoffensif » que moi, confie-t-elle dans ses mémoires. Louise Élisabeth n'aime pas chercher querelle.

Pour la réalisation de ce grand tableau, tout le monde est sur le pied de guerre : Pierre, le comte d'Angiviller, le couple royal. Le travail est sous contrôle : il se fera en plusieurs temps. On demande à l'artiste de présenter une esquisse de la composition à ses majestés. Une fois l'esquisse approuvée, elle pourra avancer l'ouvrage de façon à ne mobiliser ses modèles que pour les études des têtes.

Une telle entreprise demande réflexion. Si Mme Le Brun est une virtuose du portrait à mi-corps et en buste, elle a eu peu d'occasions de réaliser des portraits en pied et de représenter des groupes. Cependant, elle a acquis l'expérience de compositions complexes : son allégorie au pastel, *L'Innocence cherchant refuge dans les bras de la Justice* a été appréciée au Salon de la Correspondance en 1783. La même année, au Salon de l'Académie royale, elle avait exposé deux tableaux mythologiques : un autre pastel, *Vénus liant les ailes de l'amour* et une huile sur toile, *Junon dérobant la ceinture de Vénus*, ainsi que son œuvre de réception *La Paix ramenant l'Abondance*.

Les dimensions monumentales du tableau demandé par la reine sont supérieures à celles dont Louise Élisabeth a l'habitude : deux mètres soixante-quinze sur deux mètres quinze. Il lui faut étudier les possibilités de composition. Est-ce en raison de l'absence de Ménageot qu'elle demande l'avis de Jacques-Louis David ? Ce dernier boude les soirées de la rue de Cléry, car, il n'aime pas, avoue-t-il, se « trouver avec des domestiques de condition [4] ». Vise-t-il ainsi le comportement obséquieux d'Étienne ? Cette divergence de point de vue n'empêche pas les deux peintres de dialoguer, et l'auteur du *Serment des Horaces* accepte de donner des conseils. David suggère à sa consœur de consulter les recueils de gravure dont la bibliothèque de Le Brun est remplie. Ensemble, ils choisissent, dans un ouvrage consacré à Raphaël, un exemple de composition transposable, une *Sainte Famille*. L'historien Miette de Villars, qui a recueilli les mémoires de David, reconstitue ainsi le dialogue entre les deux peintres :

> « Voilà votre tableau, s'écria-t-il, la Vierge sera la Reine ; l'enfant Jésus, le dauphin, et le Saint Jean la princesse. » « Mais mon cher David, objecta Madame Le Brun, ne craignez-vous pas qu'on me reproche d'avoir pillé ? »

La réponse de David est claire :

« Bah ! faites comme Molière, prenez votre bien où vous le trouverez. Je vous certifie que, quand vous aurez rajusté tout cela avec des habillements à la mode, et des meubles de cette époque, personne ne pourra se douter qu'une composition de Raphaël vous ait servi de modèle. » [5]

Raphaël était depuis longtemps le peintre de prédilection de Mme Le Brun. Elle reçoit donc avec joie le conseil de David. Cependant, identifier la source exacte de la transposition est délicat : l'artiste a accompli un travail de synthèse à partir de plusieurs autres modèles [6], dont le Corrège et Jules Romain.

Des esquisses à la mise en « harmonie », les étapes de la réalisation de ce grand tableau ont jalonné deux années. Mélancoliquement l'artiste se souviendra de la dernière séance de pose que lui donne la reine à Trianon : il lui faut souffrir la présence du baron de Breteuil dont elle déteste l'esprit de commérage [7].

Comme si elle souhaitait s'entraîner à ce type de travail, elle réalise simultanément un autre tableau de groupe ambitieux représentant quatre personnes à mi-corps. Cette œuvre place côte à côte la marquise de Pezay, veuve du libertin et « belle comme un ange [8] », son amie, la marquise de Rougé, et les deux fils de cette dernière. Amitié et amour maternel sont au centre de ce quadruple portrait dont l'esprit évoque une inspiration renaissante : celle des Saintes Familles de Guido Reni ou du Dominiquin. C'est l'époque où la critique reproche à l'artiste le défaut de sa qualité : « une manière brillantée [9] ». L'effet exceptionnel du taffetas de soie changeant est sans doute une des réussites de ce tableau au chromatisme éclatant. Le geste de la marquise de Pezay, le doigt tendu vers les enfants de son amie, les désigne comme autant de trésors de l'amour filial. Ainsi, comme en écho, ce geste commente le message implicitement contenu dans le tableau royal [10].

Des trésors

Il est aussi question de trésors dans le tableau de la reine. Ce tableau célébrissime présente la reine assise, tenant sur les genoux son avant-dernier né, Louis-Charles, duc de Normandie. Marie-Thérèse appuie sa tête sur le bras de sa mère, tandis que le dauphin entoure le berceau vide d'un bras protecteur. Une esquisse identifiée par Joseph Baillio révèle qu'un autre enfant aurait pu figurer dans la barcelonnette inoccupée [11]. Il s'agissait de la dernière née, Sophie-Hélène-Béatrix, disparue quelques semaines avant l'achèvement du tableau. Deux années plus tard, ce sera le tour du dauphin, emporté par la maladie en juin 1789, au beau milieu de la réunion des États généraux. Une tradition rapporte que, dans la version préparatoire, le dauphin mettait le doigt sur la bouche en signe de silence. Après la mort de Sophie, le mouvement du bras aurait été modifié.

L'artiste a rendu l'intensité de la présence de la reine, majestueuse, sereine et grave. La noblesse de son port de tête est accentuée par le panache qui orne son béret de velours écarlate. La robe taillée dans la même étoffe est ample et sobre, et donne une large assise à sa stature. De simples pendants en goutte d'eau ornent ses oreilles. Son regard est tranquille.

Louise Élisabeth maîtrise pleinement le langage de la couleur : elle joue sur la complémentarité des rouges, des verts et ocres des étoffes et du berceau, teintes que l'on retrouve associées dans les arabesques et les fleurs des coussins et tapis.

La lumière venue de la galerie des Glaces éclaire la scène d'un jour vespéral tandis que, derrière le groupe, un meuble luit dans la pénombre : il s'agit d'un serre-bijoux appartenant à la reine [12]. Ce coffre ouvragé réalisé par Bellanger, Gouthière et Houdon renferme le message que l'artiste vise à transmettre : Marie-Antoinette semble dire à la postérité que ses enfants sont ses seuls trésors. Un épisode de l'histoire romaine, lointain pour nous aujourd'hui, était familier au public du Salon : Cornelia, la mère des Gracques, avait répondu à une amie venue exhiber devant elle sa parure : « Voilà mes bijoux ! » En 1779 notamment, Noël Hallé avait exposé une Cornelia montrant ses enfants à une visiteuse très parée [13]. Évoquer l'histoire de Cornelia relève d'une symbolique limpide... Quelle réponse aux attaques visant l'Autrichienne ! Accusée de creuser le déficit royal, de n'être ni une bonne épouse, ni une bonne mère, la souveraine en majesté inflige à ses détracteurs un digne démenti. Cette réalisation laisse présumer de ce qu'aurait pu être le talent de Mme Vigée Le Brun, s'il avait pu se développer de façon plus savante.

Il est vrai qu'à la suite du dénouement maladroit et sans doute mal maîtrisé de ce qui est devenu l'affaire du Collier, l'impopularité de la reine s'est accrue. L'histoire de ce collier réunissant cinq cent quarante diamants d'une eau exceptionnelle est bien connue [14]. La comtesse de La Motte et son époux avaient imaginé s'emparer du bijou en montant une supercherie qui impliquait la reine. Après avoir acquis frauduleusement la parure, le couple d'aventuriers avait dispersé les pierres à Londres. Lorsque la facture des joailliers est présentée à la Couronne, Marie-Antoinette proteste : elle a refusé ce collier. Louis XVI, convaincu de l'innocence de son épouse, confie l'affaire au parlement de Paris, afin que la lumière soit faite. En mai 1786, les coupables sont condamnés.

L'image de Marie-Antoinette ne sort cependant pas indemne de ce procès. Le critique des *Mémoires secrets* se fait ainsi l'écho de son impopularité.
« Cette souveraine enchanteresse, naguère l'idole des Français, qui ne
se montrait point au spectacle, dans les rues, dans son palais sans ces
applaudissements tumultueux, indices de la satisfaction générale [...] se
serait aliéné les cœurs à ce point [15] ! » Le roi aurait même conseillé à
Marie-Antoinette d'éviter de se rendre à Paris de crainte de ne pas recevoir les marques de respect dues à son rang.

Tel est le climat dans lequel Louise Élisabeth doit travailler. De plus, elle
est personnellement « harcelée de libelles », dit-elle, l'accusant de « liaison
intime avec M. de Calonne ». Un nommé Antoine Joseph Gorsas [16] s'en
est pris violemment à elle, et depuis l'exposition du portrait de Calonne au
Salon de 1785, il a fait de la jeune femme une de ses cibles préférées.

Des réactions ambiguës

Le Salon de 1787 s'ouvre dans une ambiance tendue. Le mécontentement gronde. On parle du projet inquiétant d'une manifestation. Selon
la tradition, le Salon de peinture est inauguré par un concert aux Tuileries, mais les musiciens veulent, cette année-là, le donner sur le Pont-
Neuf, devant la statue d'Henri IV. Rendre hommage au roi défunt plutôt qu'au roi régnant revient à insulter Louis XVI. Au siècle des
Lumières, Henri IV est dans tous les cœurs. Voltaire a chanté sa gloire
dans *La Henriade*. René Louis d'Argenson, le fils du grand lieutenant de
police, avait espéré trouver en Louis XV, le Bien-Aimé, des traits de ressemblance avec son aïeul [17]. Hélas ! en 1787, on attend toujours le souverain qui fera renaître les vertus d'Henri. La manifestation sur le Pont-
Neuf est interdite. Le Salon s'ouvre dans la fièvre et le conflit.

En attendant l'épreuve de vérité, Louise Élisabeth s'inquiète. Au point
qu'au dernier moment elle recule et, afin d'éviter la presse des premiers
jours, allègue – ce qui n'est jamais tout à faux pour un artiste – que son
ouvrage n'est pas achevé. Quelques jours auparavant, on a porté la somptueuse bordure au Salon. Le luxe de ce cadre fait déjà s'exclamer : « Voilà
le déficit ! » Dans la crainte, Louise Élisabeth redoute l'effet produit lorsque l'œuvre sera exposée : « Ma peur, écrit-elle, était si forte que
j'en avais la fièvre. J'allai me renfermer dans ma chambre, et j'étais là,
priant Dieu, pour le succès de ma *Famille royale*, quand mon frère et une
foule d'amis vinrent me dire que j'obtenais le suffrage général [18]. »

En effet, le travail de Mme Le Brun suscite des réactions favorables. La
composition est quasi unanimement louée par les journalistes :

Ses augustes personnages s'y groupent avec une intelligence qui ferait honneur aux plus grands artistes. La reine dont la ressemblance est parfaite, y paraît avec toute la dignité de son rang, et l'éclat de la beauté. Les traits de monseigneur le Dauphin aussi tant ressemblant, réunissent tout ce que la douceur et la bonté peuvent ajouter à l'aimable enfance [19].

Puis, on s'intéresse aux drapés et à la couleur. *L'Ami des artistes* renchérit : « Le choix des étoffes est du meilleur goût ; elles sont rendues avec une vérité et une magie qui égalent tout ce que l'Art peut atteindre. » *Lanlaire au Salon* relate l'effet de surprise provoqué par « l'accord parfait », mais déplore « un coloris trop scintillant » [20]. Ce que le pseudo-Lanlaire trouve « trop scintillant » est perçu au contraire comme un effet « brillant » par *L'Ami des artistes*. Le débat est animé, mais à quelques nuances près, la palette de Louise Élisabeth est unanimement appréciée.

Le filtre du souvenir est tel que l'artiste se souviendra surtout des compliments. En réalité les réactions sont partagées. Plutôt que d'être sensibles au message maternel symbolisé par la présence du serre-bijoux, les journalistes du Salon sont intrigués par le berceau vide. C'est sur ce point que se concentrent leurs commentaires. Car l'absence de l'enfant crée une ambiguïté qui masque le message principal : « Il restera toujours une équivoque fâcheuse sur cette couchette, qui lui donnera l'air d'une énigme et la clarté essentielle dans tout l'ouvrage l'est surtout dans une composition pittoresque [21]. » Le rédacteur souligne encore : « L'artiste aurait dû faire porter [les] regards [de la reine] vers la jeune princesse, par sa faiblesse attirant plus particulièrement ses soins maternels [22]. » Une autre libelle ajoute : « On se plaint que la Reine n'ait point d'intention dans ses regards [23]. »

Enfin, le dernier reproche fait à l'artiste est d'avoir donné une transparence invraisemblablement diaphane « aux chairs d'une femme de trente ans [24] ». Ceci dit, cette critique n'en est pas une, car, dit-on encore, « ce défaut est un beau défaut et vous indique sur quel haut ton de couleur est monté le tableau : il est dans les vêtements, dans les meubles, dans l'architecture d'une magnificence rare, proportionnée au sujet [25] ».

La critique note encore que, malgré une négligence dans le mouvement du bras du dauphin – toujours cette fatale transformation de dernière minute –, sa maîtrise du dessin s'est précisée : « [Mme Le Brun] ne s'est pas montrée moins attentive à corriger et à perfectionner son dessin, qualité dont trop souvent de célèbres artistes ont cru se dispenser en faveur du feu ou des grâces de la composition [26]. »

Nonobstant ces réserves liées au contexte politique, l'œuvre de Mme Le Brun est appréciée au point qu'on en réclame partout des copies dans les provinces. La réponse des Bâtiments est catégorique. Le coût en serait trop élevé, et sa majesté a décidé de restreindre ses dépenses. À sa demande, Louise Élisabeth promet donc au graveur turinois Carlo Antonio Porporati de réaliser une copie « en petit », afin qu'il puisse en exécuter la gravure [27].

De façon solennelle et sous les yeux du directeur de l'Académie, le tableau est présenté à Versailles. Amadoué, Pierre raconte la réception à François Guillaume Ménageot : « J'y jouis du plaisir de la voir fêtée et applaudie. Comblée des bontés de la cour, elle se rendit au Cabinet, jusqu'au moment où le dîner de M. le directeur [d'Angiviller] nous appela [28]. »

L'histoire de cette œuvre ne s'achève pas là. Après le Salon de 1787, le tableau est accroché en bonne place dans le salon de Mars [29]. Lorsqu'en juin 1789, le dauphin Louis Joseph succombe à la maladie dont il souffrait depuis longtemps, la reine demande qu'on éloigne une image dont elle ne peut plus soutenir la vue. Peut-être, supposera l'artiste vieillissante, est-ce à ce déplacement que cette toile dut sa survie, jusqu'à devenir ensuite un objet de culte. Sous l'Empire, le tableau sera placé retourné contre un mur dans une salle fermée. Un gardien du palais de Versailles le montre, moyennant un pourboire, aux nostalgiques des Bourbons qui l'en prient. Singulière destinée que celle de cette œuvre qui ne remplit sa fonction qu'après la disparition de trois de ses modèles. Seule Marie-Thérèse, la petite Madame, survivra à la Révolution.

19

UN STYLE DE VIE

> « Elle était vêtue sans aucune recherche
> mais toujours pittoresquement... »
> Madame de STAËL, *Corinne*.

Une élégance artiste

Le Salon de 1787 a révélé une artiste séduisante, en pleine possession de ses moyens, une mère accomplie. Pour sa toilette, Mme Le Brun a définitivement trouvé son allure. Au siècle des fanfreluches, des colifichets et des rubans, elle opte pour la simplicité. Ce n'est pas grâce à elle que les marchandes de modes font fortune. Lorsqu'elle se rend chez Rose Bertin, sa note y est peu élevée [1]. Elle joue sur la modestie des matières et la sobriété des couleurs : robes de percale ou de linon blanc, de satin blanc le soir. Les critiques au Salon avaient déjà été sensibles à cet effet pour le *Chapeau de paille* :

> Rien n'est plus galant quoique très simple par son ajustement. Un déshabillé léger, qui laisse sentir l'élégance de la taille, des cheveux flottant à l'aventure [2]...

Ces robes, qu'elle nomme ses « blouses », dégagent les mouvements et sont retenues par des ceintures drapées. Confectionnées à la maison, elles ne lui coûtent rien. Pas de frais de coiffeur, non plus. Une écharpe légère enroulée dans les cheveux non poudrés la dispense d'une coiffure élaborée.

> Je dépensais extrêmement peu pour ma toilette, se souvient-elle, on me reprochait même trop de négligence, car je ne portais que des robes blanches, de mousseline ou de linon. [...] J'arrangeais mes cheveux moi-même, et le plus souvent je tortillais sur ma tête un fichu de mousseline [3].

Cette description correspond à la coiffure qu'elle arbore dans le portrait avec Julie présenté au Salon de 1787 : un bandeau de gaze retient les boucles cendrées de ses cheveux en dégageant un visage qui apparaît cette fois en pleine lumière. Deux ans plus tard, dans le second autoportrait avec Julie, achevé en 1789, une tunique blanche « à la grecque » ceinturée de rouge, sans bijoux ni ornements, habille l'artiste.

Tout se passe comme si Louise Élisabeth réservait l'usage de la couleur la plus brillante à ses modèles. Un portrait réalisé la même année que *La Tendresse maternelle* illustre cet éclatant contraste [4]. Pour représenter Mme Molé Raymond, actrice de la Comédie-Italienne, dont le tempérament est « un caractère de soubrette très décidé, de la gaité et de la finesse [5] », elle imagine un mouvement : les cheveux de l'actrice s'envolent sous l'effet d'un coup de vent tandis qu'elle glisse les mains dans un manchon de renard. La technique des glacis sur panneau de bois permet de rendre presque translucides les couleurs, dont les harmoniques font songer à Rubens : faille bleue, satin mauve et parme, soie outremer [6].

Le pinceau de Mme Le Brun est capable de rendre le duveté de la fourrure et le satiné de la soie, mais pour se vêtir, elle préfère la simplicité. Ainsi anticipe-t-elle sur ce *négligé* étudié et artiste dont Mme de Staël parera l'héroïne de son roman *Corinne*. La description qui accompagne l'apparition de l'héroïne évoque de façon saisissante la mise de Mme Le Brun :

> Elle était vêtue comme la Sibylle du Dominiquin, un *schall* des Indes tourné autour de sa tête, et ses cheveux du plus beau noir entremêlés avec ce *schall* ; sa robe était blanche ; une draperie bleue se rattachait autour de son sein, et son costume était très pittoresque, sans s'écarter cependant assez des usages reçus pour que l'on pût y trouver de l'affectation [7].

Mme de Staël formule, à propos de sa Corinne, un commentaire qui s'appliquerait parfaitement à Mme Le Brun : « Elle était vêtue sans aucune recherche mais toujours pittoresquement [8]. » Cette coïncidence, alors que les deux femmes ne se sont pas encore rencontrées, suggère l'existence d'un modèle commun, le tableau du Dominiquin de la galerie Borghese [9]. Cette peinture inspirera à l'artiste le portrait le plus important de la seconde partie de sa carrière, celui de Lady Hamilton.

Mise au point pour répondre au confort de la vie du peintre, cette élégance n'a rien d'emprunté : elle correspond à un mode de vie. Vêtue de façon presque identique à l'atelier et à la ville – elle ne posséderait qu'une ou deux robes parées –, Louise Élisabeth crée une image féminine en adéquation avec son art, un style convenant à la vie d'une artiste qui travaille une huitaine d'heures par jour et n'a pas le temps de s'occuper de sa toilette.

À l'opposé, sa rivale, Adélaïde Labille-Guiard, lorsqu'elle se représente avec deux de ses élèves à l'atelier, se pare d'une invraisemblable robe de satin, garnie de nœuds et de dentelles, et se coiffe d'un chapeau orné de plumes et d'un ruban [10], en digne fille d'un marchand de mode. Si le portrait de groupe d'Adélaïde est parfaitement réussi, la personnalité de la femme est effacée par la somptuosité du costume. Tout l'inverse de ce que recherche Louise Élisabeth.

Rapidement, comme il se produit chaque fois que l'on a affaire à une véritable personnalité, ce style suscite l'imitation. Cette façon de se jouer des modes envoie aux autres femmes un message de liberté. Grande, mince, souriante, elle a, comme elle aime le dire, « la vogue ». Cet éloignement de toute sophistication lui permettra, malgré l'âge, de rester aimable.

Ce style personnel, elle l'adapte aux femmes qui acceptent de jouer le jeu. L'artiste drape ses modèles dans des châles à la façon des maîtres italiens, libère leur taille, autant qu'il est en son pouvoir, du « corps » baleiné et de l'amidon. Elle dédaigne le luxe des brocarts pour préférer les mousselines qui permettent des effets de transparence et de souplesse. Elle aide ses contemporaines à paraître à leur avantage et celles-ci sont ravies des résultats obtenus. Une jeune actrice plutôt laide, Mlle Duchesnois, qui débute dans le rôle de Phèdre, reçoit ses « conseils de peintre pour son costume et pour sa coiffure », et assure ainsi son succès [11]. L'allure, qui est intemporelle, vaut mieux que la beauté éphémère.

Plus tard, en voyage dans les pays ensoleillés, afin de protéger ses yeux, l'artiste imaginera de porter un voile vert. Aussitôt toutes les Anglaises la copient : « Et les voiles verts devinrent à la mode [12]. » À Saint-Pétersbourg, présentée à la cour dans une simple robe blanche, elle fait école. Quel est donc le secret de l'artiste ?

Lancer une mode, c'est rendre collective une valeur esthétique individuelle. Mme Le Brun transmet sa manière d'être, son secret de vie : être sans entraves, pleinement à l'aise dans ses vêtements. Cette adéquation se fait dans un esprit de référence à l'antique, c'est pourquoi elle échappe à la frivolité des autres modes. Telle est la première réussite de Louise Élisabeth : un savant naturel.

Vocation d'artiste, image mondaine, rôle de mère, entrent en correspondance, sans effet de rupture. Fidèle à ses manières d'être, dans un esprit d'indépendance, elle peut parfois négliger les usages. Où qu'elle se trouve, elle est épanouie dans sa vie.

Un souper grec

> « On peut dire que le bon goût, qui se répand de plus en
> plus en Europe, a pris naissance *dans la Grèce* [13]. »
> Johann-Joachim WINCKELMANN.

On ne saurait dire si la jeune Mme Le Brun a lu cette réflexion qui ouvrait un traité de Winckelmann nouvellement traduit en français. Peut-être en a-t-elle entendu parler par Le Brun, par Brongniart ou par Étienne. Toujours est-il qu'un des épisodes les plus brillants de l'année 1788 fut un repas organisé rue du Gros-Chenet, qu'on appela bientôt le « souper grec », et qui défraya la chronique du Tout-Paris. Le récit de quelques heures passées dans la petite antichambre fit le tour de l'Europe. Plusieurs versions de ce micro-événement sont conservées dans les manuscrits, preuve que la narratrice et son entourage considéraient qu'il s'agissait d'un moment d'exception [14]. Voici les faits tels que la mémorialiste les rapporte :

> Un soir, que j'avais invité douze ou quinze personnes à venir entendre une lecture du poète Lebrun, mon frère me lut pendant mon *calme* quelques pages des *Voyages d'Anacharsis* [15].

Toujours au fait des nouveautés littéraires, Étienne a choisi de faire découvrir à sa sœur le récit historique composé par l'abbé Barthélémy, le *Voyage du jeune Anacharsis en Grèce vers le milieu du quatrième siècle avant l'ère vulgaire*. Ce récit reconstitue la vie quotidienne dans la Grèce antique et évoque un repas musical où un poète, nommé Démocharès, accorde sa lyre en rappelant l'usage ancien de mêler le chant aux plaisirs de la table. « Autrefois, disait-il, tous les convives chantaient ensemble à l'unisson. Dans la suite, il fut établi que chacun chanterait à son tour, tenant à la main une branche de myrte ou de laurier [16]. » Barthélémy décrit les plats servis lors de ces banquets musicaux, « une tourte de raisins et d'amandes », des gâteaux à la farine de sésame, au miel et à l'huile. L'eau leur vient à la bouche. Aussitôt Louise Élisabeth appelle sa cuisinière et fait préparer pour le souper quelques plats « à la grecque ». Une sauce spéciale pour la poularde et pour l'anguille, et pour le dessert, un gâteau de miel et de raisins de Corinthe, et le tour est joué. Une bouteille de vin de Chypre à la place du vin de Bordeaux. Vite, l'hôtesse imagine un décor. Des vases étrusques prêtés par le comte de Paroy [17] sont disposés sur une table d'acajou. Une draperie accrochée de loin en loin sur un paravent compose une toile de fond à la façon de Poussin. Une lampe suspendue dirige un flot de lumière sur la table. L'antichambre devient un théâtre. Comme sur une scène, les invitées arrivent une à une. Le peintre les transforme « en véritables Athéniennes ». Avec les linges de l'atelier, elle drape des costumes sur ses amies, « la charmante madame

Chalgrin », fille de Joseph Vernet, « madame de Bonneuil, si remarquable par sa beauté », et la gracieuse épouse d'Étienne, Suzanne. Aucune d'elles ne dépare ce tableau vivant.

La portraitiste n'a pas le temps de se changer : elle porte une de ces tuniques blanches qu'elle utilise pour peindre. Elle l'agrémente d'un voile retenu par le diadème de fleurs qui lui sert à costumer les jeunes filles en Flore. Sur les cheveux dénoués de Lebrun-Pindare, elle pose la couronne de lauriers qui a servi à ceindre la tête du jeune prince Lubomirski dont elle a fait le portrait. Le comte de Paroy prête un manteau pourpre pour parachever le costume du poète. Julie Le Brun et la fille de Mme de Bonneuil sont vêtues en vestales et portent sur l'épaule des vases antiques. On brosse lestement la poudre qui ternit l'éclat des chevelures.

Le frère de Suzanne, Auguste Rivière, le poète Ginguené et Antoine Denis Chaudet, le sculpteur, lauréat du prix de Rome, se voient costumés à l'antique. Le marquis de Cubières, le frère du poète, écuyer de Louis XVI, envoie chercher chez lui une lyre dorée.

> À neuf heures et demie les préparatifs étaient terminés, et, dès que nous fûmes tous placés, l'effet de cette table était si neuf, si pittoresque, que nous nous levions, chacun à notre tour, pour aller regarder ceux qui restaient assis.
>
> À dix heures nous entendîmes entrer la voiture du comte de Vaudreuil et de Boutin, et quand ces deux messieurs arrivèrent devant la porte de la salle à manger, dont j'avais fait ouvrir les deux battants, ils nous trouvèrent chantant le chœur de Gluck : *le dieu de Paphos et de Gnide* [18], que M. de Cubières accompagnait avec sa lyre [19].

Ce divertissement de salon fait grand bruit : l'artiste a prouvé que la magie peut naître d'un drap bien disposé. Instinctivement, elle invente un accord parfait entre musique, histoire et peinture, et verse l'illusion dans un geste de la vie la plus quotidienne.

Bientôt le récit du « souper grec » de Mme Le Brun fait le tour de Paris. On la prie de renouveler cette mise en scène, mais elle refuse de transformer le jeu improvisé en représentation. Ce qui lui attire des inimitiés. Le propre de l'élégance *fashionable* [20] est d'être le produit d'une négligence, qui ne souffre pas la répétition. Surtout, Louise Élisabeth refuse d'attirer l'attention sur elle. En recevant l'aristocratie à la mode, son antichambre est susceptible de faire de l'ombre à la cour ; on a déjà répandu le bruit que ses soirées concurrencent le bal de la reine [21]. C'est bien la dernière des choses souhaitée par l'hôtesse de la rue du Gros-Chenet.

Si le « souper grec » connaît un tel succès, ce n'est pas seulement parce qu'il est un jeu sélectif, mais parce qu'il rencontre une tendance déjà à l'œuvre dans cette société raffinée. Depuis une vingtaine d'années les arts décoratifs reflètent un goût pour les ambiances antiques [22]. Un dépouillement, réaction contre les excès du style rocaille, s'impose peu à peu dans l'ameublement et la décoration. Le pavillon de musique de Mme Du Barry que Louise Élisabeth avait admiré à Louveciennes en est l'exemple. Les descriptions des fouilles d'Herculanum et de Pompéi rapportées par les archéologues influencent la fabrication des objets.

Les porcelaines de la manufacture de Sèvres et les meubles de l'ébéniste Jean-François Leleu reflètent également cette évolution. De nouveaux meubles voient le jour comme les trépieds à la grecque, qui s'inspirent de ceux reproduits par Joseph Marie Vien, dans ses tableaux *Une prêtresse brûle de l'encens...* et sa variante la *Vertueuse Athénienne*, réalisés vers 1762 [23]. Louise Élisabeth connaît sûrement l'élégante vestale de Joseph Marie Vien. Son audace, lors de ce souper, est d'avoir transposé ce costume à la ville, mais elle sait en adoucir l'austérité. Voiles et draperies enveloppent la silhouette. L'influence grecque se combine avec les influences orientales. Le *schall* coloré, précieux accessoire venu du Levant, réchauffant les tuniques grecques, fera bientôt partie intégrante de la toilette de Mme Le Brun et de ses modèles.

Curiosités exotiques

Si l'admiration pour la simplicité antique se reflète dans le costume, une autre curiosité orientale vient réveiller le goût français à l'occasion de la visite d'ambassadeurs étrangers. Un soir à l'Opéra, Louise Élisabeth aperçoit deux hommes habillés de couleurs éclatantes : des diplomates envoyés par le sultan du Maïssour (Mysore), Tipoo-Saïb, afin de conclure avec la France une alliance contre les Anglais. Leurs visages et leur type inconnu attirent l'attention de l'artiste, qui les trouve « pittoresques ». Elle souhaite les portraiturer.

Les émissaires indiens n'acceptent de poser qu'après l'intervention du roi lui-même. Louise Élisabeth est autorisée à se rendre à leur hôtel. Contrairement à la plupart de ses modèles, les ambassadeurs lui consacrent autant de temps qu'elle le désire, y compris pour les détails du costume, qui d'ordinaire sont achevés à l'atelier :

> Quand j'arrivai dans leur salon, un d'eux apporta de l'eau de rose et m'en jeta sur les mains ; puis le plus grand, qui s'appelait Davich Khan, me donna séance. Je le fis en pied, tenant son poignard. Les draperies, les mains, tout fut fait d'après lui, tant il se tenait avec complaisance. [...] Tous deux étaient vêtus de robes de mousseline blanche, parsemée de fleurs d'or ; et ces robes, espèces de tuniques avec de larges manches plissées en travers, étaient retenues par de riches ceintures [24].

Louise Élisabeth est invitée à un repas chez les ambassadeurs, avec Mme de Bonneuil. Les amies étonnées découvrent les manières de table orientales : on mange couché sur le sol en se servant des mains en guise de couverts. Comme tout est prétexte à amusement dans cette vie insouciante, les séances se passent en chansons. Mme de Bonneuil apprend au secrétaire d'ambassade à chanter un air tiré de l'opéra de Favart, *Annette et Lubin*. Le jeune homme sait vite par cœur la chanson et ne se sépare des amies qu'en versant des larmes. Les ambassadeurs apprécient tant les jolies femmes qu'ils ne veulent pas quitter Paris sans avoir rendu visite à Mme Du Barry. Ils offrent de superbes étoffes à la dernière favorite de Louis XV, dont ils ont entendu louer la beauté.

L'affaire des diplomates du Maïssour se termine sur une anecdote amusante pour une portraitiste. Davich Khan refuse de rendre les portraits à leur auteur, alléguant qu'il ne faut pas les séparer de leur âme. À Paris, on s'amuse de l'incident en récitant ces vers flatteurs pour l'artiste :

> Sublime Allah ! [...]
> Tu conviendras, voyant cette copie,
> Où l'art de la nature a surpris les secrets,
> Que, comme toi, le génie a ses flammes ;
> Et que Le Brun, en peignant des portraits,
> Sait aussi leur donner une âme [25].

Mme Le Brun conserve ses tableaux, mais l'aventure lui fait prendre conscience de la diversité des coutumes et de ce qu'on nomme, en son temps, « le caractère des Nations ». Les portraits obtiendront un succès de curiosité au Salon de l'année suivante, durant l'été 1789 [26].

20

DES FINANCIERS AIMABLES

Un séjour à Malmaison

Durant l'été 1788, l'artiste est reçue durant deux semaines à Malmaison. Le domaine appartient alors à la famille du Molay, qui l'a acquis en 1771 [1]. Geneviève Sophie Le Couteulx de La Noraye a fait mettre les jardins à la mode et les a pourvus de fabriques, mais la demeure parquetée conserve encore son aspect campagnard. Geneviève Sophie a épousé son cousin, Jacques Jean Le Couteulx du Molay, financier comme la plupart des membres de la famille. Discrète, cette « jolie femme très à la mode » sait mettre ses hôtes à l'aise.

Parmi eux, un homme étrange, Pablo d'Olavidès, se fait appeler comte de Pilos. Grand et sombre, ce Péruvien a beaucoup voyagé. Il a fait la « visite de Ferney » et, en Espagne, il a mis en application les idées des Lumières en fondant une colonie agricole dans la sierra Morena. Tout cela n'était pas du goût du tribunal de l'Inquisition. Et Pablo dut s'exiler à Paris. Dès les années 1780, d'Olavidès est à la mode, son antichambre de la rue Sainte-Apolline est très fréquentée. Mme Du Barry l'apprécie. D'après Dufort de Cheverny qui l'a connu, l'homme est « d'une fort belle figure ». Aussi Geneviève Sophie du Molay s'est-elle entichée du mystérieux Péruvien.

Voilà pourquoi Louise Élisabeth trouve, sur les hauteurs du parc, à l'entrée d'un chemin, un panneau, énigmatique pour les non-initiés, portant le nom de *Sierra Morena*, en hommage à l'exilé. Plutôt désargenté, Olavidès partage son temps entre Malmaison et la propriété de Meung-sur-Loire appartenant aussi aux Le Couteulx. Ce que Louise Élisabeth ne parvient pas à comprendre, c'est l'attachement sentimental de son amie pour Olavidès, qui, d'après elle, n'est ni propre ni aimable. Au lieu de se servir d'une tabatière comme les personnes de qualité, il met son tabac dans ses poches et en répand partout où il passe [2].

Mis à part, ce personnage mal dégrossi, les hôtes de Malmaison sont des familiers : l'abbé Delille [3], dont la conversation enchante Louise Élisabeth, et le duc de Crillon, qui formera le premier noyau du club des Feuillants [4]. Il souffle chez les du Molay un vent favorable aux réformes. Comme au mois d'août, Loménie de Brienne, qui a succédé à Calonne au contrôle des Finances, a pris la décision de réunir les États généraux au printemps de l'année suivante, les conversations s'échauffent à Malmaison.

Lors de son séjour, l'artiste complète la galerie de portraits de la famille Du Molay. Elle avait déjà réalisé en 1781, les portraits des enfants de son amie, Pauline Lorette et Jacques Félix. Elle entreprend celui de Geneviève Sophie. Ce beau portrait sur toile présente la jeune femme les bras posés sur le dossier d'une chaise, dans une attitude rêveuse. Sa toilette joue sur la complémentarité du rouge, de l'or et du noir rehaussée par la blancheur des dentelles. La demi-redingote de velours noir est audacieuse, la coiffure sophistiquée. Plumes noires et voile semé de pastilles d'or sont retenus par un nœud de côté. Le luxe brillanté des étoffes entre dans un effet de faux négligé. Enfin, l'artiste parvient à rendre à travers le regard pensif le goût affiché de Geneviève du Molay pour une solitude méditative [5].

La famille Perregaux

Durant le premier semestre 1789, l'artiste reçoit la commande d'une autre famille de banquiers, qui ont été ses voisins, dans la partie haute de la rue de Cléry. Jean-Frédéric Perregaux a conservé les bureaux de sa banque dans le quartier, mais depuis deux ans, il a installé sa famille Chaussée-d'Antin, dans le somptueux hôtel ayant appartenu à l'actrice Mlle Guimard [6]. Il y donne des fêtes fréquentées par les artistes.

Louise Élisabeth réalise un portrait discret, mais des plus réussis de Mme Perregaux, née Adélaïde de Praël [7]. Cette jeune femme de petite noblesse normande avait épousé le banquier suisse alors riche d'espérances.

Pour ce portrait, Louise Élisabeth choisit un support de panneaux de chêne. Il faut donner de l'éclat au visage d'Adélaïde qui reflète plus de bonté que de beauté. L'artiste travaille les contours comme un « masque », selon l'expression qu'elle emploie dans ses *Conseils pour la peinture du portrait*, en allant des zones foncées vers les zones claires. Sur le front, le nez et le menton les lumières sont empâtées. Le « battu » de l'œil est signalé par des tons bleutés, posés en imperceptibles hachures, tandis que les zones sombres, traitées en fines couches, sont « vigoureuses et transparentes [8] ». Adélaïde, costumée en *doña* de l'aristocratie espagnole, se penche à un balcon de pierre et écarte un rideau comme pour observer ce qui se passe au dehors. Une *modestie* blanche plissée souligne sa gorge sans la dévoiler. Grâce à des effets chromatiques sobres mais éclatants, noir, blanc et rouge, l'artiste parvient à doter d'une physionomie intéressante un modèle à la personnalité assez fade. La mise en valeur de la toque de velours surmontée de plumes évoque le style du maître d'Anvers, tandis que le drapé et la position des mains font songer à Van Dyck.

La transposition est superbe, et l'artiste demandera à son modèle de lui prêter le tableau qui sera présenté au Salon de 1791 sous l'appellation *Jeune Dame espagnole* [9]. Malgré son habileté technique, il sera peu remarqué, car il est éclipsé par le portrait, réalisé à Naples, du compositeur italien Paisiello. Cette œuvre discrète témoigne de la capacité de l'artiste à valoriser son modèle : un lien de confiance se renforce entre Louise Élisabeth et la famille Perregaux. Jean-Frédéric Perregaux est non seulement un homme perspicace (c'est lui qui, selon la tradition, aurait repéré les qualités du célèbre banquier Lafitte), un excellent financier, mais aussi, comme l'attestent les nombreuses lettres qu'elle lui adresse durant son exil, un conseiller et un appui.

21

L'AIR DE LA CALOMNIE

> « D'abord un bruit léger, rasant le sol comme hirondelle avant l'orage [...] puis tout à coup, on ne sait comment, vous voyez calomnie se dresser, siffler, s'enfler, grandir à vue d'œil... »
>
> BEAUMARCHAIS, *Le Barbier de Séville*, II, 8.

Des lettres érotiques

Au printemps 1789, la France est en effervescence. Depuis le mois de janvier, villes et paroisses de campagnes s'occupent à rédiger les cahiers de doléances qui accompagnent l'élection des représentants aux États généraux. Louis XVI s'est enfin résolu à convoquer une assemblée qui n'avait pas été réunie depuis le règne de Louis XIII. Des pamphlets de toutes sortes se multiplient. Une nouvelle campagne de libelles vise à discréditer la famille royale, son entourage et ses ministres. Louise Élisabeth n'est pas épargnée.

M. de Calonne a dû s'exiler à Londres. Il a tenu à rédiger une *Lettre au roi sur la convocation des États généraux*, qu'il publie en février 1789. Il conseille au roi de réunir les États généraux dans un très bref délai, afin de ne pas donner à l'opposition le temps de s'organiser. Cet opuscule attire à nouveau l'attention sur lui. Et sur Mme Le Brun. Durant les mois de mars et avril 1789, circulent des pamphlets anonymes, sous forme épistolaire, destinés à flétrir sa réputation. Une correspondance érotique entre l'ancien contrôleur des Finances et Louise Élisabeth, inventée de toutes pièces, est imprimée. La pseudo-madame Le Brun y écrit à « son cher amour » sur un ton plein de sarcasmes : « Sais-tu que tu deviens penseur en Angleterre ? C'est la vapeur du charbon qui te monte à la tête. » « Ah ! Mon amour, que n'as-tu pour attirer l'argent dans les coffres de sa majesté, le talent que

tu avais pour le dissiper ? » La pseudo-Louise Élisabeth est peinte en profi-
teuse des deniers de la nation : « Quand tu brûlais du bois de rose dans ma
cheminée, et que tu allumais ma bougie avec des billets de caisse [1]... » Les
billets de caisse, qui enveloppaient les bonbons, servent ici à un autre cliché, symbole du gaspillage : flamber l'argent.

Le mois suivant, une suite en forme de réponse est publiée. Le faux
Calonne prend la plume et s'adresse à « son ange », « son cher cœur ».
C'est maintenant d'une « pluie d'or » dont il est question et dont la portraitiste, en nouvelle Danaé, aurait profité. Une allusion grivoise est faite
à des tableaux qui, selon l'auteur de cette fiction, pourraient faire rougir
l'Arétin. On frôle la pornographie : « attitudes voluptueuses, propos
polissons » et « agréables fantaisies » [2]. Louise Élisabeth est profondément
blessée, humiliée. Ses amis compatissent.

Le climat est à la diffamation, tandis que dans Paris des caricatures
obscènes atteignent la reine et la famille royale. Le sage Joseph Vernet
écrit alors à Hubert Robert : « Les brochures ne chantent pas les louanges
de la pauvre Mme Lebrun. Il n'y a pas de roses sans épines [3]. » Étienne
Vigée réagit immédiatement. Dès le 25 mai 1789, il écrit une lettre à
Poitevin de Maisseng [4], directeur de la Librairie, l'équivalent d'un
ministre de la Culture. L'homme de plume de la famille connaît l'art
épistolaire : il compose un plaidoyer digne des meilleurs avocats.

Premier argument : la renommée provoque toujours la jalousie : « [...]
il est une dette que la Gloire a de tout temps contractée avec l'envie, un
tribut que la haine fait payer aux talents aimables. » Second argument :
le travail acharné, la probité de sa sœur sont incontestables. Étienne souligne sa « pudeur », sa modestie et son mérite : « Mais que l'on déchire sa
personne, que l'on s'efforce de diminuer l'estime et la considération
qu'elle s'est justement acquises, c'est ce qu'elle n'a point mérité. C'est ce
que ne mérite point une femme qui, livrée tout entière à son art, illustre
son siècle par ses travaux et pouvait en attendre plus d'égards et de ména-
gements. »

Étienne demande réparation : que l'auteur de ces lettres soit puni ! On
ne sait s'il obtint même une réponse. La rumeur enfle. Louise Élisabeth
affirme que David, dont l'attitude ambiguë vis-à-vis de certaines de ses
consœurs est connue, avait disposé, sur une sellette dans son atelier, le
volume contenant ces lettres diffamatoires, ouvert à la page la concernant.

Un quiproquo ?

Comme tout innocent qui se voit inculpé, Louise Élisabeth cherche à
comprendre. Quel est l'élément déclencheur de ces calomnies ? L'artiste
affirme ne s'être rendue qu'une seule fois à l'hôtel des Finances, à l'occasion

d'une soirée donnée en l'honneur du prince Henri de Prusse, alors familier des soirées de la rue de Cléry. Un malentendu ? Elle songe à un propos mal interprété de son propre cocher.

Rue du Gros-Chenet, près de l'hôtel Le Brun, loge une certaine comtesse de Cérès [5]. C'est une cliente de l'artiste. Cette ravissante jeune femme est la seconde épouse du roué Du Barry de Cérès, beau-frère de Mme Du Barry. Sur son portrait, la jeune femme plie délicatement une lettre [6]. Elle porte un des accessoires préférés de l'artiste, un fichu de satin noir bordé de dentelle se détachant sur la soie bouton d'or de la robe. Le peintre exploite dans ce portrait un motif traditionnel de la peinture hollandaise : l'expédition de la lettre, motif lié à l'amour et au secret. L'artiste a rarement eu recours à cette thématique, excepté dans une scène de genre intitulée *La Vertu irrésolue* [7]. À l'auriculaire, la jeune femme porte une chevalière dont elle s'apprête à se servir afin de sceller la lettre. Un bâton de cire rouge posé sur la table souligne le motif du secret.

Quel rapport entre ce tableau et les calomnies qui salissent la réputation de Louise Élisabeth ? Entre le portrait de la comtesse de Cérès et celui de Calonne exécuté la même année existent plusieurs points communs : le format de grand trois-quarts et les objets – la table ornée de moulures d'acanthes, les livres, la plume d'oie –, le thème : la correspondance.

Mais une chose est tue : la comtesse est la maîtresse de Calonne. Voilà le secret. La jeune femme a été poussée dans les bras du contrôleur général qui s'en est épris. Un jour, Louise Élisabeth se souvient que la comtesse l'a suppliée de lui prêter son carrosse pour aller au spectacle. L'artiste a accepté. Le lendemain matin, Mme Le Brun demande sa voiture. Elle n'est pas rentrée. Plus tard, son cocher lui apprend ce qui s'est passé. La comtesse de Cérès a passé la nuit à l'hôtel des Finances, et la voiture a attendu devant la porte de Calonne toute la nuit. Tout se sait dans Paris. « En pensant que, si les gens de l'hôtel des Finances où d'autres, avaient demandé à cet homme le nom de ses maîtres, cet homme avait dû répondre naturellement qu'il appartenait à madame Le Brun, j'étais tout à fait hors de moi [8]. »

Au moment où circule la fausse correspondance, Calonne est à l'abri en Angleterre, Mme de Cérès, oubliée depuis longtemps, vit à Toulouse. Mais le mal est fait. Les médisances se cristallisent sur tout ce qui entoure l'impopulaire Calonne, et de façon durable, au point qu'en 1818 encore, on se servira de cette affaire pour nuire à la portraitiste [9]. On se défait rarement d'une mauvaise réputation.

Dans les brouillons de ses *Souvenirs*, Louise Élisabeth note : « Il portait une perruque fiscale, et moi pittoresque, je n'aurais pu avoir une passion pour lui [10]. » Cette explication rationnelle dissimulerait-elle une faiblesse pour le séduisant Calonne ? Le vers de Boileau qui affirme que « jamais surintendant ne connut de cruelle » s'applique-t-il à Calonne ?

Une vraie lettre

Une autre pièce conservée en archive semble prouver la bonne foi de Louise Élisabeth. Au mois de mars 1789, celle-ci reçoit un message de Londres. L'écriture est fine et régulière. Cette élégante lettre est écrite « en billet », c'est-à-dire qu'elle ne comporte pas d'en-tête ni de cérémonieuse formule de politesse. Ce détail donne le ton de relations familières. Le message est signé de la main de Calonne. Les premières lignes se veulent rassurantes.

> Votre souvenir, cher petit confrère et l'aimable lettre que votre beau-frère m'a remise m'ont fait un plaisir très sensible. Que peut la noire méchanceté sur les sentiments purs et honnêtes qui ont formé notre amitié ! Il faut laisser dire ceux qui n'ont de ressources que de mal dire et continuer d'être ce qu'on a été en se reposant sur la certitude de n'avoir pas de reproche à se faire [11].

Calonne comprend l'émoi de la jeune femme, mais cherche à dédramatiser en parlant de choses et d'autres. À Londres, il a rencontré le frère de Le Brun, Pierre Louis, celui qui se fait appeler Le Brun de Villeneuve, devenu fin bretteur. D'après Calonne, celui-ci a mené une éblouissante passe d'armes. Calonne est plein d'enthousiasme pour ses « emplettes » : l'achat d'un tableau de Poussin, *L'Entrée triomphante de David après avoir tué Goliath*. Persuadé d'avoir mis la main sur une œuvre de premier choix, « d'une pureté irréprochable, d'une conservation parfaite et de son meilleur faire », il fait demander, par l'intermédiaire « du petit confrère au talent divin », l'avis de Le Brun. Calonne a vu et étudié beaucoup d'ouvrages du Poussin. Pour décrire l'œuvre, il adopte le jargon d'un connaisseur : « la lumière distribuée avec l'art le plus parfait éclaire tous les objets sans aucun papillotage », écrit-il savamment.

Son épouse, il l'avoue, a tenu à lui offrir ce tableau. Une des choses les plus raisonnables que vient de faire Calonne a été de se marier avec Mme d'Harvelay, née Anne Josèphe de Nettine, une riche héritière qui lui permet de satisfaire ses goûts raffinés. Mme de Calonne souhaite même – c'est ce qu'il souligne dans la lettre – récupérer deux exquises commodes de l'ébéniste Boulle à fond couleur d'étain, qu'il a dû vendre afin de sauver ses finances. Il demande à Jean-Baptiste Pierre d'essayer de les retrouver.

La note la plus sérieuse du message concerne la parution de la *Lettre au roi sur la convocation des États généraux*, dont il est l'auteur. Calonne en envoie un exemplaire à l'hôtel de la rue du Gros-Chenet et recommande qu'Étienne la lise en « un petit comité », afin que Louise Élisabeth et Suzanne Vigée deviennent « bien savantes en droit public ». Il souligne – et c'est un compliment – qu'avec l'artiste tous les sujets de conversation sont possibles.

Calonne est un habile épistolier. Il mêle le ton désuet de ce que l'on nommait au siècle de Louis XIV une « lettre galante », où il est permis de badiner, à des considérations modernes, dans l'esprit du siècle des Lumières. Il aime également écrire dans ce style à sa « divine amie », Mme de Polignac [12]. Dans la lettre adressée à Louise Élisabeth, la formule finale – « Je baise vos savantes et aimables mains de tout mon cœur » – demeure discrètement affectueuse. Un hommage à l'artiste et à la femme. Encourageant et paternel, Calonne termine en réclamant une réponse : « Car il faut m'écrire parfois cher petit confrère et ne pas craindre les plats qu'en-dira-t-on. »

Si cette lettre a été archivée, c'est parce que Louise Élisabeth l'a donnée à Jean-Baptiste Pierre, qui a coché dans la marge la description des meubles de Boulle que Calonne demandait au marchand de tableaux de retrouver. En conservant ce message, Jean-Baptiste Pierre a contribué, sans le savoir, à innocenter Louise Élisabeth. Elle, qui en voulait tant à son époux, n'aurait pu deviner que grâce à lui cette lettre plaiderait en sa faveur, un jour.

Au-delà de l'affaire des fausses lettres, ce message de Calonne a d'autres choses à nous dire. Rédigé deux mois après les affrontements mortels de Rennes, cinq mois et demi avant la prise de la Bastille, il nous montre un grand seigneur, conscient de la situation politique, mais continuant à se préoccuper de son cabinet de collection. Est-il vraiment persuadé qu'un opuscule publié à Londres et signé de son nom pourra infléchir le cours des événements en France ? Il semble croire au pouvoir des mots.

Pendant deux ou trois semaines encore la vie continue sans trop de trouble pour Louise Élisabeth. Mais les émeutes se multiplient. Qui croire ? Ceux qui disent que tout va s'apaiser, qu'il ne s'agit que de révoltes isolées ? Faut-il écouter les alarmistes qui prédisent le pire ? Un jour où elle rend visite à sa mère à Neuilly, Jeanne rappelle à sa fille la prédiction et le geste de Louis Vigée [13] : *le monde sera sens dessus dessous*. Cette intuition funeste les fait trembler.

22

LE MONDE SENS DESSUS DESSOUS

> « La terreur s'emparait de tous les esprits sages [1]. »
> « Je ne pouvais plus peindre ; mon imagination si fortement attristée et flétrie m'empêchait de me livrer à mon art [2]. »

Le printemps 1789

Le mois d'avril est terrible. Des émeutes ont lieu au faubourg Saint-Antoine, puis au faubourg Montmartre, proche de la rue du Gros-Chenet. En province aussi la révolte gronde. À Marseille, le major du fort Saint-Jean a été tué. Louise Élisabeth ne dort plus ni ne mange. On a osé tracer des inscriptions sur sa maison toute neuve et jeter du soufre à travers le soupirail [3]. Elle s'en prend à Jean-Baptiste Pierre, lui reproche d'avoir fait construire cette maison luxueuse. Le couple se querelle. Des scènes éclatent :

— Vous voyez, disais-je sans cesse à M. Lebrun, quels infâmes propos l'on tient ! — Laissez-les dire, me répondait-il dans une sainte colère ; quand vous serez morte, je ferai élever dans mon jardin une pyramide qui ira jusqu'au ciel, et je ferai graver dessus la liste de vos portraits ; on saura bien alors à quoi s'en tenir sur votre fortune [4].

Dans une atmosphère solennelle, le 4 mai, la procession d'ouverture des États généraux s'est déroulée dans la ville de Versailles. Les cahiers de doléances sont prêts. La prédiction de Louis Vigée s'est accomplie : le monde est « sens dessus dessous ».

Au début du mois de juin, Louise Élisabeth est invitée à Malmaison pour la journée : l'atmosphère y est électrique. On y est favorable à la Constitution et on commente les débuts de la réunion des États généraux. Les députés de la noblesse refusent de se joindre à ceux du tiers état. Même Jacques Jean du Molay « hurle contre les nobles ». Chacun y va de sa proposition de réforme. « On eût dit un vrai club », se souvient-elle. L'instinct de Mme Le Brun l'avertit du danger. Elle prend la mesure de la personnalité de l'abbé Sieyès [5], qui discourt en vociférant. Sieyès veut commencer la vérification des pouvoirs des députés, même en l'absence de ceux de la noblesse. Un propos de l'auteur de *Qu'est-ce que le tiers état ?* lui donne à réfléchir : « En vérité, je crois que nous irons trop loin », dit-il. Comme si, dès les commencements, la machine révolutionnaire était vouée à s'emballer. « Ils iront si loin qu'ils se perdront en chemin... », chuchote Louise Élisabeth à Mme du Molay, qui ne désapprouve pas la radicalité des propos tenus. L'« enragé » Sieyès votera la mort du roi et parviendra à passer entre les mailles du filet de la Terreur.

Sur le chemin du retour, Louise Élisabeth réfléchit-elle à la situation ? Se rappelle-t-elle les avertissements contenus dans la *Lettre au roi* que Calonne lui a donnée à lire deux mois plus tôt ?

> Marchant à tâtons sur un chemin plein de danger, on entraînera l'État dans d'affreux précipices. [...] Une révolution qui prend sa source dans les idées confuses, dont personne ne peut prévoir l'issue n'en est que plus redoutable [6].

Louise Élisabeth a appris que le couple royal a perdu son fils aîné le 4 juin, quelques jours auparavant, sans pouvoir lui témoigner sa sympathie [7]. Les députés ont demandé au roi de paraître. Plongé dans la douleur, Louis XVI aurait murmuré : « N'ont-ils jamais été pères ? » Le roi et la reine ont été bons pour elle. Elle a refusé pour elle-même les honneurs auxquels elle estimait ne pas avoir droit. Que sait-elle alors de la situation du pays ? Elle ne connaît que le monde des artisans dont elle est issue, et le cercle des artistes qui dépendent de leurs commanditaires. De la réalité des campagnes, elle n'a vu que les environs de Colombes ou de Neuilly, où les paysans mangent à peu près à leur faim, même s'ils ont à se plaindre du comportement des chasseurs sur leurs terres. Ne doit-elle pas sa réussite à sa tâche quotidienne ? Du labeur récompensé par une misère profonde, elle ignore presque tout. Que penser en cette circonstance ? Même les gens de bon sens semblent perdre la raison.

Marly chez Auguié

Ce ne sont pas les quelques jours passés chez Mme Auguié, femme de chambre de la reine, et sœur de Mme Campan, au début de l'été, qui rassurent l'artiste. Dans la demeure des Auguié proche de la machine de Marly, un jour, un vagabond mal en point fait irruption. L'hôtesse lui fait porter secours. De la poche de l'homme qui se restaure tombe une liasse de papiers. Ce sont des brochures incitant à la révolte. Henriette Auguié décide alors d'appeler la maréchaussée. Les gens d'armes emmènent le suspect. Les deux amies sont soulagées, mais, en les suivant du regard par la fenêtre, elles voient qu'au lieu d'encercler le malfaiteur, ils chantent bras dessus bras dessous avec lui.

Louise Élisabeth est atterrée. Son sentiment d'insécurité s'accroît. Après avoir lu les papiers interceptés et pris la mesure de leur violence, les deux femmes décident de les montrer à la reine. Dès sa reprise de service, Henriette Auguié les remet à Marie-Antoinette. La reine se refuse à ajouter foi à ce qu'elle considère comme un tissu de sornettes : « Je ne croirai jamais qu'ils méditent de pareilles atrocités [8] », dit-elle à sa femme de chambre.

Quelques jours plus tard, Alexandre-Théodore Brongniart, l'ami des bons et des mauvais jours, s'annonce rue du Gros-Chenet, avec Louise, son épouse. L'architecte est confiant. Ouvert aux idées nouvelles, il croit en la venue d'un âge d'or [9]. Il vient soustraire la jeune femme effrayée aux agressions dont elle commence à être victime :

> Ma santé s'altérait sensiblement, et deux de mes bons amis, Brongniart, l'architecte, et sa femme, étant venus me voir, me trouvèrent si maigre et si changée, qu'ils me conjurèrent de venir passer quelques jours chez eux, ce que j'acceptai avec reconnaissance [10].

Brongniart a fait construire un bel hôtel situé au croisement de la nouvelle rue Monsieur et de la rue Plumet [11], mais il a cédé la demeure à ses enfants depuis qu'il a obtenu le privilège d'un logement aux Invalides. Apprécié par Mme de Montesson, Brongniart est proche de la maison d'Orléans. C'est pour cette raison qu'il peut envoyer à Louise Élisabeth un médecin attaché à la maison du duc, qui l'escorte. Protégée par la livrée d'Orléans, la seule qui soit alors respectée, elle se rend aux Invalides où l'accueille Louise, la « bonne mère ». Elle ne peut plus s'alimenter, on lui fait un régime d'accouchée : du bouillon et, ce qui est considéré comme le meilleur fortifiant à l'époque, du vin de Bordeaux. Le lit le plus confortable de la demeure lui est réservé. On la réconforte. Brongniart cherche à la rassurer. Véritablement choquée, elle répète « À quoi bon vivre ? À quoi bon se soigner ? »

Sa perméabilité extrême, son attention aux choses qui ne sont pas dites, mais se dégagent des regards, des mots prononcés sans y penser, développent en Louise Élisabeth une intuition qui lui sauvera la vie en plusieurs occasions. Dans ses cahiers manuscrits, celle qui traversera toute l'Europe note : « Je suis née poltronne et indécise [12]. » Que veut-elle exprimer, alors que l'histoire prouve qu'elle ne recule ni devant les ascensions périlleuses, ni devant les routes enneigées, ni devant les voyages lointains ? Cette timide intrépide a un sens aigu du danger : elle a un instinct vital. En juillet 1789, malgré les propos optimistes de ses amis, elle comprend que sa vie est menacée. Bien des années plus tard, le peintre anglais Farington notera dans son journal personnel au sujet de la *beautiful* Vigée Le Brun : elle n'aurait pas échappé à la guillotine si elle était restée en France [13].

Même chez Brongniart, elle n'est pas tranquille. Au cours d'un souper, le gouverneur des Invalides, le marquis de Sombreuil, se félicite d'avoir dissimulé les armes en dépôt car il sait qu'on complote pour les saisir. Malheureux Sombreuil, il n'échappera aux massacres de septembre que pour être à nouveau arrêté en 1794 et exécuté.

Louise Brongniart emmène son amie se promener dans les allées derrière les bâtiments. Là, elles surprennent la conversation des ouvriers. Louise Élisabeth se souvient de leurs propos :

> — Veux-tu gagner dix francs, disait l'un, viens avec nous faire le train. Il ne s'agit que de crier : À bas celui-ci ! à bas celui-là ! et surtout de crier bien fort contre *Cayonne* [Calonne] — Dix francs sont bons à gagner, répondait l'autre ; mais n'aurons-nous pas des taloches ? Allons donc ! reprit le premier, c'est nous qui les donnons les taloches [14].

Louise Élisabeth comprend que le duc d'Orléans paie les émeutiers.

Autre indice : un incident qui a lieu le lendemain même. Des hommes aux mines menaçantes, malfaiteurs et repris de justice, se massent devant la grille des Invalides. Les deux femmes les reconnaissent : ce sont ceux qui rodent aux « galeries de bois » du Palais-Royal, les plus mal famées. « On appelait cette troupe la bande du duc d'Orléans », note l'artiste dans un fragment expurgé de ses mémoires [15]. N'oublions pas qu'elle publiera ses *Souvenirs* au moment où règne, depuis 1830, le fils de Philippe Égalité. Louise Élisabeth n'insiste donc pas sur ce point. Mais sa mémoire est bonne. Une amazone coiffée d'un chapeau garni de plumes noires passe alors à cheval, suivie de piqueurs portant la livrée d'Orléans. Louise Élisabeth la reconnaît pour l'avoir reçue chez elle avec Mme de Genlis. On lui laisse le passage et la voilà acclamée par la horde hurlante : il s'agit de Paméla. On chuchote alors qu'elle est fille naturelle de Philippe Égalité [16] : « Voilà, voilà celle qu'il nous faudrait pour reine ! » crie la foule. La messe est dite.

En qui avoir confiance, si le vers est dans le fruit, si le cousin du roi nourrit les agitateurs ? Louise Élisabeth a perdu tous repères :

> Peu après je retournai chez moi, mais je ne pouvais y vivre. La société me semblait être en dissolution complète, et les honnêtes gens sans aucun appui ;

car la Garde nationale était si singulièrement composée qu'elle offrait un mélange aussi bizarre qu'il était effrayant. Aussi la peur agissait-elle sur tout le monde ; les femmes grosses que je voyais passer me faisaient peine ; la plupart avaient la jaunisse de frayeur. J'ai remarqué, au reste, que la génération née pendant la révolution est en général beaucoup moins robuste que la précédente : que d'enfants en effet, à cette triste époque, ont dû naître faibles et souffrants [17] !

L'abri de la Chaussée-d'Antin

Au début du mois de juillet, Jean-Baptiste Rivière, père de sa belle-sœur Suzanne et de son ami Auguste Rivière, l'accueille dans son hôtel de la Chaussée-d'Antin. Jean-Baptiste Rivière est ministre de Saxe et bénéficie de la protection accordée aux diplomates. Le verdoyant quartier de la Chaussée-d'Antin, proche de la barrière de Paris, a été récemment loti par Brongniart. Catherine, la mère de Suzanne et d'Auguste, dont Goldoni disait qu'elle était « une mère incomparable [18] », lui ouvre les bras. Louise Élisabeth reste deux semaines dans son giron. Après quelques jours tranquilles, le 12 juillet, les habitants de l'hôtel Rivière sont attirés aux fenêtres par des cris : un cortège portant les bustes de Necker et du duc d'Orléans que la foule a empruntés au Musée de cire de Curtius passe dans la rue [19]. C'est une protestation contre le renvoi du ministre qui a eu lieu la veille.

Dans la nuit du 16 au 17 juillet, à la prière des souverains, le frère du roi quitte Paris. Le comte de Vaudreuil est du voyage, ainsi que la duchesse de Polignac. Afin d'égarer les soupçons, ils partent par des routes différentes. Le comte de Paroy décide de rester près du roi.

Le 20 juillet, les cloches de toutes les églises de Paris sonnent le tocsin. Mme Le Brun a sans doute déjà quitté la maison des Rivière, le 22 juillet, lorsqu'elle apprend une terrifiante nouvelle. Le contrôleur général des Finances Joseph François Foulon, nommé ministre à la suite de Necker, a été massacré. Désormais, personne ne peut se dire en sécurité. Foulon avait une réputation de dureté. Durant la dernière disette, il aurait prononcé ces mots : « Eh bien ! si cette canaille n'a pas de pain, elle mangera du foin ! » Alors qu'il séjournait à la campagne, il a été ramené à Paris, assis sur une charrette et attaché à une botte de paille, avec une inscription rappelant ces propos. Le comte de Paroy fait le récit de la mort de Foulon dans ses mémoires :

> Comme il était grand et très puissant, le poids de son corps fit casser deux fois la corde ; sans pitié, on la renoua deux fois ; on se porta à mille excès sur lui, son corps tout nu fut traîné par les pieds dans la rue et sa tête portée d'un autre côté sur une pique. Le soir, étant à mon club au Palais-Royal, je vis de loin cet abominable cortège escorté par le peuple [20].

Le lendemain, c'est le tour du gendre de Foulon, Bertier de Sauvigny, d'être abattu. Peut-être est-ce Paroy lui-même qui apprend la nouvelle de ce double assassinat à Jean-Baptiste Pierre. Louise Élisabeth est là et entend la conversation. Le Brun est atterré. Son visage se décompose. La métamorphose est si frappante que Louise Élisabeth saisit les traits de son époux en un rapide croquis [21]. Nul ne doute qu'à ce moment une conversation grave a lieu entre les époux. Ils comprennent qu'une décision doit être prise. Nul n'est plus à l'abri, nulle garde ne protège de la violence. Louise Élisabeth est trop proche de la reine, trop proche de Vaudreuil.

Les succès de 1789

Malgré l'atmosphère électrique d'août 1789, le Salon ouvre ses portes avec le succès habituel. Hubert Robert y expose plus de dix tableaux. Louise Élisabeth propose plusieurs peintures que la postérité considérera comme ses œuvres majeures : elle est dans la pleine puissance de ses moyens, capable de rendre l'expression forte d'un caractère, de donner de la finesse à une physionomie un peu fade, d'« expliquer » les détails d'une robe et les dentelles d'un costume. Malgré cela, on lui reproche encore les grâces miroitantes de son pinceau et les effets « précieux » qui s'en dégagent. Le portrait d'Hubert Robert provenant de la collection personnelle de l'artiste et exécuté à Moulin-Joli reçoit des éloges. Ceux qui connaissent Robert sont unanimes. Mme Le Brun est parvenue à exprimer l'énergie du peintre : « Il me semble le voir sortir de la toile et l'entendre parler [22] », s'écrie un amateur.

Le double portrait de l'épouse de l'architecte du roi, Pierre Rousseau, avec sa fillette est une trouvaille. Dans ce duo, la place prépondérante est donnée à l'enfant placée en hauteur sur un meuble dans l'attitude familière qui pourrait être celle d'un jeu. La pose paraît être une réinterprétation d'une madone du Titien, modèle dont le portraitiste Reynolds s'était déjà inspiré pour représenter la jeune Georgiana Spencer, future duchesse de Devonshire [23]. Ici la raideur du groupe de Reynolds est oubliée pour faire place à une attitude souple. Un fichu de voile laisse échapper les boucles sans poudre du modèle. Un corsage froncé glissé dans une robe cramoisie à corselet évoque le costume de fête d'une paysanne du Nord. Un châle vert doublé de soie pêche éclaire la toilette. Mme Rousseau tient dans la main le bras dodu de la petite et esquisse vers le spectateur un mouvement plein de naturel [24].

L'artiste expose également deux portraits d'enfants : celui d'Alexandrine Émilie Brongniart, réalisé l'année précédente, et celui d'un modèle moins connu des Parisiens : le prince Henry Lubomirski, neveu de la princesse maréchale.

Le portrait d'Henry Lubomirski *en Amour de la gloire* déchaîne un torrent de commentaires. Le modèle n'a pas plus de onze ans. Cet ange ailé est représenté à demi agenouillé, tenant une couronne de laurier [25]. Le choix de l'allégorie est dicté par son surnom : Amour. Louise Élisabeth emboîte ici le pas au sculpteur Canova qui a déjà représenté Henry en Cupidon et entre en concurrence avec Angelica Kaufmann, à qui la princesse maréchale avait déjà commandé en 1786, un portrait en pied du jeune Henri *en Amour* [26]. Mme Le Brun se souvient sans doute aussi de l'attitude agenouillée de *L'Amour couronné par Psyché* de Greuze [27].

Devant ce portrait, les journalistes du Salon de 1789 sont partagés entre l'admiration « pour une dégradation de couleurs vraiment surprenante [28] » et un regret pour le ton trop lumineux de la peau nue. Du visage et du corps d'Henry émane en effet un rayonnement étonnant, et la princesse maréchale, qui adore cet enfant, est comblée. Sa générosité est à la hauteur de sa satisfaction : « J'ai ouï dire, note un journaliste, qu'on avait payé ce tableau 24 000 livres [29]. »

Vingt-quatre mille livres représentent quatre fois plus que le prix d'un grand tableau dans la grille de prix établie par Le Brun [30]. La riche Polonaise a payé le prix de l'affection. Bientôt, l'accélération des événements politiques la conduira à quitter sa splendide suite au Palais-Royal.

Un autre portrait remporte l'adhésion générale, aussi bien pour la finesse de son exécution qu'en raison de la popularité de son modèle, c'est celui de la duchesse d'Orléans, l'épouse délaissée de Philippe Égalité : « C'est une divinité, mon ami, s'exclame l'"Enthousiaste" du Salon, chacun s'y arrête et admire avec une vénération profonde cette vertueuse femme, l'idole de la France [31]. » Les compliments pleuvent : « Madame Le Brun a parfaitement saisi le caractère de cette Princesse ; elle a peint à la fois cet air de bonté et cette sensibilité profonde que porte son âme. »

Effectivement, le regard aux paupières obliques, le sourire mélancolique, la pose pensive, restituent le charme d'une personnalité à laquelle de nombreuses personnes rendent hommage. La dédicataire même des *Souvenirs* de Mme Le Brun, Natalia Kourakina, aimait affectueusement la duchesse et lui rendra visite à chaque fois qu'elle en aura l'occasion. La duchesse d'Orléans choisit de poser dans une tenue simple : voile à rayures satiné de la jupe, peignoir de batiste blanc boutonné et bordé d'or, cheveux défaits brossés sur l'épaule. Le seul luxe de sa toilette réside en une ceinture ourlée de pompons et fermée par un médaillon de Wedgwood. Le modèle est si populaire en cette année 1789 qu'admirer la duchesse d'Orléans, c'est prendre position contre la reine. Le *Mercure de*

France fait un éloge sobre de cette toile : « Le portrait de madame la duchesse d'Orléans est digne du modèle et de l'artiste [32]. »

Parallèlement, durant la même année, l'artiste présente aux suffrages un nouvel autoportrait avec enfant, sur panneau de bois, qu'elle expose à l'hôtel Le Brun. Cette œuvre résulte de la commande du directeur des Bâtiments, d'Angiviller. Aucun élément de décor ne rappelle la période contemporaine dans cette évocation de l'Antiquité. Sur le fond travaillé d'un halo de lumière verdoyante, Louise Élisabeth, vêtue à la grecque, a noué, dans ses cheveux relevés en chignon, un ruban de soie incarnat. Le modelé du visage est obtenu grâce à une technique blaireautée parfaitement maîtrisée, qui ajoute à la douceur de la représentation. Le geste affectueux de Julie, son regard révèlent la force d'un caractère impérieux, tandis que le gracieux entrecroisement des bras et le calme regard de la mère suggèrent une réminiscence, celle de l'embrassement de la *Madonna della Seggiola* de Raphaël. Plus encore que sur l'autoportrait de 1787, la relation entre mère et fille apparaît ici comme fusionnelle [33].

Dernier séjour à Louveciennes

Malgré l'accueil favorable de la critique au Salon de 1789, Louise Élisabeth sait qu'elle doit partir. Elle diffère encore son projet. Il lui faut se rendre à Louveciennes, car elle a promis à Mme Du Barry de réaliser un autre portrait en pied. Le chemin en pente qui conduit à la grille de la demeure de la comtesse débouche sur le coteau de la Seine qui lui donne l'impression d'être au bout du monde : le parc de Louveciennes est toujours un havre pour l'artiste. Comme elle l'écrira de Naples à son hôtesse : « Là tout est beau, tout est bien, point de revers de la médaille [34]. » Mais, durant l'été 1789, de la maison de la comtesse, on entend le canon.

Mme Du Barry, très affectée, ne cesse de regretter le règne de « son » roi. « Si Louis XV vivait, répète-t-elle, sûrement tout cela n'aurait pas été ainsi [35]. » Les séances de pose commencent. Après avoir étudié le visage, la chevelure bouclée coiffée d'un voile, Mme Le Brun esquisse le buste et les bras. Mais dans les campagnes comme en ville, la fièvre monte. Massacres, violences se multiplient. Ce n'est plus le moment de songer à terminer le portrait de la comtesse. Il faut chercher à se protéger. La portraitiste regagne Paris, espérant revenir bientôt achever son tableau. Attentionnée, l'hôtesse de Louveciennes fait don à Louise Élisabeth d'une pièce de mousseline des Indes fleurie que lui ont offerte les ambassadeurs de Tippo Sahib. Mme Le Brun l'emporte avec elle.

Ce portrait ne sera terminé que bien longtemps après la mort de Mme Du Barry. Après l'assassinat du duc de Cossé, la comtesse se rendra en Angleterre à la recherche de bijoux qu'on lui avait dérobés. À son retour à Paris, malgré les témoignages en sa faveur des paysans de Louveciennes, elle montera sur l'échafaud. L'artiste conservera chez elle le portrait enfin achevé de la comtesse [36].

Au mois de septembre, afin de faire preuve de sa vertu patriotique, Louise Élisabeth s'associe aux onze autres femmes artistes et épouses d'artistes qui se réunissent pour accomplir un don à la patrie. Parmi elles, les épouses de Vien, Suvée et Lagrenée le Jeune [37]. Sont rassemblés et déposés devant l'Assemblée nationale des bracelets, des pièces d'argent, des anneaux d'oreilles et des boîtes de montre en or. Le 21 septembre, Louise Élisabeth, selon le témoignage de son époux, offre plusieurs pièces d'argenterie [38]. Bientôt le mouvement s'élargit : des centaines de donateurs dépouillent leurs chaussures de leurs boucles d'argent et les remplacent par des boucles de cuivre nommées « à la Nation » : on espère collecter quarante millions de livres avec toutes les boucles d'argent du royaume ! Le déficit n'est pas résorbé pour autant. Une large émulation entraîne bientôt les particuliers à offrir bijoux et vaisselle à la nation.

Fuir

Ces générosités enthousiastes ne suffisent pas à masquer l'insécurité. L'ambiance tourne à la délation. Au cours de la troisième semaine de septembre, Louise Élisabeth prépare ses bagages – elle y glisse la légère pièce de mousseline des Indes, qui ne prend pas de place – et fait charger sa voiture.

Mais dans le quartier de la rue de Cléry, tout finit par se savoir. Des gardes nationaux font irruption pour lui interdire de quitter Paris. Ils sont venus en bande, la plupart sont ivres. « Vous ne partirez pas, citoyenne, vous ne partirez pas », répètent-ils. Louise Élisabeth est effrayée par leur ton, leur violence à peine contenue. Avec cran, elle leur tient tête et réplique que, dans un moment où triomphe la liberté, elle entend bien pouvoir en profiter pour elle-même [39].

Contre toute attente, parmi ces acharnés se trouvent de bons anges. Après le passage de la faction, deux d'entre eux reviennent et s'approchent d'elle. Sous l'uniforme de sans-culotte, elle reconnaît des voisins. À mi-voix, ils lui déconseillent de voyager avec sa propre voiture. Les véhicules particuliers sont suspects d'appartenir aux aristocrates : on les arrête, disent-ils, aux barrières de Paris. « Prenez la diligence », insistent-ils. Sans doute cet avertissement sauve-t-il la vie de Louise Élisabeth. Le soir, tout laisse penser que les époux Le Brun tiennent un long conciliabule. Ils suivront les avis donnés par les gardes nationaux. Jean-Baptiste Pierre s'est-il déjà enrôlé comme lieutenant dans la garde parisienne ou cet incident le décide-t-il à s'engager ? Toujours est-il que vers le 21 ou le 22 septembre les Le Brun envoient un domestique à la cour des messageries réserver trois places dans la diligence de Lyon : pour Julie, sa mère et la gouvernante, Mme Charrot. Le billet coûte cent quatorze livres, et le trajet dure cinq jours [40].

Le domestique revient : pas de place avant quinze jours. Durant les deux semaines qui la séparent du départ, à chaque heure, elle éprouve la vérité de la boutade populaire : « On dit que j'ai pris les tours de Notre-Dame. Elles y sont encore ; eh bien, je vais m'en aller, car je vois que l'on m'en veut [41]. »

Les derniers jours, elle reçoit la visite de Marmontel, le secrétaire perpétuel de l'Académie, bouleversé. Louise Élisabeth l'a déjà rencontré, mais jamais il n'est venu à l'hôtel Le Brun. A-t-il eu vent de son départ ? « Il avait le besoin, note-t-elle, de me parler de son horreur de la Révolution parce qu'elle commençait par des crimes [42]. » Les forces se départagent. Tandis que les révoltes continuent dans les faubourgs, le 1er octobre, les dragons de Montmorency et les gardes suisses entonnent l'air de l'opéra de Grétry, « Ô Richard, Ô mon roi [43] », en signe de fidélité à Louis XVI.

Le 4 octobre, Louise Élisabeth se rend à Neuilly pour une dernière visite à sa mère et à Le Sèvre. Elle a tant maigri que Jeanne ne la reconnaît qu'au son de sa voix. Mère et fille se disent « adieu » en tremblant, espérant que la séparation ne durera que quelques mois. Elles ne se reverront jamais.

Le 5 octobre, les femmes des Halles prennent la « route de la Reine » en direction de Versailles, en hurlant : « À mort l'Autrichienne ! » Après une journée de violences et de cris, l'arrivée de La Fayette rassure la famille royale. La reine se retire avec Mme Auguié dans ses appartements privés. À l'aube, des « tricoteuses » pénètrent dans le palais par la porte de la cour des Princes, restée inexplicablement ouverte, pendant que La Fayette s'est absenté pour se reposer quelques heures. En ce matin du 6 octobre, la foule envahit le château et s'en prend aux gardes du corps avec une sauvagerie inouïe. La reine n'a que le temps de fuir dans la chambre du roi, où la gouvernante amène le dauphin et sa sœur Marie-Thérèse. Prise en otage, la famille royale se résout à paraître au balcon, et le roi accepte de se rendre à Paris. Escortés jusqu'à l'Hôtel de Ville « au milieu des piques », le roi et la reine se montrent à la lueur des torches, puis le carrosse royal repart et s'immobilise vers neuf heures et demie dans la cour des Tuileries. Les Parisiens entendent bien garder leur roi sous surveillance [44].

Vers dix heures du soir, ce même 6 octobre, Étienne rentre rue de
Cléry où il loge avec Suzanne. Il a assisté à l'arrivée du couple royal à
l'Hôtel de Ville. Il rapporte à sa sœur la réponse de la reine, refusant de
déposer contre les auteurs des attentats de la nuit, malgré la requête du
Chatelet lui demandant de désigner les coupables : « J'ai tout vu, tout su
et j'ai tout oublié [45] », prononce-t-elle. Souvent Louise Élisabeth pensera
à ces journées. Sans oser le formuler, elle regrette la faiblesse de
Louis XVI, ses hésitations. Certains se disent à voix basse qu'un geste de
fermeté aurait, à ce moment, arrêté l'émeute [46]. Mais l'heure n'est plus
aux commentaires. C'est l'instant des adieux. Le frère et la sœur
s'embrassent. Sans comprendre ce qui les attend, tous sentent que
quelque chose s'achève.

Le départ de la diligence pour Lyon est fixé à minuit. Il faut se rendre
aux messageries une demi-heure avant le départ. Tremblante et exténuée,
Louise Élisabeth rassemble ses forces. Elle part sous bonne escorte :
Hubert Robert, qui n'est pas seulement l'ami des beaux jours, chevauche
aux côtés de la voiture jusqu'aux barrières de Paris. Étienne est venu lui
aussi. Jean-Baptiste Pierre veille le plus longtemps possible sur son
épouse et sur Brunette à qui il est très attaché. La traversée du faubourg
Saint-Antoine, où les ouvriers de la manufacture de papiers peints de
Réveillon se sont soulevés au printemps, est à craindre, mais tout est
silencieux.

De retour rue de Cléry, Étienne ne peut dormir. Il s'assied à sa
table et jette sur le papier les premiers vers d'une épître dédiée à sa
sœur : « Mon cœur, qui jamais ne t'oublie / Frémira pour toi chaque
jour ! » Craignant le pire, le poète imagine une arrestation par « les
magistrats soupçonneux de nos hordes municipales ». Il esquisse un
tableau de la France en révolution avec ses clubs « soi-disant frater-
nels d'assassinats toujours avides [47] ». Étienne a toutes les raisons de
s'inquiéter, en effet.

À quoi pense Louise Élisabeth, alors que la voiture l'éloigne de Paris ?
Vêtue d'une robe de toile sombre, elle a enveloppé ses cheveux d'un
fichu qui lui tombe sur les yeux comme une « ouvrière mal habillée [48] ».
Elle ne porte aucun signe susceptible de la faire reconnaître. Jusqu'à
Lyon, à chaque instant, elle craint pour sa vie et celle de Julie. Sans cesse
des cavaliers s'approchent de la diligence.

Fuir, la seule évidence pour elle est la fuite : ce n'est pas le départ
d'une artiste qui veut découvrir l'Italie contrairement à ce que son entourage cherchera à faire croire. C'est une femme à qui son anxiété sauve la
vie. Loin de penser, comme son ami Boutin le lui écrira quelques mois
plus tard, « je suis très tranquille car je n'ai fait de mal à personne [49] »,

elle se sait instinctivement en danger. Elle a compris qu'il n'est pas besoin d'avoir commis de faute pour être déclarée coupable.

Le voyage est éprouvant. Sur le siège en face, un passager promet en vociférant de passer tous les aristocrates à la lanterne. Il raconte ses exploits à qui veut l'entendre : c'est un voleur qui a profité de la confusion pour dérober des montres. Et il s'en vante. Brunette est terrorisée. Sa mère doit intervenir et tenter de l'amadouer afin de rassurer la petite.

Avant Lyon, l'artiste manque d'être reconnue par un jacobin de Grenoble qui s'intéresse à la peinture. Il fait l'éloge d'un portrait qui l'a frappé à Paris : le magnifique autoportrait sur panneau de bois où Mme Le Brun, vêtue à la grecque, s'est représentée avec Julie [50]. Heureusement le jacobin n'identifie ni la mère ni la fillette.

Après cinq jours de route, Louise Élisabeth, la gouvernante et la petite demandent asile à un négociant de Lyon qu'elles connaissent, M. Artaut [51]. Celui-ci leur offre l'hospitalité le temps de trouver le moyen de passer les barrières alpines. Artaut organise le reste de leur voyage et, trois jours plus tard, les recommande au cocher qui les conduit vers les Alpes. Bientôt, se profilent au lointain les arches du pont de Beauvoisin. Ce pont marque la frontière entre le Dauphiné et la Savoie. Hors de danger. Respirer, enfin.

Rien ne paraît difficile à la voyageuse alors. Même si le soulagement est mêlé d'amertume : quitter famille, amis, maison, même pour sauver sa vie, ne se fait pas sans souffrance. Mais elle n'a pas d'énergie à consacrer à la plainte : il faut franchir le passage des cols. Pour alléger les voitures, les passagers mettent pied à terre.

Jamais Louise Élisabeth n'a vu de montagnes. C'est à peine si elle peut s'étonner de la majesté effrayante des cimes. Lors du passage du col du Mont-Cenis, un postillon s'approche d'elle. Malgré son accoutrement de servante, il l'a reconnue. Elle s'en effraie, mais l'homme est bienveillant : « Vous êtes madame Le Brun qui peint dans la perfection [52] », lui dit-il. Son image gracieuse, diffusée par la gravure, lui sert déjà d'atout au-delà des monts.

Italie

1789-1792

23

Vers Rome

> « Chose singulière, ce sont des yeux français
> qui ont le mieux vu la lumière de l'Italie [1]. »
> François René de Chateaubriand.

Malgré la productivité intense de ces derniers mois, Louise Élisabeth est partie avec une bourse presque vide. À peine de quoi assurer les frais du voyage, une centaine de louis. Cette somme correspond au cachet du portrait de Charles de Crussol [2], reçu durant une absence de Le Brun, et qu'elle a interceptée. Elle ne dispose pas de lettres de change à présenter à des banquiers. Sans doute la préparation d'un document de crédit aurait-elle averti les commis de banque d'un départ imminent. Les nouvelles vont vite dans Paris. Elle n'emporte rien qui pourrait attirer l'attention sur elle. Afin d'affronter les dépenses du quotidien durant un séjour qu'elle imagine bref, l'artiste doit être rapidement en mesure de faire usage de sa palette. Elle projette un retour avant l'été 1790 car, plusieurs portraits sont restés inachevés [3].

La voyageuse n'a pas de temps à perdre. Arriver à Rome est son objectif. Elle sait qu'elle y sera accueillie par son ami Ménageot. Peut-être Le Brun a-t-il glissé dans les sacs un ou deux guides afin d'orienter ses pas : le *Recueil de notes* sur les peintures d'Italie de Charles Nicolas Cochin, ou quelques tomes du *Voyage d'Italie* de Lalande [4]. Sans doute, avec l'aide de son époux, a-t-elle recopié une liste d'adresses sur un des carnets qui lui sert à faire des comptes, à prendre une note, à esquisser une composition [5].

Afin de découvrir le plus de villes et de sites possibles, la courbe de ses itinéraires est parfois sinueuse. Bien que l'artiste évite de revenir sur ses pas, son trajet n'échappe pas à une certaine improvisation. Les méandres de son circuit l'amènent deux fois à Turin, à Parme et à Rome, peut-être trois à Naples. Louise Élisabeth oriente son parcours en fonction des événements qui se déroulent en France, des lieux qu'elle tient à visiter et de la demande de sa clientèle.

Turin, un ami accueillant

La ville de Chambéry, qui appartient alors aux États de Savoie, est traversée sans encombre et la voiture chemine vers Turin, première véritable étape : l'automne est pluvieux, la route glissante. Le conducteur dépose enfin les trois voyageuses épuisées, à neuf heures du soir, dans une auberge turinoise. Obligées de se coucher sans souper, elles éprouvent que la mauvaise réputation des auberges savoyardes n'est pas une légende. Levée à l'aube, après une nuit d'insomnie, Louise Élisabeth fait prévenir de son arrivée une connaissance qu'elle a à Turin, le graveur Carlo Antonio Porporati [6], rencontré deux étés auparavant à Paris. Louise Élisabeth se souvient que, lors de sa visite au Salon de peinture, Porporati avait admiré le portrait de Marie-Antoinette et de ses enfants, et sollicité, dès la fin de l'exposition, le privilège de le graver [7]. L'accueil du graveur est chaleureux. La sachant mal logée, il offre à la jeune femme l'hospitalité : « Je fus reçue, écrit-elle, par sa fille, âgée de dix-huit ans, qui logeait avec lui, et qui se joignit à son père pour nous donner tous les soins imaginables pendant les cinq ou six jours que je passai dans leur maison [8]. »

Porporati sert de cicerone à travers la ville, dont elle admire la disposition. Par comparaison avec Paris dont les rues sont étroites et encombrées, les esplanades, les larges perspectives turinoises, adoucies par une succession de places accueillantes, paraissent grandioses. La piazza San Carlo impressionne par sa symétrie. Les couleurs surprennent l'artiste, elle qui ne connaît que la pierre blanche ou grise de Paris, s'étonne devant l'étalement des façades ocres et jaunes. Les bords de l'Arno ménagent la promenade du Valentino qui délasse des fatigues de la route. Mais, surtout à Turin, tout est calme, pas d'émeutes à craindre, elle se sent en sécurité avec son enfant et Porporati qui la guide.

Celui-ci la conduit au Musée royal. Mme Le Brun découvre avec ravissement des tableaux de Van Dyck, parmi lesquels figure une famille de bourgmestres [9]. Elle passe un long moment devant cette toile, allant jusqu'à se projeter dans sa réalisation. Van Dyck a dû prendre plaisir à le faire, pense-t-elle, car « non seulement les têtes et les mains, mais les draperies, les moindres accessoires, tout est fini et tout est parfait, tant pour le coloris que pour l'exécution [10] ».

Soucieux de la distraire de ses sombres pensées, Porporati l'accompagne au Théâtre royal [11]. Dans la salle brillamment éclairée, voilà qu'elle reconnaît deux spectateurs, installés aux premières loges : le duc de Bourbon et son fils, le duc d'Enghien [12]. Le père paraît presque aussi jeune que le fils. Mais, l'artiste ne cherche pas à se faire reconnaître. Elle ne tente pas non plus d'entrer en contact, dit-elle, avec les émigrés français arrivés à la cour de Turin. À cette date, le comte d'Artois, gendre du duc régnant, Victor-Amédée III de Savoie, vient de se réfugier en Italie avec ses proches. Parmi ceux-ci, le comte d'Espinchal, la famille Polignac, et bientôt, l'ami de Louise Élisabeth, le comte de Vaudreuil.

Malgré la brièveté de son étape à Turin, Louise Élisabeth s'enquiert auprès de Porporati de l'existence d'une clientèle potentielle : y aurait-il à Turin quelques amateurs des arts qui justifieraient la prolongation de son séjour ? Le graveur lui répond par une éloquente anecdote : « Un très grand personnage, ayant entendu dire que j'étais graveur, est venu dernièrement chez moi pour me faire graver son cachet [13]. » Confondre un artisan graveur de médaille et de cachet avec un artiste dessinateur et graveur d'estampes, voilà qui en dit long sur le discernement des Turinois.

Parme : la ville du Corrège

Sans regret, la voyageuse remonte dans la voiture qui s'engage sur la route de Parme. Par les récits de Marguerite Le Comte, l'hôtesse de Moulin-Joli, elle a entendu parler de cette cité, qui a récompensé ses talents en la nommant académicienne [14].

Plusieurs jours de voyage sont nécessaires pour parcourir la cinquantaine de lieues qui séparent Turin de Parme [15], assez de temps pour que les Parmesans soient avisés de l'arrivée de Louise Élisabeth. Le « ministre » de Louis XVI, Louis Agathon, comte de Flavigny [16], est un ami du comte de Vaudreuil ; il réside à Parme depuis seize ans. En cet automne 1789, il rentre d'un bref congé à Paris, qu'il ne reverra plus. Le comte de Flavigny reçoit l'artiste avec les manières désuètes de l'ancienne cour et lui fait les honneurs de la ville avec son épouse, qui entoure d'attentions réconfortantes l'artiste et sa fille.

Hormis l'ambassadeur, Louise Élisabeth ne connaît personne à Parme, ce qui convient à son besoin de recueillement. En compagnie du comte, elle se consacre à la découverte de l'œuvre d'un enfant de la région, Antonio Allegri, surnommé le Corrège, du nom de son village de naissance, Correggio, situé à l'est de Parme. À la recherche des ouvrages de cet artiste, Louise Élisabeth sillonne la ville : elle s'émerveille du tableau de l'église Saint-Antoine, *La Crèche* ou *La Nativité*. La portraitiste, dont les talents de coloriste ont été loués au Salon, est frappée par la clarté et la couleur d'un autre tableau du Corrège *La Madone de San Girolamo* [17]. Pour examiner les fresques de la coupole de l'église Saint-Jean-l'Évangéliste [18], elle grimpe dans le cintre. Là, elle apprécie la variété des visages des anges « en gloire » : le fini du pinceau du Corrège est aussi précis que s'il s'agissait d'un « tableau de chevalet [19] », remarque-t-elle.

L'artiste, qui n'a encore jamais peint de tableaux religieux, compare l'inspiration mythologique, qu'elle appelle la *fable*, à l'inspiration chrétienne. Des pensées qu'on pourrait croire inspirées par l'auteur du *Génie du christianisme*, Chateaubriand, lui viennent sur la poésie biblique. Les travestissements en vogue chez les portraitistes sous les figures de Diane ou d'Hébé lui paraissent fades aux côtés de la présence intense des Vierges du Corrège, sources d'un recueillement sacré. Plus tard, elle se souviendra de cet éblouissement en s'inspirant pour certains de ses portraits féminins des attitudes de ces madones italiennes.

Si les bustes de la bibliothèque Palatine [20] retiennent son attention un instant, notamment un buste antique d'Adrien, bien conservé, malgré une étrange dorure, pour elle, le souvenir de Parme reste définitivement associé au Corrège.

Parme est une cité prospère. Attirés par les possibilités commerciales, de nombreux Français y sont établis : on trouve une grande librairie française. Des soyeux lyonnais et des fabricants d'indienne y sont actifs. Malgré les atouts de la ville, Louise Élisabeth ne souhaite pas s'attarder. Pour atteindre Rome il faut encore traverser la région montagneuse de Bologne, dont les chemins sont hasardeux. Le prévenant Flavigny s'inquiète de voir les trois femmes partir sans escorte, aussi persuade-t-il l'artiste de retarder son départ de deux jours. Un chargé de mission de Louis XVI, qui doit se rendre à Rome, est attendu. Le vicomte de Lespinière [21], lieutenant-colonel de cavalerie, arrive à Parme. Il se charge d'escorter la voiture jusqu'à Rome. Les voyageuses bénéficient d'une sorte de protection diplomatique.

En traversant Modène jusqu'à Bologne

Modène, dont les arcades sont hospitalières en cette fin d'octobre 1789, ne détourne pas longtemps la voyageuse de son objectif. C'est à peine si elle prend le temps d'apercevoir quelques-uns de ses trésors. Le palais ducal lui semble « grandiose et élégant », avec ses frontons ornés, elle découvre dans la galerie plusieurs tableaux de Jules Romain signalés par le guide de Lalande, un Raphaël [22] et une œuvre du Titien, *La Femme adultère*, dont l'expression lui semble naïve. Des dessins de maîtres italiens, des statues antiques, des médailles complètent les collections. Louise Élisabeth remarque le travail délicat de camées en agate. Pour obtenir ce résultat, l'artisan a tiré parti des différentes couches de couleurs superposées de l'agate ou de l'onyx afin de graver un profil ou un sujet. Louise Élisabeth apprécie d'autant plus la finesse des camées anciens que Jean-Baptiste Pierre les affectionne.

Les bibles enluminées, que contient la bibliothèque des ducs d'Este, attirent son regard.

Enfin, une promenade circulaire dans la ville et l'esplanade animée des remparts achève le tour de Modène. Sans s'attarder, elle traverse la campagne avenante et prospère de l'Émilie, puis, une région montagneuse où les chemins escarpés sont si dangereux qu'il vaut mieux marcher à côté de la voiture. Elle souhaite s'arrêter à Bologne qu'elle veut visiter en détail.

La distance entre Modène et Bologne n'est que de seize lieues[23]. Le 1er novembre 1789, Louise Élisabeth, Julie, Mme Charrot et le vicomte de Lespinière franchissent les portes de la ville. La jeune femme s'installe dans une auberge, dont l'hôtelier croit utile de l'avertir : Bologne fait partie des États pontificaux et les Français n'ont pas le droit d'y séjourner. Sa déconvenue est immense. Une scène digne de la *commedia dell'arte* se déroule alors :

> Me voilà au désespoir, d'autant plus que, dans le moment même, je vis entrer un grand homme noir, costumé tout à fait comme Bartholo [personnage du médecin dans *Le Barbier de Séville* de Beaumarchais], ce qui me le fit reconnaître aussitôt pour un messager du gouvernement papal. Ses habits, son visage pâle et sérieux, lui donnaient un aspect, qui me fit tout à fait peur. Il tenait à la main un papier que je pris naturellement pour l'ordre de quitter la ville dans les vingt-quatre heures.
>
> — Je sais ce que vous venez m'apprendre, *signor*, lui dis-je d'un air assez chagrin. Vous m'apportez l'ordre de partir. — Non, je viens au contraire vous apporter la permission de rester ici tant qu'il vous plaira, Madame, répondit-il[24].

Certes l'efficacité de la police papale ne fait pas de doute. Mme Le Brun s'étonne d'être *persona grata* dans cette ville lointaine. Peu à peu, elle prend conscience de la dimension internationale de sa notoriété.

Le tableau que la jeune femme souhaite voir en premier à Bologne est une œuvre du Dominiquin, dont elle a pu entendre parler par Doyen[25]. Immédiatement, elle s'échappe pour se rendre seule à l'église Sainte-Agnès[26], où se trouve placée la peinture, qui représente la sainte. Longtemps, elle la contemple en silence : la jeunesse, l'innocence de la jeune martyre face à la cruauté de son bourreau l'émeuvent. Soudain, une mélodie s'élève des orgues de l'église : c'est un air familier. Louise Élisabeth reconnaît l'ouverture de l'*Iphigénie en Tauride* de Gluck[27]. Ce prélude est un de ses morceaux favoris, entendu en des temps calmes et heureux[28]. Alors, agenouillée devant le chef-d'œuvre, elle est émue jusqu'aux pleurs. Cet opéra, elle le sait, avait été dédié à Marie-Antoinette par le compositeur dont la jeune reine était l'élève. En une intuition funeste, Agnès, Iphigénie et Marie-Antoinette se confondent en une même image. Dans son âme résonnent les paroles de l'aria, « Ô malheureuse Iphigénie, tu n'as plus de patrie, tu n'as plus de parents ! » Elle ferme les yeux, elle n'est plus dans l'étincelante salle de l'opéra où elle a entendu tant de fois cet air. Elle est seule à Bologne.

Pour la première fois depuis son départ, la jeune femme se laisse aller à ressentir profondément la solitude et l'éloignement des siens : « Je me mis à pleurer amèrement et à prier le ciel de mettre fin à mes malheurs [29] », écrit-elle avec simplicité. Elle reste un long moment seule dans l'église, et les larmes en s'écoulant la libèrent.

À cette époque de sa vie, l'abattement dure rarement longtemps. Elle se ressaisit afin de visiter les palais de la ville. L'école de Bologne est plus féconde à ses yeux qu'aucune autre école italienne. Des œuvres du Guido Reni, du Guerchin, des Carrache, du Dominiquin, décorent les demeures privées, tels les palais Fava et le palais Magnani. Chaque fois qu'elle pénètre dans une galerie, le *custode* [30] s'apprête à réciter son discours, mais Louise Élisabeth identifie les œuvres immédiatement. Le gardien admire les connaissances de la visiteuse qui s'amuse de son étonnement. D'après lui, aucune dame n'a jamais fait preuve d'autant de savoir qu'elle.

Le palais Caprara, édifié à l'aube du XVIIe siècle, renferme les trophées indiens et turcs de généraux vaincus par les comtes de Caprara [31]. Dans la seconde galerie, la fameuse *Sibylle de Cumes* du Guerchin [32] rivalise avec plusieurs portraits de Carlo Dolci [33], peintre vénitien, et du Titien. Mme Le Brun s'intéresse également à une autre Sibylle, exposée au palais Bonfiglioli, c'est celle de Guido Reni, le Guide. La prophétesse est « appuyée sur sa main tenant un papyrus ». Le souvenir de ces Sibylles s'imprime vivement dans son esprit. Une *Sainte Famille* du Carrache [34] et deux tableaux ronds de l'Albane [35] lui paraissent également d'une grande finesse.

Au palais Zampieri, sous les plafonds du Guerchin [36], c'est encore l'éblouissement des œuvres des Carrache : Annibal Carrache crée un inoubliable effet de nuit dans sa *Pietà* [37] ; un autoportrait pénétrant de Ludovic Carrache [38] intéresse Louise Élisabeth. Dans ce palais, elle admire encore ce qu'elle considère comme le chef-d'œuvre du Guide, *Saint Paul consolant saint Pierre* [39]. Les personnages, représentés grandeur nature, paraissent vivants : « Ce tableau, dit-elle, réunit toutes les perfections ; les moindres détails y sont d'une telle vérité, que ces deux figures font illusion au point qu'on croit les entendre, parler [40]. » Comme Louise Élisabeth, un voyageur en Italie, le président de Brosses, jugeait ce tableau « au-dessus de tout éloge pour le dessin et le coloris [41] ».

Durant la semaine passée à Bologne, la voyageuse ne fait pas de rencontre. La ville papale, qui a une réputation de sévérité, semble dépourvue de vie mondaine : la religion y est respectée à la lettre, les bourgeois et savants vivent discrètement. Les femmes qui se promènent portent un voile de taffetas noir, qui leur couvre presque tout le visage. Une société dans laquelle, il est difficile de pénétrer en somme. Cependant, derrière cet aspect austère, la ville est florissante. Le commerce des tableaux y est actif, mais, mieux vaut être prudent, selon les guides du temps, des ouvrages proposés comme provenant de maîtres de l'école de Bologne ne sont que des copies. Des échoppes vendent des liqueurs, des mortadelles réputées, des plats cuisinés. Ainsi les voyageurs qui vivent à l'auberge n'ont-ils pas à se préoccuper de faire préparer leurs repas [42].

Impressionnée par le prestige de l'école de Bologne, Louise Élisabeth s'isole. C'est avec d'autant plus d'étonnement que, trois jours à peine après son arrivée, le 3 novembre 1789, elle voit s'annoncer une visite. Le directeur de l'Académie clémentine [43], Giuseppe Becchetti [44] en personne, frappe à sa porte. Il apporte à l'artiste ses lettres de réception dans l'illustre *Clementina*.

Faut-il s'étonner de l'empressement que mettent les académiciens à recevoir une artiste de passage dans leurs rangs ? Certes, cette pratique d'accueil est répandue à travers l'Europe dès la seconde moitié du XVIIIe siècle, mais elle témoigne de la notoriété de Mme Le Brun. À l'exception de l'Académie royale de Paris, où l'intégration était difficile, pour les étrangers, la plupart des académies d'Europe considérait l'admission de membres extérieurs comme un enrichissement. Un exemple extrême entre tous : l'Académie de Copenhague qui comptait sur ses fauteuils jusqu'à trente et un artistes étrangers [45].

Bologne, en tout état de cause, sera la première académie de la péninsule à admettre Mme Le Brun. Ces élections sont également un moyen pour les académies d'accroître leurs collections : Mme Le Brun offre à la *Clementina* un gracieux buste à l'huile représentant sa fille, Julie. La fillette, vêtue d'une tunique blanche à l'antique, le regard tourné par-dessus l'épaule, porte une couronne de fleurs champêtres, telle une jeune vestale [46]. Ce portrait évoque déjà l'esprit de celui que l'artiste donnera plus tard à l'Académie de Parme.

Florence

À la suite d'un parcours de trente lieues [47], la voiture de Mme Le Brun et celle de son mentor entrent dans la lumineuse Florence. L'arrivée dans la ville bâtie au creux de la vaste vallée de l'Arno déçoit la voyageuse, qui a une préférence pour les cités construites sur une hauteur. Cependant, dès ses premiers pas dans la ville, la voilà séduite. À peine installée dans l'hôtel qu'on lui a indiqué, en voyageuse de son siècle [48], elle cherche à apercevoir la ville dans son ensemble. Avec le vicomte de Lespinière et Julie, elle grimpe sur les collines envahies d'odorants cyprès. Une remarque candide de Julie admirant les cimes ondulantes et bleutées reste dans son esprit : « Ces arbres-là invitent au silence [49] », soupire Brunette, alors âgée de neuf ans.

Selon son habitude, la voyageuse a prévu un programme de visites. La galerie des Médicis figure en tête. Dans ses *Souvenirs* l'artiste livrera le minutieux récit de sa découverte : les tombeaux antiques, dont celui de Giotto [50], la fameuse statue du Gladiateur [51] dans le vestibule. Puis, dans la tribune, elle est frappée par l'intensité dramatique du groupe sculpté représentant *La Niobé* [52]. Elle se souviendra de cette Niobé, femme forte protégeant son enfant, lorsqu'elle composera ses tableaux vivants avec Lady Hamilton. Parmi les peintures, la *Vénus d'Urbino* du Titien [53] est restée dans sa mémoire. Un volume, écrira-t-elle, lui serait nécessaire pour recenser les délices de ses découvertes.

Dès le lendemain, Louise Élisabeth pénètre dans le palais Pitti [54], où plane le souvenir de Marie de Médicis. La reine s'était inspirée de son architecture pour faire édifier à Paris le palais du Luxembourg, dont Louise Élisabeth a admiré les peintures dans son adolescence. Parmi les trésors rassemblés par les familles Médicis et Lorraine, dans la première salle, elle note une *Sainte Famille* de Louis Carrache et l'admirable tableau de Raphaël la *Vision d'Ézéchiel*. Dans la même pièce, le visage peint avec « vigueur » et « vérité » de la *Bella* du Titien, les couleurs de la robe bleue ornée de manches brodées « de satin cramoisi » l'arrêtent un long moment [55]. Puis, elle se glisse dans la seconde salle : à côté d'œuvres de Jacopo Negretti, dit Palma l'Ancien [56], rayonne une scène allégorique de Rubens, le peintre favori de Marie de Médicis. Elle représente *Les Conséquences de la guerre*. De Rubens encore, la *Sainte Famille au panier* et le tableau des *Quatre Philosophes* lui paraissent superbes.

Mais surtout, c'est au palais Pitti qu'elle reconnaît le fin visage de la *Madonna della seggiola* [57] inscrite dans le cadre circulaire d'un *tondo*, dont elle a vu des gravures. Louise Élisabeth s'était inspirée du mouvement souple des bras de la Vierge dans l'autoportrait où, vêtue à la grecque, elle serre Julie dans ses bras. Devant cette inoubliable madone, Lalande s'était extasié lui aussi : « Il y a, écrivait-il, un effet de lumière et d'arrondissement dans les objets qu'on trouve rarement dans les ouvrages [de Raphaël]. En regardant celui-ci, on ne songe pas à y rien désirer, c'est un objet d'admiration [58]. »

Parfois, les souvenirs de l'artiste se mêlent, mais c'est chose rare. *La Madone des Harpies* d'Andrea del Sarto représente saint François et saint

Jean, et non saint Jérôme comme elle le dit. Une madone de Francesco di Cristofano, dit Franciabigio, représentée devant un paysage de ruines pourrait avoir été confondue avec un tableau de Raphaël. Mais la plupart du temps l'artiste est capable de reconstituer, de mémoire et sans erreur, son itinéraire à travers les salles des palais de Florence.

En sortant, le jardin du palais Pitti offre d'autres splendeurs : au centre d'un bassin se dresse un colossal Neptune du sculpteur Lorenzi. La promeneuse se rafraîchit les mains sous les cascades jaillissant des fontaines réalisées par Jean de Bologne, dit Giambologna [59], qui représentent l'océan.

D'autres merveilles l'attendent en ville : les portes historiées du baptistère. Longtemps, elle les examine. Les dix scènes reconstituées par Ghiberti [60] évoquent des épisodes de l'Ancien et du Nouveau Testament : la Tentation, le Déluge, le Sacrifice d'Isaac, David et Goliath… Composition, visages, draperies, architecture, tout lui semble admirable. Louise Élisabeth pense que ces sujets feraient de magnifiques peintures d'histoire, si on y ajoutait la couleur. Michel-Ange appelait ces portes « portes du paradis », appellation méritée, songe-t-elle. Elle cherche alors le tombeau de Michel-Ange dans l'église Santa Croce [61], où son mausolée voisine avec celui d'autres gloires de l'Italie. « Là, il faut se prosterner », dit-elle [62].

Peintures, sculptures, gravures, bas-reliefs nourrissent son inspiration et sa technique. Toutefois, la voyageuse n'est pas seulement attirée par les artistes dont la gloire est triomphante, elle cherche à découvrir aussi l'œuvre de peintres moins connus. C'est ainsi qu'elle gravit les marches du cloître de l'Annunziata. Là, au fond du transept, dans une lunette au-dessus d'une porte, elle aperçoit une discrète madone. Il s'agit de la *Madonna del Sacco* (Vierge au sac) peinte par Andrea del Sarto. Pour Louise Élisabeth, cette œuvre « divine » peut rivaliser avec celles de Raphaël. D'autres œuvres de del Sarto ornent l'atrium. L'artiste déplore que ces merveilles soient quasiment laissées à l'abandon sans le moindre entretien [63].

Elle a gardé pour la fin de son séjour la visite du palais Altovitti, comme une apothéose, afin de voir « le beau portrait que Raphaël a fait de lui-même ». Ce célèbre portrait n'est pas, on le sait aujourd'hui, celui de Raphaël, mais celui de Bindo Altovitti, banquier et collectionneur cultivé. Il n'importe. Considéré dès lors comme un chef-d'œuvre, le portrait est placé sous verre, ce qui, déplore l'artiste, en a modifié les couleurs, sans parvenir à altérer l'inoubliable clarté du visage [64]. Elle admire la régularité du dessin et la profondeur du regard « observateur ».

Enfin, la bibliothèque des Médicis possède des manuscrits rares, mais ce sont surtout les missels enluminés qui attirent son attention car les sujets peints en miniature sont d'un coloris et d'un « fini » incomparables.

L'épisode le plus marquant du séjour florentin de Mme Le Brun est la visite de la galerie *degli Uffizi*, les Offices, ainsi nommée à cause des bureaux installés au rez-de-chaussée, comme le guide de Lalande le rappelle aux visiteurs. Une salle est réservée aux autoportraits des peintres illustres. L'artiste y remarque celui d'Angelica Kaufmann accroché deux années auparavant. Un sentiment d'orgueil féminin l'envahit à la vue de cette toile. Angelica, dit-elle, est « la gloire de notre sexe [65] ». Quel honneur lorsque les académiciens de Florence demandent le sien à Mme Le Brun pour figurer dans cette galerie ! Puisqu'elle souhaite reprendre la route, l'artiste promet de l'envoyer depuis Rome.

Si les visites occupent les matinées, après-midi et soirées sont libres pour la promenade. Afin de se rafraîchir, on boit à Florence de la limonade et des sirops de cédrats, les meilleurs d'Italie, dit-on, dont le parfum est exquis. La nuit, on circule avec facilité : des lanternes éclairent les palais, et des oratoires ornés de madones illuminent les rues.

La ville est peuplée de nombreux étrangers dont la présence compense le peu d'ouverture des Florentins. De ceux-ci il ne faut pas attendre, rapportent les voyageurs, autre chose que des compliments. Les Florentins vivraient de manière chiche, possèdent de magnifiques appartements inhabités et de vastes cuisines où l'on ne cuisine pas [66]. En revanche les Anglais résident à Florence l'hiver, vivent sur un grand pied et donnent le ton.

Quelques Français y sont en villégiature. Discrètement, Louise Élisabeth évoquera dans les *Souvenirs* la rencontre d'une dame qui l'entoure d'attentions et la conduit sur les bords de l'Arno, où déambulent les voitures élégantes. « Ces promenades, se souviendra-t-elle, et mes courses du matin à la galerie Médicis, aux églises et aux palais de la ville, me faisaient passer mes journées d'une manière ravissante ; et si j'avais pu ne point penser à cette pauvre France, j'aurais été alors la plus heureuse des créatures [67]. »

Cette mystérieuse marquise est l'épouse d'Ippolito Venturi, propriétaire d'un palais situé via della Scalla et d'une somptueuse villa, la *Belmonte*. À Paris, elle se nommait Marianne Testard et grâce à ce riche mariage est devenue Maria Anna. Sans doute la marquise n'est autre que cette « madame Tettare », que Louise Élisabeth a portraiturée à Paris en 1773. Autre détail : la marquise Venturi élève une petite fille, dite « filleule » du comte d'Artois. Les énigmatiques liens d'Artois et de la marquise ne sont pas connus, mais, si l'artiste est entrée en contact avec elle, c'est probablement grâce au réseau du comte de Vaudreuil [68]. Quelques années plus tard, c'est la même Maria Anna qui écoutera les confidences de Vivant Denon, inconsolable d'avoir été chassé de Venise.

Quelques étapes sont nécessaires sur la route qui sépare Florence de Rome où la portraitiste souhaite arriver avant l'hiver. Pour la trentaine de lieues [69] qui restent à parcourir, Louise Élisabeth loue une lourde voiture pourvue d'un cocher, qu'on nomme un « voiturin ». Les yeux remplis des merveilles qu'elle vient de contempler, elle se promet de revenir un jour. Mais la patrie de tous les artistes l'attend au bout du chemin. Ceux qui ne la connaissent pas, dit-on, souffrent, sans le savoir, du mal du pays.

24

Le rêve romain

> « Quel séjour magique et enchanteur
> pour qui aime les arts et l'étude ! »
> Lettre à Brongniart, 12 janvier 1790.

Une arrivée rêvée

Sur la route au loin, dans la lumière pâle de cette fin du mois de novembre, Mme Le Brun devine le dôme de Saint-Pierre. « Je croyais rêver ce que j'avais souhaité si longtemps en vain [1] », écrit-elle dans sa première lettre de Rome à Hubert Robert [2]. Le voiturin longe le Tibre au Ponte Mole. Déconvenue : le mythique fleuve lui paraît bien sale. Enfin le véhicule s'arrête devant le perron de l'Académie de France. Son ami, François Guillaume Ménageot, directeur de l'illustre institution, guette son arrivée. Il se précipite à sa rencontre. Quelle joie de retrouver enfin un proche, un confident. Au bout de ses ressources, Louise Élisabeth n'a pas même de quoi régler le coût du voiturin. François Guillaume l'aide à payer le cocher, et lui propose l'hospitalité dans un appartement modeste, situé dans les bâtiments de l'Académie : en attendant de trouver mieux, elle pourra se reposer avec Brunette et Mme Charrot durant quelques jours.

Après la joie des retrouvailles, son impatience de découvrir Rome est telle que Ménageot la conduit sur l'heure à la basilique Saint-Pierre. Les proportions de l'édifice l'émerveillent. Cependant, quelque chose trouble à ses yeux l'harmonie intérieure de la nef : les énormes pilastres alourdissent l'ensemble. Ménageot lui apprend que son intuition est fondée et qu'à l'origine, des colonnes plus légères soutenaient la voûte. Dans le même après-midi, elle tient à découvrir la chapelle Sixtine et la fresque du *Jugement dernier*. La composition savante du maître a parfois été jugée désordonnée, mais avec Doyen, elle a appris à regarder un plafond peint, et les « raccourcis » de perspective de Michel-Ange lui paraissent audacieux et réussis. À Rome, comme ailleurs, Mme Le Brun n'abdique jamais son sens critique. Elle confronte ce que les autres artistes ou les voyageurs ont remarqué avec ses propres observations. Jamais, elle n'admire béatement

Dès le lendemain de son arrivée, un groupe de pensionnaires de l'Académie vient lui rendre visite. Parmi eux les élèves qui sont à Rome, figurent Lethière, élève de Doyen, Étienne Barthélémy Garnier, autre élève de Doyen et de Vien, François-Xavier Fabre, élève de David, François-Louis Gounod, un parent de Ménageot par sa mère, élève de Lépicié. En revanche, contrairement à ce dont l'artiste se souvient, Anne Louis Girodet est absent du groupe : il n'arrivera à Rome que quelques mois plus tard [3]. Les jeunes gens offrent à Louise Élisabeth un souvenir : la palette de Louis Drouais, mort l'année précédente. Elle était tendrement attachée à cet artiste si prometteur, qui fréquentait l'hôtel Le Brun. La veille du départ du jeune homme pour Rome, un dîner d'adieu avait été organisé par Jean-Baptiste Pierre, rue du Gros-Chenet. « La mort ne respecte rien... », songe-t-elle, en pensant au brillant élève de David. En échange de la palette de Drouais, les élèves réunis en cercle autour d'elle lui demandent quelques-unes de ses brosses. La demande est flatteuse pour une académicienne de trente-cinq ans, qui doute encore d'elle-même. Voir son talent reconnu par la génération suivante est la plus flatteuse des récompenses.

Puisque son séjour à Rome doit durer plusieurs mois, l'artiste quitte le logement provisoire prêté par Ménageot. Simon Denis [4] se propose de l'aider. Ce jeune peintre, d'origine anversoise, a passé une dizaine d'années à Paris où Jean-Baptiste Pierre Le Brun, convaincu par son talent de paysagiste, l'a pris en affection et l'a aidé à se rendre en Italie dès 1786. Les lumineuses huiles sur papier de Denis sont fort appréciées et le marchand a établi avec son protégé une correspondance régulière [5]. Denis signale à Le Brun des tableaux à acquérir. Après le départ de Louise Élisabeth et de Julie, c'est à lui que Jean-Baptiste Pierre confie qu'il se sent bien seul.

Denis met à la disposition de l'épouse de son protecteur quelques pièces dans la maison qu'il occupe avec son épouse italienne, Altarima Gavarini [6], en face de l'ambassade d'Espagne. N'ayant pas d'autre solution et peu de moyens pour le moment, Louise Élisabeth accepte la proposition de Denis. Hélas, entre les carrosses qui se rendent chez l'ambassadeur le jour, et les chants des noctambules jusqu'à l'aube, le bruit est continuel place d'Espagne [7]. La portraitiste se décide donc à louer, près de là, dans une rue tranquille, une maison dont les tentures vertes lui évoquent la couleur de son ancienne chambre, rue de Cléry. Mais, dès la première nuit, à deux heures du matin, elle est réveillée par les blanchisseuses qui actionnent une pompe adossée contre la maison.

Nouveau déménagement, cette fois dans un immense palais, qui n'est habité que par des troupes d'énormes rats. Séjour glacial de six semaines avant de trouver une autre maison, parfaite à tous égards, à l'exception des vrilles des vers rongeant les solives la nuit [8]. Le silence n'est pas la principale préoccupation des Romains en cette fin du XVIIIe siècle, et Mme Le Brun l'apprend à ses dépens. C'est pourquoi durant l'été, elle cherchera à fuir la ville.

Premières promenades

Rome est la ville des découvertes. Mme Le Brun se consacre à ce dont elle a le plus longtemps rêvé : l'œuvre de Raphaël Sanzio. L'élève du Pérugin a laissé à Rome un souvenir vivace. Au Vatican, les salles dites « chambres de Raphaël » lui laissent une impression inoubliable. Dans la chambre de la Signature, elle admire L'École d'Athènes. Dans la chambre voisine, la scène de panique de la fresque de L'Incendie du Borgo, où la main de ses élèves s'associe à celle du maître, la frappe d'étonnement. Comme de nombreux voyageurs, elle est consternée qu'on autorise les artistes à prendre des traits au calque directement sur ces merveilles, au risque de les détériorer [9].

Lors d'une excursion à San Pietro in Montorio, la voyageuse découvre encore la Transfiguration du même maître [10], considéré comme son chef-d'œuvre. Partout, elle admire le fini de l'art de Raphaël. Et lorsqu'elle se trouve face à une œuvre inachevée, elle tente de comprendre sa technique. À Spolète, sur le chemin du retour, une Adoration des mages [11] lui indique la méthode du maître : Raphaël peignait d'abord les têtes et les mains, puis faisait des essais de tons pour les draperies.

L'éclat du visage des madones lui paraît inoubliable. Et ce grand artiste, songe-t-elle, a été accusé de débauche. Selon elle, tout l'homme est dans son pinceau, et cette pureté est incompatible avec les soupçons qui ternissent la réputation du maître. Indignée de ces calomnies, elle conserve de Raphaël une image angélique, elle le veut fidèle, elle le veut passionné pour la belle Fornarina, sa compagne, dont il était épris. Ce qui lui donne à réfléchir, c'est le grand nombre des œuvres du maître, comme si « génie et fécondité » allaient de pair. À l'aube d'une période où elle-même est obligée de produire beaucoup pour vivre, elle trouve là à la fois un modèle et une consolation.

Si l'artiste se sent proche de Raphaël, elle comprend moins l'art du Bernin. Son génie lui est étranger : les colonnes torses, la surcharge ornementale contrarient son goût pour un classicisme à l'antique. Dans l'église de la Victoire-de-Sainte-Marie, elle ne peut dissimuler sa gêne devant la Sainte Thérèse en extase. L'expression de plaisir sensuel de cette œuvre du Bernin avait déjà fait couler beaucoup d'encre. L'historien Lalande, notamment, avait consacré plusieurs lignes à la *Sainte Thérèse* :

> La sainte est représentée dans l'extase de l'amour divin avec la plus vive expression. Un Ange qui a l'air d'un amour tient d'une main une flèche et de l'autre a l'air de lui découvrir un peu le sein et la regarde en souriant. Quand la figure de sainte Thérèse serait nue, elle ne serait pas plus licencieuse ; le sculpteur y a mis une expression que le papier ne peut souffrir. L'Ange a l'air d'un hardi petit maître et la sainte passionnée jusqu'à l'égarement [12].

Dans les *Souvenirs*, l'artiste décrira l'expression du visage comme « scandaleuse [13] ». Sans doute, sa réaction pudibonde est-elle en accord avec le goût de son temps. Ce n'est pas cependant la représentation de l'extase qui la met mal à l'aise. En 1785, elle avait réalisé une *Bacchante* dont la sensualité était éclatante. Mais, elle n'est pas prête à accorder à une sainte le même ravissement. Ses remarques s'accordent au conformisme bien-pensant de ses lectures de jeunesse. Aussi, devant le fameux groupe du Bernin, se défend-elle d'être admirative. Quoi qu'il en soit, dans ses notes, elle évoque peu l'œuvre du Bernin, dont les lignes mouvementées ne la touchent pas.

Mélancolie des ruines

Aux monuments baroques elle préfère les vestiges de l'Antiquité. « Je me suis rendue au Colisée en mémoire de vous [14] », écrit-elle à Hubert Robert dans une de ses premières lettres de Rome. En effet, dans sa jeunesse intrépide, au risque de se casser le cou, Robert était allé planter une croix au faîte de l'édifice. Louise Élisabeth constate avec un sourire que la croix est toujours là [15]. L'effet est magique. Les proportions majestueuses du cirque, les couleurs de la pierre au soleil, la végétation sauvage qui grimpe sur les arches : tout fait du Colisée un sujet émouvant pour les peintres ou les poètes. À la tombée de la nuit, lorsque les derniers rayons du soleil teignent la pierre d'un éclat rougeâtre, elle s'y plaît. Les gradins se détachent sur un ciel intensément bleu, « ce ciel d'outremer qu'on ne voit nulle part aussi foncé qu'en Italie [16] ».

Le jour se retire peu à peu « de cette vaste enceinte [17] », en voyant la nuit se glisser par les arcades et y répandre ses ombres. La songerie au Colisée fait éprouver à l'exilée le sentiment de la fugacité de la vie. Sans faire preuve de la grandiloquence d'un Diderot devant les toiles d'Hubert Robert au Salon, elle exprime le sentiment de son « existence éphémère ».

Le philosophe rêvait ainsi devant les vestiges : « Les idées que les ruines éveillent en moi sont grandes. Tout s'anéantit, tout périt, tout passe, il n'y a que le monde qui reste, il n'y a que le temps qui dure. [...]

Je marche entre deux éternités [18]. » La voix de la portraitiste lui fait écho :
« Ah ! combien ce qui reste fait rêver ! Combien le temps fait petites nos
plus grandes choses ! Depuis que le monde existe, les merveilles du ciel
sont les seules qui n'aient point changé. Ayons donc de l'orgueil, quand
chaque pas que l'on fait dans les environs de Rome nous révèle l'instabilité
des choses humaines [19]. » La jeune femme puise dans la beauté des ruines
un détachement qui lui permet de supporter ses infortunes.

En déambulant près de la porte Saint-Sébastien, elle aperçoit un
enclos de décombres dont la porte est solidement fermée. Ce sont les
thermes de Caracalla. Aussi audacieuse que Robert sur le Colisée, elle
trouve une échelle, l'appuie au mur qu'elle escalade avec agilité. S'agrip-
pant de pierre en pierre, elle arrive au faîte, pivote et bondit sur le gazon
à l'intérieur. Le sol de la palestre est jonché de fragments du marbre
coloré qui bordait les piscines. Quelques mosaïques à tritons qui ornaient
les murs des salles de repos subsistent. Là encore, elle murmure : « Nous
qui croyons être grands, que nous sommes petits ! » Après ces belles pensées, il ne reste à l'intrépide qu'à remonter pour retrouver l'échelle. Ravie
de son exploit, elle le raconte en détail à ses amis Brongniart dans une
lettre du 12 janvier 1790 [20].

La contemplation du monde est devenue sensible à la voyageuse. Elle
découvre le bonheur de la méditation dont sa vie parisienne, si étourdis-
sante, l'a privée. Ce n'est pas dans les églises qu'elle cherche le recueillement dont elle a besoin. En femme de son siècle, elle n'est pas attachée
aux rites. C'est en plein air, en admirant des monuments qu'elle éprouve
la sensation du divin. Partout à Rome, elle est frappée par l'association
du sacré et du profane : religiosité des Romains lors des bénédictions
papales *urbi et orbi*, et paganisme des pratiques du carnaval. Cris,
masques, plumes et rubans lors des fêtes païennes, silence absolu du
peuple lors des cérémonies et des feux d'artifices :

> On ne peut avoir une idée de l'effet imposant et grandiose que produit la
> religion catholique, quand on n'a point vu Rome pendant le carême. La
> Semaine sainte commence au dimanche des Rameaux, et se passe en cérémo-
> nies religieuses dont la pompe est vraiment admirable.
> Le jeudi j'assistai à la messe qui se dit à Saint-Pierre avec la plus grande
> magnificence. Les cardinaux, revêtus de riches chasubles et tenant un cierge à
> la main, se rendent dans la chapelle Pauline, qui est éclairée par mille cierges [21].

Palais romains

Rome recèle aussi des richesses plus secrètes. En se promenant dans les
rues, elle aperçoit par les portes entrouvertes les cours des palais de
fraîches fontaines, des jets d'eau [22]. Afin de n'être pas dérangée, l'artiste

s'échappe seule pour visiter les galeries ouvertes aux étrangers. Au palais Justiniani, elle découvre une œuvre de Gerrit Van Honthorst, *L'Ombre de Samuel*, dont le luminisme nocturne la saisit. Les Italiens avaient surnommé Gerrit, Gherardo della Notte (Gérard de la Nuit) pour ses effets de caravagisme, il avait été l'hôte de ce palais. Là, Louise Élisabeth observe encore une statue casquée de Minerve, tachée d'étranges marques noires. Ce sont les fumées des offrandes d'encens, comprend-elle, fascinée de toucher du doigt la trace des pratiques païennes.

Au palais Barberini, situé sur le Quirinal, elle reconnaît les plafonds peints par Cortone, dont son ami Doyen avait fait des copies. D'autres salles recèlent encore des trésors de l'école française, dont une *Mort de Germanicus* du Poussin. Les *custodes* des palais Colonna et Farnese, à demi assoupis sur leur banc, aperçoivent la silhouette de la svelte jeune femme qui a jeté une pèlerine grise sur sa robe blanche : elle virevolte dans les salles, et tout d'un coup se fige devant un tableau, s'approche pour observer un détail, recule pour avoir un effet d'ensemble. Elle oublie la terre entière. Contrairement aux autres voyageurs, elle ne bavarde pas. Elle ne parle pas l'italien. S'ils savaient ce qu'elle pense au fond d'elle-même. Les yeux éblouis, dans l'ivresse de cette abondance, elle songe que les choix des collections ne sont pas assez « épurés » et que la plupart des tableaux sont sales. L'épouse du marchand de tableaux est choquée de voir qu'une couche de crasse les recouvre [23]. Comme si tout cela était laissé à l'abandon.

L'automne 1789 est pluvieux à Rome, et les excursions à la campagne sont impossibles avant le printemps. Restent les promenades en ville, Louise Élisabeth plisse une écharpe de coton dans le col de sa pèlerine et relève ses cheveux dans un fichu drapé en béret, seules quelques boucles s'échappent de ce couvre-chef improvisé [24]. L'eau s'évapore rapidement après l'averse, elle s'émerveille de trouver la chaussée sèche presque instantanément, alors qu'à Paris les rues sont si souvent boueuses [25]. Sur les places, à eux seuls, les Romains sont un spectacle. C'est l'hiver, les hommes portent des manteaux et se drapent de « manière tellement *poussinesque* que l'on est tenté de les dessiner dans chaque position [26] ». Les femmes du peuple sont très belles. C'est le dimanche qu'il faut les voir, à la promenade elles se parent d'étincelantes girandoles, puis se rendent, dans la même toilette, au Saint-Office. La vie romaine oscille entre les extrêmes, le calme et le tourbillon.

Le mardi matin arrivent les lettres de France. L'exilée n'est pas oubliée de ses amis :

> Je les dévore toutes, s'il vous était possible d'être là pour m'examiner vous verriez la forte impression de l'impatience, du désir de les lire toutes à la fois ;

je les décachète avec rapidité. Je les tiens pour les dévorer, pas une ligne d'oubliée, car je les relis encore ! Ah qu'elles me sont chères, ces douces marques d'amitié et de souvenir [27] !

La vie sociale prend le relais des visites des palais, mais parfois les prolonge. Des amateurs « antiquaires », selon le terme employé au XVIIIe siècle, ont choisi la ville papale comme lieu de séjour. Une ancienne connaissance de la jeune Mlle Vigée, Jean-Baptiste d'Agincourt, archéologue et numismate [28], l'accueille à bras ouverts. Parti en 1778 pour trois ans en Italie, d'Agincourt y est resté. Après s'être longtemps dévoué pour élever des frères et sœurs dont il avait la responsabilité, il s'est résolu à vivre de ce qui lui restait de fortune, au milieu des splendeurs romaines. La conversation instructive de cet historien des arts enchante l'artiste, curieuse de commenter avec lui ses découvertes.

La bonne société romaine n'ouvre pas facilement ses portes aux étrangers. Une méfiance vis-à-vis des Français commence à poindre. Aussi Louise Élisabeth fait-elle peu connaissance parmi les dames romaines. D'autres voyageurs ont remarqué que les patriciennes « ne sont occupées que de parures » et qu'elles singent les modes françaises de façon ridicule. Surtout, « elles ne sentent rien pour les arts ». Ainsi, les Français expatriés se retrouvent-ils entre eux. Le prince Camille de Rohan [29], ambassadeur de Malte à Rome, reçoit tous les soirs une société d'émigrés : le duc de Fitz-James et son épouse en font partie avec leur fils Édouard [30]. Une jolie personne de vingt-deux ans, qui a fui les premières émeutes, Marie-Thérèse de Choiseul-Stainville, princesse de Monaco [31], fréquente également ce monde. Mais l'ornement des soirées du prince de Rohan est indéniablement une jeune femme de vingt ans, Anne Françoise Aimée de Franquetot de Coigny, duchesse de Fleury [32].

La beauté, la vivacité, l'intelligence d'Aimée égaient la conversation, elle a toujours une anecdote à raconter. L'artiste trace un enthousiaste portrait à la plume de la jeune femme qui demeurera son amie au retour d'émigration :

> La nature semblait s'être plu à la combler de tous ses dons. Son visage était enchanteur, son regard brûlant, sa taille celle qu'on donne à Vénus, et son esprit supérieur. Nous nous sentîmes entraînées à nous rechercher mutuellement ; elle aimait les arts, et se passionnait comme moi pour les beautés de la nature.

L'amitié compte beaucoup dans la vie d'une artiste en proie aux doutes et à l'exil. Ni Anne Catherine de Verdun, ni sa belle-sœur Suzanne ne sont présentes pour écouter Louise Élisabeth et la conseiller. Parmi les Françaises qui se trouvent à Rome, Aimée est une amie parfaite. « Je trouvai en elle une compagne telle que je l'avais souvent désirée [33] », se souviendra-t-elle. Mais cette jeune femme vive est écervelée. Elle entretient une liaison avec un séducteur patenté, le duc de Lauzun et correspond assidûment avec lui. Lauzun a pris part à la guerre d'Indépendance américaine et il est suspect d'orléanisme. C'est surtout la frivolité du duc qui inquiète Mme Le Brun pour la réputation de son amie et son bonheur. La nature exaltée d'Aimée puise dans l'amitié de Louise Élisabeth, son aînée de quatorze ans, les moyens de réfréner son impétuosité. Les amies se complètent. Louise Élisabeth est intrépide, elle a le goût de l'exploration, bien qu'elle se prétende d'une nature poltronne [34]. Aimée, compagne d'excursion idéale, la suit aveuglément dans ses escalades sur les sentiers isolés.

Des entretiens discrets

Depuis le mois de novembre 1789, un autre familier de Mme Le Brun vit discrètement à Rome : le comte de Vaudreuil, qui l'a précédée de quelques semaines. Celui-ci s'entretient en secret avec l'ambassadeur du roi de France, le cardinal de Bernis, d'une action diplomatique.

Sans doute Bernis et Vaudreuil ont-ils envisagé, dès ce moment, la possibilité d'une évasion de la famille royale. Selon l'avis du comte, un recours militaire à l'aide des nations étrangères est risqué pour la sécurité de Louis XVI et des siens. Sur ce point, il est en désaccord avec le frère cadet du roi, le comte d'Artois, que Vaudreuil tente de ramener à plus d'égards envers son frère aîné, resté en France en si dangereuse posture. « Surtout, Monseigneur lui écrit-il, ne vous laissez pas entraîner par un trop grand amour de la gloire [35]. » Vaudreuil incite Artois à plus de prudence, mais celui-ci piaffe d'impatience à Turin. Hébergé par son beau-père, Victor-Amédée III de Savoie, il est contraint de supporter son épouse, Marie-Thérèse. Dire qu'il l'apprécie peu est un euphémisme. De plus, il souffre d'être séparé d'une femme dont il est épris, et qu'il ne peut inviter à Turin : la comtesse de Polastron, belle-sœur de Yolande de Polignac placée sous la protection de Vaudreuil. Si Artois rejoint Vaudreuil et Bernis à Rome, on criera à la conspiration contre-révolutionnaire.

Vaudreuil parle clair : « Rome est le lieu que vous devez le plus éviter [36] », écrit-il en novembre 1789. Il incite Artois à oublier ses propres intérêts : « Ne rien faire pour vous, mais tout pour le roi, la gloire de votre auguste maison et le bonheur des peuples. » C'est parler à un sourd.

Le comte de Vaudreuil a donc fort à faire à Rome. Il traverse une période d'abattement. Sa situation financière est catastrophique : « Je n'ai ni voiture, ni argent et, à la veille de ma ruine totale, ne recevant plus rien de mes gens d'affaires, je dois tout calculer, tout épargner [37]. » Ce connaisseur n'a pas même l'énergie d'aller voir les chefs-d'œuvre de

Raphaël, du Dominiquin, des Carrache qu'il admire tant. « Je ne sors presque pas de chez moi [38] », écrit-il à Artois au mois de décembre. Ce n'est plus le séducteur de jadis que Louise Élisabeth revoit à Rome.

La portraitiste affirme avoir évité le cercle de l'ancienne gouvernante des enfants de France, Yolande de Polignac. Jamais, elle n'évoque ouvertement ses rencontres avec Vaudreuil. Les Polignac sont détestés. Et elle craint des représailles sur sa famille restée à Paris [39], car Rome fourmille d'espions, envoyés par le nouveau régime et chargés de déjouer les complots ourdis par les émigrés. En outre, parmi les élèves de l'Académie, certains émules de David sont acquis à la cause révolutionnaire. On pourrait dire qu'elle complote.

L'artiste tient absolument à sa ligne de conduite : son voyage à Rome est un voyage d'étude.

La preuve de ses rencontres avec Vaudreuil existe cependant. Le comte a confié dans une lettre à Artois combien la présence de la jeune femme « qu'il aime tendrement » lui a fait du bien. Ils se sont vus, sans témoins, entre décembre 1789 et avril 1790, régulièrement. Où se sont-ils rencontrés ? Le soir, au crépuscule au Colisée ? Dans la pénombre d'une des innombrables chapelles romaines ? Leur liaison amoureuse n'est plus de saison, en ces temps troublés. « Je conviens que mes charmes sont fort diminués [40] », avoue Vaudreuil qui entre avec une résignation amusée dans sa cinquantième année, mais l'affection, la complicité demeurent. Les amis ont pu évoquer dans leurs conversations le temps passé et les angoisses présentes. Louise Élisabeth a pu confier à Vaudreuil la joie de ses découvertes artistiques, et lui parler de Raphaël et du Dominiquin qu'ils aiment tant.

L'avenir, sans doute l'évoquent-ils avec inquiétude : que deviendront-ils si l'exil se prolonge ? Loin d'imaginer seulement le sort qui sera réservé à la famille royale, ils sont en plein désarroi, mais saisissent chaque lueur d'espoir. Ils sentent que les Français deviennent indésirables à Rome. Qui sait si, pensant au pire, ils n'ont pas déjà évoqué la possibilité d'un séjour à Vienne.

25

Une émulation artistique

« Rien ne pourra jamais altérer mon ardeur pour l'étude,
car le but que je veux atteindre est encore loin [1]. »

La visite à Angelica

Mme Le Brun sait que la plus célèbre de ses consœurs vit à Rome. Elle vient d'admirer son autoportrait à la galerie des Offices à Florence. Pour rien au monde, elle ne voudrait manquer de la rencontrer : il s'agit d'Angelica Kaufmann [2]. Les deux artistes ont des expériences à partager. Née dans une famille de peintres, en Suisse, Angelica a montré un talent précoce et s'est elle aussi vouée entièrement à son art. Dans sa vingt-deuxième année, en 1763, elle a fait un séjour décisif à Rome. Au contact des cercles artistiques et littéraires, son talent s'est étoffé. Elle a rencontré Winckelmann et est devenue l'émule de ses théories du « beau idéal ». Deux années plus tard, l'Académie romaine de San Luca l'a reçue parmi ses membres. À Rome et à Venise, elle a côtoyé la haute société cosmopolite et particulièrement l'aristocratie anglaise.

C'est donc tout naturellement qu'elle a été invitée en Angleterre où elle est restée quinze ans. Amie de Reynolds, remarquée par le prince de Galles, Miss Angel est devenue la portraitiste en vogue de la *gentry*. La consécration académique ne s'est pas fait attendre. Angelica a fait partie des membres fondateurs de la Royal Academy en 1768. Parmi ses œuvres les plus délicates, elle a réalisé, un portrait de Lady Louise Élisabeth Foster, la seconde duchesse de Devonshire, vêtue de blanc devant un paysage lacustre [3]. Certains portraits de dames russes que Louise Élisabeth Le Brun réalisera plus tard pourraient procéder de l'esprit de ce tableau, bien que la tonalité mélancolique des représentations d'Angelica soit moins perceptible chez l'artiste française.

À ses talents de portraitiste, Angelica ajoute des aptitudes de peintre d'histoire. Grâce à son sens du décor, elle a participé aux projets d'ornement de demeures patriciennes édifiées à Londres par l'architecte Adam. Un style décoratif « à la Angelica Kaufmann » se retrouve désormais sur les boiseries, les stucs, et jusque sur les vases et les médaillons de Josiah Wedgwood, fondateur des fabriques de porcelaine qui portent son nom. Son style fait l'objet d'un véritable engouement.

Avant de la rencontrer, Louise Élisabeth a appris d'autres détails sur la vie de Miss Angel. Par le passé, celle-ci a fait une mauvaise rencontre, dont elle a souffert : un de ces hommes à bonnes fortunes, un aventurier du nom de Frédéric Horn. Elle est séparée de cet individu depuis plus de vingt ans maintenant, cependant Louise Élisabeth le rend responsable de la fragilité de l'artiste. À Rome, Angelica paraît enfin heureuse. Elle a rencontré un homme qui lui convient : un architecte, peintre et décorateur vénitien, Antonio Zucchi, qu'elle a épousé. Installée depuis 1782, avec Zucchi, elle vit dans une fastueuse maison. Dans sa galerie, elle possède des tableaux de grands maîtres : deux Canaletto, un Titien. Sa porte est ouverte aux artistes et aux écrivains : en 1787, Goethe lui a fait l'hommage de sa visite et elle a réalisé son portrait. Elle est en relation avec l'Europe entière, et elle a entendu parler du talent de Mme Le Brun.

Louise Élisabeth visite l'atelier de sa consœur dont elle apprécie la technique savante. Ses esquisses lui paraissent d'une couleur plus brillante que ses tableaux, d'un chromatisme comparable à celui du Titien. Angelica paraît « douce, fort instruite et sans prétention [4] » Ravie de n'être pas intimidée, Louise Élisabeth va souvent la voir [5]. Dans l'enthousiasme, elle confie à ses amis Brongniart : « Je l'aime beaucoup [6]. » La lecture de *La Jérusalem délivrée* du Tasse, celle des pièces de Shakespeare, des *Poèmes* d'Ossian, nourrissent l'œuvre d'Angelica dont la conversation est érudite. Sans doute celle-ci s'exprime-t-elle en français, alors langue de l'Europe. Toutefois, Louise Élisabeth, accoutumée aux vives réparties de ses confrères, trouve qu'Angelica manque de passion. Avouant son « peu de savoir dans l'Histoire », déçue par l'absence de rythme de leur dialogue, elle constate que la compagnie d'Angelica ne l'a pas « électrisée ». Malgré tout, les deux femmes s'apprécient assez pour passer plusieurs soirées en tête à tête.

Comme Louise Élisabeth, Angelica aime la musique, presque autant que la peinture. Afin d'illustrer la complémentarité de ses goûts, elle se représentera en un autoportrait où les muses de la Musique et de la Peinture cherchent à l'attirer, chacune de leur côté [7]. À l'Opéra, les deux artistes assistent aux débuts du chanteur Crescentini, « l'Orphée italien », dans le *César* d'Haendel [8]. Ravie de cette compagnie qui la met en valeur, car la notoriété de sa nouvelle amie dépasse la sienne, elle raconte aux époux

Brongniart : « Nous avons été ensemble au spectacle ; cela a fait un bel et bon effet, la réunion a été bien sentie. Je suis fière du rapprochement[9]. »

Le souvenir de l'étrange Miss Angel demeurera à tout jamais dans la mémoire de Louise Élisabeth, et ce d'autant plus que leur travail sera souvent comparé. Une *Vie* d'Angelica Kaufmann[10] sera éditée en 1810, avant même que Mme Le Brun ne commence la rédaction de ses propres *Souvenirs* : cette publication aura peut-être incité l'artiste à prendre elle-même la plume.

C'est encore avec Angelica que Mme Le Brun est invitée à un repas officiel où tout le corps diplomatique est représenté, chez l'ambassadeur de France, le cardinal de Bernis[11]. Bernis, âgé de soixante-quinze ans, que les émigrés ont surnommé « le bon homme », leur réserve la place d'honneur, à ses côtés, mais il touche à peine au repas et se contente de quelques légumes. Fondamentalement hostile à la Révolution, l'ancien protégé de Mme de Pompadour, homme de lettres à ses heures, accueille et soutient les émigrés autant qu'il le peut.

Vie musicale

À Rome, Louise Élisabeth cherche à retrouver les plaisirs d'un bon répertoire musical. Dès le printemps 1790, elle exprime son désappointement dans une lettre à Robert et Brongniart :

> Vous croyez que, dans ce pays de la bonne musique, on en fait partout, et bien, non, c'est la chose la plus rare on a même actuellement de goût moins que chez nous. [...] J'ai été au concert chez le sénateur de Rome, c'est la seule bonne maison où l'on exécute avec soin, mais le choix de leurs morceaux n'est pas aussi piquant que ceux que nous faisions entendre[12].

Ce que la jeune femme regrette encore, c'est l'absence d'un Opéra-Comique de bonne qualité comparable aux « Bouffons[13] ». Heureusement, quelques artistes font passer leur tournée par Rome. La cantatrice Brigitta Georgi-Banti[14] donne un récital dans une galerie. Louise Élisabeth, qui n'a pas eu l'occasion de l'entendre à Paris, ne veut pas manquer l'occasion. La Banti est un phénomène : sans connaître le solfège, elle chante de mémoire et brille dans le répertoire du compositeur Paisiello. Son style sensible, sans recherche de virtuosité, fait oublier à Louise Élisabeth sa petitesse et sa laideur.

Mme Le Brun cherche une compensation dans la musique sacrée. À Pâques, la dramaturgie exceptionnelle du catholicisme romain l'impressionne.

Le mercredi saint, à la chapelle Paolina, sur le Monte Cavallo[15], elle entend le *Stabat Mater* de Pergolèse, qui la transporte. Le vendredi de la même semaine, elle assiste à l'office à la chapelle Sixtine : le *Miserere* d'Allegri, chanté *a capella*, l'enchante comme « la musique des anges ». On ne pouvait l'entendre nulle part ailleurs, l'œuvre d'Allegri n'étant exécutée qu'une fois l'an, le Vendredi saint. Le manuscrit avait été gardé secret jusqu'au jour, où, dit-on, le jeune Mozart en avait reproduit de mémoire la partition.

Louise Élisabeth, qui n'assiste pas régulièrement aux offices, conserve une sensibilité particulière pour la musique religieuse. C'est un des seuls moments où elle laisse tomber ses défenses. Si la musique profane l'enchante et la délasse, la musique sacrée la remet en contact avec sa faiblesse, les chagrins de son enfance et la mort de son père. Comme elle aime le répéter, ce n'est pas dans des églises au luxueux décorum qu'elle aime se recueillir, mais dans des chapelles simplement ornées, des oratoires à l'écart des chemins.

Les commandes à Rome

Une des premières tâches que l'artiste se donne à Rome consiste à exécuter le portrait promis pour la galerie des Offices. Sur cette toile, sobrement vêtue d'une robe de soie noire ceinturée d'une écharpe rouge liserée d'or, un ruché de dentelle au corsage, les cheveux retenus dans un mouchoir de batiste blanc, elle travaille, sur la toile posée sur un chevalet, à une esquisse d'un portrait de la reine. La palette tenue dans la main gauche est tournée vers elle tandis que la gamme chromatique – blanc, noir, rouge – qui domine la représentation est délicatement reprise par le bouquet de pinceaux [16]. Avant d'être acheminée à Florence, la toile est exposée dans l'appartement qu'elle a loué, et où elle reçoit de nombreux visiteurs. Durant deux semaines, quatre-vingts personnes se bousculent chaque matinée. Admirateurs de tous rangs et de tous métiers. Éperdue de joie, elle veut partager son bonheur avec Brongniart et Robert :

> Vous saurez donc mes amis que mon tableau pour Florence a le plus grand succès. J'aurais l'air de fatuité si je vous explique les détails de la pleine réussite ; c'est au point que jamais de ma vie je n'ai été encouragée à ce point [17].

L'artiste a obtenu ce qu'elle souhaitait : être célèbre en Italie. Les Romains l'appellent « Mademoiselle Vandick », « Madame Rubens ». On veut la garder à Rome, bientôt on la demande à Naples. On lui dédie des poèmes. Comme autrefois à Paris. L'œuvre ne sera envoyée à Florence que l'année suivante. Une gravure du portrait sera réalisée, qui popularise davantage encore l'image de Mme Le Brun en Italie [18]. Mais l'artiste tient à préciser que ce succès ne lui tourne pas la tête :

Tout cela ne me rend pas plus vaine, vous me connaissez bien pour croire que je m'enorgueillisse de ce succès ; il m'a étonnée, encouragée, voilà tout. […] mon divin Raphaël, Dominiquin et tant d'autres rabattraient mon caquet, ha ! Ils ne pourront me prendre en défaut je les admire trop et estime si peu ce que je produis que rien ne pourra jamais altérer mon ardeur pour l'étude [19].

Ce triomphe lui vaut des remarques acerbes. Ainsi l'admiration de Louise Élisabeth pour Angelica, voire son désir de s'identifier à elle, n'a pas échappé à l'insolent Girodet [20] qui ne croit pas à la modestie de l'artiste : « Dis-moi, écrit-il au peintre Gérard, s'il y a eu effort d'émulation entre les folliculaires de Paris pour payer, à la nouvelle et enflée Angelica Kaufmann, le juste tribut d'éloges qu'elle croit dû à son mérite, car je présume qu'elle aura mis son tableau chez Le Brun [21]. » Sans doute faut-il voir dans ces commentaires une misogynie de rapin plus qu'une profonde hostilité à Mme Le Brun. Plus tard, Girodet signera une pétition en sa faveur afin de permettre son retour en France. Mais les temps auront changé.

Malgré les sarcasmes d'un ou deux élèves de l'école de Rome, Mme Le Brun est loin de considérer qu'elle a atteint ses objectifs. Elle étudie, se rend aussi souvent que possible dans les galeries, les chapelles et consacre le reste de son temps à la portraiture. Car il faut vivre.

Les Anglais en villégiature à Rome constituent un vivier de clientèle. Lord Hervey, comte de Bristol, est connu de Simon Denis à qui il avait acheté une vue de Naples. Pour lui, Mme Le Brun exécute une réplique de l'autoportrait offert à la galerie des Offices, avec une variante : c'est le visage de Julie qui figure sur le chevalet et non plus celui de Marie-Antoinette [22]. Lord Bristol étudiait passionnément les éruptions du Vésuve : Louise Élisabeth le représentera plus tard sur fond de volcan.

Un collectionneur anglais, Thomas Pitt, connu sous le nom Lord Camelford, souhaite le portrait de sa ravissante fille de seize ans, Anne [23]. Cédant à la mode des portraits mythologiques et peut-être à la demande de la famille, l'artiste veut la peindre sous le costume de la déesse Hébé, qui personnifie la jeunesse. Cette formule à la mode fut notamment employée par Reynolds pour le portrait de Mrs Musters [24]. Louise Élisabeth place Anne Pitt devant un ciel traversé de nuées ; à la main elle tient une coupe, dans laquelle un aigle vient boire le nectar. L'harmonie chromatique mordorée – des cheveux auburn du modèle, de l'écharpe de voile chamois aux ors de la coupe et de l'aiguière – est assourdie par les tons grisâtres de la tunique bordée d'or. L'ensemble est aérien et élégant. L'artiste réalise l'aigle « d'après nature ». Le cardinal de Bernis lui a prêté un superbe volatile, qui lui appartient, pour figurer dans le tableau. Mais, le modèle est indiscipliné. L'oiseau, peu habitué à être enfermé dans un appartement, se débat, déploie ses ailes dans la pièce et s'attaque à l'artiste.

Toutes les séances de pose ne sont pas aussi éprouvantes. Simultanément, on lui commande le portrait d'une comtesse polonaise, Anna
Potocka [25]. La belle Anna arrive escortée de son époux, le comte Kajetan
Potocki. Le comte, très épris, est le troisième mari de la comtesse. À
peine est-il sorti de la pièce qu'Anna Potocka, se sentant en confiance
avec l'artiste, lui fait des confidences. Elle est lasse de Potocki et
demande conseil : ne devrait-elle pas reprendre son précédent époux, le
prince Casimir Nestor Sapieha ? Infidèle à Potocki, qui l'adore, Anna ne
tardera pas à faire annuler ce troisième mariage, sans toutefois reprendre
son second mari. En effet, lorsqu'elle retrouvera le chemin de l'autel une
quatrième – et dernière – fois, ce sera pour Charles Eugène, prince de
Lorraine. Attentive à saisir la fantasque personnalité de son modèle,
l'artiste la représente dans une pose sage, mais le regard de biais semble
signifier que son esprit papillonnant est ailleurs. Avec ce portrait, Louise
Élisabeth met au point une formule qu'elle emploiera de nombreuses fois
par la suite. Accoudée sur un rocher dans une atmosphère de mousses
fraîches, la comtesse est entourée de cascades qui ouvrent le tableau sur
des lointains « pittoresques », inspirés de ses excursions à Tivoli.

Outre les Anglais et les Polonais, on rencontre à Rome de nobles
Irlandais. Lord Richard Wellesley, comte de Mornington, était l'amant
d'une actrice parisienne, Hyacinthe Gabrielle Roland, qui l'avait accompagné en Italie. Afin de mettre en valeur le regard tendre de la jeune
femme, déjà mère de cinq enfants de Wellesley, Mme Le Brun puise
dans ses souvenirs. L'attitude, la nudité de l'épaule, la tendresse du
regard évoquent le célèbre tableau de Rubens, *Hélène Fourment au manteau de fourrure* [26]. Comme l'épouse de Rubens, Gabrielle porte ses longs
cheveux dénoués ; comme elle, elle replie le bras dans un mouvement qui
suggère une sensualité voilée de pudeur [27].

Durant l'année 1790, où sa production demeure intense, Mme Le Brun
exécute un second autoportrait de réception, un buste sans les mains
qu'elle destine à l'Académie San Luca de Rome. Vêtue d'une robe
d'hiver au ton grisâtre, une écharpe nouée en cravate autour du cou, un
fichu de batiste frangé d'or, elle se contemple mélancoliquement. Loin
de savoir que son exil durera longtemps encore, l'artiste semble plongée
dans une gravité nouvelle et intériorisée [28].

26

LES ALENTOURS DE ROME, DES SITES PITTORESQUES

> « Ah ! Que Rome et ses environs sont attachants :
> tout parle aux yeux des peintres [1]. »

Frascati

L'automne et l'hiver 1789 sont exceptionnellement pluvieux à Rome et il faut attendre la fin de l'hiver pour songer à quelques excursions. Ménageot est heureux de faire les honneurs de la campagne romaine à son amie. C'est donc lors de ce printemps humide de 1790 que Louise Élisabeth découvre les environs de Rome. Dans une lettre, elle raconte l'une de ses premières sorties à Hubert Robert et à l'architecte Brongniart :

> Je suis allée à Frascati malgré un peu de pluie ; j'ai été enchantée de la beauté de ce lieu. La villa *Aldobrandini,* appelée *Belvedere* est dans une des plus belles positions du monde. C'est magique en vérité : des cascades d'eau à l'infini, des arbres verts de toutes espèces ornent le beau jardin. La vue en est ravissante [2].

L'artiste reconnaît les paysages romains, en même temps qu'elle les aperçoit, car chaque vue lui « rappelle sans cesse » les beaux tableaux de Robert. Aussi le paysagiste est-il le confident naturel de son émerveillement. Une ivresse proche de l'extase la saisit devant tant de beauté. Les paysages romains sont une révélation qui transforme son regard et l'ouvre à une nouvelle sensibilité : celle de l'extérieur. Jusqu'alors, Louise Élisabeth Le Brun était un peintre d'atelier. Si elle appréciait les campagnes parisiennes, elle ne goûtait pas le plaisir de peindre sur le motif une nature plus sauvage. Sensible à l'exceptionnelle lumière italienne, elle lève des croquis, exécute quelques pastels et quelques paysages à l'huile [3].

... on ne peut faire un pas sans avoir besoin de crayons ni de palette ; je meurs d'envie de peindre aussi du paysage cette grande ligne d'aqueducs couronnée par de hautes montagnes de nacre, de perle car le soleil donne des éclairs ainsi : c'est à tourner la tête [4].

Ces œuvres aujourd'hui disparues serviront à documenter les fonds de quelques portraits viennois et pétersbourgeois. Lors de la même excursion, elle fait étape à Tusculum, où le spectacle des villas en ruines l'attriste. Puis, elle se rend à l'abbaye de Grottaferrata, toute proche. Ménageot sait que dans la chapelle Saint-Nil se trouvent des fresques du Dominiquin, une de ses expériences italiennes les plus fortes. *La Guérison du jeune possédé* renforce son admiration pour ce maître.

L'expression la plus touchante et la plus vraie est attachée à tous les personnages de la scène : quel talent que celui-là ! Je l'adore le premier après Raphaël. Son tableau de la communion de St Jérôme est aussi un des premiers tableaux du monde, c'est avec justice qu'on le regarde ainsi [5].

Cette première excursion dure plusieurs jours. L'itinéraire du petit groupe passe par la villa Conti, ses jardins aux essences multiples, et la villa Pallavicina. Enfin les amis remontent vers le nord jusqu'au lac de Bracciano que surmonte un imposant château. La route bordée de roseaux, d'oliviers et de pins parasols est à peindre.

Tivoli

Une autre escapade conduit l'artiste à Tivoli, la *Tibur* romaine, où se situe la villa d'Este chère aux artistes. Simon Denis s'est joint à la petite troupe. Julie est aussi de la partie avec sa gouvernante. On s'achemine sur la route des Cascatelles. C'est un éblouissement. Fascinée par cette vue, Louise Élisabeth abandonne le crayon pour les pastels afin de reproduire le prisme coloré de lumière sur la cascade. Entre les coteaux verdoyants, les rochers abrupts et les chutes d'eau, le site satisfait à toutes les exigences des trois artistes épris de « beau pittoresque [6] ». Simon Denis, de son côté, se plaçant un peu plus loin, sort sa palette et représente Louise Élisabeth dessinant la cascade avec sa fille [7].

La marche met les promeneurs en appétit : ils improvisent une table sur les pierres du temple de la Sibylle, songeant peut-être aux autres voyageurs qui avaient fait étape au même endroit. Cinq années auparavant Du Paty avait goûté dans ce lieu enchanté un repas de lait et de fraises, et donné sa définition du bonheur : « De l'appétit, des mets sains, le sentiment toujours présent du lieu où nous étions : à droite des coteaux couverts de verdure, à gauche des monts hérissés de rochers [8]. »

Après le repas, Louise Élisabeth se repose, allongée à même la pierre tiède du temple, bercée par le bruit musical des cascades. Le soir, la petite troupe dort à l'auberge [9]. Julie, qui tient son journal de voyage relate que le fils de l'aubergiste observe Ménageot dessiner avec curiosité. Après le repas, « maman écrit », dit-elle. Peut-être Louise Élisabeth veut-elle déjà faire partager les découvertes de ces lieux si poétiques à Hubert Robert. En compagnie de Fragonard et de l'abbé de Saint-Non, Robert avait passé tout un été à Tivoli et avait rapporté une moisson de dessins.

Le lendemain, désireuse de terminer son esquisse, Mme Le Brun retourne dès l'aube aux Cascatelles, puis les promeneurs se dirigent vers la grotte de Neptune. Des chutes d'eau, des antres, des rochers couverts de mousse, tous ces points de vue conviennent au goût des trois peintres. L'excursion s'achève avec un détour par la villa Adriana, à quelques lieues de Tivoli. Cet immense champ de ruines entouré de murs fut le réservoir de bien des musées européens. Louise Élisabeth identifie les uns après les autres les monuments : les temples de Diane et de Vénus, l'Académie et la vallée de Tempé, avec un ruisseau qui figure le Pénée. La dimension des palais et la distribution des appartements, le *Pœcile*, double portique, orné de niches d'où les statues sont désormais absentes, lui font concevoir la grandeur du règne d'Hadrien mieux que les livres d'histoire qu'elle n'a pas pu lire. L'élégance des décorations intérieures la séduit. Que de chemin à parcourir avant d'atteindre un tel raffinement ! songe-t-elle, en proie à une méditation sur la disparition des civilisations.

Le Monte Mario et la passion de la solitude

Lorsqu'elle ne dispose que d'une partie de la journée, Louise Élisabeth dirige ses pas vers les hauteurs du Monte Mario [10] où se trouve la villa Mellini. C'est encore Ménageot qui lui a fait découvrir ce point de vue, un de ses buts d'excursion favoris à Rome. Conquise par la pureté de la ligne des Apennins, elle prend l'habitude d'y revenir. Son ami lui ayant déconseillé de s'éloigner seule, Germain, le domestique qu'elle a engagé à Rome, l'accompagne et porte un panier garni d'un poulet et d'œufs frais achetés à l'auberge voisine. Ces notes sensibles ne seront pas retranscrites dans ses mémoires :

> J'étais seule avec mon domestique à qui je donnais à manger à quelque distance de moi, voulant toujours être isolée ne pouvant jouir et contempler la belle nature avec du monde autour de moi. Les bruits de chacun, leur parlage trop souvent contraire à ma manière de voir et de sentir m'ont donné la passion de la solitude ; et c'est ainsi que j'ai senti mon bonheur par mes contemplations. Je causais avec moi-même sans être le moins du monde éteinte et contrariée [11].

Les couleurs du couchant sur les montagnes, le silence et la pureté de l'air lui permettent de s'évader de la situation présente, tellement confuse. Tenter d'y voir plus clair dans ce chaos.

> J'oublie de dire que sur des hautes montagnes mon âme s'élève dans le ciel. Je me suis souvent prosternée par reconnaissance pour le Créateur suprême.

Elle qui regrette de n'avoir pas l'âme plus pieuse adresse une prière silencieuse et envoie ses vœux muets à ses amis, sa famille : que tous soient saufs ! Sur le Monte Mario un vers de Lebrun-Pindare revient à sa mémoire : « L'âme prend la hauteur des cieux qui l'environnent [12]. » Dans un cahier où figurent ses poèmes de prédilection [13], ces mots, souvent murmurés, sont soigneusement recopiés.

Arricia

Lors de l'un de ces étés romains [14], Mme Le Brun persuade Aimée de Fleury de quitter avec elle la chaleur de la ville. En quête d'une maison à louer, les amies se dirigent vers la ville d'Arricia, traversée par la voie Appia. Sans accorder d'attention à la collégiale construite par le Bernin, elles goûtent la fraîcheur des fontaines et des bois environnants. C'est à Genzano di Roma que Louise Élisabeth trouve un logis à son goût. Il s'agit d'une résidence qui a été habitée et décorée par le peintre Carlo Maratta. En pénétrant dans la demeure, Louise Élisabeth découvre des pièces peintes à fresque. Maratta, parfois nommé *Carlo delle Madonne* [15], car il avait réalisé quantité de tableaux de Vierges de petites dimensions, était aussi le restaurateur des fresques de Raphaël au Vatican. Vivre dans cette maison chargée d'histoire est une joie pour l'artiste.

La maison de Maratta est le point de départ idéal de promenades. Aimée, Louise Élisabeth et Julie louent des ânes capables d'aller par tous les chemins. Une promenade des plus délicieuses est celle du « Miroir de Diane ». C'est ainsi qu'on désigne le lac de Nemi au sein duquel s'élève un temple dédié à la déesse et dont les colonnes claires se reflètent dans l'eau mouvante. Encadré d'une végétation touffue, surplombé par une tour et les courbes d'un aqueduc, ce lac est, selon l'artiste, « à peindre ». L'on devine les chemins qui conduisent à la ville de Nemi. Comme sur un tableau du Poussin, des silhouettes se distinguent au lointain : c'est la procession de la fête des fleurs, le jour de la Fête-Dieu.

Le lac de Nemi devient le lieu de prédilection des trois Françaises, qui décident d'aller un soir contempler le clair de lune sur ses eaux. Le chemin du retour est moins facile :

Comme nous suivions un sentier, [les] arbres, ayant été agités par le vent, prirent tout à fait l'aspect de grands spectres qui nous menaçaient ; ma pauvre enfant se mourait de peur ; elle me disait toute tremblante : *Ils sont vivants, maman, je t'assure qu'ils sont vivants* [16].

Audacieuse et craintive à la fois, Louise Élisabeth aime se remémorer ses aventures avec Aimée de Coigny : leurs terreurs de jeunes femmes seules croyant apercevoir des brigands au tournant des chemins, comme ce jour où, sur un chemin bordé de sépultures anciennes dans les bois d'Arricia, elles entendent les pas d'un homme qui les suit. Elles font mine d'appeler à grands cris leur domestique Germain, qu'elles n'ont pas cru bon d'emmener avec elles, et se lancent dans une course folle pour atteindre la route plus fréquentée. Quoi de plus agréable ensuite que de se souvenir d'une grande frayeur lorsqu'on est à l'abri [17] !

Julie, une enfant accomplie

Qu'advient-il de Brunette lorsqu'elle ne partage pas les promenades à dos d'âne, les excursions au bord de la mer, les visites de galerie ? À l'âge de l'admiration absolue pour sa mère, elle écoute les conversations. Louise Élisabeth a formé pour elle un projet d'accomplissement. Brunette reçoit des leçons de musique et d'écriture, apprend la géographie et les langues : l'italien, l'anglais et l'allemand qu'elle affectionne particulièrement. Lorsque l'artiste a rencontré Angelica Kaufmann, elle a pris la mesure de ses propres manques en histoire et dans les langues. Aussi veut-elle donner à sa fille les clefs du savoir.

Tout enfant a besoin de s'amuser, aussi s'efforce-t-elle de lui procurer des camarades de son âge. La famille d'Osmont, d'ancienne noblesse normande, est en exil en Italie, et leur enfant, Adèle, a presque le même âge que Julie. Celle-ci a dix ans, Adèle, onze. Durant le séjour romain, les fillettes se voient souvent. Cependant, malgré leur exil et leur impécuniosité, les Osmont ne se considèrent pas comme appartenant au même monde, et la déjà impérieuse Adèle toise avec mépris Mme Le Brun. Lorsque, devenue comtesse de Boigne et vieille dame, Adèle racontera ses souvenirs, elle y égratignera l'artiste, qui, d'après elle, était jolie, « bonne personne », mais minaudière [18]. Elle la soupçonnera d'avoir songé pour sa fille à une noble alliance. Procès d'intention peu fondé, comme l'histoire le prouvera.

À quoi s'occupe une fillette de cet âge ? Ramasser des fleurs et en faire des herbiers, jouer des morceaux de musique au clavecin, copier des poèmes dans des albums. Julie joue de la guitare, comme Louise Élisabeth, mais c'est une enfant solitaire. Elle a la tête romanesque : elle aime la lecture et les récits que lui lit Mimi, sa gouvernante. Imaginative, elle

écrit des histoires qu'elle appelle ses « romans ». Un soir, rentrée tard
d'une soirée en ville, Louise Élisabeth la trouve en bonnet de nuit, à
demi assoupie sur son cahier. L'enfant est fière de lire à sa mère ce qu'elle
a écrit. Dans son indulgence maternelle, Louise Élisabeth se souviendra
que l'un de ces récits était joliment composé.

Julie est une enfant du voyage. Élevée entre sa mère et sa gouvernante
Mimi, elle ne peut tisser de lien durable avec des personnes extérieures.
Il lui faudra attendre le long séjour à Pétersbourg pour nouer des amitiés
qui lui seront propres. Du journal de voyage rédigé par la fillette, probablement un exercice de rédaction surveillé, comme on en donnait aux
élèves studieuses, seuls deux feuillets, employés comme brouillon, ont été
miraculeusement conservés [19]. Ces précieux documents permettent de
deviner la silhouette de l'enfant à l'écriture appliquée.

La mère et l'enfant partagent des moments intenses. La petite admirant sa mère désire éprouver les mêmes choses qu'elle. En tous points,
elle l'imite. Et sa mère nourrit l'illusion de n'avoir avec elle qu'une et
même sensation. Louise Élisabeth signe parfois ses lettres « Brunette
grande [20] », comme si elles n'avaient qu'un seul et même surnom, dans
une étrange identification.

Le soir, pour la reposer de ses leçons, Louise Élisabeth vient chercher
Brunette et, ensemble, elles contemplent le coucher de soleil sur les collines romaines.

27

NAPLES

« C'est ainsi que j'ai senti mon bonheur par mes contemplations ; je causais avec moi-même sans être le moins du monde éteinte et contrariée [1]. »

Vers Naples

Après ce bref répit romain, dès le début du mois d'avril 1790, la portraitiste suit le mouvement de ceux qui partent passer le printemps à Naples. Avant les grandes chaleurs, la saison est plus agréable pour les excursions. La princesse de Monaco et la duchesse de Fleury la précèdent. « Naples aussi où je suis attendue veut avoir de mes barbouillages [2] », écrit-elle à ses amis. Le besoin de conquérir une nouvelle clientèle l'incite aussi à repartir. Une sœur aînée de la reine Marie-Antoinette est sur le trône, voilà qui donne à espérer de nouvelles commandes.

Le comte de Vaudreuil reste à Rome. Il se désole de cette nouvelle séparation, car au départ de la portraitiste s'ajoute de celui de Mme de Polastron. Celle-ci, au mépris de toute prudence, se rend à Turin afin de rejoindre son amant, le comte d'Artois. Vaudreuil doit se rendre en mai à Venise. Sans ressources personnelles, il ignore comment faire face à ce nouveau voyage. Il lui faudra puiser dans les minces revenus du duc de Polignac, qui subvient déjà aux besoins de sa petite colonie. Ne sachant quand ils se reverront, les amis se disent de nouveau adieu.

Le voyage de Rome à Naples s'effectue en deux jours, avec une seule étape. Le cardinal de Bernis conseille à la jeune femme de ne pas partir seule. Une aubaine se présente alors : un attaché français de l'ambassade à Rome, François Duvivier, doit se rendre à Naples. À défaut d'être célèbre par lui-même, Duvivier est l'époux de la nièce de Voltaire, Marie-Louise Mignot, veuve Denis. Cette accorte veuve de dix ans son aînée est la légataire universelle du grand homme [3]. Sur un ton affirmé, Duvivier assure l'artiste de sa protection. Avec lui, elle sera de surcroît bien nourrie, car il se vante de posséder une voiture moderne, équipée d'une marmite placée sous le châssis. Les passagers pourront faire cuire une volaille qui compensera la piètre chère des auberges.

Rassurées par ces promesses, les trois voyageuses s'installent dans le véhicule de Duvivier. L'artiste tente une conversation polie. Elle apprécie à haute voix la forme étonnante des nuages, qui la font rêver. Duvivier y voit un présage de pluie. Elle remarque la blancheur immaculée des moutons s'ébattant dans les prairies, le grincheux les trouve sales. Les vignes lui paraissent prometteuses de belles vendanges, le rabat-joie les compare à celles de Bourgogne. « Je ne l'écoutais plus, écrit-elle, j'étais décidée à ne point me laisser refroidir par ce glaçon [4]. »

Malgré tout, cet « éteignoir » ne parvient pas à gâcher la joie de Julie découvrant la mer pour la première fois à Terracine. « Sais-tu bien, maman, s'exclame-t-elle, que c'est plus grand que nature [5] ! »

À l'auberge de Terracine, les promesses de poulet étant oubliées, la chère médiocre ne rassasie pas les voyageurs. Enfin, empruntant des chemins bordés de myrtes et d'églantines la voiture s'approche de Naples. Vers trois heures de l'après-midi, le soleil est presque à son zénith. La baie si souvent représentée par les peintres s'offre aux yeux de l'artiste dans une lumière jamais vue : du Vésuve monte une colonne de fumée qui se mêle aux nuées.

« Une lanterne magique délicieuse »

La voiture traverse Naples en direction de l'est et se dirige vers l'hôtel où Louise Élisabeth a retenu des chambres. Les voyageuses sont immédiatement saisies par l'énergie et l'agitation qui se dégagent de la cité. Les rues abondent de scènes colorées. Les cris des marchands ambulants, qui vendent des oranges et des citrons du lever du jour jusqu'à la nuit, retentissent si fort que l'auteur d'une description de la ville affirme que, en comparaison de Naples, Rome est « le centre de la tranquillité [6] ». Sur les placettes, des tréteaux de bois sont recouverts de nappes de couleurs vives ; des promeneurs mangent debout, avec les doigts, des macaronis assaisonnés d'huile. Des jeunes filles vêtues d'une jupe courte verte ou rouge, et d'un corselet à lacet, tiennent appuyées sur leur tablier des corbeilles de poissons frais à vendre. Leurs anneaux d'oreilles étincellent sous le soleil, elles sont chaussées de mules brodées à talons [7].

Dans les échoppes de la rue de Tolède, des marchandises de toutes sortes sont réservées à ceux dont la bourse est bien garnie : bas de soie, gants parfumés, mouchoirs, mais aussi de la vaisselle. Louise Élisabeth apprend que le roi Ferdinand a fait établir une fabrique qui produit une porcelaine dont la texture est presque aussi fine que celle de la porcelaine de Saxe. Des objets de jaspe, des vases d'albâtre, sont vendus à des prix abordables. Pour les collectionneurs, on trouve des agates. D'étonnantes boîtes en lave du Vésuve tentent les enfants. Bien que la toilette des Napolitains paraisse simple, les comptoirs sont achalandés de toutes sortes d'étoffes. En réalité, la recherche de l'élégance se concentre sur les équipages : on en voit de somptueux. Les Napolitains rivalisent de fantaisie avec des phaétons raffinés et des calèches décorées et peintes. Des chaises à porteurs peintes en rouge portées par des valets vêtus d'écarlate sillonnent les rues.

Louise Élisabeth a choisi de résider à l'hôtel du Maroc, situé sur le quai de Chiaia. Ce large quai bordé de pelouses fait face à l'île de Capri. Des fenêtres de son appartement, protégées du soleil par des toiles bleu et blanc [8], la vue sur le golfe est au-delà de toute attente. Le séjour s'annonce bien. Sans le savoir, Louise Élisabeth est attendue.

Un ambassadeur prévenant

L'ambassadeur de Russie à Naples, le comte Pavel Martynovitch Skavronski [9], a entendu parler de la célèbre Mme Le Brun. Il se fait un plaisir de l'accueillir. Connaissant la frugalité de la chère dans les auberges, il lui fait immédiatement envoyer un repas. Le soir même, elle court remercier l'ambassadeur et son épouse de leur délicatesse.

Étrange couple que celui du comte Skavronski et de la comtesse Ekaterina Vassilievna Skavronskaïa. Il est aussi pâle et souffreteux qu'elle est lumineuse et fraîche. Ekaterina est une des nièces de Potemkine, et comme trois des sœurs Engelhardt, elle a été la favorite du satrape avant d'épouser le comte. Comblée de richesses par son oncle et son époux, Ekaterina mène une vie paresseuse. Sans accorder un regard aux bijoux et aux somptueuses toilettes confectionnées pour elle par l'habile Rose Bertin, elle passe ses journées allongée sur un divan.

Le comte veut être le premier à Naples à posséder un portrait de son épouse par l'artiste. Dès le surlendemain, Mme Le Brun fait poser Ekaterina. L'artiste mène la séance selon son habitude, mais tous les efforts de conversation sont vains. Ekaterina n'a rien à dire. Cette vacuité n'enlève rien à son charme. Le maréchal de Ségur, connaisseur en jolies femmes, surnommera cette poupée, « petite tête d'amour [10] ». Mais, il faut donner un semblant d'intériorité à cette indolente. La portraitiste jette à grands traits la composition du tableau sur un carnet [11]. La pose est choisie. Appuyée sur les coussins d'un sofa, la tête très légèrement inclinée, la comtesse tiendra à la main un médaillon, contenant une miniature représentant son mari. Au dos du médaillon figurent des lettres entrelacées, *EK*, surmontées d'une couronne. Ekaterina a consenti à porter ses boucles d'oreilles en gouttes de nacre et quelques rangs de perles. Ses cheveux épars sont retenus par une écharpe de voile, sa robe peignoir est resserrée à la taille par un *schall*. Les couleurs sont assourdies : satin vert des manches, reflet gris sombre de la robe. Rien ne vient concurrencer le teint éclatant de la jeune femme.

Comparé au portrait inexpressif qu'Angelica Kaufmann avait réalisé du même modèle, celui de Louise Élisabeth est doué de vie. Le visage, plus modelé, reflète la songerie vague de la jeune femme de vingt-neuf ans [12]. Satisfait, le comte commande deux autres portraits d'Ekaterina [13]. Mme Le Brun ignore encore que plusieurs années plus tard, elle retrouvera la belle Skavronskaïa, veuve à Pétersbourg.

Pour l'heure, personne ne pourrait espérer avoir de voisins plus généreux et attentifs que les Skavronski. Louise Élisabeth peut se considérer comme perpétuellement invitée chez le comte. C'est son premier contact avec l'hospitalité de la colonie russe. L'hôtel de l'ambassadeur est fréquenté également par le consul de France, l'abbé Antoine Bertrand [14]. L'abbé, aussi bossu et contrefait qu'il est aimable et savant, est un ancien professeur de mathématiques de l'École militaire. Chaque jour il vient faire sa partie de piquet avec l'ambassadeur de Russie. L'artiste, si attentive à la prestance et à la tenue du corps, se désole de l'infirmité du bon abbé, mais ne peut en détourner ses pensées. Au point qu'un jour, sans y prendre garde, elle se met à chantonner *L'Air des bossus* en sa présence. Voilà l'étourdie rouge de confusion [15].

> Depuis longtemps je me suis aperçu
> De l'agrément qu'on a d'être bossu
> Quand un bossu l'est derrière et devant
> Son estomac est à l'abri du vent [16].

Magnanime, l'abbé, ne s'en offusque pas. Malgré cet impair, il sera un compagnon à toute épreuve dans les excursions qu'organisera l'artiste.

Les portraits d'Emma Hamilton

Les nouvelles vont vite à Naples comme ailleurs. Un autre ambassadeur se précipite pour faire connaissance avec Mme Le Brun, Sir William Hamilton [17], ambassadeur d'Angleterre. Cet homme d'une cinquantaine d'années, svelte et au teint halé par le soleil, a trois passions : les antiquités, le volcan et une femme qui partage sa vie à Naples, sans être encore son épouse, la belle Emma. Il souhaite immédiatement son portrait.

Emma Lyon, ou Hart, est une beauté qui a déjà défrayé la chronique. Et Lord Hamilton a beaucoup d'entregent. Comment plaire à un ambassadeur sans mécontenter l'autre ? Et ce d'autant plus qu'une troisième demande se présente : une ancienne connaissance cette fois, en la personne de Lord Bristol, qui désire aussi être portraituré [18]. L'artiste mène donc de front plusieurs ouvrages en faisant alterner les séances de pose. Chacun peut se dire ainsi que son portrait exécuté par Mme Le Brun est privilégié.

Emma est aussi vivante qu'Ekaterina est placide. Sa chevelure brune est si épaisse que, dénouée, elle la recouvre tout entière. Elle a fait un jeu – et même un spectacle – de la variété de ses expressions et de ses attitudes [19].

> Rien n'était plus curieux en effet que la faculté qu'avait acquise [Emma] Lady Hamilton de donner subitement à tous ses traits l'expression de la douleur ou de la joie, et de se poser merveilleusement pour représenter des personnages divers. L'œil animé, les cheveux épars, elle vous montrait une bacchante délicieuse, puis tout à coup son visage exprimait la douleur, et l'on voyait une Madeleine repentante admirable [20].

Qui est Emma en réalité ? Dans ses *Souvenirs*, Mme Le Brun souligne le côté romanesque de la vie de la future Lady Hamilton. À son sujet, les historiens ont des difficultés à démêler la réalité de la légende. Par quel biais Emma est-elle arrivée à Naples ?

Emma Lyon avait, dit-on, été employée comme servante dans une taverne londonienne. Remarquée pour sa plastique harmonieuse, elle avait servi d'effigie vivante de la déesse Hygie, dans le « Temple de la Santé » d'un charlatan, le docteur Graham. Son visage angélique lui avait valu ensuite l'amour d'un homme de goût, Sir Harry Fetherstonhaugh, qui devient son « bienfaiteur », et sans doute le père de sa première fille. Il installe Emma à *Rosemary cottage*, dans le Sussex, au grand dam de sa famille.

Plus tard, le charme d'Emma conquiert Lord Charles Greville [21], ami de Sir Harry. Dès 1782, Greville introduit Emma dans l'atelier du peintre Romney. Ravi par un modèle dont le visage et la stature conviennent à son talent, Romney réalise une série de portraits – en Circé, en Médée, en Miranda – qui font d'Emma un sujet *fashionable*. Dans sa quête d'une vision idéale de la beauté antique, le peintre fait valoir à merveille l'exceptionnel visage d'Emma, son corps souple. En posant pour lui la jeune femme apprend l'art des attitudes expressives.

Quelque temps plus tard, Greville, à court d'argent, demande l'aide d'un oncle fortuné, le frère de sa mère, Lady Élisabeth née Hamilton.

C'est ici que Sir William Hamilton entre en scène. Espérant amadouer Sir William, Greville lui présente Emma, en Angleterre et, non à Naples, comme le suppose Louise Élisabeth dans ses *Souvenirs*. Sir William, fasciné, trouve en Emma une harmonie qui correspond à son idéal de beauté. En effet, Lord Hamilton s'est forgé une esthétique personnelle, lors de conversations avec son ami Johann Winckelmann. Celui-ci a défini les canons de la beauté antique dans son ouvrage intitulé *Histoire de l'art chez les Anciens*.

La beauté « grecque » d'Emma correspondant admirablement aux critères du « beau idéal », prônés par Winckelmann, l'oncle de Greville commande au peintre Joshua Reynolds le portrait de la jeune fille, puis il regagne Naples. Tandis que Greville cherche à épouser une héritière afin de régler ses dettes, Emma tente sa chance auprès de l'oncle de son amant et lui demande l'hospitalité, pour quelques mois. Elle promet de ne pas le déranger. Escortée par sa mère, la Circé de vingt et un ans arrive à Naples, entre dans les grâces du lord ambassadeur et devient sa compagne en titre.

Malgré la différence d'âge et l'opposition de sa famille, Lord William est résolu à épouser sa « beauté grecque ». Le lord ambassadeur doit demander l'autorisation du souverain pour se marier et lors d'un voyage éclair à Londres en 1791, Emma Lyon devint Lady Hamilton. Avant son départ, le lord confie à Mme Le Brun : « Elle sera ma femme malgré eux ; après tout c'est pour moi que je l'épouse [22]. » Les commentaires ironiques vont bon train. Walpole s'esclaffe : « Hamilton a épousé sa galerie de statues [23]. » À son retour, la nouvelle lady est présentée à la cour de Naples, le 15 janvier 1792. Grâce à ses intrigues, elle se glisse dans l'intimité de la reine Marie-Caroline et recueille ses confidences.

Vis-à-vis d'Emma, Mme Le Brun reste sur la réserve. Sa personnalité « moqueuse et dénigrante » lui déplaît. Ses intonations frôlent la vulgarité. De plus, elle est inculte. Tout en appréciant peu Lady Hamilton, la portraitiste utilise ses incomparables qualités, sa fraîcheur et sa beauté. Et ce à un point tel que la réussite européenne de Louise Élisabeth sera liée à l'image d'Emma. Ce n'est pas elle qui lui apprend l'art de poser, ce qu'Emma faisait intuitivement ; en revanche, elle la conseille sur la façon de se vêtir et de dramatiser ses apparitions, comme elle l'affirme : « Je lui fis faire des robes comme celle que je portais, pour peindre à mon aise, et qu'on appelle des blouses ; elle y ajouta des *schals* pour se draper, ce qu'elle entendait très bien [24]. » Toujours vêtue d'une tunique blanche, c'est ainsi qu'Emma apparaît aux hôtes de Lord Hamilton à Naples [25].

Portraiturer Emma, c'est relever un défi : Reynolds, Hoppner, Hugh Douglas Hamilton, Angelica Kaufmann et, bien sûr, Romney ont déjà représenté la belle « Grecque ». Mme Le Brun choisit une transposition mythologique. Emma devient une Ariane allongée dans une grotte au bord de la mer sur une peau de panthère. Telle une bacchante, elle tient une coupe à la main. Le tableau est achevé vers la mi-juillet 1790 [26].

Lord Hamilton marchande le cachet. L'artiste lui accorde une remise, qui correspond à la moitié du prix pour « une grande figure [27] ». Elle apprendra plus tard que le lord aurait revendu le tableau environ vingt fois le prix payé, en faisant courir le bruit qu'il aurait déplu à son modèle. Plus vraisemblablement, Hamilton aimait le profit ; car il vend également à l'un de ses neveux, Lord Warwick, deux petites têtes au fusain, improvisées sur un dessus-de-porte, ainsi qu'une tête, que Louise Élisabeth lui avait offerte, copiée sur son plus célèbre portrait d'Emma. On disait de Lord Hamilton qu'il protégeait les arts, mais que les arts le protégeaient aussi [28].

Après avoir représenté la jeune femme *en bacchante*, dansant avec un tambour de basque, cheveux flottant au vent, dans un esprit qui évoque les danses napolitaines, l'artiste réalise, lors d'un second séjour à Naples, une grande Sibylle sur un fond rocailleux, qu'elle achèvera en 1792 à Rome. Emma est coiffée d'un châle enroulé autour de la tête en une attitude qui évoque le tableau de la galerie Borghese, la *Sibylle* du Dominiquin [29]. Le regard levé, elle tient un *volumen* à la main. Le commanditaire de cette œuvre est le duc de Brissac, que l'artiste a connu chez la comtesse Du Barry [30]. Jamais, le duc n'entrera en possession de la toile, qui, cependant portera chance à Mme Le Brun. Roulée dans ses bagages et reclouée sur son cadre à chaque étape, universellement admirée, la *Sibylle*, dont il existe plusieurs répliques, servira longtemps de faire-valoir à l'artiste [31].

Dans cette série de portraits, l'artiste exprime une subtile combinaison d'influences. Sa couleur et sa composition s'inspirent du regard porté sur les maîtres italiens. Les attitudes légères évoquent le mouvement des danseuses admirées sur les fresques pompéiennes, tandis que ses fonds reflètent tantôt l'humidité fraîche des grottes, tantôt l'ardeur du volcan sur la baie de Naples. Comme une éponge, la jeune femme s'imprègne des choses vues et les magnifie sur la toile.

L'artiste est souvent reçue dans les quatre résidences napolitaines de Lord Hamilton. Habituellement le lord réside au palais Sessa, dont la vue est délectable : au sud, la baie de Naples et le Vésuve, à l'ouest, l'île de Capri. Dans son *studio*, le diplomate entasse ses objets précieux, dont certains proviennent des fouilles en cours [32]. Lord Hamilton a déjà réuni une collection de vases anciens vendue en 1771 au British Museum [33]. Sur les murs du *studio*, on lit une inscription *La mia patria è dove mi trovo bene* (ma patrie se trouve là où je suis bien). Ces mots pouvaient choquer les sujets du roi d'Angleterre, mais l'artiste exilée, qu'en pense-t-elle ? Elle qui, dans une note furtive, dira de Rome « en vrai, j'avais pour cette ville la maladie du pays [34] » partage-t-elle le sentiment de Lord Hamilton ?

Afin de suivre la cour, l'ambassadeur loue à Portici la *villa Angelica*. Le soir, Lord Hamilton fait donner un concert près d'une vigne dont le raisin est délicieux. De là, au crépuscule, Louise Élisabeth contemple le Vésuve. Durant la saison des chasses, l'ambassadeur s'installe à Caserte dans sa *little cabin*, une demeure rustique, dont le jardin à l'anglaise, est irrigué par une cascade. Enfin, pour le plein été, il loue un *casin* entre la plage de Chiaia et le coteau du Pausilippe. Il y organise des soirées où l'on profite de la fraîcheur de l'air. Une étrange attraction consiste à y produire de jeunes plongeurs. On jette une pièce d'or et les éphèbes disparaissent dans les profondeurs des récifs pour la retrouver. Louise Élisabeth déteste voir jouer avec la vie de ces adolescents. Mais cet amusement est en vogue chez les riches propriétaires de villas. Le peintre Wilhelm Tischbein rapporte que les jeunes gens jouant entre eux prennent des positions sculpturales. Presque tous les soirs, Hamilton les rétribue pour jouir de ce spectacle aquatique [35].

Depuis le jardin de son *casin* du Pausilippe, Sir William peut contempler l'inquiétant gardien de Naples, dont il est passionné. Jour après jour, il observe les signes précurseurs des éruptions, les consigne, en fait faire des gouaches par Pierre Fabris [36] et les envoie à la Royal Society à Londres.

« *Je me ferais Vésuvienne* »

La passion de Lord Hamilton est communicative et Mme Le Brun, qui avoue être effrayée d'un rien, est intrépide lorsqu'il s'agit de goûter à de nouvelles sensations. Depuis quelques semaines, elle songe au Vésuve. Elle entraîne Felicia de Seabra e Silva, l'épouse du ministre du Portugal [37], et l'abbé Bertrand à sa suite. Dans une lettre adressée à l'architecte Brongniart elle fait le récit de cette ascension :

> La première fois que j'y suis montée, nous fûmes pris, mes compagnons et moi, par un orage affreux, par une pluie qui ressemblait au déluge. [...] Un brasier, qui me suffoquait, serpentait sous mes yeux ; il avait trois milles de circonférence. Le mauvais temps nous empêchant d'aller plus loin ce jour-là, et la fumée, ainsi que la pluie de cendre qui nous couvrait, rendant le sommet du mont invisible, nous montâmes sur nos mulets et nous descendîmes dans les laves noires. Deux tonnerres, celui du ciel et celui du mont, se mêlaient continuellement ; le bruit était infernal, d'autant plus qu'il se répétait dans les cavités des montagnes environnantes. [...] J'arrivai chez moi

dans un état qui faisait pitié : ma robe n'était que cendre détrempée ; j'étais morte de fatigue [38].

Malgré cette première tentative éprouvante, Louise Élisabeth renouvelle l'aventure en emmenant Julie. Elle veut voir la nuit sur le Vésuve et faire partager à son enfant ces fortes sensations. Sans doute a-t-elle admiré les vues spectaculaires du chevalier Volaire et ses compositions aux effets pyrotechniques éclatants.

À la tombée du jour, le soleil éclaire les fumées blanches dans une qualité de jour opaque. L'artiste sort ses pastels pour reproduire cet effet. Mais l'éruption de la nuit dépasse tout ce qu'elle peut imaginer.

> Enfin la nuit vint, et la fumée se transforma en flammes, les plus belles que j'ai jamais vues de ma vie. Des gerbes de feu s'élançaient du cratère, et se succédaient rapidement, jetant de tous côtés des pierres embrasées qui tombaient avec fracas. En même temps descendait du sommet une cascade de feu qui parcourait l'espace de quatre à cinq milles. Une autre bouche du cratère placée plus bas était aussi enflammée ; celle-ci produisait une fumée rouge et dorée, qui complétait le spectacle d'une manière effrayante et sublime [39].

Brunette est effrayée, mais tente d'être brave : « Maman, faut-il avoir peur ? » chuchote-t-elle.

Pas de place pour la crainte lorsqu'on est éperdue d'admiration. Longtemps après, l'artiste se remémore avec précision la variété des couleurs qui accompagnent cet immense incendie nocturne. Bien des artistes voudraient pouvoir atteindre par leurs œuvres le *sublime* naturel qui se dégage de la vision. De cette seconde excursion, Louise Élisabeth rapporte quatre dessins à partir desquels elle projette de faire un tableau.

> Pour un peu je me ferais Vésuvienne, tant j'aime ce superbe volcan ; je crois qu'il m'aime aussi, car il m'a fêtée et reçue de la manière la plus grandiose. Que deviennent les plus beaux feux d'artifice, sans en excepter la grande girande du château Saint-Ange [40], quand on songe au Vésuve ?

Plusieurs voyageurs rapportent que le Vésuve ébranle les nerfs de façon durable [41]. Mais Louise Élisabeth ne s'en tient pas là. Elle veut faire une troisième ascension. Parmi les artistes séjournant à Naples, un ancien élève de son ami Doyen, Guillaume Guillon Lethière [42] fait partie des amateurs du Vésuve. Habitué aux terres volcaniques des Antilles où il est né, il ne se fait pas prier pour accompagner sa consœur. Un matin de février 1791, Lethière accompagné par deux artistes de ses amis [43], Julie et Louise Élisabeth partent chargées du panier de leur repas. À mi-pente, les voilà noyés dans un brouillard opaque qui les sépare les uns des autres. Impossible d'avancer ni de reculer. Enfin, le brouillard se lève, laissant place à un paysage radieux. Après le repas pris chez un ermite, les artistes s'installent joyeusement pour attendre le coucher de soleil et sortent leurs carnets de dessin. Lethière croque alors Louise Élisabeth juchée sur son âne [44].

Le sentiment des origines : Ischia, Procida, Pompéi

De ses promenades sur la côte Louise Élisabeth contemple les îles. Elle évoque dans une lettre adressée à Mme Du Barry, le prodigieux panorama depuis le promontoire qui domine le lac Averne :

> On découvre ces trois îles se détachant dans l'étendue de la vaste mer. C'est une vue vraiment poétique, le jour le plus pur éclaire ces masses d'une manière aérienne, le calme qui y règne, tout cela produit un effet magique [45].

Aussi lorsque Lord Hamilton propose une excursion vers Procida et Ischia, Mme Le Brun accepte-t-elle immédiatement. Emma, qui ne porte pas encore le titre de « lady », sa mère et l'artiste montent dans la même felouque. Dona Anna Felicia voyage dans une autre embarcation. On part à l'aube lorsque les premières lueurs du jour éclairent le Pausilippe. La traversée est calme. Si ce n'était le tapage fait par les rameurs, tout serait parfait.

L'embarcation aborde Procida. L'île volcanique et sauvage est parsemée de maisons à coupoles. Habitée par des pêcheurs, elle est plantée de vignes et de figuiers. Attentive à la beauté partout où elle se trouve, la portraitiste, admire les traits purs des femmes de l'île. Leur allure rappelle aux promeneurs l'idéal de beauté grecque dont tous sont épris. Enthousiastes, ils se plongent dans une Antiquité vivante et croient reconnaître, inchangés, les paysages décrits par Virgile. L'image du cap Misène, telle qu'elle la voit ce jour-là, restera gravée dans la mémoire de l'artiste.

Les promeneurs débarquent ensuite sur l'île d'Ischia au moment où le soleil éclaire les cimes des collines, jetant des feux sur les maisons blanches. L'île montagneuse offre une grande variété de paysages et des villas s'y cachent. Un maréchal suisse au service de la France, le baron de Salis [46] y séjourne durant l'été, et dès le lendemain, à l'aube, les amis du baron se joignent à Louise Élisabeth, Lord Hamilton et leur compagnie. Une troupe joyeuse d'une vingtaine de personnes part à la découverte des paysages. Ravins profonds, pierres volcaniques contrastent avec des bosquets et des vignes grimpantes. Mais l'excursion n'est pas sans risque : le sentier est à pic, il faut traverser des nuées opaques pour accéder au sommet. Louise Élisabeth subit les caprices de sa monture, qui s'obstine à marcher au bord du précipice. La voilà isolée par le brouillard. Se croyant perdue, elle s'agrippe à son âne avec l'énergie du désespoir, devinant à peine les bords du sentier. « Le cœur me bat encore quand j'y pense, écrira-t-elle dans ses *Souvenirs* [47], je suivis pourtant, mais non sans recommander mon âme à Dieu. » Enfin le son de la cloche de l'ermitage traverse les nuages, elle sait qu'elle est sur le bon chemin.

Le paysage d'Ischia contient tout ce qui peut combler de joie une âme éprise de beauté. La force du précipice abrupt, « une superbe horreur », alliée au coloris de la plaine marine parsemée d'arcs-en-ciel. Louise Élisabeth a le sentiment de se trouver à la source même de l'art. Ce qu'elle éprouve si vivement n'est autre qu'un sentiment des origines : « certainement, s'exclame-t-elle, la poésie est née là [48] ! »

Les envolées lyriques devant la mer ne font pas oublier les réalités terrestres : un repas organisé par le baron de Salis dédommage de toutes ces émotions. Suprême raffinement : des glaces sont servies au dessert. Sans doute un peu de ce vin de lacrima-christi cultivé sur les pentes du Vésuve accompagne-t-il les plats, car, après ce festin, Louise Élisabeth et Dona Anna Felicia Silva s'assoupissent, un sac d'orge en guise d'oreiller, pour une sieste champêtre.

Et Pompéi ? Louise Élisabeth peut-elle quitter Naples sans avoir vu le mythique site de Pompéi ? Elle sacrifie à ce rite du voyage à la ville engloutie par la terrible éruption du Vésuve en 79 avant J.-C. Pompéi, site mille fois rêvé avant que d'être vu. Les ruines n'ont été mises au jour que depuis un demi-siècle. Mais Louise Élisabeth semble déçue, la ville lui paraît petite, les palais étroits. Vers 1790, seul un cinquième du site actuel de Pompéi a été exhumé. En revanche, le musée de Portici abrite les objets découverts sur le chantier de fouilles d'Herculanum. Elle y conduit Julie, lui explique l'harmonie qui se dégage des statues, mais elle n'évoque pas les représentations de mosaïques encore mal restaurées dans la dernière décennie du siècle.

Capri

L'artiste aime longer le coteau du Pausilippe [49], elle descend de voiture pour marcher « à mi-côte » parmi les orangers. « L'air que j'y respirais, écrit-elle dans une note, était embaumé et si pur que je ne puis exprimer le bonheur dont je jouissais [50]. » De sa fenêtre, elle rêve d'effets de nuit sur l'île de Capri. Le fils de l'ambassadeur de France à Naples, Auguste Louis de Talleyrand, propose d'organiser une navigation nocturne afin d'y contempler le lever du soleil. Le jeune homme, âgé de vingt-deux ans, appartient à une famille qui n'est pas tout à fait inconnue de Louise Élisabeth. Par sa mère [51], il est le petit-neveu de Calonne. Le comte de la Roche-Aymon, fils d'une dame d'honneur de Marie-Antoinette, est aussi de la partie : il a vingt ans. Dona Anna Felicia se joint au petit groupe. Julie dort à la maison. Afin de rendre l'excursion plus agréable, on a engagé un musicien et un chanteur napolitains. La nuit est claire et la traversée promet d'être longue.

Bientôt, une houle se lève à laquelle le jeune Talleyrand n'accorde pas d'importance. Des vagues énormes menacent l'embarcation. L'expédition tourne au désastre. Plus question de chansons napolitaines ! Tous sont en proie à un terrible mal de mer. Seule Louise Élisabeth se révèle avoir le pied marin et, malgré sa frayeur, contemple les lueurs de l'aube sur les côtes découpées de Capri.

À peine débarqués, les promeneurs font le tour de l'île à dos de mulets. L'air de Capri est réputé pour guérir les maux du corps et les douleurs de l'âme : citronniers en fleurs, feuillages d'aloès, vue magique sur la baie de Naples, tout enchante les voyageurs. Au retour, le ministre de France, le baron de Talleyrand, réserve un accueil glacial à son fils et le réprimande d'avoir fait risquer à ses hôtes une traversée dans de telles conditions.

Dans l'entourage de l'ambassadeur de France, Louise Élisabeth fait connaissance de deux secrétaires de légation : l'un, Amaury Duval, est poète [52], l'autre, François Cacault, mathématicien et connaisseur [53]. Elle les entraîne un jour de juin pour une escalade à la Solfatare avec Julie. Ce cratère en incessante activité dégage des fumerolles. Le sol boueux est meuble, la chaleur insupportable, et la fillette exténuée interroge sa mère : « Maman, on peut mourir de chaud, n'est-ce pas [54] ? » De cette promenade aux champs Phlégréens, que les anciens comparaient à l'Enfer, reste à l'artiste le souvenir de son imprudence, mais aussi de nouveaux liens d'amitié. François Cacault sera son conseiller en affaires, et Amaury Duval, bien des années plus tard, un fidèle de son salon.

La dame au voile vert et les enfants royaux

Si la portraitiste multiplie les excursions, le plus souvent elle se lève à l'aube pour travailler. Elle a besoin de se reposer la nuit, et durant son « calme » rituel, l'après-midi. L'appartement de l'hôtel de Maroc est agréable. Bien exposé, il est pourvu à l'arrière d'une galerie ouvrant sur « un jardin rempli d'orangers et de citronniers en fleurs [55] ». Dans le lointain, on devine les contours massifs de la chartreuse Saint-Martin. Sur la façade, les chambres donnent sur le quai de Chiaia où l'artiste se délecte de scènes de rue qui sont à peindre : des *lazzaroni* venant se désaltérer à la fontaine, des blanchisseuses lavant leur linge. Les dimanches, de jeunes paysannes, agitant leur tambour de basque, dansent la tarentelle.

Le soir lorsque Julie a terminé ses devoirs, Louise Élisabeth l'emmène sur la rive à l'heure où les lames reflètent les tons du prisme, écrit-elle dans ses cahiers. Elle se souviendra longtemps de la qualité de cette lumière. Mère et fille restent là jusqu'au lever de la lune dont le reflet argenté frôle la frange des vagues mourant sur la grève. Au crépuscule, le cortège des barques éclairées de torches partant pour la pêche illumine la nuit. Mais, ce lieu, enchanteur le soir, l'est beaucoup moins durant la journée. Le matin, des marchands installent sur le quai des chaudrons fumant. Une huile grossière empeste les tripes frites qu'on vend aux passants. En plein été, il faut fermer les fenêtres. De l'aube jusqu'à trois heures de l'après-midi, les voitures des hommes de loi, des marchands, des courtisans empruntent la route de Chiaia qui conduit au palais royal.

Louise Élisabeth se résout donc à quitter l'hôtel du Maroc pour s'installer dans une maisonnette en bord de mer, loin de la route, où elle n'entend plus que le bruit des vagues. Ce *casin* est si proche de l'eau que, par gros temps, les vagues passent par-dessus les balcons et inondent les chambres. Nouveau déménagement. Après son départ, la propriétaire des lieux inscrit le nom de l'artiste sur les planches de l'armoire. Le prestige en rejaillira, elle l'espère, sur sa modeste habitation. L'artiste trouve enfin à se loger dans une maison proche des remparts.

Un matin de l'été 1790, l'ambassadeur de France, baron de Talleyrand, lui rend visite : il est porteur d'une commande de la reine de Naples [56]. Marie-Caroline souhaite avoir les portraits de ses deux aînées, qu'elle cherche à marier. Aucune de ses filles n'a le charme de leur mère, ni celui de leur tante Marie-Antoinette. L'aînée, Marie-Thérèse de Bourbon des Deux-Siciles, a dix-huit ans [57]. Si son port de tête rappelle celui des Habsbourg, ses traits sont déjà empâtés, et son visage inexpressif. L'artiste met en valeur les mains et « explique » les détails de sa toilette, dentelles de Chantilly aux poignets et à l'encolure, ceinture brodée de soie fleurie et irisée. La pose est déjà royale. Par son mariage avec François II, Marie-Thérèse deviendra impératrice d'Autriche [58].

La seconde, Marie Louise Amélie de Bourbon, a un an de moins que sa sœur. Appuyée sur une table garnie d'un tapis frangé, Amélie est surprise en train de dessiner. Le nez un peu fort, les lèvres plates, le menton lourd se font oublier grâce au traitement léger de la chevelure et des étoffes. Malgré son aptitude à embellir ses modèles, l'artiste avoue qu'Amélie, future grande-duchesse de Toscane, était si disgracieuse que terminer son portrait fut un fardeau [59].

Ceci d'autant plus que Louise Élisabeth doit se déplacer pour les séances, par un soleil de plomb. Le chemin de Chiaja [Chiaia ?] longe des murs aveuglants. C'est là que lui vient l'idée d'épingler à son chapeau un voile vert, en guise de filtre. Habituellement les chapeaux sont garnis d'une mousseline blanche ou noire, selon la circonstance ou la saison, mais le vert, a toujours été la couleur préférée de Louise Élisabeth : cette teinte froide lui repose la vue. Cet usage est aussitôt suivi, dit-elle, par les Anglaises peu habituées à la lumière : une mode est lancée. Avec une ombre de vanité, Louise Élisabeth se targue d'inventer un style. Son allant, sa vivacité, exercent un attrait sur les autres femmes.

Au cœur de l'été, à la fin du mois de juillet, elle réalise le portrait du frère cadet des deux princesses : François de Bourbon, duc de Calabre, qu'elle place dans un décor naturel. Vêtu d'une redingote rouge, l'adolescent porte les ordres de Saint-Janvier, Saint-Ferdinand et les deux écharpes écarlate et bleue, qui leur correspondent. S'y ajoute l'insigne de la Toison d'or. Alors que pour le portrait des aînées, l'artiste a réalisé un fond ombré en halo, le prince héritier, duc de Calabre se tient devant la baie de Naples. Des fumerolles s'échappent du cratère du Vésuve. De la main droite, le prince déroule une carte d'Europe, de sa main gauche il désigne l'Autriche, geste qui souligne les liens unissant les deux royaumes, liens renforcés par l'alliance matrimoniale conclue entre sa sœur aînée et l'héritier du trône des Habsbourg [60].

Enfin l'été ne s'achève pas sans que la dernière fille de la reine de Naples, Marie-Christine, ne s'assoie, elle aussi, devant le chevalet de l'artiste. L'esprit de ce portrait évoque celui des Enfants de France, où un bouquet de fleurs reposait sur le sol. Ici, Marie-Christine, vêtue d'une jupe de plumetis blanc ceinturée de rouge, remplit de roses un panier d'osier. L'artiste réalise là une composition florale digne du pinceau de Joseph Redouté. La fillette épousera le roi de Sardaigne, bien mariée, elle aussi, par les soins de sa mère, Marie-Caroline [61].

Marie-Caroline de Naples

Ce portrait achevé, Mme Le Brun reprend le chemin de Rome. Elle compte y séjourner encore, puis amorcer son retour vers la France. Mais elle fait une rencontre imprévue. La reine de Naples, sur la route de son retour de Vienne, a fait étape à Rome. Heureuse d'avoir conclu une promesse de mariage pour deux de ses filles, elle aborde Mme Le Brun et lui demande de revenir à Naples afin d'y réaliser son propre portrait. On ne décline pas l'invitation de la sœur de Marie-Antoinette.

Toutes ces commandes bouleversent les projets de l'artiste. Voilà pourquoi le 2 juillet 1790 elle écrit à Mme Du Barry que « le doux projet de [Louveciennes], celui de terminer [son] portrait au mois d'octobre [62] » sera repoussé. Dans cette lettre, Mme Le Brun évoque ses excursions. On ne sait si la comtesse lui a répondu de son écriture régulière sur le papier encadré d'une guirlande qu'elle affectionnait. Louise Élisabeth termine ainsi son message : « Malgré toutes les jouissances que les arts me procurent dans ce voyage, je retournerai avec grand plaisir pour revoir tout ce qui m'attache à *ma patrie ; c'est le mot, n'est-ce pas ?* » Retrouvée par les commissaires de la République dans les papiers de la comtesse, cette lettre figurera parmi les pièces du procès de Mme Du Barry. La ligne ironique « *ma patrie ; c'est le mot, n'est-ce pas ?* » a été soulignée. Sans doute a-t-elle été employée comme une pièce à charge par l'accusation qui conduira Mme Du Barry à l'échafaud.

Dans la torpeur de l'été, Mme Le Brun rebrousse donc chemin vers Naples où elle arrive en septembre. Par cette chaleur atroce, les séances de pose sont fatigantes mais voici comment Mme Le Brun se les remémore :

> Je prenais plaisir à faire ce portrait. La reine de Naples, sans être aussi jolie que sa sœur cadette, la reine de France, me la rappelait beaucoup ; son visage était fatigué, mais, l'on pouvait encore juger qu'elle avait été belle ; et ses mains et ses bras surtout étaient la perfection pour la forme et pour le ton de la couleur des chairs [63].

Lady Ann Miller, qui avait connu la reine de Naples jeune, avait décrit son teint transparent, son nez aquilin, ses lèvres rouges, ses grands yeux d'un bleu profond [64]. La portraitiste, en retrouvant dans les traits de Marie-Caroline cet air Habsbourg, qui lui rappelle la reine de France, peine à cacher son trouble. Quelques mois auparavant, en janvier, le comte de Vaudreuil a lui aussi rendu visite à la sœur de Marie-Antoinette. Il n'a pu réprimer son émotion et en a fait confidence au comte d'Artois : « sa ressemblance avec notre reine m'a fait une si vive impression que mes larmes ont coulé, malgré tous mes efforts pour les retenir [65]. »

Cet aveu n'éveille aucune compassion chez le frère du roi. Et, malgré leur amitié, Vaudreuil s'indigne de son insensibilité :

> Il y a un article de votre lettre qui m'a affligé. Vous me reprochez les larmes que j'ai versées à Naples de souvenir et vous y ajoutez des phrases que je trouve exagérées… Songez aussi que l'opinion est revenue en faveur de celle dont vous vous défiez, et que son courage lui a ramené bien du monde [66].

Quelles pouvaient être ces « phrases exagérées », sinon l'expression de l'animosité d'Artois contre Marie-Antoinette ? Comme sa sœur, la reine de Naples a été également calomniée. Soucieuse de ne pas colporter de rumeurs, Mme Le Brun n'évoquera pas, dans ses *Souvenirs*, sa vie privée ni sa liaison avec le ministre Joseph Acton. Au contraire, elle réhabilite l'humanité de Marie-Caroline. Mère d'une impératrice d'Autriche et d'une reine de France [67], elle en impose à son époux qui s'intéresse peu aux affaires.

La reine de Naples avait un grand caractère et beaucoup d'esprit. Elle seule portait tout le fardeau du gouvernement. Le roi ne voulait point régner ; il restait presque toujours à Caserte [68], occupé de manufactures, dont les ouvrières, disait-on, lui composaient un sérail.

Marie-Caroline prend sa place dans la galerie idéalisée des « femmes fortes [69] » inscrite dans la mémoire de l'artiste, après Marie de Médicis et avant Catherine la Grande. L'artiste décide de reprendre la formule, utilisée pour Marie-Antoinette, du livre à la main. La reine est majestueuse avec la coiffure garnie de plumes et d'aigrettes, son mantelet de velours bleu roi tranchant sur le rouge éclatant de sa jupe. Le tableau, achevé vers la fin de l'hiver, est si réussi [70], que Marie-Caroline propose à Mme Le Brun de prolonger son séjour et de lui prêter une résidence d'été en bord de mer. Celle-ci décline l'invitation car elle espère regagner la France.

Non contente de régler largement le montant du portrait, la sœur de Marie-Antoinette lui offre un souvenir : ses initiales, ornées de brillants d'une très belle eau, montées en broche. Elle les a fait placer dans une boîte de laque ancien. Mme Le Brun ne se séparera jamais de ce chiffre, dont elle aimera orner ses sobres toilettes [71].

Fêtes rurales

Entre les séances de pose, Lord Hamilton a emmené Mme Le Brun assister aux traditionnelles fêtes de septembre dans la campagne napolitaine. La fête de la *Madonna dell'Arco* est célèbre. Lors de la « cérémonie des vœux », les uns après les autres, les villageois confient à haute voix leurs secrets à la Madone. Les danses, les costumes brodés d'or des paysans évoquent les cultes dionysiaques. Lord Hamilton et Mme Le Brun observent les survivances des traditions anciennes, gâteaux de miel en pyramides, thyrses ornés de l'image de la madone. Des guitares à trois cordes jouent la mélodie. Le tambour de basque, instrument dont Mme Le Brun s'est servi pour représenter Lady Hamilton, rythme la tarentelle. La ferveur intense des visages impressionne l'artiste.

La campagne est peuplée de farandoles de femmes qui dansent sur les chemins. Tout se passe comme si les guirlandes des vases antiques avaient reçu la vie dans une réalité enchantée [72].

Plus fameuse encore que la cérémonie de la *Madonna dell'Arco*, une autre fête de septembre attire les visiteurs : la fête de *Piedigrotta*, littéralement du Pied de grotte [73]. Cette fête commémore le souvenir d'un miracle : la Vierge, apparue un jour à un ermite, lui aurait demandé de faire bâtir à l'endroit même de cette grotte une chapelle. En ce 6 septembre 1790, la famille royale de Naples se rend en cortège à l'église. Les perruques « à trois marteaux » des cochers donnent un air suranné à la cérémonie. Le défilé de la noblesse en tenue de cérémonie, les régiments de chevau-légers déchaînent la liesse populaire. Louise Élisabeth apprend que les Napolitains sont si attachés à cette célébration que, sur les contrats de mariage, figure cette clause : l'épousée devra être conduite à la fête de la *Madonna di Piedigrotta* [74].

Paisiello

Puisque son séjour se prolonge durant l'hiver, Mme Le Brun met son temps à profit pour réaliser un autre portrait, celui du compositeur Giovanni Paisiello. Cet artiste prolifique a à son actif plus de soixante-dix opéras. Il a créé sa version du succès de Dalayrac, *Nina ou la Folle par amour* [75]. Louise Élisabeth, qu'enchantait la *Nina* de Dalayrac – elle l'a vu une vingtaine de fois –, assiste à une représentation de la nouvelle *Nina* au théâtre San Carlo [76]. Malgré le talent de Paesiello, la représentation lui paraît fade. L'interprète italienne ne peut rivaliser avec l'inoubliable Mme Dugazon dans le rôle de Nina.

L'hiver est glacial et les appartements napolitains sont mal chauffés. La cheminée du nouvel atelier loué par l'artiste tire mal. Malgré tout, les séances de pose sont un plaisir partagé. Giovanni Paesiello, qui a séjourné en Russie, peut raconter à l'artiste que, dans les splendides palais russes, on ne souffre jamais du froid. Le compositeur est saisi dans le mouvement d'une inspiration, celui où l'artiste est pris, selon le terme de Diderot, par « l'élan du génie [77] » dans l'instant de la trouvaille. Il pose les doigts sur les touches du clavecin, le visage placé dans une semi-pénombre, tandis que le fond verdâtre dégage sa silhouette. Sur le clavecin, est placé un discret hommage à la reine de Naples : la partition du *Te Deum* destiné à célébrer son retour [78].

Lorsque Ménageot verra le tableau au printemps suivant, il le jugera encore supérieur à celui que son amie a peint pour la galerie des Offices. Est-ce lui qui décide Louise Élisabeth à l'expédier à Paris pour le Salon de l'été 1791 où il arrivera dans le même colis que son *Méléagre* [79] ?

« Oh, Van Dyck tu renais [80] ! » s'exclameront les feuillistes du Salon du Louvre. Jean-Baptiste Pierre Le Brun ajoute au concert d'éloges en jugeant le portrait : expression sublime, harmonie forte et ton subtil. Les hasards de l'accrochage font que l'œuvre est placée à côté d'un portrait de femme peint par David. Les critiques saluent l'énergie qui s'en dégage et David, qu'on ne peut suspecter d'indulgence pour l'artiste émigrée, se serait exclamé : « On croirait ma toile peinte par une femme et le portrait de Paesiello peint par un homme [81] ! »

Le mot de David va bien au-delà d'une boutade. En peintre subtil, il a senti la force qui se dégage du pinceau de Mme Le Brun lorsqu'elle se libère de la contrainte imposée par sa clientèle féminine. Dès lors qu'elle échappe aux joliesses réclamées par les dames souhaitant être embellies, elle trouve des moyens plus vigoureux [82]. Elle réalisera une réplique au pastel de cette toile, tandis que l'original demeurera dans la galerie de portraits masculins de l'artiste.

Durant le même hiver [83], un érudit issu d'une noble famille alliée à la papauté s'assied devant le chevalet de Mme Le Brun. Comme si elle avait voulu explorer deux démarches différentes de l'esprit, plutôt que l'inspiration, c'est la méditation qu'elle exprime dans ce subtil portrait peu connu. Le comte Carlo Castone della Torre di Rezzonico vêtu d'une veste de velours cramoisi décorée de larges boutons semble abîmé dans une réflexion, « d'où l'exercice des sens extérieurs est suspendu [84] ». La pose pensive – main gauche portée au visage, coudes appuyés sur un volume ouvert des œuvres de Platon, d'où dépassent les marque-pages – souligne qu'il s'agit d'un savant : Rezzonico est traducteur et poète. Pour s'être intéressé de trop près à l'affaire Cagliostro, il a dû quitter Parme pour Naples, où, après avoir longtemps voyagé en Europe, il se consacre à l'étude. La sobriété des moyens employés, l'éclairage du fond travaillé dans un dégradé de bruns, donnent au modèle une profondeur discrète. Dans ses *Souvenirs* l'artiste ne fait pas allusion à ce personnage qu'on devine peu communicatif. Elle n'en a pas moins saisi son secret rêveur [85].

Mesdames à Rome

Après ces six mois de travail intense à Naples, Mme Le Brun, Julie et sa gouvernante reprennent le chemin de Rome, où elles arrivent à la fin du printemps. Elles choisissent un appartement chez la logeuse Schmidt, rue de la Croix. Là, la portraitiste met « l'harmonie » à plusieurs tableaux, dont celui de Lady Hamilton, et règle quelques affaires en suspens.

C'est alors qu'elle apprend la nouvelle de l'arrivée des filles de Louis XV. Mesdames Adélaïde et Victoire, n'étant plus en sécurité dans leur château de Bellevue, sont accueillies à Rome par le cardinal de Bernis [86]. À Paris, leur portraitiste attitrée était Adélaïde Labille-Guiard, rivale de Louise Élisabeth. Mesdames ont l'esprit clanique, aussi Mme Le Brun, portraitiste de leur nièce, n'a-t-elle pas eu l'honneur de fixer les traits empâtés des vieilles demoiselles.

De manière vague dans ses *Souvenirs*, Louise Élisabeth fera allusion à des médisances rapportées à son sujet par Adélaïde à Mesdames. En exil, tout est oublié. Les filles de Louis XV n'ont plus de portraitiste et

2. *Jeanne Maissin*, n.d.

Née à Orgeo, près de Trêves, la mère de l'artiste était la fille d'un marchand laboureur lorrain, originaire du bourg de Neufchâteau.

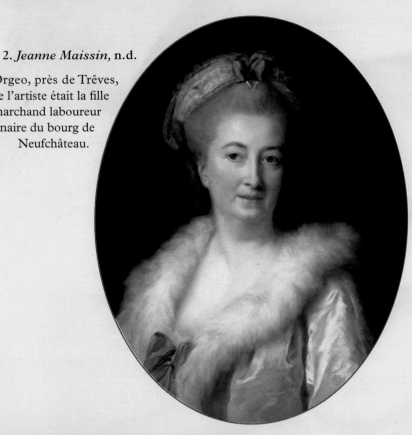

3. *Étienne Vigée*, vers 1773.

Le frère cadet de Louise Élisabeth, brillant sujet, bénéficiera des appuis acquis par sa sœur.

1. *Autoportrait dit «au ruban cerise»*, vers 1782.

Sur ce portrait, l'artiste porte des pendants d'oreille en pâte de verre et un châle bordé de dentelle noire identiques à ceux représentés sur le portrait dit «au chapeau de paille» qui figure en couverture. La discrète ombre portée par le chapeau rejeté en arrière effleure le haut du visage. La robe blouse ornée d'une collerette à triple volant, ceinturée d'une écharpe, évoque la simplicité des goûts de l'artiste.

4. Gabriel de Saint-Aubin, *Parade du boulevard*, 1760.

Cette scène de théâtre en plein air évoque les promenades parisiennes de Lisette avec son père. Le souvenir de Louis Vigée, prématurément disparu, est également lié aux plaisirs de l'opéra comique que le pastelliste affectionnait.

5. *Jacques François Le Sèvre*, n.d.

Second époux de Jeanne Maissin et beau-père de l'artiste, cet homme avare exerçait la profession de marchand orfèvre rue Saint-Honoré. Ce portrait en robe de chambre fut longtemps pris pour celui de Diderot.

6. *Portrait de gentilhomme*, 1772-1776.

Mlle Vigée représente cet élégant gentilhomme inconnu «à regards perdus». «J'en suis aux yeux», dit-elle, afin que le galant ne puisse pas tourner des yeux langoureux en sa direction.

7. *Madame de Verdun,*
vers 1782.

Anne Catherine Le Preudhomme
de Chastenay, la plus ancienne
et plus chère amie de l'artiste,
est née dans une famille
de bonne noblesse lorraine.
Elle épouse en 1777
Jean Jacques Marie de Verdun,
neveu d'un fermier général.

8. *Mademoiselle de Rohan-Rochefort
en Diane,* 1775.

Les soupers donnés par la mère
du modèle, la princesse de Rohan,
sont réputés. La jeune peintre fera
à l'hôtel de Rohan des rencontres
déterminantes pour son avenir.

9. *Madame Lesould,* 1780.

La clientèle de Mme Le Brun
compte également des dames
de la bonne bourgeoisie,
comme cette épouse d'un receveur.

10. *Jean-Baptiste Pierre Le Brun par lui-même*, vers 1795.

Mlle Vigée épouse en 1776 son voisin, Jean-Baptiste Pierre Le Brun. Cet autoportrait, réalisé à cinquante-quatre ans, révèle un homme raffiné : cravate et gilet châle de basin, camée représentant Neptune monté en broche, bague ornée d'un camée à double profil. La statue égyptienne évoque le commerce des antiquités. Palette, pinceau et chevalet rappellent que Le Brun est peintre. Le recueil d'estampes souligne l'expertise du marchand et de l'historien d'art.

11. Bartholomeus Van der Helst, *Les Chefs de la corporation de Saint-Sébastien à Amsterdam*, 1653.

Mme Le Brun évoque l'admiration causée par cette œuvre découverte lors de son voyage aux Pays-Bas, déterminant pour son art : «Les têtes, les mains, les draperies, tout est d'une beauté inimitable : ces hommes vivent, on se croit avec eux. Je suis persuadée que c'est le tableau de ce genre le plus parfait : je ne pouvais le quitter, et l'impression qu'il m'a faite me le rend encore présent.»

12. *Étude de la tête d'une petite fille, trois crayons*, vers 1782.

Le visage de cette enfant pourrait être celui de Julie, sans que nous en ayons la certitude.

13. François Hubert Drouais, *Le Comte de Vaudreuil*, 1758.

On ne sait à quelle date Joseph Hyacinthe François de Paule, comte de Vaudreuil, entra dans la vie de Mme Le Brun. Sur ce portrait réalisé alors qu'il avait dix-huit ans, il arbore des chaussures ornées de talons rouges, qui distinguent les élégants aux belles manières. Vaudreuil pointe du doigt l'île de Saint-Domingue (Haïti), où sont dessinées les limites des plantations familiales. L'armure déposée à ses pieds signale que le jeune homme est à l'aube d'une carrière militaire.

14. Augustin Pajou, *Buste de Madame Le Brun*, 1783.

La finesse du profil, les narines fines et très fendues, la courbe des pommettes assez larges, la délicatesse de l'ovale et le modelé des lèvres sculptés par Pajou donnent une idée du charme éclatant qui se dégage du visage du peintre. D'après les journalistes, ce buste est ressemblant et «respire tout l'esprit de l'original».

15. *Marie-Antoinette en gaulle*, 1783.

Le goût de l'artiste pour une élégance éloignée des colifichets coïncide avec le désir exprimé par la reine de fuir les ornements. À Trianon, son «petit Vienne», Marie-Antoinette porte ces robes de fil blanc nommées «robes à l'anglaise». Les visiteurs du Salon de 1783 sont choqués de voir la reine posant dans une tenue aussi aérienne.

16. *La Duchesse de Guiche*, 1784.

Ce pastel représentant Aglaé
de Polignac, duchesse de Guiche,
dite Guichette, en bergère,
faisait partie des collections
du comte de Vaudreuil.

17. *La Paix ramenant l'Abondance*, 1780.

Dans cette œuvre, la critique reconnaît
« la force et le brillant des flamands ».
La toile fut exposée au Salon l'année
de la réception de Mme Le Brun, en 1783.

18. *Suzanne Vigée*, 1785.

Suzanne, dite Suzette,
épouse d'Étienne, est très
proche de sa belle-sœur.
Sa mère, qu'on appelait
« la Catinon », est une
ancienne actrice de
la Comédie-Italienne ;
son père est diplomate.
On retrouve sur ce
portrait le châle bordé
de dentelle noire.

19. *Vaudreuil*, vers 1784.

Mme Le Brun,
« la Fée », réalisera
plusieurs répliques
en buste et à mi-corps
du portrait de celui
qu'on surnommait
« l'Enchanteur ».

20. *La Baronne de Crussol,*
1785.

Grâce à cette attitude
– un trois quarts vu de dos –
la baronne est présentée
de façon vivante, menton
levé, tenant un livret de
musique italienne à la main.
Une partie de son visage est
dans la pénombre, tandis que
son expression interrogative
semble dire : « Pourquoi
m'interrompre ? » Elle porte
une casaque rouge à la mode
bordée de fourrure noire.

21. *Madame
Molé Raymond,* 1786.

Sur ce portrait de l'actrice
de la Comédie-Italienne
au « tempérament de soubrette »,
la technique des glacis sur
panneau de bois permet de
rendre presque translucides
les couleurs, dont les
harmoniques font songer
à l'œuvre de Rubens :
faille bleue, satin mauve
et parme, soie outremer.

22. *Madame Vigée Le Brun et sa fille*, 1786.

Cet autoportrait, sur panneau de chêne, est accueilli par un concert d'éloges au Salon de 1787. Dès lors, on le surnomme *La Tendresse maternelle*, et on lui reconnaît «l'aspect du Dominiquin sous la couleur fine et séduisante de Van Dyck».

23. *Autoportrait dit «à la grecque»*, 1789.

Aucun élément de décor ne rappelle la période contemporaine dans cet autoportrait. L'entrecroisement des bras et le calme regard de la mère suggèrent une réminiscence, celle de l'embrassement de la *Madonna della seggiola* de Raphaël.

24. *La Reine Marie-Antoinette et ses enfants*, 1787.

Exposée au Salon de 1787, cette composition, qui représente Marie-Antoinette en mère veillant tendrement sur ses enfants, est destinée à restaurer la réputation flétrie de la reine. Après la mort du premier dauphin, en juin 1789, la reine fera remiser la toile, dont la vue lui cause trop de douleur. Dissimulée durant la Révolution, l'œuvre deviendra sous l'Empire un objet de ferveur légitimiste.

25. *La Marquise de Pezay et la marquise de Rougé avec ses enfants*, 1787.

Amitié et amour maternel sont illustrés dans ce quadruple portrait au chromatisme éclatant, dont la critique du Salon de 1787 souligne la «manière brillantée». Le geste de la marquise de Pezay désigne les enfants comme autant de trésors de l'amour filial. Cette œuvre fait ainsi écho au message contenu dans le tableau royal.

Adélaïde Labille-Guiard a adopté une position favorable à la Révolution. Mesdames passent commande à Mme Le Brun, qui prend ainsi sa revanche sur sa concurrente. Joufflues et roses, affublées de leurs bonnets à ruchés selon le goût de l'ancienne cour, Mesdames, respectivement âgées de cinquante-neuf et cinquante-huit, sont toujours caqueteuses et coquettes.

Lors d'une dernière séance de pose, le 20 juin 1791, Madame Victoire reçoit une nouvelle dont elle fait part à la portraitiste : Louis XVI serait parvenu à quitter la France. Les exilées laissent éclater leur joie.

Leur soulagement est de courte durée. Dans la soirée, la bonne humeur de leur domestique français paraît étrange à Louise Élisabeth et à la gouvernante. Elles savent que, comme bon nombre de gens de maison en Italie, il est acquis aux jacobins. Leur intuition se confirme : la famille royale en fuite vers Montmédit, a été reconnue, puis arrêtée à Varennes. Louis XVI et Marie-Antoinette ont été raccompagnés à Paris *manu militari*. Louise Élisabeth, qui conserve l'espoir de retrouver les siens, redoute la suite des événements.

Satisfaites de leur portrait, les vieilles demoiselles donnent à l'artiste plusieurs lettres de recommandation. Elles sont loin d'imaginer qu'elles finiront leurs jours à Trieste, sans avoir revu leur neveu ni leur pays.

Durant cette dernière saison romaine [87], l'artiste reçoit aussi la visite de l'abbé Maury, qu'elle a croisé à Paris ; il s'est fait le défenseur de la cause de la noblesse. Le futur cardinal Maury [88] est passé en Italie en 1791 et a gagné la confiance du Vatican. Après avoir fait ses compliments de civilités, l'abbé présente une demande : la réalisation d'un portrait du pape Pie VI. La condition en est que l'artiste devrait être voilée pour peindre le Saint-Père. Le sens pratique de Mme Le Brun lui fait écarter cette proposition. Comment travailler sans être libre de ses mouvements ? L'abbé Maury a-t-il pris l'initiative de cette requête ou a-t-il été véritablement chargé de commander le portrait de Pie VI ? Être portraituré par une femme : cette demande papale paraît peu vraisemblable.

Enfin, le 26 août, Mme Le Brun expédie à Florence le tableau destiné à la galerie des Offices, qui était resté exposé dans son studio. Cet autoportrait sera accroché sous le numéro 360, dans la salle des portraits des peintres, au sein de la prestigieuse galerie.

Puis, elle consacre ses derniers mois à voir et revoir les beautés de la ville [89]. Mais, elle ne peut se résoudre à quitter l'Italie sans visiter Venise, où les fêtes du mois de mai sont célèbres. Aussi retarde-t-elle son départ jusqu'au 14 avril 1792. C'est en pleurant qu'elle monte en voiture, sachant qu'elle ne reviendra sans doute jamais à Rome. Elle fait ses adieux à Ménageot. Afin de le remercier, elle lui offre le plus sensible et le plus tendre de ses autoportraits [90]. Réalisé au pastel dans des doux tons, ce portrait la représente, le visage imperceptiblement incliné, vêtue d'une pèlerine, en tenue de voyage, avant un départ. Peut-être un portrait d'adieu...

Les amis se séparent. L'expression de Ménageot est soucieuse, son regard clair est grave, son expression évoque-t-elle celle de son autoportrait romain [91]. Il observe la voiture de Louise Élisabeth qui s'éloigne. Celle-ci s'est déjà plongée dans ses pensées :

> J'enviais le sort de ceux qui restaient, et, sur la route, je ne pouvais rencontrer des voyageurs sans m'écrier : « Ils sont bien heureux ceux-ci, car ils vont à Rome [92] ! »

Les séances de pose se déroulent dans une ambiance théâtrale. Renouant avec l'esprit du portrait de Paisiello, l'artiste cherche à saisir l'étincelle du génie, telle que Mme de Staël la décrit : « Une inspiration céleste animant dans cet instant la physionomie de Corinne [12]. » Une lyre à la main, Mme de Staël pose en costume antique :

> Madame de Staël n'était pas jolie, mais l'animation de son visage pouvait lui tenir lieu de beauté. Pour soutenir l'expression que je voulais donner à sa figure, je la priai de me réciter des vers de tragédie, que je n'écoutais guère, occupée que j'étais à la peindre avec un air inspiré. Lorsqu'elle avait terminé ses tirades, je lui disais : *Récitez encore* ; elle me répondit : *Mais vous ne m'écoutez pas*, et je lui répliquais, *allez toujours*. Comprenant enfin mon intention, elle continuait à déclamer des morceaux de Corneille ou de Racine [13].

Mme Le Brun dissimule son agacement. Elle ne dispose pas sur place des couleurs qui lui sont nécessaires. On ne peut lui en procurer ni à Genève ni à Lausanne ; elle décide alors de broyer quelques crayons de pastel et de les mélanger avec de l'huile [14]. Son séjour à Coppet ne dure qu'une semaine, aussi emporte-t-elle le portrait afin de l'achever, comme elle l'avait fait avec les portraits de la famille de Prusse.

C'est par le chemin des écoliers que l'artiste regagne Paris. De Coppet, elle se rend chez Aurore et Adèle de Bellegarde, dans leur château des Marches, en Savoie, où l'ambiance est plus détendue[15]. Ses amies la conduisent à Chambéry, où elle fait la connaissance du comte de Boigne, époux d'une ancienne camarade de jeu de Julie [16], Adèle d'Osmond, dont il est séparé. Benoît de Boigne lui fait admirer le site de la ville de Chambéry, dont il est le mécène.

À la fin de l'été, Mme Le Brun est à Paris. Dans l'enthousiasme de son retour, elle projette d'exposer le portrait de Mme de Staël au Salon et en demande la permission à son modèle. Celle-ci l'y autorise avec élégance : « Je m'en remets à vous […], et je me flatte que votre talent fera pardonner ce qui manque à l'original [17]. »

Pour convenir au format souhaité par le modèle, la toile est confiée à un restaurateur pour être « regrandie » en bas et sur les côtés. Cette opération qui « a demandé un soin extrême et du temps [18] » retarde la reprise du travail. De plus, beaucoup de personnes pensent avoir leur mot à dire sur le portrait d'une telle célébrité. Avec patience, la portraitiste prend en compte les avis. Pour le décor, les amis de Mme de Staël suggèrent de remplacer le paysage du golfe de Naples, projet initial de l'artiste, par le temple de Tivoli et les Cascatelles. Conciliante, Mme Le Brun écrit à Coppet : « Comme j'ai fait l'un et l'autre d'après nature, si cela peut s'arranger avec la composition et les lignes que donne l'attitude, je ferai de préférence ce que vous désirerez ; n'en doutez pas [19]. » La portraitiste s'adapte à la demande de sa cliente [20].

Selon l'artiste, les personnes qui ont vu le portrait « à son déballé » l'ont jugé ressemblant et la transposition romanesque idéale. Louise Élisabeth se propose alors de ne trouver que « du bonheur sans peine » à l'exécution de ce portrait attendu, trop attendu. Les prévisions de Louise Élisabeth seront prises en défaut, car le portrait ne parviendra à Coppet que durant l'été 1809, soit environ dix-huit mois plus tard.

Un premier incident peut expliquer ce retard. Vers la fin du mois de septembre 1807, l'artiste apprend par Vivant Denon que Napoléon n'est pas satisfait du portrait de la princesse Murat, ce portrait livré avant l'été, qui l'a mise à rude épreuve. Le travail de Mme Le Brun n'est pas le seul en cause. L'humeur de l'Empereur s'exerce également à l'encontre des portraits des princesses Joseph et Pauline, réalisés par Robert Lefèvre, et de celui d'Élisa par Lethière. Quant au baron Gérard, il n'a pas encore remis les siens. L'Empereur demande des retouches. Vivant Denon s'y oppose et tout particulièrement pour celui de Mme Le Brun. « Ce tableau a été vu et loué chez l'artiste par tous les peintres de la capitale », écrit-il au maréchal du palais chargé de traiter l'affaire [21]. Denon, qui connaît la susceptibilité de ses confrères, affirme que l'exécution de cet ordre peut « porter le désespoir chez les artistes qu'il concerne ».

Dans ce contexte délicat, mettre en évidence au Salon le portrait de l'exilée détestée par l'Empereur pourrait passer pour une provocation. Le ministre de Napoléon, Fouché, avait eu au sujet de Germaine de Staël des mots très durs : « Ce n'est pas de votre faute si vous êtes laide, mais c'est de votre faute si vous êtes intrigante [22]. » Louise Élisabeth oublie donc le projet d'une exposition publique de sa *Corinne*, et semble se désintéresser momentanément d'une commande pour laquelle elle n'a reçu aucune avance. C'est là le second point d'achoppement. La portraitiste, dont les cachets ont toujours été élevés, aurait demandé trois mille six cents francs pour ce tableau – soit quatre cents francs de moins que pour le portrait de Caroline Murat ; d'après Prosper de Barante, c'est une folie et une ingratitude. Germaine n'a-t-elle pas reçu l'artiste à Coppet ? Mme de Staël ne semble pas décidée à dépenser une telle somme. Dès novembre 1807, le travail est donc interrompu [23].

La mort de Robert

Durant l'hiver, la vie parisienne reprend ses droits. Mais, au mois d'avril 1808, l'un des acteurs de cette société amicale, l'un des compagnons de sa jeunesse, Hubert Robert, quitte le monde en un instant. Rien ne l'avait laissé prévoir : « Il était fort bien portant, et tout habillé pour aller dîner en ville ; madame Robert, qui venait elle-même de terminer sa toilette, passa dans l'atelier de son mari pour l'avertir qu'elle

28

DE ROME À VENISE : LA VOIX DE LA NATURE

> « Le souffle du vent avait un son harmonieux, et répandait
> dans l'air des accords qui semblaient venir du balancement
> des fleurs, de l'agitation des arbres, et prêter une voix à la
> nature [1]. »
>
> Madame de STAËL, *Corinne*.

Les gorges et les vallées

La première étape mène les voyageuses sur le site étrusque de Civita Castellana [2], puis, des gorges de montagnes les conduisent à une ville fortifiée. Ensuite, le chemin se transforme, il est environné de genêts, de chèvrefeuilles en fleurs jusqu'à la ville de Narni. Là, au pied de la cité, la rivière Nera, bordée de peupliers argentés, étincelle au soleil couchant. Plus loin, le pont d'Auguste enjambe le fleuve. Une trentaine d'années plus tard seulement, un paysagiste discret fixera ses arches en une esquisse aux tons de sable [3]. Louise Élisabeth aura certainement vu au Salon de peinture de 1827 la toile lumineuse réalisée par Corot à partir de cette impression, c'est pourquoi dans le récit de ses *Souvenirs*, elle regrette d'être passée si près du pont sans l'avoir contemplé à loisir. Sa sensibilité particulière à la lumière lui fait remarquer les sites de prédilection des peintres des générations suivantes : collines italiennes, et plus tard brouillards à Brighton, rives de la Loire, courbes de la Seine à Louveciennes.

Longeant la vallée sur la route de Rieti, la petite troupe s'arrête pour la nuit à Terni. La ville est surmontée par la Cascade des marbres : cent soixante mètres de hauteur en trois chutes successives. Dès le lendemain matin, avec Brunette et Germain, son domestique, Louise Élisabeth escalade à dos d'âne la pente qui mène à la cascade. Dans ses *Souvenirs*, elle se remémore le point de vue avec exactitude : la roche coupée, la chute du torrent, le pavillon carré entouré de vapeur, la grotte, les pétrifications. « Je dessinai, dit-elle, l'entrée si pittoresque de cette grotte, et je m'emparai de quelques petits morceaux pétrifiés [4]. » Comme toujours ce sont les effets de lumière et de transparence que saisit son regard :

> À gauche étaient des rochers ornés et nuancés par mille arbustes en fleurs ; à droite, sur la rivière courante, de petites îles garnies d'arbres légers, qui formaient des bocages charmants. Toutes ces îles sont séparées par des cascades multipliées dont l'eau ruisselait et brillait comme des diamants au soleil, qui avait alors tout son éclat [5].

Des fragments de ces paysages de Terni, filtrés par sa mémoire, lui permettront de recomposer les décors des grottes, des cascades et des rochers humides de ses prochains portraits. Sur la route, les vallées résonnent des chants des bergers.

À Foligno, dans l'église Sainte-Anne du monastère des Comtesses, elle découvre encore un tableau de Raphaël : debout sur des nuées, une Vierge à l'Enfant est entourée de saint Jean, de saint François et de saint Jérôme. Elle trouve à cette Vierge une parenté avec le pinceau de Van Dyck et admire le fini des personnages secondaires « d'une grande vérité [6] ».

L'étape suivante à Pérouse en Ombrie est moins réussie. Certes, elle examine une composition inachevée de Raphaël, *L'Adoration des Mages*, où elle étudie la « méthode » du maître, ses essais de tons [7], mais plutôt que de se consacrer à visiter la cité du Pérugin [8], elle se laisse entraîner aux arènes pour assister à un combat de taureaux et de chiens. Spectacle barbare, survivance des cruautés romaines qui la choque et lui laisse un goût amer. Ces combats furent bientôt interdits.

Le lendemain enfin, après un repas au bord du lac de Trasimène, la voiture passe le col de la Cisa. Sans nouvelle étape, Louise Élisabeth, Julie et Mme Charrot ont la joie d'apercevoir pour la seconde fois les collines de Florence.

Retour à Florence

La brièveté de son premier séjour à Florence avait laissé l'artiste sur sa faim. Aussi est-ce avec plaisir qu'elle retrouve les œuvres entraperçues à l'aller. L'autoportrait de Raphaël, qui avait exercé sur elle une fascination, la retient. Cette œuvre devient pour elle une sorte de fétiche :

> J'entrepris aussitôt une copie du portrait de Raphaël, que je fis avec amour, comme disent les Italiens, et qui, depuis, n'a jamais quitté mon atelier [9].

Mme Le Brun tient aussi à rendre visite à un savant dont elle a entendu parler, l'abbé Fontana, considéré comme un précurseur des sciences expérimentales. Directeur du Muséum, Félix Fontana a reçu la mission d'enrichir les collections. De ses voyages, il a rapporté plus de trois mille figures d'anatomie exécutées en cire et coloriées représentant l'intérieur du corps humain. Partagée entre l'émerveillement et l'effroi, la portraitiste découvre « des ligaments presque imperceptibles qui entourent notre œil, et une foule d'autres détails, dit-elle, particulièrement utiles à notre conservation ou à notre intelligence [10] ». Une femme représentée grandeur nature, dont tous les organes sont visibles, l'impressionne tant que son humeur en est altérée. Profondément troublée par cette visite, elle voit en la perfection du corps humain la preuve de l'existence de Dieu. Condamnant l'athéisme, elle qui n'est pas dévote s'exclame avec respect : « Quoi qu'aient osé dire quelques misérables philosophes, dans le cabinet de M. Fontana il faut croire et se prosterner [11]. »

Les jours qui suivent, Louise Élisabeth ne peut s'empêcher d'imaginer l'intérieur du corps de chaque personne qu'elle rencontre. Plongée dans un « état nerveux déplorable », elle met en relation cet épuisement avec un excès de sa sensibilité, qui lui fait ressentir les odeurs, entendre les bruits de manière suraiguë, être à l'affût du moindre détail. Son malaise est tel qu'elle demande une consultation à Fontana, auteur d'un traité sur l'irritabilité des organes [12]. L'abbé, en homme de bon sens, la rassure en lui disant : « Ce que vous regardez comme une faiblesse et comme un malheur, me répondit-il, c'est votre force et c'est votre talent ; d'ailleurs, si vous voulez diminuer les inconvénients de cette susceptibilité, ne peignez plus [13]. »

Félix Fontana comprend l'extrême sensibilité de celle dont la vue si fine démêle les nuances des couleurs au point que l'excès de lumière lui est pénible. La leçon de Fontana sera entendue par l'artiste : elle protégera sa vue et son ouïe, et dès lors, les considère comme un atout : « J'ai bien souvent rendu grâces à la Providence de m'avoir donné cette vue excellente, dont je m'avisais de me plaindre comme une sotte au célèbre anatomiste [14]. »

De Sienne à Mantoue

Après ces quelques jours à Florence, sur la route qui passe par Sienne, Louise Élisabeth goûte un moment exceptionnel, peut-être grâce à sa conversation avec Fontana. Après avoir fait dételer les chevaux, elle marche pour se délasser avant le souper. Les environs de l'auberge de Sienne sont si plaisants qu'ils entraînent la voyageuse dans un rêve bucolique :

Divers bruits harmonieux me berçaient délicieusement à gauche, c'était celui de la cascade qui alimentait le canal ; puis un léger vent agitait les branches des énormes peupliers plantés sur le bord de l'eau ; et mille oiseaux par leurs chants faisaient leurs adieux au jour. Une pluie fine se mit à tomber à petit bruit sur les feuilles ; mais, bien loin qu'elle me fît déloger, elle me sembla si bien d'ensemble avec toute cette douce musique, que, pendant plus de deux heures, j'oubliai mon souper [15].

Plus de quarante années plus tard, cette synesthésie, « concert nature », aura conservé toute sa fraîcheur.

Une journée est consacrée à la visite de Sienne, dont les palais crénelés sont pourvus de portiques gothiques. La pieuse cité célèbre la mémoire de sainte Catherine [16]. Sa maison natale renferme, dans des oratoires, ses ossements, mais l'artiste ne s'attarde pas devant les reliques. Le *Palazzo Pubblico*, de style gothique, conserve des peintures « antiques », dont elle ne paraît pas distinguer les auteurs. En réalité, il s'agit d'œuvres des XIVe et XVe siècles pour lesquelles son regard n'est pas formé : la *Maestà* de Martini et la chapelle des fresques de Taddeo di Bartolo [17]. L'église des Augustins restaurée par Luigi Vanvitelli – nom italianisé de Van Wittel – possède une *Crucifixion* du Pérugin et une *Immaculée Conception* de Carlo Maratta, dont elle a habité la demeure.

Enfin, l'insatiable voyageuse pénètre dans la cathédrale, alors entièrement plaquée de marbre, et décorée par les statues des douze apôtres de Pisano, en façade [18]. La voûte peinte d'azur étoilée d'or est éblouissante, mais c'est surtout, l'exceptionnel pavement qui retient son attention : il représente des allégories et des scènes bibliques.

En ce mois de juin 1792, le chemin du retour passe à nouveau à Parme. À peine arrivée, l'artiste apprend la nouvelle de son élection à l'Académie parmesane. Les académiciens de Parme emboîtent le pas à ceux de Bologne, de Florence et de Rome qui ont déjà reçu Mme Le Brun. Son ami Doyen faisait partie, au titre d'associé, de cette institution organisée sur le modèle de l'Académie royale de Paris [19]. Pour sa réception, Louise Élisabeth enrichit les collections d'une tête d'expression : Julie, âgée maintenant de douze ans, couronnée de roses, le regard levé vers le ciel [20].

À cette consécration officielle s'ajoute une satisfaction inattendue. L'artiste a fait dérouler et placer sur un châssis sa *Sibylle*. Cette précaution, dit-elle, vise à éviter le jaunissement de la toile. Elle en prend soin car son intention est de la ramener à Paris et, peut-être, de la présenter à un prochain Salon. C'est à ce moment que, ayant appris son arrivée, des élèves peintres souhaitent être reçus. Après les compliments d'usage, les jeunes gens demandent à voir quelques tableaux du peintre.

« Voici un tableau que je viens de finir », répond l'artiste, en montrant la *Sibylle*.

> Plusieurs s'écrièrent qu'ils avaient cru que ce tableau avait été fait par un des maîtres de leur école, l'un d'eux se jeta à mes pieds, les larmes aux yeux, je fus d'autant plus touchée, d'autant plus ravie de cette épreuve, que ma Sibylle a toujours été un de mes ouvrages de prédilection. Si mes lecteurs, en lisant récit, m'accusent de vanité, je les supplie de réfléchir qu'un artiste travaille toute sa vie pour avoir deux ou trois moments pareils à celui dont je parle [21].

Est-ce en souvenir de cet épisode que l'artiste refusera longtemps de se séparer de cette toile ? À chacune de ses arrivées dans une ville nouvelle, dans ce périple dont elle ne sait pas encore qu'il sera si long, elle reproduira le geste qui lui a porté bonheur à Parme et expose la *Sibylle* dans son atelier.

Louise Élisabeth prolonge ce second séjour à Parme afin de s'imprégner des œuvres du Corrège. Les palais, aux plafonds décorés par Allegrini, lui donnent la mesure du goût raffiné des riches Parmesans. Comme elle réside à Parme plusieurs jours [22], le ministre de France, M. de Flavigny, présente l'artiste à celle qu'on nomme « l'infante », Marie-Amélie de Habsbourg-Lorraine, épouse de Ferdinand Ier de Parme [23]. La fille de Marie-Thérèse d'Autriche est la sœur aînée de Marie-Antoinette, mais elle n'en a, selon l'artiste, ni la beauté ni la grâce. Au moment où Mme Le Brun lui est présentée, l'infante porte encore le deuil de son frère, l'empereur Joseph II disparu en 1790. Ombre grêle, étrangement dépourvue de féminité, elle vit retirée, dans des appartements tendus de noir : « Elle montait toujours à cheval, se souviendra l'artiste, c'était presque un homme. En tout, elle ne m'a pas charmée quoiqu'elle m'ait fort bien reçue [24]. »

De Parme, Mme Le Brun se dirige vers Mantoue, où l'attire la réputation de Giulio Pippi, dit « Jules Romain ». Patrie de Virgile, le site de l'ancienne ville étrusque lui plaît, car il est environné du fleuve Mincio. Elle s'étonne des talents multiples de Jules Romain, à la fois peintre, architecte et sculpteur, et tient à visiter sa modeste maison [25], décorée de stucs polychromes. La somptueuse façade maniériste de la résidence de Frédéric II Gonzague, le palais du Te [26], ne retient pas son attention ; elle préfère admirer les effets d'illusion des salles peintes à fresque par Jules Romain et son élève le Primatice, avec *le Banquet de Psyché* et *La Lutte des géants et des Dieux*.

La description que Louise Élisabeth fait de Mantoue révèle sa curiosité d'artiste, mais demeure relativement impersonnelle. Elle n'éprouve pas l'enthousiasme ressenti à Florence ou à Parme. Si elle évoque rapidement

un « plus grand nombre de chefs-d'œuvre que partout ailleurs », sans
s'attarder, c'est parce qu'elle est impatiente de parvenir à l'étape suivante : « Je brûlais du désir de voir Venise », écrit-elle.

29

VENISE

« On peut à Venise se croire sur le tillac
d'une superbe galère à l'ancre[1]... »
François René de CHATEAUBRIAND.

Venise est, avec Rome, la ville qui suscite le plus l'attente des voyageurs du Grand Tour. Pour une artiste qui manie les pastels, la Sérénissime est avant tout la ville de naissance d'un peintre admiré : Rosalba Carriera. La ville apparaît peu à peu dans les lointains. Ici, aucune déception. La vision surpasse les rêves :

À la première vue on croit n'apercevoir qu'une ville submergée ; mais bientôt ses superbes palais, bâtis dans le style gothique, et dont ses beaux canaux baignent les murs, offrent l'effet le plus grandiose et le plus ravissant par son originalité [2].

Le mois de mai est celui des fêtes, et l'affluence est grande. Mme Le Brun arrive la veille de l'Ascension, le samedi 19 mai 1792. Par dérogation, l'Ascension est fêtée le dimanche à Venise. La plupart des étrangers s'installent à l'auberge du Lion-Blanc, « la meilleure et la plus agréablement située de Venise, sur le grand canal », selon le comte d'Espinchal, qui y a séjourné peu de temps avant Mme Le Brun [3]. Pas question de tabler sur l'hospitalité locale. D'après les voyageurs, les Vénitiens vivent de manière économe, et, selon l'abbé Richard, qui les taxe « d'épargne sordide », il est exceptionnel de trouver une table ouverte aux voyageurs [4].

Aussi la plupart du temps les étrangers vivent entre eux sans se mêler à la noblesse locale. Les diplomates sont tenus à l'écart. Selon les ordres de la Sérénissime, défense est faite aux nobles vénitiens de « se communiquer à eux ». C'est une des raisons pour lesquelles la société des ambassadeurs est plus ouverte que celle des discrets habitants de la lagune. De nouveaux arrivants sont donc une aubaine. C'est dans le cercle de l'ambassadrice d'Espagne [5], qui a mille égards pour elle, que Mme Vigée Le Brun se trouve le mieux reçue. En effet, l'épouse de Simon de Las Casas, ambassadeur en poste depuis 1786, tient table ouverte dans le somptueux palais Gozzi « à la façade chevaleresque ». C'est chez elle que les voyageurs de marque peuvent se rencontrer.

Vivant Denon

Parmi les familiers de l'ambassade d'Espagne se trouve un homme qui vit en artiste à Venise. Il attend Mme Le Brun sans qu'elle le sache : Dominique Vivant Denon, connu comme le chevalier De Non [6]. Ce confrère, admis à l'Académie royale en 1787, a fait partie de l'entourage du couple Le Brun. Comme Jean-Baptiste Pierre, il a fréquenté l'atelier de Boucher. Il est proche de David, il a été reçu chez la princesse Lubomirska. Tout d'abord, secrétaire d'ambassade à Saint-Pétersbourg, chargé de mission en Suisse, ce voyageur a même fait « la visite de Ferney » à Voltaire. Durant une mission diplomatique à Naples, les rapports qu'il a expédiés à Paris ont déplu, car il révélait la liaison de la reine Marie-Caroline et d'Acton. Il a été rappelé à la raison par le cardinal de Bernis, qui s'y entendait en sermon. Mais Denon a d'autres talents, peut-être ignorés de Mme Le Brun. Quinze ans auparavant, en 1777, il a publié, dans le *Journal des dames*, un bref conte libertin au titre mystérieux, *Point de lendemain*.

Lorsque Mme Le Brun le revoit, Denon n'est plus officiellement diplomate. Il cultive à Venise, selon d'Espinchal, « le talent supérieur qu'il [a] acquis pour la gravure dans le genre de Rembrandt ». Pietro Zaguri chante ses louanges à Giacomo Casanova : il est « amateur parce que gentilhomme, mais, en fait, plus qualifié que tous les professionnels que nous avons ici [7] ». Chez Denon, se tient une école où il forme quelques graveurs. Le personnage est aussi homme d'honneur. Le mois précédent l'arrivée de Louise Élisabeth, il est sorti victorieux d'un duel au pistolet [8]. Sa conversation enjouée, nourrie par sa vie aventureuse, et « ses grandes connaissances dans les arts » font de Denon un aimable cicerone. En portraitiste, Louise Élisabeth note qu'il est vraiment laid. Toutefois, malgré sa disgrâce, il a beaucoup de charme et de succès. Et des raisons secrètes le fixent à Venise.

C'est avec lui que, dès le lendemain de son arrivée, Louise Élisabeth assiste à l'une des fêtes les plus prestigieuses du mois de mai, *lo Sposalizio del mare*, le mariage du doge et de la mer. La cérémonie a lieu lors des fêtes de l'Ascension. De nombreux étrangers y assistent. Parmi eux,

Louise Élisabeth distingue le sixième fils du roi d'Angleterre George III, Auguste Frédéric, duc de Sussex [9], et la malheureuse princesse de Monaco, qui s'apprête à regagner la France.

Le lustre et la pompe du cortège éblouissent les spectateurs. Selon le rituel, les cinquante *comandadori* marchent par deux, tenant des étendards blancs, rouges et violets. Certains portent une trompette d'argent. Viennent ensuite six fifres et seize porte-bannières. Enfin, le doge quitte le rivage dans le vaisseau appelé *Bucentaure*. L'embarcation, remorquée par deux barques dorées à douze rameurs, est suivie de deux galères pavoisées [10]. Au moment solennel, le doge jette l'anneau dans la mer et prononce la phrase rituelle : *Desponsamus te mare in signum veri et perpetui dominii* (« Nous t'épousons, ô mer, en signe de domination entière et perpétuelle »). Retentissent alors les déflagrations des mille coups de canon.

La fête s'achève par une joute de gondoliers. Louise Élisabeth et ses compagnes s'étonnent de leur agilité. Sur leurs barques noires, ils sillonnent les canaux. Seuls, les ambassadeurs ont le droit de circuler dans des barques colorées. Lancées à toute allure, les embarcations ne s'entrechoquent cependant jamais, grâce aux cris lancés par les gondoliers « na prava, na leva, dergi prema ! » (À droite, à gauche, tout droit !). Sans doute Mme Le Brun ne sait-elle pas assez d'italien pour comprendre que ces appels ne sont pas prononcés en dialecte vénitien mais en russe. Les tout premiers gondoliers, originaires d'Illyrie et de Slavonie, parlaient un dialecte slave [11].

À côté des splendeurs des joutes, le peuple de Venise paraît extrêmement pauvre. Dès son arrivée, Louise Élisabeth est attendrie par les larmes d'un jeune mendiant posté sur le pont du Rialto. En réalité, le nombre de misérables à Venise à cette époque est considérable. Presque un sixième de la population y vit de façon précaire [12].

Isabella

Le lendemain de la fête du *Bucentaure*, Denon présente la portraitiste à la brune Isabella Teotochi Marini, son amie [13]. Bettine, « aimable et spirituelle », parle bien le français, ce qui est rare à Venise. Elle s'intéresse à la littérature française et, dans son salon, réunit artistes et gens de lettres. Le sculpteur Canova est un de ses familiers. Plus tard Chateaubriand, Mme de Staël, Stendhal seront les fidèles de ses réunions. Denon aime passionnément sa Bettine. Lorsqu'on lui fera comprendre, qu'en raison de ses sympathies politiques, selon la formule consacrée, « *aria è non buona* », c'est-à-dire que l'air de Venise ne lui convient plus, il sera au supplice. Une correspondance s'établira alors entre les amants : elle durera plusieurs années [14].

Pour l'heure, en 1792, Isabella et Denon, réunis et heureux, font découvrir Venise à la visiteuse :

> Le soir même, [Mme Marini] me proposa de me mener au café, ce qui me surprit un peu, ne connaissant pas l'usage du pays ; mais je le fus bien davantage quand elle me dit : « Est-ce que vous n'avez point d'ami qui vous accompagne ? » Je répondis que j'étais venue seule avec ma fille et sa gouvernante. « Eh bien, reprit-elle, il faut au moins que vous ayez l'air d'avoir quelqu'un ; je vais vous céder M. Denon, qui vous donnera le bras, et moi je prendrai le bras d'une autre personne ; on me croira brouillée avec lui, et ce sera pour tout le temps que vous séjournerez ici ; car vous ne pouvez pas aller sans un ami [15].

En effet, pas question pour les dames de Venise d'aller sans *cavaliere servente*. Ce sigisbée, choisi parmi les cadets de la noblesse, joue le rôle d'un confident – *sigisbeo* signifie littéralement celui qui chuchote. Mais, il est parfois le souffre-douleur des caprices de sa *donna*.

Durant la foire de l'Ascension, la place Saint-Marc est au centre de l'animation. Louise Élisabeth Le Brun et Isabella Marini se promènent autour des boutiques peintes en gris qui en ornent le centre et le pourtour pendant les fêtes. D'étincelants lustres de cristal ornent les comptoirs, qui servent rafraîchissements et glaces. Comme chaque dame de famille noble, Isabella peut disposer d'un appartement, appelé *casin*, dans un des bâtiments aux alentours. Ces *casin*s permettent de changer de robe avant le spectacle ou de recevoir des visites discrètes. Les dames vénitiennes habitent, dit-on, davantage ces pied-à-terre que leurs somptueux palais [16].

Isabella « prête » donc Vivant Denon à Mme Le Brun pour la durée de son séjour. Denon connaît les églises et les palais qui recèlent les plus beaux ouvrages des Tintoret, Titien et Véronèse. Dans la Scuola di San Rocco figure une série de cinquante-six toiles pour lesquelles le Tintoret avait travaillé presque dix-huit ans. Mme Le Brun en examine « le dessin, la couleur et l'expression » : la *Crucifixion* avec ses surprenants effets de lumière et *La Fuite en Égypte*, dont « le paysage est superbe », resteront gravées dans son souvenir [17]. Du pinceau du Titien, elle reconnaît le *Martyre de saint Pierre* dont les personnages sont si expressifs. Ce tableau, aujourd'hui disparu, était placé dans la « confrérie » de Saint-Jean et Saint-Paul [18].

Les fastes de la basilique Saint-Marc, où l'or, le jaspe, le porphyre et l'albâtre rivalisent d'éclat, l'impressionnent. Toutefois, les chevaux de bronze doré n'emportent pas son suffrage. Moins de dix ans plus tard, Bonaparte les ravira à Venise pour orner l'arc du Carrousel [19].

Vivant Denon conduit ensuite Louise Élisabeth dans un palais privé, celui d'un « ancien sénateur », probablement le palais Rezzonicco. Elle y découvre une *Danaé* du Corrège [20]. Mais ce que Denon, qui connaît ses goûts, veut lui faire découvrir, ce sont les douze portraits au pastel de celle à qui elle a été comparée, la Rosalba. Elle en apprécie « la couleur et la vérité ». D'après elle, « un seul suffirait pour rendre un peintre célèbre ».

Musique à Venise

Le soir, les dames se rendent place Saint-Marc, puis, elles vont au théâtre et ne rentrent se coucher qu'à l'aube. Isabella conduit l'artiste au spectacle pour assister aux débuts d'une virtuose de quinze ans, un prodige dont l'expression est étonnante. Elle assiste aussi au dernier concert public donné par Pacchierotti, sopraniste, connu pour s'être illustré dans les rôles habituellement confiés aux castrats [21]. Après le concert, Louise Élisabeth et Julie assistent à la performance d'un improvisateur, qui brode sur une « pièce à canevas ». Les gesticulations de l'acteur, qui s'exprime probablement en dialecte vénitien [22], ne sont ni du goût de Julie ni de celui de sa mère.

Mère et fille préfèrent des spectacles donnés à l'écart de la fête, tels les concerts *a capella* proposés dans les *ospedali*, le samedi et le dimanche en fin d'après midi. Les oratorios et des motets donnés dans les chapelles des maisons de charité, comme celles de *la Pietà* et des *Mendicati*, sont très prisés. Ces écoles, qui ne sont pas des couvents, éduquent des jeunes filles et les dotent afin de les marier. Pour un prix modique, les *ospedali* ouvrent leurs portes. Des choristes, placées dans des tribunes grillées et en hauteur, demeurent invisibles aux yeux des spectateurs, qui suivent les paroles sur un livret. Ces chants séraphiques bercent la voyageuse et lui font verser « de douces larmes » :

> Je n'oublierai jamais la délicieuse musique que j'ai entendue à Venise dans une église. Elle était exécutée par des voix de jeunes filles ; cette musique religieuse simple, si harmonieuse chantée par des voix si belles, si fraîches était vraiment céleste… Il était facile de croire le Ciel ouvert [23].

Durant les quinze jours des réjouissances de l'Ascension et pendant toutes les fêtes [24], le port du masque est autorisé. Certains voyageurs remarquent que, grâce à ces masques, le peuple ne se sent pas, continuellement « offusqué » par la vue de l'aristocratie et qu'ainsi tout le monde paraît égal dans la République de Venise. Cependant, si l'anonymat donne aux Vénitiens plus de liberté, il la restreint. Car, sous le couvert du loup, les magistrats s'informent par eux-mêmes de toutes sortes de détails de la vie privée [25].

Hommes et femmes masqués nouent leurs cheveux en catogan sous un chapeau à trois cornes et un court manteau [26]. Cette coutume n'échappe pas à l'artiste : dans plusieurs tableaux masculins réalisés à Vienne, elle fera porter aux hommes le *mantello* de taffetas noir, appelé *tabaro*, qui descend jusqu'à mi-jambe, et tenir à la main le loup de satin. Le magnifique portrait du comte Grigori Ivanovitch Tchernichev [27] se ressentira de cette manière vénitienne. L'artiste utilisera encore ce manteau sombre afin de mettre en valeur le visage du modèle pour les portraits du comte Romuald Bystry, jouant de la guitare, et plus tard, le portrait de Serguei Sergueevitch Gagarine [28].

L'intrépide Louise Élisabeth veut connaître une Venise plus mystérieuse. Elle a entendu parler d'un cimetière situé sur l'île San Michele. De nuit, une excursion en barque est organisée avec un ami de Vivant Denon, mais sans Julie. La circonstance est romanesque : « La lune, entourée de nuages, cessait parfois de donner sa lumière, et ces tombes alors paraissaient se mouvoir [29] », note-t-elle. Comme la seconde enceinte du sanctuaire contenant les tombeaux les plus anciens est fermée, les promeneurs se glissent par une brèche du mur. Ils admirent les imposants mausolées, déchiffrent les inscriptions et rêvent en devisant devant cette fantasmagorie funèbre. Mais, au moment de retourner à leur embarcation, impossible de retrouver l'ouverture dans le mur.

Les voilà prisonniers. Louise Élisabeth et son mystérieux compagnon sont presque résignés à attendre le lever du jour assis sur les tombes, lorsque enfin ils aperçoivent la brèche. Deux gardes les prennent pour des amants venus se cacher, dit-elle, ce qui ne choque personne à Venise et la fait sourire. L'étrange escapade dans le monde des morts se termine à trois heures du matin.

L'artiste n'est pas venue à Venise pour travailler, mais pour se divertir. Elle prend cependant les pinceaux pour plaire à Vivant Denon, qui ne désire rien tant que de posséder un portrait de son amie Isabella Marini [30]. Le plaisir qu'elle reconnaît avoir pris à reproduire les traits de son modèle se lit dans ce portrait où le regard sombre et profond d'Isabella est mis en valeur par la couleur écarlate de la tunique dont elle est revêtue. Ses boucles brunes se détachent sur un ciel vénitien ombré de nuées. Le peintre exprime la sensualité de la bouche charnue à laquelle Vivant Denon rendra hommage dans ses lettres : un baiser sur « ces grosses lèvres que j'aime tant [31] », lui écrira-t-il. Enchanté, Denon grave ce portrait presque immédiatement. Plus tard il fera exécuter son propre portrait par un autre artiste afin de réaliser un pendant. Mme Le Brun songe-t-elle déjà à préparer un voyage à Londres ? Elle envoie des épreuves de cette gravure en France, en Allemagne et en Angleterre [32].

Le graveur et le peintre sont complices et parlent souvent de leur art. Louise Élisabeth montre à Vivant Denon sa *Lady Hamilton en Sibylle*. Denon admiratif, en fait aussitôt une copie à la plume qu'il conservera dans son cabinet [33]. Il suggère à sa consœur d'exposer la *Sibylle*, ce qu'elle accepte, satisfaite que les habitants de la Sérénissime République, où ont séjourné de si grands artistes, reconnaissent son art. Mais, seuls les étrangers viennent voir le tableau qui contribue à établir sa réputation dans l'aristocratie voyageuse de la fin du siècle.

Au souvenir agréable de Venise s'associera celui d'une déconvenue. La portraitiste place sur la banque de Venise le produit de ses portraits exécutés à Rome et à Naples, soit une quarantaine de mille francs. L'irruption des armées françaises ruinera la banque en 1797. Malgré les avertissements de M. Cacault, qui la conseille sur ses affaires à Naples, Mme Le Brun ne retirera pas la somme à temps : elle perdra ainsi les deux tiers de son dépôt et ne recueillera qu'une rente très inférieure à ses prévisions.

30

L'ESPOIR DU RETOUR

« Les yeux pleins d'églises... »

À partir de Venise s'amorce la perspective d'un retour. Par étapes, la petite troupe espère regagner Turin. Mais bien des villes restent à découvrir : Vicence, Padoue, Vérone, sont sur l'itinéraire, et Mme Le Brun n'entend pas rentrer à bride abattue.

L'ancienne ville de Vicence offre des palais bâtis par Andrea Pietro della Gondola, le Palladio [1]. Le plan en rotonde de la villa Capra a inspiré celui du château de Marly et rappelle à l'artiste sa jeunesse : un agencement de péristyles et de rotondes permet de jouir d'une vue étendue. Les palais se reflètent dans les eaux de la Brenta. Un habitant de ces demeures patriciennes reçoit la portraitiste et lui montre sa collection. Elle ne s'attend pas à y trouver une nouvelle preuve de sa réputation en Italie :

> [...] une galerie où se trouvait posée sur une table, une très grande quantité de gravures ; une seule était placée sens dessus dessous sur toutes les autres : la curiosité me porta bien vite à la retourner, et je vis mon portrait que l'on venait de graver d'après celui que j'avais donné à Florence [2].

Flattée, l'artiste poursuit ses découvertes. Une fresque de Véronèse, réalisée pour le réfectoire de la basilique du Monte Berico, la cène de *Saint Grégoire* est « d'une si belle couleur, et peint[e] avec une telle vérité, que les figures se détachent du fond [3] ». Mme Le Brun note encore la perfection du dessin du *Baptême de Jésus* de Giovanni Bellini.

La Brenta coule aussi à Padoue, dont les rues sont bordées de portiques. Mme Le Brun remarque, dans le *salone* démesuré de l'hôtel de ville, des fresques colorées représentant les douze signes du zodiaque et les arts libéraux. Mais, ce sont les fresques de Mantegna, nommé à l'époque Montigni, qu'elle veut découvrir à l'église des Eremiti [4]. L'abondance des marbres dans l'église Saint-Antoine l'excède, mais elle est intriguée par les fresques « très bien composées » de Giotto dans la chapelle Scrovegni, qui est alors intégrée dans l'ensemble d'un palais :

> L'attitude simple et l'expression des figures se rapprochent du style des anciens. La couleur est souvent celle du Titien, sans pourtant en avoir la perfection [5].

À peine le temps de jeter un regard à la statue équestre du condottiere, Érasme de Narni, général qui défendit Venise [6], et elle remonte en voiture. L'étape suivante sera plus longue.

Vérone n'est pas assez fréquentée pour offrir une hôtellerie convenable. Mme Le Brun loue pour une semaine un appartement qui lui semble tranquille, mais qui, en réalité, est situé sous le salon d'un maître à danser, où les élèves s'exercent deux heures par jour. Elle commence alors, méthodiquement, ce qu'elle appelle « une tournée » des églises ouvertes en dehors de l'heure des offices, soucieuse de ne pas passer à côté d'une œuvre marquante. Un tableau aussi coloré qu'une enluminure attire son regard dans l'église San Giorgio in Braida, c'est une *Madone, un saint et des anges* de Girolamo dai Libri. « Les figures, se souvient-elle, sont encore pleines de grâce et de naïveté [7]. » L'église San Zeno Maggiore baigne dans la lumière mélancolique d'une large rosace. Comme un voyageur repu d'avoir vu tant de merveilles, elle s'assied alors pour reprendre des forces : « Je me trouvais seule, dit-elle, dans ce temple silencieux, et je me plus à me livrer aux idées religieuses et douces qui s'emparaient de mon âme [8]. »

« Les yeux pleins d'églises [9] », saturée de découvertes, elle ressent le besoin de contacts, aussi profite-t-elle de l'accueil de la société de Vérone. La voilà invitée à une *conversazione*. Dans une galerie, les dames bavardent entre elles tandis que les hommes déambulent en gesticulant. Trois jeunes femmes de Vérone lui paraissent agréables [10] et elle partage en leur compagnie un dernier moment de gaieté.

Arrivée à Turin

Avant ce qu'elle s'imagine être son ultime étape avant la France, la voyageuse se dispose à une longue halte à Turin, où elle espère réaliser quelques derniers portraits. Elle a plié dans sa bourse des lettres d'introduction signées de Mesdames Adélaïde et Victoire, à remettre à une sœur de Louis XVI, Madame Clotilde [11]. « Mesdames tantes » avaient exprimé le désir de posséder un portrait de leur nièce, Clotilde.

Celle-ci, qui a épousé le prince Charles-Emmanuel de Sardaigne, est méconnaissable. La jeune femme, si épanouie qu'on la surnommait le *gros Madame*, refuse d'être portraiturée. Vêtue sans fantaisie, elle a sacrifié sa chevelure qu'elle masque sous un austère bonnet. Avec son époux, la princesse consacre sa vie aux dévotions. Inutile d'insister, malgré la demande pressante de ses tantes. Combien cette fratrie, composée de personnes si dissemblables, peut paraître étonnante à l'artiste : l'austère Clotilde, la courageuse Madame Élisabeth, le débonnaire Louis XVI, le doucereux Louis Stanislas, comte de Provence, et le frivole Charles, comte d'Artois.

Mme Le Brun demande ensuite audience à Madame, fille du prince régnant à Turin, épouse du comte de Provence [12]. La disgracieuse Marie-Joséphine de Savoie, réserve un bon accueil au peintre de la reine. Dédaignée par son époux, sans enfants, sans influence, Marie-Joséphine, a, dit-on, du goût pour la boisson. De plus en plus isolée à la cour, elle a trouvé dans sa lectrice, Mme de Gourbillon, une âme sœur. Provence juge cette Gourbillon insupportable, mais, en Piémont, Marie-Joséphine est chez elle et a fait venir sa favorite. Le futur Louis XVIII parvient à les séparer quelque temps. Une correspondance follement passionnée s'échange alors entre les deux femmes.

Sachant que l'artiste souhaite connaître les beaux points de vue de la région, Marie-Joséphine organise pour elle « des courses pittoresques ». Mme de Gourbillon et son fils [13] sont chargés de la chaperonner jusqu'à une chartreuse escarpée.

De plus la chaleur est suffocante. Son ami, le graveur Porporati qu'elle a voulu revoir, lui propose l'hospitalité, mais cette fois en dehors de la ville. Il possède une ferme dans la campagne proche où quelques chambres sont libres. Voilà l'artiste installée pour quelques semaines dans un paysage de bocage qui l'enchante. Elle attendra dans ce refuge les nouvelles de France. Avec Julie, Louise Élisabeth apprécie cette parenthèse de vie tranquille et recueillie : les chapelles où elle entend la messe avec les habitants du pays, les rivières ombragées, le bruit rafraîchissant des torrents, tout la repose et lui plaît. La nature lui procure une paix sacrée. Ce calme ne fait que précéder la tempête.

Quand revenir et par quel chemin ? Voilà ce qu'elle attend de savoir. Certes, à Paris, il lui faudra s'accommoder d'un logement de fortune, car ses appartements neufs sont réquisitionnés depuis plus de six mois par des commissaires de l'Assemblée législative. Jean-Baptiste Pierre et Étienne participent activement aux réunions de la section de Brutus dont dépend la rue de Cléry. Étienne tire son épingle du jeu en présidant le Comité civil des seize membres élus par les citoyens de la section. Quant à Le Brun, il cherche à s'adapter à la nouvelle situation, il a créé au mois de juin une société de prêt sur gage, destinée à aider artistes, amateurs et marchands d'art en difficulté [14]. Il a nommé cette société le « Lombard des Arts ». Louise Élisabeth, à Turin, rêve à des jours meilleurs...

> Le soir, mon spectacle favori était celui du soleil couchant, environné de ses beaux nuages dorés et couleur de feu, espèce de nuages l'on ne voit qu'en Italie. Ce moment était celui de mes méditations, de mes châteaux en Espagne ; je m'abandonnais alors à la douce pensée de revoir bientôt la France, me berçant de l'espoir que la révolution devait enfin se terminer. Hélas ! ce fut dans cette situation si paisible, dans cet état d'esprit si heureux que le coup le plus cruel vint me frapper [15].

Le destin se présente sous la forme d'une lettre. Un voiturier s'est rendu dans cet asile escarpé et la remet à l'artiste. Elle reconnaît le cachet, la signature : c'est celle d'Auguste Rivière, le frère de Suzanne, sa belle-sœur. Son message lui apprend les derniers événements, la prise des Tuileries le 10 août 1792, le courage des gardes suisses, les massacres. Le cœur serré, Mme Le Brun regagne Turin. Là, un tableau de désolation s'offre aux regards. La ville est envahie de réfugiés, qui ont tout perdu :

> [...] les rues, les places encombrées d'hommes, de femmes de tout âge, qui se sauvaient des villes de France, et venaient à Turin chercher un asile. Ils arrivaient par milliers, et ce spectacle était déchirant. La plupart d'entre eux n'emportaient ni paquets, ni argent, même de pain ; car le temps leur avait manqué pour songer à une autre chose qu'à sauver leur vie [16].

Les enfants affamés pleurent. Les vieillards sont exténués. Louise Élisabeth identifie quelques personnes, dont la vieille duchesse de Villeroy [17], ardente royaliste mais sans ressources. Seule la charité de sa femme de chambre, qui possède des économies, lui a permis de s'alimenter durant le voyage. Le roi Victor-Amédée vient en aide aux plus démunis et ouvre sa porte. La comtesse de Provence s'occupe des secours.

Dans l'anxiété la plus absolue, Mme Le Brun attend l'arrivée d'Auguste Rivière. Une maison de vigne à louer, sur le coteau de Moncarlieri, aux abords du Pô, lui servira de thébaïde. Quinze jours après la date annoncée, Auguste n'est pas encore là. Lorsqu'il s'annonce, c'est à peine si Louise Élisabeth le reconnaît. Défait, amaigri, il vient d'assister aux massacres des prêtres sur le pont de Beauvoisin. C'est plus qu'il ne peut en supporter. Ce spectacle sanglant et atroce l'a rendu malade au point qu'il a dû s'aliter à Chambéry.

L'artiste s'informe de sa famille. Sa mère, son frère, son mari sont-ils saufs ? Rivière la tranquillise. Jeanne s'est installée à Neuilly avec Le Sèvre dans la maison laissée par Louis Vigée. Étienne et Suzanne se cachent. Jean-Baptiste Pierre, protégé par l'uniforme de la Garde nationale, ne semble pas en danger. Il a été assez habile pour ne pas s'aliéner David. Mais il est courageux aussi. Ce jour d'août où la statue équestre de Louis XIV est mise à bas par les sans-culottes, il est parvenu à sauver le comte de Paroy, en mauvaise posture à cause de sa fidélité au roi [18].

La voyageuse comprend tout à coup qu'elle est devenue une exilée. Une page s'est tournée. Murmure-t-elle les vers composés par Étienne la nuit de son départ ? « C'en est donc fait, ils ne sont plus / Ces jours si chers à la mémoire… [19] » Les amis prennent le temps de réfléchir à ce que sera leur destin. Puisqu'un retour à Paris n'est pas possible, il faut trouver une solution d'attente. D'abord, Auguste doit rétablir sa santé. Bien que peu dévote, Louise Élisabeth cherche dans la ferveur des oratoires isolés le réconfort dont elle a besoin. Le tête-à-tête avec la nature lui permet de reprendre des forces : « Nous avions un clos, entouré de berceaux de vignes et des figuiers. Nous montions souvent à la forêt qui était au-dessus de notre habitation [20]. »

Elle reprend ses pinceaux et réalise un portrait de Julie *en baigneuse*. L'ambassadeur de Russie à Turin, le prince Nikolaï Borissovitch Ioussoupov [21], qui lui rend visite à Moncarlieri, achète immédiatement le portrait de Julie. Ce tableau ne sera pas le seul réalisé durant cette période inquiète. Afin de remercier Porporati de sa généreuse hospitalité, Louise Élisabeth lui offre le portrait de sa fille, qu'il adore. C'est un point commun de plus entre Mme Le Brun et le graveur que cette douce affection parentale. L'artiste a saisi la bonté du regard brun de la jeune fille, vêtue à l'antique d'une tunique rouge, gansée d'or. Porporati, enthousiaste, grave le portrait aussitôt [22].

Milan

Auguste Rivière et Louise Élisabeth savent que Milan, en Lombardie, est la ville où les étrangers sont le mieux accueillis. S'y rendre est une façon d'attendre que la situation s'apaise, sans trop s'éloigner. Savent-ils quelque chose de la terrible actualité du mois de septembre 1792 en France ? Les tueries dans les prisons ont fait des centaines de morts : à l'abbaye, à la Salpêtrière, au Châtelet. L'amie de la reine, la princesse de Lamballe, a été massacrée.

Sur la route, comme tous les Français *a priori* suspects de jacobinisme, les voyageurs sont arrêtés. Grâce au comte Johann Joseph Wilczeck, ambassadeur en Lombardie autrichienne, l'artiste obtient un passeport dans les règles et peut entrer dans Milan. Vraisemblablement sans rencontrer de problème pour se loger, les voyageurs s'installent dans cette ville cosmopolite dont les capacités d'accueil sont immenses : on compte à Milan cinquante-sept hôtelleries et quarante-six auberges [23]. Les Milanais sont partout décrits comme affables. L'abbé Richard dans sa *Descrip-*

tion de l'Italie signale que les nobles « qui tiennent le premier rang […] savent plusieurs langues, sont très polis et de bonne société ». Ils « reçoivent au mieux les étrangers qui leur sont recommandés [24]. »

Louise Élisabeth constate que cette réputation de bon accueil n'est pas usurpée, puisque le soir de son arrivée, « les jeunes gens des premières familles de la ville » lui donnent la sérénade sous ses fenêtres. Peut-être chantent-ils l'air de Crescentini, « Auretta grata… » « Brise gentille qui souffle tout autour / Apporte mes soupirs à mon amour […]. » Quoi qu'il en soit « cette galanterie italienne » la réconforte et, plus encore, le souhait manifesté par les Milanais de la voir prolonger son séjour.

À Milan, elle s'empresse de voir *La Cène*, peinte à fresque par Léonard de Vinci dans le réfectoire de l'église des Grazie [25]. L'œuvre a subi des dégradations et des restaurations maladroites. L'épouse de Le Brun, habile restaurateur, mesure l'ampleur des dégâts : l'œuvre a été replâtrée, coloriée. « Maudits soient ces barbares [26] ! » s'exclame-t-elle. Dans la bibliothèque Ambroisiana [27], les cartons de Raphaël pour la fresque du Vatican, *L'École d'Athènes* et les dessins de Vinci, dans leur inachèvement même, font ses délices.

Selon son habitude et puisque la saison le permet, l'artiste fait quelques excursions aux environs de Milan, notamment aux îles Borromées. Au moment où elle sait que son retour à Paris est compromis, elle apprécie Milan comme la ville d'Italie qui la dépayse le moins : « En tout, dit-elle, Milan me faisait bien souvent penser à Paris, tant par son luxe que par sa population [28]. » Les promenades se font à l'extérieur, sur les remparts de la ville, dont quelques-uns sont plantés d'arbres. Vers onze heures du soir l'été, une multitude de carrosses s'agglutine sur l'esplanade. Le luxe des toilettes des dames milanaises évoque à l'artiste les parures de Longchamp, tandis que les exhibitions de toilettes fastueuses, au Corso, via Porta Renza ou Orientale lui font songer à celles de l'ancien boulevard du Temple. Les sigisbées en moins, car à Milan encore plus qu'à Venise, ces « martyrs de la galanterie », comme les nommait Goldoni, exercent leur office auprès des dames. Quant aux élégants milanais, ils portent un long habit boutonné et une cravate enroulée plusieurs fois autour du cou sur une chemise à jabot.

L'artiste ne paraît pas avoir été reçue dans les palais des principales familles de Milan, la famille Litta, ou les marquis de Beljoyeuse. En revanche, à la Scala, où se concentre l'essentiel de la vie mondaine, elle lie des connaissances. Les proportions de la salle presque neuve [29] sont grandioses. Avec les six galeries, contenant trente-six loges, la Scala accueille trois mille six cents spectateurs. Chaque loge, décorée comme un appartement privé, permet de prendre une collation et d'offrir le café. En effet, le spectacle n'est pas toujours le but premier des Milanais : on ferme même parfois les loges avec des volets, afin de ne pas troubler la représentation. Cependant, les dames préfèrent laisser ces persiennes ouvertes afin de voir et d'être vues. Dans ce haut lieu de la sociabilité milanaise, on rencontre les principaux diplomates.

Un soir, le comte Wilczeck [30], ambassadeur d'Autriche, s'y trouve et propose à Mme Le Brun d'exposer sa *Lady Hamilton en Sibylle* dans une salle de sa résidence. Aussitôt, plusieurs artistes milanais demandent à voir la toile. L'un d'eux, Giuseppe Carpani en est si ébloui qu'il rédige une emphatique lettre décrivant ses impressions [31]. Sans doute les comparaisons employées par Carpani auraient-elles pu faire tourner la tête de l'artiste le plus modeste. Non content de reconnaître en Mme Le Brun l'émule de Raphaël et du Dominiquin, Carpani loue son expression, sa composition, et place sa couleur sur le même plan que celle du Guerchin. Ses ombres sont de la qualité de celles de Rembrandt. Les chairs évoquent Van Dyck et les carnations celles du Titien. L'admirateur italien n'a pas de mots assez forts pour souligner l'originalité de cette expressive *Sibylle*, dont il fait une idole. Le fait est assez rare pour être souligné : un article d'une vingtaine de pages consacré à un peintre vivant n'est pas fréquent. Louise Élisabeth, qui ne lit pas l'italien, a-t-elle eu connaissance de cet éloge, jamais évoqué ? Au moment où elle vient d'apprendre la nouvelle de son bannissement de France, sans doute lui aurait-il mis du baume au cœur.

Est-ce le comte Johann Wilczeck qui engage l'artiste à poursuivre sa route vers Vienne, comme elle l'affirme ? Désormais indésirable à Paris, il lui faut trouver un nouvel asile. On parle d'un séjour en Angleterre [32], mais le comte Wilczeck suggère qu'un accueil viennois serait possible. Avec Auguste Rivière, elle réfléchit.

En attendant, elle goûte les plaisirs de la musique et assiste à plusieurs concerts. C'est là que le hasard la place à côté d'une polonaise, Anna Rakowska, comtesse Bystra. On bavarde. Cette belle femme est l'épouse de Romuald Bystry, haut fonctionnaire de la Couronne. Bien que gouverneur *staroste* de Huta [33], Bystry n'est pas astreint à résidence dans sa province. La conversation se déroule en français – la plupart de la noblesse polonaise est francophone –, et les nouvelles amies découvrent qu'elles ont un projet commun : séjourner à Vienne.

Le comte et la comtesse Bystry proposent d'avancer la date de leur voyage pour faire route avec l'artiste et son petit groupe. C'est une aubaine car, de Milan à Vienne, la route est périlleuse. Il faut traverser le Tyrol et la Styrie, et voyager avec des amis qui connaissent le chemin présente une garantie de sécurité.

Vivre à Vienne

1792-1795

31

Installation à Vienne

« En Autriche, il est une ville joliment ornée de petites fleurs bleues, aux murs de marbre ; une forêt verte l'entoure, une forêt verte est au milieu d'elle, le rossignol y chante nos amours. »

Chanson viennoise.

Constance et courage

À la fin de l'été 1792, le voiturin loué par Mme Le Brun et Auguste Rivière, et la diligence à deux places de leurs nouveaux amis polonais pénètrent dans l'enceinte de Vienne par l'une des huit portes monumentales. Les sabots des chevaux claquent sur les larges pavés de pierres carrées. Le sol est brillant de propreté. Les voyageurs sont maintenant au nombre de six, Louise Élisabeth, Julie et sa gouvernante, Mme Charrot, Auguste et le couple Bystry, sans compter leurs domestiques. Tous décident de partager leur logement et leurs frais. Ils jettent leur dévolu sur une résidence située dans un faubourg, car se loger dans l'enceinte des quartiers anciens est difficile.

La ville ancienne est bordée de remparts, autour desquels s'étendent les trente-huit *Vorstädte*. Un second mur, le *Linienwall*, sépare ces faubourgs de la campagne. C'est la limite fiscale de la ville, là où les marchands traversent les octrois. Vivre dans les *Vorstädte* à Vienne en cette fin de siècle n'équivaut pas à une exclusion. Les souverains d'Autriche n'ont pas négligé ces vastes quartiers situés au-delà du mur d'enceinte et sur lequel ont pris place aujourd'hui les larges avenues du Ring.

Plusieurs églises ornent ces faubourgs, dont la Karlskirche décorée de deux colonnes historiées. L'une se nomme Constance (*Constantia*) et l'autre Courage (*Fortitudo*), des vertus qui parlent au cœur des exilés.

Des théâtres comme celui de Leopoldstadt, permettent à une population qui s'accroît de profiter sur place des spectacles. La résidence *Theresianum*, où la famille de Habsbourg séjournait l'été avant la construction du palais de Schönbrunn, est également située hors les murs. Seul inconvénient : dans les faubourgs, les rues ne sont éclairées que les nuits sans lune, et pour se rendre à des soirées en ville la distance à parcourir est importante. Il faut traverser les glacis exposés aux vents.

L'ambassadeur comte Wilzeck a fourni à Mme Le Brun plusieurs lettres d'introduction, véritables passeports mondains, car si la haute société viennoise est cosmopolite, elle n'est pas ouverte pour autant. Louise Élisabeth, dont la situation financière est précaire, ne perd pas de temps. Ses lettres de recommandation en main, elle part en campagne.

Pour un étranger, il est facile de se déplacer dans la ville : des carrosses de louage garnis de velours et tirés par des chevaux hongrois sont à disposition à moindre coût. De plus, il est impossible de se perdre à Vienne : à la différence de Paris, les maisons sont numérotées. Dès que la nuit tombe, des lanternes en forme de poire s'allument : tout est illuminé. Le Graben fourmille de passants du matin au soir. Les jeunes gandins y font admirer leurs rubans, les dames font miroiter leurs bijoux et la soie de leurs toilettes.

Autour de la comtesse Thun-Hohenstein

La première viennoise qui reçoit la visite de l'artiste est la comtesse Marie Wilhelmine Thun-Hohenstein [1]. Louise Élisabeth sait que dans son salon se réunit une des coteries les plus puissantes :

> Je n'ai jamais vu, rassemblées dans un salon, un aussi grand nombre de jolies femmes qu'il s'en trouvait dans celui de Mme de Thun. La plupart de ces dames apportaient leur ouvrage, s'établissaient autour d'une grande table, et faisaient de la tapisserie [2].

Comme un trio de Grâces, les filles de la comtesse Thun font l'honneur de ce salon. L'aînée, Élisabeth[3], est à vingt-huit ans l'épouse d'Andrei Kirillovitch Razoumovski, ambassadeur de Russie à la cour des Habsbourg. Maria Christiane, sa sœur plus jeune d'une année, a épousé le prince Karl Lichnovsky [4]. Enfin, leur cadette âgée de vingt-trois ans, est devenue Lady Marie Caroline Guilford, par son mariage avec le second comte Clanwilliam [5]. L'artiste réalisera le portrait de la comtesse Razoumovska à l'huile, ceux de Maria Christiane Lichnovska et de Lady Guilford au pastel. La princesse Lichnovska est une excellente pianiste et une femme du monde : d'un mot, elle fait ou défait une réputation. Avec son époux, elle saura comprendre le génie de Beethoven, qui s'installe à Vienne la même année que Louise Élisabeth, en 1792.

À ce trio se joint une de leurs parentes, Maria-Teresa Kinska [6]. Étrange destinée que celle de la comtesse Kinska, vivant seule dans son palais donnant sur la Herrengasse. Son mariage a été arrangé par sa famille et Maria-Teresa n'a aperçu son époux, Joseph Kinsky von Wchinitz und Tettau, que le jour des noces. Dès la sortie de l'église, Joseph Kinsky est reparti vivre auprès d'une maîtresse qu'il n'avait, malgré le charme de son épouse, aucune intention de quitter. On raconte que le fils du prince de Ligne, Charles, devint amoureux de la belle Kinska qui n'était « ni fille, ni femme, ni veuve ».

L'année suivant l'arrivée de l'artiste, la comtesse posera pour un portrait en pied où l'artiste restitue les reflets soyeux de la broderie, les dentelles bordant les manches de la robe de faille bleue nuit avec ce goût du fini qui la caractérise. Le souvenir de la comtesse Kinska lui demeurera cher, et une version de son portrait en buste figurera dans sa collection privée [7].

L'artiste et son modèle s'admirent réciproquement. La comtesse envie la simplicité de la tenue du peintre, libre de ses mouvements dans sa blouse blanche, au point qu'elle désire en avoir une semblable. Cette demande donne lieu à une anecdote :

> Un jour qu'elle me donnait séance, je fis demander quelque chose à la gouvernante de ma fille, qui entra dans mon atelier avec un air si gai, que je lui demandai ce qu'elle avait. « Je viens, répondit-elle, de recevoir une lettre de mon mari, qui me mande que l'on m'a mise sur la liste des émigrés. Je perds mes huit cents francs de rente : mais je m'en console, car me voilà sur la liste des honnêtes gens. » [...] Quelques minutes après, madame Kinski me dit que ma robe de peinture lui semblait si commode, qu'elle voudrait bien en avoir une pareille, car elle savait que la gouvernante de ma fille me faisait ces blouses. Je lui offris donc de lui en prêter une. « Non, reprit-elle, j'aime bien mieux que vous la fassiez faire par madame Charrot (qui était la gouvernante de ma fille) ; j'enverrai la toile nécessaire. » Peu de jours après, je lui remets la robe faite. Aussitôt notre séance finie, la comtesse court à la chambre de madame Charrot et lui donne dix louis ; la bonne refuse ; mais l'aimable comtesse les pose sur la cheminée et s'enfuit comme un oiseau, bien contente d'avoir au moins rendu à cette brave femme plus d'un quartier de la pension perdue [8].

Figurer sur cette liste de bannissement est une façon qu'ont dès lors certains émigrés de transformer l'exclusion en appartenance.

Les bonheurs de Vienne

« J'étais heureuse à Vienne autant qu'il est possible de l'être loin des siens et de son pays [9] », écrit Louise Élisabeth. En effet, tout ici conspire au bonheur immédiat. Les Viennois aiment la vie, et celle-ci le leur rend bien. Le peuple a un rapport sensuel avec la nourriture et les plaisirs : la musique en plein air dans les jardins d'Ausgarten, surnommés la *Favorita*, où le traiteur Jahn prépare de succulents repas, le vin blanc dans les guinguettes l'été, les maisonnettes sur le Prater où l'on savoure des poulets frits sur des tables de bois blanc, les promenades le dimanche dans les parcs ouverts au public. Sur le Prater, Joseph II, le frère aîné de Marie-Antoinette, a pris soin de faire planter des arbres déjà poussés afin d'offrir un ombrage aux Viennois. On dit que cet empereur, ennemi du luxe, aimait se promener, modestement vêtu, parmi ses sujets. Pour la fête de Sainte-Brigitte, on assiste à un feu d'artifice donné par la maison Stuwer, pour une pièce de vingt kreuzers. Ici, la plus haute noblesse se confond avec le peuple. Et, le monarque, sans aucune suite, circule avec la famille impériale parmi les badauds en toute familiarité. Personne ne s'en étonne.

Les premiers valseurs du siècle virevoltent sur les parquets lustrés. En effet, lorsque Louise Élisabeth s'installe à Vienne, la valse enchante la ville depuis une dizaine d'années. Toutes les Viennoises sont folles de ces vertigineux tourbillons qui ensorcelleront l'Europe entière. Non sans provoquer des controverses. Étienne, le frère de Louise Élisabeth, lorsqu'il verra apparaître la valse en France, se demandera comment les mères permettent une proximité aussi audacieuse à leurs filles : « La beauté que dès lors le plaisir environne, écrit-il, / Au bras qui la soutient mollement s'abandonne [10]. »

Nous voilà bien loin des événements dramatiques de la France en Révolution. Pour Élisabeth, c'est comme si le temps s'était arrêté, comme si elle retrouvait les jeux de Tivoli, les promenades aux Tuileries. On s'amuse à cœur joie les jours de fête, car les Viennois ont instauré les « bleus lundis », qui prolongent doucement le dimanche et évitent la mélancolie du lendemain.

La ville est prospère et les étrangers n'ont pas de difficulté à se nourrir. *Chez Pilat*, sur le Graben, ou *À la Corne de chasse*, rue Sainte-Dorothée, les voyageurs constatent que les plats sont à tarif fixe. Un menu complet, comportant de la viande, une bonne soupe, des légumes, du pain et un quart de litre de vin, ne leur coûte pas plus de treize kreuzers. Dans les tiroirs des boutiques sont pliés des rubans, des dentelles d'or et d'argent, des gants, des mouchoirs de Milan. Dans les vitrines, des éventails, des crayons, des jetons d'ivoire sont disposés et, sur les étagères, des tabatières en papier mâché, des miroirs. Le choix est immense. Si un étranger souhaite garnir sa table, il lui suffit de se rendre à la fabrique de porcelaine du quartier de Rossau, fondée depuis presque un siècle [11] dont le magasin ouvert au public est réputé pour l'élégance de ses étalages. Une assiette peinte coûte jusqu'à quarante florins. La porcelaine viennoise, encore coûteuse en Europe, est un luxe auquel n'accèdent que les riches bourgeois et l'aristocratie. Mme Le Brun, qui a le goût des objets délicats, s'est-elle contentée de caresser du doigt le fin biscuit blanc et or des services à thé ? Aurait-elle garni son nécessaire de voyage d'une de ces tasses à l'anse ouvragée de la manufacture de Rossau ?

En cette fin du XVIIIe siècle la population viennoise est si bigarrée qu'un voyageur anglais la nommait « parfaite Babel [12] » : en se promenant sur le Graben, quel n'est pas l'étonnement de Louise Élisabeth lorsqu'elle entend parler des Allemands du Saint Empire et du Palatinat, des Tchèques et des Hongrois, des Slaves du Sud, mais aussi des Italiens et des Espagnols. Il y a aussi des descendants de ces Lorrains venus avec l'époux de Marie-Thérèse, l'archiduc François Étienne. Le dialecte viennois emprunte de nombreux mots au tchèque, à l'espagnol, à l'italien et au français, le tout prononcé avec un accent très rugueux.

Si la rue est polyglotte, les faveurs de la cour vont à l'italien et au français. C'est pourquoi le répertoire français, à l'honneur dans les théâtres, et l'opéra italien rencontrent un grand succès. Une Parisienne n'est pas dépaysée à Vienne. Cette présence étrangère est telle que les postes autrichiennes sont bien organisées, mais elles pratiquent des tarifs élevés : une lettre simple pour l'étranger coûte six kreuzers, presque l'équivalent d'un plat de viande, ce qui pour la population immigrée française désargentée représente un effort. Souvent, on fait passer des messages par une lettre collective. Dans Vienne, il existe comme à Paris une « petite poste [13] » qui permet de transmettre une invitation, un paquet d'un bout à l'autre de cette capitale très étendue.

Pour les insouciants Viennois, la vie est musicale, comme le disent les chansons populaires. Louise Élisabeth va de concert en concert. Cependant, elle ne mentionne pas une seule fois le nom du compositeur de *La Flûte enchantée*, Wolfgang Amadeus Mozart, disparu seulement onze mois avant son arrivée. C'est Haydn qui a ses suffrages, (elle écrit *Hayden* comme elle l'entend prononcer). Elle se remémore particulièrement un concert symphonique magnifiquement exécuté. Joseph Haydn rentre à peine de Londres et vient d'entrer au service de Nicolas II Esterhazy. C'est l'époque où il compose ses derniers oratorios et dirige parfois ses propres œuvres à Vienne.

Des concerts ont lieu pour un public choisi à l'hôtel Lichnowsky. Un musicien protégé par le prince Aloïs loge dans sa demeure. Tous les vendredis matins, il organise un concert par un quatuor à cordes. Beethoven, puisque c'est lui dont il s'agit, offre aux Viennois la primeur de son *Trio pour piano, violon et violoncelle* (*Opus 1*) dédié au prince Lichnowsky, durant le séjour de Louise Élisabeth. On ne sait si elle a apprécié cette musique de chambre nouvelle, ni si elle a retenu le nom du jeune compositeur.

Premières commandes

Les amis de Louise Élisabeth, le comte et la comtesse Bystry, doivent poursuivre leur route. Avant leur départ, l'artiste achève leur portrait. Celui du comte Romuald évoque un chanteur de sérénade à l'italienne. Vêtu d'un *mantello* noir doublé de rouge, il tient une guitare à la main. La comtesse est représentée dans une robe simplement drapée, les cheveux sans poudre et ornés d'une couronne de roses. Telle une vestale, elle tient à la main une coupe d'or. Ce magnifique pendant orna probablement un salon de leur *dwòr* d'Antopol [14], une de ces claires demeures palladiennes entourées d'un parc, comme il en existait dans les campagnes de Pologne.

Lorsque le comte et la comtesse Bystry quittent Vienne, la demeure louée devient trop vaste pour Louise Élisabeth, Auguste et Julie, qui se logent au cœur de la ville. Ainsi la clientèle pourra plus facilement venir voir la *Sibylle* maintenant reclouée sur son cadre. La notoriété du portrait de Lady Hamilton a traversé les frontières.

À peine installée dans ce nouvel appartement, l'artiste reçoit une commande de l'ambassadeur d'Espagne qui souhaite le portrait de sa fille âgée de treize ans, Flore. Mademoiselle Kageneck [15] est d'illustre lignée : elle est cousine des princes Metternich. Flore n'a qu'une année de plus que Julie. Si Brunette se glisse dans l'atelier, elle peut admirer Flore qui pose, coiffée d'une couronne de fleurs des champs tressée d'un ruban rouge, les épaules couvertes d'un *schall* écarlate bordé d'or qui met en valeur sa fraîche vénusté.

Un jeune couple russe, le baron et la baronne Grigori Stroganov [16], n'attend pas plus longtemps pour commander un pendant de portraits à Mme Le Brun. Leur cousin Alexandre Stroganov, qui a séjourné à Paris avant 1789, leur a vanté les talents de la portraitiste. Anna Sergueevna est assise près d'un vase de fleurs. Grigori, qui remplit une mission diplomatique à Vienne, est représenté sans insigne de sa fonction et il n'a pas poudré ses cheveux châtains. Sa veste de velours rouge, bordée de fourrure, paraît indiquer que les séances de pose ont eu lieu durant l'hiver.

C'est durant ce même hiver 1792 qu'un autre diplomate frappe à la porte du studio de Mme Le Brun. Le comte Grigori Ivanovitch Tchernichev, gentilhomme de la Chambre, est à Vienne pour une brève mission diplomatique. Cet héritier de trente ans est amoureux de tous les plaisirs. Sur son portrait, ses boucles brunes sont décoiffées, il semble se démasquer en rentrant d'une fête et porte le *mantello* vénitien doublé d'incarnat et un mouchoir ourlé de soie rouge noué autour du cou. Comme parfois, lorsque la personnalité de son modèle la trouble, l'artiste peint à « regards perdus » ce personnage fantasque et insaisissable. En d'autres circonstances, Mme Le Brun rencontrera à nouveau le comte. Tandis que l'attitude de Grigori Alexandrovitch Stroganov reflète la clarté et franchise, le regard détourné de Tchernichev paraît étrange. Sombre présage.

Émigrés à Vienne

Si les Hongrois, les Russes et les Polonais en résidence à Vienne ne songent qu'à profiter de l'agrément de la ville, le sort de ceux que Mme Le Brun nomme les « émigrés de notre pauvre France » est différent : ils sont presque tous ruinés.

Malgré l'union de Marie-Antoinette avec Louis XVI – ou peut-être à cause de ce mariage –, dès 1792, les Autrichiens accueillent les émigrés français avec réticence. Une sympathie pour la Révolution est apparue dans l'aristocratie, et Léopold II semblait plutôt favorable au principe d'une monarchie constitutionnelle. En revanche, son fils François II [17], le dernier à régner avec le titre d'empereur du Saint Empire romain germanique, a reçu, dès les premiers mois de son règne, en avril 1792, une déclaration de guerre émanant de l'Assemblée législative. Sa méfiance s'accroît d'autant plus que sa police traque des complots jacobins à Vienne. La cour d'Autriche n'aime pas les Français, dans leur ensemble. Aux exilés on reproche leur frivolité et le dédain que certains montrent vis-à-vis des mœurs simples de la cour d'Autriche. Il est vrai que l'agent diplomatique de Louis XVI, le duc de Richelieu [18], toujours « l'air très grand seigneur », ne donne pas un exemple d'aménité. Et, lorsque Calonne installé à Coblence écrit à la duchesse de Polignac : « On veut nous chasser de partout, ce qui ferait grand plaisir à la cohorte scélérate [19] », c'est à peine s'il exagère.

De leur côté, les émigrés critiquent l'attentisme du gouvernement autrichien et la faiblesse de Léopold II. Une anecdote circule en Europe : un jour que l'on demandait au prince de Condé ce que ferait l'empereur si les sans-culottes exécutaient sa sœur, ce dernier aurait rétorqué : « Peut-être oserait-il prendre le deuil [20]. » On craint de se demander ce que ferait, dans la même circonstance, le neveu de Marie-Antoinette alors au pouvoir.

L'empereur et sa seconde épouse, Marie-Thérèse de Bourbon des Deux-Siciles, ne font qu'entrebâiller la porte de leurs appartements. Ainsi Louise Élisabeth devra-t-elle se contenter d'apercevoir les souverains lors d'un bal à la Hofburg. Elle n'obtiendra pas de commande significative de la cour. La police impériale a-t-elle eu vent des activités d'Étienne Vigée à la présidence de la section de Brutus et des poésies très patriotiques qu'il a publiées ? Tout se sait. Malgré la fidélité royaliste de Louise Élisabeth, en cette période où les services de renseignements sont sur le qui-vive, la prudence est de mise chez les Habsbourg.

L'épouse de l'empereur régnant semble avoir oublié que l'artiste a réalisé son portrait deux années auparavant, alors qu'elle n'était qu'une princesse napolitaine. Mme Le Brun s'était même efforcée de flatter le visage ingrat, le nez trop long, et les joues plates de la nièce de Marie-Antoinette. Dans la liste des peintures réalisées par Louise Élisabeth à Vienne, une *Petite baigneuse pour la Reine* est mentionnée. S'il s'agit d'un présent à la fille de la reine de Naples, Marie-Thérèse, aucun remerciement, aucune invitation à la cour ne sont évoquées. Dépit de peintre ou simple constat, Louise Élisabeth, prompte à trouver un éclat de beauté à la plus terne des femmes, juge Marie-Thérèse des Deux-Siciles enlaidie malgré la toilette et ressemblant à son père.

Trop proche des Polignac, trop française, Mme Le Brun devra se contenter de la clientèle hongroise, polonaise et russe qui vit à Vienne. Des commandes moins prestigieuses sans doute, mais lucratives, et des modèles agréables à fréquenter.

Le petit groupe est bien organisé : Mme Charrot s'occupe de l'éducation de Julie et, à l'occasion, fait office de couturière pour l'enfant et sa mère, qui ne peuvent avoir recours aux services d'un tailleur coûteux. Auguste Rivière trouve des ressources en copiant avec talent « en grande miniature à l'huile » les portraits exécutés par Louise Élisabeth. Certains clients souhaitent multiplier le plaisir du portrait en offrant des répliques à leurs proches. Auguste a ainsi réalisé les miniatures des plus beaux modèles de Louise Élisabeth, la fille de la comtesse Jules de Polignac, Aglaé, dite Guichette, et la comtesse Kinska [21]. Auguste chante en s'accompagnant au piano, joue du violon et de la basse. Son vif regard brun, ses cheveux sombres, sa conversation pleine d'esprit, lui ouvrent les portes des salons viennois. Les deux amis forment une association professionnelle en mettant en commun leurs talents. Grâce à un labeur acharné, en menant une vie aussi régulière que le lui permettent les mondanités viennoises, l'artiste fait rentrer l'argent nécessaire à la vie de sa fille, de la gouvernante, et au salaire d'un ou deux domestiques utiles à l'atelier et à la maison.

Salons viennois

Au début de son séjour, Mme Le Brun fréquente la société de Louise de Rohan, comtesse de Brionne, l'une de ses premières clientes. Par son mariage, la comtesse de Brionne [22] appartient à la maison de Lorraine, proche des Habsbourg. À presque soixante ans, d'après l'abbé Georgel, elle demeure « la plus belle femme de la capitale : une belle taille, un port majestueux, une âme grande et remplie d'énergie, un grand caractère, une conversation pleine de grâces et d'intérêt, une physionomie rayonnante d'esprit et de bonté [23] ». Elle apprivoise tout le monde et, même le prince de Nassau, célèbre pour avoir combattu les fauves dans les déserts d'Afrique, est son esclave docile. Les soupers que donne la belle Brionne sont un réconfort. Et l'artiste ne manque pas de réaliser à nouveau son portrait, « à mi-corps », comme elle l'indique dans sa liste [24].

Une autre maison ouverte est celle de la comtesse de Rombeck, sœur du puissant chancelier comte de Cobenzl [25]. Charitable, mais hostile à ceux qui ne sont pas de fervents royalistes, Mme de Rombeck vient en aide aux infortunés par toutes sortes de moyens : loterie, quêtes. Chez Mme de Rombeck, on apprend toutes les nouvelles de France. C'est pourquoi le prince de Ligne la surnomme *madame de Caquet-Bon-Bec*. Un jour, Louise Élisabeth, qui s'inquiète pour sa mère et son frère, ouvre les gazettes posées sur les tables du salon. Des listes de noms sont publiées. Ce sont les guillotinés. Elle tremble. Tout chancelle. Elle a reconnu les noms de neuf personnes qu'elle a fréquentées. Son état de nerfs est tel qu'à partir de ce moment, on la ménage, on lui dissimule les mauvaises nouvelles. Une de ses amies, exilée à Vienne, se consume de la même inquiétude. C'est Éléonore Dejean de Manville, comtesse de Sabran, arrivée depuis quelques mois, accompagnée d'Elzéar, son fils. Elle aussi lit les gazettes, et attend chaque jour des nouvelles de son compagnon, le chevalier de Boufflers [26].

Chez la comtesse de Rombeck, un silencieux jeune homme de dix-neuf ans est attentif à toutes les conversations. Il a achevé ses études de philosophie depuis deux ans. Ce discret personnage se nomme Clément Wenceslas Metternich [27]. Il est chaperonné par le prince, son père. Qui se douterait que bientôt ce séduisant célibataire présidera aux destinées de l'Europe ?

Le prince de Ligne

Un autre bel homme étire ses longues jambes sur les bergères de la comtesse de Rombeck, un familier de la rue de Cléry, le prince de Ligne, qui a l'art de raconter ses voyages. Pour le cercle de la comtesse, il évoque le périple de Crimée où il eut l'honneur d'escorter l'impératrice Catherine II. Louise Élisabeth a lu ses lettres à la marquise de Coigny, avec cette évocation de Parthenizza qui incite à la rêverie : « C'est sur la rive argentée de la mer noire [28]... »

Les récits magiques du prince, son esprit, attirent les visiteurs que ne
découragent pas les escaliers abrupts qui conduisent à son salon, ni les
chaises de paille inconfortables de son antichambre. Ligne habite dans
une maison sobrement meublée, près des remparts, sur le Moelkerbastei.
Sans rien laisser paraître dans le monde, il est cruellement éprouvé par la
mort de son fils Charles, tombé au combat en septembre 1792. Sa
demeure est mal tenue, signe d'un étrange laisser-aller chez celui qui était
si fier de son château de Belœil. En 1794, afin de loger sa tribu de filles
et de petites-filles, Ligne loue deux maisons attenantes à la sienne. La
troisième de ses filles, la cancanière princesse Clary, loge de son côté sur
la Herrengasse, dans un palais où elle décore murs et paravents d'étranges
silhouettes découpées.

Ligne est ruiné et ne reçoit plus aucun revenu de ses États du Hainaut
et de Mons. Louise Élisabeth est témoin de l'annonce de la perte de ses
biens en Flandre. La scène se passe chez Mme de Rombeck. Ligne soupire d'un air dégagé : « Je n'ai plus que deux louis, qui donc paiera mes
dettes [29] ? » Le prince vit de sa solde de quatre mille florins par an. Avec
cela, il doit régler les dettes de son fils Charles, dont ses petites-filles ont
hérité. C'est pourquoi, en novembre 1794, la collection de Charles comportant des dessins de Raphaël, de Michel-Ange et de Léonard est vendue à Albert de Saxe-Teschen. Ainsi est créée la collection aujourd'hui
connue sous le nom d'Albertina. Quant à Catherine II, elle ne sera pas
sourde à sa détresse et lui viendra en aide en lui rachetant le domaine de
Crimée qu'elle lui avait jadis offert [30].

Le clan Polignac

L'éminence grise de la société émigrée est l'époux de la favorite de
Marie-Antoinette, le duc Jules de Polignac [31]. Lors de son arrivée, le duc
a établi ses quartiers dans un village proche, Hietzing. Il y tient table
ouverte. Puis, contraint de vendre un à un les objets précieux apportés
avec lui, son train de vie s'amenuise. Malgré son peu d'audience à la
cour, le duc s'efforce de jouer un rôle d'intermédiaire entre la communauté des émigrés et l'empereur d'Autriche.

La famille Polignac est nombreuse. Ses quatre enfants, son gendre et
sa belle-fille et les trois enfants de la duchesse de Guiche vivent à Hietzing. Diane, la sœur du duc, le comte de Polignac, son père et les trois
enfants de son second mariage font également partie du petit phalans-
tère. S'y ajoute la fille naturelle du comte de Vaudreuil, Albertine Fierval,
devenue Mme Davrange de Noiseville [32], dont Mme Le Brun apprécie
l'amitié. Tous dépendent, ou presque, des minces ressources de Jules de
Polignac.

Bien qu'elle fasse peu d'allusions au clan Polignac dans ses souvenirs du séjour autrichien, l'artiste se rend souvent dans leur résidence campagnarde. Elle croque de profil les fils du duc âgés de treize et douze ans [33]. Elle trace les contours à la pierre noire, puis rehausse au pastel le visage et les boucles laissées libres des deux jeunes garçons. On les voit décoiffés, essoufflés, interrompant leurs parties de balle un instant pour poser. Peut-être même, Julie, qui a le même âge que l'aîné des deux frères, est-elle venue jouer avec eux. À ces grands garçons se joint le fils d'Aglaé, Antoine Agénor de Grammont, qui n'a que quatre ans.

Pendant que les enfants s'amusent, pour plaire à Diane, Louise Élisabeth fait le portrait au pastel d'un jeune homme de dix-neuf ans, discrètement désigné comme un parent des Polignac. Disgracieuse et peu élégante, Diane a du caractère [34] ; d'une liaison avec le marquis d'Autichamp, est né ce fils, Edmond, qui fait partie de la tribu d'adolescents vivant à Hietzing. Un bel homme d'une trentaine d'années s'est joint au clan Polignac. C'est le marquis de Rivière, compagnon officiel de Guichette. Louise Élisabeth apprécie ses qualités chevaleresques, elle réalise un portrait au pastel où elle tente de restituer la finesse de son esprit [35]. Acceptant les missions les plus dangereuses, Rivière est le meilleur soutien des princes.

Francesco Casanova

Comme elle en a l'habitude, Mme Le Brun s'informe des artistes qui résident en ville. Elle aurait aimé rencontrer un portraitiste réputé de l'Académie de Vienne, Johann Baptist Lampi, mais, elle apprend qu'il séjourne à Saint-Pétersbourg où il fait fortune. Un autre peintre connu est à Vienne. Il s'agit d'un ancien voisin de la rue de Cléry, Francesco Casanova [36]. Reçu à l'Académie royale à Paris, Francesco s'était fait une spécialité de la peinture de batailles. Louise Élisabeth avait pu admirer au palais Bourbon ses immenses toiles mettant en scène les exploits du prince de Condé, père du duc de Bourbon. Cet élève de Parrocel, fier et indépendant, n'est autre qu'un des frères de l'aventurier Giacomo Casanova, dit de Seingalt.

La peinture de Casanova était bien payée à Paris, mais Francesco a vite dilapidé ses prodigieux cachets. Afin de fuir ses créanciers, il a quitté Paris en 1787 et a conquis une clientèle internationale. Casanova excelle à recréer des atmosphères orientales et, pour Catherine II, il a reconstitué la geste des victoires de son empire contre les Turcs. Mme Le Brun se rend à son atelier où elle admire « l'effet », la couleur et le mouvement de la touche rapide de Casanova. Malgré le respect qu'implique la différence de génération, elle n'abdique pas son jugement. Secrètement, elle lui reproche un manque de fini dans les visages et les détails : « Ils n'étaient point terminés [37] », dit-elle. À soixante-cinq ans, en effet, le vieil artiste peint en superposant plusieurs lorgnons. Dans son atelier, les Viennois s'extasient devant la bravoure du *Prince de Nassau tuant un puma au cours d'un voyage à Bougainville* [38]. Le prince de Nassau, si terrible d'après les tableaux de Casanova, était étonnamment doux en société [39]. Louise Élisabeth va jusqu'à dire, dans un de ses cahiers, qu'il a « l'air d'une demoiselle qui sort du couvent [40] ». Mais Casanova lui donne un air audacieux.

La verve de Francesco Casanova en fait, un convive recherché à Vienne. Le prince de Kaunitz aime l'avoir à table. Francesco distrait l'assistance par des histoires inventées de toutes pièces. Surtout, il a une haute idée de la fonction d'artiste. Avec une satisfaction ironique, Louise Élisabeth rapporte une anecdote qui le prouve :

> Un jour que nous dînions chez le prince de Kaunitz, la conversation roulant sur la peinture, on parla de Rubens, et quand on eut fait l'éloge de son immense talent, quelqu'un dit que son instruction, qui était aussi prodigieuse, l'avait fait nommer ambassadeur. À ces mots, une vieille baronne allemande prend la parole, et dit : « Comment ! Un peintre ambassadeur ! C'est sans doute un ambassadeur qui s'amusait à peindre. — Non, Madame, répond Casanova, c'est un peintre qui s'amusait à être ambassadeur. » [41]

Un vieil admirateur

Encore faut-il oser tenir ce genre de propos dans la demeure d'un grand seigneur. Parmi les personnes qui comptent à Vienne figure en effet le prince de Kaunitz [42]. Cet ancien ministre, chancelier de Marie-Thérèse, et diplomate surnommé le « cocher de l'Europe », est l'homme d'un autre siècle : en ambassade à Paris, avec désinvolture, il avait imposé sa façon de vivre à la viennoise au Palais-Bourbon. De retour, ce collectionneur a fondé l'École des beaux-arts et celle de gravure en taille-douce.

Dans le massif palais de la chancellerie qu'il a fait aménager par un architecte italien [43], Kaunitz tient chaque semaine, une table de plus de vingt couverts et prie souvent Mme Le Brun à « dîner ». Celle-ci se passerait bien de ces mondanités qui la détournent de sa peinture. Le comble, c'est que, chez le prince, on ne sert le repas qu'après une attente interminable. L'artiste, qui a besoin d'une vie régulière, prend chez elle une collation à son heure habituelle. Kaunitz s'apercevant qu'elle résiste avec le sourire aux mets qu'on lui présente et qu'elle se contente d'un œuf à la coque en est fâché. Autant que faire se peut, sans le blesser, Mme Le Brun esquive ses invitations.

Kaunitz finit par se rendre aux raisons de l'artiste. S'il ne peut l'impressionner par l'abondance de sa table, il tente de se faire admirer autrement et l'invite à une parade équestre. Dans sa quatre-vingt-deuxième année, cet excellent cavalier monte avec aisance dans un style « à la française [44] ». Son costume désuet, sa perruque à la mode du siècle de Louis XV – il avait plu à Mme de Pompadour – évoquent à Louise Élisabeth Le Brun les scènes de chasse de Wouwerman [45] qu'elle avait pu contempler dans la collection du comte de Vaudreuil.

Dans sa vanité, le prince aime jouer au mécène : c'est chez lui que, peu après l'arrivée de Mme Le Brun, le tableau de la *Sibylle* est exposée durant deux semaines. Grâce à cette exposition, la liste des commandes s'allonge. Durant les trente mois de son séjour, l'artiste exécutera plus de cinquante-quatre portraits à l'huile et au pastel. Presque deux tableaux par mois, sans compter les paysages réalisés pour son plaisir. Un rythme de production très soutenu. Est-ce à l'intention de Kaunitz qu'elle réalise ce sobre autoportrait où, vêtue de moire sombre, les traits un peu tirés, elle esquisse un demi-sourire [46]?

Sous ses dehors autoritaires, le vieux chancelier est touchant, attachant même. Peu de temps avant son départ de Vienne en 1794, Louise Élisabeth est attristée d'apprendre sa mort, et consternée de le voir si vite oublié par les frivoles Viennois.

32

1793, ANNÉE FUNESTE

« Quelle année funeste ! Roi, reine, amie, j'ai tout perdu ! »
Le comte de VAUDREUIL à Lady Elisabeth Foster,
19 décembre 1793 [1].

Le jour de l'an 1793 semble annoncer un avenir heureux. Un somptueux gala se déroule à Vienne. La matinée est consacrée à des cérémonies solennelles : la garde allemande défile en grande tenue. Puis les cavaliers hongrois impressionnent l'artiste tant ils sont beaux, « grands et bien faits ». Le prince Nicolas Esterhazy de Galantha éblouit particulièrement la portraitiste [2]. Son habit écarlate brodé, son plumet blanc, lui donnent de la prestance sur son cheval caparaçonné. Un festin accompagné de musique est donné ensuite pour fêter l'année nouvelle.

À peine la liesse est-elle calmée que trois semaines plus tard, une nouvelle foudroyante se répand à travers l'Europe. Le 23 janvier, au terme d'un long procès, le roi de France a été exécuté. Aussi étrange que cela puisse paraître, c'est par une lettre d'Étienne que la portraitiste apprend la mort du roi [3]. Tout bascule. Auguste et Louise Élisabeth comprennent que leur exil durera longtemps. Très affectée, leur amie Éléonore de Sabran quitte Vienne pour la Prusse [4]. Que faire ? La présence du comte de Vaudreuil venu rejoindre la famille Polignac, peu de temps avant Noël, adoucit le sentiment d'angoisse qui saisit Mme Le Brun.

Afin de trouver la fraîcheur l'été, elle loue une chaumière meublée à Hietzing, entre Vienne et Schönbrunn, où résident les Polignac. Elle pourra se rendre auprès d'eux pour une soirée et marcher jusqu'au parc de Schönbrunn, si vaste qu'on peut y faire des promenades solitaires. L'on n'y rencontre, remarque-t-elle, que des couples de fiancés.

Dans cette campagne, l'artiste emporte des tableaux à achever, il faut rectifier une draperie, placer les fonds de paysage. C'est à Hietzing qu'elle termine le portrait de Caroline von Liechtenstein [5]. Louise Élisabeth a choisi de la peindre *en Iris*, divinité qui symbolise l'union entre la terre et le ciel et qui porte les messages des dieux. C'est une sorte d'échappée, d'espoir en ces jours sombres. Une formule aérienne met en valeur les formes sveltes du modèle, vêtue d'une tunique mordorée. Grâce à un voile coloré par le soleil et gonflé par le vent, Caroline *Iris* survole des monts semi-enneigés, qui évoquent les paysages viennois. Elle est pieds nus, et l'on aperçoit l'une de ses chevilles. Ce tableau est destiné à la galerie du palais de la Herrengasse appartenant aux Liechtenstein, la très ancienne famille de mécènes. Ceux-ci sont austères, mais ne manquent pas d'humour, comme en témoigne l'anecdote qui suit la réception du tableau :

> [...] lorsque ce tableau fut placé dans la galerie du prince, son mari, les chefs de la famille furent très scandalisés de voir que l'on montrât la princesse sans chaussure, et le prince me raconta qu'il avait fait placer dessous le portrait une jolie petite paire de souliers, qui, disait-il aux grands-parents, venaient de s'échapper et de tomber à terre [6].

L'année suivante, lorsque l'artiste livre le portrait de la sœur du prince Aloïs, commandé en même temps que le précédent, elle se le tient pour dit. Josepha Hermenegilde von Liechtenstein, princesse Esterhazy par son mariage, est peinte *en Ariane à Naxos*. Josepha *Ariane* attend en rêvant, assise sur les rochers d'une grotte pittoresque qui s'ouvre sur l'aube d'une mer laiteuse. Les formes opulentes de Josepha sont enveloppées dans une tunique sombre à manches longues, un pied dépasse de sa robe mais il est chaussé d'une fine lanière. La princesse ne va pas pieds nus : l'honneur des Liechtenstein reste sauf !

Dans les portraits de cette période viennoise, Louise Élisabeth utilise des associations de teintes audacieuses : or de l'écharpe, rouge des châles et des ceintures, violet, mordoré, parfois vert émeraude des robes. Plutôt que d'assourdir les teintes comme elle le faisait à Paris, elle laisse les couleurs se révéler musicalement les unes par rapport aux autres. Le prince de Ligne ne s'y trompe pas lorsqu'il évoque « des couleurs [...] aussi harmonieuses que celles que risque Mme Le Brun dans ses tableaux [7] ». Le verbe « risquer » sous la plume de Ligne montre à quel point la peinture de l'artiste pouvait être perçue comme nouvelle. Ce qui explique une partie de son succès.

Une clientèle cosmopolite

« Sans quelques femmes polonaises et le prince de Ligne, je serai reparti le lendemain de mes audiences [8] », affirme un diplomate russe. En effet, la colonie polonaise constitue un des charmes de la vie viennoise. Durant les troubles qui ravagent leur pays, nombreux sont les Polonais qui ont choisi Vienne comme lieu de résidence.

La princesse Izabella Lubomirska, commanditaire de l'artiste à Paris depuis 1788, tient désormais un salon des plus animés de Vienne : bals et concerts s'y succèdent. Elle présente l'artiste à son frère, le prince Adam Casimir Czartoryski. Les Czartoryski appartiennent à une richissime dynastie d'origine lithuanienne, et Adam Casimir, cousin de Stanislas Auguste Poniatowski, a été un possible candidat au trône polonais. Le prince se laisse portraiturer sans aucun insigne, ni décoration, revêtu d'un ample manteau cramoisi qui concentre les effets sur son visage. Il conserve cependant la perruque poudrée en marteau qui sied à ses soixante-neuf ans. Un demi-sourire et une main expressive caractérisent une personnalité affirmée. L'idée audacieuse qui consiste à effacer toute appartenance et à traiter un prince comme un simple particulier suppose de la part de l'artiste une confiance en ses aptitudes à restituer la noblesse naturelle du modèle. Adam Czartoryski n'est pas déçu. Une seconde version de ce tableau est demandée, avec un manteau bleu. Cette variante est destinée à la résidence parisienne du prince : l'hôtel Lambert [9].

Louise Élisabeth aura portraituré ainsi presque toute la famille : la fille du prince Adam, la princesse Marie von Würtemberg [10], et sa sœur, Izabella Lubomirska, et enfin, le neveu de celle-ci le prince Henry Lubomirski, qu'elle avait déjà représenté *en Amour de la gloire* lorsqu'il était enfant [11]. À Vienne, Louise Élisabeth élabore autour de lui une composition savante et ambitieuse : *Amphion jouant de la lyre*.

Fruit des amours de Zeus et d'Antiope, Amphion, possédait une lyre d'or offerte par Hermès. L'artiste tenait particulièrement à cette toile, aussi mystérieuse que la lyre d'Amphion est prodigieuse [12]. Dans la liste qu'elle a établie de ses œuvres, elle signale cet *Amphion avec deux naïades qui le regardent*. Or, le tableau, tel qu'il nous est parvenu, met en scène Henry-Amphion accompagné de trois jeunes filles et non de deux. Deux nymphes regardent Amphion : Julie qu'on reconnaît grâce à ses joues pleines et une adolescente brune inconnue, peut-être Armandine Sophie de Grammont. Une troisième enfant, légèrement dissimulée, détourne son regard de la scène. Ses traits évoquent ceux de la mère d'Armandine Sophie, la duchesse de Guiche enfant. La duchesse de Guiche disparaîtra tragiquement en 1803, en tentant de sauver sa fille des flammes [13]. L'artiste aurait-elle souhaité conserver son souvenir en ajoutant son effigie à cette toile qui lui fut chère ? Ou faisait-elle déjà partie de la composition. Lorsqu'elle exposera cette toile au Salon de 1817, l'histoire tragique des trois naïades sera loin d'être terminée.

La terrible année 1793 traîne en longueur. Les nouvelles ne sont pas bonnes. Le coup de grâce est donné par un événement qui touche de près la portraitiste : le 16 octobre, Marie-Antoinette est montée sur l'échafaud. La souveraine avec qui l'artiste a eu de longues conversations, qui aimait mêler sa voix à la sienne dans leurs duos préférés de Gretry, n'est plus. La mère qui a tenu ses enfants sur ses genoux lorsqu'ils posaient avec elle a quitté ceux qui l'aimaient. Louise Élisabeth éloigne ces souvenirs déchirants en travaillant des heures et des heures à l'atelier. Et pour satisfaire sa clientèle polonaise, russe, hongroise, autrichienne, elle fait bon visage. Plus tard, elle s'autorisera le chagrin et la douleur.

Une autre Française en exil n'a pas le dérivatif du travail pour se détourner de sa souffrance : c'est Yolande Gabrielle de Polignac, l'ancienne gouvernante des enfants de France, celle qu'on nommait la comtesse Jules. La favorite de Marie-Antoinette ne dort ni ne mange. Elle s'affaiblit de jour en jour. Le comte de Vaudreuil, qui l'a aimée et lui est attaché par un lien presque conjugal, la soutient. Mais en vain, il confie son inquiétude au comte d'Entragues dans une lettre : « L'état douloureux et alarmant de ma meilleure amie [a] épuisé toutes mes forces [14]. » Le 5 décembre 1793, la comtesse Jules rend l'âme au milieu de sa famille éplorée. Vaudreuil fait part de son chagrin au comte d'Artois : « Hier j'ai perdu une amie de trente ans, l'objet et la confidente de toutes mes peines. Celle par qui et pour qui je vivais, qui possédait tous les charmes, toutes les qualités et toutes les vertus [15]. »

Le comte se sent envahi par une tristesse immense. Afin de soulager sa peine, Louise Élisabeth réalise un portrait de Mme de Polignac, « de souvenir ». Le comte d'Artois insiste pour en payer la gravure, qui permettra de distribuer son image à ceux qui ont aimé la comtesse Jules [16]. Un poème est placé sous son effigie :

> Tu rends à nos regards la plus parfaite amie,
> Une épouse adorée, une mère chérie.
> Le Brun ton art divin triomphe de la mort
> Par un sublime élan du cœur et du génie.

Avant de quitter l'Autriche, Louise Élisabeth exécute un portrait de la fille de la duchesse de Polignac, Guichette, la préférée du comte. Le visage légèrement de biais, le regard perdu, portant un collier de simples perles minérales, la jeune femme mélancolique a une présence beaucoup plus intense que la bergère enrubannée représentée dix années auparavant [17].

Nouvelles de la Terreur

Pendant ce temps, à Paris, ceux qui sont restés, croyant à un avenir meilleur, déchantent. Louise Degrémont, l'épouse de Brongniart, a dû en rabattre de son enthousiasme pour une République qu'elle se déclarait prête à soutenir. En septembre 1793, elle écrivait encore à Alexandre-Théodore, parti à Bordeaux édifier le temple de la Raison : « Je sens que je me battrai comme une amazone. » Enchantée par un rêve de démocratie, elle se demandait : « Qu'est-ce que les femmes spartiates faisaient de plus que moi [18] ? » Mais, de semaine en semaine, le couple perd confiance. Puis, en novembre, ce constat : « Je crois que tout ce que nous connaissons de monde est arrêté [19]. » Hubert Robert, l'archéologue Quatremère de Quincy [20], sont dans les fers. Mais également Étienne et Jean-Baptiste Pierre.

La machine révolutionnaire s'est emballée. Au mois d'octobre 1793 ont été décrétées des « visites domiciliaires ». Ces perquisitions ont lieu le même jour, à la même heure, dans les quarante-huit sections de la capitale. Aucun moyen d'y échapper. Officiellement, ce sont les denrées qui sont recherchées, les planches à fabriquer de faux assignats, mais en réalité on traque tous les signes contre-révolutionnaires. Par précaution, les Brongniart font même buriner les fleurs de lys des plaques de cheminée. Des patrouilles circulent dans les rues ; les quartiers sont bouclés [21]. Pour les contrevenants, la sanction est une arrestation immédiate. Dans l'urgence, Étienne détruit les papiers dont il connaît l'existence chez sa sœur et notamment ses correspondances : dans son secrétaire sont rangées les lettres de Vaudreuil à Louise Élisabeth, sa correspondance d'Espagne. La seule signature de Vaudreuil sur un document constitue un danger.

L'hiver 1793 n'est pas meilleur que l'automne. Entre la mi-octobre et le début de décembre, on ne sait, Jean-Baptiste Pierre est sous les verrous. Le 14 octobre, avant de fermer une lettre à sa femme, Brongniart griffonne, en travers de la feuille, cette question : « J'ai vu dans les journaux : Jean Baptiste Le Brun en prison. Serait-ce le marchand de tableaux [22] ? » Depuis des semaines en effet, Jean-Baptiste Pierre s'attend à ce que son nom soit sur une liste. Alors, il prépare sa défense, comme tant de prisonniers le feront, qui rédigent des mémoires justificatifs destinés à l'Accusateur public. Papiers inutiles qui iront se ranger dans le sinistre portefeuille de Fouquier-Tinville. Jean-Baptiste Pierre, dans son orthographe incertaine, rédige une liste récapitulative de ses dons faits à la patrie [23] :

28 aoust 1792, 50 £ pour les veuves et orphelins du 10 aoust
17 mars 1793, 20 £ pour équipement des soldats
1793 – 13 may, 100 £ 10 pour les frais de la guerre de la Vandé
1793 – 29 may, 111 £ 10 pour les veuves ou orphelins de ceu qui combatte ala Vendé
1793 –29 avril, 222 £ 10 pour les pauvres dela section.

Prouver sa bonne citoyenneté, avant tout.

Son beau-frère, Étienne est aussi dans les fers. Pourtant, il a donné des gages au nouveau régime : une *Ode à la Liberté*, où il invective les tyrans étrangers prêts à envahir la France. Son reniement ne lui a pas servi. En décembre 1793, le 7 nivôse an II, il est emprisonné à Port-Libre. C'est là le nouveau nom de Port-Royal.

À Vienne, la portraitiste s'épuise à la besogne. Elle « se sèche à la portraiture », selon son expression. Malgré, ou à cause de, ces événements tragiques, sa productivité est intense en cette année 1793. Pour les modèles qui se présentent dans son atelier, elle se doit de chasser la mélancolie et de rester l'aimable peintre à la conversation enjouée. Elle est comme coupée en deux : à l'extérieur, le sourire, la gaieté, en son for intérieur, l'inquiétude, la peur.

La comtesse Bucquoïa et la princesse Pelagia Sapieha

L'une des toiles les plus abouties de cette année 1793 est un portrait de la comtesse Bucquoïa [24]. L'artiste renouvelle une formule employée, à Rome en 1791, pour le portrait de la comtesse Potocka. Mais, ici, Maria Teresia Bucquoïa est assise de biais, la main droite sur les genoux, la main gauche soutenant mélancoliquement le menton. La tenue du corps évoque une douce rêverie plutôt que la tristesse. Un châle rouge brodé d'une frise d'or, comparable à celui qui couvrait les épaules de Flore Kageneck, ajoute une note éclatante à ce tableau. La simplicité élégante du modèle évoque une tenue de promenade, une halte lors d'une excursion dans un décor de rochers et de cascades, souvenir des croquis levés aux Cascatelles.

La comtesse Bucquoïa appartient à une famille austro-hongroise. Esterhazy par sa mère, Paar par son père, elle a épousé le comte Johann Josef Bucquoï. C'est son frère, le prince Wenzel Paar qui est le commanditaire du tableau. Il invite l'artiste à venir admirer l'accrochage de son œuvre dans son palais viennois. La mise en scène est théâtrale :

> Je trouvai le tableau placé dans son salon, et, comme les boiseries étaient peintes en blanc, ce qui en général tue la peinture, il avait fait poser une large draperie verte qui entourait tout le cadre et retombait dessous. En outre, pour le soir, il avait fait faire un candélabre à plusieurs bougies, portant un réflecteur disposé de façon que toute la lumière se reportait sur mon portrait. Il m'est inutile de dire combien un peintre est sensible à ce genre de galanterie [25].

La portraitiste cherche à satisfaire ses clientes. À l'une, elle donne l'air de méditer, telle la comtesse Maria-Teresia Czernin [26], rêveuse après une lecture du *Voyage d'Anacharsis*, à l'autre, elle prête la légèreté d'une balle-rine. En effet, un couple en voyage de noces s'adresse à elle : le prince Franciszek Sapieha et sa jeune femme de dix-neuf ans, Pelagia [27]. Ses boucles brunes et ses prunelles sombres évoquent une de ces jolies pay-sannes dansant sur les chemins en revenant des fêtes de la Madone dans la campagne napolitaine en automne. Quelques feuilles de vignes glissées dans ses rubans rappellent cette saison. Bondissante et faisant virevolter son écharpe de voile aux tons chamois, Pelagia esquisse un pas de danse, tandis que la teinte de sa robe vert sombre trouve un écho dans les feuillages des buissons. Le mouvement du châle suggère un hommage à Reynolds, dans son portrait de Mrs Munster en Hébé [28]. La forme et les reflets du bracelet qui ceint le bras du modèle évoquent un souvenir de Raphaël. La gracieuse danseuse évolue devant un paysage vespéral : des fumerolles sortent d'un cratère dominant la baie de Naples. Dans cette toile, Mme Le Brun révèle une parfaite maîtrise de la transposition : elle associe des réminiscences picturales au souvenir des choses vues pour aboutir à une œuvre unique. Autour du modèle dont elle saisit la ressem-blance, elle crée une atmosphère atemporelle. Le second portrait, une tête bouclée, fait ressortir le visage sensuel de Pelagia Sapieha. L'expres-sion de la belle Polonaise est presque aussi intense que celle de la sédui-sante Italienne Isabella Marini. Le souvenir vivant des excursions napolitaines se glisse ainsi dans la vie viennoise [29].

Ainsi, le temps passé au chevalet est-il gagné sur l'inquiétude et l'attente. Peu à peu, Louise Élisabeth se laisse entraîner par le tourbillon. Les Russes séjournant dans la capitale autrichienne n'ont pas leur pareil pour s'amuser. Les Stroganov offrent des bals où l'on danse des valses et des polonaises. Louise Élisabeth préfère le rythme cadencé de la polo-naise, qui nécessite plus de grâce que d'agilité et qui met en valeur les toilettes. Selon l'artiste, le baron Grigori possède « un charme supérieur pour animer la société ». Il a en commun avec Tchernichev le goût des supercheries. En visitant un cabinet de cires, Grigori ne résiste pas au plaisir de se cacher parmi les mannequins et de surprendre ses amis [30].

La résidence viennoise des Stroganov est pourvue d'un théâtre où s'improvise une compagnie d'acteurs amateurs. Le svelte Auguste Rivière joue encore les jeunes premiers. On ne sait si, comme à Paris, Louise Éli-sabeth lui donne la réplique dans les rôles de soubrette.

À Vienne, il est de bon ton de savoir placer sa voix et d'être bon acteur. La famille du trésorier von Fries, originaire de Mulhouse, ne fait pas exception à cette règle. Dans la salle de spectacle de son palais, dont les massives cariatides donnent sur la Josefsplatz, Anne von Fries [31] aime faire preuve de son talent pour les rôles de composition, et c'est une commanditaire de l'artiste. Aussi est-ce joindre l'utile à l'agréable que de participer à ses amusements. Auguste chante en duo avec Sophie von Fries, la cadette, dans un opéra à trois acteurs. Pour les Fries, vocaliser et jouer d'un instrument est la condition même du bonheur. Sophie joue de la harpe, et son amour de la musique est tel qu'elle entretiendra un orchestre avec son époux, le comte von Haugwitz, dans leur château de Moravie. La jeune femme est plus expressive que belle, mais l'artiste la représente chantant et jouant de la lyre [32]. Sa sœur Ursula, comtesse von Schönfeld [33], dont la beauté est plus régulière, est entichée de noblesse. Elle a épousé l'ambassadeur de Saxe. Avec malice, Mme Le Brun, qui désapprouve qu'on renie ses origines, épingle sa façon maladroite d'effacer l'histoire du banquier Fries, son père. Le dernier enfant, Moritz Christian, n'a encore que seize ans. Comme le prince Lichnowsky, il sera le mécène de Beethoven et le dédicataire de plusieurs de ses œuvres. Être reçus par une telle famille de mélomanes est une aubaine pour Louise Élisabeth et Auguste.

Dans cette troupe d'acteurs improvisés, un officier émigré d'une trentaine d'années, le comte de Langeron [34], dissimule sa bravoure sous des dehors étourdis : avec Rochambeau il a fait la campagne d'Amérique. Langeron s'est fait une spécialité des rôles d'« amoureux », emploi dans lequel il a aussi quelque expérience vécue. Dans la dernière pièce [35] jouée à Vienne avant le départ du baron et de la baronne Grigori Stroganov, il insère une tirade de son invention. Louise Élisabeth a conservé une copie de ce morceau d'anthologie, où les valeurs de la frivolité s'opposent à celles de la profondeur. Voici comment Dorlange-Langeron se décrit lui-même :

> Je dois à la nature, et j'acquis par l'usage
> De la facilité, du babil, du jargon,
> Plus de superficie en un mot que de fond.

Semblable à beaucoup de ses contemporains à qui Mme Le Brun le compare – le vicomte de Ségur [36] ou le comte Louis de Narbonne [37] –, Langeron trouve du plaisir dans la découverte incessante de nouveaux univers et de nouvelles femmes :

> On m'a souvent aussi reproché, ce me semble,
> D'avoir aimé parfois plusieurs femmes ensemble.
> Eh bien ! c'était tromper, dit-on... Non, car je crois
> Que je les adorais toutes de bonne foi.

Une philosophie de papillon, assez répandue dans le siècle, teintée d'érotisme, comme celle de Boufflers, qui compose « Le Cœur », ou d'Évariste de Parny, qui rime « La Méridienne ». Ce qui anime surtout ces jeunes émigrés, c'est une volonté de traverser les épreuves avec « une grâce d'esprit », une insouciance polie et l'infinie capacité à se réfugier dans le rêve. Atout et faiblesse à la fois, cette volonté de ne pas considérer ce qui déplaît ou pourrait faire souffrir n'est-elle pas ce qui a conduit ces gracieux patineurs à glisser au-dessus de l'abîme sans sombrer ?

> Si le malheur veut verser sur ma vie
> Ses poisons, ses dégoûts ou sa mélancolie,
> Les rêves et l'espoir viennent avec gaieté,
> Dans mon cœur tenir lieu de la réalité.

Philosophie pour le malheur, jeu d'esquive, aveuglement qui fait que ces jeunes seigneurs évitent de regarder ce qui se passe autour d'eux. Le comte de Vaudreuil leur ressemble. Comment pourraient-ils comprendre ? Nous étions tous des novices, écrira le comte. « Nous n'avions pas vu de révolutions [38] ? » répéteront-ils.

On lit les nouvelles, puis on s'étourdit d'illusions.

33

Une décision difficile

Les Français sont de moins en moins appréciés à Vienne. Comment les amis songent-ils aux jours futurs ? Le comte de Vaudreuil est à l'heure des bilans. « Je n'ai plus rien, je ne suis rien [1] », écrit-il. Il a cinquante-trois ans. Outre ses domaines du Morne-Rouge au Cap-Français et à Port-au-Prince, presque détruits, il possède une plantation de caféiers, dont il ne tire plus de revenus. Ses collections ont été vendues, il n'est riche que de dettes. Il songe à aller à Pise rejoindre la famille de sa cousine [2]. Il pense aussi à l'Angleterre et interroge Lady Élisabeth Foster au sujet de l'accueil – et implicitement – de l'aide qu'il pourrait recevoir pour s'y installer. Louise Élisabeth a les pieds sur terre. Si elle a pu être tentée de rester près de lui, elle sait que c'est une solution sans avenir. Le destin d'une artiste n'est-il pas de voyager encore ?

Elle éprouve de la sympathie pour sa clientèle russe. L'art de vivre du baron Grigori Stroganov et du comte Tchernichev l'a éblouie. Qu'espérer de plus à Vienne en 1794 ? La cour des Habsbourg lui est fermée. Ce qu'elle souhaite, c'est conquérir une clientèle royale, comme à Paris et à Naples. Le prince de Ligne lui a chanté les louanges de Catherine II et lui a inspiré une admiration lointaine pour l'impératrice de Russie. On chuchote que le peintre viennois Lampi, qui a les faveurs de la cour pétersbourgeoise, devra bientôt rentrer dans sa patrie. Il a reçu un avertissement de la part de ses confrères de l'Académie de Vienne : ceux-ci lui demandent de revenir, sous peine de perdre les avantages de son statut. Il pourrait laisser une place vacante à Saint-Pétersbourg. Ne serait-ce pas une occasion ?

La portraitiste sait qu'à la cour de Russie les cachets sont vertigineux. Le Suédois Roslin, membre de l'Académie royale à Paris, y a amassé des gains considérables en deux années [3]. La demande de portraits de l'aristocratie russe était si importante qu'il n'a pu la satisfaire. Victime de son succès, Roslin dut même demander à Pierre, le directeur de l'Académie royale, de rédiger une lettre officielle de rappel afin de regagner la France sans mécontenter sa clientèle.

Mais la décision est difficile à prendre. Penser qu'elle ne part pas tout à fait vers l'inconnu est rassurant. Doyen, l'ami de son père, est installé à Saint-Pétersbourg, depuis 1791. Mme Le Brun a entendu dire qu'il est fort bien traité. Appelé par Catherine, qui souhaitait constituer une académie de peinture, Doyen a sollicité un congé de trois années auprès de l'Académie royale et il enseigne à l'Académie des beaux-arts de Pétersbourg, moyennant une pension de mille deux cents roubles. Toute une génération de peintres russes s'empresse de suivre ses leçons.

À Paris, elle se souvient d'avoir connu le cousin de Grigori, Alexandre Stroganov, collectionneur et mécène. Pourquoi ne pas tenter l'aventure, pour deux années ou trois, en attendant que les choses se calment à Paris ? Elle fait demander un passeport à Artois par Vaudreuil. Le document arrive le 13 février 1794. Mais avant de se lancer dans ce périple, Louise Élisabeth veut en savoir plus. Elle persuade Vaudreuil d'interroger Artois : quel est son sentiment sur la possibilité d'un accueil en Russie ? Artois prend des avis. Au mois de mars, il affirme que les augures sont favorables, mais que l'approbation de l'ambassadeur, le comte Andrei Kirillovitch Razoumovski [4], est indispensable. Ce n'est donc pas sur l'invitation de l'ambassadeur Razoumovski que l'artiste décide de partir en Russie, comme elle l'affirmera dans les *Souvenirs*. De plus, le comte d'Artois ne lui accorde pas de recommandation :

> Je suis au désespoir, mon ami, de ne pouvoir pas donner de lettre pour l'impératrice ; mais tu en sentiras facilement l'impossibilité, quand je te dirai que je n'en ai donné qu'au seul Calonne et à aucun autre. D'ailleurs sois bien sûr que ce que j'ai fait est plus que suffisant, que la réception sera aussi aimable que lucrative [5].

Dans une autre lettre, Artois précise : « J'ai su par des lettres de Russie que Mme Le Brun y serait reçue à merveille et qu'elle y était attendue avec impatience, je m'empresse de te le dire [6]. » En réalité, plus de douze mois s'écouleront entre la réception du passeport et le départ de Louise Élisabeth et d'Auguste. Ont-ils tardé à faire leur demande au comte, ou l'approbation de l'impératrice Catherine II est-elle longue à venir ?

Pendant ce temps, à Paris, rien ne se calme. Les « tigres » du Tribunal révolutionnaire, selon l'expression de Vaudreuil, se sont acharnés sur Madame Élisabeth. Les Viennois apprennent qu'au terme d'un procès, le 10 mai, la sœur de Louis XVI, dont la correspondance avec l'étranger aurait été découverte, a été guillotinée. La bergère, qui avait posé dans son costume de Trianon, chapeau orné de coquelicots[7], est montée dans la carriole dont les chevaux connaissent le chemin jusqu'à l'échafaud.

La portraitiste a-t-elle appris le mois suivant la mort de ses deux amies d'enfance, Émilie Chalgrin et Rosalie Boquet, exécutées le 24 juin, place du Trône-Renversé[8] ? La rieuse Émilie, dont on disait : « Sans elle il n'y a que chagrin », et Rosalie, dont la beauté était célèbre, toutes deux inculpées pour avoir « brûlé les bougies de la Nation ». Rosalie avait repris la charge de concierge du château de la Muette, après le décès de son époux[9]. Elle avait le droit, un privilège de sa charge, de disposer des meubles inutilisés au château. Tombée dans les filets d'un commissaire hostile, dénoncée au Tribunal révolutionnaire, elle a été accusée de recel. Émilie Chalgrin, son amie intime, est entraînée dans ce simulacre d'enquête. Malgré l'intervention du frère d'Émilie, Carle Vernet, la sentence est sans pitié. David signe alors les ordres d'exécution. Une tradition le rend responsable de la mort des deux jeunes femmes : une vengeance, car Émilie aurait repoussé ses avances dans sa jeunesse. Une autre rumeur rapporte que David aurait rédigé une ordonnance de libération au nom d'Émilie Chalgrin et qu'il aurait oublié le papier dans sa poche[10]. Peut-on ajouter foi à cette sinistre anecdote ?

Seule la peinture permet à Louise Élisabeth de mettre entre parenthèses les souvenirs de sa jeunesse noyés dans un bain de sang. Elle est sans nouvelles d'Étienne. Celui-ci vient d'apprendre qu'il sera transféré de Port-Libre à la prison des Carmes. Une « translation » n'est jamais bon signe. Le 7 thermidor, une journée où la guillotine fonctionne du matin au soir et où les poètes André Chénier et Antoine Roucher sont exécutés, Étienne entend son nom à l'appel. Plus tard, il racontera ainsi l'épisode :

> Il fallut monter, moi quarantième, dans un tombereau ouvert, bien et dûment escorté. Ce tombereau était rouge ; l'échelle qu'il fallait renfermer était rouge aussi ; le pied sur le premier échelon je me retourne vers le municipal qui présidait à l'opération. — Je n'aime pas la couleur de cette échelle, lui dis-je. — Allons, monte toujours, me répond-il[11].

Après sept mois et douze jours d'incarcération, le 19 thermidor, Étienne quitte la prison des Carmes.

Tout le monde n'a pas sa chance. Le 8 thermidor, c'est le tour de la princesse de Monaco que l'artiste avait retrouvée à Venise. Afin d'éviter la saisie de ses biens, la princesse est rentrée en France. Elle a vingt-sept ans[12]. Pour masquer sa pâleur, elle se farde de rouge avant de monter à l'échafaud.

Louise Élisabeth évite de lire les journaux de France. Est-il possible qu'on lui ait caché ces exécutions ? Elle sait qu'elle a eu raison de fuir. Désormais, à Vienne on craint l'expansion de la Révolution.

Divorcée

Comme pour la conforter dans sa décision de partir pour la Russie, à la fin du printemps 1794, Jean-Baptiste Pierre Le Brun, durant sa détention, s'est résolu à déposer une demande de divorce. Il n'a pas agi à la légère. Afin que Louise Élisabeth ne soit pas considérée comme émigrée, il a tout tenté. L'année précédente, il a fait imprimer une brochure intitulée *Précis historique de la vie de la citoyenne Le Brun*. Il distribue, gratuitement à son domicile, cette courte biographie tout à l'honneur de son épouse.

Avec lyrisme, Jean-Baptiste Le Brun attaque les détracteurs de sa femme : « Elle marchait à grands pas vers la gloire, il fallait qu'elle l'expiât ! », puis il passe au plaidoyer. Il balaie une à une les accusations dont elle a été l'objet. Au soupçon d'enrichissement, le marchand de tableaux oppose la force de travail de l'artiste, qui passait, dit-il, plus de cinq heures par jour à l'atelier et qui finissait « par le travail une journée que le travail avait commencé ». Il souligne la frugalité de sa vie, le petit nombre de leurs domestiques [13], la simplicité du décor de sa chambre à coucher, le lit d'indienne, la tenture de papier ornée de quelques tableaux. Jean-Baptiste Pierre rappelle que jamais sa femme n'a été inscrite sur le « livre rouge des pensionnaires du ci-devant Trésor royal ». Elle n'a accepté aucun privilège.

Le Brun n'élude pas la question de ses fréquentations avec « la caste des ci-devant privilégiés ». Tout artiste doit payer le tribut de son succès et il en appelle aux grands exemples : Van Dyck et Pourbus, eux aussi, durent portraiturer les personnes de la haute classe de la société [14]. Eux aussi, recevaient leurs clients chez eux [15]. Enfin, le cénacle que Mme Le Brun a réuni autour d'elle, « c'étaient les Arts fraternisant ensemble », souligne-t-il, dans un langage patriotique. Jean-Baptiste Pierre proteste aussi de la sagesse de son épouse et la défend de l'invraisemblable accusation de liaison avec Calonne.

Enfin, Mme Le Brun n'a pas abandonné sa patrie, ajoute-t-il. Le marchand rappelle qu'elle a participé « au don patriotique » à l'Assemblée nationale constituante avec les autres femmes artistes de Paris [16], qu'elle a envoyé le portrait de Paisiello au Salon de 1791. Voilà, dit-il, « un hommage qu'elle se plaisait à rendre à son pays [17] ». Pour la conclusion, il garde l'argument majeur : le voyage en Italie, projeté depuis longtemps, était motivé par le désir de connaître la Patrie des arts. Et, à ce titre, argumente-t-il encore, son statut d'artiste la plaçait sous la sauvegarde du « décret solennel » du 8 avril 1792, qui autorisait ceux qui pouvaient justifier « d'inscriptions et de brevets » à voyager pour les nécessités de leur métier.

Jean-Baptiste Pierre ne peut être suspecté ni de misogynie ni de lâcheté :

> C'est une injustice commune aux hommes et aux femmes même, d'affecter de croire qu'une femme est incapable de s'occuper d'autres choses que de frivolités, et de ne pas lui pardonner de vouloir pénétrer dans le sanctuaire des Arts et des Sciences [18].

Pour publier un pareil plaidoyer en ces moments de Terreur, il faut un certain courage, qualité qui ne fait pas défaut à Le Brun. S'il est vrai que l'enjeu est de taille – éviter la saisie de leurs biens –, un tel hommage d'un mari à sa femme est rare en son siècle. Louise Élisabeth, qui ne peut l'avoir oublié, ne mentionnera jamais ce petit livre qui lui fait honneur. C'est dire quelle sera la force de son ressentiment.

Le plaidoyer de Le Brun est sans effet. Et les propriétés des émigrés figurant sur la « liste » risquent la saisie. Dans la demeure toute neuve de la rue du Gros-Chenet, l'un des appartements a déjà été réquisitionné [19]. Afin de sauver son commerce et ses collections, le marchand de tableaux demande à dissoudre par un divorce leur communauté de biens. Sans renoncer pour autant au projet de faire revenir son épouse.

L'annonce de ce divorce ne semble pas avoir peiné Louise Élisabeth. La dissolution de communauté qu'il implique présente un avantage car elle place ses gains à l'abri des investissements de l'entreprenant marchand d'art. Avant la Révolution, à une date qui ne nous est pas connue, l'artiste avait déposé une requête en séparation de biens, restée inaboutie [20]. S'était-elle alors laissé fléchir par les promesses de son époux ? Quoi qu'il en soit, désormais ses cachets seront les siens et uniquement les siens, et elle n'aura de compte à rendre à personne.

Ce n'est pas le prononcé du divorce, le 3 juin, qui ouvre les portes de la prison à Jean-Baptiste Pierre, mais l'arrestation de Robespierre, le 9 thermidor (juillet 1794).

Kahlenberg

Durant les derniers mois passés à Vienne, Auguste Rivière et Louise Élisabeth voient souvent le prince de Ligne. Celui-ci invite les deux amis à séjourner dans son refuge, un ancien couvent à Kahlenberg [21]. À cet édifice s'ajoute un belvédère surmonté d'une boule dorée à l'orientale [22].

La vue est sublime : on embrasse la courbe du Danube, des cascades *pittoresques*, des collines. Ligne a fait graver sur une paroi de son refuge :

> De ce mont j'aperçois le chemin de la gloire,
> Des faveurs, des plaisirs, des grandeurs de la cour,
> Mon cœur et ma santé, beaucoup plus que l'histoire,
> M'occupent tout entier dans ce riant séjour.

L'épouse du prince ne vient jamais à Kahlenberg, mais sa fille, Christ, l'y accompagne une partie de l'été. Ils organisent des fêtes qui durent jusqu'à l'aube, et les dames finissent par s'endormir tout habillées sur les divans à la russe. L'autre partie de la saison estivale, le prince séjourne en Bohème, chez Christ, dans la ville thermale de Tepliz. Il y rencontre parfois Vaudreuil et Henri de Prusse. C'est là aussi qu'il aurait fait connaissance avec le frère du peintre Casanova [23]. Ligne cultive un art de vivre qui n'appartient qu'à lui.

Pendant les voyages de Ligne, la retraite de Kahlenberg est libre : il offre à l'artiste d'y séjourner à la fin de l'hiver 1794 et de différer ainsi son départ de quelques semaines. Assurée d'y vivre en liberté durant l'absence de son hôte, elle accepte. En outre, attendre la fonte des neiges avant de prendre la route vers le nord est plus prudent. Afin de la persuader, il dédie à ses « talents » un poème d'une galanterie surannée, mais affectueuse. « Flatteuse exagération [24] », commentera la vieille dame dans les *Souvenirs*, mais elle a conservé dans ses portefeuilles la copie de l'hommage de celui qu'on nommait le « serviteur de Vénus ».

Louise Élisabeth, Auguste, Julie et la gouvernante escaladent donc le versant du Kahlenberg, alors dépourvu de voie carrossable. Un confort minimal, enchante l'artiste qui nourrit toujours des rêves de vie érémitique. « Je préférais, dit-elle, la cellule que j'allais habiter à tous les salons du monde [25]. » La solitude est presque absolue. Auguste, plus mondain, descend en ville dès que son travail et le temps le lui permettent.

L'artiste a encore quelques commandes à honorer. Elle réalise un profil du fils du comte Woïna, ambassadeur de Pologne revenu à Vienne pour une brève mission, puis celui de la baronne Mayern-Faber [26]. Le fils des concierges de Kalhenberg lui sert d'aide à l'atelier.

Après le travail, lorsque Julie a terminé ses devoirs, mère et fille s'assoient sur un banc et contemplent l'apaisante perspective des collines viennoises à la nuit tombante. Par l'esprit, Louise Élisabeth a déjà quitté Vienne, elle se prépare à la grande traversée vers le Nord.

Mais les papiers tardent à venir. Bien qu'elle connaisse l'ambassadeur de Russie dont elle a portraituré l'épouse, il lui faudra plusieurs mois pour recevoir un passeport en règle, accompagné d'un mot galant de sa main daté du 13 avril 1795 :

Voici Madame tout ce que vous m'avez demandé. Toujours empressé à vous obliger, c'est à regret que je saisis l'occasion dans une circonstance qui vous éloigne de nous. Je voudrais vous arrêter mais quand vous serez partie, mes vœux vous suivront et je ne doute pas que vous ne soyez [moins] satisfaite de mon pays qu'il devra l'être de tous les chefs-d'œuvre que votre pinceau magique y laissera. Mille choses à vos compagnons de voyage et comptez je vous prie sur l'inaltérable dévouement de V.T.H.S [27].
C. A. RASOUMOVSKI.

Six jours plus tard, la petite troupe d'émigrés quittera Vienne.

Avec le comte de Vaudreuil, c'est un au revoir et non pas un adieu. Les amis se promettent de se retrouver un jour à Londres ou à Paris. Dans les semaines qui suivent, Vaudreuil quitte Vienne pour Kittsee, près de Bratislava. Ses égéries s'éloignent : Gabrielle l'a quitté pour l'autre monde, Louise Élisabeth part afin de vivre sa destinée d'artiste. Est-ce à ce moment que le comte remet à son amie la tabatière rectangulaire d'argent ouvragée, dont le couvercle renferme une mèche de ses cheveux gris [28] ? En échange, elle lui a offert le portrait « de souvenir » de son amie et celui de Guichette. Avec les quelques objets qui lui sont chers, ce cadeau d'adieu ne quittera jamais les bagages de la voyageuse.

Vaudreuil, toujours célibataire, songe maintenant à fonder une famille. Mais il n'entreprend des démarches que lorsque la décision de Louise Élisabeth de quitter Vienne est prise : les dates sont formelles. Trois mois plus tard, le comte demande la main de Joséphine Victoire de Vaudreuil. C'est la fille d'un de ses cousins, le marquis Louis Philippe de Rigaud et de Madeleine de Roquefort de Marquin [29]. Bien que Joséphine soit de trente-quatre ans sa cadette, le projet n'est pas déraisonnable, car la dot de Joséphine le sauvera de la pauvreté. Bientôt, à sa grande surprise, le comte se découvre épris. Si l'on en croit les confidences qu'il fait à son vieil ami Artois. À cinquante-cinq ans, il se sent renaître :

Comme cette Joséphine m'a transformé, ranimé ! Avant cette époque je languissais, je mourais ; je n'avais point d'objet ; j'étais isolé sur la terre, le vide de mon cœur ressemblait à l'infini. [...] N'allez pas vous moquer de moi et dire que je suis un vieux fou que l'amour fait radoter. [...] J'ai l'âme très tendre et très jeune, j'ai besoin d'avoir un objet de culte [30].

Peut-on dire avec plus d'élégance que l'incorrigible Vaudreuil demeure un amoureux de l'amour. Et un rimeur acharné :

Quoi, j'ai passé l'âge de plaire
Et cependant je suis aimé !
Oui, ma Joséphine préfère
L'amour dont je suis enflammé
À de plus brillantes conquêtes [31].

Le dimanche 19 avril 1795, une berline lourdement chargée s'éloigne de la ville. Brunette, Mimi, Auguste, Louise Élisabeth, sont ballottés sur les chemins pierreux. La troupe s'est augmentée du fils des concierges de Kalhenberg, qui veut voir du pays. Dans le matin brumeux, le véhicule se dirige vers la route de Prague. Installée au creux des coussins, Louise Élisabeth songe qu'une page se tourne. Quelques jours auparavant, elle a fêté ses quarante ans. Les jours passés à Vienne dansent devant ses yeux. L'éclat vif des lanternes, le claquement des sabots sur le pavé les soirs de fête, la rumeur des orchestres, le bruissement des robes de soie se mêlent en son souvenir lorsqu'elle ferme les yeux.

34

VERS SAINT-PÉTERSBOURG

Sancta Praha

Après cinq jours d'une route agréable, les voyageurs font une première halte à Prague. L'énergie est revenue et, pleine d'allant, Louise Élisabeth aborde cette nouvelle étape de sa vie. La capitale de la Bohême apparaît si vaste dans le méandre de l'Elbe. Le pont Saint-Charles, enjambe majestueusement le fleuve de ses vingt-quatre arches, déjà orné de quelques statues. Tandis que Vienne méritait le titre de *Gloriosa*, Prague, sous la domination de la dynastie des Habsbourg, avait reçu l'appellation de *Sancta Praha*, la sainte ville, cité des églises. Plusieurs d'entre elles mériteraient une visite, mais les amis ne s'arrêtent qu'une seule journée : il leur faut choisir.

Leurs pas se dirigent dans *Malà Strana* (le petit côté), vers l'église Saint-Thomas, reconstruite dans un style baroque une cinquantaine d'années auparavant. Louise Élisabeth découvre le tableau de Rubens, *Le Martyre de saint Thomas* et *Saint Augustin*[1]. La composition audacieuse du maître d'Anvers confronte la brutalité des bourreaux de Saint-Thomas à la douceur des anges prêts à accueillir son âme. Quel écho cette œuvre éveille-t-elle dans l'âme des voyageurs ? Les violences de l'histoire sainte évoquent maintenant d'autres atrocités, celles qu'Auguste a vues de ses yeux et que Louise Élisabeth n'imagine que trop bien. Dans la pénombre calme de l'église, ils distinguent aussi un Caravage, sans doute un de ces caravagesques mal différenciés alors des œuvres du maître[2].

Sur la hauteur, à Hradčany, se dresse la cathédrale Saint-Guy, dont les dimensions impressionnent l'artiste[3]. Longuement, elle s'arrête devant un tableau de Gérard de la Nuit[4], qui représente un trio, *Sainte Anne écrivant, la Vierge et l'Enfant Jésus*. « Le style en est parfait, note-t-elle, de même que celui des draperies. Le fond est aussi du plus grand effet. L'arcade du milieu fait illusion et perce la toile ; les bas-reliefs sont extrêmement soignés ; enfin cet ouvrage est un des plus finis de ce maître [5]. » Elle avait déjà admiré à Florence, l'habileté de Gérard de la Nuit à restituer des effets de nuit. Ce qui la touche ici, c'est l'élégance d'un ensemble qui ne nuit pas à la perfection des détails.

Elle se tourne ensuite vers un tableau de Gérard de Lairesse [6], dont elle remarque la finesse. Puis, son attention est captée par un mausolée monumental qu'ornent les gisants de Ferdinand Ier et de sa famille. Un reliquaire baroque en argent, avec son « superbe dais, soutenu par quatre anges plus grands que nature », dans lequel est placée la dépouille de saint Népomucène, héros de la Contre-Réforme, l'intrigue : des dévots viennent s'agenouiller devant la cotte de mailles du saint. Sans adopter l'attitude ironique d'un Voltaire qui se moque de la vénération des saintes reliques, Louise Élisabeth observe ces génuflexions de façon perplexe. En femme de son siècle, sa foi ne s'encombre ni de l'observation de rites ni de superstition.

En se promenant dans la ville, une haute demeure attire encore son attention : c'est celle qui a été habitée par l'archiduchesse Marie-Anne de Habsbourg-Lorraine [7], sœur aînée de Marie-Antoinette, abbesse de la Fondation des dames de Prague. Tout ce qui, de près ou de loin, concerne la reine de France intéresse l'artiste.

Prague restera floue dans les souvenirs de la voyageuse ; elle se souviendra confusément de ses reliefs : l'élégance du pont Saint-Charles, les collines, le fleuve.

Les trésors de Dresde

Bientôt, après avoir traversé la vieille ville de Budin presque déserte, la voiture avance en longeant une corniche qui surplombe l'Elbe jusqu'à l'étape suivante : Dresde. Depuis la rive droite du fleuve, dans la lumière d'un ciel de printemps voilé, surgissent les contours de la cité. Les harmonieuses arcades du pont que Belloto, le neveu du Canaletto, a représentées dans une lumière dorée, conduisent vers les édifices dont s'enorgueillit la ville. Les curiosités de Dresde sont si nombreuses que Louise Élisabeth et Auguste décident d'y faire une étape de plus de huit jours. Dans l'Europe des Lumières, Dresde est un haut lieu de l'art. Son académie a créé des classes particulières où l'on enseigne le paysage et le portrait [8]. Pour Auguste c'est un lieu familier, il y a séjourné plus de quatre années afin d'y suivre les cours de l'académie [9].

Après s'être soumis à la douane, les voyageurs constatent que, en comparaison de Vienne dont les voies sont soigneusement dallées, les rues de

Dresde sont peu carrossables. Pour ceux qui viennent d'être ballottés par les chemins de montagne, le détail a de l'importance. Malgré ce défaut, Dresde est resplendissante, en ce début du mois de mai 1795. La *Brühlsche Terrasse* (terrasse Brühl) construite sur les fortifications, offre un point de vue magique sur le fleuve. Le parc du *Grosse Garten* est composé de parterres tous différents les uns des autres. Dans les jardins de Riesch, les Dresdois peuvent assister à des concerts en déliant à peine leur bourse.

Afin de se délasser de leur route, les amis se rendent dès le dimanche à Plauen, domaine du comte Vicedom. Ce bois est le point de ralliement des promeneurs : on pique-nique dans les cabinets de verdure et sous les charmilles. Mais, au grand désagrément de l'artiste, après le repas, les bourgeois de Dresde empestent les clairières de la fumée de leurs pipes [10].

Ce n'est pas pour assister à l'office que l'artiste se rend à l'église de la Sainte-Trinité, mais pour admirer un monumental tableau placé derrière le maître-autel : une *Ascension* d'Anton Mengs [11], premier peintre de la cour d'Auguste III, roi de Pologne, Électeur de Saxe. Le mouvement des draperies, la dramaturgie de l'ensemble, les couleurs brillantes frappent son imagination.

Le premier jour passé à Dresde est consacré à la célébrissime *Gemäldegalerie*, galerie de peintures constituée par Auguste le Fort et son successeur, Auguste III. L'artiste est catégorique, cette collection est à la hauteur de sa réputation : « Il est bien certain, dit-elle, que c'est la plus belle de l'Europe. J'y suis retournée bien souvent, toujours plus convaincue de sa supériorité, en admirant le nombre immense de chefs-d'œuvre qu'elle renferme [12]. »

Son regard expert est saisi par l'originalité de cette collection. Il ne s'agit pas là d'un de ces cabinets de curiosités à usage privé, tels qu'il en existe des dizaines au XVIIIᵉ siècle, mais d'un véritable embryon de musée. Les œuvres réunies par Auguste le Fort et les Électeurs de Saxe ne décorent pas leurs appartements, mais sont exposées dans un édifice réservé et ouvert à la visite. La disposition et l'accrochage ont été pensés dans l'esprit d'un enseignement. Afin de former le regard du visiteur, les tableaux sont répartis par écoles. En outre, ce qui fascine l'artiste et explique qu'elle y retourne presque tous les jours, c'est le caractère presque exhaustif de la collection : « On peut dire que toute la peinture est là, et que l'art ne possède pas un nom célèbre qui n'y soit inscrit [13]. »

Un grand moment

Le joyau de la collection est la *Madone Sixtine* de Raphaël. À travers un dédale de pièces superbement ornées, la voyageuse parvient enfin à la salle de la Madone. Elle éprouve une admiration indicible « au-dessus de toutes celles que peut faire éprouver l'art du peintre ». Voici comment elle décrit le tableau :

> Il représente la Vierge, placée sur des nuages, tenant l'enfant Jésus dans ses bras. Cette figure est d'une beauté, d'une noblesse dignes du divin pinceau qui l'a tracée. Le visage de l'enfant, qui est charmant, porte une expression à la fois naïve et céleste ; les draperies sont du dessin le plus correct et d'une belle couleur. À la droite de la Vierge, on voit un saint dont le caractère de vérité est admirable ; ses deux mains surtout sont à remarquer. À gauche est une jeune sainte, la tête baissée, qui regarde deux anges placés en bas du tableau. Sa figure est pleine de beauté, de candeur et de modestie. Les deux petits anges sont appuyés sur leurs mains, les yeux levés vers les personnages qui se trouvent au-dessus d'eux, et leurs têtes ont une ingénuité et une finesse dont il est impossible de donner l'idée par des mots [14].

Comme étourdie, elle reste « en adoration devant ce chef-d'œuvre », au point que les autres toiles, admirées quelques instants auparavant, lui paraissent ternes. Dans les portraits de maternité qu'elle réalisera à Pétersbourg, l'artiste se souviendra du mouvement du voile de la Vierge et de l'étreinte qui l'unit à l'Enfant.

Elle, qui apprécie l'œuvre de Rubens, découverte dans sa jeunesse, considère que son *Saint Jérôme* représenté dans un cadre végétal est l'un des meilleurs ouvrages du maître d'Anvers [15]. Enfin, la salle des pastels lui permet de retrouver l'une de ses artistes préférées, dont elle a admiré plusieurs portraits à Venise, Rosalba Carriera. La plus importante collection de pastels de la Vénitienne, soixante-quinze pièces, est réunie à Dresde, dont la plupart ont été réalisés sur papier bleu sans dessin préalable. Mme Le Brun leur trouve « une grâce et un moelleux qui rappellent tout à fait le Corrège [16] ». Le mélancolique *Autoportrait en hiver* s'y trouve. Dans le cabinet des pastels, une armoire à tiroirs renferme une collection qui intéresse Auguste Rivière, celle des miniatures [17].

L'Électeur de Saxe, Frédéric-Auguste III [18], propose d'exposer la *Sibylle*, dont ce connaisseur a entendu parler. Pour l'artiste, voir son tableau associé à ceux de tous ces grands maîtres est une récompense. C'est un succès : le défilé des amateurs, suivi d'une cérémonie de remerciements, dure toute la semaine. Contrairement à la présentation qui avait eu lieu à Vienne à l'initiative du prince de Kaunitz, et qui visait à accroître sa clientèle, l'exposition organisée par l'Électeur se situe dans une perspective symbolique, car Mme Le Brun n'a pas l'intention de rester à Dresde et ne prend pas de commande. Le geste initié à Parme est devenu un rituel réclamé dans les villes où elle apparaît : un hommage réciproque qu'une cour rend à l'artiste et que l'artiste renvoie à un groupe de connaisseurs.

Cette riche métropole offre d'autres trésors : bibliothèque remplie d'exemplaires précieux, porcelaines raffinées, joyaux du Trésor, salles d'armes anciennes. Tout conspire à rendre ce bref séjour passionnant. De plus, les habitants de Dresde accueillent volontiers les voyageurs. Johann August Lehninger affirme que « tout étranger qui aime la société ne trouvera aucune ville en Allemagne où on soit admis aussi facilement qu'ici dans les bonnes maisons. On s'empresse véritablement à faire connaissance avec les étrangers [19] ». Parmi les résidents, Louise Élisabeth rencontre l'ami de Mme d'Épinay, le baron Grimm, exilé de France, son pays d'adoption. Ce dernier entretient une correspondance avec Catherine II, qu'il a aidée, sans être vraiment connaisseur, à constituer ses collections. Presque immédiatement, il prend la plume pour lui annoncer l'arrivée de Mme Le Brun à Saint-Pétersbourg [20].

Vers Rheinsberg

Lors de ce séjour en Saxe, les amis veulent faire une excursion à la forteresse de Königstein [21], que l'on atteint en longeant l'Elbe. Une halte dans un village boisé offre un point de vue sur la ville et les méandres du fleuve. Louise Élisabeth rapporte alors un mot de Julie qui l'accompagne. « Brunette aimait tellement ce hameau, qu'elle aurait voulu y rester, disait-elle, assurant que l'on serait heureux là, loin des villes [22]. » À cet âge où l'imitation est un jeu, l'enfant, accoutumée aux exclamations enthousiastes de la portraitiste devant les points de vue, parle avec les mots de sa mère. L'artiste se réjouit de leur conformité de goûts et voit avec délices en sa fille son propre reflet, sans paraître entendre son désir inassouvi de s'installer enfin quelque part, ni comprendre son anxiété au moment d'aborder un nouveau territoire.

Pour pénétrer dans la forteresse de Königstein, il a fallu demander un passeport à la chancellerie. Le concierge, afin d'animer la visite, raconte aux visiteurs les accidents survenus à des voyageurs téméraires : chutes dans le précipice, soldat emporté par le vent. L'artiste est si terrifiée qu'elle se souviendra de ces anecdotes. Ce qu'elle vient chercher à Königstein, c'est la force des impressions. La vue des remparts domine la courbe de l'Elbe et donne une idée de l'infini. Comme lorsqu'elle escaladait le Vésuve, l'artiste cherche à atteindre des nids d'aigle, des sites majestueux, des vues sans limites qui nourrissent son imagination.

Les yeux encore éblouis par les paysages de Dresde, Louise Élisabeth se dirige par la voie la plus directe vers Berlin. Bien qu'elle souhaite arriver à Saint-Pétersbourg au début de l'été, elle s'octroie une pause de cinq jours afin de visiter les curiosités de la ville. Pour qui vient de Paris et de

Vienne, la largeur des avenues, les immenses proportions des places, en imposent.

La cathédrale Sainte-Hedwige, située sur la Bebelplatz, est en forme de rotonde, mais Louise Élisabeth ne semble pas touchée par sa décoration intérieure trop sombre. Bien sûr, elle arpente « la plus belle rue de Berlin », l'ancien chemin de chasse bordé de « mille tilleuls », qui reçut le célèbre surnom d'*Unter den Linden*. L'avenue s'étend de la Pariserplatz, jusqu'à la porte de Brandebourg [23].

Cette porte, dont la colonnade évoque le Propylée de l'Acropole, a été achevée trois ans plus tôt, et les dorures du quadrige qui la surmontent flambent de l'éclat du neuf. Un parc, dont les proportions l'emportent, d'après elle, sur le Prater et le Casino de Florence, offre ses allées aux cavaliers. Malgré ces splendeurs, l'impression qui se dégage de Berlin est mélancolique. Ces avenues sont à peine peuplées : la ville austère paraît trop vaste pour ses habitants.

Louise Élisabeth se rend à Charlottenbourg, qui porte le nom de la princesse pour qui cette résidence d'été a été construite : Sophie Charlotte [24]. L'originalité des appartements la surprend. Certains sont aménagés dans un goût gothique, d'autres ornés d'ambre et de bois rares. Un cabinet chinois abrite une multitude de porcelaines placées sur des corniches. Frédéric le Grand avait constitué une collection de peinture française. Et Louise Élisabeth ne paraît pas remarquer *L'Embarquement pour Cythère* de Watteau, peintre dont elle parle peu, si ce n'est pour évoquer le goût de son père. En revanche, elle distingue une œuvre rare de Charles Le Brun, peut-être arrière-grand-oncle de Jean-Baptiste, une *Vierge montant au ciel*. Un détail l'intrigue : le peintre s'est représenté parmi les apôtres. Cet autoportrait de Charles Le Brun a disparu, et la trace en a été perdue [25].

Sans doute Louise Élisabeth ou Auguste avaient-ils avisé leur amie Éléonore de Sabran des étapes de leur itinéraire, car une lettre leur parvient à Berlin : elle contient une invitation à séjourner chez le prince Henri de Prusse. L'artiste abrège son séjour berlinois. Le 28 mai 1795, elle fait atteler en direction de Rheinsberg, vers la province de Brandebourg.

Rheinsberg n'est distant que d'une vingtaine de lieues [26] de Berlin, cependant le terrain est si sablonneux que les roues de la lourde voiture patinent. Passer par le château d'Henri représente un détour sur la route de Saint-Pétersbourg, mais la perspective de retrouver des amis chers aide la petite troupe à supporter les difficultés du chemin.

À peine les roues de la voiture ont-elles fait crisser les cailloux des allées du parc que les passagers voient bondir un homme essoufflé. C'est le prince Henri qui s'élance sur ses courtes jambes à la rencontre de la voiture. Henri de Prusse, un fidèle des soirées musicales de la rue du Gros-Chenet, voue à Louise Élisabeth un véritable culte. Sans lui donner le temps de troquer sa pèlerine pour une tenue plus élégante, Henri présente l'artiste à sa ribambelle d'oncles et cousins, et à la famille dite « Ferdinand », celle de son frère cadet. Quelques émigrés résident aussi à Rheinsberg. M. de la Roche-Aymon sert d'aide de camp au prince, M. de Parceval joue le rôle de chambellan. Le chevalier de Boufflers et Mme de Sabran, enfin réunis après de longues séparations, se reposent avant d'aller s'établir non loin de là, en Pologne.

Il faut avouer que le château du prince Henri est un joyau : il mire sa façade régulière dans le lac, le Grienericksee [27]. Frédéric Ier, qui y avait séjourné dans sa jeunesse, l'avait décoré dans un style rococo, puis il en avait offert la jouissance à son frère cadet, Henri. À son tour, le prince Henri transforme le bâtiment en faisant ajouter de surprenants édifices d'angle. Mais ce dont le prince est le plus fier est l'ornement de son parc, semé de *fabriques* dans le pur esprit des jardins pittoresques. Dans l'Europe du XVIIIe siècle, réussir l'aménagement de son jardin est un brevet de raffinement. Pour les visiteurs savoir l'apprécier est le critère absolu du bon goût.

Dès le lendemain, Henri guide ses invités. Un obélisque porte les noms des généraux prussiens tombés durant la guerre de Sept Ans. Un temple dédié à l'Amitié, couvert d'inscriptions, matérialise le poème que Voltaire a composé sur ce sujet [28]. Le chevalier de Boufflers et Mme de Sabran ont fourni plusieurs de ces sentences dédiées aux amis disparus. Le domaine du prince Henri est la métaphore d'un univers idéal.

La découverte la plus émouvante est celle d'une colonne brisée. Sur le socle, Louise Élisabeth déchiffre des vers gravés en l'honneur d'un homme qui vient de mourir. M. de Malesherbes, magistrat et ministre intègre, protecteur des écrivains, était rentré d'émigration afin de plaider la cause du roi : il le paya de sa vie [29]. La délicatesse du prince bouleverse l'artiste : « Je n'aurais pas connu le cœur noble et bon du prince Henri, dit-elle, que ce trait me l'aurait fait connaître [30] ».

Un amateur de jardins évoque Rheinsberg où il a séjourné : « Tout y peint l'esprit, la douceur, la philosophie. Ses jardins sont traités en pays. C'est ce que j'aime. Il est bien occupé, bien varié, bien distribué [31]. » C'est le prince de Ligne qui parle ainsi et qui apprécie aussi la « grotte ». « Il faut que cela soit bien vrai, pour qu'elle trouve grâce devant moi, ajoute-t-il, parce que je n'aime pas les grottes. Le lac est la plus belle chose du monde. » En effet, la visite du parc s'achève par une promenade en barque sur le lac où l'on aborde dans « l'île de Rémus ».

Le prince Henri veille à ce que ses hôtes mènent une vie divertissante :
il a recruté une troupe d'acteurs de talent. Dans le théâtre de verdure, on
donne des opéras, tel *Annette et Lubin* de Favart. Toujours épris de
musique, comme autrefois à Paris où il jouait sa partie dans de petits
concerts, Henri a constitué un orchestre, dont il n'a pas à rougir [32]. Il
organise aussi des fêtes villageoises. Pour la fête de la princesse Louise
Radziwill [33], fille de Ferdinand, le 24 mai, quelques jours avant l'arrivée
d'Auguste et de Louise Élisabeth, on a marié une « rosière ». Tout à la
joie de ses fiançailles avec le prince Antoine Radziwill, dont elle est
éprise, elle s'apprête à regagner le domaine de Nieborów qu'Hélène, sa
belle-mère, a baptisé *Arkadia*.

Louise Élisabeth et Auguste ne semblent pas percevoir – ou n'expriment pas – le décalage qui existe entre le désœuvrement de cette aristocratie européenne, occupée à se mettre en scène dans une nature
idéalisée, et leur propre vie, où il n'y a pas de place pour l'oisiveté.

Le moment de se séparer arrive et, jusqu'à la dernière minute, la prévenance du prince Henri se manifeste :

> Dès que j'eus quitté Reinsberg, je fus touchée au dernier point, en décou-
> vrant la quantité de provisions tant en comestibles qu'en vins, qu'il avait fait
> mettre dans ma voiture, sachant que je ne trouverais rien jusqu'à Riga. Il y
> avait de quoi nourrir un régiment prussien, et certes le bon prince dut être
> bien assuré que je ne mourrais pas d'inanition durant ma route [34].

En se disant adieu avec larmes, le 5 juin 1795, la comtesse de Sabran,
Elzéar, le chevalier de Boufflers, Louise Élisabeth et Auguste Rivière ne
savent pas s'ils se reverront. De leur côté, la comtesse et le chevalier
s'apprêtent à se rendre à Winislow, où ils espèrent fonder une petite
colonie d'émigrés [35]. En chemin, à Breslau, ils se marient. Aujourd'hui,
un portrait, qui met en valeur le regard spirituel de Mme de Sabran,
figure dans les collections de Rheinsberg.

Durant dix journées épuisantes, les voyageurs roulent de jour comme
de nuit. Le 15 juin, une brève étape à Königsberg, ville animée et com-
merçante de Prusse-Orientale leur permet de reprendre des forces.
Auguste se charge d'écrire une lettre de remerciement à la comtesse
de Sabran : « Notre voyage a été long et pénible mais heureux, nos santés
sont bonnes à la fatigue près de quelques nuits passées en voiture [36]... »
Auguste promet qu'il écrira à la prochaine étape, Riga [37].

Les voyageurs doivent prendre une décision : choisiront-ils la voie de
terre ou de mer pour arriver à Pétersbourg ? Ils hésitent : « Il y a en
même temps de l'avantage et de l'inconvénient et il faut balancer l'un
et l'autre [38]. » Beaucoup d'émigrés tentaient la dangereuse traversée par
la Baltique semée de récifs et arrivaient à Pétersbourg par le golfe de

Finlande [39]. La voie de terre, plus sûre que la traversée en bateau, n'est pas non plus de tout repos. Le 16 juin, rien n'est encore décidé. Finalement le 18, ils choisissent la route et partent en direction de l'ancienne ville hanséatique de Memel (Klaipéda). La chaussée côtoie une branche de la Vistule, le Frische-Haft, et passe par une très mince bande de terre sablonneuse. À tout instant la voiture risque de verser dans la baie Kourskii. Et la petite troupe n'en mène pas large.

Les années russes

1795-1801

35

SAINT-PÉTERSBOURG

« Une des plus belles villes du monde, comme si d'un coup de baguette un enchanteur faisait sortir toutes les merveilles d'Europe et d'Asie au sein des déserts [1] », c'est ainsi que Saint-Pétersbourg surgit par le chemin de Novgorod. Mais pour Louise Élisabeth et Auguste, qui arrivent par le chemin de Peterhoff, la ville ne se livre que peu à peu : des faubourgs parsemés de maisons de campagne, puis des parcs à l'anglaise garnis de kiosques et de ponts enjambant des ruisseaux. Enfin, la ville apparaît dans la brume d'été, plus somptueuse encore qu'elle ne l'a imaginée.

Que sait Mme Le Brun de la Russie en 1795 ? Par des gravures ornant la demeure des deux ambassadeurs de Russie qu'elle avait fréquentés, par les récits du prince de Ligne, elle s'en faisait une idée. Vers 1770, Paris avait connu une furieuse mode de la Russie. Les boutiques, où la clientèle russe était bienvenue, s'étaient mises à la mode slave. Sur les enseignes on ne trouvait plus qu'*Au Russe galant* ou *À l'Impératrice de Russie* tant la « Minerve du Nord » était populaire. Louise Élisabeth se souvient nettement de l'énorme diamant que portait le favori Orlov venu poser à son atelier. Mais cette Russie fantasmatique paraît bien pâle au regard du pays qu'elle découvre.

L'ampleur des avenues de Saint-Pétersbourg et la noblesse de la perspective Nevski l'emportent sur les immenses places de Berlin. Cette voie, construite au début du siècle afin de relier la ville nouvelle à la vieille route de Novgorod, est l'artère principale de Pétersbourg. C'est ainsi que la voyageuse préfère nommer la ville de Pierre le Grand.

Tout semble plus grand, plus fort, plus intense. La puissance du courant de la Neva est à couper le souffle. Les palais reflètent leurs façades claires dans ses flots. Les voiles colorées des vaisseaux créent un ballet de

couleurs. Le palais impérial d'Hiver se prolonge par l'Ermitage de Catherine, puis se dressent les pilastres grisâtres du palais de Marbre, chapeauté
de toits de cuivre doré. Des milliers de fenêtres reproduisent les nuées
changeantes du ciel du Nord. C'est là que l'impératrice aime recevoir ses
intimes. Plus loin, le palais Taurique, autrefois destiné à son favori Potemkine, offre la splendeur d'un luxe « asiatique ». En voyant évoluer dans ce
cadre grandiose les gens du peuple, vêtus du costume traditionnel, Louise
Élisabeth se croit transportée, écrit-elle, « au temps d'Agamemnon ». Certains se sont moqués de ce qu'ils ont considéré comme une erreur historique de la part de l'artiste : ce qu'elle suggère, en réalité, c'est la vision
d'un décor antique, comme le théâtre du temps pouvait le reconstituer.

Un autre luxe époustoufle la visiteuse : les quais de la Neva, comme
ceux de la Fontanka et de la Moïka, canaux qui traversent la ville, sont
recouverts de granit. Et, commodité supplémentaire notée par plusieurs
voyageurs [2] : des trottoirs ont été prévus pour les promeneurs. On ne sait
où Louise Élisabeth, Auguste et leur entourage passent leurs premières
nuits, peut-être dans un de ces hôtels que signale le guide de l'abbé
Georgel [3], l'hôtel de Londres sur la Moïka, qui propose des appartements
à cent trente roubles par mois, ou l'hôtel de Demuth, dont les chambres
sont bien chauffées [4].

Présentation solennelle

À peine l'artiste est-elle arrivée dans la ville, le 22 juillet [5], qu'elle
reçoit des visites : tout d'abord l'agent des princes de France, Valentin
Ladislas, comte Esterhazy, lui présente ses hommages. Puis, par un messager, il lui annonce sa présentation à la cour pour le lendemain. Il était
de coutume, à la cour de Catherine – d'autres témoignages le montrent –, de ne pas faire languir les étrangers de marque. Cependant pour
un artiste, c'est un traitement privilégié. Doyen avait dû attendre plus
longtemps le bon vouloir de l'impératrice. « Chez nous, avait écrit
Catherine II à Grimm, on n'admet plus si vite les Français ; au moins
faut-il qu'ils passent par la quarantaine politique [6]. »

Puis l'artiste voit s'annoncer à sa porte le comte de Choiseul-Gouffier,
ancien ambassadeur de France à Constantinople, réfugié à Pétersbourg.
Lui qui a éprouvé l'indulgence de Catherine II [7] brosse un portrait de
l'impératrice propre à rassurer la jeune femme : « C'est une bonne
femme. » Bien que le prince de Ligne ait chanté les louanges de la simplicité de Catherine, « une *bonne femme*, on en conviendra, n'était pas le
mot propre [8] », songe Mme Le Brun.

Émue, elle se prépare à l'audience. Esterhazy lui explique minutieusement le déroulement du cérémonial : elle devra baiser la main de la

czarine. Masson évoque ainsi dans ses *Mémoires* la façon dont l'impératrice recevait ses hôtes :

> Si c'était un étranger à qui elle présentait sa main à baiser, elle le faisait très poliment, et lui disait ordinairement quelques mots sur son voyage et sur son arrivée [9].

Le surlendemain de son arrivée, tôt dans la matinée, Mme Le Brun rejoint le comte Esterhazy et Marie-Françoise de Halweil, son épouse. L'aimable Mme Esterhazy manifeste son étonnement devant la simplicité de la tenue de l'artiste : une tunique de mousseline blanche, dont la modestie paraît bien éloignée des fastueuses robes de cour. Ces reproches à peine voilés entament la confiance de Mme Le Brun, déjà impressionnée à l'idée de se trouver devant l'impératrice.

Arrivée à Tsarskoïe Selo, où réside pendant l'été celle que Voltaire avait appelé « l'étoile du Nord [10] », l'artiste croit assister à une apparition. En longeant le parc qui mène au palais, entourée de M. Esterhazy et de Mme Chouvalova [11], maîtresse de la cour de la grande-duchesse Elizaveta, dans la lumière aveuglante de ce mois de juillet, la portraitiste aperçoit dans l'encadrement d'une fenêtre la silhouette d'une jeune femme :

> Elle avait dix-sept ans au plus ; ses traits étaient fins et réguliers, et son ovale parfait ; son beau teint n'était pas animé, mais il était d'une pâleur tout à fait en harmonie avec l'expression de son visage, dont la douceur était angélique. Ses cheveux blond cendré flottaient sur son cou, sur son front. Elle était vêtue d'une tunique blanche, attachée par une ceinture nouée négligemment autour d'une taille fine et souple comme celle d'une nymphe. Telle que je viens de la dépeindre, cette jeune personne se détachait sur le fond de son appartement, orné de colonnes, et drapé en gaze rosé et argent, d'une manière si ravissante que je m'écriai : « C'est Psyché ! » C'était la princesse Elizaveta, femme d'Alexandre [12].

Tous les témoignages s'accordent sur le charme de l'épouse d'Alexandre [13]. Elizaveta Alekseevna adresse une parole de bienvenue à Mme Le Brun et bavarde un moment avec elle avant l'audience. C'est le début d'une relation d'estime réciproque.

La confrontation avec l'impératrice est un second éblouissement, mais de tout autre nature. L'artiste a pu voir des effigies de Catherine II popularisées par des gravures : en effet, les portraits les plus connus ont été peints avant 1792. Virgilius Eriksen, peintre danois, a représenté l'impératrice fièrement montée sur son cheval nommé Brillant. Il a aussi reproduit la majesté de son profil devant un miroir, en costume de sacre [14]. Roslin a réalisé des portraits d'apparat [15], mais ce sont les bustes du sculpteur Marie-Anne Collot qui ont rendu le mieux l'expression d'autorité profondément humaine qui émane du visage de Catherine [16]. Bien qu'étonnée par la petite taille de l'impératrice, l'artiste est saisie d'admiration :

> Je me l'étais figurée d'une grandeur prodigieuse, aussi haute que sa renommée. Elle était fort grasse, mais elle avait encore un beau visage, que ses cheveux blancs et relevés encadraient à merveille. Le génie paraissait siéger sur son front large et très élevé [17].

Ce portrait à la plume concorde avec le témoignage des *Mémoires secrets* de Masson :

> À soixante-sept ans, Catherine avait encore des restes de beauté. Ses cheveux étaient toujours arrangés avec une simplicité antique et un goût particulier : jamais couronne ne coiffa mieux une tête que la sienne ; Elle était d'une taille moyenne mais épaisse ; et toute autre femme de sa corpulence n'aurait pu se mettre de façon si séante et si gracieuse [18].

La czarine dégante sa main, mais Mme Le Brun oublie la recommandation du comte Esterhazy. Fascinée, elle l'observe, et se contente d'une révérence à la française, sans s'agenouiller pour baiser l'impériale main. Elle relève le détail de ses traits : « Ses yeux étaient doux et fins, son nez tout à fait grec, son teint fort animé, et sa physionomie très mobile. » Peut-être songe-t-elle déjà au portrait qu'elle pourrait réaliser de l'impératrice. Moins sévère que d'autres chroniqueurs, elle ne voit pas la bouche édentée ni n'entend la voix chevrotante [19].

Catherine II n'est pas formaliste au point d'en vouloir à Mme Le Brun de cet accroc au protocole. Cela n'est pas l'avis des courtisans, agacés de voir ces émigrés français négliger les « devoirs d'étiquette », oubliant de baiser les mains et de « remercier à part pour chaque grâce [20] ». Aussi leur hostilité ne tardera-t-elle pas à se faire sentir.

Catherine

D'emblée, Louise Élisabeth éprouve pour Catherine II la fascination qu'elle éprouve pour les femmes de pouvoir, les « femmes fortes » qu'elle a rencontrées. Certes, c'est une impératrice âgée qu'elle rencontre. Depuis la mort de Potemkine, qu'elle avait fait prince de Tauride, elle gouverne seule. Sa santé s'est fragilisée, son embonpoint est excessif. Dès cinq heures du matin dans sa jeunesse, puis dès six heures dans les dernières années de son règne, elle est à son bureau. L'été à Tsarskoïe Selo, pour se délasser, elle se promène dans son parc avec ses lévriers, comme le portrait de Borovikovski en a popularisé l'attitude familière. Ce parc est ouvert aux Pétersbourgeois à condition qu'ils soient vêtus décemment [21].

Il y a loin de la jeune princesse allemande, nommée Sophie Frédérique d'Anhalt-Zerbst, qui s'est convertie à l'orthodoxie afin d'épouser Pierre

Fedorovitch, à la plus puissante souveraine d'Europe. Son mariage malheureux l'a tout d'abord cantonnée à une position d'observation. Elle s'est fixé l'objectif de plaire à la nation. Pour ce faire elle a appris le russe, lu les philosophes de l'Antiquité. Elle possède dans sa bibliothèque l'*Encyclopédie* de Diderot et d'Alembert, et l'esprit caustique de Voltaire l'amuse.

La gaîté de sa jeunesse s'est transformée en une familiarité avenante. Dans l'autoportrait qu'elle brosse, la souveraine note avec ironie : « On trouvait en moi, joints à l'esprit et au caractère d'un homme, les agréments d'une femme très aimable [22]. »

La czarine aime voir travailler les artistes qu'elle accueille : elle aurait souhaité que, comme Doyen [23], Mme Le Brun s'établisse dans un appartement du palais, et elle donne des ordres en conséquence. Malgré cela, aucun logement n'est libéré. Les chambellans craignent-ils que ne se renouvelle entre la portraitiste et l'impératrice une intimité comparable à celle qui s'était établie avec Marie-Antoinette [24] ? De même, ils chercheront à écarter tout émigré susceptible d'exercer une influence.

Mme Le Brun et Auguste Rivière trouvent une résidence sur la grande place du palais d'Hiver. Satisfaite de cette installation commode, Louise Élisabeth conserve l'indépendance et le rythme de vie auxquels elle est attachée. Des fenêtres de son atelier, les jours de bal, elle pourra voir la demeure impériale étincelante de lumière. Sa clientèle aristocratique aura le loisir, à l'aller ou au sortir d'une visite à la cour, de faire une halte chez elle. Si, dans la nonchalance des chambellans à exécuter les ordres de Catherine, elle soupçonne une mauvaise volonté à son égard, elle n'en comprend pas encore l'origine.

36

Un premier été en Russie

Dans un jardin russe

L'été, la noblesse pétersbourgeoise séjourne à la campagne, dans de vastes domaines situés sur les bords de la Neva ou dans les îles qui parsèment son cours. Un tourbillon d'invitations entraîne dès lors Louise Élisabeth, Auguste et Julie.

Tout d'abord chez le comte Alexandre Sergueevitch Stroganov ont lieu des retrouvailles émues. Les points communs entre le comte et Louise Élisabeth sont nombreux. Rien d'étonnant à ce qu'elle ait plaisir à retrouver ce connaisseur dont certains disaient qu'il avait un jugement d'expert. Louise Élisabeth se souvient avoir réalisé à Paris un portrait d'Alexandre Sergueevitch [1]. Le fils unique du richissime Sergueï Grigorievitch Stroganov a été l'un de ses premiers sympathisants. Son père, qui lui avait donné une éducation française, l'avait chargé d'enrichir la collection familiale. À cette fin, Alexandre Sergueevitch accomplit son Grand Tour. En Italie, il avait formé son goût et acquis des tableaux. Lors d'un second voyage, un long séjour à Paris de 1771 à 1778 lui avait permis de fréquenter les salles de ventes et d'assister à la dispersion de la collection Randon de Boisset, évoquée par Louise Élisabeth dans sa jeunesse. Sans doute, à l'occasion de ses achats, a-t-il rencontré Jean-Baptiste Pierre Le Brun.

Alexandre Sergueevitch Stroganov a connu personnellement Greuze, Fragonard et Claude Joseph Vernet et il partage avec Louise Élisabeth l'amitié du bon Robert. Comme celui-ci, il appartient à la Loge des Neuf Sœurs, qui rassemble artistes et mécènes. Dans son palais placé sur la perspective Nevski à Pétersbourg, il a fait édifier une galerie, où il expose ses collections, réputées en Europe et seules susceptibles de rivaliser avec celles de la czarine.

À Kaminoï-Ostrov, Alexandre Sergueevitch Stroganov possède une datcha située en face de l'île de Kameny, un « cazin à l'italienne » écrit l'artiste. Reliée à la terre par un pont flottant, cette villa vient d'être réaménagée par un jeune architecte, Andreï Voronikhine [2], fils illégitime du comte Alexandre et qu'il élève avec son fils, Pavel. Andreï a pourvu la demeure d'un débarcadère et d'une balustrade ornée de sphinx. Une volée d'escaliers conduit à un vestibule traversant qui s'ouvre sur un parc aux perspectives infinies. À l'étage, une terrasse rythmée de colonnades permet de prendre le frais à la saison chaude [3].

Tous les dimanches d'été le comte Alexandre donne un repas à la campagne et il vient chercher lui-même Mme Le Brun. Le comte sait-il que l'ouverture de l'*Iphigénie* de Glück est un des morceaux préférés de l'artiste ? Cette musique, interprétée par un orchestre composé exclusivement d'instruments à vents, où chaque musicien ne joue qu'une seule note, accompagne le déjeuner, qui s'achève par une collation de fruits rares.

Après le repas, Alexandre Sergueevitch et Louise Élisabeth font quelques pas dans le parc. Le domaine, orné de fabriques, a été dessiné selon les conseils d'Hubert Robert. Mme Le Brun, qui a pourtant vu de splendides jardins en Europe, est séduite par l'alliance harmonieuse des eaux et de la forêt. Appuyée au bras de son hôte, en arpentant les allées, elle comprend qu'elle peut compter sur sa protection. Peut-être Alexandre Sergueevitch a-t-il murmuré les vers du poète Derjavine qui célèbrent l'amour et l'amitié dans un jardin russe :

> Allons mon ami, inspirer
> L'air embaumé dans le parc,
> Où se dressent les massifs touffus
> Des ormes clairs, des sombres pins,
> C'est avec nos amis chers
> Et les élues de notre cœur
> Que nous les avons plantés et fait croître
> Et déjà nous jouissons de leur ombre [4].

La soirée commence par un spectacle aquatique. Tard dans la nuit puisque l'obscurité complète se fait attendre sous cette latitude, un feu d'artifice illumine les eaux à l'endroit où la *Tchernaïa Rechtka*, la rivière noire, rejoint la Neva. Louise Élisabeth pourrait se croire revenue aux temps heureux des fêtes de Gennevilliers.

Durant cette première saison, en 1795, Louise Élisabeth rend visite, non loin de là, à la belle-fille d'Alexandre, Sofia Vladimirovna Stroganova, épouse de Pavel Alexandrovitch. Leur datcha est placée sur le chemin qui borde la Neva. Sofia a des qualités de cœur et d'esprit hors du commun. Elle est l'amie intime de la grande-duchesse Elizaveta, tandis que son époux est proche du czarévitch Alexandre [5]. Comme bien des jeunes femmes de la noblesse russe, elle lit l'italien [6] et parle le français. Elle demande à la portraitiste de la représenter avec son fils unique, Alexandre Pavlovitch, qu'elle chérit [7]. Sofia pose « en madone », vêtue d'une robe rouge et drapée dans un voile vert qui met en valeur ses boucles brunes.

Alexandrowsk

Parmi les villages situés sur les bords de la Neva, Alexandrowsk [8] est fréquenté par l'aristocratie. Un ambassadeur d'Autriche, que Louise Élisabeth avait connu à Vienne, y séjourne souvent car il admire une dame de ce lieu. Le comte de Cobenzl [9] n'est pas gâté par la nature : ventripotent, il est affecté d'un fort strabisme. Néanmoins, prévenant et sociable, il espère. La dame de ses pensées est la princesse Ekaterina Fedorovna Dolgoroukaïa [10]. Depuis sa seizième année, celle-ci a fait tourner bien des têtes et, lors de son premier bal masqué à la cour, elle avait, dit-on, conquis le fier Potemkine. Le comte de Cobenzl fait en sorte que l'artiste reçoive un billet d'invitation à passer la journée chez la princesse dès son arrivée.

Mme Le Brun traverse donc Alexandrovskaïa Sloboda, un village situé au sud-est de Pétersbourg. Là se trouve une fabrique de porcelaine fondée au milieu du siècle, avec ses maisons ouvrières ; un peu plus loin, de belles datchas, dont celle de Potemkine. La maison d'Ekaterina, en revanche, est simple : les chambres s'ornent de terrasses sur la Neva [11], fréquentée à cet endroit par les bateliers. On entend depuis la maison le chant rythmé des rameurs.

Dans cette vie campagnarde, lire, faire des promenades en barque, composer des bouquets, dessiner sont les distractions principales, mais l'ennui surgit facilement. Les visites de voisinage sont bienvenues, et l'arrivée de nouveaux invités encore plus. La maîtresse de maison, alors dans sa vingt-sixième année, se lève pour accueillir la portraitiste.

> La beauté de la princesse Dolgorouki me frappa. Ses traits avaient tout le caractère grec mêlé de quelque chose de juif, surtout de profil. Ses longs cheveux châtain foncé, relevés négligemment, tombaient sur ses épaules ; sa taille était admirable, et toute sa personne avait à la fois de la noblesse et de la grâce sans aucune affectation [12].

De plus, Ekaterina Fedorovna Dolgoroukaïa est spirituelle. La princesse Dachkova, qui ne peut être suspectée d'indulgence, rapporte dans ses mémoires : « Bien loin d'avoir un esprit ordinaire, mon amie, la princesse Dolgoroukaïa était une femme éminemment distinguée tant par son bon sens que par sa droiture. » La princesse Dachkova ajoute : « Sa sincérité, son amitié cordiale me la rendaient particulièrement chère [13]. »

La sympathie est immédiate et réciproque entre Ekaterina et Louise Élisabeth, qui est aussitôt engagée à prolonger son séjour parmi les hôtes de la datcha. La vie y est douce. La mère de la princesse se repose, les trois enfants [14] jouent dans le jardin. Une amie, la princesse de Tarente, émigrée française, cherche des « points de vue » qu'elle barbouille au pinceau et confectionne des bouquets de réséda et de giroflées [15]. Les hôtes s'appellent par leur surnom : Mamatche, Catiche, Lisette.

C'est à Alexandrowsk que l'artiste rencontre une jeune femme de vingt-neuf ans, Natalia Kourakina, née princesse Golovina. Heureuse avec son époux Alexandre Borissovitch, attachée à ses enfants, Boris, Elena et Alexandrine, elle vient en voisine, car son beau-père Boris Alexandrovitch possède une datcha tout près [16].

Pour occuper les longues journées d'été, les hôtes se promènent l'après-midi sur le fleuve, dans des barques garnies de velours rouge, en compagnie de musiciens. Le soir, on donne un spectacle. Parfois la princesse Natalia Kourakina chante en s'accompagnant à la harpe l'une des romances mélancoliques qu'elle a composées, comme celle qui commence par ce vers : « Quand nos jours navrés de tristesse... » Sans être aussi jolie qu'Ekaterina, Natalia a un sourire d'une grande douceur. Sa voix surtout, un rare timbre de contralto, enchante l'auditoire. Le poète Ivan Dmitriev lui dédie un hommage :

> Je dépose une Lyre aux pieds de la princesse
> Et muet d'enthousiasme ensuite je l'écoute [17].

Dans le théâtre de la princesse Dolgoroukaïa, on donne des pièces du répertoire français. Le jour de l'arrivée de Louise Élisabeth, *Camille ou le Souterrain*, un opéra de Marsollier et Dalayrac, créé à la Comédie-Italienne quatre ans plus tôt, est au programme de la petite scène [18]. La princesse Dolgoroukaïa tient le rôle principal. Mais un incident imprévu égaie la représentation : le corpulent comte de Cobenzl est si bien déguisé en jardinier qu'un messager arrivant de Vienne, ne le reconnaissant pas, refuse de lui remettre les dépêches diplomatiques. Les rires fusent dans la salle.

Mme Le Brun propose d'organiser quelques tableaux vivants. Se souvenant du succès obtenu par Lady Hamilton à Naples, elle se réjouit de proposer à la princesse ce divertissement, dont la mode se répand en Europe. Quelques accessoires de théâtre : épées, boucliers, vases, suffisent à suggérer une scène. Les figurants se drapent dans ces *schalls* de cachemire colorés dont raffolent les dames russes. Des scènes bibliques ou mythologiques sont représentées et les spectateurs s'amusent à les reconnaître.

Plaisir de la devinette et ravissement de participer au spectacle ! Chacun veut tour à tour figurer sur la scène en Achille, en Alexandre le Grand, en Darius. On se croirait dans un tableau d'histoire de Charles Le Brun ou de Poussin. Ces divertissements ont tant de succès qu'ils seront renouvelés les soirs d'hiver à Pétersbourg. Louise Élisabeth exerce à nouveau avec bonheur son sens de l'animation.

L'atelier

Conquise par un accueil si chaleureux, Louise Élisabeth regagne à regret Pétersbourg au bout d'une semaine. On lui fait promettre de revenir rapidement, car l'été s'achève tôt en Russie. Déjà vers la mi-août, on commence à placer les housses sur les divans et quitter les datchas. Le carnet de commandes de la portraitiste commence à se remplir. Dans l'appartement presque neuf situé place du Palais-Impérial, elle installe son atelier. Le petit domestique allemand, fils des concierges de Kahlenberg, venu avec elle est employé à nettoyer les brosses. Pour la vie courante, elle engage un domestique, qui ne parle que le russe. Cet homme déjà âgé se nomme Pierre. Avec lui, elle communique par signes. Jamais, dit-elle, alors qu'il lui arrive d'oublier de fortes sommes sur une sellette, Pierre ne lui dérobe la moindre chose. À ses côtés, Auguste Rivière copie en « grande miniature » les portraits réalisés par sa presque belle-sœur. La demande est importante de ce côté-là. Pour son propre compte Auguste réalise quelques portraits [19]. Il semble qu'il se soit également livré au commerce de tableaux [20].

Malgré les prix élevés pratiqués par Mme Le Brun, les commandes affluent. Fedor Rostopchine, le père de la comtesse de Ségur, fait part de son étonnement à l'ambassadeur à Londres, Vorontsov : elle « se fait payer mille, deux mille roubles pour un portrait comme on paierait deux guinées à Londres [21]. » En l'espace de quelques semaines, l'artiste a placé quinze mille roubles dans sa cassette. Sur ces sommes, elle prélève une première fois mille écus qu'elle expédie à Jean-Baptiste Pierre, puis elle lui fait passer à nouveau cent louis, et la même somme à sa mère et à son frère [22].

La portraitiste a mis au point une méthode commerciale qui lui permet de constituer sa clientèle. Elle a recloué sur son cadre le tableau représentant *Lady Hamilton en Sibylle*, preuve de son savoir-faire. Plus tard, elle fera venir par Jean-Baptiste Pierre Le Brun le portrait de la reine Marie-Antoinette en robe de velours bleu. Cette œuvre lui attirera de nombreuses visites parmi la noblesse russe mais aussi celles d'émigrés, tel le prince de Condé, ému jusqu'aux larmes.

L'artiste est également venue avec quelques lettres de recommandation. Mais cette précaution est presque inutile tant l'accueil se révèle

spontanément chaleureux et l'hospitalité généreuse. La vie s'organise facilement. Un traiteur français fournit des repas acceptables, si l'on n'a pas
les moyens d'avoir un cuisinier ou si l'on ne veut pas sortir. Louise Élisabeth se protège. Autant que faire se peut, elle évite les invitations qui
perturberaient sa journée de travail et l'empêcheraient de faire la sieste
réparatrice dont elle a l'habitude.

Les premières commandes privées

Dès le mois d'août 1795, elle commence plusieurs tableaux. D'après le
témoignage de la grande-duchesse Elizaveta, deux dames souhaitent être
représentées avec leur enfant et sont peintes *en madones* [23]. Sans doute
parmi elles la baronne Anna Sergueevna Stroganova [24], connue à Vienne,
est-elle une des premières à être satisfaite. L'épouse du cousin
d'Alexandre Stroganov, Grigori Alexandrovitch, est placée dans une posture mariale avec l'un de ses fils. Le mouvement du voile, la tête inclinée,
évoquent l'attitude des Vierges italiennes, mais une mélancolie émane de
cette maternité triste. Anna Sergueevna finira par se séparer du séduisant
Grigori, qui la délaisse pour une actrice française [25].

La formule du portrait en madone triomphe véritablement durant le
séjour pétersbourgeois de Mme Le Brun. Il est vrai que la piété de beaucoup de ces jeunes femmes est vive. Une des demoiselles d'honneur de
Catherine, Alexandra Petrovna Golitzyna [26], souhaitait tenir sur les
genoux un enfant qui l'enlace et jette les bras autour de son cou. La singularité de ce tableau réside dans le fait que l'enfant n'est pas son fils
mais son neveu, car Alexandra a été élevée chez sa tante paternelle.
Comme nombre de ses amies, Alexandra Petrovna a reçu une éducation
française et rédige son *Journal* en français.

La princesse Ekaterina Nikolaevna Menchikova [27], quant à elle, préfère
une composition plus originale, qui donnerait l'image de son accomplissement. Placée devant un clavecin qui la présente comme musicienne,
elle se détourne du clavier pour tenir son enfant sur les genoux. La
maternité est compatible avec les talents : tel est le message répandu dans
les portraits de ces jeunes femmes cultivées.

Aussi les représentations mythologiques en vogue parmi la clientèle
parisienne et viennoise, qui transformaient le modèle en Iris ou Ariane,
sont-elles moins prisées durant cette période russe. Quelques figures de
bacchantes sont encore demandées : la dame représentée *à la sauvage* en
1795, d'après le témoignage de la grande-duchesse Elizaveta, pourrait
désigner l'audacieux portrait de la veuve du comte Potocki [28]. Dans sa
liste, Louise Élisabeth la signale comme « une des plus jolies femmes que
j'ai peintes ». Polonaise et frivole, la comtesse Maria Fedorovna Potocka

excelle dans la danse du châle. Elle est représentée assise sur un lit de repos, posture rare sur les portraits de l'artiste [29]. La comtesse tient la colombe d'Aphrodite au creux de ses bras, qui pourrait peut-être donner un éclairage sur l'histoire mal connue de ce tableau.

Un vol

Toutes ces commandes sont bienvenues car un incident survient. Il s'en faut de peu qu'il ne tourne au drame. L'artiste a emporté avec elle des pièces d'or de Vienne et d'Italie, cachets de ses derniers portraits. Un soir de l'été 1795 [30], alors qu'elle rentre d'une soirée chez une de ses clientes [31], elle trouve la gouvernante de Julie effondrée. « Ah ! Madame, s'écrie-t-elle, vous venez d'être volée de tout votre argent ! » Le coupable a été démasqué. C'est le fils des concierges de Kalhenberg. Bien qu'il tente de faire accuser un domestique russe, on a retrouvé sur lui des pièces d'or. Les gens d'armes, appelés au secours par la gouvernante, l'ont emmené, et à titre de preuve, ont confisqué le butin. Le voleur risque la pendaison. Louise Élisabeth, qui se souvient de la bonté des parents du jeune garçon, ne peut supporter l'idée de leur souffrance. Elle se précipite à la forteresse, supplie de toute son âme le gouverneur Samoïlov et obtient la grâce de l'adolescent. On l'expulse vers un port du nord de l'Allemagne. Il semble n'être jamais revenu à Kalhenberg.

Mais sa disparition mystérieuse a alimenté une légende. Par les conversations de Mme Le Brun et de son entourage, il aurait, dit-on, appris des anecdotes sur la détention de Louis XVI et de sa famille et serait devenu l'un des nombreux imposteurs qui chercheront à se faire passer pour Louis XVII, l'enfant du Temple [32].

L'affaire close, on ne restitue pas à l'artiste ses *doppio*, ni ses quadruples de Vienne. Elle ne reçoit en échange que l'équivalent en ducats russes, monnaie d'un cours bien inférieur. La moitié de la somme épargnée est perdue. Comble de malchance : à peu de temps de là, elle confie à un banquier les quinze mille roubles gagnés grâce à ses premiers portraits. Ce dernier fait faillite. Ainsi, au commencement de l'hiver 1795, la fortune de l'artiste est à nouveau compromise. Écrivant à sa belle-sœur Suzette, elle soupire : « Tu dois reconnaître là cette destinée que tu sais. Il m'a été impossible jusqu'ici de conserver la moindre chose de ce que je gagne : j'attends avec résignation des temps plus heureux [33]. »

Pour se consoler des mésaventures survenues à la fin de ce premier été, l'émigrée trouve refuge dans des promenades solitaires à Tsarskoïe Selo. Bordé par la Baltique, le parc lui semble une des plus « belles choses qu'on puisse voir », « une féérie ». Parsemé d'édifices qui en bannissent la monotonie – un pont de marbre, les bains à l'orientale, un temple, une colonnade, le grand escalier d'Hercule – le domaine offre à l'artiste une perspective chaque jour différente. Catherine II, qui avait suivi de près l'élaboration du jardin, avait fait un jour à Voltaire cette confidence sur son goût :

> J'adore à présent les jardins dans le goût anglais, leurs lignes incurvées, leurs pentes douces, leurs mares en forme de lacs, leurs archipels dessinés sur la terre ferme alors que je méprise profondément les lignes droites. Je déteste les fontaines d'où jaillit une eau qui suit un courant contraire à la nature [34].

Des volières, des arbres fruitiers prêtent un charme champêtre à ce parc somptueux. Au détour d'une allée, il n'est pas rare d'y apercevoir l'impératrice qui soigne elle-même ses fleurs.

37

LES PORTRAITS DE COUR

Alexandra et Elena

Dès la fin de l'été 1795 arrive, par l'intermédiaire du comte Alexandre Stroganov, une première commande officielle : le portrait des petites-filles de Catherine II, Alexandra et Elena, filles de Paul et de Maria Fedo-rovna [1]. C'est une sorte d'épreuve à laquelle l'impératrice soumet volontiers les peintres arrivant à sa cour. Mme Le Brun l'ignore.

Vers la fin de septembre les séances de pose commencent. Le projet de l'artiste consiste à inscrire dans le cadre circulaire d'un *tondo* les silhouettes des deux adolescentes, assises sur un canapé. Elle reprend une formule qui lui a réussi pour le portrait de Flore Kageneck, réalisé à Vienne : une couronne de fleurs ornait ses cheveux flottants, une tunique à l'antique dénudait le haut de ses bras. Elle associe ce costume à une attitude déjà utilisée pour le portrait d'Ekaterina Skavronskaïa, nièce de Potemkine : le médaillon tenu à la main par une des jeunes filles est un hommage à l'impératrice. Son effigie est cachée au verso du médaillon.

Catherine II, dont le sens critique est extrêmement aiguisé, est rarement satisfaite : elle n'apprécie pas le résultat. Selon elle, les divines fillettes ont été transformées en « vilaines petites Savoyardes coiffées en bacchantes ». Dans une lettre adressée au baron Grimm, elle épingle ce qu'elle considère comme les faiblesses du tableau :

> Les partisans de mad. Le Brun élèvent cela aux nues, mais à mon avis c'est bien mauvais, parce qu'il n'y a dans ce tableau-portrait ni ressemblance, ni goût, ni noblesse, et qu'il faut avoir le sens bouché pour manquer ainsi son sujet, en ayant surtout un pareil devant les yeux : il fallait copier Dame Nature et non pas inventer des attitudes de singes [2].

La portraitiste se résout à modifier le tableau. Elle remanie le costume [3], transforme la nature des étoffes, couvre les bras de manches semi-bouffantes, ajoute des colliers de perles. Les deux nymphes deviennent les grandes-duchesses compassées du trône de Russie. Bridée dans son projet, l'artiste livre une œuvre qui, malgré la fraîcheur des visages, se ressent des modifications imposées. On mesure mieux la distance qui a pu exister entre les deux versions de ce tableau si l'on se réfère à une œuvre dont l'esprit est comparable, comme le portrait de *Julie en Flore* offert à l'Académie de Parme.

Si le double portrait des jeunes altesses ne compte pas parmi les meilleures œuvres de l'artiste, les goûts de l'impératrice en matière de peinture ne sont pas incontestables. N'a-t-elle pas, dans une lettre à Falconet, dénigré le tableau mythologique de Mme Therbusch, dont elle trouvait la couleur trop rouge [4] ? Et renâclé devant le *Triomphe de Galatée* de Van Loo ? À cette période de sa vie, elle se fie avant tout à son propre sentiment : « Savez-vous bien que ce n'est pas le moyen de toujours juger juste que de vous en rapporter au jugement des autres [5] ? » écrit-elle à Grimm en le sermonnant.

Lorsqu'elle fera le récit de cet épisode dans ses *Souvenirs*, Mme Le Brun ratiocinera autour de l'histoire de ce double portrait, qui reste un souvenir humiliant. N'avoir pas été appréciée de la czarine dont elle espérait beaucoup fut une blessure.

Rivalités

Lampi, le peintre protégé par Platon Zoubov, le dernier favori de Catherine, aurait pu, selon Mme Le Brun, œuvrer en sous-main contre elle. Mais cette hypothèse est peu probable. Lampi, qui devait nourrir une certaine curiosité vis-à-vis du peintre de Marie-Antoinette, accueille fort bien l'artiste dès les lendemains de son arrivée. Il la régale d'un repas raffiné accompagné de musique. Installé à Pétersbourg depuis 1791, Lampi vit dans l'opulence [6]. À la différence de Mme Le Brun, il a reçu un ordre d'invitation officiel, transmis par Potemkine, dont il avait réalisé le portrait. Autre privilège : ses frais de voyage ont été pris en charge par la couronne.

Si Lampi a été mis à l'épreuve sur le même sujet – la représentation des filles de Paul –, c'est avec honneur qu'il s'est tiré de ce premier exercice. Lampi met en valeur les boucles cendrées d'Alexandra et d'Elena ; il place des perles sur leurs robes dont la brassière rappelle le costume traditionnel russe. Mieux informé des goûts de Catherine que Mme Le Brun, sans doute s'en préoccupe-t-il davantage. Ce tableau est suivi d'une seconde commande officielle : un portrait de l'impératrice effectué en une huitaine de séances de pose entre 1792 et 1793. Pour ce portrait, Lampi encaisse le prodigieux cachet de douze mille roubles. Malgré tout, l'exigeante impératrice y trouve à redire. Selon Masson, il a fallu procéder à des corrections et notamment effacer ce pli désagréable qui vieillissait le bas de son visage [7].

Ensuite, Lampi reçoit la commande du double portrait des grands-ducs Alexandre [8] et Constantin Pavlovitch [9], l'année même de l'arrivée de la portraitiste, en 1795. Là encore, il tient compte des préférences de sa commanditaire. Cette composition monumentale qui assimile les deux jeunes gens à des héros antiques est inspirée d'un modèle de Pompeo Batoni, qui plaît à l'impératrice. Un bas-relief représentant les Dioscures symbolise l'union fraternelle. Le prince de Ligne, dans sa correspondance à Catherine II, surnomme ainsi les deux garçons les « petites colonnes [10] », c'est-à-dire colonnes de l'Empire russe. La czarine idolâtre ses petits-enfants.

Louise Élisabeth a-t-elle connaissance de ces détails ? Connaît-elle la réussite du double portrait réalisé en 1792 ? Arrivant sur une terre inconnue, elle se fie à son instinct, à sa technique, sans percevoir la complexité des goûts de Catherine.

Quoi qu'il en soit, l'impératrice cherche à créer une émulation entre ses peintres en leur proposant les mêmes sujets. En 1795, Lampi livre également un portrait de l'épouse d'Alexandre, Elizaveta Alekseevna.

Tout cela fait du peintre viennois un personnage à ménager. Sa position à la cour est en effet fermement assurée. De janvier 1792 à décembre 1796, il est rétribué mensuellement. Mis à part une possible jalousie entre artistes, Lampi ne se sent pas menacé par la nouvelle arrivante. Louise Élisabeth, si sensible à l'hostilité, n'en ressent aucune dans les regards de l'Italien. En réalité, Lampi ne souhaite pas s'éterniser à Pétersbourg, car sa place à l'Académie de Vienne ne lui est conservée que s'il revient en Autriche. Deux années après l'arrivée de Louise Élisabeth, il fait le voyage de retour [11].

Dans le récit de l'affaire du portrait d'Alexandra et d'Elena, la mémorialiste accuse Platon Zoubov, qui pour des raisons obscures aurait pu ne pas l'aimer. Craint-il lui aussi que Mme Vigée Le Brun cherche à recréer avec Catherine la familiarité qu'elle a connue avec Marie-Antoinette ? Zoubov, prisonnier des faveurs de l'impératrice, a des humeurs mélancoliques et Louise Élisabeth n'a pas pris la peine de faire sa cour à cet « oiseau de la Chine, condamné à tourner tristement dans sa cage dorée », selon les termes de la duchesse de Saulx qui l'a observé [12].

Un autre élément a pu jouer en sa défaveur. L'amitié du couple Le Brun avec Calonne était de notoriété publique, et ce dernier n'avait pas laissé un excellent souvenir à Saint-Pétersbourg. Cette mise au pas, qui a suivi la réalisation du premier portrait, n'a donc rien de surprenant. Le succès de son séjour n'en est cependant pas compromis.

Laissons un autre voyageur qui connaissait bien la Russie, Francesco Casanova, le peintre de batailles que l'artiste a revu à Vienne, analyser la situation de ceux qui arrivent à Saint-Pétersbourg : « On ne fait cas en Russie que de ceux qu'on y appelle, écrit-il, ceux qui se présentent d'eux-mêmes font rarement fortune [13]. » Or, l'invitation de Mme Le Brun n'était que semi-officielle.

Louise Élisabeth fait connaissance avec un autre peintre établi à la cour pétersbourgeoise, le miniaturiste Augustin Ritt [14] et son épouse Charlotte [15]. Augustin Ritt a réalisé le portrait de plusieurs membres de la famille impériale. En 1796, elle lui demande une miniature représentant Julie. S'agit-il de sceller une amitié avec l'un des artistes qui a les commandes de la cour et avec qui Auguste Rivière, dont c'est l'activité principale, risque d'entrer en compétition ? La clientèle est abondante, mais Ritt aurait pu se sentir concurrencé. Il n'en est rien, et leurs relations se consolident.

Le portrait d'Elizaveta

Après le semi-échec du double portrait des grandes-duchesses, Mme Le Brun joue son va-tout avec sa deuxième commande impériale : un portrait en pied de la grande-duchesse Elizaveta. La demande en a été formulée avant la livraison du premier. Avec enthousiasme, la grande-duchesse fait part à sa mère de la première séance de pose :

> Mad. Le Brun a commencé hier mon portrait. Je ne sais pas encore comment elle m'habillera. Elle n'a pris qu'une séance et il n'y a que la tête de commencée : on dit qu'il y a déjà de la ressemblance [16].

La portraitiste réfléchit à sa formule. Si elle avait été libre, elle aurait aimé peindre un tableau mythologique. À ses yeux, les traits d'Elizaveta et d'Alexandre sont si « nobles et réguliers » qu'ils seraient parfaits en héros de l'Antiquité. Son ambition serait de composer un grand tableau d'histoire, qui lui ferait honneur. Après réflexion, plutôt que de rivaliser avec les compositions de Lampi, ou avec les scènes mythologiques d'Angelica Kaufmann, avec qui la czarine la compare, elle opte pour une composition sans audace :

> Toutefois, ce qui venait de m'arriver pour les portraits des grandes-duchesses ne me permettant pas de me livrer à mon inspiration, je la peignis en pied, dans le grand costume de cour, arrangeant des fleurs près d'une corbeille qui en était remplie [17].

En 1795, pour sa fête, la grande-duchesse est comblée par Catherine II, qui lui offre une « garniture » de perles. Ravie, elle confie à sa mère qu'elle préfère les perles aux diamants. Sur le portrait réalisé par Mme Le Brun figurent cependant un diadème et des pendants de saphirs. Cette parure a été réalisée par le joaillier Jacob Duval l'année suivante, en 1796 [18]. Les bijoux impériaux devant figurer sur les tableaux, la lourde parure de saphirs bleus est probablement ajoutée ensuite. Sur une autre toile, elle représente les traits délicats d'Elizaveta, vêtue d'une tunique rouge et portant la magnifique parure de gouttes de perles [19].

Entre la portraitiste et son modèle se crée une complicité. Au cours d'une séance, l'artiste épuisée souffre d'un soudain éblouissement : la grande-duchesse la soulage de ses mains fraîches, en lui baignant les yeux. L'attention d'Elizaveta, comme le geste de Marie-Antoinette ramassant ses pinceaux pour la soulager autrefois, l'émeut et la flatte dans son orgueil d'artiste [20].

La personnalité d'Elizaveta Alekseevna est attachante. Cette princesse de Bade a été placée d'emblée dans une position requérant tact et diplomatie : elle a épousé le petit-fils préféré de l'impératrice, qui aime répéter en riant : « Je lui ai donné le plus joli garçon de mon empire [21]. » Catherine a des relations difficiles avec son propre fils, Paul, et son amour maternel s'est reporté sur Alexandre. Paul apprécie sa belle-fille car il lui trouve une ressemblance avec Natalia [22], son épouse regrettée et tante maternelle d'Elizaveta.

L'avis des Pétersbourgeois est unanime : on ne peut qu'aimer Elizaveta, ses cheveux blond cendré tombant en boucles sur sa nuque, son teint « blanc de lait avec des feuilles de rose sur les joues ». Sa démarche est « exquise à voir ». Lorsqu'elle court ou qu'elle joue, elle est délicieuse [23]. Le Français Langeron, expert en jolies femmes, affirme : « Si l'on eût voulu peindre Hébé, on eût pu la prendre pour modèle. Jamais on n'avait vu réunir tant de beauté, de fraîcheur et de grâces [24]. » À cette apparence charmante s'allient des qualités morales : « La bonté d'âme et la droiture se lisent dans ses yeux » écrit dans son *Journal* l'enthousiaste Protassov [25]. Elizaveta parle parfaitement le français et c'est dans cette langue qu'elle correspond avec sa mère. Toutefois, elle a appris le russe et a étudié la liturgie orthodoxe. Comme beaucoup de jeunes femmes de l'aristocratie russe, Elizaveta tient un « album » de ses lectures : *La Duchesse de la Vallière* de Mme de Genlis, puis *Delphine* et *Corinne* de Mme de Staël. Elle s'identifie aux héroïnes mais les citations recopiées de ces romans composent une autobiographie cryptée, où se révèle son isolement à la cour [26].

Elizaveta Alekseevna commande ensuite un portrait destiné à sa mère, Amalia de Hesse-Darmstadt. Appuyée sur un cousin rouge, un voile bleuté couvrant ses épaules, une mousseline sur ses cheveux blonds, l'archiduchesse ne porte plus la coûteuse parure de saphirs, comme dans le portrait officiel, mais des chaînes d'or. Dans cette œuvre destinée à l'intimité, Elizaveta redevient la princesse de Bade [27].

À Pétersbourg, tout est prétexte à réjouissance. Catherine II donne un bal d'apparat pour la présentation des princesses de Saxe-Cobourg, deux sœurs fiancées aux frères cadets d'Alexandre, Constantin et Nikolaï Pavlovitch. La comtesse Golovina en décrit les préparatifs :

> Les costumes des portraits et tableaux [de Mme Le Brun] avaient produit une révolution dans le goût ; celui de l'antique commençait à s'établir et la comtesse de Chouvalov, capable d'un engouement de jeunesse pour tout ce qui était *nouveau* et d'outre-mer, engagea la grande-duchesse Élisabeth à se faire habiller par madame Lebrun pour le bal masqué qui eut lieu alors [28].

Le jour du bal, vêtue de la simple tunique à l'antique élaborée selon les conseils de Mme Le Brun, Elizaveta vient saluer l'impératrice. Un murmure d'admiration accueille la jeune femme. Mais Catherine II refuse de donner sa main à baiser à la pauvre Elizaveta, puis la boude durant quelques jours [29]. La czarine tient à avoir la haute main sur le costume de sa bru et de ses petites-filles. Elle déteste ce goût de l'habillement à la grecque qui s'est répandu à la cour. Toute mode venue de France lui paraît à présent indésirable. La duchesse de Saulx-Tavannes, une émigrée venue rejoindre son père, le comte de Choiseul-Gouffier, explique ainsi cette aversion : « L'engouement que [Mme Le Brun] avait excité était désagréable à l'impératrice, déclarée contre le costume grec qui s'unissait dans son esprit à la révolution française [30]. »

Le phénomène irrite d'autant plus l'impératrice que la mode s'en propage rapidement. Comme le remarque Rostopchine, c'est peut-être ce qui explique les préventions de l'impératrice vis-à-vis de la portraitiste : « L'enthousiasme qu'elle a inspiré à nos dames, la fureur de se costumer d'après ses idées et tout plein d'extravagances ont empêché madame Le Brun de réussir de la manière qu'elle croyait [31]. »

Catherine II finit par adoucir sa position. Sous la pression amicale de la cour et de sa propre famille, les jeunes femmes obtiennent enfin l'autorisation de s'habiller plus conformément aux modes [32].

Louise Élisabeth et les Français en Russie

Louise Élisabeth et Auguste ont retrouvé de nombreux Français émigrés. Dans plusieurs cercles pétersbourgeois on était certain d'en rencontrer quelques-uns. Chez Elizaveta Petrovna Divova, dont le salon était appelé « le petit Coblenz [33] », le comte de Langeron entre deux campagnes et le duc de Richelieu, venus de Vienne, font les honneurs de la conversation. Louise Élisabeth se lie avec un frère de Mme de Genlis, le marquis Ducrest de Villeneuve, et son épouse Sophie [34]. La fille du comte de Vaudreuil, Mme de Noiseville, qui joue le rôle de dame de compagnie, est familière de ces cercles.

Dès les premiers jours de l'émigration, nombre de seigneurs russes ont offert gîte et couvert à ceux qui ont tout perdu. Dans un élan généreux, l'hospitalité russe ne compte pas ses bienfaits. Mais la situation s'éternise et les travers de cette aristocratie française commencent à paraître au grand jour. Les yeux se sont dessillés et quelques bonnes volontés sont déjà lassées.

Les émigrés sont jugés frivoles. Voici ce qu'en pense l'ambassadeur Simon Vorontsov : « Quand on étudie les Français on trouve quelque chose de si léger dans tout leur être qu'on ne conçoit pas comment ces gens tiennent à la terre ; je suis tenté de croire qu'ils sont formés de gomme élastique qui se prête à tout [35]. » On leur reproche leur goût pour les jeux d'esprit, les charades, les énigmes, les jeux de « pigeon vole » et de « main chaude ». La société russe se trouve, aux dires de certains esprits sévères, selon l'expression de Nicolas Gogol, contaminées par cette « sotte gymnastique de l'esprit » et ces « récréations de bel air » [36]. Vorontsov va encore plus loin, il juge les Français « corrompus, lâches, serviles, intrigants [37] » et les soupçonne d'être plus ou moins infectés des idées nouvelles.

L'ancienne aristocratie de cour, l'entourage des Polignac et le ministre Calonne ont déplu par leur hauteur jugée pleine de morgue, tandis que d'autres, *a contrario*, sont soupçonnés de complicité avec les révolutionnaires. C'est pourquoi l'impératrice exige que tout exilé français prête serment de fidélité à la couronne de France, sous peine d'être expulsé.

Cependant, Catherine II avait été francophile au plus haut degré : elle avait partagé avec Voltaire une admiration pour Henri IV. Son engouement n'était pas superficiel : elle avait acquis les bibliothèques et les manuscrits de Diderot, de Rousseau et de Voltaire. L'Académie russe, fondée en 1782, avait lancé des projets de traduction d'œuvres françaises, et *Candide* de Voltaire fut un des premiers textes à bénéficier de cet honneur : les idées des Lumières s'étaient largement répandues.

Toutefois, depuis la Révolution, les Français ne sont plus aussi bien en cour. D'autant plus que la chute de la Bastille a provoqué à Saint-Pétersbourg des réactions contrastées. Voir tomber les murs d'une prison d'État ! Parmi les négociants et la bourgeoisie pétersbourgeoise, l'événement a déchaîné un enthousiasme sans précédent. Catherine II a alors fait retirer de sa bibliothèque le buste de Voltaire et n'est pas loin de développer une forme de gallophobie. Toute fascination pour un idéal de liberté est à ses yeux dangereuse. Elle a confié à ses proches ses funestes pressentiments et le rappelle à Grimm : « J'ai prédit au prince de Nassau et à quantité d'autres quatre ans à l'avance, ce qui est arrivé à Louis XVI [38]. »

Dès l'été 1791, les premiers émissaires des frères du roi, Sombreuil, Bombelles et Esterhazy étaient arrivés à Pétersbourg. Elle leur a offert alors son aide, puis s'est contentée de tolérer les émigrés arrivant à sa cour.

Cependant on peut être gallophobe et continuer à être francophile. Alors que l'impératrice prend ses distances vis-à-vis des Français exilés, le goût pétersbourgeois pour un raffinement d'Ancien Régime à la française demeure. Certains signes en sont éclatants : l'architecture du palais de Gatchina, résidence du grand-duc Paul, construite sur le modèle du château de Chantilly ; le théâtre français plus que jamais apprécié ; la pratique de la langue française soutenue par les *outchiteli*. Ces instituteurs, souvent originaires de Lorraine ou de Franche-Comté, où a grandi la grande-duchesse Maria Fedorovna, enseignent le français aux enfants. Le couvent de Smolny, institut d'éducation modèle, est dirigé par une Suisse francophone. Enfin, les collectionneurs affectionnent toujours les œuvres des peintres français.

Certains Pétersbourgeois évoquent même leurs deux patries : leur patrie de naissance, la Russie, et leur patrie intellectuelle, la France. Masson rapporte dans ses *Mémoires* que « plusieurs jeunes Russes connaissaient mieux Paris que ceux qui avaient passé leur vie à en battre le pavé. Un comte Boutourline avait poussé si loin les connaissances locales qu'il pouvait soutenir avec un Parisien la conversation la plus détaillée sur les spectacles, les rues, les hôtels et monuments de Paris. Le Français demeurait stupéfait lorsque le Russe avouait qu'il n'avait jamais été en France [39] ».

Louise Élisabeth est déconcertée par les sentiments antifrançais. Auguste, fils de diplomate, est sans doute mieux à même de comprendre que, durant les sept années de leur séjour, l'opinion vis-à-vis des émigrés évolue au gré des événements politiques.

L'hiver à Pétersbourg

Après l'été passé en partie sur les « Îles » de la Neva, le peintre connaît, en 1795, son premier hiver pétersbourgeois. L'efficacité des poêles de porcelaine qui tiédissent même les corridors l'étonne. Il faut avoir vécu en Russie, dira-t-elle, pour savoir qu'on peut être douillettement chauffé l'hiver. Elle s'extasie sur les parfums répandus pour embaumer l'air, sur l'usage des eaux vinaigrées pour désinfecter l'atmosphère. Le confort des divans qui entourent les pièces de réception la ravit au point de ne plus supporter la raideur des fauteuils à la française. Les pelisses fourrées, les voitures capitonnées, semblent lui avoir fait oublier le froid. Le mode de vie russe, du moins celui qu'elle reconstitue à travers le prisme du souvenir, est un enchantement.

La duchesse de Saulx-Tavannes, qui arrive au début de l'automne de la même année, transmet une vision différente de la ville de Pierre le Grand. Elle a l'impression de vivre dans une serre : « Dès les premiers moments Pétersbourg me déplut, dit-elle. Tout est factice à Pétersbourg ; l'on est condamné à rester sous verre les deux tiers de l'année [40]. » Certes, en hiver, la vie pétersbourgeoise offre des loisirs limités, mais ils conviennent à l'artiste, qui travaille une grande partie du jour. Un mouvement perpétuel est entretenu par les bals, les spectacles, les concerts, qui se succèdent presque sans interruption [41]. « Tous les soirs, écrit la portraitiste, j'allais dans le monde [42]. » Cette vie peut sembler un tourbillon dont les acteurs ont des noms difficiles à retenir, mais Louise Élisabeth, en raison de son métier, observe les particularités, individualise les visages et se souvient de chacun.

Cent cinquante à deux cents personnes sont admises à la cour les soirs de *Grand Ermitage* [43]. Règne alors un luxe inouï, incomparable, selon certains voyageurs, avec celui des autres cours d'Europe. On donne des pièces de théâtre, parfois écrites pour la circonstance, comme une pièce française intitulée *La Partie de chasse d'Henri IV*. Pour faire plaisir aux invités, on donne des concerts, car l'impératrice n'est pas mélomane. Un signal convenu lui indique quand applaudir. « La musique est une belle chose, dit-elle, mais je ne comprends pas qu'on puisse l'aimer passionnément, à moins que l'on n'ait rien d'important à faire et à penser [44]. » Un bal et un souper terminent la soirée. Louise Élisabeth participe à l'une de ces réceptions, où les princesses de la famille impériale apparaissent vêtues de tuniques attachées par d'énormes diamants. L'éclat de « mille bougies » fait étinceler les pierreries. Le jeune prince Bariatinski, frère de la comtesse Tolstaïa, l'invite à danser une polonaise. Ainsi peut-elle faire le tour de la salle. Au moment du repas, Catherine, vêtue d'une robe de mousseline brodée d'or et d'un dolman de velours rouge, préside l'immense table. Avec simplicité, elle épingle sa serviette pour protéger sa toilette en se moquant gentiment des dames qui n'osent manger de peur de se salir [45].

Les soirées de *Moyen Ermitage* réunissent une cinquantaine de personnes privilégiées : on y joue la comédie et l'on organise des concours. La mauvaise humeur et l'ennui y sont interdits. Querelles et épées sont priées de rester dans l'antichambre. Enfin, les soirs de *Petit Ermitage* sont réservés à une dizaine de convives. Louise Élisabeth aperçoit des fenêtres de son appartement qu'on s'amuse à de « petit jeux, furet, gages ». Son amie, la princesse Dolgoroukaïa, y est invitée, de même que le comte de Ségur. Le dimanche, dans l'intimité de Tsarskoïe Selo, la comtesse Golovina chante en duo avec la grande-duchesse. Le favori en titre de l'impératrice, Platon Zoubov joue du violon.

Comme dans toute cour, il y a des intrigues. Zoubov est peu apprécié dans la famille impériale. Revenant de ses visites chez Catherine, « l'oiseau de la Chine » s'asperge abondamment d'eaux de senteur. Il jette des regards si langoureux en direction d'Elizaveta que tout le monde s'en aperçoit, y compris son époux, Alexandre [46]. Quant à l'objet de l'ardeur de Platon, Elizaveta, elle se moque de lui avec la comtesse Golovina et le surnomme *Zodiaque*. L'impératrice paraît ignorer le manège de son favori. Cependant, l'atmosphère des soirées de *Petit Ermitage* est de plus en plus tendue.

Louise Élisabeth et Auguste entendent les rumeurs de cour, mais ne participent pas aux soirées intimes du palais. Les invitations en ville ne leur manquent pas. Pour s'y rendre ils peuvent emprunter de légers traîneaux conduits par les *yswoschtschiki*, qui attendent sur les places. On les reconnaît à la housse colorée des chevaux, les housses blanches étant réservées aux équipages de la noblesse [47]. La course ne coûte que cinquante centimes pour une verste. Bravant le froid, vêtus d'une tunique de laine ouverte sur la poitrine, les *yswoschtschiki* conduisent à une vitesse folle. Les passagers sont ballottés, les patins crissent, « on croit que tout va se heurter, se renverser, s'écraser et il n'arrive presque jamais un accident [48] ».

On vit en effet à toute allure l'hiver à Pétersbourg. L'artiste ne s'en plaint pas. Elle écrit au prince Henri de Prusse que « la société ici est très occupée de bals, de spectacles », de « parties de traîneaux » [49]. C'est seulement dans les interminables banquets et les dîners protocolaires qu'elle s'ennuie. Là, comme à Paris, Mme Le Brun préfère les soirées intimes. Mais elle accepte malgré tout les invitations afin de ne pas se brouiller avec son exigeante clientèle.

Si, dans les palais, on s'attache les services de cuisiniers français, on sert toujours *à la russe*. Ce service consiste à apporter les plats au fur et à mesure du déroulement du repas, ce qui étonne les émigrés, accoutumés à un repas composé de différents services. À Paris, les plats attendent les convives et forment, avec les « surtouts », un plaisir pour la vue autant que pour le palais. En Russie, au contraire, on sert « à l'assiette », ce qui maintient la chaleur des plats. Un domestique apporte des liqueurs accompagnées de tartines beurrées afin de faire patienter les convives.

À table, le précieux sterlet, pêché dans la Volga, est réservé aux riches maisons. Ces poissons sont conservés dans la glace et Louise Élisabeth apprend qu'afin que la chair retrouve sa saveur, on les a fait dégeler dans du lait. On garde le gibier de la même façon, puis on cuisine en fricassées gélinottes, oies et perdrix grises et rouges. À la fin du repas, le goût sucré d'ananas cultivés dans les serres du Palais Taurique surprend les invités. Au dessert, la « charlotte » à la française concurrence les pâtisseries russes [50]. L'été, on déguste des sorbets raffinés car chaque maison est pourvue d'une cave où sont renfermés des cubes de glace extraits de la Neva. Mais si ces repas sont interminables, ils sont délicieux, selon l'avis de Louise Élisabeth, qui est gourmande et apprécie au dessert un « verre de vin de Malaga excellent ».

Olga et l'ambassadeur d'Angleterre

Dans une ville aussi cosmopolite que Pétersbourg, les « manières de table » varient d'une maison à l'autre : on sert aussi *à l'anglaise*. C'est ainsi que Louise Élisabeth et Julie, conviées chez la sœur du favori Zoubov, essuient une déconvenue. Olga Alexandrovna Jerebtsova, née Zoubova, belle femme d'une trentaine d'années, est aussi spirituelle que conspiratrice. Échaudée par l'attitude de Zoubov dans l'affaire du portrait des grandes-duchesses, l'artiste s'est abstenue de remettre à Olga la lettre de recommandation qu'on lui avait donnée pour elle à Vienne. L'usage de ce type de lettre veut que le message remis au voyageur soit doublé d'un autre, directement adressé à la personne dont on souhaite la protection. Olga sait donc que l'artiste détient une lettre de recommandation à son adresse et qu'elle n'a pas souhaité la lui donner. Elle lui fait d'acides reproches, mais lui adresse une invitation dans les formes, à laquelle il est impossible de se dérober [51].

Olga se targue d'être la maîtresse officielle de l'ambassadeur d'Angleterre, Lord Withworth, et se pique de dîner à l'heure anglaise, vers dix-neuf heures, ce que Louise Élisabeth, venue avec Julie, ignore. Durant des heures, mère et fille affamées attendent qu'on passe à table. Dans un décor austère, les invités jouent aux cartes. Nul ne leur accorde d'attention dans ce cercle où l'on semble se nourrir d'idées. Le salon d'Olga est en réalité une sorte de club politique. Avec quelques Russes libéraux, Lord Withworth réfléchit à la rédaction d'une Constitution pour l'Empire, car il redoute l'avènement du fils de Catherine II, Paul, dont il connaît le caractère tyrannique. Effrayée par ces débats, Louise Élisabeth, éprouve un malaise comparable à celui qu'elle avait ressenti à Malmaison en entendant les discours de Sieyès : tout signe de désordre l'inquiète. Trop royaliste et trop peu philosophe pour s'entendre avec la comploteuse Olga, elle la trouve antipathique. Celle-ci quittera la Russie pour Londres quelques jours avant l'assassinat de Paul [52].

Il faudra beaucoup de temps à la portraitiste pour comprendre les forces en présence dans cette société pétersbourgeoise : le parti de la cour, l'opposition libérale, des émigrés à la présence ambiguë, des liens familiaux complexes : « J'avais remarqué, écrira-t-elle, qu'à Pétersbourg la haute société ne formait, pour ainsi dire, qu'une famille, tous les nobles étant cousins les uns des autres [53]. »

Les Îles

En Russie les saisons sont contrastées. L'été est la saison préférée de Mme Le Brun. Dès l'aurore, elle part avec Julie et son domestique Pierre vers le lac de Pergola, entouré de collines. De ses rives, on aperçoit la mer. La présence de Brunette, un repas frugal réchauffé sur un feu de bois, le chant des oiseaux, suffisent à son bonheur.

Mère et fille aiment se rendre en barque à l'île de Krestowski, aménagée avec des balançoires. Anna Grigorievna Belosselskaïa, veuve de l'ambassadeur à Dresde et à Turin, a hérité de ce domaine, elle a restauré la demeure et l'a entourée de maisons neuves. Au début du règne d'Alexandre, Krestowski deviendra la villégiature à la mode. Cette riche propriétaire a la réputation d'être guindée, c'est pourquoi on la surnomme la *Lady des Îles* [54]. Un jour, à Krestowski, Louise Élisabeth aperçoit des jeunes gens, qui se baignent nus avec leurs chevaux, en toute liberté. Elle s'enthousiasme alors pour « l'ingénuité de la première nature », sur un ton qui évoque les descriptions de Bernardin de Saint-Pierre.

Afin de mieux profiter de la campagne, dès le second été, Mme Le Brun décide de louer une maison sur le bord de la Neva. La datcha est située à un endroit où passent de nombreuses barques, en face de l'île de Zelaguin. L'artiste voisine avec une personnalité hors du commun, Pietr Ivanovitch Melissino [55], un général grec entré au service de la Russie, grand maître de l'artillerie. Melissino montre un tel goût pour la magnificence que Catherine disait de lui : « Il n'est pas en mon pouvoir d'enrichir Melissino. » Éblouie, Mme Le Brun décrit la demeure :

> Il s'y trouvait une salle de bains, éclairée par en haut, et dans le milieu de laquelle était une cuve assez grande pour contenir une douzaine de personnes. On descendait dans l'eau par quelques marches ; le linge qui servait à s'essuyer en sortant du bain était posé sur la balustrade en or qui entourait la cuve, et ce linge consistait en de grands morceaux de mousseline de l'Inde brodés en bas de fleurs et d'or, afin que la pesanteur de cette bordure pût fixer la mousseline sur les chairs, ce qui me parut une recherche pleine de magnificence [56].

Une collation de laitages, de fruits et un rare café *moka* servis dans un salon ouvert sur un jardin, dont des fleurs grimpantes décorent les fenêtres, achève de ravir le peintre et sa fille. Mais, plus que le luxe oriental déployé par leur accueillant voisin, c'est l'attention délicate dont le général entoure ses hôtes qui reste fixée à jamais dans la mémoire de l'artiste.

Les étés suivants, elle bénéficie de l'hospitalité de ses amies dans des datchas sur les bords de la Neva où les soirées d'été sont lumineuses et douces. Il lui arrive aussi de se rendre dans une propriété surnommée « Canton-Joli », bordée au sud par la Neva et au nord par la forêt. Les frondaisons de ce parc donnent sur trois domaines, auxquels on donne les noms francisés de Swetinée (Svetchina), Belosette (Belosselski) et Galovée (Golovina). Dans la datcha aux « cinq lanternes », la société est aimable, des idylles naissent, mais la jolie portraitiste paraît indifférente aux hommages masculins. C'est du moins ce qu'en disent les vers composés par le maître de maison, Alexandre Mikhaïlovitch Belosselski. Celui-ci déplore que la « Madone Le Brun » préfère la royauté de la peinture au trône de l'amour :

> Et voilà seulement pourquoi
> Elle a laissé celui de la coquetterie,
> Si charmant en elle autrefois,
> Pour ne plus occuper que celui du Génie [57].

Ce doux accueil, cette nature pourraient faire croire à l'artiste qu'elle a retrouvé le charme des bras de la Seine et de Moulin-Joli sur les rives de la Neva.

La lettre de Cléry

Dans cette vie à la fois laborieuse et mondaine, Louise Élisabeth n'oublie pas le passé. Quelques rares lettres reçues de ses amis dispersés en Europe et celles qu'elle écrit à sa belle-sœur et à son frère tiennent présents à son esprit les malheurs de la France. Hantée par le souvenir de Louis XVI et de Marie-Antoinette, elle veut consacrer un tableau à la famille royale, avant que les images ne s'effacent de sa mémoire. Afin de donner à son œuvre la valeur d'un témoignage, une documentation lui est nécessaire. Qui pourrait mieux la renseigner que l'ancien valet de chambre de Louis XVI, Cléry [58], qui fut présent au Temple ? Libéré le 9 thermidor, le serviteur du roi a trouvé refuge à Vienne. Il répond à la demande de la portraitiste par une lettre remplie de minutieux détails [59]. Selon Cléry, six scènes s'offriraient au pinceau de l'artiste :

> 1. Louis XVI dans sa prison, entouré de sa famille, donnant des leçons de géographie et de lecture à ses enfants ; la reine et Madame Élisabeth occupées en ce moment à coudre et à raccommoder leurs habits ;

2. La séparation du roi et de son fils, le 11 décembre, jour que le roi parut à la Convention pour la première fois, et qu'il a été séparé de sa famille jusqu'à la veille de sa mort ;

3. Louis XVI interrogé dans la Tour, par quatre membres de la Convention, et entouré de son conseil : MM. de Malesherbes [60], de Sèze [61] et Tronchet [62] ;

4. Le conseil exécutif annonçant au roi son décret de mort, et la lecture de ce décret par Grouvelle [63] ;

5. Les adieux du roi à sa famille, la veille de sa mort ;

6. Son départ de la Tour pour marcher au lieu du supplice [64].

Cléry ajoute des précisions concernant les étoffes, les meubles, la disposition des pièces, la place des fenêtres et des lampes. Il décrit la position exacte des membres de la famille royale, leur coiffure, leurs attitudes et rapporte leurs paroles.

En lisant cette lettre, Louise Élisabeth se représente la douleur des enfants, le désespoir de la reine. Les descriptions de Cléry l'amènent à renoncer à son projet de composition : c'est plus que sa sensibilité ne peut en supporter. Elle décide de ne pas s'exposer davantage : « Chaque coup de pinceau m'aurait fait fondre en larmes [65] », écrit-elle. Sa clientèle russe n'aurait que faire de ses pleurs, elle doit se protéger.

Quatre années plus tard la violence des images se sera atténuée. À l'occasion de la visite en Russie du comte de Cossé-Brissac [66], le 8 juillet 1800, elle satisfera son désir de commémorer l'image de la reine. Sur un panneau de bois de petit format, elle exécute son premier portrait de Marie-Antoinette « de souvenir » [67]. Sur un fond sombre se détache le buste de la reine vêtue d'une tunique blanche ; ses traits paraissent apaisés. Cossé-Brissac emportera le portrait à Mittau, en Courlande, afin de le remettre à la fille de Marie-Antoinette, Marie-Thérèse [68].

Le portrait de la princesse Dolgoroukaïa

L'artiste n'a pas le loisir de sombrer dans la mélancolie. Ses amies russes y veillent. Lors de son premier séjour à Alexandrowsk, une amitié entre la portraitiste et la princesse Dolgoroukaïa s'est nouée. La réalisation d'un portrait, sans doute l'un des plus réussis de cette période russe, scelle ce lien [69]. Dans l'atelier de Louise Élisabeth, la princesse a admiré le portrait de *Lady Hamilton en sibylle*. Elle demande à l'artiste une pose presque semblable. Alors que, sur son portrait, les yeux de Lady Hamilton étaient levés vers le ciel de manière inspirée, la princesse Dolgoroukaïa, dans une attitude méditative, appuie légèrement la tête sur sa main droite avec un regard songeur. Elle vient de quitter des yeux sa lecture. Sur la table, en effet, sont éparpillés les feuillets de deux partitions : celle de *Nina ou la folle par amour*, un des opéras préférés de Mme Le Brun et

celle de l'opéra *Camille ou le Souterrain*, souvenir de la première soirée
passée à Alexandrowsk. Deux livres figurent sur le tableau, une traduction du *Traité sur l'éducation* de Locke et du *Voyage du jeune Anacharsis*
de l'abbé Barthélémy. Contrairement aux autres femmes de l'aristocratie
représentées par l'artiste, la princesse n'a pas les mains vides, ni les bras
mollement appuyés sur un coussin, mais elle partage avec les chanteuses
ou les peintres le privilège d'être entourée d'objets qui symbolisent sa
personnalité. Elle porte une robe souple, un *schall* enroulé dans les cheveux. Le portrait restitue tout le charme de celle qui inspira tant de passions. Le prince de Ligne, qui en avait été amoureux, lui envoyait tous les
matins une lettre qu'il appelait son « bouillon du cœur ». Il consacra à
Ekaterina Fedorovna de nombreux poèmes et deux portraits à la
plume [70].

Au moment de remettre à l'artiste son cachet pour ce tableau, la princesse fit fabriquer à son intention un bracelet, décoré d'une inscription
en lettres de brillants : « Ornez celle qui orne son siècle. » De plus, afin
de lui permettre de se rendre à la campagne plus commodément, elle lui
offre une voiture. Désirant être agréable à l'artiste, la princesse lui réserve
un fauteuil dans sa loge, au théâtre. Les deux femmes sont enchantées
par la voix de Mandini [71], le ténor italien qui fit tourner la tête de la
comtesse Divova. La princesse le persuade de venir chanter l'été suivant
dans le théâtre de sa datcha.

Les soupers de la princesse Dolgoroukaïa sont réputés : ambassadeurs,
voyageurs de marque, tous s'y rendent avec plaisir. Une de ses émules sur
la scène mondaine de Pétersbourg est la princesse Praskovia Andreeevna
Golitzyna. Comme les princesses portant le nom de Golitzyne sont nombreuses, on appelle Praskovia, « princesse Mikhaïl », du prénom de son
mari. Plus jolie que belle, spirituelle, la princesse Mikhaïl est lunatique à
l'extrême. Rien ne permet aujourd'hui de se rendre compte de son allure,
car le portrait qu'en fit Mme Le Brun a disparu. Le comte de Choiseul-
Gouffier en est follement épris, malgré ses caprices ou à cause d'eux. La
fille de l'amoureux transi, la duchesse de Saulx-Tavannes est horripilée et
méprise ces rivalités de salon. « Les femmes ne sont point liées entre
elles ; chacune, entourée d'un cercle de personnes inférieures, est occupée
de repousser les prétentions des autres et à établir sa supériorité [72]. »
D'après la dédaigneuse duchesse, dans ce monde frivole, tout serait prétexte à dominer : toilettes, talent pour la comédie, goût des arts [73].

Or, là où la duchesse de Saulx ne voit que jalousies, Louise Élisabeth
sent plutôt une émulation. L'artiste n'est pas, comme la fille du comte
de Choiseul, attachée au respect de son rang, puisqu'elle n'appartient pas
à la noblesse de l'ancienne France. Aussi n'entre-t-elle pas en compétition avec les femmes d'une société qu'elle apprécie, mais à laquelle elle

reste extérieure. Ses amies pétersbourgeoises n'ont pas à son égard la morgue méprisante des dames de la noblesse d'Ancien Régime. Avec tact, les dames russes lui donnent le bras afin de la faire passer la première lorsqu'on se rend dans la salle des dîners ; cette attention la touche. Son « pinceau magique [74] » les embellit en retour.

Les deux amies : Varvara Nikolaevna Golovina et Anna Ivanovna Tolstaïa

Lors de son troisième été en Russie, en 1797, Mme Le Brun voisine avec une jeune femme accomplie, Varvara Nikolaevna, comtesse Golovina. Installée dans la villa de Kaminoï-Ostrov, que Pavel Alexandrovitch Stroganov lui a prêtée, l'artiste lui rend visite. « Tous les matins, dit-elle, j'allais seule me promener dans une forêt voisine, et je passais mes soirées chez la comtesse Golovina, qui était établie tout à côté de moi. Je trouvais là le jeune prince Bariatinski, la princesse Tarente [75] et plusieurs autres personnes aimables [76]. »

Malgré les dires de la duchesse de Saulx-Tavannes, il existe des amitiés entre les jeunes femmes. La comtesse Golovina en est l'exemple. Elle ne vit pas sur un grand pied, car son époux le comte Golovine a un tel génie des mauvaises affaires qu'il doit parfois emprunter à ses fermiers. Amie intime de la grande-duchesse Elizaveta, elle aime les soirées en petite compagnie. Elle se tient au courant de l'actualité littéraire. Elle dessine, elle peint (on a gravé un recueil de ses œuvres), elle interprète au piano les romances qu'elle compose.

Avec son aptitude à saisir le mystère des physionomies, Louise Élisabeth traduit l'expression secrète du regard clair de la comtesse Golovina. Sur son portrait, celle-ci est enveloppée dans un châle rouge à décoration de palmettes, qui rehausse ses boucles brunes [77]. Si le mouvement du bras rappelle l'attitude du portrait de Gabrielle Roland, par contraste, le geste plein de pudeur de Varvara Golovina reflète sa discrétion [78].

La comtesse Golovina passe l'autre partie de l'été en compagnie de son amie Anna Ivanovna Tolstaïa. La physionomie d'Anna Ivanovna n'est pas, selon l'artiste, aussi animée que celle de son amie. La « belle et bonne » Tolstaïa a besoin d'être consolée. Son impérieux époux, le comte Nikolaï Alexandrovitch Tolstoï, voyage souvent avec Alexandre. Sa vie privée n'est pas heureuse : elle s'est éprise du séduisant Lord Withworth, ambassadeur d'Angleterre, qui mène de front plusieurs liaisons et cherche à se servir d'elle afin de se rapprocher d'Alexandre. Les amies d'Anna Ivanovna Tolstaïa l'ont surnommée « la longue », à cause de sa haute taille. Sur son portrait, svelte et fine, elle est vêtue de blanc, assise près d'une cascade, dans une attitude mélancolique. Peut-être est-ce à cause de cette robe que Mme Le Brun la nommera encore, bien des années plus tard, la « reine blanche [79] ».

Varvara et Anna séjournent chez la mère de cette dernière, dont la datcha se situe sur la route de Peterhoff, au sud-ouest de Pétersbourg. Voici ce qu'en dit la comtesse Golovina dans ses *Souvenirs* :

> Sa maison est sur une petite élévation ; elle a une vue charmante sur le golfe ; une très jolie avenue y conduit [...]. De la fenêtre de mon petit cabinet, je voyais à droite la ville et à gauche la mer [...]. Nous y étions aussi heureuses que nous pouvions l'être [80].

Avec Louise Élisabeth, la comtesse Golovina aime partager le plaisir des crépuscules sur la terrasse : « Le calme d'une belle soirée est comme le repos de l'âme, qui donne à nos facultés le moyen d'apercevoir ce que l'agitation et l'inquiétude laissent échapper [81]. » Grâce à ces jeunes femmes qui s'intéressent aux arts, Louise Élisabeth retrouve le charme de la causerie le soir. Au fil des promenades et des séances de pose, une intimité naît entre l'artiste et ce premier cercle de jeunes femmes. Elles sont talentueuses, belles et mélancoliques.

Deux nièces de Potemkine

La société russe ne se limite pas à ce cénacle féminin. Mme Le Brun entretient avec sa vaste clientèle des relations qui, sans être intimes, sont cordiales. Si Lampi a eu l'honneur de portraiturer Potemkine qui l'introduisit à la cour, Mme Le Brun fait poser plusieurs de ses nièces.

La comtesse Ekaterina Vassilievna Skavronskaïa, nièce de Potemkine qu'elle avait connue à Naples [82], est veuve au moment où l'artiste la retrouve. Toujours rayonnante, elle est l'objet d'un concert d'éloges. Le poète Derjavine, qui n'est pas avare de métaphores, fait d'elle « un aimant pour les yeux ». Six années se sont écoulées depuis que Mme Le Brun a réalisé le premier portrait de la comtesse Skavronskaïa, mais les traits placides d'Ekaterina ont peu changé. En 1796, l'artiste choisit une tenue sans artifices : Ekaterina ne porte qu'une chaîne d'or. Une épaule dénudée recouverte de ses cheveux défaits, elle s'appuie sur un coussin [83]. Cette inaffective beauté ne s'animera que lorsqu'elle retrouvera un comte italien rencontré à Naples, le comte Giulio Litta [84]. Ce chevalier de Malte, à la stature de colosse, rompt ses vœux afin de l'épouser alors que Louise Élisabeth est encore en Russie [85]. Malgré leurs souvenirs communs d'Italie, il ne semble pas que l'artiste ait particulièrement apprécié la compagnie de la comtesse Skavronskaïa.

En revanche elle pouvait se sentir davantage d'affinités avec sa sœur cadette, Tatiana. Contrairement à ses sœurs, celle-ci a échappé aux faveurs pressantes de son oncle, Potemkine. Et lorsque Mme Le Brun réalise le portrait qui la met en scène, tressant une couronne de roses dans un décor boisé, elle vit séparée de son second mari, entre Pétersbourg et la campagne. Dans son domaine, Tatiana s'entoure des poètes Derjavine et Pouchkine. Elle a constitué des collections de pierres gravées et de camées, parmi lesquels se trouvent des pièces rares comme le brillant *l'étoile polaire* et la perle *peregrina* ayant appartenu à Philippe d'Espagne [86].

Vénus en courroux et princesse Boris

Les portraits succèdent aux portraits. Cent sept commandes en Russie, tel est le chiffre porté par l'artiste dans ses répertoires récapitulatifs. Une autre beauté fortunée souhaite être représentée, c'est la sœur du gouverneur général de Moscou. Ekaterina Vladimirovna Apraxina [87] a épousé, à son retour de Paris, un don Juan qui fait tourner les têtes. Petite et svelte, ses grands yeux bruns et sévères, ses traits accusés font que même dans « ses moments de gaîté et de rire » elle ressemble à une divinité offensée. À Paris, on l'a surnommée « Vénus en courroux ». Stepan Stepanovitch Apraxine vénère son épouse au point de faire bâtir dans son jardin d'Olgovo un temple, dont le fronton porte l'inscription « Hommage à la vertu ». Au centre de la rotonde se dresse une statue en marbre d'Ekaterina. C'est probablement en 1796 [88], dans une période de créativité intense, que Louise Élisabeth réalise le portrait de la jeune femme coiffée d'un châle translucide bordé d'or rehaussant ses boucles brunes. Si elle est appuyée sur un coussin, dans une attitude souvent employée par l'artiste, son regard noir et sérieux fixe le spectateur. Fait rare, elle semble n'avoir voulu prendre aucune pose et Louise Élisabeth parvient à restituer la vigueur de son caractère.

Parmi les jeunes femmes de la cour qui ont inscrit leur nom sur la liste d'attente de Louise Élisabeth figure encore celle que l'on nommait la « princesse Boris » afin de la distinguer de ses nombreuses homonymes. Anna Alexandrovna [89] avait épousé en premières noces un bâtard légitimé des Golitzyne, Alexandre Alexandrovitch Litzyne. On avait coutume de donner aux enfants naturels la moitié du nom paternel : ainsi les Betskoï venaient des Troubetskoï et les Litzyne des Golitzyne [90]. À vingt-sept ans, elle se remarie avec le riche Boris Andreevitch Golitzyne, de trois ans son cadet. Leurs patrimoines réunis faisaient d'eux l'une des familles les plus opulentes de Russie. La « princesse Boris » a le goût du monde et a laissé des lettres précieuses sur la vie pétersbourgeoise de son temps. Elle s'est liée d'amitié avec Hyacinthe Albertine de Noiseville, la fille de Vaudreuil, gouvernante de ses enfants. Pour portraiturer la princesse Boris, Mme Le Brun reprend une attitude qui a fait ses preuves : le bras gauche appuyé sur un coussin, le visage tourné dans le sens opposé au mouvement des jambes. En revanche, son costume la distingue : elle arbore une tenue orientale : soie chatoyante de la robe écarlate, coiffure à plumet rouge qui lui donne un port de sultane [91].

Afin de mettre en valeur ses modèles russes, Louise Élisabeth joue sur la combinaison de formules éprouvées, en les plaçant dans un cadre aquatique ou dans une attitude mariale. L'esprit mythologique qui avait présidé aux tableaux de sa période viennoise est désormais réservé aux portraits de très jeunes filles, telles Julie *en Flore* et Eudoxia Ivanovna Golitzyna dont la beauté astrale la faisait surnommer la « princesse de Minuit [92] ».

Le mariage d'Alexandrine et la fin du règne de Catherine

Lors de l'un des étés russes de Louise Élisabeth [93], une tempête secoue la cour pétersbourgeoise. Catherine II souhaitait marier sa petite-fille Alexandrine avec Gustave, le jeune roi de Suède. Les relations de la Suède et de la Russie avaient toujours été méfiantes et Catherine II espère par cette union aplanir des différents.

Le jeune roi arrive à Pétersbourg avec son oncle [94], le 14 août 1796. Il n'a que dix-sept ans. Taille élancée, air doux mais imposant, éducation soignée, manières tendres plaisent à la jeune Alexandrine. Dans la fraîcheur de ses quatorze ans, celle-ci est ravissante, et Gustave en devient aussitôt amoureux, à la satisfaction de Maria Fedorovna et de Catherine II, qui se plaît à raconter à Grimm les cachoteries des amoureux. Pour preuve de l'amour du jeune roi, Louise Élisabeth rapporte qu'il regarde avec tant d'attention le portrait de sa future fiancée qu'il en laisse tomber son chapeau [95]. Tout paraît décidé. Le contrat est rédigé, mais une clause exigée par Catherine contrarie les amours naissantes : l'impératrice souhaite que la future reine des Suédois reste orthodoxe, qu'elle ait à sa disposition une chapelle et un aumônier. Le jeune roi juge cette demande contraire aux lois de son pays et refuse ces conditions. L'impératrice, inflexible, espère qu'il cédera.

Le soir du bal célébrant les fiançailles, tous sont aux aguets. Louise Élisabeth et l'ambassadeur d'Autriche, le comte Dietrichstein, dont elle fait alors le portrait, surveillent par la fenêtre. Les courtisans sont en grande toilette. Les salles du palais sont illuminées. L'attente s'éternise. Aucune voiture aux armes de la couronne de Suède ne traverse la place déserte. Il faut donc se résoudre à se retirer. La princesse Dolgoroukaïa racontera à l'artiste que « l'impératrice entrouvrit la porte de sa chambre, et prononça ces mots d'une voix altérée : "Mesdames, il n'y aura pas de bal ce soir." [96] »

La grand-mère console sa petite-fille, mais elle-même est si affectée qu'elle ressent un malaise durant la nuit. Le mois suivant, sa santé décline : un jour elle semble bien se porter, le lendemain elle est souffrante.

Après ce drame diplomatique, Louise Élisabeth qui a enfin achevé le grand portrait de l'épouse d'Alexandre, Elizaveta, tremble pour son succès. Le jour de la présentation, un jeudi de novembre 1796, arrive. Chacun sait que l'impératrice ne s'en laissera pas conter en matière de goût. « Sa Majesté, écrit la comtesse Golovina, fit placer [le portrait] dans la salle du trône et s'y arrêta beaucoup, l'examina et le critiqua avec les personnes désignées pour dîner avec elle [97]. » Enfin, son visage s'éclaire, la moue qui lui crispe le bas du visage se détend, son regard s'adoucit : elle se déclare satisfaite. La portraitiste espère avoir retourné la situation en sa faveur. Peut-être même escompte-t-elle réaliser ce portrait de l'impératrice en grand costume qu'on lui a laissé espérer.

Hélas, son soulagement est de courte durée car, le dimanche suivant, la grand-mère d'Alexandrine ressent des vertiges. Tout Saint-Pétersbourg est plongé dans l'inquiétude. Un matin, après sa toilette, l'impératrice se retire dans son cabinet de garde-robe. Ses servantes patientent. Le temps leur semble long ; elles ouvrent la porte et la trouvent évanouie. Elle respire difficilement. C'est une syncope. Un vent de panique souffle à l'Ermitage. On chuchote qu'un testament a été rédigé. L'impératrice aurait destitué son fils Paul, qu'elle juge incapable de régner, au profit de son petit-fils Alexandre [98]. Que va-t-il se passer ? L'héritier légitime du trône, Paul, arrive de son domaine de Gatchina. Il reste un moment au chevet de la mourante, sans donner de signes de chagrin, puis il s'installe dans un appartement proche où il attend la fin [99].

Louise Élisabeth, à l'unisson des courtisans pétersbourgeois, craint le nouvel ordre qui s'annonce. La nervosité extrême qui entoure les derniers instants de l'impératrice l'angoisse au plus haut point. On évoque la possibilité d'une révolution de palais. L'artiste patiente chez la princesse Dolgoroukaïa : le comte de Cobenzl va et vient entre l'Ermitage et le salon de la princesse. Le soir du 17 novembre 1796, l'impératrice rend l'âme.

Pour regagner son appartement, Louise Élisabeth doit traverser l'esplanade devant l'Ermitage où s'est rassemblée une foule hurlante. Alors se réveillent en elle des souvenirs de bousculade et d'émeute. Le peuple se lamente en pleurant sa *matushka*. La ville entière entre dans un long deuil. Durant six semaines, jour et nuit, le corps est exposé sur un lit de parade dans une salle illuminée. Le soir, en rentrant des soirées passées chez ses amis, Louise Élisabeth, la gorge nouée, aperçoit de ses fenêtres cet embrasement étrange qui éclaire la place du palais [100].

L'usage veut que l'on honore l'impératrice défunte en lui baisant la main. Mme Le Brun parvient à s'esquiver : « Je ne l'avais pas baisée vivante, écrit-elle, je ne voulus pas la baiser morte, j'évitai même de regarder le visage, qui me serait resté si tristement dans l'imagination [101]. » Une tradition, véhiculée par Masson, affirme qu'un pastel représentant Catherine II aurait été exécuté par l'artiste à partir de son cadavre. Elle paraît sans fondement [102]. Dès son enfance, Louise Élisabeth a manifesté une véritable phobie pour les corps privés de vie. Ce portrait disparu a probablement été exécuté « de souvenir » ou à partir d'un croquis levé de son vivant. Une gravure figurant dans l'édition originale des *Souvenirs* permet de se représenter le visage serein de l'impératrice idéalisé par l'artiste.

Tout est bouleversé. Zoubov est au bord de la commotion. Elizaveta Alekseevna décrit à sa mère le comportement du favori : « Il avait les cheveux hérissés, il roulait des yeux affreux [103]. » Le favori a tout à craindre de l'avenir.

Mais pour l'heure, le nouvel empereur a autre chose à faire que de régler le sort de Zoubov : il s'occupe de ses morts. Il a fait déterrer le corps de son père, Pierre III, le czar assassiné par les partisans de Catherine II et inhumé dans le monastère Alexandre Nevski. Lui rendre les mêmes honneurs qu'à sa mère, tel est le projet du nouvel empereur. Lors du convoi funèbre, Paul donne l'ordre que le cercueil de l'empereur ouvre la marche, avant celui de sa mère. Ce geste est interprété comme une insulte à la mémoire de Catherine [104].

Louise Élisabeth ne suit pas le convoi des funérailles. Elle observe de sa fenêtre le retour des dames de la cour, portant le bonnet de deuil à pointe et épuisées par la longue marche funèbre jusqu'à la forteresse.

38

LE RÈGNE DE PAUL Iᴱᴿ

Un étrange empereur

Mme Le Brun connaît peu le nouvel empereur. Durant le règne de Catherine II, le grand-duc Paul, avec son épouse Maria Fedorovna, vivait retiré dans ses châteaux de Pavslosk et de Gatchina, à l'exception de l'année 1781, où le couple avait effectué un voyage en France, sous les pseudonymes de comte et comtesse du Nord. Ce séjour avait été la période la plus harmonieuse de leur vie. À Paris, le couple avait été fêté. Chez Rose Bertin la grande-duchesse avait fait provision de robes, qu'elle continuera à porter malgré les changements de mode. Paul avait souhaité visiter l'atelier d'Hubert Robert. Des artistes lui avaient été présentés et parmi eux, Mme Le Brun. Paul se souviendra d'avoir rencontré la portraitiste, mais elle-même avouera avoir totalement oublié ce mystérieux comte du Nord. N'avait-elle pas compris alors qu'il s'agissait du czarévitch ? Lors de ce voyage, Louise Élisabeth avait vingt-sept ans.

À leur retour de France, Paul et son épouse avaient aménagé leurs jardins en s'inspirant du parc de Chantilly. On trouvait à Pavlosk une « île de l'amour » comme dans le parc des Condé. Ces jardins racontaient l'histoire de Paul et de Maria Fedorovna : le bosquet familial où, à la naissance de chaque enfant, un arbre était planté, et un monument à la mémoire des parents de Maria Fedorovna. Dans leur autre domaine, Gatchina, les coloris changeants du ciel se reflétaient dans des lacs bordés de saules argentés.

L'influence bénéfique de la grande-duchesse à la cour pétersbourgeoise était reconnue. Elle désamorçait les conflits entre le grand-duc et sa mère. Elle s'interposait aussi entre Paul et ses fils [1]. Tous les ans ou presque Maria Fedorovna venait accoucher à Tsarskoïe Selo, et y laissait un nouveau-né à sa belle-mère [2]. Catherine considérait que ses petits-enfants appartenaient à l'empire de Russie, tout comme l'impératrice Élisabeth l'avait fait avec son propre fils.

Depuis toujours, l'impératrice se méfiait de Paul. Elle avait cherché à éloigner ce fils disgracieux jusqu'à la laideur. Paul n'avait aucune influence à la cour en dehors de Gatchina. Alors, il occupait son temps à passer ses troupes en revue à Pavlovsk, transformée en place forte. Il associait ses deux fils aînés à ses démonstrations militaires. Follement épris de discipline, il faisait porter à sa garde l'uniforme des soldats de Frédéric le Grand, son modèle. Malgré les sommes considérables que lui versait sa mère, les plaintes du grand-duc étaient continuelles [3]. « Tout ceci faisait qu'on le fuyait autant que son rang le permettait [4] », note la comtesse Golovina dans ses *Mémoires*.

À l'avènement de Paul, Tsarskoïe Selo, la résidence préférée de Catherine, est abandonnée pour Pavlosk ou Gatchina qui, avec ses successions de grandes cours closes de bâtiments, a l'air d'une citadelle [5]. En quelques semaines, la ville se transforme. Les rues sont désertes. Cette capitale où l'on circulait sans barrières ni douane devient une vaste prison entourée de guichets gardés. Les Pétersbourgeois ne passent devant les portes du palais de Paul qu'en tremblant. Même en l'absence du souverain, ils doivent se découvrir la tête [6]. Comme il hait la noblesse russe, Paul choisit pour confident un barbier d'origine turque, Ivan Pavlovitch Koutaïssov, qui a sa confiance absolue. Le nouvel empereur apprécie aussi la compagnie d'un acteur français, Jean-Baptiste Aubert, surnommé Frogères [7], qui le fait rire. Frogères a ses entrées chez le monarque, mieux qu'un ministre. À toute occasion, l'empereur impose aux courtisans de s'agenouiller devant lui et veut entendre le genou frapper le plancher [8]. De la tracasserie à la punition violente, tout est à craindre sous le règne de Paul Ier. Inconstant dans ses haines comme dans ses prédilections, il récompense un jour et punit le lendemain.

Bien qu'elle passe le plus clair de son temps à l'atelier, Louise Élisabeth se rend compte du changement, car un sentiment vague, qui ressemble à de la terreur, se répand partout. L'intimité des réunions amicales est altérée.

> On en vint bientôt à ne plus oser recevoir du monde chez soi ; si l'on recevait quelques amis, on avait grand soin de fermer les volets, et, pour les jours de bal, il était convenu que l'on renverrait les voitures, afin de moins attirer l'attention. Tout le monde était surveillé pour ses paroles et pour ses actions, au point que j'entendais dire qu'il n'existait pas une société qui n'eût son espion [9].

Le nouvel empereur impose aux courtisans de se poudrer les cheveux, en signe de conservatisme antirévolutionnaire. Or, Mme Le Brun, qui persiste à ne pas aimer la poudre, demande à ses modèles de laisser leur chevelure au naturel. Un jour, le jeune frère d'Anna Tolstaïa, le prince Ivan Ivanovitch Bariatinski [10], se rend à pied à une séance de pose. Il aperçoit l'empereur passant en calèche et n'a que le temps de se jeter sous une porte cochère. Tremblant, le jeune homme arrive à l'atelier de Louise Élisabeth. Malgré son inquiétude, celle-ci le rassure. Tous savent que désormais personne n'est à l'abri d'un exil en Sibérie.

Paul veut contrôler l'habillement de ses sujets. Ravis d'effrayer les promeneurs, les policiers font sauter avec leur canne tous les chapeaux ronds, lorsqu'ils en rencontrent sur leur passage [11]. Pour une fois, la détestation de Paul n'est pas irrationnelle. Les armées victorieuses de la guerre d'Indépendance américaine avaient fait du chapeau rond un emblème de liberté, et la bourgeoisie européenne l'avait adopté avec enthousiasme [12].

En revanche, Paul récompense les émigrés fidèles à la couronne de France. Il a ses protégés : Louis de Beaumont, marquis d'Autichamp, qu'il sauve de lourdes difficultés matérielles, et le peintre de plafond Doyen, venu enseigner à l'Académie. L'ancien confrère de Louis Vigée est inscrit depuis 1793 sur la liste des émigrés, et tous ses biens en France ont été confisqués, sa maison près de Meulan a été mise en vente [13]. Il a perdu sa fortune, et son meilleur ami, Jean-Sylvain Bailly, dont il ne peut évoquer le souvenir sans verser des larmes, a été exécuté. Paul affectionne la conversation pleine d'esprit du vieux maître. Il vient souvent le voir travailler. Bien qu'âgé de soixante-dix ans à l'avènement de Paul, il reçoit la commande des fresques de la salle Saint-Georges du fastueux palais Michel que le czar fait construire. Il est largement rétribué. Doyen, qui vit simplement, laissera un héritage de douze mille roubles à un de ses élèves [14].

Malgré l'atmosphère de crainte générale, Mme Le Brun n'a pas non plus à se plaindre de Paul Ier. Elle retrouve avec lui la voie des commandes officielles. Après avoir attendu la fin du deuil suivant la mort de Catherine, puis la fin de celui que porte Maria Fedorovna de ses propres parents, la préparation du couronnement commence.

Pour cette occasion, l'empereur ordonne à Mme Le Brun la réalisation d'un portrait d'apparat de Maria Fedorovna [15]. Selon son habitude, l'artiste magnifie son modèle :

> Je me souviens de l'avoir vue dans un grand bal, avec ses beaux cheveux bouclés retombant de chaque côté sur ses épaules, et le dessus de la tête couronné de diamants. Cette grande et belle personne s'élevait majestueusement près de Paul qui lui donnait le bras, ce qui formait un contraste frappant [16].

Ce portrait grandeur nature formera pendant avec celui que Borovikovski, peintre officiel, réalise de l'empereur en grand uniforme de Malte.

Les séances de pose se déroulent dans une atmosphère bon enfant, en présence de Paul que Louise Élisabeth parvient à amadouer :

> Un jour que l'on vint servir le café, comme j'étais déjà à mon chevalet, il m'en apporta lui-même une tasse, puis il attendit que je l'eusse bue pour la reprendre et la reporter [17].

L'anecdote soulignant la prévenance de Paul Ier à son égard entre dans la collection d'anecdotes princières de l'artiste. Comme le geste de Marie-Antoinette ramassant ses pinceaux, ou la prévenance de la grande-duchesse Elizaveta soucieuse de sa santé, l'attention de l'empereur la consacre dans son statut d'artiste. Les deux grands-ducs, Alexandre et Constantin, assistent aussi aux séances. Dans l'intimité familiale, l'empereur se livre alors à des mimiques, qui mettent l'artiste mal à l'aise :

> Paul se mit à faire mille gambades, absolument comme un singe ; grattant le paravent et faisant mine de l'escalader. Ce jeu dura longtemps. Alexandre et Constantin me parurent souffrir de voir leur père faire des tours aussi grotesques, devant une étrangère, et moi-même je me trouvai mal à l'aise pour lui [18].

Après avoir préparé la composition par une esquisse [19], l'artiste installe l'impératrice devant une tenture cramoisie afin de rehausser l'éclat des diamants de sa couronne. Le manteau de sacre est garni d'un collet d'hermine.

Pour ce portrait, Mme Le Brun doit une nouvelle fois rivaliser avec une œuvre de Lampi. Sur le tableau réalisé avant 1796 par le peintre de l'Académie de Vienne, Maria Fedorovna était représentée dans un décor à l'antique. Un crayon à la main, elle semblait figée et empruntée, alors qu'elle levait une copie d'un buste de Paul. Sur le portrait réalisé par Louise Élisabeth, l'épouse de Paul désigne, d'un geste souple, des plans déroulés sur un tabouret. Ce sont ceux de l'école de Smolny, une institution destinée aux filles de la noblesse russe, qu'elle protège [20].

Le majestueux tableau de Louise Élisabeth n'a rien à redouter d'une comparaison avec le portrait réalisé par Lampi [21]. Le teint diaphane et la blondeur de Maria Fedorovna resplendissent dans cette œuvre solennelle, qui satisfait pleinement la demande impériale.

Le jour même du sacre de Paul est l'occasion de brimades. La cérémonie a lieu à Moscou. Ni Mme Le Brun ni Auguste n'y assistent, mais la comtesse Golovina s'y rend, et elle rapporte les incidents qui se multiplient. Pour une fois, Maria Fedorovna fait mentir sa réputation d'affabilité en rabrouant sa belle-fille. Depuis que le roi de Suède, Gustave IV, a épousé la sœur d'Elizaveta, Frederike, après avoir refusé sa propre fille Alexandrine, Maria Fedorovna lui en veut effectivement. Laissons parler la comtesse :

Pour ajouter à sa parure, [Elizaveta] avait artistement entremêlé de déli-cieuses roses fraîches le bouquet de brillants qu'elle portait à la ceinture. Avant la cérémonie, lorsqu'elle entra chez l'impératrice, celle-ci la toisa du regard et, sans une parole arracha brutalement les roses de son bouquet et les jeta à terre : « Cela ne convient pas en toilette de parade », dit-elle ensuite [22].

Un second incident perturbe la cérémonie. La grande-duchesse Anna, épouse de Constantin, livrée aux mauvais traitements de son époux, s'évanouit durant l'office. Personne ne s'en préoccupe. Le comte Golov-kine n'a que le temps d'allonger la jeune femme sur un tombeau dans le bas-côté, où il est obligé de l'abandonner dans l'indifférence fami-liale [23]. Juliana de Saxe-Cobourg, devenue Anna par son mariage, la plus jolie des princesses de Cobourg selon Elizaveta, avec « un petit air espiègle », supporte en silence la cruauté de Constantin qu'elle finira par quitter [24].

Toute harmonie a disparu dans cette nouvelle cour. *Cela ne convient pas* est le mot d'usage quand quelque chose déplaît [25]. Les chaînes dorées sont devenues des chaînes de fer [26]. L'atmosphère tendue de la cour fait qu'en dehors des « gatchinois », fidèles de Paul, nul n'aime s'y attarder.

L'amitié de Stanislas Auguste Poniatowski

Louise Élisabeth et Auguste préfèrent passer leurs soirées dans des cercles amicaux. D'ailleurs, un cénacle se crée avec l'arrivée en 1797 de Stanislas Auguste Poniatowski [27]. Le roi dépossédé de Pologne bénéficie de l'hospitalité de Paul Ier. Logé au palais de Marbre, celui qui fut l'amant déçu de Catherine II donne des soupers en petit comité auxquels sont conviés des étrangers dont l'ambassadeur d'Angleterre, Lord Withworth et Charles François de Riffardeau, marquis de Rivière [28]. Pour Louise Élisabeth la demeure de Stanislas Auguste devient vite un refuge. Autrefois habitué du salon de Mme Geoffrin, le roi avait fré-quenté des artistes, connu Montesquieu, Fontenelle. La veuve à la robe grise l'avait pris sous son aile, et une longue correspondance s'était échangée entre eux. Stanislas avait épaulé Voltaire dans son combat en faveur du protestant Sirven.

Le roi est capable de citer sans affectation les auteurs latins, il parle le polonais, l'anglais, l'allemand et le français. Louise Élisabeth aime apprendre, et le contact avec cet homme ouvert et sensible la réconforte. Il appelle Mme Le Brun « ma bonne amie ». Presque tous les dimanches matins, après la grand-messe, Stanislas Auguste Poniatowski fait une halte dans l'atelier de l'artiste [29]. « Son beau visage exprimait la douceur et la bienveillance, se souviendra-t-elle. Le son de sa voix était péné-trant [30] ». Ils peuvent, ce que Louise Élisabeth aime par-dessus tout, parler peinture. Stanislas avait apprécié à Paris l'œuvre de Joseph Vernet. Il communique les émotions de sa jeunesse, son enthousiasme devant un tableau de Van Dyck ou un Rubens, son bonheur lorsque à Bruxelles, malgré le peu d'argent dont il disposait, il a pu acheter son premier tableau [31].

Avant d'arriver à Saint-Pétersbourg, Stanislas avait fait copier, pour son usage personnel, un portrait de la princesse Lubomirska par Mme Le Brun [32]. Il avait surveillé avec minutie les détails du costume, choisi les couleurs. Vers 1796, il avait avoué à l'un de ses correspondants, le marchand Desenfans, en le remerciant de lui avoir procuré un Poussin, le réconfort qu'il trouvait dans ses collections : « Mon bonheur n'est plus qu'en peinture [33]. » Frappante formule prononcée à mi-voix en contemplant sa collection, touchant aveu qui s'inscrira dans la mémoire de Louise Élisabeth. Le caractère du roi est paisible, dépourvu de morgue et de rancune, même lorsqu'il a été offensé. En témoigne une anecdote qui cause des remords à l'artiste :

> Il m'arrive, lorsque je suis à peindre, de ne plus voir dans le monde que mon modèle, ce qui m'a rendue plus d'une fois tout à fait grossière pour ceux qui viennent me troubler quand je travaille. Un matin que j'étais occupée à finir un portrait, le roi de Pologne vint pour me voir. Ayant entendu le bruit de plusieurs chevaux à ma porte, je me doutais bien que c'était lui qui me rendait une visite ; mais j'étais tellement absorbée dans mon ouvrage, que je pris de l'humeur, et à tel point, qu'à l'instant où il entrouvrait ma porte, je lui criai : « Je n'y suis pas. » Le roi, sans rien dire, remit son manteau et partit. Quand j'eus quitté ma palette, et que je me rappelai de sang-froid ce que je venais de faire, je me le reprochai si vivement, que le soir même j'allai chez le roi de Pologne lui porter mes excuses, et chercher mon pardon. « Comme vous m'avez reçu ce matin ! » me dit-il, dès qu'il m'aperçut. Puis il ajouta de suite : « Je comprends parfaitement que lorsqu'on dérange un artiste bien occupé, on lui cause de l'impatience ; aussi croyez bien que je ne vous en veux point du tout. » Et il me força à rester à souper, où il ne fut plus question de mes torts [34].

Louise Élisabeth réalise deux portraits de Stanislas en 1797. L'un des deux, à la demande de sa nièce Urszula Mniszech, le représente portant un insigne maçonnique et vêtu d'un costume inspiré de la mode Henri IV [35]. Sans doute faut-il voir là le symbole de l'esprit tolérant de Stanislas. Sur l'autre, il porte un manteau doublé d'hermine. L'artiste ne se séparera jamais de ce second portrait [36].

Les moments de complicité avec le roi dureront à peine plus d'une année, car lors d'une soirée passée chez lui, en 1798, la portraitiste est saisie d'une intuition funeste :

> En sortant, je dis sur l'escalier à Lord Withworth et au marquis de Rivière qui me donnait le bras : « Savez-vous que le roi m'inquiète beau-

coup ? — Pourquoi ? me répondit-on, il paraissait être à merveille ; il vient de causer comme à l'ordinaire. — J'ai le malheur d'être bonne physionomiste, repris-je, j'ai remarqué dans ses yeux un trouble extraordinaire. Le roi mourra bientôt. » Hélas ! j'avais trop bien deviné ; car le lendemain il fut frappé d'une attaque d'apoplexie [37].

« On l'enterra dans la citadelle, près de Catherine », notera mélancoliquement Louise Élisabeth dans ses mémoires. Lui qui avait tant aimé l'impératrice.

Est-ce en raison de la tristesse causée par la mort de Stanislas que l'artiste commence à songer à un départ ? La vie pétersbourgeoise sous le règne de Paul a bien changé. Elle ne peut regagner la France puisqu'elle est toujours inscrite sur la liste des émigrés. La rumeur d'un projet de voyage en Angleterre en 1798, puis celle d'un départ en Suède en 1799 circulent [38]. L'artiste a-t-elle déjà établi des contacts avec Londres, grâce à Jean-Baptiste Pierre, ou par l'intermédiaire du comte de Vaudreuil ? Espère-t-elle réussir à la cour de Suède avec la protection de la reine, sœur d'Elizaveta ? Quoi qu'il en soit, elle hésite encore. Si elle ouvrait les yeux, elle partirait, car tout près d'elle, des événements se produisent sans qu'elle les voie.

Ses commandes la retiennent encore, et une consécration lui est promise : celle d'accéder au rang d'académicienne à Saint-Pétersbourg.

39

JULIE LE BRUN

Un oiseau qui s'échappe

Si elle s'accorde quelques soirées de détente, Louise Élisabeth travaille tout le jour de manière acharnée. Comme elle aime à le répéter, elle ne peut compter que sur sa palette pour vivre. Quelques mauvais placements ont compromis le rétablissement de sa fortune. Jean-Baptiste Pierre n'est pas en mesure de contribuer aux frais de l'éducation de sa fille, Julie. De plus, une loi de la République interdit d'envoyer de l'argent aux émigrés sous peine d'être à son tour inscrit sur « la liste », avec les inconvénients qui s'en suivent, dont la confiscation des biens propres. C'est donc la portraitiste qui nourrit trois personnes, elle-même, Julie et la gouvernante, et paie les domestiques. Auguste Rivière gagne sa vie de son côté. Julie est devenue une ravissante jeune fille : « Ses grands yeux bleus où se peignaient tant d'esprit, son nez un peu retroussé, sa jolie bouche, de très belles dents, une fraîcheur éclatante, tout formait un des plus jolis visages qu'on puisse voir [1] », souligne-elle.

Une miniature d'Augustin Ritt présente l'adolescente à seize ans auréolée d'une masse de boucles brunes, avec déjà un regard de femme. Louise Élisabeth a envoyé ce médaillon, aujourd'hui non localisé, à Jean-Baptiste Pierre qui le reçoit en septembre 1796 [2]. Peut-être s'agit-il de montrer le visage de la jeune fille à d'éventuels prétendants. Comme sa mère, Brunette est svelte et élancée. Son portrait *en Flore* permet de se figurer sa prestance vers sa dix-huitième année [3]. Julie a de nombreux atouts, sa mémoire, sa grâce, sa vivacité. Elle chante en s'accompagnant au piano et à la guitare et montre des dispositions pour la peinture, sans toutefois faire preuve de l'application de sa mère [4]. C'est une enfant choyée, trop choyée. Elle alimente les rêves de son âme imaginative en lisant, en cachette, des romans. Mimi, sa gouvernante, cède à ses caprices. Depuis l'adolescence, Julie compose de petits récits. Comme les jeunes filles de la noblesse russe, elle s'enivre d'un sentimentalisme à la *Werther*, de rêveries nourries de citations recopiées dans des albums. Sa mère, fière de ses talents, n'y voit aucun danger. Elle ne s'inquiète pas de l'influence prise par sa gouvernante. Louise Élisabeth n'a pas en mémoire ce conseil délivré par l'auteur des *Liaisons dangereuses* : « Toute mère est au moins imprudente, qui souffre qu'une autre qu'elle ait la confiance de sa fille [5]. »

Au début de leur périple, mère et fille ont vécu dans une tendre union. Mais depuis que leur vie est devenue sédentaire, Julie a créé son propre monde et n'entend plus rester dans l'ombre maternelle. L'enfant docile a fait place à une jeune femme au caractère affirmé, péremptoire au point que l'entourage de Mme Le Brun la met en garde contre ce qui peut passer pour un manque d'autorité de sa part : « Vous aimez si follement votre fille que c'est vous qui lui obéissez [6] », lui dit-on.

En parents avisés, et malgré la distance qui les sépare, les Le Brun se préoccupent de choisir un établissement qui convienne à leur fille. Louise Élisabeth ne songe nullement à marier sa fille au-dessus de sa condition, et Jean-Baptiste Pierre, qui repère les jeunes talents, connaît un peintre au brillant avenir, en qui il voit un fiancé possible. Il pense à Pierre Narcisse Guérin [7]. Ce bel homme, élève de l'atelier de Brenet, puis de Regnault, a obtenu le prix de Rome en 1796, et le bruit de ses succès parvient jusqu'en Russie. Par cette union, les parents de Julie espèrent prolonger une double dynastie d'artistes. Le flair de Jean-Baptiste Pierre le trompe rarement. Guérin sera applaudi au Salon de peinture de 1800 pour son tableau, *Marcus Sextus*, qui symbolise le douloureux retour d'exil des émigrés.

On ne sait jusqu'à quel point des pourparlers ont été amorcés avec le fiancé pressenti. Il ne reste aucune trace de cette ébauche de fiançailles dans les documents de Guérin [8]. Jean-Baptiste Pierre a pu s'assurer par des conversations que le jeune homme y était favorable, avant de s'en ouvrir à Louise Élisabeth. Devenir le gendre d'un des plus grands marchands d'art de Paris et d'une artiste célèbre en Europe n'est pas un projet à mépriser pour un peintre de vingt-cinq ans. Quoi qu'il en soit, ces fiançailles n'ont pas lieu.

Guérin ouvrira à Paris un atelier où il formera des peintres de talent, comme Géricault, Delacroix et Scheffer. En 1829, il recevra le titre de baron. Mais sans nul doute, la gloire de Guérin, aux yeux de Louise Élisabeth, aurait eu plus d'importance que son titre.

Julie s'est éprise ailleurs. Presque tous les jours, elle est invitée à des parties de traîneau en compagnie de la joyeuse bande qui entoure le couple Tchernichev. La comtesse Tchernichev la chaperonne car la portraitiste, retenue à l'atelier, ne peut accompagner sa fille à toute heure du jour. Vingt ou trente traîneaux décorés, précédés par des musiciens, sillonnent la campagne givrée. Le matin, on s'arrête pour déjeuner dans un village, ou on fait halte dans une propriété proche [9]. La vitesse est grisante, on rit, on plaisante, on a les joues roses, les yeux brillants. On prend l'air, on fait quelques pas dans la neige, on entend de doux mots. Un jeune homme participe à ces sorties. Il a le teint pâle et des allures de poète. Il a une belle écriture et occupe de vagues fonctions : dessinateur à la bibliothèque impériale, secrétaire du comte Tchernichev.

Mme Le Brun, qui l'a aperçu, lui trouve le teint jaune et l'air « romanesque », ce que nous traduirions aujourd'hui par *l'air romantique*. Les portraits des jeunes Russes représentés par la portraitiste aident à se faire une idée de l'allure « intéressante » de Gaëtan Bernard Nigris [10]: grande cape sombre portée sur une chemise au large col de toile blanche, regard mystérieux et lointain. Aucun portrait du fiancé de Julie n'est à notre disposition. Ce romantique ténébreux serait le fils de Bernardin Nigris et de Théodore Eynoutz, dont le patronyme évoque une petite noblesse néerlandaise. On ignore d'où il vient réellement.

En dehors de l'antipathie qu'elle conçoit pour Nigris, Mme Le Brun le soupçonne d'être intéressé. Malgré la désapprobation de sa mère, Julie continue à rencontrer Gaëtan, avec la complicité de sa gouvernante. Les jeunes gens ont mis leurs amis dans le secret de leur projet de mariage. Parmi eux, le protecteur de Nigris, Grigori Ivanovitch Tchernichev, se fait le complice des amoureux. Dans ces circonstances, une mère a toujours tort.

Le comte Tchernichev est une ancienne connaissance viennoise de l'artiste. Elle avait réalisé son portrait, dans un esprit vénitien, vêtu d'un domino, avec à la main un loup comme au retour d'un bal masqué. À Pétersbourg, ce portrait est devenu célèbre au point que la grande-duchesse Elizaveta l'évoque dans sa correspondance à sa mère [11]. La personnalité fantaisiste, voire fantasque, du modèle, est bien rendue : Grigori Ivanovitch aime se déguiser, faire des farces. Son train de vie dispendieux, ses monstrueuses dettes – deux millions de roubles – ont conduit Paul Ier à placer sa fortune en tutelle [12]. Grigori vit sans souci, tantôt à Pétersbourg, tantôt sur ses terres à Taguino où il aime régaler ses invités.

Nigris vit dans l'entourage de cet excentrique personnage, aussi les réticences de Louise Élisabeth sont-elles compréhensibles. Tchernichev a-t-il connu Nigris à Vienne où vivent beaucoup d'Italiens, à Venise ou à Naples ? Louise Élisabeth ne semble pas être parvenue à obtenir des informations.

Pendant ce temps, l'entourage des jeunes gens intrigue en leur faveur. On fait craindre à Mme Le Brun un enlèvement, stratagème assez fréquemment employé pour faire céder les familles. L'artiste, sachant Nigris sans le sou, ne croit guère à cette éventualité. Puis, on la menace de faire intervenir l'empereur. Une autre démarche paraît étrange. L'ambassadeur de Naples [13] se mêle de négocier la dot pour un mariage auquel les parents n'ont toujours pas donné leur consentement. L'ambassadeur fixe une somme en rapport avec la célébrité de l'artiste, considérable. Ruinée par la faillite de la banque de Venise, Louise Élisabeth affirme qu'elle ne dispose pas du montant demandé.

Pourquoi un diplomate se serait-il permis une telle ingérence dans les affaires privées de Mme Le Brun, si ce n'est parce qu'il connaît Nigris ? Si ce n'est parce que Nigris est italien et qu'il s'appelle en réalité Gaetano Nigri ? En l'absence de pièces notariées, on ne sait exactement s'il s'agit d'un Italien qui a francisé son nom ou d'un Français qui l'a italianisé, comme cela arrivait aux artistes. Sur l'acte de mariage, il se fait appeler Nigris, mais plus tard un article dans un journal russe le nomme Gaetano Nigri et indique qu'il est originaire de Venise.

La gouvernante prend le parti de sa pupille. Mme Le Brun ne supporte plus l'influence de cette femme qui dresse sa fille contre elle. Elle la désigne dans une lettre comme une « harpie » qu'elle a nourrie dans son sein. De jour en jour, les relations entre mère et fille se détériorent. Louise Élisabeth ne comprend pas que sa fille cherche avant tout à se différencier, en s'opposant à elle.

L'ironie du sort

Au printemps 1800, arrive une lettre de Paris. Elle contient une mauvaise nouvelle : Étienne apprend à sa sœur la mort de leur mère, Jeanne, dans la maison de Neuilly, le 9 avril. Des images surgissent à sa mémoire : celles de la jeune femme parfumée, parée de son mantelet à col de cygne, qui l'accompagnait gaiement aux Tuileries, celle de la veuve désemparée qu'il lui fallait réconforter, celle de l'épouse résignée de Le Sèvre. Louise Élisabeth a vu sa mère pour la dernière fois en octobre 1789.

Le soir de la mort de Jeanne, Jean-Baptiste Pierre, qui est allé la veiller avec Étienne, laisse quelques lignes dans son agenda : l'heure de sa mort, sa brève histoire :

> Mardi 19 Germinal, An VIII : Mort de madame Vigée, femme Le Sèvre, mère de ma femme, à une heure. Que Dieu la récompense de sa vertu et de son excellent cœur. Elle était Jeanne Messin de son nom, et née le 27 septembre 1728. Ses parents étaient sortis d'une famille de laboureurs d'auprès de Neufchâteau, dans les Vosges [14].

« Ce temps de ma vie était voué aux larmes », écrira Louise Élisabeth. Pleurant la mort de sa mère et la perte de la confiance de sa fille, elle se sent seule.

Le destin a des ironies cruelles. Entre-temps, les pétitions successives et les démarches de Jean-Baptiste Pierre ont fini par aboutir, et le 5 juin, elle est rayée de la liste des émigrés. Elle pourrait donc dès maintenant regagner la France. Mais que vaudrait un retour sans la perspective de revoir sa mère, et peut-être même sans Julie ? Elle éprouve toute la cruauté de la pensée du moraliste : « Les choses les plus souhaitées n'arrivent point, ou si elles arrivent, ce n'est pas dans le temps où elles auraient fait un extrême plaisir [15]. » Décidée à partir, elle met la dernière touche au portrait de Maria Fedorovna, exécute les copies en buste demandées et se prépare au retour.

Alexandre Sergueevitch Stroganov cherche à la réconforter et organise son élection à l'Académie des beaux-arts, dont il est devenu le directeur. Le 16 juin 1800, Mme Le Brun est invitée à faire son entrée solennelle dans la compagnie. Il s'agit d'un grand honneur, mais elle n'est pas la première artiste française à en être digne. Marie Collot avait déjà été reçue en récompense de ses portraits sculptés de Catherine II [16]. Presque quarante années auparavant, en une séance extraordinaire, Marie Collot avait arboré l'uniforme des académiciens pétersbourgeois agrémenté d'une touche féminine. Louise Élisabeth, coiffée d'un chapeau garni de plumes noires, adopte le même costume coloré, une veste violette sur une jupe jaune.

> À une heure j'arrivai dans un salon qui précédait une grande galerie, au fond de laquelle j'aperçus de loin le comte Strogonoff, établi à une table. On vint m'inviter à me rendre près de lui. Pour cela, il me fallait traverser cette longue galerie où l'on avait dressé de chaque côté des gradins, qui étaient tout couverts de spectateurs ; mais comme heureusement je reconnaissais dans cette foule beaucoup d'amis et de connaissances, j'arrivai jusqu'au bout de la salle sans éprouver une trop grande émotion. Le comte m'adressa un petit discours très flatteur, puis me donna, de la part de l'empereur, le diplôme qui me nommait membre de l'Académie. Tout le monde alors applaudit d'une telle force que j'en fus touchée jusqu'aux larmes, et je n'oublierai jamais ce doux moment [17].

Ni le sculpteur Falconet ni Diderot n'avaient eu le privilège d'une telle cérémonie : ils n'avaient reçu que le titre de « membres d'honneur libres ». De même, lorsque Mme Le Brun avait été reçue dans plusieurs académies italiennes, la réception s'était passée sans faste : une simple remise de titres. À Saint-Pétersbourg, la journée du 16 juin 1800 brille comme une consécration. Auguste Rivière, lui aussi, sera reçu académicien par Alexandre Stroganov [18].

L'artiste réalise aussitôt un « portrait d'elle-même » pour la galerie de l'Académie. Elle se représente au travail, tenant sa palette dans la main gauche, tournant son regard brun clair vers le spectateur. Elle porte une robe noire que rehaussent une ceinture croisée écarlate et des chaînes d'or diamantées [19]. Le tableau est d'une magnifique sobriété.

Cette cruelle enfant

Louise Élisabeth tente de résister encore quelque temps au projet de mariage de Julie, mais la jeune fille ne s'alimente plus et tombe malade. Le 1ᵉʳ juillet 1799, son vieil ami, le comte de Vaudreuil, qui vit désormais à Édimbourg, écrit à sa fille, Hyacinthe Albertine de Noiseville, restée en Russie, une lettre dont Louise Élisabeth a eu connaissance :

> Je suis enchanté des succès de Mᵈᵉ Lebrun, mais fort affecté de ses chagrins relatifs à Brunette. Il me paraît difficile d'arrêter les premiers élans d'une âme aussi vive, sans danger pour le bonheur et la santé de cette jeune personne. Y céder, ne me paraît pas lui assurer un avenir désirable et cela m'afflige sensiblement. D'un autre côté, était-il possible de la renvoyer à son père au milieu de l'Enfer ? Brunette s'y serait peut-être perdue, puisque l'oubli de tout principe et de toute pudeur est à Paris, plus que partout ailleurs, substitué à la décence et à la sagesse. Dites à Mᵈᵉ Lebrun, ajoute-t-il, que je n'ai reçu aucune de ses lettres depuis quinze mois, mais que je compterai toujours sur son amitié que je mériterai toujours [20].

Les avis de bon sens de Vaudreuil n'ont pu qu'inciter Louise Élisabeth à céder à Julie, sachant qu'aucune solution n'est bonne. Elle prend alors la plume pour exposer la situation à Jean-Baptiste Pierre, dont le consentement est juridiquement indispensable. Julie se dresse contre sa mère, l'accuse de jouer double jeu, d'engager son père à refuser son autorisation. Elle la soupçonne d'écrire d'autres lettres en cachette : des affrontements, des scènes, minent la relation entre mère et fille. Quelque chose se brise alors. Isolée dans son opposition au projet de Brunette, Louise Élisabeth doit affronter des rumeurs alimentées par la gouvernante, Julie et sa bande d'amis. « Ce qui met le comble au chagrin, c'est de trouver des torts sans excuses à ceux qu'on aime [21]… » Ainsi s'exprime une mère blessée par l'attitude sa fille. Auguste Rivière soutient et comprend Louise Élisabeth, il déplore la situation, mais il n'a pas l'autorité d'un père pour convaincre Julie [22].

Le 31 août 1799, le cortège nuptial pénètre en l'église catholique Sainte-Catherine-d'Alexandrie. La radieuse mariée est dans sa vingtième année. Sans doute est-ce Auguste, le frère de sa tante, seul homme de la famille, qui conduit la jeune fille à l'autel. Les témoins sont des personnalités de marque : le comte Alexandre Stroganov, directeur de l'Académie des beaux-arts, Jacques-Gabriel de La Ferté-Meung, maréchal de camp du roi de France, le comte Grigori Ivanovitch Tchernichev, protecteur de Nigris. Enfin, Auguste Rivière signe le registre [23].

Mme Le Brun a respecté les usages : Julie reçoit dans sa corbeille de noces un trousseau fourni et des bijoux, parmi lesquels figure un bracelet de diamants orné d'un médaillon représentant Jean-Baptiste Pierre [24]. Le père de la jeune fille s'associe ainsi à l'événement. La dot considérable provient des cachets des tableaux réalisés à Saint-Pétersbourg. Elle est placée en sûreté chez les banquiers Livio [25].

Désenchantée. C'est bien là le mot. Louise Élisabeth est sortie d'un rêve qui a tourné au cauchemar. « Tout le charme de ma vie me sembla détruit sans retour. Je ne trouvais plus le même plaisir à aimer ma fille, et pourtant Dieu sait combien je l'aimais encore, malgré tous ses torts [26] », avouera-t-elle dans les *Souvenirs*. Quelques semaines à peine après son mariage, les premiers indices du tempérament insatisfait de la jeune femme se font sentir. À sa mère qui lui demande si elle est heureuse, Brunette répond, désignant son nouvel époux enrhumé et emmitouflé dans un manteau fourré : « Comment veux-tu que l'on soit épris d'une tournure pareille [27] ? » Le beau ténébreux est devenu un homme ordinaire à ses yeux. Le caractère conciliant de Nigris lui permet, d'après sa belle-mère, de résister aux sautes d'humeur de Julie et de sauvegarder l'harmonie conjugale durant quelque temps.

Triste, blessée par la campagne de médisance à laquelle elle a été en proie, Mme Le Brun éprouve le besoin de se ressaisir, de quitter Saint-Pétersbourg pour quelques semaines, de fuir les relations avec Julie, devenues contraintes et froides. Elle décide de se rendre à Moscou qu'elle ne connaît pas encore. Mais, quelques semaines plus tard, on lui apprend que Julie présente les symptômes d'une maladie redoutable, la variole. Au mieux, le risque est de rester défiguré par les pustules. Au pire, l'infection gagne tout le corps. Julie n'a pas été vaccinée, « variolisée », comme cela se pratiquait dans les milieux éclairés et comme l'avait été Catherine II elle-même. Louise Élisabeth non plus n'a pas été inoculée. Oubliant ses griefs, elle court au chevet de sa fille et la soigne durant plusieurs semaines. Enfin, un matin, la fièvre tombe. Brunette est hors de danger, son visage n'est marqué d'aucune cicatrice.

Rien ne s'apaise pour autant. Avant de quitter la ville, Mme Le Brun se sépare de la gouvernante. Elle ne veut rien avoir à se reprocher, aussi s'acquitte-t-elle de ses obligations en laissant à Mme Charrot neuf mille roubles de gages et trois mille roubles de dédommagement.

Tout en se préparant à partir, elle continue à travailler, car la dot de Julie a ouvert une brèche dans ses ressources. Durant l'année 1799, elle réalise plusieurs portraits. L'un d'eux représente Natalia Nakharovna Kolytchova [28], jeune femme au regard doux et myope. Le modèle porte un turban à la mode enveloppant le cou avec un sautoir d'or orné d'une loupe : elle lit l'*Iphigénie* de Racine, signe de sa culture française.

Le moment d'un départ entraîne des réflexions. Des excuses, des repentirs lui sont présentés. Mince consolation. Le comte Tchernichev reconnaît ses torts et la prie d'accepter, ainsi qu'Auguste, une invitation de réparation. La mémorialiste reproduit la lettre de Tchernichev dans ses *Souvenirs* comme une pièce à conviction, comme la preuve que le complot dont elle s'est senti la victime a bien existé :

> Oui, Madame, je l'avoue, emporté par ma vivacité, je vous ai accusée de mille torts, j'ai osé même vous les reprocher avec assez d'amertume ; mais votre conduite actuelle si digne d'admiration, votre tendresse pour Brunette si faite pour servir d'exemple à toutes les mères, me font rougir moi-même sur les soupçons honteux que j'ai osé former contre vous. Je m'avoue coupable à vos yeux ! Je réclame votre pardon. […] Continuez, Madame, à faire le bonheur de votre aimable enfant et de mon ami Nigris, tous deux en sont dignes, tous deux vous le payeront au centuple, et s'ils étaient jamais assez ingrats pour oublier ce qu'ils vous doivent, l'estime et le respect du public, pour ce que vous faites pour eux, vous en vengeront suffisamment. Oubliez mes torts, de grâce, et venez vite m'en donner l'assurance. Amenez avec vous M. de Rivière, je lui dois également une réparation…
> C. G. Tchernychev [29].

Mais le mal est fait, et la confiance perdue. Elle souffre tant qu'elle ne peut en parler à personne, à part Auguste. Sans oser se confier par lettres à son frère Étienne ni à ses amis, elle fait mine d'aller bien. Comme à l'accoutumée, elle ne laisse rien paraître. La santé altérée, triste, le 15 octobre 1800, elle fait atteler sa voiture. Avant de quitter la Russie comme elle en a secrètement le projet, elle souhaite voir Moscou. Peut-être le mot de Giacomo Casanova lui est-il connu : « Ceux qui n'ont pas vu Moscou ne peuvent pas dire avoir vu la Russie, car les Russes de Pétersbourg ne sont pas proprement les Russes [30]. »

Ayant appris son voyage et connaissant les possibilités offertes par le marché moscovite où abondent de riches collectionneurs, Jean-Baptiste Pierre Le Brun lui fait envoyer des caisses de tableaux de maître. Les termes du marché entre les époux sont difficiles. Le marchand demande un acompte sur les ventes éventuelles. Sur les conseils de son banquier Livio, Louise Élisabeth considère cette avance comme impossible. Ce refus constitue un nouveau *casus belli*.

Elle fait cependant charger la précieuse cargaison de tableaux dans la voiture. Seul le fidèle Auguste Rivière l'accompagne.

40

DIRECTION MOSCOU

Une arrivée éprouvante

Les voyageurs comptaient sur le gel pour faciliter leur voyage, mais vers le 15 octobre, les rondins qui jonchent la route ne sont pas encore immobilisés par les glaces et les roues de la voiture patinent sur les souches. L'habitacle de la berline est secoué en tous sens. Un épais brouillard empêche de jouir du paysage. La seule étape possible est à deux cents verstes [1] à l'est, à Novgorod, dont la principale auberge est connue des voyageurs. Mme Le Brun y obtient une chambre en espérant reprendre des forces. Voilà qu'au moment de s'installer pour la nuit, elle perçoit une odeur insupportable, « méphitique » dit-elle, provenant de la pièce mitoyenne. Son voisin immédiat est décédé la veille. Sa phobie des cadavres se réveille, une angoisse l'étreint. Avec un morceau de pain pour tout repas, elle reprend la route, sans avoir pris de repos. La seconde partie du trajet n'est pas plus facile que la première : le chemin n'est pas carrossé et les descentes succèdent à des montées abruptes.

Quelques jours plus tard, l'arrivée à Moscou récompense les voyageurs de ces épreuves. La lumière fait étinceler des centaines de « dômes dorés, surmontés d'énormes croix d'or ». La splendeur de la ville est au-delà de ce que toutes les gravures pouvaient suggérer à l'artiste : elle se croit en Orient. « Je crus entrer dans Ispahan, dont j'avais vu plusieurs dessins, tant l'aspect de Moscou diffère de tout ce qui existe en Europe [2]. »

L'immense superficie de la ville l'étonne : les palais sont entremêlés de jardins, parfois séparés par des villages champêtres. Les églises sont si nombreuses qu'un dicton évoque « la quarante quarantaine d'églises ». Le Kremlin, forteresse et ancien palais des czars, surplombe majestueusement la rivière Moskowa, mais Louise Élisabeth n'apprécie pas ses formes qu'elle juge trop massives.

Moscou est une métropole de plus de trois cent mille habitants, ce qui en comparaison fait de Saint-Pétersbourg une petite ville. Des centaines de boutiques et de bazars asiatiques regorgent de denrées. Les épouses des marchands parées de perles et de fourrures sont maquillées comme des poupées. Un marché, établi dans un magnifique jardin, offre sur ses étals d'extraordinaires fruits exotiques aux dames de l'aristocratie qui ne dédaignent pas d'y faire leurs achats en traîneau.

Les rites funéraires des chrétiens orthodoxes impressionnent aussi Louise Élisabeth : les familles se rendent dans les gigantesques cimetières et se livrent à des lamentations qui s'entendent de loin. Ces pleurs, ces cris, résonnent comme un écho au deuil dans lequel l'artiste est plongée.

La société moscovite

Le richissime Nicolaï Nikititch Demidov a proposé à Auguste Rivière et à Mme Le Brun les clefs d'une demeure inoccupée qu'il possède à Moscou. Dès leur arrivée, ils découvrent avec plaisir le palais, entouré d'une grille, mis à leur disposition. Repos et tranquillité semblent assurés. Mais dès cinq heures du matin, réveil en fanfare. Le concierge apprend aux nouveaux occupants que c'est là le lieu habituel de répétition d'un orchestre de cors. Avec un certain sens des situations comiques, Louise Élisabeth ironise ; son destin n'est-il pas d'être en proie aux voisinages indésirables !

Malgré sa tristesse, malgré le froid qui sévit à Moscou de façon plus rude qu'à Saint-Pétersbourg, elle s'efforce d'afficher une apparence avenante et commence à établir des contacts. Elle se rend chez la comtesse Ekaterina Petrovna Stroganova, épouse séparée d'Alexandre Stroganov. D'une liaison avec un ancien favori de l'impératrice, Ivan Nikolaevitch Rimski Korsakov, la comtesse Stroganova a eu quatre enfants et vit de son côté à Moscou.

Lorsqu'elle reçoit Mme Le Brun, la comtesse s'agite sur une étrange balançoire de bois et de métal, instrument médical à la mode destiné à stimuler les organes. Apprenant les mésaventures de la portraitiste, elle lui offre d'occuper une maison qui lui appartient. En échange de cette hospitalité, et puisque Ekaterina Stroganova refuse tout paiement, elle fixera les traits de sa fille Varvara [3]. Avec le portrait en buste de Varvara Ladomirskaïa, l'artiste réussit une de ses plus éclatantes toiles de la période russe. Les yeux sombres et en amande de la jeune fille, sa chevelure brune, son teint lumineux, ses traits fins, lui donnent une présence intense. Mme Le Brun n'a pas besoin d'artifices de pose ni d'attitude appuyée sur un coussin pour mettre en valeur la prestance de Varvara Ladomirskaïa. Elle est représentée de face, vêtue d'une tunique blanche et d'un voile rouge porté en toge [4]. Bien qu'enfant illégitime, la belle Varvara épousera Ivan Dmitrievitch Narychkine.

Simultanément à ce portrait, à peine arrivée à Moscou l'artiste en commence cinq autres. On se précipite pour se faire inscrire sur sa liste. Partout où elle se rend, on lui passe des commandes. Le maréchal Ivan Petrovitch Saltykov, gouverneur de Moscou, et son épouse, dont le salon est un haut lieu de la mondanité moscovite, la reçoivent avec bienveillance. La maréchale souhaite le portrait de son époux et de sa fille Anna Ivanovna [5]. Elle invite l'artiste à un bal d'un faste éblouissant. La mode *à la grecque*, dont l'artiste affirme avoir été l'initiatrice, s'est répandue à Moscou, mais elle s'y est acclimatée. En hiver, pas question de s'habiller de voiles légers. Des tuniques de cachemire frangées d'or flottent sur les épaules des dames.

Belle parmi les belles, se distingue une jeune mariée aux traits fins et réguliers, au regard mélancolique. Il s'agit d'Ekaterina Ossipovna Tufiakina. À la demande de son époux, Petr Ivanovitch, Louise Élisabeth commence son portrait. Elle achève de peindre le visage à Moscou, mais elle a tant de demandes qu'elle emporte la toile pour l'achever à Pétersbourg, en promettant de l'expédier rapidement. Peu après le départ de l'artiste, son charmant modèle disparaît. Elle transforme alors la jeune femme *en Iris*, entourée d'une écharpe ondoyante et assise sur des nuages, telle une apparition [6]. Cette effigie accompagnera le prince Petr Ivanovitch Tufiakine Obolensky dans tous ses voyages.

Une autre branche d'une famille connue à Pétersbourg, les Kourakine, veut recevoir l'artiste. Le beau-frère de Natalia Kourakina, amie de la portraitiste, est surnommé le « prince aux diamants ». Il prie l'artiste à déjeuner avec le frère de Mme de Genlis, Ducrest de Villeneuve et son épouse [7]. Le prince Alexandre Borissovitch Kourakine [8], vice-chancelier de l'Empire, possède un hôtel d'un luxe inouï. Une enfilade de salons superbement meublés, décorés de nombreux portraits du prince (Mme Le Brun en a réalisé deux), une chambre à coucher ornée de statues et de vasques de fleurs, des corridors éclairés au flambeau par des esclaves « en grande livrée », tout cela fait songer au palais des *Mille et Une Nuits*. Le repas est accompagné de mélodies jouées par des musiciens placés dans une galerie. Une musique de cors que l'artiste a déjà entendue dans la datcha du comte Stroganov fait entendre son harmonie. Dans une vie où elle a souvent pénétré dans des palais princiers, Louise Élisabeth est habituée à l'opulence, mais le palais d'Alexandre Kourakine, d'un éclat à la fois occidental et oriental, dépasse l'entendement. Pour la première fois, Mme Le Brun se sent vraiment hors de l'Europe. Sait-elle que le prince Alexandre possède un château à Saratov ? Il l'a appelé *Nadejdino* (Espérance), car il a été édifié durant son exil. Au bord de la rivière Serboda, Louise Élisabeth ne peut ignorer qu'Alexandre Kourakine a fait édifier un obélisque à la mémoire de Marie-Antoinette [9].

Tout ce qui porte un nom à Moscou veut recevoir la célèbre Mme Le Brun. L'un des nombreux princes Golitzyne, amateur de peinture dont le goût est loin d'être aussi sûr que celui de son ami Alexandre Stroganov, la régale d'un repas interminable. Un autre jour, un opulent banquier, spécimen d'une classe de gens d'affaires qui gagne du terrain en Russie, lui impose la compagnie de convives incultes et jamais rassasiés [10].

L'un des personnages les plus puissants à Moscou est le prince Alexandre Bezborodko [11]. Éloigné du pouvoir par un favori de Catherine II, ce ministre est rentré en grâce à l'avènement de Paul Ier. Il aurait, dit-on, jeté au feu l'ordre de destitution de Paul signé par sa mère. Il reçoit l'artiste dans un palais encombré de meubles précieux qui semblent sortir des ateliers de Dominique Daguerre, fournisseur du garde-meuble royal de France [12]. Bezborodko explique qu'il a fait enseigner l'ébénisterie à certains de ses serfs. Ceux-ci produisent des répliques si fines qu'à l'étonnement de Louise Élisabeth, il est presque impossible de distinguer la copie de l'original. En connaisseur, Alexandre Bezborodko a constitué une galerie de peintures, qui ne comporte pas moins de seize tableaux de Vernet. Il a acquis les collections parisiennes du comte Golovkine [13].

Bezborodko a beaucoup de talents. Capable d'improviser un projet d'oukase en un quart d'heure, il est doué d'une mémoire hors du commun. Habile en politique, il connaît la langue russe de manière érudite, atout peu commun à une époque où l'on déplore que l'aristocratie russe méconnaisse sa propre culture.

La noblesse de Moscou est en effet aussi francophile que celle de Pétersbourg. Un des Moscovites que l'artiste verra le plus souvent, le comte Boutourline [14], fait partie de cette élite russe qui, tout en voyageant peu, possède des connaissances précises sur toutes les capitales d'Europe. « Il est impossible que vous n'ayez pas été à Paris ! » s'exclame Mme Le Brun, qui l'écoute méduséé [15]. Impressionnée par la quantité de livres que Boutourline possède, l'artiste l'est encore plus lorsqu'elle constate que la bibliothèque n'est pas décorative. Le comte est capable, en un instant, de trouver le livre dont il parle et à l'intérieur le passage qu'il recherche.

Les semaines passent vite à Moscou : les commandes sont nombreuses, la société accueillante. Mais la maison prêtée par la comtesse Stroganov est inhabitée depuis si longtemps qu'elle est glaciale. Il faut surchauffer les poêles, laisser brûler le feu la nuit dans les cheminées et fermer les rideaux des lits pour éviter les courants d'air. Une nuit, une fumée épaisse réveille Louise Élisabeth dans son sommeil. Une vapeur acre envahit les appartements. Pas d'autre solution pour éviter l'asphyxie que de briser les vitres des fenêtres calfeutrées. Les portraits inachevés sont endommagés, et celui du maréchal Ivan Petrovitch Saltykov [16], placé devant une bouche de chaleur, a entièrement brûlé.

Quelle est la cause du désastre ? Un ramoneur a laissé les clapets des cheminées fermés et le feu a pris dans les conduits. Voilà l'artiste à nouveau sans logis. Appelés au secours à cinq heures du matin, les Ducrest de Villeneuve, revus chez Kourakine, offrent l'hospitalité à leur compatriote éperdue de reconnaissance.

Le gendre de la maréchale Saltykova, le comte Grigori Orlov [17], lui prête une maison inoccupée. L'artiste ne tarde pas à comprendre pourquoi la maison est vide : il pleut à l'intérieur. Elle vérifie, à ses dépens, ce que beaucoup de voyageurs du XVIIIe siècle en Russie remarquent : l'apparence étincelante des palais dissimule la mauvaise qualité de leur construction.

Dans les *Souvenirs*, avec le recul, la mémorialiste transforme cette aventure en récit comique. Mais sur le moment, rien ne la dispose à rire. Ses toiles gâtées, les tableaux de maître appartenant à Le Brun ternis, sa santé compromise par une nuit passée dans le froid, c'en est trop. Malgré l'attentive amitié de Mme Ducrest de Villeneuve, Mme Le Brun se sent accablée, excédée. Elle n'en dort plus. Le monde la fatigue. La solitude lui pèse.

À Jean-Baptiste Le Brun, rue du Gros-Chenet

En janvier 1801 s'ouvre à Moscou la douzième année de l'exil de Louise Élisabeth. Une lettre de son époux lui parvient. Ce n'est pas pour lui souhaiter le nouvel an que Le Brun a pris la plume, mais pour lui faire des reproches. Le 29 janvier, elle prend une feuille de papier, puis une autre. Sept feuillets sont bientôt couverts des jambages de sa grande écriture.

Le Brun lui a fait grief de tout : son éloignement, ses fréquentations, le fait de n'avoir pas envoyé d'argent frais. « Votre lettre du 1er janvier est si absurde, si atroce que je ne sais comment j'ai la force d'y répondre. Vous me parlez d'un ton ironique sur le bonheur que j'éprouve loin de mes parents, de ma fille [18]. » Elle répond avec colère à ce qu'elle considère comme une série de charges injustes : « Il vous paraît facile de m'accuser, de m'outrager même par de faux soupçons introduits dans votre cœur par des langues de vipère. » Louise Élisabeth rétorque qu'elle « vit dans un climat qui la tue chaque jour davantage », qu'elle travaille sans relâche : « Je vous avais tout laissé, il m'a fallu travailler comme un forçat pour entretenir, moi, ma fille, faire son éducation. La bonne, un domestique, une voiture, un cuisinier, qu'aurai-je fait sans mon travail ? » Jean-Baptiste Pierre l'accuse d'avoir abandonné Julie sans ressources derrière elle. Louise Élisabeth affirme que leur fille est logée et nourrie chez les Tchernichev comme épouse de leur secrétaire Nigris, et que de surcroît elle lui a laissé l'équivalent de mille écus pour vivre. Qu'a-t-on raconté à Le Brun pour qu'elle affirme encore : « Ma conduite est intacte et tous les honnêtes gens partout m'ont rendu justice » ?

C'est son tour d'incriminer Jean-Baptiste Pierre : « Vous avez au lieu d'économiser entretenu des filles qui vous trompaient, vous avez joué et perdu énormément ». Sa doléance principale porte sur la gestion désastreuse de Le Brun, dont les conséquences ont été lourdes sur sa carrière, la condamnant à un rythme de travail insensé. Plutôt que de prendre le temps d'étudier davantage, de se consacrer à une peinture plus savante, elle a dû « se sécher à la portraiture ». Aux accusations injustes de Jean-Baptiste Pierre, elle répond par un sous-entendu : « Vous êtes mal conseillé et mal entouré, on voit aisément d'où cela vient. » À qui fait-elle allusion ? A-t-elle eu vent d'une nouvelle liaison de Jean-Baptiste ? « J'ai le cœur navré et ulcéré au point que la vie m'est à charge. Le monde je le fuis comme la peste, le Misanthrope a bien raison. »

La lettre s'achève sur cette salutation amère, que n'accompagne aucun mot d'affection. « Adieu, tout ce que je puis croire pour vous justifier est de soupçonner que vous êtes devenu fou et qu'on vous a tourné l'esprit et le cœur. » Puis après avoir relu sa lettre, elle ajoute quelques lignes, un aveu qui s'adresse autant à elle-même qu'à son destinataire : « et votre conduite et tout ce que j'éprouve me font croire plus que jamais que je n'ai eu de bonheur qu'en peinture. »

Ce sont les mots même de Stanislas Auguste Poniatowski, « de bonheur qu'en peinture ». Les deux amis déçus les avaient murmurés souvent. Alors qu'elle aurait pu espérer le réconfort d'une camaraderie conjugale, une réconciliation après les affrontements avec Julie, les reproches de Le Brun sont le dernier coup de massue, la déception ultime.

Elle prend alors une décision. Elle exposera encore les tableaux de Jean-Baptiste Pierre durant une semaine pour tenter de les vendre, un des clients escomptés ne s'étant pas déplacé. Puis, quoi qu'il arrive, à la mi-février, elle quittera Moscou pour préparer un retour en France au printemps. Mais soudain son énergie l'abandonne. Souffrante, en proie à des maux de tête insupportables, elle s'alite, la tête enveloppée de flanelles, avec l'impression que son sang se fige dans ses veines. Durant six semaines, elle garde la chambre, elle maigrit, une aménorrhée s'installe. Elle croit sa dernière heure arrivée, et elle écrit une lettre à son gendre, Nigris, avec des instructions au cas où sa maladie s'aggraverait [19].

Un mois plus tard, sa nature robuste reprend le dessus. Refusant de répondre à la demande de portraits qui lui est faite, elle résiste à la tentation des cachets exorbitants qu'on lui propose à Moscou. Sans écouter les recommandations qui lui conseillent d'attendre la fin du dégel, elle fait atteler pour Saint-Pétersbourg. Auguste reste quelques semaines de plus afin de satisfaire à la demande de quelques portraits.

Le Brun ne répondra à la lettre de son épouse que le 8 avril 1801. Sans doute le message a-t-il été retardé dans son acheminement. La réflexion, le temps, assourdissent les rancœurs.

On se trouve si souvent seule…

Vers la mi-mars 1801, Mme Le Brun reprend la route, seule. À un relais de poste vers Novgorod, il lui est impossible de repartir. Le plus grand désordre règne. Les chevaux sont tous réquisitionnés par les courriers afin d'annoncer une nouvelle, qui fait l'effet d'un boulet de canon : la mort de l'empereur, peut-être même son assassinat. On parle d'une conspiration. Sans pouvoir en apprendre davantage, Louise Élisabeth est condamnée à grelotter toute la nuit, blottie dans les coussins de sa voiture. Dès que des chevaux de louage arrivent, elle repart.

Enfin, le surlendemain, à l'aube, les roues glissent sur le pavé glacé de Saint-Pétersbourg. Les rues sont envahies par une foule en délire. La nouvelle est confirmée : dans la nuit du 11 au 12 mars 1801, Paul est mort de façon violente. Sa folie mettait en danger sa famille et la Russie tout entière [20]. Une euphorie collective salue la chute du tyran. Plus que d'un mouvement politique, lui apprend-on, il s'agit d'un acte de sauvegarde. Un complot ourdi par le ministre Pahlen a été mené à exécution. Les conjurés, parmi lesquels figurent trois des frères Zoubov, Platon, Valerian et Nikolaï, se sont réunis dans la soirée chez le général Talysine, qui commande le régiment Préobrajenski, bien décidés à mettre fin à ce règne qui les humilie.

Effarée, Louise Élisabeth écoute le récit des événements. Les conjurés ont marché vers le château Michel. Un mot de passe, et le pont-levis s'est abaissé. Les hommes se sont dirigés vers les appartements impériaux sans que les gardes les repoussent. Alerté par le vacarme, l'empereur a tenté de fuir mais, comme la porte conduisant aux appartements de Maria Fedorovna a été condamnée – dans sa démence, il a soupçonné jusqu'à son épouse – il a été pris au piège.

Les conjurés ont demandé solennellement à Paul Ier d'abdiquer en faveur de son fils. Il a refusé. Des injures ont fusé, des coups. L'empereur a été étranglé. On a annoncé alors que Paul a été victime d'une crise d'apoplexie. Un médecin a confirmé cette version des faits, qui est devenue la version officielle.

Ainsi s'achève le règne de Paul. Il n'aura pas duré plus de quatre années. Très vite, d'autres rumeurs circulent. Alexandre serait complice. Pahlen lui aurait montré un ordre d'incarcération – vrai ou faux – le concernant ainsi que sa famille. Il aurait été convaincu par l'imminence de la menace. Mme Le Brun refuse d'ajouter foi aux accusations qui mettent en cause Alexandre. Elle croit en son caractère franc et loyal. Et, surtout, elle est témoin de son désespoir. Elle n'est pas la seule.

Le comte Golovkine rapporte dans ses mémoires un témoignage. « Rogerson, le fameux médecin, écrit-il, m'a conté qu'un instant après la révolution, étant entré dans le cabinet du nouveau souverain, il trouva [Alexandre et Elizaveta] ensemble, assis dans un coin, les bras enlacés, leurs fronts appuyés l'un contre l'autre, et pleurant tous deux si amèrement qu'ils ne les virent pas entrer [21]. »

Quoi qu'il en soit, Alexandre porte la culpabilité de cette mort. Sous le choc, il annonce à Elizaveta qu'il va refuser le sceptre. « Je remets mon pouvoir à qui en voudra ! » s'écrie-t-il, d'après le témoignage de la comtesse Golovina. Son épouse lui représente les conséquences d'une telle décision et le désordre qui s'en suivra dans l'Empire. Elle le supplie d'avoir du courage [22]. Quelques jours après l'assassinat, dans le secret d'une lettre, Elizaveta confie à sa mère : « Tout est calme et tranquille, si ce n'est une joie presque folle qui règne depuis le dernier du peuple jusqu'à la noblesse entière. Il est bien triste que cela ne doive pas même étonner [23]. » Et le lendemain, elle ajoute : « Ah maman, ce n'est pas une agréable connaissance que celle du monde : on se trouve si souvent seule [24]. »

On se trouve si souvent seule. Étrange écho aux paroles de l'artiste. La même phrase aurait pu naître sous la plume de Louise Élisabeth, elle aussi séparée de sa famille, vouée à l'exil, aux séparations.

L'avènement des nouveaux souverains n'ébranle pas la décision dont elle a fait part à ses amis. Elle va rentrer à Paris. Alexandre Stroganov, qui l'a reçue à l'Académie, marche de long en large dans son atelier en répétant : « C'est impossible, elle ne partira pas [25] », sans parvenir à la faire changer d'avis. Ni la commande d'un double portrait des nouveaux souverains, ni la multiplication par deux du montant de ses cachets ne la décident à rester.

Il lui reste à achever plusieurs portraits, dont celui du directeur du Théâtre impérial, Serguei Sergueevitch Gagarine [26]. La posture, buste de côté et visage de face, met l'accent sur l'expression plutôt que sur la place sociale du modèle. La cape qui enveloppe les épaules permet une exécution plus rapide. Elle réalise des bustes au pastel d'Alexandre et d'Elizaveta, destinés à servir de patrons pour des portraits officiels, qu'elle promet d'envoyer plus tard.

Elle assiste encore à quelques réceptions, notamment à un dîner où des « citoyens » émissaires du Consulat sont invités chez la princesse Boris. Le général Duroc [27] et M. de Châteaugiron [28] portent sur leur uniforme la cocarde tricolore. Assise auprès du brave Duroc, l'artiste ne trouve pas un mot à lui dire. Le clou du dîner est l'arrivée des hors-d'œuvre :

> Le cuisinier de la princesse, dans l'ignorance totale où il était de la révolution française, prit naturellement ces messieurs pour les ambassadeurs du roi de France. Voulant leur faire honneur, après avoir longtemps rêvé, il se souvint que les fleurs de lis étaient les armes de la France, et il se hâta de mettre les truffes, les filets, et les pâtés en fleurs de lis. Cette surprise consterna si fort les convives, que la princesse, dans la crainte sans doute qu'on ne l'accusât d'une aussi mauvaise plaisanterie, fit monter le chef de cuisine et l'interrogea sur cette pluie de fleurs de lis. Le brave homme répondit d'un air satisfait : « J'ai voulu faire voir à Son Excellence que je sais ce qu'il convient de faire dans les grandes occasions. » [29]

Prenant ce repas comme un avant-goût de ce qui l'attend en France, elle frémit.

Elizaveta et Alexandre tentent encore de la retenir. Alors, sans vouloir avouer le motif réel qui la décide, sa profonde amertume, elle prend prétexte de sa santé. Et il est vrai qu'elle a des douleurs, dont l'une, lancinante, au côté droit. On diagnostique des « obstructions ». Selon la médecine des humeurs, les obstructions désignent des engorgements qui se forment dans les vaisseaux et contrarient le passage des liquides, atteignant ainsi le foie. Pour les soigner, on recommande des eaux gazeuses sulfatées. L'artiste fait mine de se préparer à un séjour à Carlsbad. Cette ville thermale est située en Bohême, à une centaine de kilomètres de Prague. Cette destination la rapprocherait de Paris et pourrait être une étape sur le chemin du retour. Il lui resterait environ mille quatre cents kilomètres à parcourir.

Apprenant son départ, Pierre, son domestique russe, pleure toutes les larmes de son corps. À travers les quelques serviteurs qu'elle a connus, Louise Élisabeth a appris à aimer le peuple russe, dont elle admire la dévotion et dont elle plaint parfois le sort, sans le comprendre. Mais elle se refuse à penser à ce qui pourrait changer, ici aussi. Enfermée dans sa position ultra-conservatrice, elle se contente de répéter, sans réfléchir, le mot du marquis de Chastellux [30] : « Si on leur ôte leur bandeau, ils seront bien plus malheureux [31] ! »

À la pensée de quitter ses amies, Natalia Kourakina, Anna Ivanovna Tolstaïa, la comtesse Golovina, son cœur se serre. Si l'artiste revient de Russie plus riche qu'à son départ, c'est surtout parce qu'elle s'est immergée dans une culture généreuse. En quittant la Russie, il lui semble s'éloigner d'une nouvelle patrie. Tout lui est devenu arrachement et souffrance.

Des mondes étrangers

1801-1807

41

Sur la route du retour

« C'est qu'on voudrait souvent se déguiser son mal »
Étienne VIGÉE, *Les Aveux difficiles*, scène 14.

Le carnet vert

Un jour de juin 1801, Mme Le Brun monte seule dans une berline. La veille, elle a dit adieu à Julie, à ses amis, qui ont tout fait pour la retenir. Elle a promis de revenir. Elle n'est accompagnée que d'un domestique âgé, assis à côté du cocher. Sa femme de chambre qui attend un enfant a refusé de l'accompagner. Auguste Rivière prend place dans une seconde voiture car les bagages sont volumineux : de nombreuses caisses contenant les tableaux et les objets accumulés au cours de ces années. À cela s'ajoutent les « vaches » de cuir qui contiennent les effets personnels.

Les caisses numérotées sont rangées dans les coffres. Celles qui portent les numéros 1 et 3 contiennent les tableaux appartenant à Jean-Baptiste Pierre qui n'ont pas trouvé preneur : des œuvres de Poussin, Teniers, Le Sueur, Velasquez, une baigneuse de Lemoyne. Il est prévu qu'elles seront réexpédiées en cours de route à Londres [1]. Depuis plus de vingt ans, en effet, Le Brun travaille avec des associés en Angleterre. Selon les consignes du marchand, Louise Élisabeth a laissé en dépôt chez M. de Chateaubourg [2], le miniaturiste, un Annibal Carrache, un Murillo, un Van Dyck, un Van Ostade et un Paul Wril. La totalité est estimée à environ 18 250 roubles.

Enfin, une caisse étroite et longue, numérotée 4, renferme ce à quoi elle tient le plus : le portrait de Marie-Antoinette en pied qu'elle a fait venir en Russie, celui du prince Lubomirski en Amphion, des estampes. Elle a fait charger une caisse de Bordeaux, sa boisson préférée car il est déconseillé de boire quoi que ce soit dans les auberges : ni vin ni eau.

Sous ses pieds, elle a calé son nécessaire, qui contient des couverts d'argent, des fioles de médicaments. Au fond, elle a caché ses diamants et les quelques bijoux qui lui ont été offerts, des rouleaux de pièces d'or, des ducats. Elle a aussi l'équivalent de 27 000 roubles en lettres de change. Presque tous ses gains sont là. Chez un banquier, elle a fait passer 600 roubles en lettre de crédit payable à Berlin.

Ces précautions sont utiles, elle ne peut pas compter sur le volubile Auguste pour l'organisation. C'est elle qui lui avance l'argent des auberges de Riga à Königsberg. Auguste manque d'autorité. Avec lui, les postillons n'en font qu'à leur tête et s'amusent à faire faire la course aux deux équipages dès que les routes sont un peu meilleures.

Appuyée sur les coussins qui capitonnent les sièges, l'artiste tire de sa poche un carnet de croquis de papier vert pâle et caresse du doigt la reliure de maroquin assortie qui le recouvre. Elle relit les chiffres griffonnés à l'encre avant le départ, refait des comptes : des colonnes de chiffres à n'en plus finir. Dans la marge elle ajoute un nombre au crayon ou à la sanguine. Mentalement elle fait son bilan : avant de partir à Moscou elle avait 25 000 roubles, durant son séjour à Moscou elle a gagné 9 200 roubles, en a donné 260 à sa fille. Au total, elle estime ses disponibilités à 55 000 roubles. Avec cela, elle espère assurer son avenir.

Toutes les dépenses du voyage sont consignées dans le carnet vert : le prix des passeports, la nourriture, les auberges, le blanchissage, la poste et les pourboires aux garçons. Selon les pays traversés, elle note les sommes acquittées dans la monnaie locale : bientôt les roubles et les kopecks laissent place aux thalers et aux florins. Dans la marge, elle note : « 2 thalers valent un rouble ». Minutieuse, elle confectionne des tables de conversion : « trois grosses pièces font en tout 4 écus ; chaque pièce vaut 2 florins… »

Mais le bilan n'est pas seulement économique. Si la balance financière est excédentaire, l'équilibre affectif l'est beaucoup moins. Louise Élisabeth ne peut s'empêcher de comparer son état d'esprit durant ce retour avec les dispositions pleines d'espoir qui l'emplissaient à l'aller.

Sur la banquette la place de Julie est vide. Les disputes, les mots cruels résonnent encore à ses oreilles. Elle médite sur sa vie. Sur le carnet, d'une écriture tremblée qu'accentuent les cahots de la voiture, elle trace ces mots : « À quelque chose malheur est bon, il est vrai combien de talent on ressort par l'infortune, combien le malheur fait ressortir les caractères [3]… » Les voyages permettent à l'esprit de se fixer. Elle, toujours si active, s'interroge sur le pourquoi des choses, elle compare les âges de sa vie : « Dans la jeunesse on a le besoin d'écrire par sentiment, dans l'âge mûr on écrit par humeur car l'expérience nous fait connaître l'humanité et nous en tirons une espèce de vengeance par le besoin que nous avons de faire connaître ses défauts et ses vices [4]. » Elle ouvre une fenêtre sur des aspects de sa vie intérieure que le récit des *Souvenirs* cherchera à gommer. Les blessures sont à vif, à cet instant. Qui l'a profondément déçue ? La gouvernante de Julie, qu'elle considérait comme une amie et qui sournoisement a dressé Julie contre sa mère ? Songe-t-elle à Jean-Baptiste Pierre à qui elle a écrit quelques semaines auparavant cette lettre vibrante de colère ?

Jusqu'à présent, emportée dans un tourbillon, il lui fallait sourire, portraiturer rapidement et de façon flatteuse pour satisfaire la clientèle. À présent, des pensées traversent son esprit comme des nuées : elle les note rapidement au fusain, à la sanguine sur le papier vert. Elle hésite, cherche les formules qui exprimeront le mieux ce qu'elle ressent. Le soir, à l'étape, elle rédige à la plume les pensées de la journée. Ne plus se fier aux apparences, c'est une des premières leçons qu'elle a tirée de sa méditation solitaire.

> On peut être bon sans être doux, on peut avoir de la douceur dans l'intimité ou le commerce de la vie et n'avoir pas un bon caractère ; cette douceur n'est souvent qu'une dissimulation en ce qu'il entre de la fausseté ; il vaut bien mieux pour la sûreté de la vie un caractère brusque et franc qui doit établir la confiance, seul lien intime de l'amitié.

La duplicité est un des traits qu'elle déteste le plus, comme elle l'écrivait à Rome à la comtesse Du Barry en regrettant Paris : « Là-bas, pas de revers de la médaille... » Enfin, chaque tour de roue la rapproche de la France.

De Narva à Riga

La première étape prévue est située sur la frontière d'Estonie, dans la ville fortifiée de Narva, qui dépend encore du gouvernement de Saint-Pétersbourg. C'est une région prospère : la plaine s'étend jusqu'à la mer et de la route, bordée de jardins anglais, on aperçoit les bateaux. En ce mois de juin les femmes de Livonie, vêtues de costumes traditionnels, sortent dans les rues. En artiste, elle reconnaît dans les visages qu'elle aperçoit des traits raphaélesques. « Presque toutes les têtes de vieillard me rappelaient les têtes de Christ de Raphaël, écrit-elle, et les jeunes gens dont les cheveux plats tombent sur les épaules, semblent avoir servi de modèle à ce grand maître [5]. »

Narva est située près d'un lac où on lui a signalé une splendide cataracte. Aussitôt arrivée sur la berge, elle sort ses pastels et fixe sur le papier la cascade qui jette des torrents d'eau dans un bruit d'enfer. « Cette belle horreur » lui procure une admiration mêlée de crainte. On lui raconte un accident survenu près de là : une maison et ses habitants emportés par les flots et tous les spectateurs impuissants dans l'effroi. Ce récit effrayant trouve en elle un écho : elle est alors dans de si tristes dispositions [6].

L'étape suivante est à Riga, capitale du gouvernement de Livonie. Sur la route, les voitures de Mme Le Brun et d'Auguste Rivière croisent un équipage qui circule en sens inverse. C'est la princesse de Bade qui va rendre visite à sa fille, l'impératrice Elizaveta. Depuis la mort de Paul Ier, Elizaveta peut enfin inviter sa famille. Une mère et une fille vont se rejoindre tandis qu'une autre mère et une autre fille s'éloignent. Et la distance géographique n'est pas la plus grande des distances entre ces dernières.

L'architecture de Riga n'en impose pas. En revanche, la cité est animée : dans le port oscillent les mats des bateaux à quai. En quelques traits de plume, l'artiste fixe les élégantes voilures des vaisseaux qui ont jeté l'ancre. Avec ses pastels, elle retrace un effet de soleil à travers les nuages en se promettant de le transcrire lors d'une prochaine étape.

Elle croque la silhouette d'une vieille femme. Les costumes bariolés, turcs, russes, polonais, des habitants et des voyageurs captivent son regard. Le soir, les femmes de Riga se voilent le visage d'une gaze noire de sorte que l'artiste regrette de ne pas apercevoir leurs traits.

Auguste et Louise Élisabeth ne s'attardent pas, car leur objectif est de parvenir à Mittau. Louise Élisabeth veut voir la fille de Marie-Antoinette, celle qu'on a surnommée « l'orpheline du Temple ». Mais entre-temps, le roi sans trône a changé de résidence. Ni Mme Le Brun ni Rivière n'ont eu connaissance de ce départ qui date de plus de quatre mois. Louis XVIII avait souhaité se rendre à Saint-Pétersbourg, mais Paul Ier avait refusé de l'y accueillir, il avait même « invité » le prétendant indésirable, à quitter la Courlande, alors province russe. Le 21 janvier 1801, le frère de Louis XVI s'était donc rendu à Memel. Puis, il s'était établi à Varsovie. Comment Louise Élisabeth et Auguste Rivière ont-ils pu ignorer le départ de la famille royale de Mittau ? N'ont-ils délibérément informé personne de leurs intentions ? Déçue de ne pouvoir tenir la main de la jeune survivante dont elle a peint les traits enfantins, Mme Le Brun reprend la route.

La Courlande

On attelle en direction de Königsberg. Il faut traverser la Courlande que la voyageuse a parcourue six années auparavant. À l'aller, quel n'avait pas été son enthousiasme ! Où sont maintenant les riants paysages que son imagination peuplait de faunes et de sylvains ? Là où elle s'était représenté des paysages dignes du Poussin, elle ne voit plus qu'un monotone alignement d'arbres. « Au retour, écrit-elle, il n'y avait plus de figures fantastiques, et plus de danses joyeuses. Ma tristesse et mes souffrances avaient dépeuplé ce beau pays que je regardais à peine [7]. »

Instinctivement, en fille du siècle de la sensibilité, elle élabore une
théorie des sensations. « Nos contemplations prennent la teinte de notre
âme [8] », écrit-elle, sans savoir que Diderot avait confié à son amie
Sophie Volland une pensée comparable : « Les choses ne sont rien en
elles mêmes, elles n'ont ni douceur, ni amertume réelles. Ce qui les fait
ce qu'elles sont, c'est notre âme [9]. »

L'artiste, en regardant ce qui l'entoure, distingue ses perceptions de ce
qui n'est que projection : « La teinte de nos idées » s'imprime sur les objets
extérieurs de sorte qu'ils nous apparaissent en « harmonie avec nos sentiments » [10], note-t-elle. Diderot, encore lui, dans l'examen des perceptions,
voyait un premier pas vers la faculté de penser [11]. Louise Élisabeth, de
manière empirique, analyse sa propre vision du monde. En rêvant, elle dessine sur son carnet les lignes enchevêtrées de quelques fûts, en soulignant à
la pointe blanche le tronc des aulnes, mais le cœur n'y est pas.

Jusqu'à Königsberg, la route est peu carrossable. Comble d'infortune,
le convoi de la princesse de Bade a épuisé les réserves en bons chevaux de
poste : il faut se contenter de bêtes moins rapides qui ne coûtent pas moins
de cinquante-deux ducats. Les auberges n'offrent ni lits convenables ni
repas dignes de ce nom. Après avoir soupé pour quelques florins d'un
potage de légumes au beurre rance, les voyageurs se résignent à passer la
nuit dans la voiture. Le matin, les roues patinent à nouveau dans les sables.
Plusieurs fois par jour, dans la chaleur atroce de cet été continental, les
voyageurs mettent pied à terre et marchent à côté de la berline. La nuit, on
entend les hurlements des loups sur les hauteurs, mais Louise Élisabeth est
trop fatiguée pour s'en effrayer. Après plusieurs nuits sans sommeil, elle
tombe dans un état de langueur : sa douleur au côté la saisit à nouveau au
point qu'un soir elle est prise d'évanouissement.

Puis, les routes s'améliorent. On voit se profiler au loin les remparts de
Königsberg. Pas moins de vingt-six postes jusqu'à Berlin. Lorsque par
chance l'auberge offre des chambres décentes, Louise Élisabeth paie un
garde pour surveiller la voiture la nuit, distribue des pourboires aux garçons [12]. On règle également le graissage ou *schmirgeld*. Plus on
s'approche, plus les frais de route augmentent. Afin de compenser ces
dépenses, la portraitiste devra travailler à Berlin.

Les bracelets de la reine de Prusse

La douane de Berlin, célèbre pour sa rigueur, attend les étrangers de
pied ferme. Pour plus de tranquillité, quelques voyageurs jugent judicieux
de faire plomber leurs malles. Mais cela attire l'attention des commis, qui

recherchent les produits taxables : du thé ou des épices. Avertis, Mme Le Brun et Rivière ont évité cette inutile précaution. Les douaniers s'emparent de leurs deux voitures et veulent les garder toute la nuit pour les passer au peigne fin. Mme Le Brun, décidée à ne pas se laisser faire, tempête et les interpelle avec la force qui lui reste. Hélas, elle ne peut empêcher un commis de la suivre à l'auberge et de fouiller ses bagages. L'indélicat personnage en profite pour confisquer la pièce de mousseline des Indes, à laquelle l'artiste tient beaucoup, dernier cadeau de Mme Du Barry. Que faire ? Après une nuit d'insomnie, elle décide d'appeler un banquier qui lui a été recommandé, M. Ranspach. D'autorité, celui-ci va récupérer l'étoffe brodée. Le serviable Ranspach possède une demeure patricienne à Charlottenbourg [13], où il reçoit Mme Le Brun. Inquiète pour sa fortune, elle fait le point avec lui sur la situation de sa rente de Venise, et le banquier l'invite à partager un déjeuner avec de bons Berlinois.

Les auberges ne manquent pas à Berlin. Louise Élisabeth, qui séjourne pour la seconde fois dans la ville, s'installe à l'enseigne de la Ville de Paris tenue par la veuve Dacke [14] : là, avec Auguste, elle peut reprendre des forces. Pour quarante-cinq écus [15], elle fait confectionner une robe verte accompagnée de jupons de laine et de taffetas. Elle en dépense trente-huit autres pour se procurer une boîte de pastel neuve. Elle fait blanchir le linge du voyage et engage un domestique pour quelques jours. Une adresse griffonnée sur son carnet – « Chevilly, rue de la Couronne, n° 32 » – indique qu'elle a un contact dans la ville : une dame – sans doute une émigrée – qui tient une pension de jeunes filles. La vie s'organise.

Berlin est un séjour qui peut s'avérer lucratif pour l'artiste. Comme si la décision de reprendre la route vers Paris n'était pas encore tout à fait prise, elle avoue :

> J'abordais enfin l'idée de retourner à Paris. Mes amis, mon frère surtout, m'en sollicitaient vivement... J'étais rétablie dans ma qualité de Française, qu'en dépit de tout je n'avais pas perdue dans mon cœur [16].

Mais elle n'est pas prête encore. D'ailleurs, une lettre parvient à l'auberge : la reine Louise de Prusse, alors en villégiature à Potsdam, lui fait savoir qu'elle y serait bienvenue. Cette invitation laisse présager quelques portraits à exécuter.

Louise de Mecklembourg-Strelitz [17] et sa cadette Friedericke, ont été mariées à deux frères : Louise avec le Kronprinz, futur Frédéric-Guillaume III, Friedericke avec Ludwig, prince de Hohenzollern. Elles ont demandé à Johann Gottfried Schadow de sculpter un groupe qui les représente [18]. Des silhouettes des sœurs enlacées émanent un rayonnant effet de jeunesse et de beauté. C'est la prestance de Louise qui éblouit la portraitiste :

La beauté de sa taille, de son cou, de ses bras, l'éblouissante fraîcheur de son teint, tout enfin surpassait en elle ce qu'on peut imaginer de plus ravissant. Elle était en grand deuil, coiffée avec une couronne d'épis de jais noir, ce qui, loin de lui nuire, rendait sa blancheur éclatante [19].

À Potsdam, l'harmonie règne. La reine, éprise de son époux, lui écrit tendrement lorsqu'ils sont séparés [20]. Comme beaucoup de princesses allemandes, Louise, élevée par une institutrice française protestante [21], rédige son journal et sa correspondance dans un français excellent, avec une maîtrise de l'orthographe supérieure à celle de bien des femmes cultivées en France. À sa demande, l'artiste sort de ses caisses les études préparatoires aux portraits de l'empereur Alexandre et d'Elizaveta, et elle fait reclouer la *Sibylle* sur son cadre.

Le temps manque pour entreprendre de grands tableaux à l'huile, aussi travaille-t-elle au pastel. Ce portrait préparatoire réalisé à Potsdam représente Louise de Prusse dans son naturel, vêtue d'un corselet blanc sous une robe d'étoffe chamois, parée d'un seul rang de perles. Son chignon laisse échapper des boucles vaporeuses. De ce pastel préparatoire se dégage une impression de grâce aérienne [22], et par comparaison, le portrait qui sera réalisé l'année suivante par le peintre Josef Grassi paraît très officiel [23].

Lors de l'été suivant en 1802, la portraitiste reprendra cette ébauche, et composera à l'huile une œuvre plus aboutie, en ajoutant un voile à la coiffure et en ornant les manches du corsage d'un galon d'or [24]. Lors de la réception de ce tableau, Louise confiera au sculpteur Schadow que les proportions de son visage rectifiées par Mme Le Brun l'embellissent [25].

La reine de Prusse souhaite également des portraits de ses enfants. Elle se désole des traits ingrats de sa fille, Frédérique Louise [26]. La portraitiste la console, l'assurant qu'elle se transformera. Comme elle en a le secret et l'expérience, Louise Élisabeth crée des liens de confiance avec son modèle. La reine apprend, au détour d'une conversation, que l'artiste avait l'habitude de déguster un café raffiné en Russie et que, à l'auberge, ce breuvage n'a de café que le nom. Aussitôt, elle lui fait porter un délicieux moka. Enfin, lors d'une séance de pose, Louise Élisabeth remarque sur les bras nus de Louise des bracelets ciselés à l'antique, dont elle lui fait compliment. Aussitôt, la reine détache les bijoux et les lui offre. Ces bracelets, ornés de brillants, reliés par des chaînes d'or, resteront dans le coffret de Louise Élisabeth avec le chiffre de la reine de Naples jusqu'à son dernier jour [27].

À Potsdam, l'artiste a retrouvé la « famille Ferdinand », rencontrée six années auparavant à Rheinsberg. On lui demande les portraits des enfants, cousins du roi de Prusse. Elle réalise tant de peintures qu'elle ne les note pas tous dans ses listes. Pour la seconde fois, elle s'entretient avec la fille de Ferdinand, princesse Radziwill, devenue une femme accomplie. La princesse Louise Radziwill et la portraitiste entretiendront une correspondance [28].

À la cour de Prusse virevolte une autre jeune femme de qui émane un charme étrange, la baronne de Krüdener [29]. Exaltée, mystique, Barbe de Krüdener, disciple de l'auteur de *Paul et Virginie*, Bernardin de Saint-Pierre, a rédigé un ouvrage intitulé *Pensées d'une dame étrangère*. Quelques années plus tard, en 1804, elle publiera un roman dont le succès sera européen, *Valérie*. Elle deviendra une sorte de prophétesse. Louise Élisabeth, dont l'esprit sceptique ne se laisse pas séduire par la spiritualité visionnaire, n'a pas de sympathie pour Mme de Krüdener. D'ailleurs, Mme de Krüdener, qui avait été portraiturée avec son fils Paul par Angelica Kaufmann, ne pose pas devant son chevalet.

De retour à Berlin, Louise Élisabeth séjourne encore huit jours à l'auberge afin de travailler. Comme à l'accoutumée, elle fréquente les milieux diplomatiques. Là, elle renoue avec une autre femme de lettres, Adélaïde de Flahaut [30], chez qui elle aimait bavarder en tête à tête à Paris. Mme Le Brun se souvient d'avoir lu son récit, *Adèle de Sénanges*, nourri de la vie romanesque de son auteur. Orpheline, Adélaïde avait été mariée [31] au comte de Flahaut, de trente-cinq ans son aîné. D'une liaison avec l'abbé de Périgord, futur Talleyrand, elle avait mis au monde un fils, Charles [32]. Ensuite, Mme de Flahaut avait collectionné les adorateurs, Lord Wycombe et le célèbre député de Pennsylvanie, Gouverneur Morris. À Berlin, elle s'apprête à se remarier avec l'ambassadeur du Portugal, le marquis de Souza, et peut s'offrir de poser devant le chevalet de Mme Le Brun.

Malgré les affinités qui les rapprochent, la vie ne remettra pas en présence les deux femmes. À son retour d'émigration, Adélaïde deviendra grand-mère d'un enfant né des amours de son fils Charles et d'Hortense de Beauharnais. Cet enfant, demi-frère de Napoléon III, n'est autre que le futur duc de Morny et Adélaïde se consacrera à son éducation. Lors de la publication de ses *Souvenirs*, la mémorialiste adressera un message fidèle à son ancienne amie : « Si le hasard fait qu'elle lise ces lignes, elle saura du moins que je suis bien loin de l'avoir oubliée [33]. »

D'autres voyageurs font étape dans cette ville cosmopolite. La comédienne Jenny Poirot, dite Mme Chevalier, ancienne favorite de Paul Ier, y séjourne. Devenue immensément riche grâce aux largesses impériales, elle s'achète, à trente-quatre ans, une honorabilité en épousant un jeune diplomate.

Tandis que les actrices de la mondanité européenne se marient et se remarient, Louise Élisabeth, quoique divorcée, est peu tentée par les joies du mariage, préférant se dire encore, comme autrefois à Rome : « Je n'ai point de cavalier servant [...] et n'en veux point comme de raison [34] ! »

Ni les charmes néoclassiques de Potsdam, ni l'île aux Paons, où la végétation luxuriante des villas crée un cadre mauresque, ni les concerts, où le prince Radziwill joue délicatement de la harpe, ne parviennent à retenir l'artiste à Berlin. La perspective d'une nouvelle clientèle n'y fait rien non plus. On a beau lui apporter ses lettres de réception à l'Académie, cet hommage n'est plus de nature à arrêter sa route. Moins de deux mois après son arrivée, Louise Élisabeth refait ses bagages. Les caisses, les malles sont recomptées, et la voiture s'engage sur la route de Dresde.

Dernières étapes

Avant de regagner Paris, elle a promis d'expédier les portraits à l'huile de l'empereur Alexandre et de son épouse. À Dresde, où elle s'installe avec Auguste Rivière, elle espère trouver de meilleures conditions pour achever son travail. Dans la capitale de Saxe, quelques membres de la société cosmopolite sont en partance pour l'une ou l'autre cour d'Europe : la princesse Dolgoroukaïa, le richissime Demidov sont là aussi, s'ennuyant ferme, « ne trouvant pas le moyen de dépenser mille écus par jour [35] ». L'artiste n'a plus le cœur à visiter la galerie de peintures qui avait fait son admiration à l'aller. À la veille de son retour en France, elle se sent envahie par l'appréhension et confie ses craintes à Étienne dont elle vient de recevoir une lettre :

> J'ai reçu de toi une petite lettre par le bon père Rivière ; l'impatience que tu as de me revoir ne surpasse certainement pas la mienne ; mais, mon bon ami, je ne puis te cacher ce qui se passe dans ma pauvre tête et dans mon cœur à l'idée de mon retour à Paris. En me rapprochant de la France, le souvenir des horreurs qui s'y sont passées se retrace à moi si vivement que je crains de revoir les lieux qui ont été témoins de ces scènes affreuses. Mon imagination replacera tout. Je voudrais être aveugle ou avoir bu du fleuve d'Oubli pour vivre sur cette terre ensanglantée ! Il me semble enfin que je marche vers un tombeau et je ne suis pas maîtresse de mes idées noires à ce sujet [36].

Les souvenirs reviennent en foule : les visages de ses amis, Hubert Robert, Ménageot, Greuze, la famille Brongniart, Mme de Verdun ; seule une ombre est désormais sans regard, celle de Jeanne Maissin : « Hélas ! je ne retrouverai pas notre pauvre mère ! Cette peine est la plus sensible. Tu me conduiras sur sa tombe… Mon Dieu ! Que d'idées tristes [37] ! » avoue Louise Élisabeth, qui demande à être rassurée. « Tous mes persécuteurs sont encore là ; si j'allais retomber sous leurs griffes envenimées ! »

Les portraits du couple impérial achevés, l'artiste recommande qu'on attende quelques semaines pour les acheminer à l'adresse de son gendre Nigris, à Pétersbourg. Celui-ci saura faire réparer les éventuels dégâts causés par le transport. Peine perdue, non seulement les tableaux seront mis en caisse à Berlin avant d'être complètement secs, mais envoyés directement au palais impérial. Le résultat en souffrira [38].

L'artiste entame la dernière partie de son périple. La prochaine étape la mène à la cour de Brunswick, où Benjamin Constant avait savouré son ennui une dizaine d'années auparavant [39]. Un bon accueil est garanti dans ce duché de Basse-Saxe où résident plusieurs membres de la famille d'Auguste Rivière. Le passage de la célèbre artiste fait événement dans cette ville où les distractions sont rares. Le duc régnant, Charles Guillaume Ferdinand, collectionneur et « antiquaire », demande à être portraituré. Hélas, malgré ses instances, il faut refuser. La route est encore longue jusqu'à Paris. Tandis qu'Auguste prendra du repos parmi les siens, Louise Élisabeth voyagera seule pour cet ultime trajet, sans savoir quand elle reverra son fidèle compagnon de voyage.

En ne s'arrêtant qu'une nuit à Weimar, après une route éprouvante, la voiture arrive à Gotha. Mme Le Brun a la chance d'y retrouver le baron Grimm [40], qu'elle a connu à Paris. Grimm est en pays de connaissance à Gotha, où il fut autrefois lecteur du duc. Heureux d'être utile à l'artiste, le vieux baron l'aide à changer de l'argent. Elle apprécie d'autant plus son aide qu'elle est sans escorte pour cette dernière partie du voyage. Son dernier domestique russe est resté à Berlin. Et, comme l'histoire ne tardera pas à le prouver, les auberges sont peuplées d'aventuriers.

Une brève relâche à Francfort est prévue. On lui a recommandé le Grand Hôtel de Paris où descendent les voyageurs aisés. Quelques heures plus tard, une autre berline arrive. Se penchant à la fenêtre, elle voit une dame en descendre et entend dans l'escalier une voix dont les inflexions lui sont familières. Quelle surprise ! Il s'agit de la bonne Mme Divova [41], la même dont on disait à Pétersbourg que son salon était un « petit Coblenz » tant il était rempli d'émigrés ! Elizaveta Petrovna Divova voyage avec son époux, Adrian Petrovitch, et Pipocha, leur fils. Les deux femmes se font fête.

L'étape dure plus de six jours car d'étranges nouvelles de France parviennent en ces premiers jours de janvier 1802. Le Premier consul aurait démissionné. En attendant des informations, les voyageurs décident de faire table commune. Un aventurier séjournant à l'auberge fait la conversation à ces dames, tout en louchant sur leurs mallettes. Beau parleur, il apitoie les convives avec le récit de ses infortunes et, comme on s'ennuie ferme à Francfort, tous apprécient sa compagnie. Tous, sauf la sceptique Mme Le Brun qui ne croit pas un mot de ses paroles. Le jour du départ, dans le nécessaire d'Elizaveta Divova manquent plusieurs couverts d'argent. Pour la portraitiste, accoutumée à observer les visages, le nom du coupable ne fait pas de doute.

Les rumeurs de changement de gouvernement démenties, les Divov proposent à Mme Le Brun de cheminer ensemble jusqu'à Paris, ce qu'elle accepte avec joie. Enfin, le 18 janvier 1802 [42], les deux voitures entrent dans la ville. Louise Élisabeth voit se lever les brumes au-dessus des premiers méandres de la Seine. La voiture s'engage sur les berges et enfin, les tours de Notre-Dame se profilent au lointain.

42

PARIS

« De même qu'un voyageur, tant qu'il est sur le chemin court nuit et jour par la pluie et par le soleil, sans s'apercevoir de ses veilles, ni de ses dangers ; mais dès qu'il est arrivé au milieu de sa famille et qu'il s'assoit devant le feu, il éprouve une lassitude sans bornes... »

Alfred de MUSSET, *Confession d'un enfant du siècle* [1].

L'hôtel Le Brun

Après avoir traversé les faubourgs, la voiture pivote à l'angle du boulevard Saint-Denis, longe le début de la rue de Cléry, puis s'engage dans la rue du Gros-Chenet. Elle s'immobilise devant la porte du numéro 4 [2], avant d'entrer dans la cour de l'hôtel Le Brun. Louise Élisabeth retrace elle-même cette scène de retrouvailles :

À mon arrivée à Paris, dans notre maison de la rue du Gros-Chenet, M. Le Brun, mon frère, ma belle-sœur et sa fille, vinrent me recevoir à ma descente de voiture, pleurant tous de joie de me revoir, et j'étais moi-même bien attendrie [3].

Étienne et Suzette prennent la voyageuse dans leurs bras. Leur fille Caroline, qui a une dizaine d'années [4], se hausse sur la pointe des pieds pour voir cette tante dont elle a entendu parler mais qu'elle ne connaît pas. Jean-Baptiste Pierre est là, un peu en retrait, regardant cette épouse qu'il a eu parfois tant de mal à comprendre. Louise Élisabeth a maintenant quarante-sept ans. Si l'ovale de son menton est moins ferme, son visage a conservé sa beauté, malgré la fatigue du voyage. De petites mèches de cheveux s'échappent de son béret.

Elle gravit l'escalier dont Le Brun a fait garnir chaque marche de vases de fleurs. Cette attention en dit plus que des mots. Dans le vestibule, les anciens époux se font face, enfin. Louise Élisabeth retrouve en ses yeux noirs légèrement obliques l'éclat mystérieux de ceux de Julie. À cinquante-quatre ans, Le Brun est toujours l'homme de belle stature qu'elle a connu dans sa jeunesse [5]. Son élégance est celle d'un dandy. Ses cheveux roulés de chaque côté du visage sont retenus en catogan. Le col de sa chemise impeccablement empesée dépasse d'un gilet châle de basin blanc sur lequel il porte la redingote sombre à la mode. Un camée monté en broche ovale [6] fixe son foulard de baptiste noué en cravate. Ses mains sont fines et soignées. À l'auriculaire de la main droite, il arbore une bague ornée d'un camée à double profil.

Mme Le Brun retrouve sa demeure. Tout juste achevés lors de son départ, ses appartements avaient été réquisitionnés par les commissaires de la Constituante et les meubles vendus en 1791. Jean-Baptiste Pierre les a fait réaménager en respectant le goût de son épouse. Il a reconstitué à l'identique le décor de la chambre ovale : les murs tapissés de tenture verte, les rideaux du lit bordés d'une broderie de soie sauvage dorée, soutenus par une couronne d'or étoilée. Une Athénienne semble la seule concession au goût du jour. Un grand miroir, une table à thé entourée de chaises d'acajou ainsi qu'une table à jeu recouverte de feutrine verte complètent cet ameublement. Jean-Baptiste Pierre n'a pas eu le temps de faire fabriquer ces meubles par un ébéniste, mais il les a achetés deux mois plus tôt à une demoiselle Nicolaï qui souhaitait s'en séparer [7]. Sans doute guette-t-il une approbation, un sourire. Quel que soit son ressentiment, Louise Élisabeth éprouve une reconnaissance secrète. Elle se repose un moment dans sa chambre. Sa première soirée à Paris ne sera pas une soirée familiale car Le Brun a organisé un concert d'hommage dans la salle des ventes de la rue de Cléry : il a invité le tout-paris du Consulat ou presque.

Quelques heures plus tard, Louise Élisabeth gravit les degrés du vestibule illuminé par les somptueux candélabres dorés. Elle trouve les portes ouvertes sur la pièce ornée de grisailles et cherche à se glisser discrètement à sa place, en bas des gradins, mais une ovation l'accueille : les musiciens frappent de leur archet sur les violons. L'assemblée applaudit à tout rompre. Alors l'émotion trop longtemps contenue l'envahit. C'est à peine si elle distingue des visages à travers ses pleurs. La belle Mme Tallien, qui a œuvré pour favoriser son retour est là, qui lui sourit [8]. On la surnomme « Notre Dame de Bon Secours » ou « de la Miséricorde ». Tous veulent l'embrasser, la toucher. Mais, à la fin de cette soirée, il ne lui reste que des impressions floues : des visages, des sourires, des mains tendues aperçus à travers une buée de larmes.

L'artiste a hâte de retrouver le calme de sa chambre verte. Ce soir-là, les époux Le Brun ont-ils eu une conversation en privé avant de se souhaiter la bonne nuit ? De quoi se sont-ils parlé s'ils se parlent ? De leur enfant Julie restée en Russie, des tableaux vendus à Moscou, de l'état de

382 DES MONDES ÉTRANGERS

leurs biens ? Jean-Baptiste Pierre a-t-il tenté de saisir la main de celle qu'il a choisi pour compagne exactement vingt-six ans et huit jours auparavant ? Ont-ils décidé de faire la paix, enfin ?

Dans la nuit, Jean-Baptiste Pierre éprouve un soulagement, l'impression d'avoir accompli quelque chose. Avant de se coucher, il s'assied à son secrétaire et jette sur son carnet cette note laconique :

> Arrivée à Paris de madame Le Brun, du 6 octobre qu'elle est partie au 18 janvier 1802, font douze années, trois mois et douze jours qu'elle a été absente [9].

Rien d'autre. Aucune émotion exprimée. Compte-t-on les jours de l'absence d'une femme si elle n'est pas aimée ? Jean-Baptiste Pierre espère-t-il une réconciliation ? Entre eux le charme est rompu, mais ils vivront côte à côte dans cette maison qui leur appartient car, malgré leur divorce, il n'est pas question pour le moment de vivre séparément.

La chronique des célébrités se fait l'écho du retour de la portraitiste. Le *Journal de Paris* passe une annonce émanant de Le Brun [10] et *La Clef du cabinet* relate l'événement en ces termes :

> Madame Le Brun [...] a retrouvé sa charmante maison (rue du Gros-Chenet) dans l'état où elle l'avait laissée. Son mari avait eu l'attention de conserver le même ordre dans l'arrangement des meubles, des tableaux, des gravures. Ses chevalets, ses palettes, ses pinceaux, tout était à la même place. Cette intéressante artiste peut continuer demain, si elle le veut, l'esquisse qu'elle avait commencée il y a dix ans [11].

Les visites du lendemain

La vie peut-elle reprendre comme avant, ainsi que l'affirme le journaliste ? Dès le lendemain matin les amis se précipitent pour la revoir : Greuze est le premier. Louise Élisabeth retrouve sa chevelure coiffée à la va-vite, cheveux blancs flottant en boucles de chaque côté du visage [12], et ce demi-sourire qu'il a lui-même représenté dans son dernier autoportrait [13]. Greuze a traversé les épreuves de la Révolution mais, à soixante-dix-sept ans, ruiné par la femme dont il a divorcé, il vit dans la gêne. « J'ai tout perdu, dit-il, hors le talent et le courage [14] ». Les scènes sentimentales qui avaient enchanté Diderot sont moins appréciées. Greuze, dont la jeune demoiselle Vigée avait tant admiré la technique des demi-teintes, n'est que l'ombre de lui-même. Un contemporain rapporte qu'on trouve de ses toiles jusque dans les brocantes et dans les étalages des rues [15].

Puis, les uns après les autres, se présentent les amis de toujours. Dans la même journée, Hubert Robert s'annonce : il a forci, ses traits se sont fanés, ses cheveux blancs sont moins épais, mais il a toujours cette vitalité surprenante [16] et sa bonhomie. Alexandre-Théodore Brongniart prend sa suite avec sa femme, Louise. Durant son absence, ils sont restés en correspondance avec Louise Élisabeth. Par nécessité, Brongniart s'est adapté à la situation nouvelle, mais les commandes sont devenues rares [17].

Aux époux Brongniart succède François Guillaume Ménageot, qui a toujours admiré en secret la belle artiste. Que de choses les amis ont à se raconter depuis qu'ils se sont quittés à Rome ! Aujourd'hui, il lui confie son amertume [18]. Après le départ de Louise Élisabeth, la position de directeur de l'école de Rome, lui dit-il, était devenue intenable : agitations, provocations des pensionnaires de l'école de Rome. Certains, comme Girodet, ont arboré le bonnet phrygien. Les idées d'égalité et de liberté les ont dispensés de toute obéissance, grommelle-t-il [19]. Malgré cela, il lui a fallu protéger ses élèves de la population romaine, devenue hostile, et de la police. Le sentiment antifrançais s'était généralisé. Il fallait aussi intercéder auprès d'Angiviller, informé des incartades des pensionnaires. Ménageot avoue à son amie qu'il s'est trouvé écartelé entre sa fidélité au roi et l'affection paternelle qu'il portait à ses élèves. Au point d'en tomber malade et, fin 1792, d'offrir sa démission.

Louise Élisabeth écoute et compatit. Ménageot reprend : il a vu détruire les emblèmes des Bourbons sur le fronton du palais Mancini, siège de l'Académie, et remplacés par les symboles de la République [20]. Décidé à rentrer, il n'a pu regagner Paris. Quelle période d'errance ce fut alors. Un séjour à Venise, d'où, comme Vivant Denon, il est expulsé, puis à Vérone où il a rencontré le comte de Provence. Enfin, il s'est retrouvé à Lodi avec Bonaparte [21]. Il fait à son amie le récit de l'assaut du pont de Lodi : une victoire sanglante. Au-dessus des râles des mourants s'est élevée la voix du Premier consul disant à l'intention du peintre : « Ce serait un beau tableau à faire [22]. » Les deux amis commentent à mi-voix cette réplique. Elle n'augure rien de bon pour l'avenir du pays. Bien qu'il soit maintenant titulaire d'une chaire de professeur des Écoles nationales de peinture, Ménageot n'a pas confiance en l'avenir.

Déjà ébranlée par les récits de tous ses proches, après le départ de Ménageot, Louise Élisabeth replonge dans l'inquiétude. Et si l'avenir était à l'image du passé ? Alors que les Français restés à l'intérieur des frontières vivent l'avènement du Consulat comme un retour au calme, par un douloureux décalage, l'émigrée découvrant le passé plonge dans une horreur rétrospective.

Les amies

Le plaisir des retrouvailles se mêle à la tristesse. Durant les jours qui suivent, ses anciennes amies veulent la voir en tête à tête. Mme de Bonneuil, qui avait fait secrètement le voyage de Russie sous le règne de

Paul Ier [23], a cinquante-quatre ans, mais en paraît trente. « La conservation de cette charmante femme a tenu du prodige [24] », s'étonne l'artiste.
Une des raisons de la visite de Michelle de Bonneuil est un événement
mondain : sa fille Laure, comtesse Regnaud Saint-Jean d'Angély, donne
un bal le lendemain. Mme Le Brun ne peut y assister, car elle n'a plus la
moindre robe élégante. C'est alors qu'elle songe à la pièce de mousseline
aux fleurs brodées de Mme Du Barry, sauvée de la confiscation à Berlin.
On fait venir une célèbre couturière, Mme Germon, modiste de Joséphine de Beauharnais, qui tient boutique rue Helvétius [25]. En vingt-
quatre heures, son atelier confectionne une tenue à la mode. C'est parée
de l'étoffe offerte par la favorite de Louis XV que la portraitiste de
Marie-Antoinette fera son entrée dans le Paris du Consulat.

Quoi de mieux qu'un bal pour prendre le pouls d'une capitale ? Les
femmes y sont au mieux de leur beauté : la marquise Giuseppa de Vis-
conti, épouse de l'ambassadeur de la République cisalpine à Paris, dont
il existe un beau portrait par Gérard, est admirée par le général Berthier.
Alexandrine de Bleschamp, l'épouse séparée d'un riche agent de
change, reçoit les hommages de Lucien Bonaparte. À côté des robes
claires des beautés de ce nouveau monde, la couleur éclatante des uniformes des généraux : Marmont qui s'est illustré en Égypte, Macdonald,
qui a prêté main-forte au Premier consul lors du coup d'État du
18 brumaire.

Les « Merveilleuses » ont pris des manières d'un « genre moderne »,
selon le musicien Reichardt séjournant à Paris. Leurs attitudes consistent
en une « sentimentalité langoureuse » inconnue dans le monde autrefois [26] : prononciation douce, chuchotements voluptueux, poses sen-
suelles. À ces façons affectées Mme Le Brun préfère la vivacité simple de
ses anciennes amies.

Avec bonheur, elle a revu dès les premières semaines Anne Catherine
de Verdun et leur amie commune, Mme d'Andlau, fille du fermier général et philosophe Helvétius, chez qui Louise Élisabeth avait été invitée
dans sa jeunesse. Les fillettes de Mme d'Andlau sont maintenant des
femmes accomplies. Bientôt, elles poseront devant son chevalet.

Au début du printemps, Mme de Grollier vient la chercher pour
rendre visite à Vivant Denon. Sophie de Grollier, « le Raphaël des
fleurs », était proche de la reine et a dû s'exiler mais, depuis son retour,
elle souffre du comportement de ses enfants, qui se sont emparés de ses
biens [27]. Les trois amis évoquent leur séjour à Florence, à Venise et le
souvenir d'Isabella, l'amie que Denon a dû, malgré lui, laisser en Italie.

Banal constat, rendu amer à cause de la longue séparation. Dans ses
cahiers, la mémorialiste note : « Les amis que j'ai retrouvés étaient bien
vieillis [28]. » Le séduisant vicomte de Ségur, qu'on nommait « Ségur

jeune », le revoilà ridé, portant douze années de plus et une perruque à marteau… méconnaissable. « Hélas ! se dit-elle tout bas, ce que c'est que de nous [29] ! » La roue a tourné. Des fortunes sont défaites : Élisabeth d'Aguesseau, comtesse de Ségur, lui avoue qu'elle vit dans la gêne et qu'elle lutte afin de conserver un semblant de vie sociale en attendant des jours meilleurs.

Les mœurs ont changé : lorsqu'on est invité à « dîner », on ne reste plus jusqu'au soir. Les affaires occupent, les gens s'agitent. Les soupers ont presque disparu. Dans les soirées musicales, les femmes et les hommes se groupent chacun de leur côté selon la mode anglaise. Plus de conversation spirituelle et enjouée. On ne cause plus, lui avait écrit l'abbé Delille, « on ne fait que disputer [30] ». Au théâtre, à l'opéra, les velours éclatants, les soieries brodées des pourpoints ont disparu, les hommes portent la redingote sombre qui ressemble à un habit de deuil : « On aurait cru, écrit-elle, que le public était rassemblé pour suivre un convoi. » Le poète Alfred de Musset, enfant de ce nouveau siècle, formulera une impression comparable : « Ce vêtement noir que portent les hommes de notre temps est un symbole terrible ; pour en venir là il a fallu que les armures tombassent pièce à pièce et les broderies fleur à fleur [31]. »

Oubliées aussi les poudres odorantes qui parfumaient les salles de spectacle. Mme Le Brun est choquée par la puanteur des corps et des cheveux mal lavés. Et que dire du manque de discrétion des astres de cette nouvelle planète ! Ainsi lors d'une soirée, Marie-Madeleine Lejeas, épouse du fondateur du club des Feuillants, regarde avec convoitise la broche qu'elle porte, l'étincelant chiffre en diamant de la reine de Naples. Puis elle tourne le dos à l'artiste, sans lui adresser la parole. « Il est vrai que je n'étais pas femme de ministre », songe-t-elle. La richesse ne remplace pas les façons, mais rien n'empêchera Marie-Madeleine Lejeas de devenir duchesse de Bassano.

Étienne

Petit à petit, Louise Élisabeth redécouvre son frère, qui s'est adapté à ce nouveau monde. S'il a gagné une notoriété en dirigeant l'*Almanach des Muses* [32], une revue de poésie, son passé politique est trouble. En 1795, après avoir participé à l'insurrection royaliste du 13 vendémiaire, avec la section de Brutus, il a fait l'objet d'un mandat d'arrêt auquel il n'a échappé qu'en se cachant. Dès l'année suivante, il a retourné sa veste en écrivant une ode à la gloire du général Bonaparte, acteur de la répression sanglante de vendémiaire [33]. Étienne, qui ne marchande pas la métaphore, transforme « l'illustrissime général » en Hannibal. Décidé coûte que coûte à occuper le devant de la scène littéraire, en 1797, le frère de Louise Élisabeth a publié un choix de ses poésies[34]. Mais, depuis le 18 Brumaire, ce caméléon a quitté l'arène politique pour se replier sur une inspiration intime. Dans un poème autobiographique intitulé « Ma Journée[35] », il évoque l'indolence insouciante de La Fontaine[36]. L'année de l'arrivée de sa sœur, il a publié ses *Conventions*[37], dédiées à sa sœur exilée, « Au plus rare talent dont s'honore notre âge, / Aux grâces, à l'esprit, surtout à l'amitié. ».

Louise Élisabeth apprécie la poésie de son frère. Il est vrai que, lorsqu'il s'éloigne de l'emphase, le vers d'Étienne devient touchant. Son inspiration est celle de la romance :

> Un mot de vous me charme, un mot de vous m'agite.
> Je suis triste quand je vous quitte.
> Je ne dors plus, ou, ce qui m'est bien doux,
> Si je dors par hasard, c'est pour rêver de vous[38].

La poésie sentimentale d'Étienne a des accents romantiques, qui font songer aux premiers vers de Musset, alors que sa prose ouvre une méditation sur l'amitié, l'imagination, les âges de la vie, dans l'esprit des moralistes classiques. Comme sa sœur, il est entre les deux siècles. En attendant la gloire qui le boude, il enseigne dans un pensionnat, l'Institution polytechnique, où on lui a confié un cours de littérature élémentaire. Il n'a pas son pareil pour disserter sur l'éducation et la morale, et se taille un succès auprès des mères de famille dans un genre d'éloquence, important en son temps, celui des distributions des prix[39].

Ce littérateur ambitieux a également fondé, avec quelques amis, une société d'émulation artistique nommée le Lycée des Étrangers, qui se réunit à l'hôtel Marbeuf et publie un journal, *Les Veillées des Muses*[40]. Louise Élisabeth apprend qu'Étienne y collabore avec les poètes Arnaud, Laya et Legouvé. Des auteurs, parmi lesquels Palissot, Baour-Lormian, Prony, Rouget de Lisle, Marie-Joseph Chénier et le professeur de morale Demoustier y sont assidus. Des artistes, tels les peintres David, Ducreux, Houël, Isabey, Regnault, les sculpteurs Houdon et Pajou père et fils, les architectes Brongniart, Ledoux, des musiciens Cherubini, Grétry, Méhul ont également fait partie du Lycée des Étrangers. Si certains de ces noms font que Louise Élisabeth lève les sourcils, elle n'en est pas moins fière des succès de son frère cadet.

Étienne est même la coqueluche de quelques salons. Le cénacle de Miss Helen Mary Williams, une romancière anglaise, installée à Paris depuis une dizaine d'années[41], en a fait son idole. Miss Williams, enrubannée et coiffée de façon extravagante, se pâme devant les vers d'Étienne. Le musicien allemand Reichardt séjournant à Paris brosse une scène comique où Étienne déclame son soporifique monologue d'*Ariane pleurant le départ de Thésée*. « Les ah ! oh ! de Miss Williams, qui s'était presque couchée sur ses genoux afin de mieux recueillir sans doute chacun des vers tombant des lèvres inspirées, n'ont pas réussi à électriser l'auditoire [42] », note Reichardt.

Dans Paris, Étienne s'est fait la réputation d'être aussi emphatique, prétentieux et maniéré que sa sœur demeure simple et naturelle.

Un nouvel ordre

Si Étienne s'est adapté au nouvel ordre politique, sa sœur ne le suit pas sur ce terrain. Ce n'est pas elle qui tente d'approcher la famille du Premier consul mais l'inverse qui se produit.

Un matin, Joséphine Bonaparte se fait annoncer chez elle. À peine assise sur les bergères de l'hôtel Le Brun, Joséphine évoque le bal où, jeunes femmes, elles avaient fait connaissance, alors qu'elle était encore Rose de Beauharnais. Louise Élisabeth semble avoir tout oublié des circonstances que l'épouse du Premier consul se plaît à énumérer. Elle ne prend pas la peine de feindre. Les deux femmes ont un autre point commun. Joséphine est la seconde fée qui, avec Mme Le Brun, a veillé sur la destinée du jeune peintre Gros. Le jeune homme admirait les yeux bleu foncé de Rose, sa voix « douce, harmonieuse et sympathique [43] ». Volubile, Joséphine évoque une invitation à déjeuner aux Tuileries. Qu'en dirait Mme Le Brun ?

Cette invitation demeure sans suite. Le peu d'enthousiasme que la portraitiste a manifesté aurait, d'après elle, découragé l'épouse du Premier consul. Rien n'est moins certain. Louise Élisabeth ignore à quel point Joséphine est spontanée et versatile. Adèle de Boigne épingle dans ses mémoires ce trait de caractère [44]. Mme Bonaparte, généreuse dans l'intention, manquerait de persévérance dans la réalisation.

En revanche, les frères du Premier consul ont plus de détermination. Curieux du travail de l'artiste, les frères Bonaparte visitent son atelier. Ils se montrent déférents. « Lucien surtout, se souviendra-t-elle, regarda avec une attention toute particulière ma Sibylle dont il me fit mille éloges. » Si Lucien trouve grâce à ses yeux, c'est parce qu'il a des ambitions de collectionneur. Dans l'hôtel de Brienne qu'il est en train de faire rénover, il aménage une galerie où se côtoieront des maîtres italiens, des Lorrain, des Vernet et le *Bélisaire* de David. En janvier 1802, il a demandé à Le Brun de se porter acquéreur pour lui de plusieurs Vernet, d'un Van de Velde et d'un Gérard de Lairesse [45]. Toutefois, le frère du Premier consul ne parle pas de passer commande à une artiste dont les prix demeurent élevés sur le marché de l'art français.

Depuis son arrivée au mois de janvier, Mme Le Brun n'a toujours pas aperçu Bonaparte. Avec le duc de Crillon [46], elle assiste à une de ces parades militaires pour lesquelles Parisiens et provinciaux se déplacent en foule. Le 6 mars [47], la voilà postée à une fenêtre du Louvre : tous les régiments de France ont l'honneur d'être appelés à défiler alternativement place du Carrousel. Mme Le Brun a beau être bien placée, elle ne distingue pas le Premier consul. C'est le duc de Crillon qui le lui désigne. Rien, à ses yeux, ne différencie ce petit homme au teint jaune, aux cheveux ras, des autres officiers vêtus d'un habit bleu à revers blancs, le chapeau orné d'une simple cocarde. D'autres femmes, comme Mary Berry, lui trouvent grande allure à cheval [48]. Mais Louise Élisabeth ne revient pas de sa surprise. Comment, l'homme qui fait trembler l'Europe ne serait autre que ce cavalier de petite taille ?

S'approcher de cet homme singulier l'intéresserait malgré tout. L'occasion lui est fournie par Mme Campan, avec qui elle est restée en bonne relation. Louise Élisabeth a défendu sa réputation lorsque des calomnies ont mis en doute sa fidélité à la reine. L'ancienne femme de chambre l'invite, le jeudi suivant, 11 mars, à assister à un déjeuner. À Saint-Germain-en-Laye, Mme Campan dirige un pensionnat qui accueille les filles des puissants du nouveau régime. Des filles de banquiers, comme Hortense Perregaux, les cinq filles de l'ambassadeur américain Prinkey et même Elisa Monroë, fille du futur président des États-Unis, sont passées sous la férule de la « bonne institutrice », comme elle se plaît à se nommer elle-même. Hortense de Beauharnais et sa meilleure amie Aglaé Auguié [49], bientôt épouse du « brave des braves », le maréchal Ney [50], font partie des élèves. Mme Campan ne s'en laisse pas imposer. Un jour, elle tance l'une des plus présomptueuses de ses anciennes élèves, Annunziata, devenue Caroline Murat [51], reine de Naples : « Vous n'avez rien de mieux à faire que d'oublier vos titres, lorsque vous êtes avec moi, car je ne saurais avoir peur de reines que j'ai mises en pénitence [52]. » Lors de ce repas, Mme Le Brun distingue une jolie femme, qui ne daigne pas tourner la tête dans sa direction. C'est précisément Annunziata Caroline.

Dans la soirée, on donne une représentation d'*Esther* jouée par les élèves. Bonaparte, attentif à l'éducation de ses beaux-enfants, y assiste, installé aux premières places au bras de Joséphine. Mme Le Brun s'assied au deuxième rang de façon à entrevoir son profil. Force lui est de reconnaître que le Premier consul ne s'empresse pas de faire sa connaissance. Bonaparte ne fait aucun geste pour saluer l'admiratrice des Princes. A-t-il été informé par sa police du voyage que la portraitiste a fait à Mittau pour tenter de revoir celui qui se fait appeler Louis XVIII ? Louise Élisabeth devra se contenter de contempler sa silhouette dans la pénombre.

Bonaparte tient sa cour aux Tuileries. C'est là qu'ont lieu les cérémonies officielles. La princesse Dolgoroukaïa, que Louise Élisabeth a
retrouvée avec joie à Paris, a l'honneur d'être reçue. Aux questions que
lui pose l'artiste sur l'atmosphère qui règne au palais, la princesse,
impressionnée par le nombre des uniformes, répond : « Ce n'est point
une cour, mais une puissance [53]. » Quoi qu'il en soit, les sentiments de
Mme Le Brun vis-à-vis de Bonaparte sont mêlés : dépit de n'être pas
reconnue, aversion pour celui qui accapare la place des Bourbons,
curiosité admirative pour l'homme d'action. Elle hésite entre fascination et répulsion. Rares sont les irréductibles, telle la comtesse Golovina qui refuse d'adresser la parole au Premier consul. Même lorsque
l'ambassadeur du Czar, le comte Markov le lui demande, elle répond :
« Vous croyez que j'irai à cette Cour du roi Pétaud ? Je ne suis pas
venue ici pour m'avilir [54]. »

Visite à Neuilly

Louise Élisabeth éprouve partout un sentiment nouveau, celui d'être
une étrangère dans son pays. En compagnie d'Étienne, elle fait un pèlerinage au village de Neuilly. Le frère et la sœur traversent la ville en
calèche. Paris a changé. Le parc du Luxembourg, en mauvais état, est
déplanté. Les parterres sont mal entretenus.

Quelques graffitis à la chaux datant de la Révolution sont restés sur les
murs. Louise Élisabeth déchiffre les inscriptions : « la Liberté, la Frater-
nité ou la Mort ». Le mot « liberté » la fait tressaillir. Étienne lui raconte
alors avec une ironie amère quelques souvenirs de sa détention au couvent de Port-Royal, nommé en ces temps « Port-Libre » : « Dans ces maisons, ironise-t-il, où chaque prisonnier regrettait sa liberté, on ne pouvait
faire un pas sans lire le mot qui rappelait qu'on l'avait perdue. C'était la
cour de la liberté, l'escalier de la liberté, le corridor de la liberté, le salon
de la liberté [55] ! »

Dans les rues, on voit passer des fiacres, dont les portières portent la
trace d'armoiries à peine effacées : ce sont des voitures confisquées [56].
Dans les boutiques des brocanteurs s'accumulent livres, tableaux et
argenterie ayant appartenu à d'anciens clients de l'artiste. La traversée de
l'ancienne place Louis-XV est le moment le plus douloureux. Ses oreilles
bourdonnent comme si elle entendait résonner les cris de la foule, les
hurlements de Mme Du Barry se débattant au moment de monter sur
l'échafaud, la tête de la pauvre princesse de Monaco qu'elle avait revue à
Naples tombant sous le couperet. Étienne, libéré après Thermidor, a
échappé de peu à la guillotine. Lui aussi se tait en traversant cette terrible
esplanade.

La tristesse atteint son comble lorsque la voiture arrive à Neuilly, rue de Villiers. Le Sèvre vit toujours de façon pingre dans la maison de campagne acquise par Louis Vigée, proche de la Seine. Il en a l'usufruit, mais la propriété en revient aux enfants de Louis. Traverser le jardin où elle a joué enfant, pénétrer dans la pièce où sa mère vécut ses derniers jours, trouver la corbeille à ouvrage telle que Jeanne l'a laissée avant de mourir, voilà qui en est trop.

Chez Le Sèvre, elle retrouve d'autres souvenirs de son enfance. Le pastel représentant Bertinazzi, le fameux Carlin, est toujours accroché au mur, de même un de ces petits tableaux dans le genre de Watteau dont Louis Vigée était l'auteur. Dans la chambre, de menus objets ayant appartenu à Jeanne, des pots-pourris en porcelaine de Saxe. Au mur, un grand Christ sur son bois d'ébène veille. Est-ce le même que celui qui se trouvait dans la chambre de Louis [57] ? Après la mélancolie du retour de Russie, il lui faut entrer dans un autre deuil. Retrouver les lieux, toucher les objets qui lui ont appartenu est tout autre chose que de penser à la mort de Jeanne Maissin à distance.

Presque tout ce qui faisait son bonheur s'est évanoui : la confiance qui l'unissait à Julie, l'affection de Jeanne, la vie parisienne de sa jeunesse. Le changement des manières, les nouvelles expressions populaires entrées dans la langue, tant de choses sont différentes. Tout lui pèse. Alors elle tente des remèdes qui lui ont toujours réussi : le contact avec les œuvres d'art et la solitude. Un matin, elle se rend seule au Louvre, nouvellement aménagé, et s'abîme dans la contemplation des collections. Comme à Dresde, comme à Florence, elle se plonge dans un espace hors du monde et hors du temps. Elle n'entend pas les appels des gardiens qui ferment les portes. La voilà prisonnière au musée. Dans l'état fragile où elle se trouve, elle est prise de terreur, de « désespoir » même, écrit-elle [58]. Enfermée au Louvre comme en son passé.

Sans doute avant l'été, elle fait ses premières visites d'ateliers. Tout d'abord, elle rend hommage à l'ancien peintre du roi, Joseph Marie Vien, maître de Vincent et de David. Vien, qu'elle a peu connu avant la Révolution car il avait fait un long séjour à Rome, l'accueille paternellement. À l'âge de quatre-vingts ans [59], toujours actif, il montre à Louise Élisabeth deux esquisses de bacchanales. Elle y admire l'habileté de celui qu'on considère alors comme l'initiateur d'un nouveau classicisme. À ses yeux, Vien est le maître de cette précision historique, à laquelle elle rend honneur. Après les grâces maniérées de Boucher et de ses continuateurs, sa peinture a apporté la rigueur qui, selon elle, manquait à la peinture française [60]. Les voyages de Louise Élisabeth ont affermi son jugement ; elle se sent à même d'apprécier les œuvres avec recul, de mieux comprendre les effets d'école.

À l'automne suivant, Louise Élisabeth veut rencontrer François Gérard[61], dont la renommée est croissante. Rendu célèbre par le tableau intitulé *Psyché reçoit le premier baiser de l'amour*, il est devenu le portraitiste à la mode. Louise Élisabeth est conquise. Non seulement Gérard est talentueux, mais il est sympathique[62]. À l'aube d'une carrière considérable, il achève, en cette année 1802, le portrait de l'épouse du Premier consul assise sur un divan à l'orientale[63]. Comme Mme Le Brun en son temps, Gérard a le talent de l'animation[64]. Dans son salon atelier, réparti sur quatre pièces dans lesquelles on circule librement, alternent lectures, conversations, moments musicaux. Dès sa première visite, les jalons d'une amitié entre la portraitiste et le futur baron Gérard sont posés. Elle quitte son atelier avec le vif désir de voir le portrait qu'il a réalisé de la célèbre Mme Récamier.

Louise Élisabeth ne rendra pas visite à celui qui fut l'élève de Vien et le maître de Gérard, David. Bien qu'il ait apposé sa signature sur la pétition qui lui a permis de revenir en France, bien qu'il cherche à la rencontrer, la portraitiste conserve à son égard une rancune tenace. David a joué un rôle trouble lors de la condamnation d'Émilie Chalgrin et de Rosalie Boquet. Les témoignages contre lui sont accablants. Il a cherché à nuire au comte de Paroy, ami et voisin des Le Brun, et aurait même tenté de s'approprier ses collections[65]. Le peintre des Horace et des Curiace est même, de l'avis des visiteurs étrangers, d'un « extérieur antipathique ». « Sa misanthropie, son humeur sombre et solitaire » font que la réputation du peintre pâtit des préjugés envers l'homme[66].

C'est auprès de ses amis artistes qu'elle trouve le plus grand réconfort : on se voit souvent, on s'entraide. Gérard et Robert procurent à Brongniart le chantier d'un salon et d'une salle à manger pour Mme Tallien. Louise Élisabeth introduit l'architecte auprès de ses amis pétersbourgeois qui lui demandent des plans pour leurs résidences de Russie. Louise Élisabeth délaisse les soirées mondaines pour jouir des plaisirs de cette camaraderie artiste. La princesse de Tarente, dépitée de ne point trouver la portraitiste chez elle, remarque ce changement de fréquentation :

> Je ne la vois pas, ici, elle est dans une tout autre société, elle est entourée d'artistes de tout genre, peintres, poètes, et tout cela ne se mêle pas avec la bonne compagnie[67].

Lorsque la princesse de Tarente est enfin reçue à « dîner » rue du Gros-Chenet, son avis change : conquise par l'élégance de l'hôtel Le Brun, elle est ravie de connaître Étienne et surtout Ménageot, à qui elle trouve « la meilleure figure possible » et « l'air simple et bon ». Elle a l'impression de s'encanailler : « C'est la première fois que je me suis trouvée dans pareille société, toute composée d'artistes et chez un artiste [68]. »

Tandis que les émigrés de retour forment une colonie qui n'a plus le prestige du monde d'autrefois qu'ils croient représenter [69], Louise Élisabeth comprend que se limiter à leur société serait un piège. Si elle déplore la perte des anciens usages aristocratiques, c'est de manière fugace. Hormis sa loyauté, aucune alliance véritable ne la lie à l'ancienne cour dont elle a parfois subi la hauteur et la morgue. De retour, elle se sent appartenir d'abord au milieu des connaisseurs et des artistes, quelle qu'en soit la génération. C'est avec eux qu'elle se sent libre.

Le refuge à la Capucinière

Avec le retour de la chaleur estivale, Louise Élisabeth éprouve le besoin d'air et de solitude. Elle trouve à Meudon une maison à louer. Sur un terrain vallonné, une abbaye en ruine et ses bâtiments se cachent derrière de hauts murs. Dans la rue des Capucins, par une porte gothique en arceau, on pénètre dans un parc et par une allée boisée, on arrive à une maison sylvestre couverte de lierre. Louise Élisabeth nomme ce refuge sa « thébaïde ».

Dans cette retraite, elle reprend ses esprits puis elle remet sur le métier les portraits de la famille royale de Prusse dont elle avait reçu commande [70]. Pour cela, elle s'inspire des pastels qu'elle a réalisés à Potsdam : celui de la reine est l'objet de tous ses soins. Mais elle n'aura pas le temps d'achever à Meudon l'ensemble de son programme : les portraits de la famille Ferdinand seront remis à plus tard [71].

Elle broie du noir : « Ma mélancolie était si grande, écrit-elle, que je ne pouvais voir personne ; lorsque j'entendais une voiture, je m'enfuyais dans les bois de Meudon [72]. » Malgré tout, trois de ses amies parviennent à se frayer un chemin jusqu'à elle. La rieuse Aimée de Coigny, avec qui elle avait passé des jours heureux dans la maison de Carlo Maratta, frappe à sa porte. Depuis son séjour italien, Aimée de Coigny a connu des heures sombres. Durant la Terreur, elle a été emprisonnée à Saint-Lazare. C'est là qu'André Chénier, sensible à son amour de la vie, a composé des vers célébrant la grâce de « La Jeune captive ». Alors que le poète est monté sur l'échafaud le 7 thermidor, la chute de Robespierre a sauvé Aimée, deux jours plus tard [73].

Aurore et Adèle de Bellegarde accompagnent Aimée. Les bavardages de ces trois aimables femmes la réconcilient « avec l'humanité », avoue Louise Élisabeth [74]. L'insolente Aimée raconte des anecdotes au sujet de Bonaparte. Un jour, ce dernier lui aurait demandé à brûle-pourpoint :

« — Aimez-vous toujours les hommes ? — Oui, Sire, quand ils sont polis », lui aurait-elle répondu [75]. Les rires fusent. Les trois joyeuses amies habitent ensemble dans une campagne proche, et l'artiste accepte de leur rendre leurs visites.

Benjamin West : une invitation mémorable

Avant même la fin de l'été, Louise Élisabeth regagne la rue du Gros-Chenet. Un visiteur de marque, Benjamin West [76], fondateur et directeur de la Royal Academy of Arts, de passage à Paris, souhaite la rencontrer lors d'un déjeuner auquel il a convié des confrères [77]. Le peintre anglais Joseph Farington, invité pour la circonstance, a brossé le tableau de cette réception dans son journal [78]. Les convives, une trentaine, arrivent progressivement. D'emblée, Farington est ébloui par la « beautiful » Mme Vigée Le Brun qui semble, dit-il, avoir à peu près quarante ans, (elle en a quarante-sept). Farington est conquis par son « expression très vivante ». Vien est là parmi les premiers, mais il ne fait qu'une apparition et quitte l'assemblée avant qu'on ne déjeune. Vers trois heures, on s'installe autour d'une collation froide à l'anglaise. Une grande table où figurent des personnalités cosmopolites est présidée par West lui-même, tandis qu'une seconde accueille de jeunes convives et quelques retardataires. Le vin de Champagne donne de l'esprit aux conversations.

Mme Le Brun est assise à la seconde place d'honneur, à la gauche de Benjamin West, tandis qu'à la droite du directeur de la Royal Academy se tient la brune Lady Oxford. Son beau visage est connu par un portrait d'Hoppner, où elle est représentée dans une pose rêveuse. Lady Oxford scandalise ses compatriotes de passage à Paris parce qu'elle fréquente un Irlandais rebelle, l'avocat O'Connor. D'ailleurs, celui-ci l'accompagne à ce déjeuner. Le voisin de gauche de Louise Élisabeth se nomme Joël Barlow. Pensif et peu loquace, il observe les convives, la tête inclinée de côté et le menton posé sur la main. Originaire du Connecticut, le libéral Barlow a vécu quelque temps en Angleterre avant d'en être expulsé et de devenir citoyen français. Louise Élisabeth bavarde avec une vivacité pleine d'assurance et s'adresse à un invité placé en face d'elle, son ami Vivant Denon. Un peu plus loin à droite, de biais, elle observe Jean-Baptiste Pierre affable et à son aise.

West a invité d'autres femmes artistes : parmi elles, Adélaïde Labille, maintenant épouse de Vincent. Benjamin West aurait dit, en confidence à Farington, qu'il plaçait le talent d'Adélaïde au-dessus de celui de Louise Élisabeth. Une élève d'Adélaïde, Mlle Capet, dont le talent s'est épanoui, est assise à côté de son professeur. Houdon, le sculpteur, est là aussi. Enfin Gérard est accompagné de sa jeune femme, qui, d'après Farington, peint de remarquables scènes intimes de la vie familiale.

Conversations en anglais et en français se mêlent entre John Kemble, un acteur tragique ami de Lady Oxford, et Samuel Boddington, un autre homme politique irlandais, puis entre le vieil architecte Le Roy [79], célèbre pour son ouvrage sur *Les Ruines des plus beaux monuments de la Grèce*, et M. Foubert, président de l'administration du Museum. À l'angle de la table sont placés Mr Nield, le peintre Jacob Stone [80] avec le sculpteur Masson [81]. Parmi les gens de lettres, on compte la romancière Helen Mary Williams, celle qui admire tant le frère de Louise Élisabeth. Selon son habitude, elle multiplie les sourires maniérés, distribuant à qui les accepte ses « profondes sympathies ». Sa conversation fait contraste avec l'aisance simple de Mme Le Brun. Farington, qui l'observe, songe en son for intérieur que celle-ci n'aurait pas échappé à la guillotine si elle était restée en France.

L'ancien tuteur de l'empereur Alexandre, La Harpe, est venu avec son épouse, dont le maintien est discret. Il est question de voyages – la Russie, l'Angleterre, l'Italie –, et le signor Torcia, un auteur italien, pérore en affirmant que l'éducation d'aucun homme ne saurait être achevée s'il n'a pas vécu en Angleterre.

La seconde table est présidée par Benjamin West Junior ; s'y trouvent le fils de Lord Erskine, La Vallée, un secrétaire du Museum, et curieusement, peut-être parce qu'il est retardataire, le sculpteur Moitte, dont on apprécie les bas-reliefs.

Ce déjeuner franco-anglais est une réussite. Jean-Baptiste Pierre y consolide d'utiles contacts. Mme Le Brun y pose les jalons de son voyage en Angleterre. Tout laisse penser que ses projets sont bien amorcés puisque, dès le mois suivant, dans une lettre à son amie Isabella, Vivant Denon annonce le départ imminent de la portraitiste. Il évalue la situation de façon claire :

> Mme Lebrun est toujours une excellente femme mais plus la première artiste française. Il y en a d'étonnantes qui sont bien jeunes. Elle va faire un voyage en Angleterre. À son retour, il ne faut plus qu'elle fasse autre chose que des dessins, qu'elle fait encore très agréablement [82].

Sans doute Vivant Denon pense-t-il à la génération des sœurs Lemoine, de Marie-Victoire et de Nisa Villers et de la brillante Émilie Le Roux. Denon juge prudent qu'un artiste se retire plutôt que de voir pâlir son étoile. Mais son appréciation paraît sévère. Certes, les portraits de l'empereur Alexandre et de sa famille, détériorés par le voyage, ont été mal reçus en Russie, et les gazettes s'en sont fait l'écho. Certes, la production actuelle de la portraitiste, comparée à celle des Salons de 1787 et de 1789, n'a plus le même éclat. Mais ses ressources sont loin d'être taries.

En réalité, ce projet de séjour en Angleterre caressé depuis longtemps, à Saint-Pétersbourg, et peut-être même déjà en Italie, est devenu prioritaire. L'artiste a pris conscience de la difficulté à obtenir des commandes dans cette société consulaire pour laquelle elle éprouve peu de sympathie. La plupart de ses anciens amis artistes y vivent chichement. C'est aussi ce que constate Reichardt : « Autrefois à la première visite, on était invité à dîner et l'on prenait jour ; maintenant les invitations sont rares aussi bien pour les étrangers que pour les confrères. Le renchérissement de toutes choses […] rend à peu près impossibles ces réunions dont la frugalité n'excluait pas l'agrément [83]. »

Le coût de la vie a augmenté, les demeures des Le Brun sont grevées d'hypothèques. Louise Élisabeth a encore une carte à jouer, mais elle hésite. N'est-elle pas parfaitement installée rue du Gros-Chenet ? Elle a placé dans son lumineux atelier ses œuvres préférées. Reichardt, qui lui rend visite au mois de décembre 1802, en fait la description. Du portrait d'Elizaveta Alekseevna, il dit que « c'est une œuvre pleine de charme, à laquelle l'artiste semble avoir travaillé avec amour ». Sans doute le musicien a-t-il vu les pastels préparatoires ou des répliques, car les portraits à l'huile ont déjà été expédiés à Pétersbourg. Le portrait de Julie *à la guitare*, qui paraît « écouter avec attention les sons qu'elle tire de son instrument », attendrit le musicien. Il découvre aussi l'*Amphion entouré de Naïades*, sans en identifier les modèles. Enfin, il est ébloui par les deux grandes toiles représentant Lady Hamilton. « Mme Lebrun a merveilleusement saisi deux aspects de son modèle : la passion fascinatrice de la bacchante ; la beauté sereine, le regard profond et calme des grands yeux de la sainte [84]. Il m'a semblé revoir Lady Hamilton en personne ; j'ai été tenté de lui adresser la parole ! »

La nostalgie a sa place parmi les œuvres de l'artiste : d'après Farington encore, la physionomie de Stanislas Poniatowski, où se reflètent « à la fois la grâce et la faiblesse, est très heureusement rendue ». Deux portraits inachevés placés l'un près de l'autre, celui de Mme Du Barry et celui de l'infortunée reine de France, plongent le visiteur dans la rêverie : « Que de pensées ne provoque pas un pareil rapprochement, assez étrange, me semble-t-il chez Mme Le Brun ! »

La décoration de l'atelier est révélatrice de la tristesse contre laquelle l'artiste doit lutter, retrouvant chaque jour la figure de l'absente, Julie et celles des disparues, Yolande de Polignac, Mme Du Barry, Marie-Antoinette. Afin de chasser les vapeurs noires qui obscurcissent son âme, elle prend ses dispositions pour un nouveau départ.

Nouvelles connaissances

Durant l'hiver 1802-1803, Mme Le Brun tente encore de dissiper les ombres. Elle veut faire renaître à l'hôtel Le Brun les habitudes de ses soupers d'autrefois. Nombreux sont les étrangers, russes, allemands, qui sont alors à Paris [85]. Elle cherche à rendre l'hospitalité qu'on lui a si largement offerte.

Pour la princesse Dolgoroukaïa, qu'elle voit presque tous les jours, Louise Élisabeth organise une soirée où l'abbé Delille dit des vers. Avec Étienne, elle patronne les premiers pas de Joséphine Duchesnois, une actrice talentueuse mais au physique ingrat. Brongniart, dans une lettre à son épouse, fait le récit d'une soirée passée à l'hôtel Le Brun. Il veut quitter tôt l'assemblée, mais son amie l'incite à rester : « Ne t'en vas pas, Brongniart, tu vas entendre cette demoiselle réciter tout le rôle de Phèdre [86]. » L'architecte, rebuté par la laideur de la débutante, rechigne. À peine la jeune actrice a-t-elle prononcé les vers – « N'allons pas plus avant, demeurons, chère Œnone » – que le voilà conquis. « Je pleure presque tout le temps », écrit-il à sa femme. Brongniart et Louise Élisabeth joindront leurs efforts pour que Joséphine Duchesnois reçoive « l'ordre de début » qui lui permettra de monter sur une scène publique [87].

Un soir, la portraitiste rassemble « les principaux artistes de cette époque », un cercle qui dépasse à peine celui de ses intimes. La liste de ses invités est aisée à recomposer : Denon et Hubert Robert devaient y figurer. Ménageot aussi, Pajou, Houdon, Greuze peut-être… Ce souper s'achève musicalement « comme avant la Révolution » dit-elle. « Au dessert, chacun fut contraint de chanter une chanson. Gérard choisit l'air de Marlborough ; mais, à vrai dire, son chant n'était point aussi parfait que sa peinture, car il avait la voix fausse ; et nous rîmes beaucoup [88]. »

Son caractère sociable lui facilite les rencontres. La nièce du compositeur Marsollier est sa voisine rue du Gros-Chenet : Anne-Marie d'Hautpoul [89] avait, elle aussi, protégé des émigrés grâce à ses relations au sein du Comité de sûreté générale. Talentueuse et vive, elle est l'auteur d'un roman pastoral, *Zilia*, et elle est devenue la cousine de la pianiste virtuose Hélène de Montgeroult, que la portraitiste avait reçue chez elle avant la Révolution. Voici une jeune femme digne de figurer dans un nouveau cénacle.

Une autre femme de lettres également musicienne, élève de Grétry, fait irruption dans ce cercle. La jeune Alexandrine, comtesse de Saint-Simon [90] vient de donner à la scène du théâtre Louvois une pièce intitulée *Un petit mensonge*. Louise Élisabeth la désigne par le nom de son second époux, le comte de Bawr. Ces amitiés littéraires et musicales inaugurent l'esprit de ce que sera désormais la vie sociale rue du Gros-Chenet : un cercle de peintres, de poètes et de musiciens auxquels viennent se joindre des amis étrangers séjournant à Paris. Pour cet entourage, Louise Élisabeth organise des concerts. Une soirée de début d'année propose à ses amis mélomanes deux symphonies de ce Haydn dont elle avait découvert les compositions à Vienne [91].

Mme Récamier

Sous le prétexte d'admirer le portrait que Gérard a fait de Mme Récamier, la portraitiste demande à être reçue chez celle qu'on nomme déjà « la belle des belles ». Elle brûle d'envie de connaître celle dont la beauté fait événement dans Paris et dont son ami Hubert Robert lui a parlé. Le paysagiste lui donne des leçons de dessin à son atelier. C'est là qu'un matin Reichardt entre immédiatement en dévotion :

> Drapée dans son égyptienne garnie de fourrure, ses belles boucles négligemment jetées en arrière, sa taille flexible inclinée vers le carton que sa main charmante effleurait, son regard humide allant et venant du dessin à son humble admirateur, Mme Récamier était assurément un joyau exquis dans l'atelier du vieil artiste [92].

En effet, on n'aperçoit pas Mme Récamier : elle apparaît. Vêtue de blanc du matin au soir et en toutes saisons, elle ne varie que l'étoffe et les ornements de sa robe. Elle affectionne les perles dont l'éclat nacré rehausse son teint transparent [93]. Mme Récamier s'enveloppe d'écharpes blanches brodées ton sur ton, ou frangées d'or. Le jour, elle place sur ses cheveux un voile blanc, mais sa coiffure du soir est inimitable : tantôt les cheveux sont relevés par une seule épingle, tantôt tresses et boucles sont retenues par un bandeau de satin et remontées en un chignon dont un buste de Chinard laisse voir l'élaboration [94]. Cette coiffure laisse admirer la ligne parfaite de ses épaules.

Le fameux portrait qui a motivé la visite de Mme Le Brun à Juliette Récamier n'est pas celui, au châle jaune, que nous connaissons aujourd'hui – celui-là ne sera exposé à l'atelier de Gérard qu'en 1805 [95]. Ce premier tableau, que Reichardt a également vu dans l'atelier de Gérard, et pour lequel l'artiste a exécuté de nombreuses esquisses préparatoires, est aujourd'hui manquant.

Quelques jours après cette visite, Mme Le Brun reçoit de la part de Juliette une invitation pour un bal de fin d'année. Avec la princesse Ekaterina Dolgoroukaïa, elles se dirigent vers l'hôtel de la rue du Mont-Blanc (rue de la Chaussée-d'Antin). La demeure achetée à Necker a été somptueusement restaurée. La fortune du banquier Récamier est alors à son apogée et le goût de la jeune femme de vingt-cinq ans, guidé par les architectes Berthault et Percier, a pu s'exprimer à son aise. « Le tout est si idéal », s'exclame Farington, qui a laissé un croquis de la disposition des pièces [96]. Un salon, ouvert sur la terrasse et le jardin, se prolonge d'un côté par un salon de musique, de l'autre par une antichambre conduisant à l'appartement privé. La salle de bains lambrissée de citronnier, le boudoir et la chambre de Juliette sont volontiers montrés aux invités : un extraordinaire lit bateau d'acajou à décor de cygnes de Jacob se détache sur le mur drapé de soie violine [97]. Ce mobilier [98] est d'un style si nouveau qu'il fait de l'hôtel Récamier un idéal d'avant-garde. On murmure que le tout a coûté vingt-cinq mille livres. Louise Élisabeth Vigée Le Brun, qui a souffert du même type de rumeurs à propos de l'hôtel Le Brun, ne prête pas attention à ces bruits, vrais ou faux. Mais son époux fait commerce de meubles précieux, et elle approuve l'ensemble : « Rien n'y manquait [99] », écrira-t-elle.

À la soirée de Juliette, Mme Le Brun croit retrouver l'éclat des réceptions d'autrefois. Les livrées, interdites durant la Révolution, font leur réapparition, les ambassadeurs étrangers sont de retour. Ce bal est partout interprété comme le signe d'une résurgence, celle du luxe et de la mondanité, peut-être aussi celui d'un retour au calme puisque la paix d'Amiens a été signée quelques mois auparavant.

Les Russes sont, comme d'habitude, en majorité ; mais de nouveaux arrivés, des Anglais, des Autrichiens et des Hollandais ont été conviés. « Jamais, je n'avais remarqué autant de luxe de toilettes [100] », note Reichardt. Les dames russes et polonaises étincellent de pierreries. En écho aux robes claires des dames, les hommes portent des chemises de percale blanche, plus fine que la toile de Hollande. Un « Incroyable » se doit d'arborer une chemise irréprochable, sans le moindre pli, et, signe de la naissance d'un dandysme, ne jamais la porter de la veille pour le lendemain [101].

Ce bal défraye les chroniques européennes. La rubrique des *gossips* (potins) du journal anglais *The Argus* relate la soirée, dès sa parution du 31 décembre 1802 : « Les danseurs les plus distingués furent M. Dupaty et Trenisse [*sic*] [102]. Ces *gentlemen* ont dansé un quadrille avec Mme Récamier [103] ». Le journaliste remarque encore que des danses anglaises ont été à l'honneur et s'en félicite. Il y a tant d'affluence, qu'afin de regarder les « Merveilleuses » et leurs cavaliers évoluer, on monte sur les chaises et sur les cheminées.

En quittant le somptueux hôtel Récamier, la portraitiste demeure cependant sur la réserve. La différence de génération n'est pas suffisante à motiver la distance qui s'établit entre les deux femmes. Louise Élisabeth, habile à deviner les caractères, saisit l'ambiguïté de la belle Juliette : sa simplicité lui semble le signe d'une coquetterie qui ne dit pas son nom. La nonchalance de l'hôtesse n'est-elle pas de l'indifférence ? Mme Le Brun se sent plus d'affinités avec une autre des beautés du Consulat, Mme Tallien.

Mme Tallien

Grâce à Hubert Robert, qui est un de ses intimes, Louise Élisabeth est reçue chez Thérésa de Cabarrus, qui porte encore le nom de Mme Tallien. Elle l'a déjà entrevue lors de sa première soirée rue du Gros-Chenet :

> J'avoue, se souviendra la portraitiste, que je cherchai vainement un défaut dans l'ensemble de cette charmante personne. Elle était à la fois belle et jolie ; car la régularité de ses traits ne lui enlevait point ce qu'on appelle la physionomie. Son sourire, son regard, avaient quelque chose de ravissant, et sa taille, ses bras, ses épaules, étaient admirables [104].

Le destin de Thérésa est romanesque. Arrêtée et emprisonnée à Bordeaux, elle a séduit le montagnard Tallien, chargé d'organiser la répression, et a échappé ainsi au sort des suspects. Grâce à l'empire exercé sur son époux, Mme Tallien a sauvé de nombreuses vies : celle de la marquise de La Tour du Pin [105], de Pulchérie, fille de Mme de Genlis, de Mme de Valence [106]. Louise Élisabeth sait-elle que son propre domestique Joseph, entré au service de Mme Tallien, a intercédé auprès d'elle en faveur du comte de Paroy, son voisin de la rue de Cléry et cousin du comte de Vaudreuil ? Thérésa lui a épargné la guillotine [107]. Les infortunés prisonniers la nommaient « Notre Dame de Bon Secours ».

En 1802, Thérésa vient de divorcer de Tallien et s'est liée au financier Ouvrard. Elle fait à Hubert Robert et Louise Élisabeth les honneurs de ses appartements de la rue de Babylone. Moins vastes que ceux de Mme Récamier, ils sont luxueusement meublés. Un extravagant bec de pélican doré soutient une tente, qui couvre le lit d'ébène, orné de bronze doré [108]. Louise Élisabeth trouve à Thérésa « un excellent cœur ». Pour elle, c'est la qualité fondamentale, elle ne feint pas, comme d'autres contemporaines, d'être choquée par la liberté de mœurs de l'ex-Mme Tallien. Une complicité se tisse entre l'excentrique jeune femme et l'artiste. Lorsque Thérésa sera devenue princesse de Chimay, elles se reverront encore. Toutefois, ni Mme Tallien ni Mme Récamier ne demanderont leur portrait à Mme Le Brun. C'est le peintre Gérard qui recueille leur suffrage.

Une soirée d'adieu

Depuis la fin de l'année 1802, sa décision est prise. Dans une lettre à la princesse Radziwill, l'artiste annonce qu'elle prévoit un séjour de deux années en Angleterre [109]. Les préparatifs s'accélèrent, tandis qu'elle attend encore des nouvelles de Julie, qui laisse espérer son retour à Paris au printemps. Mme Le Brun veut terminer sa saison parisienne sur un coup d'éclat. Au printemps elle a l'idée de donner une fête dont ses amis pourraient se souvenir [110].

Dans la galerie à colonnades aux murs garnis de tapisseries, elle fait monter un théâtre. Les gradins peuvent accueillir presque deux cents personnes. Avec une vanité d'actrice de la vie mondaine, Mme Le Brun est fière d'affirmer que « tout ce qu'il y avait alors de personnes marquantes était au nombre des spectateurs ». Le poète Delille, très âgé, arrive en retard, mais son amie lui a gardé une place de choix, dans un fauteuil au premier rang.

Dès huit heures du soir le rideau se lève sur une comédie d'Étienne intitulée L'Entrevue [111], en un acte. Pourquoi avoir choisi cette pièce dans le répertoire de son frère ? C'est l'histoire d'un époux qui, séparé de sa femme depuis trois ans, parvient à la reconquérir : une comédie du remariage. Est-ce un signe de réconciliation au moment du départ ? Malgré leur divorce, Louise Élisabeth vient d'aider Jean-Baptiste Pierre en lui prêtant cinquante-huit mille cinquante-six francs en espèces et sans intérêts. Une somme destinée à éponger d'anciennes dettes [112].

Cette pochade est suivie de la pièce de Lesage, *Crispin rival de son maître*. On joue aussi « la jolie bluette de Florian, *Les Deux Billets* [113] ». On applaudit Auguste Rivière, de retour à Paris, dans le rôle de Crispin. Mme de Bawr tient l'emploi de la soubrette, qui était celui de Louise Élisabeth, si spirituelle dans sa jeunesse. Étienne et Suzette sont moins appréciés. Selon Reichardt, ils déclament plus qu'ils ne parlent. Comme toujours, Étienne plastronne : on parle de lui pour la succession de La Harpe à la chaire de littérature de *L'Athénée* [114].

Après la représentation, comme la nouvelle mode l'exige, on donne un bal. Fortunée Hamelin, l'une des « Merveilleuses » les plus en vue, célèbre pour sa silhouette gracile et son accent créole, tourbillonne au milieu du salon. Elizaveta Alexandrovna Demidova [115], que Louise Élisabeth avait portraiturée enfant à Moscou, exécute à merveille cette valse russe, si vive qu'elle étourdit. Là encore on admire les danseuses au point de monter sur les banquettes pour les voir. Louise Élisabeth, qui n'aime pas valser, laisse la vedette aux jeunes femmes. La fête est parfaitement réussie.

On dit à mi-voix qu'il s'agit d'une soirée d'adieu. L'arrivée de Julie Nigris semble différée, aussi la portraitiste a-t-elle décidé de partir sans plus tarder. Le 15 avril 1803, palettes et brosses sont dans les vaches, Mme Le Brun part à la conquête d'un territoire dont elle rêve depuis longtemps, celui où l'un des peintres qu'elle admire le plus, l'illustre Van Dyck, a gagné notoriété et richesses. Van Dyck, à qui l'on reprochait de moins travailler ses tableaux, avait acquiescé un jour en disant : « J'en sais la différence et je n'en suis pas étonné ; mais sachez qu'autrefois j'ai travaillé pour ma réputation et qu'aujourd'hui je travaille pour ma fortune [116]. » À ce moment de sa vie les dispositions de Louise Élisabeth ne sont pas éloignées de celles de Van Dyck.

43

LES ANNÉES ANGLAISES

« Vous vous amusez comme nous nous ennuierions [1]. »

De Douvres à Londres

Pour la première fois de sa vie Mme Le Brun envisage une traversée maritime. Jamais elle n'est montée à bord d'un véritable navire. Par beau temps, la traversée de Calais à Douvres ne dure que deux heures. En cas d'intempéries, elle peut se prolonger jusqu'à trente-six heures. Les bateaux, de petits bâtiments la plupart du temps, sont réputés pour leur incommodité [2]. Les cabines, exiguës au point qu'on ne peut pas s'y tenir debout, contiennent une ou deux rangées de lits tiroirs. Malgré les récents accords de la paix d'Amiens, rien n'a été organisé pour améliorer le confort des voyageurs entre les deux rives de la Manche. La voyageuse ne part pas seule. Une nouvelle personne est entrée dans sa vie : Marie Landré [3], surnommée Adélaïde, engagée comme dame de compagnie. Comme la portraitiste ne parle pas un mot d'anglais, elle emmène également une femme de chambre bilingue et un domestique.

Louise Élisabeth a le pied marin. La traversée s'effectue sans le moindre malaise, et elle arrive fraîche et dispose. Une foule de curieux se presse à l'accostage du bateau à Douvres. L'animation du port est d'autant plus saisissante que la voyageuse ne comprend pas un mot de ce qui se dit autour d'elle. La voiture alourdie de bagages s'engage sur la route de Londres, réputée fort dangereuse : des bandes organisées dépouillent les voyageurs et les commerçants porteurs d'argent frais ou de marchandises. Bien que les voleurs anglais aient la réputation de se comporter en *gentlemen*, Mme Le Brun a des raisons objectives de s'inquiéter. Comme toujours, elle trouve un compromis entre sa propre angoisse et son désir d'aller de l'avant : la crainte la fait rarement renoncer à un projet. Quelques miles plus loin, un incident donne réalité à son fantasme. Au loin, dans le brouillard du matin, on aperçoit un couple de cavaliers qui s'approche à vive allure. Ils se séparent pour chevaucher de chaque côté de la voiture. Louise Élisabeth, tremblante, se félicite d'avoir caché ses diamants dans ses bas. Les cavaliers dépassent la berline. Est-ce une embuscade ? Ils disparaissent dans un nuage de poussière. Pourchassent-ils une autre proie ? Fausse alerte, se dit-elle. Le séjour anglais ne commence pas si mal.

Enfin, on entre dans Londres. En déchiffrant sur les plaques le nom des rues, *Baker Street, Bond Street*, la portraitiste croit qu'elles portent toutes le même nom : ...Street [4]. « En voilà une qui ne finit pas ! » s'exclame-t-elle. Riant encore de sa méprise, elle s'installe dans un hôtel situé Leicester Square, où elle a réservé un appartement pour quelques jours. Le peintre Joshua Reynolds avait habité sur cette élégante place [5]. Avec les cachets qu'il avait gagnés, il avait fait édifier une galerie, et son atelier était un rendez-vous prisé : l'acteur Garrick, le philosophe Edmund Burke, le poète Thomas Percy s'y retrouvaient.

L'hôtel Brunet, tenu par une famille française, est aussi fréquenté par des artistes. Mme Le Brun se trouve rapidement en terre familière : la voilà nez à nez avec François Parseval-Grandmaison [6]. Elle a bien connu à Paris cet ancien élève de Suvée, traducteur d'Homère et de Virgile et qui a fait la campagne d'Égypte. Voilà un voisinage qui pourrait s'annoncer plaisant. Mais Parseval de Grandmaison a des prétentions de poète. Les muses le visitent en pleine nuit et il compose ses vers en déclamant à tue-tête. Les parois des chambres sont minces et le sommeil de sa voisine en est troublé. Mme Le Brun ne tarde donc pas à s'enquérir d'un logement moins bruyant, où elle pourra travailler en paix.

Un inconnu lui offre ses services. Ce mystérieux personnage est envoyé par le comte de Vaudreuil, dont il est l'homme d'affaires. Originaire des îles comme lui, le colonel Venault de Charmilly appartient à une famille de planteurs de la Jamaïque et milite secrètement dans les rangs de la contre-Révolution. Charmilly, qui a épousé une Anglaise, est bilingue et se propose d'assister Mme Le Brun dans ses recherches.

Au 61 Baker Street (elle prononce Beck-Street), la portraitiste trouve un appartement suffisamment vaste pour abriter son atelier [7]. Elle n'y restera que le temps d'y recevoir ses premières visites. Contrairement aux apparences, en effet, ce beau logement n'est pas une aubaine, car il jouxte la caserne de la garde royale. Clairons, fanfares et hennissements de chevaux chassent la voyageuse qui va s'établir Portman Square. Là, elle s'installe dans une demeure précédemment occupée par un ambassadeur indien. Si ce n'était la proximité d'un énorme oiseau domestiqué par une voisine, le logis lui conviendrait. Les cris du volatile la terrorisent et bientôt ses propres phobies prennent le dessus. Elle apprend que le diplomate a fait enterrer dans la cave de la maison deux de ses serviteurs. C'est plus qu'elle n'en peut supporter. Comme elle avait fui à l'auberge de Novgorod le voisinage d'un mort, elle quitte précipitamment Portman Square.

Elle se réfugie alors Madox Street dans un nouvel appartement « garni ». Bien que l'humidité des lieux empêche la peinture de sécher, elle décide de s'y fixer. En faisant quelques excursions, elle compte rendre supportable sa résidence dans cet appartement malcommode.

Mme Le Brun a prévu un séjour en Angleterre d'une durée suffisante à la constitution d'une clientèle. Elle a annoncé à ses amis une absence d'environ deux années. Mais sa coquetterie d'artiste lui fait corriger le calendrier. Dans ses mémoires, elle affirmera n'avoir prévu qu'un déplacement de trois mois [8]. Avoir prolongé son séjour à la prière d'une clientèle intéressée est plus flatteur que d'avouer sa propre demande. C'est signe que les choses pour elle ont changé. Elle se situe avant tout dans une démarche commerciale et applique la méthode qu'elle s'est forgée afin de s'acclimater au plus vite : s'approprier l'espace et activer ses contacts.

Premières vues sur la ville de Londres

Au tout début du XIXe siècle, Londres est pour un Français une ville étonnante et moderne. Alors que les rues de Paris sont étroites et tortueuses – le baron Haussmann n'a pas encore harmonisé le plan de la ville – les quartiers élégants de Londres surprennent par la régularité de rues larges qui semblent tirées au cordeau. Tandis qu'à Paris, le piéton est condamné à patauger dans la boue ou à glisser sur des pavés disjoints, à Londres les trottoirs sont recouverts de dalles de pierre plate. Les croisements sont pourvus de passages carrelés comme les trottoirs. Ces passages sont entretenus et balayés afin d'éviter les glissades [9].

Dans les quartiers élégants de l'ouest, ceux où déambule Louise Élisabeth, presque toutes les maisons paraissent construites sur le même plan. Elles n'ont pas plus de trois fenêtres de façade. Un fossé étroit éclaire un étage demi-souterrain où sont installés cuisines et offices. Un escalier de service relie cet étage avec le dehors. Des grilles de fer « de la hauteur d'un homme » protègent les accès des intrusions. La sobriété de ces demeures est frappante. Aucune décoration extérieure ni appui de croisée en fer ouvragé comme à Paris. La porte est ornée de colonnes de bois plâtré peintes en blanc, surmontées d'un lourd fronton néoclassique [10]. Des places carrées plantées d'arbres rompent l'alignement des rues. Mais ces *squares* entourés de grilles ne sont pas ouverts au public, seuls les propriétaires des maisons voisines en ont les clefs. Ces jardins servent à la promenade et aux jeux des enfants [11].

Du dehors, la promeneuse devine que la disposition intérieure est identique d'une maison à l'autre avec une salle à manger en façade, au premier étage un salon et les chambres à coucher des maîtres de maison au second étage. Avant de pénétrer l'intimité de ces demeures, il faudra au peintre quelques semaines. En attendant d'être reçue, elle explore les collections publiques. À sa déception, le Museum, récemment fondé, est peu riche en peinture : il abrite une collection de minéraux et d'oiseaux provenant des explorations du capitaine Cook [12]. Ce n'est pas là que le peintre pourra voir les portraits de Van Dyck, qu'elle admire, ni les tableaux de Reynolds dont elle aime le coloris. Les collections privées sont les plus riches et les plus secrètes.

Comme les touristes ordinaires, Mme Le Brun se rabat sur les monuments. La cathédrale Saint-Paul, la Tour de Londres et sa collection d'armures l'ennuient un peu, mais l'abbaye de Westminster est un de ses lieux de prédilection : sur les épitaphes des rois et des reines, elle apprend l'histoire de l'Angleterre. La tombe de la malheureuse reine de France et d'Écosse qui fut exécutée, Marie Stuart, la touche, elle qui se souvient mélancoliquement de sa reine. Une halte devant la sépulture des poètes Milton, Shakespeare, Pope, l'incite à réfléchir à la fragilité des gloires terrestres. Le somptueux tombeau de Chatterton, mort dans la misère, l'émeut profondément. « L'argent employé à lui rendre cet honneur posthume aurait suffi, de son vivant, pour lui procurer une douce existence [13] », se dit-elle. Cette méditation éclaire l'angoisse qui incite Louise Élisabeth à travailler si fort afin d'assurer sa sécurité matérielle.

Pour se délasser lors de ces journées de visite, rien de plus facile que de se restaurer à Londres. Vers une ou deux heures, Mme Le Brun et Adélaïde peuvent prendre un léger repas que les Anglais appellent *lounge*, dans une *eating shop* dont l'étalage est garni de pâtisseries aux raisins de Corinthe [14]. Les promeneuses font halte dans l'une ou l'autre de ces boutiques situées aux environs de Saint-James ou dans la rue la plus à la mode, Bond Street. L'art de l'étalage y atteint des sommets. Chapeaux, lainages, boîtes de friandises, papiers précieux, tout y est mis en valeur. Les commerçants trouvent ainsi le moyen de donner à leurs marchandises un attrait supérieur à leur qualité. Dans plus de dix mille boutiques, affirme le duc de Lévis qui a le sens de l'hyperbole, on parle le français. Est-ce à dire que les Français sont de bons clients ?

Puisque le dimanche les boutiques sont fermées, Mme Le Brun et Adélaïde consacrent leur journée à des promenades dans Londres. S'imaginant retrouver les plaisirs de Longchamp ou des Champs-Élysées, Louise Élisabeth est désappointée. À Hyde Park, les jeunes Anglaises, uniformément vêtues de blanc, se promènent en silence. Les jeunes gens restent en groupe. Pas de conversation joyeuse, ni d'échanges de propos spirituels qui doublent les plaisirs de la promenade. L'hiver, la rivière Serpentine gelée se transforme en patinoire. L'été, si l'on sort de la ville en calèche, des *tea gardens* offrent des rafraîchissements. On y joue à la boule sur les *bowling-green* [15]. Aux yeux de l'artiste, Londres apparaît comme une ville qui ne livre pas spontanément ses mystères.

Les portraitistes à Londres

Bien que le défunt Reynolds ait admiré, dit-elle, son portrait de Calonne et que sa notoriété la précède, Mme Le Brun n'arrive pas en terrain conquis. La famille régnante de Hanovre n'a qu'un faible intérêt pour la peinture, et *a fortiori* pour la peinture de portraits. Reynolds, qui ne manquait pas d'ironie, affirmait que la charge de portraitiste royal ne saurait rivaliser en profit ni en dignité avec celle de *chasseur de rat* de Sa Majesté [16]. En effet, en Angleterre plus encore qu'en France, seuls les peintres d'histoire sont considérés comme pratiquant un « art libéral », en raison de la noblesse de leurs sujets. C'est du moins l'avis de *connaisseurs*, tel Lord Chesterfield [17].

La portraiture est cependant une pratique lucrative à Londres, et la concurrence entre les ateliers est rude. Au milieu du XVIIIe siècle, on y compte près de huit cents portraitistes. Il s'agit d'un artisanat de masse. Le prix d'une œuvre est calculé selon la dimension : une tête, un buste, sans intégrer des éléments de virtuosité technique, telles les mains, comme cela se faisait en France. Autre détail : le client règle la moitié du prix à la commande et l'autre moitié à la remise du tableau.

Chez ses confrères anglais, Louise Élisabeth remarque une quantité importante de portraits inachevés. Le masque est réalisé en quelques séances, le peintre empoche le gain et le client attend. Pour plus de rentabilité, dans les ateliers bénéficiant d'une forte clientèle, le maître exécute le visage et le reste est terminé par les assistants. Reynolds, dont la production était considérable, avait eu un assistant, Marchi, qui préparait sa palette [18]. Le maître se faisait également aider par Peter Toms, habile peintre de draperies. Parfois même, ces drapés, auxquels Mme Le Brun attache tant d'importance, sont peints dans des ateliers spécialisés indépendants. Ceux-ci sont rétribués à l'année par le maître, ce qui est plus économique que d'engager un assistant spécialisé.

Les portraitistes à la mode disposent d'un salon d'attente décoré de portraits où patientent leurs modèles, qui peuvent ainsi choisir parmi divers échantillons d'attitudes. Reynolds critiquait l'usage de ces séries de formules appliquées, sans réflexion ni étude de caractère, au tout-venant [19]. Même les plus grands artistes ne parviennent pas à échapper à cette routine de la productivité. Peu de temps encore avant l'arrivée de Louise Élisabeth, Sir Thomas Lawrence se plaignait de se sentir mal à l'aise et harassé par *this dry mill-house business* [20] (cette sèche besogne de meunier). Thomas Gainsborough avouait que la voie du portrait était avant tout une façon de se mettre de l'argent dans les poches. George Romney se plaignait d'être contraint à cette « this cursed portrait-painting [21] ». Le marché du portrait n'est pas pour autant facile à conquérir, y compris pour un peintre de renom, car la clientèle est volatile : un peintre à la mode un jour peut être boudé le lendemain. Le grand Reynolds lui-même eut à subir par deux fois les infidélités de sa clientèle. Délaissé une première fois pour Romney vers 1775, puis pour John Opie quelques années plus tard, il parvint chaque fois à reconquérir sa place.

Comment pénétrer les sphères de la clientèle fortunée ? Certains artistes ont la chance d'être protégés par un mécène qui les lance, d'autres payent un journaliste pour un *gossip* dans un journal connu, rapportant qu'ils ont commencé le portrait d'une personnalité en vue. Ces potins n'ont pas besoin d'être véridiques pour être colportés.

Louise Élisabeth Le Brun ne peut user d'aucun de ces moyens. Mis à part quelques commis engagés sur place pour nettoyer ses brosses, elle travaille seule, n'a pas de patron sur place, pratique des prix nettement plus élevés que la moyenne des peintres anglais. De plus sa réputation en Angleterre date déjà d'une vingtaine d'années, de l'époque où elle a réalisé les portraits de la reine et celui de Calonne. Dès son arrivée, elle confie ses inquiétudes au banquier Perregaux dans une lettre :

> Les circonstances actuelles resserrent les bourses ici et le climat ne me plaît pas assez pour rester longtemps, ce qui fait que je ne pourrais que m'indemniser des frais qui sont considérables à Londres surtout pour un étranger. C'est tout ce que je pourrais faire sans aucun gain [22].

Mme Le Brun commence par rendre visite à Benjamin West, qu'elle a vu l'année précédente à Paris. West bénéficie du prestige et du pouvoir des peintres d'histoire, et son intervention en tant que président de la Royal Academy lui est nécessaire. En effet, comme tous les objets importés, les œuvres d'art sont soumises à des taxes. Puisqu'elle exerce son art en Angleterre, les œuvres de Mme Le Brun ne peuvent y échapper : elle demande à être exonérée pour les tableaux qu'elle apporte avec elle. West intervient personnellement auprès du Trésor [23].

Le bruit de ses tarifs court déjà dans la ville. On rapporte à Farington que la Française exige deux cents guinées pour un portrait aux trois quarts et cinq cents pour un portrait en pied [24]. Vingt ans auparavant

Reynolds demandait cinquante guinées pour un buste, deux cents pour un portrait en pied, et jusqu'à sept cents guinées pour un portrait de groupe [25]. Avec assurance, la portraitiste calque ses prix sur celui des plus grands.

Si elle rend des visites, elle reçoit également des hommes de métier. John Opie, portraitiste à la mode, ami de Farington, vient la voir dès juin 1803. Deux mois après son arrivée, elle a réalisé le portrait de la duchesse de Dorset, dont elle a reçu commande. L'avis d'Opie est nuancé. Si la tête est « jolie et bien placée sur les épaules », il émet une réserve sur la « correction », cependant il est ébloui par le rendu des objets, du velours et des dentelles. Selon lui, ces tableaux sont peints dans la manière française actuelle, mais « meilleurs que tout ce qu'il a vu à Paris ». Malgré tout, le portrait ne lui fait pas éprouver « de plaisir intense » et il ne l'accrocherait pas au mur chez lui [26], ajoute-t-il avec condescendance.

Parmi les Londoniens qui frappent à la porte de l'artiste figure le fameux Charles James Fox [27], troisième fils de Lord Holland. Fox possède une galerie à Holland House, décorée de tableaux des plus grands maîtres rassemblés par Henry Fox, son père : huit portraits de Reynolds, quatre de Ramsay et trois d'Hogarth [28]. Charles James Fox a été représenté par Reynolds en 1764 et par Lawrence en 1800. Bien qu'il vienne à plusieurs reprises à Madox Street, c'est, au grand regret de Mme Le Brun, toujours en son absence. Charles James Fox aime le jeu, dit-on, et sa fortune écornée ne lui permet plus de devenir le client de Mme Le Brun.

Campagnes, châteaux et villes d'eaux

En activant le réseau de ses anciennes connaissances, Mme Le Brun obtient rapidement d'avantageuses commandes. L'ancien ambassadeur d'Angleterre à Saint-Pétersbourg, Lord Withworth, l'amant d'Olga Zoubova, le sans-cœur qui a rendu si malheureuse son amie Anna Ivanovna Tolstaïa, a fini par épouser Arabella Diana Sackville, jeune et riche duchesse de Dorset. C'est le portrait de son visage fin et placide qu'Opie a vu en cours de réalisation chez l'artiste. Vêtue d'une robe sombre d'où dépasse une collerette de tulle, la duchesse pose, coiffée d'un béret de velours grenat orné d'une houppette de fourrure frisée. Le fond verdâtre remarquablement travaillé en halo crée un effet de profondeur [29].

L'hiver suivant, Arabella Diana accueille sa portraitiste dans son domaine de Knowles, dont le parc pittoresque offre la possibilité de nombreuses « vues ». En Angleterre, le raffinement de la promenade consiste à se munir d'un miroir teinté, nommé *Claude glass*, par allusion à Claude Gellée dit Le Lorrain. Cette technique utilisée par les paysagistes permet d'observer la nature en la cadrant comme un tableau. Pour les esthètes et les connaisseurs, la vision du paysage réel est comme conditionnée par la possibilité de sa représentation picturale [30]. À Knowles, l'artiste réalise également le portrait de la fille de la froide duchesse. L'ennui d'une maison où l'on n'échange pas un mot à table est tel que Louise Élisabeth ne prolonge pas son séjour.

Par le truchement du compositeur Giovanni Battista Viotti [31], qui avait fréquenté ses soirées musicales dans le Paris de l'Ancien Régime, elle fait connaissance avec l'épouse de William Chinnery, Margaret Tresilian. Son salon de Portman Square est fréquenté par les artistes et l'aristocratie, et Margaret ne tarde pas à l'inviter dans le domaine dont elle a hérité, Gilwell, situé à une douzaine de miles de Londres, dans le comté d'Essex. À Gilwell, un manoir pourvu de colonnades, une chapelle et un petit théâtre de plein air attendent l'artiste. L'hôtesse fait disposer des fleurs sur le perron et jouer un morceau de musique pour célébrer son arrivée.

Comme toujours lorsqu'un lien de sympathie la lie à son modèle, la portraitiste réalise à Gilwell un portrait sensible, qui exprime l'intelligence de Lady Chinnery. Coiffée de boucles « à la Titus » à demi dissimulées par un voile translucide, Margaret Chinnery délaisse un instant sa lecture. Sur un cahier sont recopiés des fragments d'un traité d'éducation de Mme de Genlis, dont elle s'inspire pour l'éducation de ses enfants. Chacun a appris à jouer d'un instrument et est responsable d'un petit jardin. Louise Élisabeth ne tarit pas d'éloges sur ces adolescents. George Robert Chinnery se révèle déjà poète [32] et sa sœur jumelle, Caroline Chinnery, interprète des sonates composées pour elle par Viotti. L'ambiance est créative et musicale à Gilwell. Est-ce là que Viotti dédie à l'artiste une romance sentimentale, intitulée « Dis-moi ce que j'éprouve » et une aria napolitaine [33] ? Louise Élisabeth laisse à Margaret le souvenir du visage de ses enfants [34], et cultivera son amitié longtemps après son retour en France [35].

À la suite de la duchesse de Dorset, Elisabeth Berkeley, margravine d'Anspach [36], souhaite aussi son portrait. La margravine a été représentée par Angelica Kaufmann dans sa jeunesse et Louise Élisabeth relève le défi en acceptant son invitation à Brandenburg House [37] où elle pourra la faire poser à son aise. Elle s'y rend avec quelques réticences, car Elisabeth Berkeley a une réputation de folle originalité. Divorcée de Lord Craven, dont elle a eu une ribambelle d'enfants, elle a voyagé et rencontré le margrave d'Anspach qu'elle a séduit. Pour vivre avec elle, ce dernier a négocié la vente de ses principautés au roi de Prusse et est venu s'installer en Angleterre.

La margravine se partage entre les travaux des champs et ceux de la plume. D'une main elle pousse la charrue, de l'autre elle rédige un récit de son *Voyage à Constantinople*. Ce premier séjour chez cette femme peu conventionnelle se révèle agréable. Intéressée par cette personnalité hors du commun, l'artiste accepte une seconde invitation l'été suivant à Benham, autre propriété de la margravine. L'hôtesse y compose des pièces de théâtre pour ses invités. On fait de la musique, on organise des excursions en mer. Une croisière jusqu'à l'île de Wight donne à Louise Élisabeth des rêves de vie insulaire et tranquille. Enchantée, elle prolonge de trois semaines son séjour à Benham et, comme à son habitude, réalise le portrait du fils de son hôtesse, mentionné dans sa liste sous le nom de M. Keppel. Toutefois, l'excentrique Elisabeth Craven avoue dans ses mémoires qu'elle n'est pas satisfaite de son effigie par Mme Le Brun, pas plus qu'elle ne l'avait été de celle exécutée par Romney [38].

L'été est la saison privilégiée des villégiatures campagnardes lorsque la capitale est désertée, mais Mme Le Brun fuit également l'hiver les brumes épaisses de Londres : elle se rend à Bath, ville d'eau à la mode. Rendue célèbre aujourd'hui par les romans de Jane Austen, qui a arpenté les allées de la station au même moment que la portraitiste, Bath est un rendez-vous *fashionable* où l'aristocratie prend le prétexte des bains chauds pour montrer ses toilettes.

L'architecture de la ville est harmonieuse, rythmée de rotondes magnifiques. Elle songe à son ami Ménageot, dont le goût néoclassique serait enchanté par le plan de la ville. « Le coup d'œil est vraiment magique, théâtral ; je croyais rêver [39] », écrit Louise Élisabeth. Cependant, en février 1804, le séjour thermal lui laisse une impression mitigée. La société qu'on rencontre est dénuée d'intérêt. Les gens qui pensent être à la mode se rendent, comme à Londres, à des *routs*, suivis de dîners où l'on est bousculé sans égards. La grossièreté des pecques provinciales dépasse les bornes. Un jour elle se rend avec Mme de Beaurepaire [40] à un concert de la harpiste Mme Krumpholz. Mme de Beaurepaire est jolie femme et romancière, Louise Élisabeth est une artiste en vue. Aucune de ces Anglaises « à la morgue gothique » ne leur adresse la parole. Pour comble, la saison est pluvieuse. Ce n'est pas son séjour à Turnbridge Wells [41] qui réconcilie l'artiste avec les villégiatures thermales. Si la station est « pittoresque », l'ennui est encore au rendez-vous dans les soirées. Lorsque chaque jour l'hymne *God save the King* ouvre ou clôt les réunions, Louise Élisabeth plonge dans la mélancolie en songeant aux souverains de France.

Il est finalement plus agréable d'être reçue dans les domaines de la noblesse anglaise que d'être livrée à soi-même dans les stations. Aussi la voyageuse accepte-t-elle quelques autres invitations. Contrairement à l'aristocratie française d'Ancien Régime, la noblesse anglaise considère que son véritable lieu de résidence est son domaine. Le contraste entre la sobriété des intérieurs londoniens et le luxe des ameublements campagnards est saisissant. Les appartements londoniens sont en général austères : manteaux de cheminée de bois, sans vases, ni candélabres, meubles d'acajou verni. Aucune tenture murale dans les salons, mais de fades peintures à fresque [42]. À l'opposé, les résidences de campagne contiennent des objets rares et des bibliothèques. Les collections de peinture et de gravure constituées durant le Grand Tour y sont conservées. Des pièces précieuses provenant de la vente des cabinets français durant la Révolution y ont fait leur entrée.

Le château médiéval de Warwick, situé à plusieurs heures de route au nord-ouest de Londres, est un exemple de ces trésors provinciaux. Ses collections ne sont ouvertes aux voyageurs que sur demande. Mme Le Brun souhaiterait faire la visite *incognito*, mais le lord tient à connaître l'identité de tous ceux qui pénètrent sur son domaine. Quelle satisfaction pour l'artiste de constater que les portes s'ouvrent au bruit de son nom. Le propriétaire des lieux, Lord Warwick, est apparenté à Lord Hamilton, que l'artiste a connu à Naples. Il lui fait en personne les honneurs de la demeure. Le château est à la hauteur de sa réputation : les appartements sont ornés de tableaux de Van Dyck, Rubens, Vélasquez. Des boiseries rares recouvrent les murs dans la « chambre de cèdre ». On retient l'artiste à déjeuner. Sans doute Lord Warwick et son épouse, comme bien des membres de l'aristocratie anglaise, s'expriment-il en français, car Mme Le Brun ne possède toujours que quelques mots d'usage en anglais.

Dans le Leicestershire se trouve une autre propriété où l'artiste est invitée pour un long séjour : c'est le domaine de Donnington. Francis Randon Hastings [43], comte de Moira, est le maître des lieux. Malgré la richesse des collections de gravures du comte et l'intérêt de sa galerie de peintures, un ennui mortel règne au château. Là encore, l'artiste est stupéfaite des mœurs de l'aristocratie anglaise. Point de conversation à table. Les ladies s'éclipsent au dessert et se réfugient au salon où elles brodent, le nez sur leur ouvrage, tandis que les gentlemen, encore à table, parlent affaires ou politique. Plus tard dans la soirée, les hommes, installés au salon, lisent en silence, les femmes reprennent leur tapisserie. Aucune parole n'est échangée. Ni flâneries dans le parc ni jeux de société. Pour distraire la Française, Lady Charlotte, sœur du comte, lui propose de navrantes promenades en carriole découverte, qu'il pleuve ou qu'il vente.

Seule bouffée d'air dans cette asphyxie totale, un convive imprévu, le jeune duc de Berry, venu chasser sur les terres des Hastings, partage le déjeuner des hôtes de Donnington à plusieurs reprises.

Un autre séjour à la campagne vient éclairer cette monotonie. À Stowe, chez la marquise de Buckingham[44], une société d'émigrés s'est constituée. Le duc de Sérent[45], gouverneur des ducs d'Angoulême et de Berry, fils du comte d'Artois, y a longtemps séjourné. Le parc et les collections qui témoignent du raffinement des Buckingham sont restés dans la mémoire de la portraitiste : « Je me souviens surtout, note-t-elle, d'un grand portrait de Van Dyck où je vois encore une main tellement belle et tellement en relief, qu'elle faisait illusion[46]. »

La société anglaise et ses rites compassés ne séduisent pas l'artiste. Cependant, ses convictions royalistes jamais abandonnées, elle éprouve un sentiment de reconnaissance pour ceux qui ont donné un ultime asile à la famille royale partout indésirable en Europe.

La société des émigrés

Apprenant le départ de Mme Le Brun pour l'Angleterre, Bonaparte aurait fait ce commentaire : « Madame Le Brun est allée voir ses amis[47]. » Le général, dont elle a boudé la société, a mis le doigt sur le motif qui a emporté la décision de l'artiste. Or Calonne était mort en 1802. À qui le Premier consul pouvait-il penser si ce n'est au comte de Vaudreuil ? En 1799, en compagnie de sa jeune épouse, le comte a quitté Édimbourg pour Londres. Fidèle au poste près d'Artois, il partage son temps entre Twickenham et Londres.

Louise Élisabeth et Vaudreuil ne se sont pas revus depuis une huitaine d'années, depuis l'été 1795 à Vienne, mais ils se sont donné des nouvelles, directement lorsque les lettres leur parvenaient, indirectement par leurs amis[48]. Vaudreuil n'est plus que le reflet de l'homme qu'elle a aimé. « Bien changé, bien maigri », dit-elle. Il n'a que soixante-trois ans mais il paraît accablé par les épreuves. La portraitiste est toujours svelte et agréable à regarder, mais rivaliser avec la comtesse de Vaudreuil ne lui viendrait pas à l'esprit : « Madame la comtesse de Vaudreuil [...] avait de fort beaux yeux bleus, un visage charmant et de la plus grande fraîcheur[49]. » Joséphine de Vaudreuil a trente-quatre ans de moins que son époux et, malgré les rumeurs qui lui font une réputation de légèreté, le couple paraît uni. Une mémorialiste à la plume acérée, Mme de Boigne, note que la « conduite peu mesurée [de Victoire] aurait pu épuiser sa patience, [si le comte] s'en était aperçu[50] ». Sans malice, Louise Élisabeth présente Charles Louis et Victor Louis de Vaudreuil, dont elle fait le portrait, comme « ses » fils et non leurs fils. Les Vaudreuil voudraient traverser la Manche et ont présenté une demande d'amnistie au Premier consul. Victoire plaide elle-même la cause de son époux, qui n'a, dit-elle, rien entrepris contre sa patrie [51]. La réponse est un refus.

Non loin de la campagne des Vaudreuil se sont installés, à Crown Road, les Orléans. Les trois fils du cousin de Louis XVI [52], Philippe Égalité, habitent une demeure nommée Highshot House. Depuis que le duc Louis-Philippe d'Orléans, de retour des États-Unis d'Amérique, a fait acte d'allégeance au comte de Provence, futur Louis XVIII, les relations entre les deux branches des Bourbons se sont apaisées. C'est le comte de Vaudreuil qui introduit Louise Élisabeth chez les Orléans.

L'ancien élève de Mme de Genlis lui paraît avoir le goût de l'étude. Cependant, le récit de la présentation de l'artiste mérite d'être replacé dans le contexte de la publication des *Souvenirs*. En 1835-1837, dates de la première édition de ses mémoires, Louis-Philippe règne. Toute réserve à son encontre serait malvenue. L'artiste se sent plus d'affinités avec son frère cadet, le duc de Montpensier. À vingt-huit ans, celui-ci aime peindre le paysage et entraîne Mme Le Brun vers les points de vue qu'il a découverts : la terrasse de Richmond, la prairie où composait Milton. Tous deux sortent palette et carnet de croquis. La gentillesse de ce jeune duc, tôt disparu, fait la conquête de l'artiste. Il est vrai que la portraitiste a une facilité de contact avec les jeunes gens, comme avec des fils qu'elle n'a pas eus. Son aura les attire, et elle apprécie leur énergie juvénile. Le second fils d'Artois, Berry, âgé de vingt-cinq ans, lui rend aussi visite. Avec fierté, il exhibe les tableaux qu'il a chinés. Ses choix sont à la portée de sa bourse, mais prouvent le flair du connaisseur : des œuvrettes des frères hollandais Wouwerman [53] *dans leur jus*, presque méconnaissables sous la saleté.

À Londres, certains salons sont des lieux de rendez-vous *ultra*. Chez Lady Spencer [54], Mme Le Brun retrouve le comte d'Artois, qui en raison de la maladie de Mme de Polastron, sa compagne, vit retiré. Elle revoit les familiers des frères de Louis XVI : le duc de Rivière, qui avait fréquenté les soupers du roi de Pologne, le baron de Roll, membre du conseil des Princes, le comte de Mesnard [55], proche du duc de Berry. Rien d'étonnant à ce que Bonaparte, bien informé, considère l'artiste avec méfiance.

Louise Élisabeth se plaît à réunir ce cercle dans son appartement londonien. Les ducs de Berry [56] et de Bourbon ont entendu parler de Lady Hamilton sans l'avoir vue se produire. Une soirée, dont l'apothéose sera une représentation des poses de Lady Hamilton, est organisée à leur demande. L'assistance n'est composée que d'émigrés français. Les attitudes de la scandaleuse amante de l'amiral Nelson ont été popularisées par les tableaux de Romney et les gravures de Rehberg [57]. Emma, maintenant âgée de quarante-deux ans, ressemble à une « Andromaque engraissée » avec ses cheveux coiffés « à la Titus », mais son teint a toujours la même luminosité, et ses gestes la même sensualité. Elle se place dans un immense cadre éclairé par une rampe de bougies avec Horatia, la fille qu'elle a eue de Nelson.

> [Lady Hamilton] avait amené avec elle une jeune fille qui pouvait avoir sept ou huit ans, et qui lui ressemblait beaucoup. Elle la groupait avec elle, et me rappelait ces femmes poursuivies dans l'enlèvement des Sabines du Poussin. Elle passait de la douleur à la joie, de la joie à l'effroi, si bien et avec une telle rapidité que nous en fûmes tous ravis. [58]

La soirée s'achève par un souper. Mme Vigée Le Brun se félicite de n'avoir pas invité sa clientèle aristocratique anglaise, car Lady Hamilton boit d'abondance – et de la bière brune, ce que le duc de Bourbon assis près d'elle lui fait remarquer en cachette. La soirée est un succès.

Plusieurs mois se passeront avant que Louise Élisabeth revoie le duc de Bourbon, dans de dramatiques circonstances : l'assassinat de son fils, le duc d'Enghien. Accusé de conspiration contre l'empereur, Enghien a été exécuté dans les fossés de Vincennes. L'émoi est profond. La communauté française assiste à l'office funèbre et au sermon de l'abbé de Bouvant prononcé le lendemain, tandis que l'aristocratie anglaise offre des témoignages de sympathie à la famille du défunt. Cette histoire sanglante n'aura-t-elle point de fin ? se demande Louise Élisabeth.

L'intimité des amitiés

L'amitié des émigrés est un lien avec un monde de deuil, de difficulté. Un monde douloureusement finissant. Louise Élisabeth évite de se confiner à la fréquentation de cette coterie, pour les nécessités de son métier, mais aussi par désir de s'ouvrir à de nouveaux cercles. À Londres, comme autrefois à Saint-Pétersbourg, elle fait la distinction entre vie mondaine et vie amicale. Sans se laisser absorber dans un tourbillon d'invitations, elle recrée autour d'elle une sphère intime et cultivée, où sont admis des connaisseurs et des artistes. Mme Le Brun se souviendra ainsi de Mrs Anderson, épouse d'un peintre de marine [59] et de Lord Trimleston, peintre et écrivain à ses heures [60].

À ces nouvelles connaissances s'adjoint un ami avec qui elle a passé de délicieux moments dans la datcha Tolstoï, en Russie. Ivan Ivanovitch Bariatinski [61], devenu diplomate, a maintenant trente et un ans. Attaché à la mission russe à Londres, il y vit depuis plusieurs années. Il a épousé la fille de Lord Sherborne. Avec Ivan Ivanovitch, Louise Élisabeth peut évoquer les souvenirs de Pétersbourg, échanger des nouvelles des uns et des autres. L'artiste réalise un nouveau portrait de ce bel homme, au regard profond [62].

Ivan Ivanovitch et ses amis entraînent Louise Élisabeth et Adélaïde dans des excursions. Une visite chez l'astronome Guillaume Herschel l'impressionne en particulier. Herschel [63] vit à Selough, près de Windsor, avec sa sœur qui l'aide à rédiger ses observations. Louise Élisabeth est fascinée par la simplicité aimable de cet étrange couple de savants. Il faut dire que Herschel a fait une carrière peu ordinaire. Il a commencé comme organiste avant de se livrer à l'astronomie. Toujours intéressée par les innovations, Louise Élisabeth observe le ciel grâce au télescope géant qu'il a inventé. Elle distingue des satellites d'Uranus et de Saturne. Enfin, le savant montre à ses hôtes la carte de la Lune qu'il a établie. Ébahie, l'artiste y découvre toute une géographie : montagnes, vallées, rivières. Herschel et sa sœur composent ensemble un catalogue des étoiles. Tout cela fait rêver. La porte est déjà ouverte à un nouveau merveilleux. Une soixantaine d'années plus tard, Jules Verne écrira *De la Terre à la Lune*.

C'est un plaisir immense pour Louise Élisabeth de se retrouver en confiance avec Ivan Ivanovitch. Un incident qui se produit durant son séjour est la preuve de leur amitié. Lors de l'élection du libéral Sir Francis Burdett [64] à la députation, des émeutes éclatent à Londres. L'allégresse populaire se manifeste par des hurlements, des jets de pierres contre les vitres des maisons. Tout cela éveille en elle de douloureux souvenirs, elle a peur de la foule : « [...] j'étais saisie de terreur, dit-elle, croyant qu'une révolution commençait en Angleterre. Je rentrai vite chez moi toute tremblante [65] ». Devinant que son amie risque de plonger dans l'angoisse, Ivan Ivanovitch Bariatinski lui rend visite afin de la tranquilliser.

La vie mondaine à Londres

Il est facile de se gaspiller en mondanités à Londres. Pourtant la vie sociale y est, de l'avis de tous les étrangers et de certains Anglais eux-mêmes, moins détendue, moins souple qu'à Paris. Selon une aristocrate anglaise, Caroline Lennox, à Paris « les gens laissent passer si raisonnablement leur vie en petits riens, dans la facilité et la bonne humeur [66] », alors qu'à Londres, tout est obligation, convenance, ennui.

Malgré ces contraintes, l'artiste se rend à quelques soirées choisies. Les *routs* donnés par Lady Ann, marquise d'Hertford [67], proche du prince de Galles, ont sa préférence. Plusieurs jolies femmes s'assoient sur les fauteuils de Lady Ann : la frivole Lady Louise Elisabeth Araminta Monck [68] et ses deux filles, Louise Elisabeth Araminta et Catherine Anne Arabella. Un connaisseur qui a fait le Grand Tour, Lord Boringdon [69], aime « parler peinture » avec l'artiste.

Les soirées les plus *fashionable* sont celles de la duchesse de Devonshire [70], l'excentrique Georgiana Spencer, qui a épousé William Cavendish. Cette personnalité originale réunit un cercle animé de personnages politiques et d'hommes de lettres. Lorsque l'artiste la rencontre, Georgiana a environ quarante-sept ans et beaucoup d'allure malgré l'infirmité qui dépare son visage aux traits réguliers. Elle a perdu la vision d'un œil et dissimule ce défaut par un artifice de coiffure. Ses manières avenantes, sa vivacité la rendent pétillante. Elle aime furieusement la politique et se mêle de soutenir le parti *whig*. La liberté de parole de Lady Georgiana étonne Mme Le Brun. Lors d'une soirée, elle se permet de réprimander le prince de Galles parce qu'il a oublié une séance de pose chez la portraitiste.

Lorsque lassée des *routs*, la voyageuse veut se divertir, elle a le choix des théâtres. Sur ce plan Londres est en avance sur Paris. La ville dispose de plusieurs belles salles : Covent Garden et surtout Drury Lane, dont la décoration néogothique vient d'être rénovée. Parmi la foule des spectateurs, Louise Élisabeth peut reconnaître la chevelure mousseuse d'une des courtisanes parisiennes les plus célèbres, l'extravagante Rosalie Duthé, accompagnée d'un de ses amants, Sir Robert Lee [71]. Presque ruinée, Rosalie n'a rien perdu de sa bonne humeur.

Si Mme Le Brun a acquis trois mots anglais indispensables, elle ne peut apprécier les nuances des situations théâtrales. Elle assiste cependant à une représentation du *Joueur* d'Iffland. La performance de Sarah Siddons la séduit. Celle-ci est réputée avoir une diction si nette qu'elle est compréhensible par les étrangers. Ses jeux de physionomie, ses silences expressifs plaisent à la portraitiste. L'actrice a été représentée par les plus grands peintres : Gainsborough et Reynolds, qui l'a transformée en *Muse de la tragédie* [72]. Un dimanche matin, Sarah Siddons rend visite à l'atelier de Mme Le Brun, en voisine, au moment où celle-ci loge encore Baker Street [73]. Mais l'actrice ne commande pas son portrait. En dehors de la scène, elle mène une vie retirée et leurs relations en restent là.

Un duo de divas

Avec les cantatrices, Louise Élisabeth a plus de chance. Deux vedettes se partagent les suffrages des passionnés d'opéras à Londres, en 1803 : Elisabeth Billington [74] et Giuseppina Grassini [75].

Giuseppina Grassini, arrivée à Londres un mois avant Mme Le Brun, a remporté un succès mémorable dans le rôle de Didon. Bonaparte, qui avait été séduit par la qualité de son timbre, l'avait invitée à Paris ; mais la scène lyrique parisienne ne lui offrant pas les perspectives attendues, Giuseppina s'est tournée vers Londres. En femme d'affaires, la diva signe un contrat de trois mille livres sterling pour cinq mois [76] au théâtre de Haymarket. De quoi faire réfléchir la portraitiste qui cherche à consolider sa fortune. Avec ces cachets dignes des plus grands potentats, le prix des places à l'Opéra reste élevé, mais le public londonien en a pour son argent. La voix de contralto de celle qu'on nomme la « dixième muse [77] » se voile d'accents pathétiques. C'est la voix que préfère Louise Élisabeth. De plus Giuseppina est une excellente comédienne.

Sa rivale, la soprano Elisabeth Billington, a ses enthousiastes, tel Lord Mount Edgecumbe [78], qui est fou de la sensibilité de son timbre. Cependant, contrairement à sa rivale italienne, son visage semble inexpressif. Pas plus que la Grassini, la Billington n'a à se plaindre de ses cachets. Elle reçoit deux mille livres sterling pour la saison. Mais ses admirateurs se plaignent qu'elle reste inaccessible. La Billington est si « attachée à son mari [...] que personne ne peut s'approcher d'elle [79] », déplore Farington dans son *Journal*.

Dans un premier temps, chacune des *divas* tente d'empiéter sur le domaine de l'autre, l'une portant sa voix vers les aigus, l'autre vers les graves. Le directeur de l'Opéra s'arrache les cheveux. Une circonstance va mettre fin à leur antagonisme. Les cantatrices ont droit à une soirée « à bénéfice », dont la recette leur revient intégralement. Pour sa soirée, Grassini demande à Billington de chanter avec elle dans le duo de *L'Enlèvement de Proserpine*, le 28 avril 1804 [80]. C'est un triomphe, une folie, un délire dans la salle. Les murs tremblent sous les acclamations.

C'est ce mémorable duo qui donne à Louise Élisabeth l'idée d'inviter les deux cantatrices chez elle. Pour dissiper le *spleen* et parce qu'elle aime le chant par-dessus tout, elle organise quelques soirées musicales à Madox Street. Mme Le Brun admire la Grassini, mais ne la connaît pas. Est-ce Viotti qui persuade la « dixième muse » de se produire dans le salon de Mme Le Brun ? Toujours est-il que, lors de la même soirée, trois fabuleux interprètes, Viotti lui-même, Giuseppina Grassini, Elisabeth Billington étourdissent l'assistance. La réussite est absolue. Le prince de Galles exprime son plaisir en une formule que la mémorialiste prendra soin de rapporter : « Je voltige dans toutes les soirées, mais ici je reste [81]. »

En poussant la porte du salon de Louise Élisabeth, ses hôtes anglais sont certains de trouver la liberté d'une conversation à la française associée au plaisir de la découverte musicale. Giuseppina ne tarde pas à s'asseoir devant le chevalet de l'artiste [82]. Deux de ses portraits la représentent *en sultane*, vêtue du costume étoilé de Zaïre, rôle qu'elle tient dans un opéra de Pierre de Winter créé au King's Theatre. Les deux femmes, qui partagent les expériences de leur destinée voyageuse, se rapprochent à l'occasion des séances de pose.

Une stratégie du succès

Divertir le prince de Galles équivaut à consolider sa faveur. D'emblée, Louise Élisabeth a gagné sa sympathie. Le futur George IV n'est-il pas venu en personne lui remettre l'autorisation de rester en Angleterre ? En effet, lors de la rupture de la paix d'Amiens, en mai 1803, les Français sont devenus indésirables. La portraitiste a craint de devoir refaire ses bagages, un mois après son arrivée.

Le prince de Galles a un portraitiste attitré, John Hoppner [83], mais il lui prend fantaisie de demander son portrait à Mme Le Brun. Le prince George aime plaire et collectionne les maîtresses, parmi lesquelles Perdita (Mary Robinson), actrice acclamée à Drury Lane. Malgré un embonpoint déjà marqué, il a encore, selon l'artiste, « un beau visage » et une beauté d'un genre antique. La portraitiste le compare à l'« Apollon du Belvédère [84] ». Cet Apollon empâté de quarante-deux ans pose en uniforme de hussard.

Être portraituré par une femme, et qui plus est une Française spirituelle, enchante ce séducteur. Le prince ne considère pas comme une corvée de venir poser chez Mme Le Brun et, contrairement à ses habitudes, ne rechigne pas sur le nombre élevé des séances, durant l'automne 1803 [85]. Il aime converser en français. On jase, ce qui n'est pas pour déplaire à une artiste de quarante-huit ans :

> Je sus que la reine mère disait que son fils me faisait la cour, et qu'il venait souvent déjeuner chez moi. Elle répétait un mensonge ; car jamais le prince de Galles n'est venu chez moi le matin que pour ses séances [86].

Au milieu des *gossips*, le portrait du prince est achevé : il est représenté de trois quarts dans une attitude martiale, le bras posé sur le pommeau de l'épée. George destine ce tableau à sa vie privée, à son amie Maria Fitz-Herbert [87], une Irlandaise catholique de six ans son aînée qu'il a épousée secrètement. Pour satisfaire à la raison d'État, il a dû se marier avec Caroline de Brunswick et s'éloigner officiellement de Maria. Une fois ses relations avec la reine Caroline détériorées, il est revenu à Maria, sans lui être absolument fidèle. Celle-ci préfère vivre en retrait à Brighton. Comblée d'avoir reçu le portrait du prince, Maria Fitz-Herbert le fait monter sur un cadre roulant afin de le déplacer d'une pièce à l'autre[88]. Louise Élisabeth se félicite secrètement d'avoir marqué un point en plaisant à la maîtresse du prince.

Une mauvaise querelle

Le succès obtenu par le portrait du prince de Galles ne fait pas que des heureux. Même les peintres favorables à leur consœur française commencent à faire la grimace. Farington, qui a admiré la technique de Mme Le Brun à Paris et apprécié sa compagnie, émet un avis mitigé. Le visage n'a pas vraiment d'intérêt, écrit-il en octobre 1804[89]. On en parle en ville. Sir George Beaumont est venu visiter l'atelier de Mme Le Brun, au mois de mai de la même année. Lors d'un dîner chez lui, la conversation roule sur la peinture de la Française. Lord Beaumont lui reproche son manque de naturel. C'est comme si elle était la copie d'une imitation de la nature plus que de la nature réelle, remarque le lord. Comme si elle avait pris modèle sur des « figures de cire[90] » ! Il va même, ce qui est un hommage involontaire, jusqu'à lui reprocher de faire des émules. Ainsi William Beechey tendrait trop vers la manière de Mme Le Brun[91]. Et selon lui, Lawrence est meilleur dessinateur qu'elle[92].

Dans le milieu des peintres les commentaires vont bon train. Quelques côtelettes de mouton, des pommes de terre au beurre et du Brandy délient les langues. Lorsque Farington dîne avec l'ancien assistant de Reynolds, Marchi, non seulement il le questionne sur la palette du maître, les mastics et l'huile de séchage[93], mais il discute de la technique de Mme Le Brun. Sans doute ces jeunes peintres ont-ils observé la façon unique dont l'artiste a travaillé sur les panneaux de chêne et ses glacis, le langage de sa couleur. Parmi les convives, John Hoppner semble avoir pris en grippe la portraitiste. Hoppner, protégé par le prince de Galles, a exécuté des portraits des membres de la famille royale. À quarante-cinq ans, il entend conserver la maîtrise de son terrain. Selon lui, la Française a outrepassé ses droits. Peu disposé à se laisser faire, il passe à l'attaque.

Dès le 24 décembre 1804, lors d'une soirée, il lit à quelques amis les épreuves d'un ouvrage qui paraîtra au début de l'année suivante : un recueil intitulé *Oriental Tales* (Contes orientaux). Benjamin West et Farington assistent à la lecture. La préface des *Oriental Tales* est une violente diatribe contre Louise Élisabeth en particulier et contre l'école française en général. Hoppner s'en prend au peintre et à la femme en des termes offensants. Choqués, Farington et West tentent de l'arrêter[94]. Mais, trop tard, l'assaut est lancé : Hoppner évoque la médiocrité des talents de Louise Élisabeth, leur absence de distinction, son travail laborieux ne visant qu'à masquer son absence de « génie ». Ses draperies semblent sorties de sa « boutique ». Quant au rendu des étoffes, des dentelles, des coussins, des objets, à ses yeux, il est « insipide, faible, commun ». En bref, la Française devrait tout son succès à la puissance des protections dont elle dispose et rien à la qualité de son art.

Par une pirouette, Hoppner se met à couvert des reproches. Son réquisitoire pourrait manquer, avoue-t-il, d'esprit courtois. À elles seules, la vanité provocatrice, l'assurance extrême dont Mme Le Brun aurait fait preuve, l'autoriseraient à s'affranchir de l'obligation de respect due au sexe faible. La polémique enfle.

Quelle est donc la raison véritable d'une telle agressivité ? Une note perfide glissée en bas de page de la préface le révèle : Mme Le Brun ose exiger des cachets trois fois plus élevés que ceux de Reynolds à la fin de sa vie. Et, sans nul doute, bien plus importants que ceux auxquels Hoppner prétendait lui-même. Cette fois-ci Hoppner dit vrai. Les prix de la portraitiste sont élevés. Comme ses amies cantatrices, Grassini ou Catalani, Louise Élisabeth fait payer à sa clientèle son renom international, sans voir où serait le crime si les commanditaires y sont disposés.

L'affaire crée des remous. Plusieurs confrères, outrés par les attaques d'Hoppner, prennent la défense de la portraitiste. Le sculpteur Joseph Nollekens [95] condamne Hoppner. Nollekens affirme avoir « vu une main peinte et dessinée par elle, dont la correction et la vérité étaient supérieures à ce qu'aucun de nos artistes ne pourrait faire [96] » ! Voilà un beau compliment dans la bouche d'un sculpteur, lorsqu'on sait que l'exécution des mains, leur expressivité, est une des choses les plus délicates à réaliser.

Louise Élisabeth ne lit pas l'anglais et n'a pu découvrir par elle-même le pamphlet dirigé contre elle. Jugeant indispensable qu'elle en soit informée, ses amis le lui traduisent. Elle répond alors à Hoppner par une lettre qu'elle fait circuler autour d'elle [97]. Parlant en son propre nom et au nom de la réputation de l'école française mise en cause par Hoppner, elle lui donne une leçon d'histoire de l'art et pointe l'ignorance de son adversaire.

Au-delà de sa dimension polémique, cette lettre livre, entre les lignes, des informations sur le rapport de Louise Élisabeth à son art. À l'accusation de vanité et de présomption, elle répond avec modestie :

> [...] lorsqu'on m'apprit, sans me donner de détails, que vous m'aviez fort maltraitée, je répondis que vous auriez beau dénigrer mes tableaux, tout le mal que vous pourriez en dire serait inférieur à celui que j'en pense. Je ne crois pas qu'aucun artiste se flatte d'avoir atteint la perfection ; et, bien loin d'avoir cette présomption, pour mon compte, il ne m'est jamais arrivé d'être tout à fait contente d'un de mes ouvrages [98].

Ce n'est pas la première fois que Louise Élisabeth évoque son insatisfaction d'artiste [99]. Ce passage entre en résonance avec une confidence des *Souvenirs*, un de ces rares moments où l'on sent qu'elle se parle à elle-même :

> [...] après avoir dévoué ma jeunesse au travail, avec une assiduité assez rare dans une femme, après avoir aimé mon art autant que ma vie, je puis à peine compter quatre ouvrages (portraits compris) dont je sois réellement contente [100].

Ayant trouvé le ton qui lui convient, au lieu de polémiquer avec Hoppner, elle continue sur le même registre :

> La patience, seul mérite dont vous me croyez capable, n'est malheureusement pas une vertu de mon caractère. Seulement, il est vrai de dire que je quitte difficilement mes ouvrages. Je ne les crois jamais assez finis, et, dans la crainte de les laisser trop imparfaits, ma nature me commande longtemps d'y réfléchir, et d'y retoucher encore. [101]

Enfin aux accusations de cupidité, aux commentaires sur les cachets élevés qu'elle demande, elle répond que, contrairement à ses confrères anglais, l'entrée de son atelier a toujours été libre [102] :

> Maintenant, Monsieur, permettez-moi de vous dire que le mot boutique, dont vous vous servez en parlant de mon atelier, est peu digne du langage d'un artiste. Je fais voir mes tableaux sans que l'on soit obligé de payer à ma porte. J'ai même, pour me soustraire à cet usage, indiqué un jour par semaine où je reçois les personnes connues, et celles qu'il leur plaît de me présenter ; je puis donc vous faire observer que le mot boutique est impropre, et que la sévérité ne dispense jamais un homme d'avoir de la politesse.

Puis, la lettre tourne au manifeste. Par un effet de solidarité Mme Le Brun défend ses compatriotes ; elle loue le travail de Simon Vouet, selon elle, un des restaurateurs l'école française. Si elle n'apprécie pas la personnalité de David, elle ne le considère pas moins comme un chef de file. Mais c'est surtout la mémoire de Louis Drouais, mort à l'âge de vingt-cinq ans, « ombre de Raphaël », qu'elle rappelle. Profondément intéressée par la nouvelle école qui inaugure le XIXᵉ siècle en France, Mme Le Brun signale à son contradicteur les nouveaux talents et, sans se tromper, elle cite Gérard, Gros, Girodet, Guérin.

S'il n'atteint pas les dimensions d'une querelle d'école, cet épisode est un tribut à payer à sa réussite commerciale londonienne. En son for intérieur, l'artiste se sent atteinte. À l'époque des premiers Salons, elle était accoutumée au jugement exigeant de la critique, mais les applaudissements, les réceptions dans les académies d'Europe, lui ont fait oublier l'animosité des gens du métier. La grossièreté d'Hoppner remet les choses en perspective. L'insatisfaction qu'elle exprime vis-à-vis de sa propre production l'envahit de plus en plus : elle voudrait n'avoir à peindre que pour son plaisir. Et admirer les jeunes peintres.

« Je trouve bien naturel que le spleen soit né ici »

Dans ce climat peu cordial, l'artiste se console en faisant des excursions au bord de la mer. Elle fuit les odeurs de tourbe en se rendant sur la côte. Elle rêve devant les jeux de lumière. Une vue de Brighton lui parut si étrange qu'elle aurait aimé la représenter : « J'y fus témoin un jour d'un effet très extraordinaire ; ce jour-là, le brouillard était si épais que les vaisseaux éloignés de la côte nous parurent suspendus en l'air [103]. » Son regard n'a rien à envier ici à son contemporain Turner. Louise Élisabeth ne semble pas avoir connu le paysagiste, qui voyage en Europe au moment de son séjour anglais. Cependant, l'attention qu'elle porte aux couleurs et à la lumière sur la côte de Brighton, la description qu'elle en fait, certaines vues saisies plus tard, montrent que sa sensibilité au paysage est bien celle des « effets » du XIXe siècle naissant.

Certes, les brumes anglaises offrent des émotions esthétiques. Elles ne suffisent pas à l'inciter à prolonger un séjour lucratif mais somme toute difficile, car Louise Élisabeth Le Brun a appris la nouvelle de l'arrivée de sa fille en France, depuis plusieurs mois. Son gendre, Gaetano Nigris, est chargé d'une mission à Paris. Inquiète, elle imagine l'arrivée de Julie. Son père ne l'a pas vue depuis quinze ans. Brunette n'avait que neuf ans lorsqu'elle est montée dans la diligence le 6 octobre 1789. Jean-Baptiste Pierre a retrouvé une femme de vingt-quatre ans, au caractère affirmé. Que se disent-ils ? Et avec quels yeux la jeune femme découvre-t-elle ce Paris qu'elle a quitté depuis si longtemps ? se demande Louise Élisabeth. Julie se sent-elle française ? Se sent-elle russe ? La France, dont sa mère et sa gouvernante lui ont parlé, a changé. A-t-elle reconnu l'hôtel de la rue du Gros-Chenet ?

Louise Élisabeth craint non seulement que Jean-Baptiste Pierre ne soit pas en mesure d'exercer une quelconque autorité sur cette jeune femme presque inconnue, mais qu'il l'introduise dans des milieux peu recommandables [104]. Julie est logée à l'hôtel Le Brun, mais sa mère a appris qu'elle va, sans frein, dans le monde. Elle redoute que l'âme versatile de Julie ne trouve dans la nouvelle société parisienne des relations qui ne soient pas à son avantage. Par ses amis, Louise Élisabeth apprend que Julie aurait déjà de « mauvaises fréquentations ». À plusieurs reprises, elle demande à son ami, le banquier Perregaux, à qui elle se confie, de veiller sur sa fille [105]. Régulièrement, elle lui envoie de l'argent par son entremise.

Une nouvelle fois, après avoir honoré ses dernières commandes, Louise Élisabeth plie bagages, prend congé de ses amis. La situation politique en France laisse peu à espérer aux *ultras*. Napoléon s'est proclamé Empereur depuis le 2 décembre 1804.

Louise Élisabeth et Adélaïde s'apprêtent à se diriger vers Douvres. Le nécessaire est vérifié, les vaches refermées. Au moment où le cocher s'apprête à lever son fouet, une voiture arrive en trombe. Les essieux peinent tant elle est chargée. Voilà qu'une élégante femme en descend : c'est Giuseppina Grassini. Négligeant ses répétitions, la diva a décidé d'accompagner son amie à Douvres. Elle sait qu'il faut souvent attendre huit jours au port avant que le bateau puisse quitter la côte, même au printemps. Les chambres de l'auberge de Douvres étant d'un confort spartiate, Giuseppina apporte victuailles et édredons afin de patienter avec Louise Élisabeth jusqu'au moment où le bâtiment pourra partir. Émue par tant d'amitié, la portraitiste se promet de ne jamais oublier le geste de Giuseppina.

Mme Le Brun et Adélaïde n'abordent pas à Calais, mais doivent transiter par la Hollande, en raison de la rupture de la paix d'Amiens. Le bateau arrive à l'aube à Rotterdam et, selon les ordres, les passagers sont consignés à bord jusqu'en début d'après-midi. Le petit groupe est enfin reçu par François de Beauharnais [106], alors préfet de Rotterdam. Aucun traitement de faveur n'est réservé à l'artiste. Le général Oudinot [107] la fait appeler. Elle appréhende cette entrevue destinée à l'interroger sur ses fréquentations anglaises. Voilà qui laisse mal augurer du gouvernement impérial, surveillant ceux qui sont susceptibles de sympathiser avec l'ennemi. Bien qu'Oudinot la reçoive cordialement, comme tout voyageur arrivant de Londres, Mme Le Brun est assignée à résidence pour une semaine.

Par miracle, un habitant de La Haye vient alors à son secours : c'est l'ambassadeur d'Espagne qu'elle a connu à Saint-Pétersbourg [108]. D'autorité, il emmène la portraitiste en excursion afin de la soustraire à l'ennui de la claustration à Rotterdam. Dix jours plus tard, le passeport est accordé et elle peut faire route vers Paris.

44

DE L'ANGLETERRE À LA SUISSE

Retrouvailles

Partagée entre l'appréhension et la joie de revoir sa fille après quatre années de séparation, Louise Élisabeth s'approche à nouveau de la capitale. La distance, l'absence, ont fini par estomper les ressentiments et, enfin, Julie apparaît aux yeux de sa mère « aussi séduisante qu'on peut l'être [1] » par « sa beauté, ses talents, son esprit ».

Nigris, secrétaire du grand chambellan Narychkine [2], a reçu une mission : recruter en quelques mois des acteurs pour les théâtres de Saint-Pétersbourg, dont Alexandre Ier souhaite réorganiser la troupe. Comme les Russes promettent des cachets prodigieux, la tâche est aisée. La presse du temps va jusqu'à se plaindre de l'exode des comédiennes : « Au moindre dégoût, au plus léger mécontentement, elles nous menacent de la Russie ! » proteste un journaliste [3].

Le couple Nigris a profité du train de vie insouciant de l'aristocratie pétersbourgeoise. Certes, Julie a quelquefois tenu du bout des doigts les pinceaux et les craies : elle aurait même réalisé un portrait au pastel de l'impératrice Elizaveta, épouse d'Alexandre Ier [4]. Mais, à vingt-cinq ans, elle est loin d'avoir l'expertise de sa mère au même âge et surtout la même volonté de réussir. On acquiert rarement les qualités dont on peut se passer.

Après l'intermède anglais, c'est sans déplaisir que l'artiste dépose ses bagages dans le confortable hôtel Le Brun. Ses bonnes amies attendent avec impatience le retour de l'exilée. Dès le mois de septembre Mmes de Bellegarde organisent un déjeuner à la campagne en compagnie du poète Ducis [5], dont Louise Élisabeth a entendu parler par Étienne. Le naturel de Ducis fait sa conquête, elle trouve attachant [6] celui qui rêve de vie solitaire et chante : « Que n'ai-je été berger ! C'était là mon destin ! »

Le frère de Louise Élisabeth, lui, n'a pas changé. Constant dans l'inconstance, prompt à tourner casaque, Étienne donne des gages à l'Empire. Dans un poème intitulé « La fin du monde », il répand l'encens à larges brassées. Du chaos surgit un sauveur en la personne de Napoléon, restaurateur de la paix et protecteur du culte. Il compose des vers dithyrambiques sur un portrait de l'Empereur par Isabey [7]. Sa vie privée manque de discrétion : des rumeurs circulent au sujet de sa liaison avec l'actrice Joséphine Duchesnois, à qui il a donné des cours de déclamation [8].

Est-ce son frère qui convainc Louise Élisabeth d'accepter la commande impériale qui lui parvient par l'intermédiaire de Vivant Denon, en mars 1806 ? L'Empereur souhaite que les membres de sa dynastie soient portraiturés pour sa galerie personnelle. Une suite des portraits des princesses Bonaparte en fait partie. Gérard doit exécuter celui d'Hortense, fille de Joséphine. La sœur de l'Empereur, Caroline, princesse Murat, fait l'honneur à Mme Le Brun de la choisir dans la liste d'artistes présentée par Vivant Denon. C'est l'Empereur qui a fixé le prix : quatre mille francs pour un portrait en pied [9]. Afin que les bordures s'harmonisent, les mesures en sont strictement fixées : 2,3 mètres sur 1,7 mètre. Même la date de l'accrochage est prévue : le 1er septembre au palais des Tuileries.

Refuser une commande impériale serait maladroit. Mme Le Brun se met donc au travail. Ce que l'Empereur n'a pas prévu, c'est la négligence de la versatile Caroline. Jamais ponctuelle, oubliant les séances de pose, changeant de coiffure d'un mois sur l'autre, Caroline n'a aucun égard pour sa portraitiste. Afin d'équilibrer la composition et satisfaire son capricieux modèle, l'artiste représente la fille de Caroline à ses côtés sans demander de supplément. Ce portrait, qui aurait pu être réalisé en un mois, l'occupe tout l'été : de peur de ne pas tenir le délai et de mécontenter l'Empereur, elle n'ose séjourner à la campagne. La portraitiste, accoutumée à la politesse de l'ancienne cour, puise dans l'attitude de Mme Murat de quoi nourrir son antibonapartisme. Agacée, elle éclate un jour à l'atelier : « Je dis à M. Denon, assez haut pour qu'elle pût l'entendre : "J'ai peint de véritables princesses qui ne m'ont jamais tourmentée et ne m'ont jamais fait attendre" [10]. »

L'artiste a accordé tous ses soins à la composition : le modèle pose devant une colonnade ouvrant sur un jardin à l'italienne baigné d'une lumière vespérale. Mais, engoncée dans sa robe de satin brodée d'or, Caroline Murat, dépourvue d'expression, paraît rigide comme un mannequin. Lorsqu'un minimum de complicité est impossible, l'harmonie du résultat s'en ressent. Louise Élisabeth ne décolère pas d'avoir perdu son été, d'autant plus qu'elle devra réclamer ses cachets, qui ne lui seront pas intégralement versés [11].

Les affaires de Jean-Baptiste Pierre

Pendant que son beau-frère cherche à se chauffer au soleil de l'Empire et que son ex-épouse tente d'éviter les contacts avec la famille régnante, Jean-Baptiste Pierre veut prendre un nouveau départ. Il organise une vente de « son cabinet et fond de marchandise » pour, dit-il, cessation de commerce. C'est une façon d'appâter la clientèle :

> Après quarante ans de travaux nombreux et suivis avec activité, annonce-t-il, j'arrive au moment où chacun doit compter avec soi-même. Peut-être aurais-je dû choisir un moment plus propre à la vente de tant d'objets rares et curieux mais des raisons particulières ne m'ont pas permis de l'attendre [12].

La liste des œuvres présentées est « de premier ordre ». Pour les maîtres italiens, il annonce des œuvres du Corrège, d'Annibale Carrache, de Bassano. Suivent les peintres des écoles du Nord, Gaspard de Crayer, Jacob Jordaens. Parmi les maîtres français figurent des tableaux de Philippe de Champaigne, de Charles Le Brun, de Nicolas et Pierre Mignard. Enfin, des terres cuites de Clodion, des antiquités égyptiennes, des ivoires, des pierres gravées sur sardoine, des tabatières de matières rares, des émaux curieux, des porcelaines, une quantité de meubles de Boulle et un piano-forte signé Zumpe « dans sa boîte » [13].

Malgré cette prestigieuse vente de 1806, au début de l'année suivante, le montant des dettes du marchand dépasse encore celui de ses avoirs. Il prépare un voyage afin d'achalander sa maison de vente.

Avant son départ, Le Brun décide d'assainir une nouvelle fois ses affaires. Aussi propose-t-il à son ex-épouse de relever ses hypothèques. Le 14 janvier 1807, devant notaire, moyennant la somme de cent quarante-sept mille livres (dont une partie provient du rachat de ces hypothèques), Louise Élisabeth devient propriétaire de l'ancien hôtel Lubert, rue de Cléry, avec la salle de concert. Le marchand conserve à son usage la partie nouvellement construite rue du Gros-Chenet et une partie du jardin. Il est prévu qu'un mur (ou une grille), symbole de la séparation effective des époux, soit édifié entre les deux propriétés. Louise Élisabeth sauve ainsi le bien d'une vente à l'encan et permet à son ex-époux de demeurer dans ses murs [14]. Deux jours plus tard, afin de le pourvoir en liquidités « pour ses besoins et affaires », la portraitiste prête à nouveau à Jean-Baptiste Pierre quatre mille sept cent quatre-vingt-quatre francs en espèces d'or et d'argent [15].

Ces arrangements profitent également à Étienne qui loge encore dans l'hôtel Le Brun, car la solidarité règne entre les beaux-frères. Le marchand de tableaux ne perd pas une occasion de valoriser le poète. Par exemple, lorsqu'il a été reçu à la « société d'émulation » de Rouen, il a manœuvré pour faire élire Étienne, dont il connaît le goût des honneurs [16].

Leur lien est fait de confiance au point qu'en son absence, Le Brun lui confie la gestion de ses appartements. Au printemps, ce dernier conclut un bail de location pour le logement situé à l'entresol de la rue du Gros-Chenet [17].

Pour financer sa tournée, le marchand a trouvé le soutien du banquier Bazin, qui paie ses frais au prix d'une confortable rétrocession. Ce voyage est destiné à approvisionner le marché de l'art londonien, devenu plus lucratif que celui de Paris [18]. Le circuit de Le Brun commencera par l'Espagne et se poursuivra en Italie, à un rythme soutenu. Fin janvier, il est à Lyon, en février, à Montpellier. Il arrive à Madrid en mars, après s'être arrêté à Barcelone. En août, il écume l'Andalousie et, à l'automne, le voilà à Séville. En décembre, on le verra à Madrid avant de rejoindre le sud de la France, où il parviendra à la fin de l'année 1808 [19]. Des principales étapes de son périple, il écrit à son beau-frère, lui donne des nouvelles de ses affaires, se confie à lui : il lui parle même en termes « singuliers » de son ex-épouse [20].

La famille du paysagiste Simon Denis, désormais installée au royaume de Naples, accueille Le Brun à bras ouverts. Auprès de ses amis, il s'arrête un moment, heureux de constater que l'amitié est le plus durable des sentiments [21]. Mi-sérieux, mi-badin, Jean-Baptiste évoque les dîners qu'il pourrait faire « en partie carrée » avec Simon et sa femme Antoinette, si ceux-ci étaient assez aimables pour lui procurer « une jolie fille bien jeune et bien fraîche » qui le mette en appétit [22].

Les amours de Julie

Durant l'absence de Jean-Baptiste Pierre, Brunette se retrouve face à sa mère. Son mariage avec Nigris bat désormais de l'aile et le couple n'a pas d'enfants. Depuis quelque temps, la jeune femme affiche une liaison avec le marquis Louis de Maleteste [23]. Plus jeune que Julie d'une année, Louis appartient à une ancienne famille qui a des biens dans le Dijonais. C'est un proche de Prosper de Barante, qui fréquente l'hôtel Le Brun. D'un tempérament exalté, mais de constitution fragile et d'humeur mélancolique, Maleteste a cet air mystérieux, romantique, exalté, qui séduit Julie [24]. Prosper de Barante décrit ainsi son meilleur ami : son âme est « belle, noble, ouverte à tous les sentiments généreux, tendre et élevée, telle qu'il n'y en a peut-être pas douze dans ce déluge de boue [25]. » à Paris, Louis fréquente un cercle de jeunes lettrés, mais parfois il s'isole et séjourne sur ses terres.

Malesteste écrit régulièrement à Barante qui, en 1807, a obtenu un poste de sous-préfet en Vendée. Dans la solitude provinciale, Prosper fréquente des milieux *ultras* et aide Mme de la Rochejacquelein à rédiger ses mémoires [26]. Il correspond avec Germaine de Staël qui compose alors sa *Corinne* [27]. La châtelaine de Coppet, éprise de Barante, a de plus grandes ambitions pour lui que cette sous-préfecture. Mais ce dernier ne souhaite pas brûler les étapes et se satisfait de son sort.

Sans exclure Julie de leur amitié, Louis et Prosper se réconfortent, s'écrivent. Entre eux, la jeune femme trouve naturellement sa place et, lorsque Maleteste décide de rendre visite à Barante dans son exil provincial, il associe Brunette à son projet. Barante comprend que les amants n'aiment pas être séparés et confie à Mme de Staël son admiration pour la passion sincère que Louis suscite : « Je ne sais rien de plus vif et de plus parfait que [le sentiment] qu'il a inspiré [28]. » La dame de Coppet en est attendrie et éprouve de la sympathie pour la jeune femme qu'elle ne connaît pas.

Les consolations

1807-1842

45

Pèlerinages en Suisse

« Plus je montais, plus je me sentais forte [1]. »

Ma chère comtesse...

L'été 1807 commence à envahir Paris d'une chaleur étouffante et Mme Le Brun ne veut pas rester, comme l'année précédente, à la merci de sa clientèle. Plutôt que de louer à nouveau une maison à la campagne, elle partira loin. Les Alpes sont à la mode. Pour elle, la Suisse est la « contrée tant aimée des artistes, des poètes et des esprits rêveurs [2] ». Les sites décrits dans *La Nouvelle Héloïse* hantent son imagination. Elle se souvient de gravures de paysages alpins conservées dans le cabinet de Johann Wille et connaît l'œuvre de Gessner, poète, peintre et graveur suisse.

L'artiste, qui pour la première fois voyage pour son simple agrément, consigne ses impressions dans un journal épousant la forme d'une longue lettre. Elle divise en autant de chapitres que d'excursions, ses observations jetées sur le papier dans un style sans emphase. C'est la comtesse Hélène Potocka, avec qui elle vient de renouer amitié à Paris, qui est destinataire de ce journal épistolaire. On ne sait si ce récit lui a été confié sous forme d'un album ou adressé au jour le jour par la poste [3]. « Je vous ai associée à toutes mes impressions », écrit-elle à Hélène. L'artiste avait rencontré la comtesse Hélène dans l'entourage du prince de Ligne, dont elle était la bru [4], et l'avait retrouvée à Saint-Pétersbourg. Mais, occupée par les préparatifs du mariage de sa propre fille, Sidonie de Ligne, avec le fils de son second époux, Vincent Potocki, la comtesse Hélène ne peut prendre part à ce voyage.

La portraitiste place ce périple sous le signe de la félicité retrouvée, comme une pause dans sa vie mouvementée. Sa sécurité matérielle est assurée par ses gains en Angleterre et sa rente de Venise. Bien qu'elle ne prévoie pas de s'arrêter de peindre, elle n'est plus astreinte à des cadences aussi intensives. Après avoir renoncé à bien des choses – félicité conjugale, harmonie familiale – elle trouve sa « béatitude » dans des objets simples : « [...] l'air le plus pur, l'odeur aromatique des gazons que je foulais, me donnaient un véritable bonheur [5] », écrira-t-elle à son amie.

Munie de quelques adresses comme à l'accoutumée, Mme Le Brun, escortée de sa dame de compagnie, Adélaïde, se dirige vers Bâle, première étape en Suisse. Elle se fait annoncer chez le banquier Ehinger [6], et celui-ci s'empresse de composer une table où les notables locaux se réunissent en son honneur. L'un d'eux tient à ce qu'elle visite sa collection qui contient une *Madeleine* de Guido Reni, plusieurs Ruysdael, un Wouwerman et un Caravage [7]. Le serviable banquier lui suggère quelques itinéraires, et notamment le chemin de l'évêché de Bâle qui permet d'atteindre Bienne. Enchantée de parcourir cette route, à ses yeux « la plus pittoresque [8] », elle admire l'arcade rocheuse de Pierre-Pertuis encadrant une vue « grandiose [9] ». Mais, le chemin escarpé n'est protégé d'aucun parapet et chaque tour de roue risque de faire verser la voiture dans le précipice. Nerveux, effrayé par le gouffre, le cheval se cabre. Par chance, un paysan qui observe la scène a la présence d'esprit d'aider les voyageuses à mettre pied à terre. Avec l'aide du cocher, il maîtrise l'animal apeuré. Le sauveteur refuse d'être récompensé. Voilà qu'à peine arrivée en Suisse l'artiste trouve l'occasion d'éprouver la vérité des préjugés sur la générosité des « bons habitants des Alpes ».

Bien vite, le circuit helvétique prend l'allure d'un pèlerinage. Louise Élisabeth place ses pas dans ceux de Jean-Jacques Rousseau : « Il me tardait, écrit-elle, de voir l'île de Saint-Pierre, devenue fameuse par le séjour de l'auteur de *La Nouvelle Héloïse* [10]. » Pour décrire son excursion, l'artiste pare sa plume des couleurs de son illustre devancier. « On s'enfonce avec délices dans l'ombre et la verdure de ce grand bois ; aucun bruit ne trouble le promeneur solitaire qui vient y rêver ; le silence de ce charmant asile n'est interrompu que par les mélodies du rossignol et les chants d'autres oiseaux [11]. » Cherchant à visiter la demeure de Rousseau, la promeneuse est affligée de découvrir qu'elle a été transformée en cabaret. À ce moment où le culte des écrivains se manifeste par des gestes officiels, comme le transfert de leurs cendres au Panthéon, peu de choses sont faites pour protéger leur logis. Elle s'en offusque : « L'immortelle renommée de l'écrivain genevois n'a pu sauver sa demeure de cette profanation [12] ! » Louise Élisabeth s'étonnera aussi, lors de sa visite à Ferney, de constater que le château où Voltaire a vécu ses dernières années est sale et mal entretenu.

Je crois qu'elle n'a pas été nettoyée depuis que ce grand homme l'a quittée. La chambre à coucher est restée meublée. On y voit le portrait de Lekain, à droite près de son lit. En face près de la fenêtre, ceux de Madame du Châtelet, de l'abbé Delille et de quelques autres. [...] Son jardin était en friche : ce manque de soin pour l'habitation de Voltaire m'a vraiment attristée [13].

Dans sa méditation sur l'indifférence de la postérité pour les grands hommes, un souvenir resurgit : à Richmond, en Angleterre, la portrai- tiste avait remarqué « un manque de respect » pour la mémoire du poète Milton. L'arbre sous lequel l'auteur du *Paradis perdu* venait s'asseoir pour écrire avait été coupé. Cette indignation peut paraître banale au lec- teur d'aujourd'hui accoutumé à visiter des maisons d'artistes transfor- mées en musées sanctuaires, elle ne l'est pas en 1807. Pour l'artiste, le patrimoine n'est pas seulement constitué de monuments et de palais, et les vestiges des poètes méritent d'entrer dans l'Histoire.

Où Mme Le Brun offre ses rubans...

L'esprit de Jean-Jacques s'incarne encore à travers deux épisodes de son voyage, celui des « cerises » et celui des « pêches ». Dans la vallée de Lauterbrunn, Louise Élisabeth aperçoit, comme en une apparition, des paysannes : « Leur teint était rose et blanc ; un air de candeur naïve ajou- tait encore à leur beauté. Elles nous apportèrent de très belles et d'excel- lentes cerises, ne pourrions-nous pas croire que ces jeunes bergères nous étaient descendues du ciel ? » Une autre fois, ce sont de savoureuses pêches de la montagne pierreuse de Blonay, qui, semblables à « la manne dans le désert [14] », la désaltèrent.

Comme dans *La Nouvelle Héloïse*, les paysans offrent leurs produits. Dans une métairie, Louise Élisabeth boit un bol de lait encore tiède. Elle détache alors les rubans de sa ceinture, les tend à la fermière dont les yeux brillent de plaisir [15]. Aux yeux du peintre, les mœurs des villageois des Alpes sont semblables à celles des idylles, leur hospitalité est primi- tive. Elle vérifie encore les clichés sur la frugalité des habitants de la Suisse, qui ne connaissent pas la souffrance des désirs inassouvis [16].

Souhaitant se plonger dans l'univers du roman de Rousseau, elle se rend à Clarens dès l'aurore. « Appuyée sur les ruines du chalet de Jean- Jacques, écrit-elle, j'ai peint l'ensemble de ces lieux si pleins de roma- nesques souvenirs. » Cependant, son pèlerinage ne tourne pas à la célé- bration béate. Arrivée à Vevey, elle s'enquiert d'une barque et de rameurs pour faire une promenade sur le lac. L'aubergiste, un homme ventripo- tent, se propose ; ce qu'elle accepte « à condition qu'il ne prononcerait pas un mot pendant le trajet, voulant comme toujours admirer en silence les effets de la belle nature » :

Je partis seule, dit-elle, avec le gros aubergiste ; ce n'était pas Saint-Preux, je n'étais pas Julie, je n'en fus pas moins heureuse. Ma barque se trouvait seule sur le lac ; le vaste silence qui s'étendait autour de moi n'était troublé que par le léger bruit des rames. Je jouissais complètement de cette belle lune si brillante ; quelques nuages argentés la suivaient dans un ciel d'azur [17].

Cette scène, où la surface de l'eau se ride de lumière, sera transposée par son ami paysagiste, Crespy Leprince, en une vue qu'il nomme « Promenade de Julie et de Saint-Preux sur le lac de Genève [18] ». Réalité, rêverie, peinture, tout paraît se confondre en une même impression dans l'univers de l'artiste.

Peindre le paysage

À cinquante ans passés, Louise Élisabeth semble se sentir libre et dans la pleine conscience d'elle-même. Évoquer sa relation à la nature revient à exprimer son bonheur : « jouissance », « délectation », « ravissement » sont les termes qui viennent sous sa plume. La force de l'effet ressenti peut aller jusqu'à l'anesthésie des souffrances physiques : « Le spectacle dont je jouissais, se souvient-elle, me charmait au point de me faire oublier la fatigue. » De la contemplation à la représentation, il n'y a qu'un pas et Adélaïde, qui suit les pas du peintre, se tient prête à lui donner sa boîte de couleurs.

Alors que le portraitiste est soumis à la présence contraignante d'un modèle, le peintre de paysage s'isole dans la contemplation. « J'ai joui, dit-elle, de toute mon âme, de ce spectacle si solennel et si mélancolique [19]. » Sans songer à l'évaluation des critiques du Salon, à l'abri des contraintes commerciales, elle ne peint que pour elle, au point que le compliment d'un enfant de dix ans suffit à la combler : « Madame, lui dit naïvement le jeune Van Brackel, fils du chargé d'affaires hollandais à Berne, vos paysages sont vivants [20]. »

Les sensations se mêlent. Le parfum des herbes odorantes, le chant des cloches villageoises, qui résonnent à la même heure le dimanche, font vibrer les sens. « Leurs sons différents se confondent, se perdent ensemble selon leur distance : c'est un mélange qui, sans être calculé, produit une harmonie lointaine délicieuse [21]. » À Rappersurl, ce sont les chants des bergers amoureux qui peuplent la vallée de leurs échos. Dans cette douce euphorie, Louise Élisabeth retrouve des sensations comparables à celle éprouvées à Naples, et il lui semble s'abreuver aux sources même de l'art. D'ailleurs, Gessner, peintre, graveur et poète dont les *Idylles* lui sont connues, s'est inspiré de ces mêmes visions : « C'est là, songe-t-elle, du côté du mont Albis, qu'il a écrit d'après nature [22]. » L'expression « écrire d'après nature », forgée par l'artiste, témoigne d'une connaissance, si ce n'est par le texte du moins par l'esprit, de la *Lettre sur le paysage* dans laquelle Gessner souligne que « le poète et le peintre, rivaux et amis, empruntent de la même source, puisent dans la nature et se communiquent leurs richesses [23] ». L'émotion en effet les rassemble. Vérifiant par anticipation les fondements de la phrase d'Amiel, Mme Le Brun, apaisée, éprouve le paysage comme un « état de l'âme [24] ».

Le point de vue et l'impression

Grâce à sa mémoire visuelle, Louise Élisabeth conserve le souvenir exact du « point de vue », l'endroit d'où l'œil exercé de l'artiste peut le mieux distinguer les formes qui lui plaisent. À chaque étape, elle choisit son angle d'observation. À la chute du Rhin, « le point d'où l'on peut jouir de la manière la plus complète de l'effet de ces vastes masses d'eau [25] » est situé dans un petit édifice constamment ébranlé par le mouvement de la cascade. Afin de profiter de la meilleure perspective sur l'île Saint-Pierre, elle propose à sa destinataire, la comtesse Potocka, de s'asseoir par l'imagination, « sur un banc placé à l'extrémité et vers la hauteur du bois [26] ».

Exercé à la contemplation des paysages du Lorrain et de Poussin, l'œil de l'artiste se prépare implicitement à la représentation de la réalité perçue. À Pierre-Pertuis notamment, la vue apparaît « encadrée » par « une arcade de rocher formée par la nature elle-même, qui présente à elle seule un paysage » [27]. Louise Élisabeth esquisse mentalement une architecture des plans, qui tient compte de l'étagement des lointains et des effets de lumière. Par un effet de transposition théâtrale, on désigne les premiers plans comme une « avant-scène [28] » :

> Imaginez-vous, écrit-elle, un amphithéâtre de verdure couronné par une haute montagne de la plus belle végétation ; plus bas, à gauche des gradins de verdure ombragés et entrecoupés d'arbres clairs et légers ; à mi-côte, un peu sur la hauteur s'élève la tour ruinée d'un vieux château, nommé d'Unspunen, cette ruine entourée de lierres se détachait en demi-teinte sur une énorme montagne de sapins entrecoupée de champs cultivés [29].

Pour Louise Élisabeth la nature se présente comme un ensemble d'effets à transcrire [30] : feuillage des premiers plans, jaillissement de l'onde sur les rochers sombres à Vevey, mélange des eaux du lac et du Rhône dans le Valais, opposition des « tons fins et délicats » des montagnes vaporeuses surplombant les lacs. Celle dont on a loué le pinceau pour son audace de coloris recherche dans le paysage des effets nuancés allant de la transparence à la semi-opacité : elle regarde les « lames de cristal » et les « diamants qui courent » dans les torrents de Suisse.

La détermination du « point de vue » s'accompagne aussi du choix de l'heure. Si à Neuchâtel, la lumière est favorable quelques minutes avant le coucher du soleil, sur le mont Albis, c'est aux lueurs de l'aurore qu'elle contemple les brumes bleuâtres. Toujours matinale, elle assiste à la magie du lever du jour à Weissenstein :

> Peu à peu la ligne du glacier, qui avait été blanc-bleuâtre se colore sur les sommets ; elle prend des teintes roses, dorées ; plus lentement les autres montagnes se verdissent, la plaine se découvre, les pointes des clochers reluisent ; enfin les villes, les villages, les forêts, les prairies renaissent ; cela ressemblait à une création [31].

L'écrivain Raoul-Rochette a eu la chance de voir la plupart des pastels de Louise Élisabeth rapportés de Suisse. Une lettre laisse entendre qu'en 1826 celle-ci avait dénoué ses cartons à dessin pour lui : « Vous possédez la Suisse tout entière dans votre portefeuille », écrit-il. Raoul-Rochette se fait l'interprète de la « manière » de Mme Le Brun paysagiste :

> Vous dessiniez d'inspiration en présence des lieux, à la clarté du soleil et non pas enfermée dans une chambre noire, comme on dirait que le font ces gens-ci quand ils veulent peindre leur pays [...] ; et j'ai l'idée que si la nature eût dû être imitée en Suisse, c'eût été, Madame, comme vous l'aviez imitée, en vous pénétrant tout à la fois et en vous jouant de votre modèle [32].

Mme Le Brun, en effet, restitue la qualité de la lumière et l'impression plus que la précision des formes. Le jugement final de Raoul-Rochette – « Vos tableaux de la Suisse ne sont peut-être pas aussi exacts, mais ils ressemblent davantage » – reflète l'effet de modernité surprenante qui s'en dégage. Les buées, les vapeurs, les nuances du bleu ou de l'or font, ici encore, songer à l'art d'un Turner, qui lui aussi a été sensible aux paysages de la Suisse. Sans avoir lu les pensées de Chateaubriand, Mme Le Brun répond à leur suggestion : grâce à son « exécution matérielle », ici, un certain brouillage des formes et de la couleur, le peintre peut faire éprouver « les rêveries » qu'inspirent les différents sites [33].

De ces pastels, très peu sont identifiés aujourd'hui [34]. L'artiste en a offert quelques-uns à ses amis. Elle en avait placé, sous verre, une quantité dans son salon. Si, parmi les « deux cents paysages » répertoriés à la fin de sa vie, il n'y a sans doute pas autant de chefs-d'œuvre, certains auraient mérité d'être conservés. L'éloge appuyé de Raoul-Rochette, qui n'avait rien à y gagner, en est le signe. Son métier rapide de pastelliste, sa sensibilité aux couleurs lui permettent d'extérioriser l'émotion d'un instant, dont la génération suivante, éprise d'« impressions », aurait pu reconnaître l'esprit.

Le goût du pittoresque et des sensations fortes

Ce que Louise Élisabeth apprécie à chaque pas en Suisse est la rencontre avec un critère absolu de son goût, la sensation de *pittoresque*. Qu'entend-elle par là ? Le pittoresque ne se confond pas avec le beau.

Lors de son voyage en Angleterre, le peintre a pu percevoir les échos des théories élaborées par William Gilpin, dans un ouvrage à succès traduit en français. « Pour qu'un objet soit pittoresque, affirme Gilpin, il doit avoir une portion de rudesse suffisante au moins pour produire un contraste, ce qui n'est pas nécessaire dans un objet simplement beau [35] ».

La Suisse offre la perfection de cette alliance entre douceur et rudesse. Sans transition, la montagne juxtapose des ravins dangereux à des asiles protégés. La vallée de Lauterbrunn paraît « âpre et si sombre ». Les sources de l'Aveyron sont « un lieu sauvage ». Sur le lac de Walenstadt, elle admire la métamorphose du paysage en un « effet terrible ». La montagne apparaît comme un lieu infernal. Comme elle a adoré le Vésuve, elle aime le violent effet produit par les cataractes suisses. Cette « belle horreur » provoque un étourdissement de tous les sens : les quantités d'eau charriées par les torrents, le bruit épouvantable. Ces « superbes horreurs » côtoient des lieux de délices. Mme Le Brun est sensible à une esthétique de l'effroi.

Cependant, au moins dans les notes qu'elle a laissées, elle n'emploie pas le terme « sublime », qui vient à l'esprit du lecteur de ses récits suisses. Cette notion qui relève d'une esthétique singulière, à l'œuvre dans les récits alpins de Saussure, ne semble pas avoir retenu son attention, sans doute parce qu'elle comporte une nuance dramatique qui ne s'accorde pas avec sa façon de voir. Si elle préfère employer le terme pittoresque, c'est parce qu'il évoque l'Italie. Le *pittoresco* [36] désigne la façon dont Giorgione, puis le Titien répartissaient les effets d'ombre et de lumière afin de donner une impression d'ensemble plutôt que de reproduire minutieusement les détails. Ainsi le terme *pittoresque* désigne-t-il une forme de beauté associée à une émotion et qui ferait bon effet dans un tableau [37]. Grâce à sa vision *pittoresque*, chaque voyageur pourrait se croire artiste. Ce qui charme le regard est la vue qui, du vallon au lac, des arbres à la montagne, plonge vers les lointains profonds. Le regard peut se poser, puis s'élancer à nouveau. La vision d'une procession gravissant les pentes de la montagne ou des personnages microscopiques aperçus dans une vallée créent cette sensation curieuse de *pittoresque*.

L'excursion à Chamonix

Bien qu'elle cherche le recueillement de la solitude, la promeneuse apprécie aussi l'accueil qui lui est fait. Flattée par les hommages des autochtones qui la connaissent de réputation, elle rencontre, à Berne, le général Nicolas-Rodolphe de Watteville, « avoyer de la ville » et son épouse [38]. Elle est reçue chez le général Vial, ambassadeur de France [39], qui l'escorte dans les environs de la ville encerclée par l'Aar.

Au bord du lac de Zurich, à Erlenbach, on lui prête une villa entourée de vignobles. Cette demeure appartient à une vieille connaissance, le général baron de Salis, avec qui la portraitiste avait visité l'île d'Ischia lors de son exil napolitain. Reçue comme un membre de la famille, dit-elle, par le général maintenant âgé de soixante-seize ans, elle écoute les dizaines d'anecdotes avec lesquels ce conteur sait divertir ses hôtes.

L'artiste a prévu un bref séjour à Genève, où elle reçoit le « brevet de membre de l'académie [40] ». Puis elle se met en route pour Chamonix, accompagnée par de nouveaux amis. Avec la facilité de contact qui la caractérise, elle a sympathisé à Berne avec un envoyé du roi de Hollande, M. Van Brackel [41]. Ce jeune père de famille est accompagné de son fils et de son épouse dont la grossesse est très avancée. Malgré son état, Mme Van Brackel ne renonce pas aux escalades. Par un chemin bordé de rochers, la petite troupe arrive en vue du dôme du mont Blanc et de l'aiguille du Goûter. Saisie d'admiration devant la transparence irisée du panorama, l'artiste demande ses pastels :

> Le soleil couchant répandait des teintes dorées sur les hauteurs de cette masse énorme ; les régions inférieures de la chaîne étaient couleur d'iris et d'opale ; cette partie des glaciers n'avait pour toute lumière que le reflet du ciel. Enfin cette masse grandiose était interceptée à gauche par de hautes montagnes de sapins tout à fait dans l'ombre ; en bas, les plaines l'étaient aussi, ce qui faisait un contraste et un repoussoir dont l'effet du mont Blanc n'avait pas besoin : mais ce contraste achevait le tableau [42].

Cette vue bleutée du *Dôme du mont Blanc et l'aiguille du [Gouté], pris de la vallée de Chamonix* [43] est un des rares pastels qui nous sont parvenus. Il est difficile de rendre sur le papier ces lumières sans scintillement, et le résultat déçoit l'artiste : « Il n'y avait ni palette ni couleurs qui pussent rendre ces tons radieux ».

Après une étape à Sallanches, les promeneurs atteignent Chamonix. Le but de l'excursion est la mer de Glace, mais le site est déjà envahi par les curieux. Chamonix est un lieu à la mode et les auberges suffisent à peine à recevoir les visiteurs étrangers [44]. Cette foule n'est pas du goût de Mme Le Brun, qui laisse partir les groupes et fuit, dit-elle, « les *parlages* sans fin de toute cette bande ». On s'approche de la mer de Glace. M. Van Brackel persuade l'artiste de ne pas se risquer sur ce chemin très périlleux. Tandis que le couple poursuit la traversée, l'artiste fait demi-tour avec son guide, qui la conduit au glacier de Bosson. Les glaces du Bosson ressemblent à d'étranges pyramides [45], au ton « transparent bleuâtre ». Louise Élisabeth peint plusieurs de ces effets, tandis que son guide lui apporte un peu de vin et des fraises sauvages.

De retour à l'auberge, elle est impatiente de décrire ces beautés à ses compagnons. Mais une scène de désolation l'attend : M. Van Brackel arrive sur un brancard, suivi de sa femme en larmes. Saisi de terreur devant le précipice, il a perdu connaissance. Les médecins appelés à son chevet diagnostiquent une « catalepsie ». Après plusieurs jours d'angoisse, Brackel retrouve enfin ses esprits. La montagne reste une énigme qui produit sur l'homme de terribles effets, pense la voyageuse. Songeuse, elle se sépare à regret du jeune couple et reprend sa route car une nouvelle invitation lui est parvenue.

46

Deux monstres sacrés

Le séjour à Coppet

C'est Mme de Staël qui souhaite la présence de la portraitiste auprès d'elle. « La société de madame Lebrun, écrit-elle à l'un de ses amis en se réjouissant de son arrivée, est aussi aimable que son talent et nous serions charmés de la voir [1]. » Au début du mois de septembre, Louise Élisabeth s'installe au château de Coppet pour une huitaine de jours. Là, Mme de Staël vit dans un semi-exil. Le salon littéraire et philosophique qu'elle animait à Paris a suscité les soupçons de l'Empereur. Germaine de Staël, sans être officiellement assignée à résidence hors des frontières, n'a plus le droit de séjourner à Paris. Sa liberté de pensée, ses audaces, dérangent.

Les deux femmes ont en commun leur hostilité à l'égard de Napoléon. Les aigles dorés de l'Empire ne les ont pas éblouies. Germaine reproche à Napoléon de brider les libertés tandis que Louise Élisabeth voit en lui l'usurpateur du trône des Bourbons. Comment la portraitiste de la reine Marie-Antoinette aborde-t-elle sa visite chez la fille du ministre de Louis XVI, le banquier Necker ?

Quelques mois auparavant à peine, en mai 1807, Germaine de Staël a publié son roman *Corinne ou l'Italie*. Ce récit de la vie d'une femme hors du commun sur fond de paysages romains a intéressé l'artiste. Elle a reconnu les sites visités au début de son propre exil. L'héroïne, cette femme supérieure, qui ne peut rencontrer l'homme « dont elle s'est fait une image idéale » suscite sa sympathie. Le personnage créé par Mme de Staël exprime encore dans ce roman des sentiments qui ont pu la toucher, comme la piété filiale. Les parents, écrit-elle, « ces surveillants attentifs de votre enfance, et ces protecteurs animés de votre jeunesse » s'en iront. « Vous chercherez en vain de meilleurs amis » [2]. Comme Germaine, Louise Élisabeth a perdu un père adoré.

Elle sait sans doute encore que la châtelaine de Coppet a publié une défense de Marie-Antoinette, intitulée *Réflexions sur le procès de la reine*. La portraitiste de *La Reine et ses enfants* a-t-elle en mémoire ces lignes que Germaine adresse à toutes les femmes : « ô vous femmes de tous les pays et de toutes les sociétés. [...] Si vous êtes sensibles, si vous êtes mères, elle a aimé de toutes les puissances de l'âme [3]... » Si, au sein des partisans de la famille royale, une méfiance s'est autrefois fait sentir à l'égard de Necker, le plaidoyer de sa fille n'a pu qu'atténuer ce ressentiment.

Impressionnée par le savoir d'une femme de lettres de onze ans sa cadette, Mme Le Brun aborde son séjour avec de bonnes dispositions. Quant à Germaine, elle reçoit avec respect une académicienne qui a parcouru seule l'Europe, qui a triomphé des obstacles pour gagner sa vie indépendante. Ce sont deux femmes « illustres » qui vont se rencontrer.

Toute la vie à Coppet est organisée de façon à permettre à la femme de lettres de travailler, ce qui donne aux hôtes la possibilité de se reposer, de lire, de se promener. Dans la journée, Louise Élisabeth en profite pour mettre à jour sa correspondance : le 12 septembre 1807, elle écrit à Julie une lettre dans laquelle elle confie son enthousiasme, une lettre dans laquelle un certain ton d'intimité laisse penser que mère et fille ont renoué leur dialogue.

> Les spectacles de la nature consolent ou distraient de bien des peines ; je viens de l'éprouver plus fortement que jamais. Tu ne peux avoir l'idée des jouissances que j'ai ressenties dans nos courses en Suisse ; tu ne peux te figurer tous ces tableaux, tous ces points de vue, tous ces sites si variés, si pittoresques. Que de choses j'aurai à te dire à mon retour !

Une méditation sur la relativité de la durée – « Il me semble avoir vécu dix ans depuis deux mois et demi » – lui est suggérée par les paysages contrastés des montagnes suisses : « Ce n'est pas que le temps m'ait paru long, mais toutes mes heures ont été si intéressantes et si remplies que j'en ai pour ainsi dire fixé ou noté les intervalles [4] ».

À Coppet, on se retrouve pour le dîner dans la salle à manger d'été qui s'ouvre sur le parc où domine un cèdre magnifique. La demeure résonne des bavardages des amis de Mme de Staël. Parmi les hôtes, l'artiste retrouve Juliette Récamier. La « belle des belles » occupe une chambre aux murs tendus de « papier de la Chine » à motifs d'oiseaux. Louise Élisabeth a aussi le plaisir de revoir un météore de cette beauté astrale : Elzéar, le fils de la comtesse de Sabran, aussi laid qu'elle est belle. À la table de Mme de Staël s'assied aussi un prince épris de la lumineuse Mme Récamier. Auguste de Prusse, fils du prince Ferdinand que Mme Le Brun a rencontré à Rheinsberg, songe à épouser Juliette. Des années plus tard, après l'échec de ce projet, il se fera représenter par Franz Krüger dans un décor où figure le portrait de Mme Récamier [5].

Les fils de Germaine, Auguste et Albert, terminent leurs vacances avant de regagner le collège avec leur gouverneur, l'écrivain allemand Schlegel, qui depuis trois ans veille sur leur éducation [6]. Albertine, la cadette, suit les traces de sa mère : elle aime étudier [7]. Durant l'été 1807, Benjamin Constant est revenu à Coppet. Il a commencé à rédiger ce court roman au pathétique dénouement qui le rendra célèbre, *Adolphe*. Constant entretient avec Germaine une relation tumultueuse dont il s'inspire pour façonner ses personnages. Le soir, dans le salon décoré de tapisseries d'Aubusson, les amis s'installent dans les fauteuils de bois dorés et la maîtresse des lieux anime la conversation, rythmant ses propos en agitant « une petite branche de verdure » :

> Quand elle parlait, elle agitait ce rameau, et sa parole avait une chaleur qui n'appartenait qu'à elle seule ; impossible de l'interrompre : dans ces instants elle me faisait l'effet d'une improvisatrice [8].

Le soir, dans la galerie aménagée en théâtre, on joue la comédie. Louise Élisabeth se souvient d'avoir assisté à une représentation de la *Sémiramis* de Voltaire [9], et donne même des détails sur la distribution : Mme de Staël en Azéma et Elzéar en Arsace [10]. Sans trop l'avouer, elle s'y ennuie, elle qui préfère la comédie ou l'opéra-comique, plus agréable, selon elle, pour les théâtres de société.

Mme de Staël en Corinne

Observant Mme de Staël, l'artiste la compare au personnage de son dernier roman. Ce rapprochement est venu à l'esprit de nombreux lecteurs du récit. Comme Corinne, Mme de Staël a des yeux sombres et changeants, de beaux bras. Comme Corinne, elle sait captiver l'attention de son entourage, au point que l'artiste songe à utiliser l'héroïne de fiction pour faire le portrait de la femme. Mais, la dame de Coppet semble avoir elle-même déjà songé à cette transposition. Dans une lettre adressée à Meister, avant la venue de l'artiste, dès le début du mois d'août [11], elle a évoqué ce projet. La romancière aurait-elle su si habilement suggérer la formule que Mme Le Brun pense en avoir été l'initiatrice ? Les deux femmes ont-elles eu simultanément la même idée ? Toujours est-il que Germaine tient plus à cette formule « en Corinne » qu'à son propre portrait. Elle pense même à faire poser Juliette Récamier à sa place. Un débat a lieu, qui pourrait être à l'origine des complications qui suivront la réalisation du tableau.

était prête, et le trouva mort, frappé d'un coup d'apoplexie foudroyante [24]. »

Depuis leur jeunesse insouciante au Moulin-Joli, Hubert Robert semblait n'avoir pas changé, il était « resté si leste, qu'il courait mieux que personne dans une partie de barres, jouait à la paume, au ballon et, se
souvient-elle, [il] nous réjouissait par des tours d'écolier qui nous faisaient
rire aux larmes [25] ». Le frère de Louise Élisabeth compose une notice dédiée
à son souvenir [26]. Dans cette courte biographie de Robert, Vigée met
l'accent sur l'habileté du paysagiste à composer des « jardins irréguliers ». Il
souligne le goût du peintre des ruines pour la campagne romaine arpentée
« durant douze ans, chevalet sur le dos » et « boîte à couleurs à la main »,
ne prenant de conseils que de la nature. Alors qu'il avait connu les prisons
de la Révolution, qu'il avait eu la douleur de perdre un à un tous ses
enfants, Robert donnait à ses amis l'impression d'avoir vécu toujours heureux. Derrière sa bonhomie souriante, il avait toujours eu la courtoisie de
cacher sa peine. L'image d'un Robert au talent facile, au caractère content
est ainsi fixée pour la postérité. Son portrait, magnifique travail sur panneau de chêne, qui restitue la vitalité du paysagiste, est un de ceux que
Louise Élisabeth conservera dans son salon [27].

Jean-Baptiste Pierre n'assiste pas aux obsèques de Robert. En effet, au
mois d'avril, il fait étape à Florence où il a l'honneur d'être agréé à l'Académie [28]. En août, il est hébergé à Naples par son protégé Simon Denis,
puis il rend visite à Guillaume Lethière à Rome. Le mois d'octobre le
conduit à Venise, et enfin à Milan. Le marchand paraît infatigable. Plein
d'énergie, le matin il court les églises, puis il écume les collections de particuliers qui désirent se séparer de tableaux. Le soir, il cultive ses relations
locales [29]. Il accumule le matériau de la grande vente qui, à son retour,
pourrait le remettre à flot.

Louise Élisabeth se tourne vers d'autres projets qui la distraient de son
travail. Elle cherche à acquérir une maison où s'établir durant les étés. Se
souvenant des vers de Ducis – « Amis, vivons aux champs, renonçons à
Paris » –, elle espère trouver sa thébaïde. On lui propose le domaine de
La Guerinière sur les hauteurs de Buc : une vaste demeure carrée à deux
étages, pourvue d'un toit à pans coupés et entourée d'un parc de seize
hectares [30]. Elle donne procuration à son avocat afin qu'il réalise l'affaire
en son absence, car elle s'est décidée à passer un nouvel été dans les Alpes
afin d'assister à la fête d'Interlaken [31].

47

LA FÊTE DES BERGERS

Unspunnen, le 17 août 1808

Dès le 13 juillet, Louise Élisabeth s'installe à Berne, à l'hôtel du Faucon. Elle commence par visiter la région de Zurich et les petits cantons où elle a prévu de faire des études de rochers et de chutes d'eau [1]. Elle a donné rendez-vous à plusieurs de ses connaissances le jour de la fête d'Interlaken. Cet anniversaire commémore le cinquième centenaire de la Confédération helvétique et célèbre l'unité et l'amour de la patrie. La cérémonie, à la fois archaïque et moderne, prolonge les rituels patriarcaux et s'inscrit dans la continuation des célébrations républicaines du XVIIIe siècle.

Pour rien au monde Mme de Staël ne manquerait la fête. Elle arrive en barque par le lac de Thoune en compagnie du fils de Guichette, Agénor, et de Mathieu de Montmorency [2], qui logent à Unterseen. Quant à Mme Le Brun, elle accepte l'hospitalité chaleureuse du peintre König [3] qui lui a préparé « un lit tout neuf avec des rideaux verts ». König tient table d'hôte pour les « étrangers de distinction ».

Chacune de leur côté, les deux célèbres femmes feront le récit des réjouissances. Germaine de Staël s'amuse de rencontrer des groupes de jeunes Parisiens qui déambulent dans les rues de la petite ville : « Ils n'entendaient plus, dit-elle, que le bruit des torrents ; ils ne voyaient plus que des montagnes, et cherchaient si dans ces lieux solitaires ils pourraient s'ennuyer assez pour retourner avec plus de plaisir dans le monde [4]. » Lorsque le soir du 16 août, des feux sont allumés sur les montagnes, en historienne, l'auteur de *De l'Allemagne* note que les libérateurs de la Suisse s'étaient ainsi donné « le signal de leur sainte conspiration ». Les ruines du château d'Unspunnen, demeure du fondateur de Berne, illuminées par des feux, apparaissent alors, selon elle, « comme l'ombre gigantesque des morts qu'on voulait célébrer [5]. »

Mme Le Brun, de son côté, est charmée par la vibrante association des sons et des images dans ce théâtre de lumière. Comme « de petits volcans de distance en distance », les feux luisent dans la nuit. Lorsque les sonneries de cors des Alpes se répondent solennellement, elle sent son visage inondé de pleurs [6].

Le lendemain matin, sous un soleil radieux, tout le monde se retrouve dans l'amphithéâtre de verdure. Mme de Staël décrit le cortège : les magistrats en tête, puis les paysannes vêtues du costume coloré de chaque canton. Des hommes, habillés comme au temps de la conjuration de Rütli, portent des bannières et des hallebardes [7]. Après ce défilé commencent des jeux athlétiques : lancer d'une pierre pesant près de quatre-vingt-trois kilos, puis lutte suisse, où les passes réglées par avance symbolisent le combat contre les ours. Aux jeux succèdent des hymnes et le célèbre *Ranz* des vaches, chant des bergers accompagnant les troupeaux aux alpages. Assises côte à côte parmi les spectateurs, les deux femmes se sentent proches : « Nous fûmes si émues, raconte Louise Élisabeth, si attendries de cette procession solennelle, de cette musique champêtre, que nous nous serrâmes la main sans pouvoir nous dire un seul mot ; mais nos yeux se remplirent de douces larmes. Je n'oublierai jamais ce moment de sensibilité réciproque [8]. »

Un festin couronne la fête. Mme de Staël et Mme Le Brun, affamées, s'assoient à une table abritée par une tente. On leur sert de la bière dans une coupe de bois sur laquelle est sculptée l'effigie de Guillaume Tell [9], tandis que les paysans préparent le repas sur des fourneaux en plein air. La scène est animée, vivante, gaie. L'artiste, qui aime les fêtes champêtres, puise de l'énergie dans ce moment de liesse : « Cette fête m'a donné l'idée de la vie comme la chute de Goldau m'avait donné l'idée de la mort [10] », écrit-elle.

Le tableau

Cette énergie est immédiatement mise au service de la peinture. Sur place, dans l'après-midi même, alors que les promeneurs se dispersent dans les environs, Louise Élisabeth sort son carton et ses pastels. Le serviable Agénor de Grammont tient sa boîte de couleurs tandis qu'elle appuie le carton sur ses genoux.

L'artiste saisit la composition de la scène telle qu'elle se présente dans la prairie après les jeux : des couples de paysans, vêtus de costumes colorés, dansent dans le cercle, d'autres sont attablés, un groupe de personnages est vu de dos. Ce pastel servira de modèle préparatoire à un tableau à l'huile, de dimension assez modeste, qui cependant demeure énigmatique : on s'est demandé si Mme Le Brun en était véritablement l'auteur. Certains détails dans les costumes évoquent des dessins de König. Mme Le Brun avait eu le temps d'observer le travail du peintre bernois, qu'elle appréciait beaucoup, lors de son séjour chez lui. L'étude comparée de ces dessins et du tableau, qui figure aujourd'hui au musée de Berne, permet d'affirmer que, pour disposer les groupes de paysans dans la prairie [11], l'artiste s'est probablement servi de dessins offerts par son hôte et qu'elle avait glissés dans ses cartons [12]. Le décor naturel est plus probablement de son inspiration personnelle, comme le prouvent plusieurs erreurs dans la reproduction du relief montagneux. Enfin, sur la toile, l'artiste s'est représentée elle-même à l'ouvrage, tandis que Mme de Staël, portant une coiffe, appuyée au bras de Matthieu de Montmorency, est placée de dos.

Louise Élisabeth termina, sans doute à Paris, ce tableau qui tranche avec sa production habituelle, mais qui est bien de son pinceau. L'œuvre fut acquise par Talleyrand, déjà propriétaire de plusieurs tableaux de Mme Le Brun [13].

Aux lendemains de la fête, König refuse de recevoir le moindre paiement pour avoir logé et nourri Louise Élisabeth et Adélaïde durant plusieurs jours. La portraitiste réalise alors pour lui son autoportrait au pastel : le visage entouré de boucles, vêtue d'un *schall* rouge sur un corsage blanc, son regard est lumineux et paisible [14]. Comme elle avait fait pour Porporati en lui offrant le beau portrait de sa fille, l'artiste fait don de son travail à un confrère en remerciement de l'hospitalité reçue.

Un imbroglio

Ce qui est possible entre artistes ne l'est pas lorsque ses hôtes sont ses clients et *a fortiori* de riches clients. Apparemment, Mme de Staël et son ami Barante ne comprennent pas que l'artiste se place dans une logique différente. À l'automne 1808, la portraitiste n'ayant toujours pas reçu d'avance, le prix n'étant pas arrêté, elle n'a pas livré le portrait de Mme de Staël. Prosper de Barante se croit alors autorisé à annoncer : « Madame Lebrun ne finira pas votre portrait et n'y a pas touché depuis Coppet [15]. » De qui Barante tient-il ces informations ? Probablement de la fille même de Louise Élisabeth, Julie Nigris. Celle-ci fait courir un bruit : sa mère serait jalouse de Germaine [16].

On voit mal Louise Élisabeth envier une femme dont les attraits physiques ne font pas l'unanimité, et avec qui elle n'est en rivalité ni amoureuse, ni amicale, ni professionnelle. Agacement peut-être, jalousie sûrement pas. Louise Élisabeth évoque toujours positivement les atouts de Mme de Staël.

Et si la personne envieuse était Brunette ? La preuve semble faite qu'avec l'aide de Prosper de Barante et de Louis de Maleteste, elle cherche à s'interposer entre Mme de Staël et sa mère. Toujours éprise de Louis, Julie n'écoute que ses sentiments. Depuis longtemps, Prosper souhaite un portrait de Germaine à qui il voue un culte ardent, quoique prudent. Julie, pour faire plaisir à Barante, imagine de faire copier le tableau, en cachette de sa mère. Prosper met Germaine de Staël dans le secret : « Ce serait une affaire entre la fille et la mère ; il faut que Mme Le Brun ignore cela [17]. »

L'idée de Julie est donc la suivante : Germaine demanderait à la portraitiste de confier le tableau à Maleteste pour qu'il le lui transmette. Ainsi Julie pourrait en faire exécuter clandestinement une copie pour Barante. Ne connaît-elle pas assez sa mère pour savoir que toute forme de duplicité l'exaspère ?

En outre, Mme de Staël désire disposer de gravures du portrait afin de les offrir à ses amis. Le montant demandé par le graveur, jugé exorbitant, lui fait abandonner ce projet. Par l'intermédiaire de Julie, elle tente encore de faire baisser le prix du tableau :

> C'est trop cher pour une fantaisie, et je viens d'éprouver un procès considérable qui m'oblige à des ménagements de fortune ; mais aurez-vous la bonté de me dire quand le portrait de Corinne me sera remis par Madame Le Brun ? Mon intention était de lui envoyer mille écus en le recevant, mais n'ayant pas de ses nouvelles, je ne sais pas du tout ce que je dois faire. Soyez assez bonne pour vous en mêler, et me négocier, à cet égard, ce que je désire [18].

Louise Élisabeth, sans illusions sur l'amitié de Germaine, qui n'appartient pas à son monde, maintient son prix. Le climat qui entoure l'achèvement de l'œuvre devient si tendu qu'elle en devient irritable. Un jour, mettant ce qu'elle appelle « l'harmonie » au portrait de Corinne, elle renvoie « avec colère » son homme d'affaires venu lui faire signer un important papier [19]. C'est donc Julie qui, le 4 février 1809, donne des nouvelles du portrait à Germaine : sa mère vernit enfin le tableau, tâche qu'elle a retardée le plus longtemps possible afin de ne pas altérer les couleurs, explique-t-elle. Cette dernière raison n'est pas un prétexte, plusieurs des toiles de la portraitiste expédiées trop tôt avaient souffert de l'humidité durant le voyage.

Mme de Staël demande encore à Julie de faire peindre à Paris une miniature du portrait avant son envoi et de lui en indiquer le coût. Après s'être enquise des dimensions souhaitées par Germaine et du sujet (la totalité du tableau ou seulement le buste avec les mains), Julie conseille un « fameux émailliste » qui a déjà travaillé pour sa mère [20]. La fille de Mme Le Brun est parvenue à ses fins. Germaine, qui ne l'a jamais rencontrée, l'invite à séjourner à Coppet avec Louis de Maleteste. Pour Julie, ce serait une façon d'officialiser son couple. Pour Germaine, une façon de faire venir Barante. Germaine achève sa lettre par une sorte de message de bénédiction nuptiale : « Soyez heureux tous les deux par votre amitié réciproque et Dieu vous préserve d'être séparés [21] ! »

De son côté, dans la logique professionnelle qui est la sienne lorsque son modèle est une célébrité, Mme Le Brun expose la toile dans son atelier. Les avis des visiteurs sont partagés. Des critiques enthousiastes voient là un hommage à la valeur féminine ; c'est le cas de la femme de lettres Anne-Marie d'Hautpoul [22], qui compose ces vers célébrant les gloires jumelles de ces deux femmes hors du commun :

> Je la vois, je l'entends ; tes pinceaux créateurs
> Donnent l'âge et la vie et l'esprit aux couleurs ;
> Voilà ses yeux brillants d'ardentes étincelles,
> Ces sons mélodieux, ces cordes immortelles,
> Qui de ses chants divins accompagnent les vers […]
> Staël offrait à Le Brun un talent digne d'elle ;
> Le Brun méritait seul un si parfait modèle.

À l'opposé, les proches de Germaine sont peu sensibles à la dimension lyrique de l'œuvre et lui trouvent un air d'inspiration exagéré. Prosper de Barante, encore lui, écrit à son amie : « Je savais que vous trouveriez ce tableau mauvais et disgracieux [23]. » Hélas, le portrait posthume de Gérard ne parviendra pas davantage à donner à la silhouette de Germaine la grâce dont elle est dépourvue [24].

En juillet 1809, la toile arrive enfin à Coppet. En lui expédiant un mandat de mille écus, Mme de Staël fait contre mauvaise fortune bon cœur et remercie la portraitiste : « J'ai enfin reçu votre magnifique tableau, madame, et, sans penser à mon portrait, j'ai admiré votre ouvrage. Il y a là tout votre talent, et je voudrais bien que le mien pût être encouragé par votre exemple ; mais j'ai peur qu'il ne soit plus que dans les yeux que vous m'avez donnés [25]. » L'auteur de *Corinne* demandera à Firmin Massot, peintre genevois, de réaliser une copie qui l'embellisse un peu [26]. Et elle commande une nouvelle miniature à Louis Ami Arlaud-Jurine [27]. Barante, qui l'avait tant souhaitée, ne reçut cette miniature qu'en mars 1811, date à laquelle ses relations avec Germaine se sont éteintes, et où il songe à épouser la ravissante Césarine d'Houdetot.

Malgré les tracas suscités par le portrait de Mme de Staël, qui révèlent la personnalité ombrageuse de Julie, ce dernier voyage en Suisse se referme comme une parenthèse de bonheur. Le souvenir de cette terre patriarcale, nouvelle Arcadie, se fige dans sa mémoire. Le peintre prend conscience que sa vie errante a toujours été dévolue aux voyages. Elle qui s'attarde rarement à la réflexion morale n'a-t-elle pas murmuré devant le paysage superbe de Vevey : « C'est le site de mes rêves, c'est mon lieu de prédilection ; mais on ne s'arrête pas toujours là où l'on voudrait s'arrêter, et le destin ne nous permet guère d'être heureux [28]. »

Son désir de trouver un point d'ancrage se fait de plus en plus vif. Pour les dernières semaines d'été, Louise Élisabeth diffère son retour en ville. Près de Villeneuve-Saint-Georges, à Montgeron, lieu de villégiature apprécié des peintres, elle trouve une maison à louer pour la fin de la saison, elle y savoure les premières couleurs automnales [29]. Quelques décennies plus tard seulement, Monet et ses amis apprécieront la douceur des jardins de ce village.

48

Premiers adieux

« Les tableaux, comme les livres, sont des amis qui nous
égaient, et en nous offrant des plaisirs toujours purs ne
nous trompent jamais... »

Jean-Baptiste Pierre Le Brun, 1810.

Harassé mais confiant, Jean-Baptiste Pierre est rentré de son périple,
durant l'absence de Louise Élisabeth. Sa moisson est abondante : plus de
six cents tableaux, des bronzes, des marbres, des tables précieuses [1]. Aussitôt il se met au travail. Durant plus d'une année, il prépare la vente qui
lui permettra de rentrer dans ses frais, car le voyage a été coûteux. Les
« postes » et les droits de douane ont considérablement augmenté. Jour et
nuit, il nettoie et restaure les œuvres rapportées : « Je ne dors que 5 et
6 heures au plus dans les 24, écrit-il à son ami Simon Denis. Tout le
monde craint que je ne tombe malade sérieusement [2]. » Il se fait assister
par deux rentoileurs et confie la confection des bordures à l'excellent
doreur Potrelle [3].

Le Brun est un restaurateur hors pair. Il s'est parfois targué de ce
savoir-faire fondamental à ses yeux. Lors de l'authentification d'une
œuvre, la supériorité du restaurateur sur le plus grand des artistes lui
paraît indéniable [4]. À cela s'ajoute l'expertise du marchand qui est, selon
lui, un véritable brevet : « Les connaisseurs à qui des milliers de tableaux
sont passés entre les mains ont acquis une habitude du faire de tous les
maîtres, qui ne les trompe jamais [5]. » Vers le 11 janvier 1810, il achève la
préparation de ses tableaux et commence à organiser le répertoire qui
accompagnera l'exposition.

En rédigeant ce catalogue, auquel il accorde tous ses soins, Le Brun
avoue les regrets qu'il ressent à disperser sa collection : « Quel plus

heureux emploi peut-on faire de sa fortune, qu'en se donnant la satisfaction et le loisir de former un cabinet ? Là tout est jouissance, les tableaux comme les livres, sont des amis qui nous égaient, et en nous offrant des plaisirs toujours purs, devenant même pour nous une source d'économie, ne nous trompent jamais [6]. » Bien sûr, il s'agit de faire valoir les objets qu'il propose, mais la sagesse de ce ton est nouvelle. Il vient d'avoir soixante-deux ans. Le prétexte publicitaire de l'annonce est une « cessation de commerce ». Songe-t-il réellement à quitter ce négoce qui ressemble au tonneau des Danaïdes ?

La date des enchères a été fixée à la fin du mois de mars 1810. Ce n'est pas un hasard. Le Brun entend bien profiter de la venue d'étrangers de marque à l'occasion des cérémonies célébrant les noces de l'empereur avec Marie-Louise de Habsbourg-Lorraine. Mais deux semaines avant l'ouverture des portes, coup de théâtre. Un acquéreur anglais se présente par l'entremise de James Christie : le marchand William Harris. Bien qu'inscrits au catalogue, quarante-deux tableaux importants sont retirés des cimaises, car les clients anglais peuvent payer une fois et demie le prix demandé à Paris.

Après quelques jours d'exposition, le 20 mars, les acheteurs se bousculent dans la salle de l'hôtel Le Brun pour une vente qui durera quatre jours. Le marchand propose aux connaisseurs deux cent soixante-une pièces, sans compter les objets, les meubles et les sculptures [7]. Un prince Potocki se porte acquéreur de onze tableaux, le prince Ioussoupov, le cardinal Fesch font des achats importants. D'autres acquéreurs sont plus modestes, tel le peintre Guérin, preneur de deux toiles [8]. Cependant, malgré la publicité faite par Le Brun, sa remarquable organisation, la qualité des œuvres proposées, la vente ne remporte pas le succès escompté. Les affaires sont décevantes. Seule la clientèle étrangère serait en mesure de rivaliser avec la clientèle fortunée de l'Ancien Régime. Tous les espoirs de Le Brun iront désormais du côté du marché anglais.

Le Brun est heureux d'avoir retrouvé sa fille à son retour de tournée. Sans doute Julie demeure-t-elle encore rue du Gros-Chenet en 1810, puisque durant l'hiver précédent, son père a chargé Étienne de veiller à l'approvisionner en bois de chauffe : l'hiver est rigoureux et la santé de Julie fragilisée par une rougeole [9]. La liaison qu'elle entretient avec Louis de Maleteste a pris un tour presque conjugal : « Ils sont tout aussi dévoués l'un à l'autre que le premier jour, bien qu'ils ne se soient plus nécessaires, remarque Prosper de Barante, l'habitude est une chose douce et si reposante que je conçois qu'on lui fasse plus de sacrifice encore qu'à la passion. » Mais, alors que la jeune femme espère officialiser sa liaison, d'après Barante, cette union est sans avenir. Selon lui, Julie manque d'esprit et il ajoute qu'« il en faut beaucoup pour soutenir un homme découragé, malade et ennuyé de la vie [10] ».

L'affaire du tableau de Mme de Staël et ses manigances pour en faire prendre copie n'ont pas amélioré les relations de Julie avec sa mère. Aucune confiance ne semble régner entre les deux femmes. Gaetano Nigris a quitté la France [11], et Brunette l'a vu repartir sans regret. Seule à Paris, elle entend conserver sa liberté et refuse de s'installer avec Louise Élisabeth. Bientôt, la jeune femme prendra un appartement indépendant au 83, rue Saint-Lazare. Est-ce pour rencontrer plus facilement Louis ? Aux yeux du monde, Brunette passe pour une jeune femme « extrêmement mal élevée [12] ». Mère et fille se heurtent sans cesse. « Qu'il y eût de ma faute ou non, si son empire sur mon esprit était grand, je n'en possédais aucun sur le sien », se souviendra Louise Élisabeth, et leurs disputes lui font « verser quelques larmes amères » [13].

Retour à Louveciennes

Louise Élisabeth recherche toujours une maison de campagne qui lui convienne. Le projet d'achat de La Guérinière n'a pas abouti. Aussi, lorsque son notaire évoque une acquisition possible à Louveciennes, son cœur bat la chamade. Au cœur du village, en effet, se trouve une maison à vendre. Le terrain qui l'entoure est calme et suffisamment éloigné de la machine de Marly. Désormais, une machine à vapeur remplace la machine hydraulique qui pompait si bruyamment les eaux de la Seine.

Très vite, elle se décide. L'adjudication a lieu en décembre et la vente se concrétise le 13 février 1810. Mme Le Brun dépose sur la table du notaire la somme de trente-huit mille cent cinquante francs en espèces sonnantes [14]. Malgré ses proportions relativement modestes, la propriété, bornée par un quadrilatère de voies [15], est appelée par les villageois de Louveciennes le « château des Sources » [16].

Le corps principal du logis comporte deux étages. Dans le vestibule s'élève un escalier de bois autour duquel se répartissent les pièces : d'un côté une vaste salle, pourvue d'une porte-fenêtre de plain-pied sur le jardin, et un salon en enfilade dont les croisées ouvrent également sur le jardin. Louise Élisabeth imagine les grandes tablées qui pourront se réunir dans la salle à manger et les conversations des soirées d'été devant la porte-fenêtre. De l'autre côté de l'escalier, un office conduit à une vaste cuisine où l'on fera rôtir les volailles le dimanche.

À l'étage, elle parcourt les chambres, allant d'une fenêtre à l'autre, enchantée. Toutes, à l'exception d'une seule, ont une vue sur les arbres du petit parc. La chambre à coucher principale, celle que Louise Élisabeth réserve à son usage, est éclairée par deux fenêtres qui laissent entrer à flots la lumière encore pâle de ce jour d'hiver. Une pièce adjacente sert de cabinet de toilette. Trois autres belles pièces, flanquées de leur anti-chambre, se répartissent sur le jardin et la cour. Au second étage, quatre chambres semi-mansardées logeront les domestiques.

Une annexe offre au rez-de-chaussée une salle commode pour entrepo-ser les fruits ; au premier étage, deux chambres à coucher et leur suite ouvrant sur jardin et cour, et au second trois pièces plus modestes [17]. Cette annexe pourrait être transformée en pavillon d'invités. Dans le parc, un kiosque surélevé placé au milieu d'un bosquet touffu offre de beaux panoramas. L'artiste imagine les perspectives qu'elle pourra amé-nager en abattant un arbre ou en détournant une allée. Une ouverture sur la Seine pourrait être dégagée [18]. Ce n'est pas tant le charme désuet de la maison qui séduit l'artiste que le jardin et le « point de vue », qui séduira tant de peintres au XIXᵉ siècle :

> L'œil peut y suivre pendant longtemps le cours de la Seine ; par ces magnifiques bois de Marly, par ces vergers délicieux, si bien cultivés que l'on se croit dans la terre promise ; enfin, par tout ce qui fait de Louveciennes, l'un des plus charmants environs de Paris [19].

À son retour de voyage, Jean-Baptiste Pierre se dit, lui aussi, charmé par le site « agreste [20] » de la maison de Louise Élisabeth, et il comprend pourquoi peindre le paysage est « sa passion maintenant [21] ». Il sent qu'elle y met la même ardeur qu'à peindre le portrait autrefois.

L'artiste s'est renseignée sur le voisinage. Une famille qui ne lui est pas inconnue réside au domaine de Voisins, tout proche. La veuve d'un ban-quier de la place Vendôme, dont l'époux et le gendre ont été guillotinés, Madeleine Pourrat, loge dans cette bâtisse, autrefois habitée par la prin-cesse de Conti. Avant la Révolution, le salon de Mme Pourrat a connu son heure de gloire. Fanny, sa fille aînée, a été l'égérie d'André Chénier. Le couple Laclos, surtout Soulange, ont fréquenté Voisins. Depuis la disparition de Fanny, Mme Pourrat s'ingénie à divertir ses petits-enfants qu'elle élève [22] avec l'aide de sa seconde fille, Jenny. Celle-ci, devenue comtesse Hocquart de Turtot, joue brillamment la comédie dans le théâtre du vétuste château. Son talent rivalise avec celui des plus grandes comédiennes, affirme la propriétaire des Sources, ravie de ce distrayant voisinage [23].

Les environs de Louveciennes se sont métamorphosés depuis la Révo-lution. Louise Élisabeth se promène jusqu'à Marly où elle n'aperçoit plus que des vestiges. De l'élégant château entouré de cascades et de plans d'eau ne restent que des talus battus par les vents, des trous béants et les traces des cloisons des appartements sur l'herbe sauvage. Ses pas la mènent aussi jusqu'à l'ancien domaine de Mme Du Barry. Là, elle se désole de voir que du frêle pavillon où elle buvait le café avec la favorite ne subsistent que des murs. Les bronzes dorés, les candélabres, les serrures ouvragées, les gracieuses statues qui décoraient le jardin, tout ce qui en faisait le charme a été arraché.

Décidée à réorganiser sa vie, Louise Élisabeth quitte le quartier de la rue de Cléry et, au mois d'avril, signe un bail pour un appartement avec ses dépendances, au second étage d'un hôtel particulier situé 15 rue Neuve-des-Mathurins [24]. Bordée de belles demeures, cette rue abrite la résidence du maréchal Brune et l'ancien hôtel de Beauharnais.

« Il ne faut pas nous plaindre de vieillir [25] »

Louise Élisabeth et son frère n'ont pas souvent de nouvelles de leur beau-père qui vit toujours à Neuilly, 6, rue de Villiers, avec deux domestiques. Depuis quelque temps, l'ancien orfèvre n'est plus assidu aux réunions du conseil municipal dont il fait partie, il s'est alité et a rédigé d'une plume mal assurée ses dernières volontés. Sans descendance, il a désigné un exécuteur testamentaire, son cousin Jean Le Sèvre, juge de paix [26]. Au mois de janvier 1810, à quatre-vingt-six ans, François Le Sèvre rend l'âme. Les objets qui restent dans la maison poussiéreuse, dont certains ont appartenu à Jeanne Maissin, tombent dans l'escarcelle du juge. Parmi eux, figurent des tableaux de Louis Vigée, le portrait de Carlin qui a veillé sur l'enfance de Louise Élisabeth, une gravure de sa *Vénus liant les ailes de l'amour*, une tabatière à double médaillon. Seul vestige de l'ancien métier de Le Sèvre, un bel assortiment d'argenterie. Aucun des meubles n'a de valeur. Le vieil orfèvre vivait parcimonieusement. Louise Élisabeth et Étienne recouvrent les petites rentes, dont il était usufruitier, et la propriété de la maison de leur père [27]. Le portrait de Jeanne Maissin réalisé par Louise Élisabeth dans sa jeunesse et les petits tableaux à l'huile « dans le genre de Watteau » de Louis Vigée ont été rendus à ses enfants.

Quelques mois plus tard, c'est une autre silhouette familière qui s'éloigne. Au début de l'été, Étienne et sa fille Caroline ont la douleur de voir partir la discrète Suzanne. Depuis quelque temps, souffrante, elle vivait rue Sainte-Croix, dans une chambre dépendant de l'appartement occupé par sa fille [28]. À quarante-sept ans, la voix chaude de Suzette s'est tue à jamais. La piquante comédienne qui donnait la réplique à Louise Élisabeth ne laisse que le souvenir des airs qu'elle chantait. Comment voir partir sans verser de larmes l'amie de sa jeunesse, sa cadette de neuf ans, la destinataire de ses nombreuses lettres ?

Après ce deuil, Étienne éprouve le désir de se retirer, ou du moins il en fait mine : il célèbre les plaisirs d'une vie rurale. L'été, il trouve asile à

Vetheuil, près de la Roche-Guyon [29] et séjourne à Versailles chez son ami Ducis. Après avoir échoué à obtenir la gloire sous les lambris napoléoniens, le voilà occupé à célébrer une médiocrité dorée : « Il faut donc l'avouer, mettre un frein à ses vœux / Est, en effet, Ducis, le secret d'être heureux [30]. »

Mener une vie frugale et indépendante est maintenant, dit-il, sa seule ambition. Il paraît avoir renoncé à briguer un fauteuil académique [31]. Parvenu à une forme de maturité, Étienne évoque sa liberté dans ces deux vers, probablement restés les plus célèbres de son œuvre poétique.

> Affranchi comme toi du tourment d'amasser,
> Je suis riche du bien dont je sais me passer [32].

Une autre mauvaise nouvelle affecte profondément Louise Élisabeth : la reine Louise de Prusse a été emportée par la maladie le 19 juillet 1810. Mais d'après elle, la jeune femme, qui a tenu tête courageusement à Napoléon à Tilsit, serait morte des douleurs causées par les médisances. Fuir la calomnie devient, avec le temps, une des obsessions de l'artiste. Elle referme le coffret dans lequel elle a placé les bracelets brillantés, que la chère reine Louise lui a offerts. Et sa silhouette se glisse dans la ronde des figures disparues, qui forment son Olympe : Marie-Antoinette, Mme Du Barry, Rosalie Boquet, Émilie Vernet.

Est-ce en raison de tous ces chagrins que la portraitiste se décide à faire un séjour en Normandie en attendant que la maison de Louveciennes soit habitable [33] ?

Tandis que Louise Élisabeth se découvre « un goût du repos [34] », Jean-Baptiste Pierre, infatigable, refait ses bagages. À l'automne 1810, encouragé par ses partenaires anglais [35], il a entamé une tournée aux Pays-Bas et vers l'est de la France afin de s'approvisionner en maîtres hollandais : il fait « l'emplette » de cent quatre-vingt-sept tableaux, avant de revenir par Metz, Nancy, Bâle et Genève [36].

Le marché londonien sur lequel il comptait beaucoup n'a pas tenu ses promesses. L'Angleterre connaît une récession inouïe : banqueroutes, crise économique dans le Lancashire et l'Écosse. Trois des principaux marchands, clients de Harris, ont déposé leur bilan. Nombreux sont les collectionneurs contraints de revendre leurs cabinets. Trop d'œuvres affluent simultanément à la vente sur la place de Londres, au point que Harris a gardé « sur les bras » les toiles expédiées par Le Brun. Par effet de ricochet, les prix baissent. Les opérations militaires de l'Empire français, qui marche à sa ruine, ne facilitent pas les transactions. Le Brun est donc contraint d'accepter des compensations sur une partie du stock confié à Harris.

Mais le marchand n'est jamais à court de solutions. Au printemps de l'année suivante il décide de présenter au public français une sélection de ses tableaux hollandais [37], tandis qu'il en réserve un lot à Harris. Malgré la crise du marché du luxe, l'activité de la salle Le Brun demeure soutenue. En 1811, Jean-Baptiste Pierre réalise la vente après décès de son ami Raymond, l'architecte qui avait édifié l'hôtel de la rue du Gros-Chenet [38]. Puis, du mois de janvier 1812 à février 1813, il rédige cinq importants catalogues. Aux ressources procurées par les ventes s'ajoute son salaire de commissaire expert de neuf cents francs par mois, mais le marchand ne dispose pas des rentes ni des revenus de son épouse qui a créé son propre système de prévoyance. Julie, sans époux, est toujours à charge de ses parents qui ont trouvé un arrangement à son sujet : elle reçoit entre cent et cent cinquante livres par mois tirées sur les intérêts de leur compte commun [39].

En février 1812, son correspondant anglais William Harris exprime sa déception devant le lot d'œuvres hollandaises expédiées par Le Brun et il les refuse. Le Brun argumente et lui démontre qu'elles sont d'excellente qualité. Hélas, le prix de vente de ces œuvres déposées en Angleterre n'atteindra pas le tiers du prix escompté par Le Brun. Dire que les comptes du marchand ne sont pas excédentaires serait un euphémisme : ses débiteurs ne le paient pas, à commencer par son gendre Nigris, qui lui doit entre quatorze et seize mille francs, soit presque une année et demie de ses appointements. Celui-ci ne donne aucune nouvelle, mais, grâce à son protégé Simon Denis, Le Brun apprend que Nigris a été vu à Naples, Rome et Vienne en compagnie de Pavel Alexandrovitch, comte Stroganov [40].

Afin de compléter ses revenus, Jean-Baptiste Pierre décide de donner en location les appartements de maître situés à l'étage noble de l'hôtel rue du Gros-Chenet [41]. Il les a fait redorer en 1809 et a déménagé ses meubles et ses livres aux second et troisième étages. De plain-pied avec sa galerie et son cabinet de bibliothèque, sa chambre est décorée de tableaux de son épouse et de paysages de Simon Denis [42]. Sur les étagères de son cabinet s'alignent près de neuf cents volumes reliés, sans compter les portefeuilles. Table de Boulle faisant cabaret, guéridon de bois des îles, candélabres à cinq lumières à figures de femme, porcelaines de Sèvres, secrétaire garni de marbre bleu de Turquie, commode d'ébène et d'écaille : partout le goût exquis de Jean-Baptiste Pierre s'exprime [43]. Renoncer n'est pas son style. Ce dandy continue à se vêtir impeccablement : irréprochables chemises de percale blanche, habit de velours rayé lilas et vert, mouchoirs de poche rouges. Tandis que Louise Élisabeth mène une vie régulière – sept mois au village de Louveciennes où elle fréquente ses voisines, et l'hiver à Paris où elle reprend sa vie mondaine au rythme de la saison théâtrale [44] – le marchand continue à faire face à ses soucis financiers en conservant sa belle allure, la séduction de son regard sombre, sa générosité dispendieuse et une forme de philosophie. « Jeunesse, honneur et fortune ne sont pas notre lot [45]... » confie-t-il à Simon Denis.

Une succession décevante

Durant l'hiver 1812, Jean-Baptiste Pierre prend froid. Adélaïde Tharlet, qui occupe un des appartements de l'hôtel, le soigne ; mais en quelques mois sa santé décline. Au mois d'avril, son ancien associé Gambetta, qui demande régulièrement des nouvelles de lui et de sa « chère famille », croit utile de faire dire une messe pour son rétablissement [46]. En avril, le malade retrouve des forces et ses amis s'en réjouissent, mais dès le mois de mai, se sentant faiblir, Jean-Baptiste Pierre dépose son testament chez maître Moissant [47]. Il recommande de verser à sa nièce et filleule Eugénie, fille du frère dont il est le plus proche, Pierre Louis, dit de Villeneuve, une pension de mille livres par an. Il prévoit de petites pensions pour ses domestiques et pour Adélaïde (Adèle) qui lui sert de gouvernante.

Le 23 juillet 1813, l'hôtel de la rue du Gros-Chenet est mis en adjudication pour la somme de 140 650 francs, sous condition de payer son prix dans les quatre mois. Son avoué se démène, fait rentrer l'argent, contracte un nouvel emprunt pour satisfaire les créanciers et obtient la mainlevée [48]. L'hôtel Le Brun est sauvé. Le 3 août, les billets pour les quinze derniers tableaux vendus par Christie arrivent. Il est bien tard. On désespère de sauver le marchand. Le 7 août, à soixante-cinq ans, Jean-Baptiste Pierre s'éteint. Il est inhumé au cimetière du Père-Lachaise [49]. Apprenant son décès, son ami Gambetta fait un éloge de cet homme ouvert et attentif aux autres avec des mots maladroits et sincères : « Il féset le bonneur de tous sequi luy et attaché et qui sont ot près de luy [50]. »

Louise Élisabeth éprouve profondément l'ambiguïté de ses sentiments à l'égard de Le Brun. « Depuis bien longtemps, il est vrai, je n'avais plus aucune espèce de relations avec lui [51]... », mais elle est « douloureusement affectée », avoue-t-elle, plus qu'elle ne le prévoyait, car sans doute, « on ne peut sans regrets se voir séparée pour toujours de celui auquel nous avait attaché un lien aussi intime que celui du mariage [52] ». À la mort de Le Brun, les mauvais souvenirs s'atténuent pour laisser resurgir les joies partagées. La voix de Jean-Baptiste Pierre résonne à son oreille, leurs premières conversations et ses conseils avisés : « Les talents, murmurait-il, sont la seule vraie richesse. Rien dans tout le cours de la vie ne peut vous les ôter [53]. » Louise Élisabeth avait bien entendu cette leçon. Sa vie durant, le marchand n'a cessé de ressasser sa maxime préférée à ses proches : « Les talents sont la première richesse et la plus sûre [54] », et encore : « Tout le reste est futilité et agrément mais le talent réel est la vraie richesse puisqu'on est indépendant [55]. » Jusqu'à quel point Jean-Baptiste Pierre a-t-il espéré que ses propres talents parviendraient à sauver la mise ?

L'artiste n'a-t-elle pas fait sienne l'une des maximes de vie de Le Brun ? « Il ne faut pas passer un jour sans dessiner ou peindre si l'on veut parvenir, tout le reste est futilité [56]. » Enfin, cet homme n'avait pas exigé, comme tant d'autres époux, qu'elle renonce à son art. Il l'avait épaulée sur la route du succès, tout en lui faisant payer cher sa réussite. Ensuite, avec courage, il avait pris des risques pour la faire revenir d'émigration. Qu'attendait-elle alors qu'il ne lui a jamais donné ? Auprès de lui, sans doute avait-elle espéré un bonheur semblable à celui que Louis, son père, avait fait vivre à sa mère.

Lors de la levée des scellés commence l'inventaire des objets possédés par Jean-Baptiste Pierre. Il durera plusieurs jours. Les papiers révèlent la somme d'expédients auxquels le défunt a dû avoir recours pour sauver son commerce ces dernières années, un emprunt servant à en rembourser un autre. Julie, jouissant d'un droit de douaire sur l'hôtel Le Brun [57], pourrait espérer que la vente des tableaux et des « objets de curiosité » équilibre les comptes. Hélas, des tableaux prisés lors d'une succession ne sauraient atteindre les prix qu'un habile marchand obtient en plaçant les œuvres dans un ordre qui les valorise et fait s'élever les enchères. Les œuvres paraissent sous-évaluées. *Un nain conduisant un chien* de Ribera, accompagné d'un *Jeune homme* de Vélasquez et d'un tableau vénitien forment un lot prisé à cent cinquante francs. Des dessins précieux ne sont évalués que quelques dizaines de francs.

Sur la liste figurent aussi des œuvres dont la valeur devait être sentimentale pour le défunt, des dessins de son ami Raymond et un paysage de Simon Denis. Il possédait des dessins sur papier bleu de son épouse et plusieurs de ses tableaux, notamment une version du portrait des *Ambassadeurs de Typpo Saïeb* [58] et une version de *Lady Hamilton en Sibylle* [59].

À la somme recueillie par la vente auraient dû s'ajouter les œuvres restées en Angleterre, mais Christie et Harris passent sous silence un *Lever de soleil* de Claude Gellée et un portrait de Castiglione attribué à Raphaël, encore en leur possession après la mort de Le Brun [60].

Julie confie alors ses intérêts à un avoué [61]. La liste des créanciers à satisfaire est longue, à commencer par les deux médecins qui ont soigné son père à qui elle doit mille trois cents francs. S'ajoutent les notes des restaurateurs, des marchands de toile et de couleurs, plusieurs années de gages au perruquier et le salaire du portier. Des billets témoignent de petits prêts de la part d'Étienne et aussi de l'ami de Julie, Louis de Maleteste. Une créance présentée par Louise Élisabeth pour une somme de 12 012,36 francs sera honorée le 21 juin 1816 [62]. C'est à n'en plus finir.

Le propre père de Jean-Baptiste Pierre, marchand d'art dont les affaires étaient plus modestes, avait au moins laissé une succession positive. Julie se voit dotée d'un passif de succession s'élevant à 16 649 francs [63], que la vente de l'hôtel Le Brun ne parviendra pas à combler.

Pour la jeune femme, c'est un désastre. Vers qui se tourner ? On ne sait ce que Nigris est devenu. Elle fait, sans s'y attarder, des séjours à Louveciennes où elle croise Ménageot [64]. Elle tient à son indépendance sans avoir les moyens de l'assumer, car si elle a des dons – un bon coup de crayon, des aptitudes à parler les langues et surtout une orthographe parfaitement correcte –, il lui manque la persévérance qui permettrait de les faire fructifier. Julie fait paraître dans *L'Almanach impérial*, à côté de son nom, la mention « peintre de portrait ». Tente-t-elle réellement de se constituer une clientèle ? De son côté, Louis de Maleteste a obtenu un poste de secrétaire général des contributions indirectes [65], mais il ne paraît pas décidé à partager la vie de Julie.

Une querelle

Son oncle Étienne compatit, mais ce n'est pas lui qui pourra lui prêter main-forte. Il a dû quitter l'hôtel Le Brun et vit au numéro 27 rue du Mont-Blanc, tout près de la demeure du peintre Adèle de Romany, qui illustre certains de ses ouvrages [66]. Étienne semble en froid avec son aînée. L'année même de la mort de son beau-frère, il a publié une ode « sur une inimitié qui s'est élevée entre sa sœur et lui [67] ». Ses vers évoquent une querelle d'argent : « Le froid Égoïsme, la Haine », « L'avare et sordide intérêt » qui « ont rompu la chaîne » de leur affection.

La brouille paraît sérieuse. S'agit-il d'une jalousie entretenue par leur disparité de fortune, de leur rivalité inavouée ? Les vers du poète sont sibyllins : « Mais le triste et honteux mystère / Qui lui ravit un tendre frère, / Me faut-il donc le révéler ? / Non, lorsque je veux en parler / Mon cœur m'ordonne de me taire [68]. » Les conflits d'intérêts ont eu raison de l'harmonie enfantine.

La publication de cet étrange poème qui expose au grand jour leur fâcherie pourrait être interprétée comme un appel à la réconciliation. Mais la mésentente est plus profonde. Il est difficile de croire que Louise Élisabeth, fidèle royaliste, ait approuvé les revirements opportunistes de son cadet : son *Ode à la Liberté*, puis sa participation au soulèvement monarchiste, sa cohabitation avec des révolutionnaires engagés, enfin sa façon de ramper devant le nouveau seigneur dans sa dernière « Ode sur la naissance du Roi de Rome ».

Son double jeu n'a pas servi Étienne. Il sera ironiquement catalogué dans le *Dictionnaire des Girouettes* [69]. Dans le classement établi par cet amusant répertoire, il est en bonne place. Submergé par une vague de désenchantement, il se plaint de voir l'intrigue partout préférée au talent. À un moment où tant de nouveaux puissants se sont enrichis dans les trafics des biens nationaux ou dans les fournitures aux armées, Étienne, dans un poème intitulé « Les Pourquoi », se laisse aller à l'amertume [70].

Laissant son frère ruminer ses déceptions, la portraitiste se remet à son chevalet. Cette fois-ci, elle peint pour elle-même. En secret, elle a un projet : un nouveau portrait de la reine, « de souvenir ». Marie-Antoinette, les traits apaisés, vêtue d'une robe blanche, tenant à la main la palme des martyrs, est en Ascension. Dans les nuées, le roi et deux des enfants qu'elle a perdus semblent veiller sur elle. Mme Le Brun attendra longtemps avant de montrer cette toile qu'elle a intitulée *Mon rêve* [71]. C'est une œuvre que, dans les dernières années de l'Empire, on ne saurait exposer sur les murs d'un salon.

49

LE RETOUR DES BOURBONS

Après le désastre de la campagne de Russie, les royalistes recommencent à espérer. Les frontières de l'Empire français tremblent et la politique de conquête de Napoléon a atteint ses limites. Installé en Angleterre à Hartwell, Louis XVIII retrouve le sourire. La Prusse et la Russie sont alliées depuis le 18 février 1813. Les Anglais gagnent du terrain en Espagne. Mais les princes alliés, considérant les Bourbons comme de maladroits gêneurs, ne sont pas favorables à leur retour. Le prétendant au trône de France doit s'armer de diplomatie pour rassurer les alliés et faire des promesses aux Français épuisés par les levées en masse. Tous les peuples d'Europe rêvent de paix.

À Louveciennes, au printemps 1814, des événements imprévus arrachent la portraitiste à sa rêverie. Dans la nuit du 31 mars, elle est réveillée par des cris affreux. Les Prussiens mettent à sac le village. Ils s'emparent des ciboires en or dans l'église et des objets précieux dans les maisons. Malgré la protection de Joseph, son domestique suisse, qui parle allemand, les soldats vident ses armoires et son secrétaire. Après plusieurs heures de terreur, elle parvient à s'enfuir chez une voisine avec quatre autres dames, près du pavillon de Mme Du Barry.

À Paris, le 3 avril, le Sénat proclame la déchéance de Napoléon. Le 6 avril, le « peuple de France », par la voix du Sénat, appelle Louis Stanislas Xavier au trône. Mais les sénateurs demandent des gages. Voilà qui modère la satisfaction de celui qui prétend poursuivre sa dix-neuvième année de règne. Au seul mot de constitution, les deux frères de Louis XVI ont des frissons. C'est le prix de leur retour. Charles, comte d'Artois, quitte Londres et part en éclaireur. Aussitôt, à Louveciennes, le maire Nicolas Charlot se montre dans les rues avec une écharpe blanche [1]. On annonce à Louise Élisabeth et ses voisines l'arrivée du prince à Paris. Abandonnant sa maison dévastée, Mme Le Brun se précipite vers la capitale pour assister à cette entrée. Pour une royaliste fidèle, l'impression est forte : « C'est le 12 avril 1814, se souviendra-t-elle, que j'eus la jouissance de voir entrer M. le comte d'Artois dans Paris. Il m'est impossible de décrire les douces sensations que ce jour me fit éprouver ; je versai des larmes de joie, de bonheur [2] ». Artois a distribué à profusion des rubans blancs aux officiers de sa garde, et même des spectateurs plus libéraux que bourboniens, telle la comtesse de Boigne, reconnaissent, dans l'enthousiasme, que ce prince est « gracieux, élégant, débonnaire, obligeant, désireux de plaire [3] ».

Moins de trois semaines plus tard [4], dans un Paris aux fenêtres ornées de bannières blanches, de devises, de fleurs de lys, Mme Le Brun assiste à l'entrée de Louis XVIII. Le moment est solennel. Sans remarquer la dignité des vieux guerriers impériaux, au supplice d'avoir à accompagner le nouveau souverain, sans écouter les cris de « Vive la vieille garde ! » qui fusent à leur passage, elle s'enchante de revoir le prince dont elle a fait le portrait alors qu'il n'était que Monsieur. Cet homme est à la vérité bien changé, obèse, presque infirme, mais satisfait dans son habit bleu bardé du cordon bleu et de la plaque du Saint-Esprit.

Le regard de la portraitiste de la reine se tourne vers la duchesse d'Angoulême, assise dans le carrosse aux côtés du roi. Celle qu'on nommait « la petite Madame », les yeux rougis par les larmes, arbore un sourire plein de tristesse. « Effet bien naturel, songe l'artiste, car elle suivait le chemin que sa mère avait suivi en allant à l'échafaud ». La foule envahit les Tuileries, « on chantait, on dansait devant le château ». L'apparition du monarque au grand balcon, les baisers qu'il envoie à la multitude portent l'ivresse à son comble [5].

Sa naissance ne permet pas à l'artiste d'être invitée au « grand cercle » qui a lieu le soir au palais des Tuileries. Mais en se mêlant à la foule réunie dans la galerie pour apercevoir le roi se rendant à la messe, elle trouve une compensation. Elle est l'objet d'une distinction inoubliable pour une royaliste dévote, qui a abdiqué tout sens critique :

> Dès qu'il m'aperçut, [le roi] vint à moi, me donna la main de l'air le plus aimable, et me dit mille choses flatteuses sur la joie qu'il avait à me retrouver ; comme il resta quelques instants ainsi, me tenant toujours la main, et qu'il ne s'approcha d'aucune autre femme, ceux qui nous regardaient me prirent sans doute pour une très grande dame, car, dès que le roi fut passé, un jeune officier, qui me voyait seule, vint m'offrir son bras et ne voulut jamais me quitter qu'il ne m'eût accompagnée jusqu'à ma voiture [6].

L'avènement de Louis XVIII est un signal pour ceux des amis de Mme Le Brun qui sont proscrits. Et notamment, le comte de Vaudreuil, qui peut enfin poser le pied sur le sol français [7]. Le retour des Bourbons ne va pas sans quelques grincements de dents. La duchesse d'Angoulême, sur qui les espoirs se portent car, dans les esprits, elle est restée « l'Orpheline du Temple », déçoit jusqu'à ses partisans : raide, elle veut imposer des manières désuètes et régler le costume des dames en réinstaurant le port des paniers.

Autour du souverain s'empressent les anciens courtisans. Toujours prompt à sentir le vent tourner, Étienne Vigée publie dans l'année un poème dédié aux mânes du roi défunt, qu'il intitule : « Procès et mort de Louis XVI [8] ». Il ne manque pas de signer de son ancien titre « secrétaire du cabinet de Madame, belle-sœur du roi » auquel il ajoute ses récentes distinctions, « de la société philotechnique de Paris, et de plusieurs académies ». Plusieurs académies, voilà bien le souci d'Étienne. Il préférerait le singulier : l'Académie, dont il rêve depuis un certain temps. Mis a part sa flagornerie, il n'a pas démérité. Il a publié en 1809, dans un ouvrage pédagogique, des conseils sur l'art de la déclamation [9], et en 1813 une édition soigneusement revue de ses œuvres poétiques. Il pourrait espérer.

À peine Étienne a-t-il eu le temps de se remettre à plastronner et les nouvelles coteries de se constituer en intégrant les derniers émigrés que Louis XVIII doit installer sa corpulente personne dans une voiture qui le mène en trombe à Gand. Napoléon, « l'Usurpateur » maudit par les Bourbons, est de retour de l'île d'Elbe. Le comte de Vaudreuil repasse la Manche. Louise Élisabeth, ses bonnes amies de Bellegarde et ses voisines de Louveciennes, éplorées, chuchotent des anecdotes royalistes et autres jeux de mots codés : « Rendez-nous notre paire de gants ! » crie-t-on dans Paris. Les marchandes de fleurs se disputent à coup de bouquets de violettes et de fleurs de lys. Durant les Cent-Jours, nombreux sont ceux qui ne savent sur quel pied danser. Quelques-uns replongent dans la foi napoléonienne, tel l'époux d'Aglaé Auguié, le maréchal Ney. Des émeutes éclatent. À la fin du mois de juin, la maison de Neuilly où Étienne séjourne est pillée. Les jacobins du village l'ont dénoncé comme royaliste [10].

L'époque est trouble. Si elle est moins sanglante que les décennies précédentes, elle donne le tournis. Une nouvelle édition du *Dictionnaire des Girouettes* [11] n'a aucun mal à distribuer de nouveaux trophées. Seules quelques personnalités qui n'ont jamais changé de cap sont exclues de cet impertinent répertoire. Louise Élisabeth en fait partie. Fidélité sentimentale à ceux à qui elle doit son succès, refus des accommodements. Son royalisme est un des aspects de l'intransigeance d'un caractère qu'en son for intérieur, elle juge influençable.

Le pays exsangue est replongé dans la guerre, la Vendée se soulève. L'aventure napoléonienne s'achève dans les plaines de Waterloo tandis que la fin du mois de juin 1815 sonne le glas définitif de l'Empire. Un soir, au palais de l'Élysée, Napoléon aurait dit à Benjamin Constant qu'il a fait appeler : « Je ne suis pas revenu de l'île d'Elbe pour que Paris fût inondé de sang [12]. » Le 22 juin, l'Empereur abdique pour la seconde fois.

Le paysage politique se transforme encore. Tout bouge. Louise Élisabeth, insatisfaite de son appartement devenu bruyant, quitte la rue des Capucines et, sans changer de quartier, s'installe rue d'Anjou [13].

À l'automne de l'année suivante, un ami disparaît. Le conseiller de sa jeunesse, l'ami solide des jours romains, François Ménageot, meurt le 26 octobre 1816. Il lègue à Julie Nigris, qu'il connaissait depuis l'enfance, le bel autoportrait au pastel que Louise Élisabeth lui avait offert à Rome [14]. De son côté, celle-ci conservera dans ses portefeuilles un portrait inachevé de Ménageot, au pastel. Inachevé peut-être comme leur amitié, comme leur complicité inaboutie [15]. Serait-ce un portrait de souvenir réalisé en pensant à lui ? Ménageot, plus fidèle, plus constant que Jean-Baptiste Pierre, plus discret que Vaudreuil ne l'aurait-il pas rendu plus heureuse ? Il est bien tard pour les regrets. Est-ce pour accompagner les derniers jours de Ménageot que Louise Élisabeth attend plusieurs semaines pour rendre visite à une amie très chère arrivée à Paris ?

La chère amie russe

Avec le retour de la royauté, les étrangers affluent dans la capitale. Parmi eux, la princesse Natalia Kourakina, à qui Mme Le Brun est redevable de si bons moments, est installée depuis la fin du mois d'août à l'hôtel des Colonies, rue de Richelieu [16]. Le soir du 28 octobre, la princesse note dans son *Journal* après la visite de la portraitiste : « Comme le cœur jouit en revoyant un cœur qui le chérit [17] ! » En pénétrant dans la pièce, Louise Élisabeth lui a tendu un paquet de ses lettres, orné d'une fleur séchée reçue autrefois de Russie. Cette fidélité émeut la sentimentale Natalia. Toujours est-il que l'arrivée de la princesse donne à Louise Élisabeth, qui aurait souhaité revoir la Russie [18], un regain de jeunesse. Grâce au journal de Natalia, rédigé en français, nous connaissons presque jour pour jour l'emploi du temps des deux amies.

Natalia improvise des soirées musicales qu'Auguste Rivière et son épouse russe ne manqueraient pour rien au monde [19]. Sans trop se faire prier, elle chante les romances qu'elle a composées en s'accompagnant à la harpe. Le timbre de sa voix grave séduit l'auditoire et Natalia en rougit de plaisir. Malgré sa chevelure abondante, avec son menton saillant, elle n'est pas belle, mais lorsqu'elle chante sa romance, « Je vais donc quitter pour jamais… », tous sont séduits. « Dans une société où l'on vous aime, où l'on vous prise, confie la princesse à son journal, vous en valez cent fois mieux à vos propres yeux [20]. » Sur le portrait réalisé par Louise Élisabeth, elle déchiffre un cahier de musique italienne, surprise dans une attitude pleine de vie [21].

L'infatigable Natalia sort tous les jours dans le monde. Invitée chez Mme Récamier, elle trouve sa beauté au-dessus de sa réputation [22], mais n'est pas enchantée par la conversation de Mme de Staël. Les ateliers d'artistes l'intéressent. Auguste Rivière la conduit chez Isabey, le miniaturiste : « C'est une grâce, une légèreté, une ressemblance étonnantes [23] », souffle-t-elle en se penchant sur les médaillons. Grâce à Louise Élisabeth, elle découvre les collections de Denon, l'atelier de Guérin. Robert Lefèvre, portraitiste en vogue, lui ouvre son studio. Une ancienne élève de la portraitiste, Marie Guilhelmine Le Roux de Laville, l'engage à venir voir ses tableaux [24]. Le peintre de fleurs Pierre-Joseph Redouté reçoit aussi sa visite [25]. Ce que Natalia apprécie par-dessus tout à Paris, c'est de n'être pas traitée en princesse par ces artistes, mais en amie. On se souvient de ses goûts, on lui sert son café dans une « grande tasse » et cela suffit à la combler [26] ! Comme Louise Élisabeth, ce qu'elle déteste, c'est l'indifférence, la morgue et le dédain. Et à cet effet, les deux amies fuient les *routs* de Lady Crawford où l'ennui est garanti.

Elles se rendent au Louvre, en cortège avec Brifaut [27] et Aimé-Martin [28], deux hommes de lettres assidus aux soirées de la rue d'Anjou, afin d'admirer une *Éruption du Vésuve* du pinceau du comte de Forbin, directeur du Louvre, que Natalia juge « volcanique ». Les amies assistent aussi à des séances de la Chambre des députés, mais Natalia ne parviendra pas à entraîner l'artiste dans sa visite de la salle des aliénées, à la Salpêtrière. Entre les visites, elles dégustent des glaces à la terrasse du *Café Turc* [29]. Natalia déjeune au *Cadran bleu*, boulevard du Temple. La vie est douce dans les premiers jours de la Restauration, songe la princesse, qui profite innocemment de sa liberté [30].

Imprégnée de la lecture du *Werther* de Goethe, comme bien des jeunes femmes russes de sa génération, ouvrant les portes de son âme à la recherche du beau, la romantique Natalia s'enivre de concert et de théâtre. La cantatrice Catalani lui prête sa loge à l'opéra. Et lorsque après une absence elle revient à la Comédie-Française, rien ne la touche plus que l'accueil des ouvreuses qui s'exclament : « Ah ! voilà notre bonne princesse [31]. » Pour elle l'artiste ouvre ses portefeuilles et lui offre un portrait au crayon de l'abbé Delille [32], en se souvenant que les jeunes filles russes copiaient des fragments entiers de son poème « L'imagination » dans leurs albums.

Rue d'Anjou, depuis quatre heures de l'après-midi jusqu'à onze heures le soir, on bavarde jusqu'à ce moment où le brouhaha de Paris a fait place au seul roulement des fiacres qui amènent les heureux du monde de soirée en soirée. Le frère de la comtesse Tolstaïa, le prince Bariatinski, redevenu parisien, aime s'asseoir sur le velours vert des canapés de la portraitiste et, dans la pénombre du salon aux lumières voilées, il écoute Mme Démar jouer une de ces mélodies sophistiquées et tendres sur sa harpe. Si l'un des convives a une belle voix, il dit des vers de Delille [33]. En fermant les yeux, l'on pourrait se croire au beau temps des soirées à Saint-Pétersbourg. La portraitiste partage avec ses invités des lectures nouvelles. Jacques François Ancelot [34] fait l'essai de sa première tragédie, *Warbeck*, que Natalia trouve soporifique.

Les étrangers sont enchantés de ces soirées. La société est composée de Russes, d'Anglais et de nombreuses personnes rencontrées durant les voyages de l'hôtesse. Lord Trimleston, un connaisseur londonien, qui s'exprime dans un français élégant, est un fidèle [35]. Bien sûr, elle reçoit des confrères, d'anciennes élèves, comme Émilie Le Roux de Laville. Brifaut, un littérateur presque aussi opportuniste qu'Étienne, fait briller la petite monnaie de son esprit et donne la primeur de ses contes à la petite coterie.

Les amies de toujours, Mme de Sabran et son fils Elzéar, les deux sœurs Bellegarde, « bonnes, bien prévenantes », selon la princesse, sont là. Parfois, le repas se termine par des chansons, dont tout le monde reprend en chœur le refrain. Alors, pour un quart d'heure, les convives jouissent de l'illusion que la Révolution n'a pas eu lieu. « C'était gai, aimable, et tout le monde se plaisait à dire que c'était un petit dîner parisien d'autrefois [36]. » L'été, la petite bande monte en calèche pour une partie de campagne à Louveciennes. La route passe par Nanterre et on s'arrête pour acheter les fameux biscuits à la violette confite et les petits pains aux amandes [37]. Louise Élisabeth, fière de la « vue » de son parc, la fait apprécier à ses invités. Le repas est délicieux car l'hôtesse aime la bonne chère. On s'assoupit un peu dans le salon puis, après quelques pas dans le jardin, on promet de se revoir très vite.

Tous sont conscients de la fragilité de ces moments : « Je rassemble tous les instants lucides que je puis avoir, écrit Natalia, et je les place bien vite dans mon livre de souvenir, afin qu'ils s'y conservent mieux ; c'est comme on place souvent de belles fleurs artificielles sous cloche pour mieux en conserver la fraîcheur et la couleur [38]. »

Un « revenant »

En reconduisant ses invités sur le seuil, Louise Élisabeth aimerait pouvoir arrêter le temps. Un soir de novembre 1816, le comte de Vaudreuil assiste à un concert rue d'Anjou [39]. Comme une femme qui voit toujours dans les yeux de son ancien amant une étincelle de sa jeunesse, Louise Élisabeth retrouve en Vaudreuil l'homme éblouissant qu'elle a connu. Celui que Ligne peignait comme « le plus joli seigneur français, qui jouait la comédie mieux que Molé, qui chantait mieux que Clairval, qui montait le mieux à cheval, qui aimait le plus chaudement, qui faisait les plus jolis vers, et qui était le plus distingué dans tous les genres d'agréments [40] », qu'est-il devenu ? L'homme aux talons rouges du portrait de Drouais est un revenant. La princesse Natalia, qui a entendu son amie lui vanter l'attrait de « l'homme le plus aimable de Paris autrefois », fait sa connaissance lors de ce concert. Déçue, elle ne voit en lui qu'un gentilhomme « très vieux et très sourd, mais cherchant toujours en société à payer de sa personne [41] ». La comtesse Hélène Potocka, invitée le même soir, observe que chez Mme Le Brun Vaudreuil se comporte en maître de maison, comme il y a vingt-cinq ans, et avec ironie elle souligne : « ils se sont retrouvés comme le beau Cléon et la belle Javotte et auraient bien pu ne pas se reconnaître [42] ». Aux yeux des invités, Vaudreuil et Louise Élisabeth forment un couple.

Nombreux sont les visiteurs étrangers qui observent que Mme Le Brun a peu changé et ressemble encore beaucoup à son portrait de la galerie des Offices [43]. En revanche, de l'avis unanime, Vaudreuil est presque méconnaissable. Raidi psychiquement et physiquement, à soixante-quinze ans, il est titulaire d'une charge de gouverneur du Louvre. Cet emploi lui donne la jouissance d'un appartement donnant sur la cour carrée. Le mobilier, la vaisselle, lui sont fournis par le ministère de la Maison du roi, car le comte a vendu ses meubles acquis en Angleterre. Il ne possède plus que quelques porcelaines à filets d'or, des pièces d'orfèvrerie d'Odiot. À défaut de jouir de ses propres collections, il peut se promener dans les couloirs du Louvre, toujours impeccablement vêtu, en bas de soie blanche et culotte de casimir blanc. Chez lui, Vaudreuil donne des concerts. Comme avant la Révolution, il vit au-dessus de ses moyens. Il est ruiné [44]. Il arrive même qu'Artois dédommage sur sa cassette les créanciers attroupés à sa porte. Louis XVIII l'a promu pair de France. Ses positions politiques n'ont pas évolué.

Louise Élisabeth veut ignorer la part d'ombre en Vaudreuil. Sait-elle que, moins d'une année auparavant, à la Chambre des pairs, son vieil ami a voté la mort du maréchal Ney, l'époux de la petite Aglaé ? Elle qui déteste toute forme violence, qui déplore les morts sur les champs de bataille, abhorre les exécutions, a-t-elle pu approuver ce manque de clémence vis-à-vis d'un brave dont le roi lui-même, dit-on, aurait préféré que sa police ne le capture pas [45] ?

Vaudreuil en est à son dernier acte. Deux mois après le concert chez son amie, exténué, il s'éteint en son appartement du Louvre, laissant deux fils [46] et son épouse, Joséphine, et un bien mince héritage [47]. Détesté par les uns, adoré par les autres, Vaudreuil n'aura pas laissé ses contemporains indifférents.

Mais Louise Élisabeth réserve sa tristesse pour les moments où elle est seule. La portraitiste passe moins de temps à l'atelier. Au Salon de 1818, elle expose une œuvre lumineuse réalisée à Vienne, *Amphion jouant de la lyre, entouré de trois naïades*, et son tableau symbolisant la continuité politique retrouvée, *Marie-Antoinette et ses enfants*. Si elle accepte encore quelques commandes, elle aime peindre pour ses amies. À quatre d'entre elles, elle offre son autoportrait. À force de chercher à paraître toujours gaie et enjouée, elle l'est restée. Natalia souligne sa modestie : « Je n'ai, de ma vie, vu une femme plus aimable dans l'étendue du terme, outre ses qualités personnelles qui la rendent telle ; mais elle l'est surtout en voulant faire paraître les autres, en s'oubliant elle-même, puis la grande sûreté de commerce la rend vraiment précieuse [48]. » La présence de la princesse est en réalité une bénédiction pour l'artiste, et lui fait oublier d'autres soucis dont elle ne parle pas.

Grâce à ses amis étrangers, Louise Élisabeth vit à Paris comme en voyage. Si Auguste Rivière est associé à leurs loisirs, jamais Natalia n'évoque la présence d'Étienne dans le salon de sa sœur. Et plus étrange encore, à aucun moment l'amie russe ne fait allusion à une rencontre avec Brunette [49]. Elle avait pourtant connu la jeune fille à Pétersbourg et avait appris son mariage. Pourquoi ce silence ?

Une enfant éternelle

C'est étrange. La vie de Mme Le Brun est devenue compartimentée. Elle ne veut pas se plaindre. C'est une habitude qu'elle a prise : « Je gardais surtout le silence même avec mes plus chers amis, sur ma fille [50] », dit-elle.

Depuis la mort de son père, Julie traverse une période de difficultés morales et financières. Incapable de contrôler ses humeurs, elle s'est rendue insupportable aux autres et à elle-même. Sa détresse matérielle l'a amenée à quitter l'appartement de la rue Saint-Lazare pour séjourner dans une médiocre pension de famille où vivent des femmes seules contraintes d'économiser leurs deniers. Cette pension est située dans l'allée Verte, désignée aussi comme l'allée des Veuves ou des Soupirs [51], parce qu'on y rencontre des dames en quête d'aventures tarifées. La rue offre quelques guinguettes, *L'Acacia*, *Le Petit Moulin-Rouge* dont la clientèle, le soir, est interlope. Malgré tout, le cadre est boisé et aéré [52]. Quelques maisons de campagne sont ouvertes l'été.

Mais la petite pension est bruyante. Tous les mercredis, les dames se donnent rendez-vous pour le thé. Une femme de lettres, Julie Candeille, devient voisine de Brunette. Elle a pris une chambre à la « pension des dames » à la fois pour faire des économies – elle a sous-loué son appartement – et pour se reposer. La romancière espère trouver le calme nécessaire à son écriture, mais elle se plaint à son ami, le peintre Girodet, que chaque soir, « la bonne Madame Nigris s'empare [d'elle] avec tout l'empire du malheur et de l'amitié ». Girodet, qui a enseigné le dessin à Brunette [53], s'inquiète du sort de son ancienne élève. Est-ce lui qui a offert à Brunette la gravure d'*Endymion* qu'elle conserve précieusement dans sa chambre [54] ?

À trente-cinq ans, désœuvrée, Julie Nigris contemple l'échec d'une vie sans époux, sans enfants, sans métier. Lorsqu'elle est à court d'argent, elle engage une pièce de linge au mont-de-piété [55]. Fin 1818, elle vend pour cinq mille francs [56] un tableau de Murillo sauvé de la succession de son père. Bien qu'elle soit sans le sou, elle offre un présent à Girodet pour sa fête. « Sans argent, mon digne ami, susurre la Candeille, la grandeur d'âme n'est qu'un supplice de plus. » Sans doute, comme l'insinue la femme de lettres, Brunette a-t-elle recours à d'autres expédients, moins avouables. De Nigris, elle n'a plus de nouvelles. Certains disent qu'il a quitté la Russie, lors de l'été 1814, accompagné d'un enfant [57]. Maleteste s'est séparé d'elle, mais lui rend visite de temps en temps. Elle a d'autres amants. Elle est devenue l'une de celles qu'on nomme les « irrégulières ».

Selon Julie Candeille, « [Julie] manque d'ordre et de réflexion. Elle ne sait ni s'occuper, ni se résigner : vertus si nécessaires dans la mauvaise fortune, et même dans une bonne ». Et elle ajoute : « Si la mienne était plus heureuse, j'entreprendrais sa guérison. » Guérison… Brunette apparaît donc comme malade, désaxée. La romancière évoque « le trouble de sa tête, l'excessive agitation de ses sens ». Julie a trouvé un réconfort, en cachette. Seule, déclassée dans cette sinistre pension, elle qui a connu le luxe des palais pétersbourgeois engourdit ses angoisses. Un verre de vin la calme. Puis un second. Dans les conversations elle s'échauffe, parle trop et trop fort [58]. Autour d'elle on s'aperçoit de cette faiblesse, qui est devenue une habitude. Ce penchant « souill[e] en elle tant de grâces [59] », dit-on. Elle ne peut plus s'en passer.

Sa mère ne dit pas un mot de cette déchéance, mais dans ses *Souvenirs* elle évoque à mots voilés l'incompréhension qui s'est installée entre elle et Brunette. Craignant un esclandre, Louise Élisabeth n'invite plus sa fille à ses réceptions. De 1816 à 1818, pas une fois Julie ne figure sur la liste des invités des soirées de sa mère. Elles se voient en tête à tête. Sa fille lui fait honte, elle préfère ne pas voir, ne pas savoir. Mais lorsque

Julie est sur le point d'avoir maille à partir avec la justice, la mesure est à son comble.

Un drame éclate en effet à la « pension des dames » : un couvert d'argent disparaît. On le cherche partout. Une servante accuse Mme Nigris, qui nie et se défend. Louise Élisabeth, habituée aux mensonges de Julie, se laisse convaincre de sa culpabilité. Une scène violente éclate. Tout le passé remonte à la surface. Julie Candeille, qui n'aime pas Mme Le Brun, fait courir le bruit que celle-ci veut faire enfermer Brunette. Que s'est-il passé pour qu'une mère qui a aimé si tendrement sa fille croie vraisemblable un tel acte de sa part ? Girodet, Maleteste viennent au secours de l'infortunée, parviennent à prouver son innocence. Enfin, mère et fille se réconcilient.

Julie promet alors à sa mère de quitter cette pension mal fréquentée [60]. Dans le courant de l'année 1818, elle s'installe dans un de ces apparte-ments construits pour des dames seules ou des religieuses, dans le quar-tier de la rue de Sèvres, au numéro 39 [61]. Tout près de là, au numéro 16, se trouve le couvent de l'Abbaye-au-Bois et la « petite cellule » où Mme Récamier réunira ses fidèles. À partir de l'automne 1819, Benjamin Constant, Chateaubriand et Barante passent devant la porte de Julie.

L'appartement de Julie n'est pas plus grand que celui qu'occupera Juliette : deux pièces commandées par une antichambre, où Julie a placé sur des étagères quelques bosses en plâtre. Un *Apollon du Belvédère* donne à cette entrée un aspect antique. Elle s'est efforcée de décorer agréable-ment la salle de compagnie avec des pots de faïence fleuris. Dans une armoire, elle a rangé ses palettes et des livres d'art, dont le *Traité de la peinture* de Léonard de Vinci. À côté, une *Grammaire anglaise* et un *Art de la correspondance en anglais* témoignent de son goût pour les langues, dont sa mère est fière. Des livres d'histoire, des ouvrages de botanique rappellent que, comme la plupart des jeunes femmes de son temps, Julie goûte les plaisirs de l'herborisation [62].

Dans la chambre aux fenêtres voilées de mousseline claire, les meubles sont hétéroclites : couchette de bois jaune, bergère et fauteuils défraîchis couverts de toile grise frangée de rouge. Sur la table en noyer, elle a placé son pupitre et une boîte à écrire. Un secrétaire d'aca-jou surmonté de marbre bleu veiné semble provenir de la chambre de son père, de même qu'une table de Boulle à dessus de marbre. Sur la cheminée, un simple flambeau de cuivre argenté donne des reflets à la carafe à bouchon de cristal. Brunette a placé quelques objets dans un cabinet de toilette : nécessaires de voyage défraîchis, boîte à bijoux, où l'on ne trouve plus que des perles de fantaisie. Ses vêtements sont pliés dans les tiroirs : des robes d'été de percale blanche et de mousseline, une robe à bouquets sur fond vert, une redingote verte à rayures. Des hivers pétersbourgeois peut-être, elle a gardé une robe chaude de mérinos rouge ouatée qui fait ressortir ses boucles brunes et un chapeau de peluche blanche orné d'une boucle, et aussi des *schals* de laine encadrés de palme.

Les murs parlent des souvenirs de Julie : l'autoportrait de son père, des pastels la représentant [63]. Quelques gravures encadrées de bois doré : une vue du temple de Minerve, une vue de la maison du comte Stroganov où elle a été invitée, une reproduction de la *Madonna della seggiola* de Raphaël, un des tableaux préférés de sa mère. Julie a conservé un lavis de son père. Comme elle ne dispose pas d'un atelier, elle a placé dans la cuisine son chevalet, sa boîte de couleurs et un lot de toiles vierges. Trouvera-t-elle l'énergie de commencer une vie nouvelle, de se remettre au travail ?

Une fois installée, comment Julie passe-t-elle ses journées ? Les matins d'été, elle saisit son *schal* bordé d'une frise et se rend aux thermes de Tivoli, en calèche car elle ne dispose pas des services d'un cocher. Là, les baigneurs sont frottés avec de la mousse de savon de Naples et de la pâte d'amandes [64]. Brunette a gardé ses habitudes, rue de Cléry, chez sa couturière Mme Chevalier et sa lingère Mlle Lolliot. Mais, lorsqu'elle n'ose plus se présenter chez ses fournisseurs auxquels elle doit de l'argent, elle se contente de la demoiselle Mathieu, qui arrange de jolies toilettes. Elle a des dettes chez le marchand de couleurs et le doreur [65]. Pour calmer ses créanciers, elle contracte un emprunt, puis un autre. Elle a recours au mont-de-piété, place une pièce de linge en gage, sa tasse à café avec sa soucoupe en vermeil, quelques bagues, un collier de corail. Cependant, d'après Julie Candeille, elle n'est pas sans ressources, car elle reçoit une pension royale obtenue grâce à ses amis [66].

Julie passe l'été à Paris [67]. Refuse-t-elle de dire à quoi elle emploie l'argent que sa mère lui donne encore ? Le soir, Brunette met ses anneaux d'oreilles, sa bague et son bracelet de brillants. Elle chante en s'accompagnant avec une harpe à six pédales, signée des facteurs Renault et Chatelain, ornée de figures dorées. Des amis passent. Un cousin du côté de sa grand-mère maternelle, Jean-Baptiste Noël Baudouin, est devenu familier de la rue de Sèvres [68].

À quoi rêve-t-elle, si elle a encore la force de rêver ? L'âme trop romanesque, elle a cru que les sentiments gouvernaient la vie. Songe-t-elle parfois qu'elle aurait pu être l'épouse de Guérin selon les vœux de ses parents ? Guérin a fondé un atelier prestigieux fréquenté par Géricault, Delacroix. Tout autre chose que cet aventurier de Nigris, et même que l'indécis marquis de Maleteste, nouveau Lord Nelvill [69], ne se résolvant pas à épouser une femme qui n'appartient pas à son milieu.

Durant l'hiver 1819, l'état de santé de Julie devient préoccupant. Un médecin lui applique des sinapismes, des vésicatoires aux jambes. Le docteur Trappe est connu pour être un spécialiste des maladies vénériennes. Ce n'est pas la première fois que Julie le consulte [70]. Louise Élisabeth, alertée, se rend à son chevet. Elle n'a mis que deux amies dans le secret, les plus sûres. Lorsqu'elle voit le joli visage de sa fille déformé par la maladie, elle s'évanouit de douleur. Mme de Noiseville, la fille de Vaudreuil, la prend dans ses bras.

Le lendemain, 8 décembre, Anne Catherine de Verdun, l'amie de toujours qui avait assisté à la naissance de Brunette, monte les deux étages qui conduisent au modeste logis. Jean Baptiste Noël Baudouin [71] ouvre la porte, le silence est total. Glacée de tristesse, Anne Catherine remonte dans sa voiture et se rend rue d'Anjou. À son visage défait, la pauvre mère comprend que tout est terminé. « Il faut du courage pour surmonter les événements de la vie [72] », répétait Jean-Baptiste Pierre.

À la douleur se joignent les remords, remords de n'avoir pas été plus proche, d'avoir été trop tard trop sévère, de l'avoir adulée, de n'avoir pas su la rendre plus tenace. Que fallait-il faire ? demande-elle à Anne Catherine. Rien, elle ne pouvait plus rien. Où est l'image de la maternité rayonnante et comblée offerte par ses premiers tableaux ? Pouvait-elle éviter à Julie sa maladie ? Une tenture noire est placée devant la porte de la demeure, mais peu nombreux sont ceux qui suivent le convoi de Julie. Le Brun de Villeneuve, son oncle, Baudouin, son cousin du côté Maissin, quelques amies de sa mère.

Le passif de succession s'annonce tel que sa mère et son oncle renoncent à l'héritage. Seuls quelques objets personnels, des papiers, les tableaux de famille, échappent à la vente.

Tout le passé resurgit : « Les torts de la pauvre petite étaient effacés, je la revoyais, je la revois encore aux jours de son enfance... Hélas ! Elle était si jeune ! Ne devait-elle pas me survivre [73] ? » Les nuits sans sommeil se succèdent à épier le moindre bruit. Les migraines, qu'elle tente de soulager avec du linge imbibé de vinaigre. Tout l'insupporte, les cris du nouveau-né dans la chambre de ses voisins, le roulement du berceau, les chansons de la nourrice. Tout lui rappelle Julie, tout « lui navre le cœur [74] ». Lorsque l'« insoutenable » douleur s'apaise enfin, les souvenirs se recomposent. Dans le salon, le portrait de la jeune fille s'exerçant à la guitare devient celui d'une enfant éternelle. Louise Élisabeth reconstruit une image pure de la disparue. Bientôt, elle prêtera ses traits à une sainte. Elle imagine d'offrir à l'église de Louveciennes un tableau qui évoquera le souvenir de sa fille. Une œuvre malhabile, proche d'une imagerie naïve. Une adolescente dont les traits sont ceux de Julie, les yeux levés au ciel dans une campagne ensoleillée, représente la gardienne de Paris, *Sainte Geneviève gardant ses moutons dans la plaine*[75].

La mort d'un candidat

De sa famille proche, il ne reste qu'Étienne. Depuis quelques années, accaparée par l'animation de son salon, ses amis étrangers et le retour des émigrés, Mme Le Brun le voit moins souvent. Installé dans la liberté de son veuvage, le poète a des liaisons avec des actrices, souvent des débutantes à qui il enseigne la déclamation. Après s'être épris de Joséphine Duchesnois[76], il s'est enflammé pour Mlle Treille. La Restauration a placé en pleine lumière ses ambiguïtés. Vaudreuil lui a décoché une épigramme qui souligne ses trahisons : « Moins ennemi des grands tu prisais les soupers / D'un homme de la cour à son Gennevilliers. / Je t'y voyais souvent jouer la comédie / Et très flatté de vivre en telle compagnie[77]. »

Louis XVIII, moins rancunier que Vaudreuil, a fermé les yeux et lui a accordé la charge de lecteur de la chambre et du cabinet du roi. Après avoir quitté l'hôtel Le Brun pour la rue Louis-le-Grand[78], il s'est composé un cadre de vie agréable. Assis à son bureau à cylindre d'acajou, Vigée reçoit les poèmes de candidats à la gloire et les publie dans le recueil poétique de l'*Almanach des Muses* qu'il dirige depuis vingt-six ans. Selon ses confrères, il les accepte maintenant avec trop d'indulgence[79]. Une pendule représentant « Vénus allaitant l'amour » scande les heures d'étude. Dans sa bibliothèque constituée de plus de neuf cent cinquante volumes[80], les œuvres de Voltaire, de Lesage, le cours de littérature de La Harpe occupent une place de choix, mais Étienne revient toujours à son préféré, La Fontaine.

Comme sa sœur, il a eu de grandes espérances et de l'ambition. Ses œuvres personnelles, plusieurs romans et pièces de théâtre, alignées sur une étagère, en témoignent. La plupart sont des œuvrettes, mais si ses modèles, Dorat, Ducis sont passés de mode, Étienne n'a pas à rougir de son travail.

Malgré ses plaintes, ses revenus lui permettent de disposer des services d'une cuisinière et d'un domestique, et tout indique que la maison est bien tenue : harmonie jaune et grise des étoffes, argenterie poinçonnée. Outre sa pension royale de lecteur, Vigée bénéficie d'une rente annuelle de six cents francs. Malgré cela, afin de soutenir ce train de vie, Louise Élisabeth a accepté une nouvelle fois de signer des billets : il lui a emprunté deux mille quatre cents francs[81].

Étienne fréquente des réunions d'artistes et de littérateurs *ultras* chez le portraitiste Robert Lefevre, où il se rend vêtu comme un dandy d'un habit de petit velours ou de taffetas, avec des boucles de chaussures d'argent. Ses épingles de cravate en or et brillants, sa montre à chaîne d'or montrent qu'il apprécie le luxe. Robert Lefevre vient de terminer son portrait.

Que faudrait-il à Étienne pour être parfaitement heureux ?

Il lui manque encore un habit vert dans sa garde-robe. Pas plus que l'Empire, la Restauration ne lui a ouvert les portes de l'Institut. Comme il est séduisant, ses adoratrices militent en faveur de son élection à l'Académie. Mais Étienne conspire à sa propre perte. Il se montre agressif et fait circuler dans Paris des vers épigrammatiques en forme d'épitaphe : « Ci-gît qui fit des vers, les fit mal, et ne put, / Quoiqu'il fût sans esprit, être de l'Institut. »

François de Neufchâteau lui répond par ce quatrain :

> Vigée écrit qu'il est un sot ;
> Pense-t-il qu'on le contredise ?
> Non, l'épithète est si précise
> Que tout Paris le prend au mot.

Avec Étienne, tout se passe en rimant.

Cet échec sera un échec de trop. Depuis novembre 1817, ses amis constatent qu'il n'est plus le même. Sur un plateau d'acajou près de son bureau les gobelets de cristal sont souvent vides : le poète cherche l'inspiration ou la consolation dans les liqueurs. Il se grise presque tous les jours [82]. Bien qu'il ironise, à soixante ans passés, Étienne est un homme désemparé, incapable de renoncer aux honneurs qui le fuient, incapable de se contenter de son sort. On chuchote : « Le poète Vigée devient fou [83]. » Son confrère Viennet évoque une nuit après une réunion de la Société philotechnique. Les deux littérateurs déambulent la nuit dans Paris, entre le musée des Monuments français [84] et la rue Louis-le-Grand. De la main gauche Étienne fait des moulinets avec sa canne et de la main droite il brandit « une bouteille enveloppée dans une serviette ». Il dit « cent folies ». Il rumine des idées sombres : « Il m'a demandé, rapporte Viennet, s'il avait fait quelque chose de bon dans sa vie et quels ouvrages il avait composés. » Puis, après deux gorgées, il se remet à fanfaronner : pas un seul poète à l'Académie ne serait capable d'écrire aussi bien que lui [85] ! Quel désarroi. Les vers où il trouvait des accents imités d'Horace pour se satisfaire de sa médiocrité dorée semblent oubliés [86]. Étrange mélange d'insécurité et de fatuité. Un naufrage.

Après cette crise, sa fille et son gendre interviennent. Il promet. Dans ses moments de lucidité, il compose quelques épîtres. Mais au bout de trois années de ce régime, sa santé s'affaiblit, et en février, il rédige son testament. Il brûle ses correspondances et des mémoires personnels qu'il avait rédigés, emportant dans la tombe ses secrets [87].

Quelques mois plus tard, moins de six mois après avoir perdu sa fille, Louise Élisabeth, en larmes, suit un autre convoi. C'est elle qui pourvoit aux frais des obsèques, achète un terrain au Père-Lachaise afin que son frère soit inhumé près de la famille Rivière. Il n'y est pas en mauvaise compagnie : à sa droite, la tombe du chevalier de Boufflers, à sa gauche celle de Ginguené.

Louise Élisabeth réfléchit à la destinée de son frère, se demande si, indirectement, elle n'a pas participé à son échec en détournant ses talents faciles des tâches sérieuses dont il aurait été capable, en contribuant à faire de lui un amuseur de salon [88]. Dans les *Souvenirs*, l'image d'Étienne sera idéalisée en celle d'un grand écrivain. Pas une ligne pour dire leurs conflits. Le rêve secret de leur jeunesse, briller d'une égale gloire au Panthéon des arts, sera immortalisé sur le papier.

Par leur étrange similitude, les derniers jours de Julie et d'Étienne l'amènent à s'interroger. Ni Étienne, adulé par sa mère Jeanne, ni Julie, trop choyée, n'ont été capables d'affronter l'adversité. La voilà désormais sans famille proche. Elle cherche la distance et applique la recette qui lui a toujours permis de traverser les épreuves : changer de lieu. Et le conseil de Calonne – « continuer d'être ce qu'on a été [89] » – lui revient en tête. Regarder devant soi.

50

Une nouvelle jeunesse

Voyage dans la France ancienne

La voyant souffrir, ses amis l'engagent à voyager. Aussi Mme Le Brun se décide-t-elle à partir en compagnie d'Adélaïde, pour un séjour de quelques semaines. Elle qui a parcouru l'Europe ne connaît de son propre pays que les paysages de l'Île-de-France. Les courbes de la Seine encerclent l'horizon de ses découvertes. En 1820, elle s'avise de penser qu'elle n'a jamais vu l'océan. Elle choisit de découvrir Bordeaux, dont elle a entendu parler par Mme Tallien. La voilà à nouveau sur les routes.

La première étape du voyage l'amène au domaine de Méréville, propriété du comte de Laborde [1] située à l'orée de la plaine de Beauce. Méréville ressemble à ces villégiatures insouciantes d'avant la Révolution sur lesquelles plane l'esprit d'Hubert Robert [2] – une copie du temple de la Sibylle à Tivoli, un moulin et quelques chalets suisses, le château dont le pont est entouré de lianes, les rocailles construites à grands frais, les cascades –, mais l'enchantement semble dissipé. La colonne rostrale érigée par un père en mémoire de ses deux fils aînés disparus émeut celle qui vient de perdre un enfant [3]. Aux yeux du peintre, qui a vu tant de jardins en Europe, Méréville en est la quintessence. En pénétrant à l'intérieur du château flanqué de tourelles gothiques [4], le salon décoré de tableaux peints par Robert, le vestibule orné de marbres, de bronzes et de bois rares, lui arrachent des cris d'admiration.

Sur son parcours, Louise Élisabeth ne veut rien manquer. Après cette plongée dans le siècle écoulé, elle s'achemine vers Orléans, cité qui lui paraît médiévale encore. Les tours grisâtres de la cathédrale se détachent sur le ciel pommelé de la vallée de la Loire. Les arches du pont, la place de l'Étape, le théâtre et le dôme de l'hôpital général, l'hôtel Groslot où

François II fit son dernier séjour, ramènent l'artiste à une histoire de la France ancienne qui ne lui est pas familière.

Précédant son contemporain Turner qui, six années plus tard, fera le même périple dans le sens contraire, elle descend vers Blois. Mais, comme lui, sensible à la lumière opaque de l'Orléanais et du Blésois, puis aux couleurs plus chaudes de la Touraine, elle saisit à chaque occasion ses carnets et ses couleurs. Chambord surtout la plonge dans une rêverie historique : l'emblème de François Iᵉʳ, la Salamandre, ses initiales entrelacées sur la pierre blanche des cheminées, l'ombre de Diane de Poitiers, tout lui semble féerie. D'Orléans à Blois, elle longe les berges de la Loire. Moins attentive que le peintre anglais aux rives sableuses du fleuve, elle est surtout attirée par les édifices. À Chanteloup, dans le domaine du duc de Choiseul exilé, les appartements dorés du château sont dévastés. Même si, remarque-t-elle, le « grand houssoir » de la Révolution a effacé les noms des visiteurs gravés sur la pierre, la pagode édifiée par le duc a une étrange allure au milieu de sa pièce d'eau en demi-lune. Louise Élisabeth sera une des dernières visiteuses à pousser les portes du château avant sa démolition trois années plus tard [5]. De Chanteloup elle arrive à Tours, où le directeur de l'académie lui fait les honneurs de la ville. Elle traverse en bateau le fleuve alors navigable, au cours semé d'îles boisées. Elle veut atteindre sur l'autre rive les ruines de l'abbaye de Marmoutier. Là, elle prend la mesure des ravages causés par ceux que l'on nomme « la bande noire » : « Une bande infernale de chaudronniers détruisait toutes ces belles choses. » Un peu partout en France, des démolisseurs abattent de précieux édifices et en revendent les pierres et les parties sculptées. Plusieurs années avant que Victor Hugo ne jette son cri « Guerre aux démolisseurs [6] ! », Mme Le Brun s'indigne.

Partout sur sa route, elle découvre des monuments ayant souffert de la Révolution, semi-abandonnés ou voués à la bande dévastatrice. Un soir, après avoir déposé ses bagages à l'auberge, elle remarque une tour médiévale, qui forme un coup d'œil plaisant. Elle met pied à terre et sort ses carnets afin d'en fixer l'image. Quelques villageois s'approchent, curieux de la voir dessiner.

> Un jour que je me lamentais avec ces bonnes gens sur tant de destructions, un d'eux me dit : « Je vois bien que madame la comtesse avait aussi des châteaux par ici. — Non, répondis-je, mes châteaux, à moi, sont en Espagne. » [7]

Étrange façon de signifier que cette époque la déroute. La contemplation des cathédrales, la songerie devant les ruines gothiques apporte à son goût une dimension nouvelle. Elle qui ne s'enchantait que des formes pures d'un « goût grec », dont elle vantait la pureté et la simplicité, se

laisse surprendre par l'attrait mystérieux des formes en ogives et des ornements ajourés. Ses conversations à Rome avec Séroux d'Agincourt, qui
préconisait de réévaluer l'art du monde médiéval, avaient pu préparer
cette découverte. Elle fait partie de ces artistes conscients de l'importance
de préserver le patrimoine français et dont l'indignation sera à l'origine
de la création prochaine du musée des Monuments historiques.

La voiture chemine quelque temps encore entre les palais dentelés qui
bordent la vallée de la Loire, puis prend la route de Bordeaux. Des villes
haut perchées, Poitiers, Angoulême, l'arrêtent pour une étape brève.
Pour quelqu'un qui a affronté les congères des chemins russes, la route
rectiligne ressemble à une « allée de jardin ». Couchée tôt, levée à l'aube,
selon son expression favorite, elle peint « des yeux ». Le courage lui
revient peu à peu devant la beauté du monde.

Enfin, elle arrive à Bordeaux. Installée à l'hôtel Fumel, réputé pour sa
table et son vin de Lafitte, elle admire sur l'autre rive de l'estuaire la colo-
ration du coteau vert, les seconds plans montagneux d'où émergent les
toits pointus des châteaux. Le port où oscillent les gréements de dizaines
de vaisseaux, le mouvement incessant du cabotage lui plaisent. Un port
donne toujours des rêveries de commencement, de départ. Le soir, plutôt
que de sortir, elle contemple depuis son balcon, les « petites lumières
dans les maisons », le reflet de la lune sur l'eau et « le tout devient
magique [8] ».

Lors de ce voyage, les songes prennent le pas sur les rencontres et la
découverte des musées. Contrairement à son habitude, l'artiste fuit les
contacts et cherche dans les paysages leur dimension onirique : « Je
croyais faire un beau rêve », écrira-t-elle.

Une nièce providentielle

À son retour de voyage, apaisée sans être consolée, Louise Élisabeth
reprend sa vie. Elle redoute la venue de l'hiver, même si avec lui reprennent ses habitudes de réception, deux samedis par mois.

La voyant si triste, Vivant Denon et le baron de Crespy Leprince, toujours attentifs, lui parlent d'une jeune fille qui rêve de la connaître et
porte le même nom qu'elle. Elle est élève dans l'atelier de Jean-Baptiste
Regnault et ses débuts sont prometteurs. Un samedi, avec Denon et
Regnault, Françoise Élisabeth Le Brun, qu'on surnomme Eugénie [9],
pénètre dans le salon de la rue d'Anjou. Fille du troisième des frères
Le Brun, Pierre Louis, et de son épouse Anne Élisabeth Baraton, elle est
la nièce par alliance de l'artiste. Brune, les cheveux bouclés comme ceux
de Julie, Eugénie a quinze ans et rêve d'égaler le talent de sa prestigieuse
tante. La dernière fois qu'elles se sont vues, Eugénie n'était qu'une

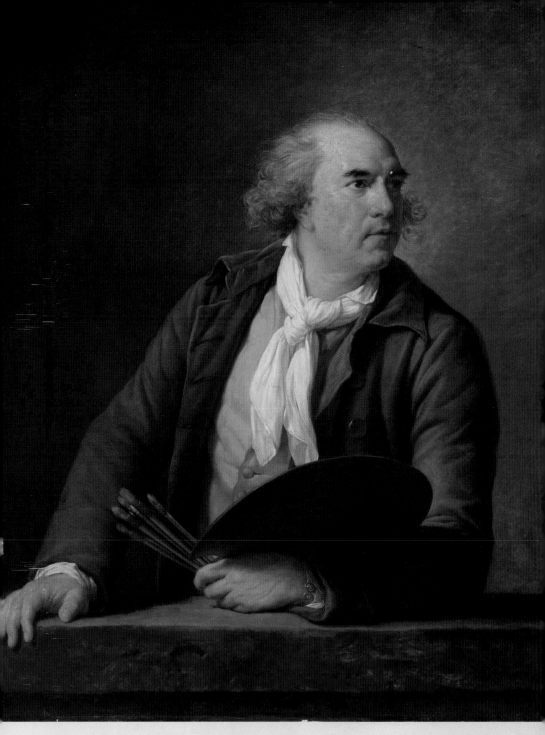

26. *Hubert Robert*, 1788.

C'est lors d'un des derniers séjours à Moulin-Joli que Louise Élisabeth réalise ce portrait d'Hubert Robert sur panneau de chêne. L'artiste s'attache à rendre, dans cette pose inspirée par les maîtres du Nord, le caractère impétueux du «bon Robert», dont la devise était *Dum spiro, spero* («Tant que je respire, j'espère»).

27. Hubert Robert, *La Roue de Moulin-Joli*, avant 1787.

Un pont de bateaux garni de fleurs et un saule font le charme de la propriété de Watelet, séjour de prédilection de la petite troupe : Louise Élisabeth, Hubert Robert, Ménageot, Brongniart, Suzanne et Étienne Vigée. Une tradition veut que Mme Le Brun et le comte de Vaudreuil aient gravé leurs chiffres entrelacés sur l'écorce d'un arbre de Moulin-Joli.

28. Coupe de l'hôtel Le Brun, 1784-1787.

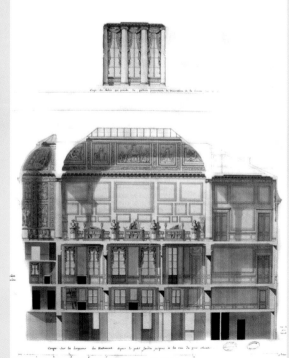

C'est l'architecte toulousain Jean Arnaud Raymond qui, à la demande de Jean-Baptiste Pierre Le Brun, dessine les plans de l'éblouissant hôtel de la rue du Gros-Chenet. L'appartement de Mme Le Brun comporte une chambre en ovale et un salon de compagnie. Au second étage, précédée d'une abside, une galerie longue de vingt-huit mètres, décorée d'arabesques et de rinceaux sur les murs, de cortèges de tritons et d'animaux marins sur la voussure, est digne de rivaliser avec celles des connaisseurs européens les plus raffinés.

29. *Émilie Brongniart*, 1788.

Le regard espiègle de Ziguette, Alexandrine Émilie, seconde fille de l'architecte Brongniart, charme tous ceux qui l'approchent. Sur ce portrait sur panneau de bois, la fillette est âgée de huit ans. La transparence du plumetis, la douceur de la laine et de la soie, tout y est suggéré. Le menton volontaire d'Émilie annonce une personnalité déjà affirmée.

30. *Geneviève Le Coulteux du Molay*, 1788.

L'épouse du banquier Le Coulteux du Molay, Geneviève Sophie, qui pose ici dans une tenue sophistiquée, reçoit Mme Le Brun à Malmaison, domaine acquis par sa famille dès 1771.

31. *Adélaïde Perregaux*, 1789.

Adélaïde de Praël, épouse du banquier suisse Perregaux, est ici costumée en *doña* de l'aristocratie espagnole. Grâce à des effets chromatiques sobres mais éclatants, l'artiste parvient à relever la personnalité assez fade de son modèle. La toque de velours surmontée de plumes évoque le style du maître d'Anvers, tandis que le drapé et la position des mains font songer à Van Dyck.

32. Le Dominiquin,
Sainte Agnès, vers 1620.

Dès son arrivée à Bologne,
Mme Le Brun se rend
dans l'église où est placée
cette œuvre du Dominiquin.
Une mélodie s'élève alors
des orgues : c'est l'ouverture
d'*Iphigénie en Tauride*
de Gluck. L'artiste, qui se
recueille, prend conscience
de sa solitude, et est émue
jusqu'aux pleurs.

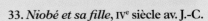

34. *Portrait de sa fille Julie*, 1792.

Ce portrait de Julie, âgée de douze ans,
fut offert à l'académie de Bologne.

33. *Niobé et sa fille*, IVe siècle av. J.-C.

À Florence, Mme Le Brun
est frappée par l'intensité
dramatique de ce groupe sculpté.
Elle se souviendra de l'image
de cette femme forte protégeant
son enfant, lorsqu'elle composera
ses «tableaux vivants»
avec Lady Hamilton.

35. *La Comtesse Skavronskaïa*, 1790.

À Naples, l'ambassadeur de Russie,
le comte Skavronski, veut posséder
un portrait de son épouse par la célèbre
Mme Le Brun. Dès le surlendemain
de son arrivée, l'artiste fait poser
Ekaterina Vassilievna, qu'on surnomme
« petite tête d'amour ». Grâce à une
attitude étudiée, l'artiste parvient
à donner un semblant d'intériorité
à l'indolente nièce de Potemkine.

36. *La Duchesse de Polignac*, vers 1790.

Ce profil à l'expression mélancolique
représente l'amie exilée
de Marie-Antoinette.

**37. *Madame Le Brun
par elle-même*, 1790.**

Offert à la prestigieuse Accademia
di San Luca, cet autoportrait
reflète l'ambiguïté des jours romains :
joie mêlée de tristesse.

38. *François de Bourbon-Naples, duc de Calabre*, 1790.

Le jeune duc de Calabre, arborant les ordres de Saint-Janvier et Saint-Ferdinand ainsi que les écharpes écarlate et bleue qui leur correspondent, est présenté en héritier du trône de Naples. S'y ajoute l'insigne de la Toison d'or. Le neveu de Marie-Antoinette désigne l'Autriche sur la carte d'Europe. Son geste souligne les liens unissant les deux royaumes, liens renforcés par l'alliance matrimoniale conclue entre sa sœur aînée et l'héritier du trône des Habsbourg.

39. *Marie-Christine de Bourbon-Naples*, 1790.

Fille cadette de Marie-Caroline de Naples, Marie-Christine, vêtue d'une jupe de plumetis blanc, remplit de roses un panier d'osier. L'artiste réalise ici une composition florale digne du pinceau de Joseph Redouté. La fillette épousera le roi de Sardaigne.

40. *Autoportrait au pastel*, 1789-1790.

Afin de remercier son ami François Ménageot, Mme Le Brun lui offre le plus sensible de ses autoportraits, réalisé au pastel dans des tons tendres. Elle se représente, le visage imperceptiblement incliné, vêtue d'une pèlerine, en tenue de voyage, avant un départ. Peut-être est-ce un portrait d'adieu? Plus tard, Ménageot offrira ce portrait à Julie Le Brun.

41. *François Guillaume Ménageot par lui-même*, vers 1790.

Mme Le Brun appréciait la compagnie de Ménageot. «C'était l'homme de ma société qui avait le plus de charme», dit-elle. Personne ne parlait «mieux peinture que lui». À Rome, Ménageot, directeur de l'Académie, accueille la jeune femme et l'accompagne, avec Julie, dans de nombreuses excursions.

42. *Lady Hamilton en Sibylle*, 1791-1792.

Lors de son second séjour à Naples, l'artiste réalise une grande Sibylle sur un fond rocailleux, qu'elle achève à Rome en 1792. Cette toile portera bonheur à Mme Le Brun. Reclouée sur son cadre à chaque étape, la *Sibylle*, dont on donne ici une magnifique réplique autographe en buste, servira longtemps de faire-valoir à l'artiste.

43. Le Dominiquin, *Sibylle*, vers 1616-1617.

Un des possibles modèles de la célèbre *Sibylle* de Mme Vigée Le Brun.

44. *Isabella Marini*, 1792.

La Vénitienne Isabella Teotochi
Marini pose à la demande
de son ami Vivant Denon devant
le chevalet de Mme Le Brun.
L'artiste exprime la sensualité
de la bouche charnue d'Isabella,
à laquelle le cavalier rendra
hommage en posant, dit-il,
un baiser sur « ces grosses lèvres
que j'aime tant ».

45. *Flore Kageneck*, 1792.

Fille de l'ambassadeur
d'Espagne à Vienne,
Flore Kageneck est cousine
des princes Metternich.
Sur ce portrait,
âgée de treize ans,
elle pose dans une tenue
qui illustre son prénom.

46. *Madame Le Brun par elle-même*, 1794.

On ne sait à qui cet autoportrait, réalisé à la fin du séjour autrichien de Louise Élisabeth, était destiné. On songe, sans certitude, au prince de Kaunitz, protecteur de l'artiste à Vienne.

47. *Auguste Rivière par lui-même*, n.d.

Frère aîné de Suzette, la femme d'Étienne, Auguste Rivière partage la destinée voyageuse de Louise Élisabeth de 1795 à 1802. Excellent acteur de société, bon peintre, Auguste réalise de grandes miniatures d'après les portraits de Mme Le Brun et dispose de sa propre clientèle.

48. *Caroline von und zu Liechtenstein,* 1793.

À Vienne, Louise Élisabeth représente Caroline von und zu Liechtenstein en Iris, divinité qui symbolise l'union entre la Terre et le Ciel et qui porte les messages des dieux. Aérienne échappée en cette tragique année 1793, ce tableau est destiné à la galerie du palais de la Herrengasse appartenant aux Liechtenstein, très ancienne famille de mécènes.

49. *Anna Ivanovna Tolstaïa,* 1796.

À Saint-Pétersbourg, les amies d'Anna Ivanovna Tolstaïa la surnomment «la longue», à cause de sa haute taille. Sur ce portrait, vêtue de blanc, elle est assise près d'une cascade, dans une attitude mélancolique. Sans doute est-ce à cause de cette robe que Mme Le Brun l'appellera encore, des années plus tard, la «reine blanche».

50. *Natalia Kourakina,*
entre 1795 et 1801.

Ce portrait représente
probablement
la princesse Natalia
Kourakina, dédicataire
des *Souvenirs* de l'artiste.
Natalia compose des
romances qu'elle chante
en s'accompagnant
à la harpe. Natalia et
Louise Élisabeth furent
liées par une amitié
qui se poursuivra
lors des séjours parisiens
de la princesse russe.

51. *Varvara*
Ladomirskaïa, 1800.

En échange de
l'hospitalité offerte à
Moscou par la comtesse
Stroganova, l'artiste
fixe les traits de sa fille
naturelle Varvara.
Mme Le Brun ne se
sert d'aucun artifice
de pose pour mettre
en valeur la prestance
de Varvara. Les yeux
sombres et en amande
de la jeune fille,
son teint lumineux,
ses traits fins
lui donnent une
présence intense.
La belle Varvara
épousera le prince
Ivan Dimitrievitch
Narychkine.

52. *Madame de Staël*, 1807.

Mme Le Brun décrit ainsi les séances
de pose à Coppet: «Mme de Staël n'était
pas jolie, mais l'animation de son visage
pouvait lui tenir lieu de beauté. Pour
soutenir l'expression que je voulais
donner à sa figure, je la priai de me réciter
des vers de tragédie, que je n'écoutais
guère, occupée que j'étais à la peindre
avec un air inspiré.»

53. *Louise de Prusse*, 1801.

Ce pastel préparatoire, réalisé à Potsdam,
représente la reine de Prusse
dans son naturel.

54. *Vue du lac de Chelles au Mont-Blanc*, entre 1807 et 1809.

De nombreux paysages au pastel, dont le coloris et la manière évoquent la palette des
impressionnistes, entouraient la cheminée du salon de la dernière résidence parisienne
de l'artiste. La vue du lac de Chelles, un des rares paysages conservés, révèle le plaisir
que Mme Le Brun éprouvait à peindre en plein air.

55. *Eugénie Le Brun par elle-même*, vers 1820.

Nièce par alliance de l'artiste, Eugénie s'est représentée en peintre à l'âge où sa tante a fait sa connaissance, dans sa quinzième année. Cette studieuse élève intéresse Louise Élisabeth, qui se préoccupe de son avenir.

56. *L'Apothéose de la reine*, n.d.

Sous l'Empire, Mme Le Brun peint pour son usage cette *Apothéose de la reine*, qu'elle nomme *Mon rêve* : la reine Marie-Antoinette portant la palme des martyrs. Le tableau est offert à Céleste de Chateaubriand pour l'institution charitable qu'elle a fondée, rue d'Enfer. À une date inconnue, le tableau a mystérieusement disparu du discret oratoire où il avait été placé.

57. *Jean Joseph François Poujoulat*, n.d.

Nostalgique de l'Ancien Régime, François Poujoulat publie des articles dans un journal ultra-royaliste. Mme Le Brun admire l'esprit étincelant, les yeux vifs de «Fanfan», «le jeune ami», «le grand enfant», qui a l'âge d'être son petit-fils et lui rend sa jeunesse.

Création Studio Flammarion

enfant [10]. Louise Élisabeth la questionne sur sa peinture et se prend rapidement d'affection pour cette nièce tombée du ciel.

Eugénie s'est représentée à l'âge où sa tante l'a rencontrée, sagement coiffée d'un béret à pompon et le mouchoir de col noué en lavallière [11]. Elle a l'air mutin d'une élève à l'atelier tenant palette et baguette à la main. Nul doute que cette studieuse élève n'ait intéressé sa tante, qui revoit en elle sa propre jeunesse. Elle se préoccupe de son avenir. Bientôt, elle lui demande de l'aider à « faire les honneurs de la maison » lorsqu'elle reçoit. Eugénie notera dans son journal qu'elle la traite comme sa fille.

Une autre jeune femme s'est rapprochée d'elle, Caroline, la fille d'Étienne et de Suzette. Fille unique, elle a perdu ses père et mère, mais ses grands-parents sont encore présents : Catherine Foulquier, l'âme de la « petite académie de la Chaussée-d'Antin », et Jean-Baptiste Rivière, chargé d'affaire de Saxe, pour qui Louise Élisabeth a de l'affection. De plus, Caroline, est la nièce d'Auguste, compagnon d'exil de la portraitiste. Caroline n'est pas allée loin pour chercher un mari : elle a épousé le plus jeune de ses oncles maternels, Louis Nicolas, capitaine d'artillerie [12], de treize ans son aîné. Et à vingt-neuf ans, Caroline est une mère de famille comblée [13].

Louise Élisabeth n'a plus d'enfant mais la voilà maintenant avec deux filles symboliques. C'est du moins ce qu'elle se plaît à se répéter. Les deux jeunes filles sont très différentes. Eugénie, filleule de Jean-Baptiste Pierre, est née dans un milieu un peu bohème. Son père a reçu une formation de peintre, a secondé son frère aîné dans son commerce. Puis, il est passé du pinceau à l'épée. Apprécié pour ses qualités de bretteur, Le Brun de Villeneuve [14] a ouvert une salle d'armes au moment où le commerce de l'art a connu un marasme. Tout cela ne manque pas de panache. La fille du poète Vigée, quant à elle, absorbée par ses tâches familiales et mondaines, a peu de temps pour épanouir ses dispositions. Jouer un peu de piano, dessiner sont ses seuls talents. La famille Rivière ayant été récemment anoblie, elle est attachée à sa position sociale. Louise Élisabeth aime que l'harmonie règne dans cette parenté recomposée. Les deux nièces s'entendent à un moment où les enjeux sont éloignés : leur tante est jeune encore, il ne s'agit que de se relayer auprès d'elle pour l'aider à recevoir.

Un 25 août à la campagne [15], jour de la Saint-Louis, Eugénie trouve un moyen original de souhaiter la fête de sa tante. Alors que la dame des Sources descend pour déjeuner, quelle n'est pas sa surprise de trouver les boiseries de son salon peintes de décors champêtres. Dès quatre heures du matin, Eugénie avec l'aide de trois complices, Auguste Rivière, Crespy Leprince et le baron de Feisthamel [16], ont rempli chacun un encadrement [17]. Des bouquets sont placés partout sur les tables. L'artiste, touchée de ces attentions, est submergée par l'émotion. L'amitié est désormais la consolation de sa vie. Quel plaisir de retrouver la précision du pinceau d'Auguste, le frère d'adoption avec qui elle a tant partagé. Le second décorateur, Charles Édouard Leprince, baron de Crespy, a l'art de représenter des paysages romanesques [18]. Quant au général baron Feisthamel, il aime représenter les feuillages. Bientôt, Louise Élisabeth sera flattée d'aller « bras dessus bras dessous [19] » visiter le Salon de peinture avec ce peintre amateur, dont elle a fait le portrait. Le baron, mèche rebelle et palette à la main, arbore un extravagant gilet bouton d'or et une écharpe couleur de feu [20].

La duchesse de Berry

À son retour de Bordeaux, la portraitiste s'est remise à un chevalet qu'elle n'a jamais vraiment délaissé. En 1819, elle avait réalisé le portrait d'une jeune femme coiffée d'un de ces bérets de velours emplumés furieusement à la mode [21]. Une des femmes les mieux chapeautées du Paris des années 1820 fait alors appeler Mme Le Brun.

La chronique vient de parler tristement de Marie Caroline de Bourbon, duchesse de Berry [22]. L'espiègle princesse napolitaine, qui a épousé le second fils de Charles X, vient de traverser une épreuve. Son époux, le duc de Berry a été assassiné par un « nouveau Ravaillac ».

Laissons Mme de Boigne évoquer cette nuit, dont le récit arrachait, dit-on, « des larmes aux plus opposants ». Alors qu'elle se trouve au théâtre avec son époux, la duchesse se sent fatiguée. Son époux, attentif à son état – elle est enceinte – la raccompagne jusqu'à la porte du théâtre. Là, survient le drame :

> Un homme passe à travers tout ce monde, heurte un des aides de camp au point qu'il lui dit : « Prenez donc garde, Monsieur. » Dans le même instant [cet homme] pose une main sur l'épaule du Prince, de l'autre enfonce par-dessus l'épaule, un énorme couteau qu'il lui laisse dans la poitrine et prend la fuite [23].

On étend le blessé. La duchesse et sa dame de compagnie restent seules avec lui tandis qu'on appelle les secours. Alors qu'elles lui donnent les premiers soins, leur robe est inondée de sang. « Madame la duchesse de Berry, reprend la comtesse de Boigne, déployait un sang-froid et une force de caractère qu'on ne saurait trop honorer, car son désespoir était extrême. Elle pensait à tout, préparait tout de ses propres mains, et la pensionnaire du matin était devenue tout à coup héroïque. » Immédiatement prévenu, le vieux roi impotent se rend au chevet de son neveu et recueille son dernier souffle.

Quelle qu'ait été la personnalité parfois controversée de Berry, la consternation est générale. Dans son journal, Viennet avoue être sous le choc : « C'est une catastrophe, écrit-il, […] tous les bons Français sont glacés d'horreur et de crainte. L'assassin montre l'épouvantable sang-froid du fanatisme politique [24]. » Sept mois plus tard la duchesse met au monde son second enfant, qu'on appelle « l'enfant du miracle [25] », Henri, duc de Bordeaux, porteur de tous les espoirs royalistes.

C'est au duc de Berry que l'artiste avait accepté de céder un tableau qui n'était pas à vendre et qui avait fait sa gloire en Europe, sa fameuse *Lady Hamilton en Sibylle* [26]. En souvenir, l'artiste gardera chez elle une statuette représentant le duc [27].

C'est vraisemblablement en 1824 que la duchesse demande son portrait à Mme Le Brun. S'adressant à celle qui a représenté tant de reines et de princesses de l'Europe, la duchesse espère un bénéfice en retour : elle entrera dans la galerie des femmes mémorables. Elle ne sera pas reine de France comme sa grand-tante Marie-Antoinette, mais se prépare à tenir un autre rôle, celui de la mère d'un roi de France.

Comme son défunt époux, Marie Caroline a constitué une collection où les scènes de genre côtoient des peintures d'un goût troubadour. Les jeunes peintres qu'elle sélectionne, Turpin de Crissé, Paul Delaroche, Eugène Isabey sont largement rétribués. Aussi Louise Élisabeth éprouve-t-elle de la sympathie pour cette jeune femme déterminée à encourager les arts. Dès lors qu'elle la connaît un peu mieux, elle est séduite par la grâce que Marie Caroline met dans son exactitude, sa disponibilité. Naïvement flattée des attentions de la duchesse, Mme Le Brun magnifie le moindre de ses gestes :

> Je n'oublierai jamais qu'un jour, pendant que je la peignais, elle me dit : « Attendez-moi un instant. » Et, se levant, elle alla dans sa bibliothèque chercher un livre où se trouvait un article à ma louange, qu'elle eut la bonté de me lire d'un bout à l'autre [28].

Dans les *Souvenirs*, l'artiste brosse un portrait à la plume de la duchesse en mère parfaite inspirant à ses enfants une attitude charitable. À travers cette imagerie un peu fanée, Louise Élisabeth rejoue les scénarios qui ont nourri sa relation avec Marie-Antoinette.

Elle réalise deux versions du portrait de la duchesse de Berry. Sur l'une d'elle, Marie Caroline est vêtue d'une robe rouge, sur l'autre elle porte une robe de velours bleu à taille haute et à manches bouffantes [29]. La présence discrète du fond nuageux percé de ciel bleu, le mouvement de l'écharpe de soie mordorée, inscrivent l'œuvre dans l'esprit des représentations *en Iris*, telles que l'artiste les avait élaborées à Vienne, pour le portrait de Caroline de Liechtenstein ou celui de Pelagia Sapieha, mais la simplification des détails procède d'un souci de se mettre au goût du jour. Pour ce tableau, l'artiste semble avoir hésité entre deux formules : celle qui souligne la fantaisie d'une élégante et celle qui expose la dignité de la mère d'un futur roi. Sans doute est-ce cette ambiguïté qui guinde le résultat. De plus, la portraitiste atténue le défaut des yeux légèrement exorbités de Marie Caroline, ce qui la dépersonnalise. Un autre peintre, Paulin-Guérin, saura rendre poétique cette particularité dans l'œuvre qu'il réalise en 1825 [30]. Sir Thomas Lawrence, à qui la duchesse commande également son portrait l'année suivante, emprunte à sa consœur le mouvement des bras, mais il joue sur l'effet chatoyant du satin et restitue le regard myope du modèle, tandis qu'avec la représentation de la coiffure, un béret de tartan orné de plume, il se livre à un exceptionnel exercice de style [31].

Louise Élisabeth expose au Salon de 1824 la version en robe rouge [32]. Sur le livret du Musée royal de cette année-là figurent deux mille cent quatre-vingts tableaux. Huit cents ont été au préalable refusés par le jury. Dans cette abondance figurent d'autres portraits de membres de la famille royale : le portrait de Louis XVIII par Gérard, le duc d'Angoulême et Charles X par Horace Vernet. Le portrait de la duchesse de Berry passe relativement inaperçu, car l'attention des critiques est captée par les œuvres de Delacroix, *Les Massacres de Scio*, et d'Ingres *Le Vœu de Louis XIII*.

Charles X, qui commence son règne, honore les artistes et distribue les médailles. Il commandera à Heim un tableau de grand format, mettant en scène cette circonstance [33]. Dans un groupe, on devine la silhouette chapeautée de Louise Élisabeth.

Certains critiques de ce même Salon suggèrent que Mme Le Brun survit à sa propre réputation [34]. Louise Élisabeth a soixante-neuf ans, mais sa vue est bonne – elle porte simplement un lorgnon au bout d'une chaîne d'or, par coquetterie plus que par nécessité [35] – et son pinceau ne tremble pas. Confusément, elle sait qu'elle n'est plus à l'apogée de ses moyens. Toutefois, lorsque son talent n'est pas bridé par des considérations externes et qu'elle se sent libre de mettre en valeur une personnalité, le résultat reste à la hauteur de ses meilleures productions de jeunesse.

En est témoin le portrait d'un jeune garçon qu'elle réalise avant 1824 et qu'elle expose au même Salon, celui du fils de « Reine blanche », la comtesse Tolstaïa. On ne saurait classer parmi les « portraits russes », puisqu'il est peint à Paris, le portrait du comte Tolstoï. Cependant la réalisation de ce tableau magnifique, laissant affleurer la sensualité d'un très jeune homme, montre que la période « russe » de Mme Le Brun est loin de se terminer avec son retour à Paris. Ce portrait romantique représente un adolescent à la beauté singulière, drapé dans une cape noire doublée de velours incarnat. Emmanuel, surnommé Lily [36], disparaîtra l'année suivante en 1825, la même année que sa mère.

Bonnes œuvres et bons tableaux : l'infirmerie « Marie-Thérèse »

Les temps sont nostalgiques pour Mme Le Brun. Quelques années auparavant, on s'en souvient, elle avait peint pour son usage une étonnante scène : la reine Marie-Antoinette en martyre. Elle avait demandé à Gérard son avis, « Je voudrais aussi vous prier de venir voir mon *Rêve* [37] » – c'est ainsi en effet qu'elle désignait cette toile. Après sa visite, Gérard l'avait félicitée : « C'est bien là le rêve d'une belle âme rendu par un beau talent ». L'œuvre était discrètement placée dans l'appartement de l'artiste. Dans les listes reconstituées de son œuvre, le « Rêve » est intitulé *Apothéose de la reine* [38].

Six années après son achèvement, l'histoire de ce tableau connaît un rebondissement, et ce grâce à la vicomtesse de Chateaubriand. L'épouse de l'auteur de *René* avait récolté des dons dans l'espoir de fonder une institution charitable. En 1819, elle avait signé un bail pour un terrain et deux corps de bâtiments situés au numéro 29 de la rue d'Enfer à Paris [39]. Une maison édifiée pour accueillir les dames de la noblesse démunie a été baptisée « infirmerie », afin de ne pas froisser les susceptibilités. En 1820, la famille Chateaubriand avait acquis l'ensemble et, deux ans plus tard, en octobre, une chapelle est inaugurée en présence de Marie-Thérèse, duchesse d'Angoulême, dont l'institution porte le prénom.

Au moment de consacrer la chapelle, il faut l'orner. Céleste de Chateaubriand s'adresse à la direction générale des Musées royaux, et le comte de Forbin prête un *Saint Jean* et un *Saint Ignace* [40]. Une *Sainte Catherine* de Mignard est offerte également à la chapelle [41] avec une *Annonciation* de Joseph Ansiaux [42]. La *Sainte Catherine* voisine avec une *Vierge dans la lumière* de Guérin [43]. Ce tableau donnait, dit-on, à la madone les traits de Marie-Thérèse [44]. Avec modestie, Guérin répond à un admirateur qui louait sa Vierge : « C'est je crois plus encore une bonne œuvre qu'un bon tableau [45]. » Enfin, Gérard contribue à l'ornementation de la chapelle avec une *Sainte Thérèse* agenouillée, qu'on accroche à la place d'honneur, derrière l'autel [46].

L'Apothéose de la reine dont Mme Le Brun fait don à la chapelle embarrasse la propriétaire des lieux. Aussi décide-t-elle de l'installer à l'écart, dans une pièce réservée à Marie-Thérèse, fermée par des portes vitrées donnant sur la nef [47], et d'où elle pouvait suivre la messe. Elle place également un autel dans cet oratoire [48]. Cette effigie subversive inaugure, dans le secret, un courant iconographique visant à béatifier la souveraine décapitée. Bientôt, un groupe allégorique, sculpté par Cortot à la demande de Marie-Thérèse, représentera la *Reine agenouillée soutenue par la Religion*. Cette sculpture sera installée dans la chapelle expiatoire édifiée par Fontaine [49]. Gravée dans la pierre comme un message d'outre-tombe, la dernière lettre de la reine adressée à Madame Élisabeth accentue l'effet pathétique de l'ensemble. Pour le « Rêve » de Mme Le Brun, Céleste de Chateaubriand a trouvé un compromis et une place discrète. « Pour moi, écrit-elle à Mme Le Brun, je la voudrais meilleure ; mais c'est du moins ce que nous avons de mieux dans le pauvre établissement qui vous devra un chef-d'œuvre. »

Pauvre établissement. Effectivement, s'apercevant qu'elle n'équilibrera pas les comptes de l'infirmerie avec les offrandes, la vicomtesse cherche d'autres ressources. Un jour qu'on lui offre un sachet de fèves de cacao, elle imagine de créer une fabrique de chocolat. C'est une réussite. Le chocolat est délicieux, et d'illustres clients se fournissent, à prix d'or, dit-on, rue d'Enfer. Le jeune Victor Hugo venait avec le secret espoir d'apercevoir celui que Céleste appelait « le chat ». On se sert de lui pour la vente du chocolat, écrit Chateaubriand ironiquement. Par plaisanterie, Céleste de Chateaubriand signera quelques-unes de ses lettres à ses clients et amis, « la vicomtesse de Chocolat ».

De nouvelles lectures

Chaque saison qui ramène Natalia Kourakina à Paris redonne à Louise Élisabeth une raison de vivre [50]. Pour lui plaire, elle fait disposer à côté de son couvert « une petite corbeille de fleurs pour l'enfant de sept ans ». C'est ainsi qu'elle a surnommé la toujours juvénile princesse. La vie s'écoule doucement. Brifaut accompagne ces dames. L'après-dînée Elzéar de Sabran, éternel sigisbée, ne se fait pas prier pour dire quelques vers, qu'il recopie dans l'*Album* de Natalia. Celle-ci, au fait de l'actualité littéraire, invite de jeunes auteurs. Sous son influence, Louise Élisabeth s'intéresse à la littérature nouvelle. Un soir, Alfred de Vigny déclame chez elle son poème « Éloa », que Natalia désigne comme « L'Ange déchu ». Louise Élisabeth est sous le charme, comme le reste de l'assistance. Le comte de Vigny, note Natalia, a « un son de voix enchanteur qui [va] droit à l'âme et qui, longtemps après la lecture, continue de vibrer dans l'imagination par le suave, le charme de sa composition [51] ». On bavarde jusqu'à une heure du matin, en savourant des glaces et en buvant du thé très fort comme l'aiment les Russes. Alfred de Vigny offre son livre à l'hôtesse, émue comme une petite fille.

Louise Élisabeth préfère toujours la poésie au roman et découvre les *Méditations* de Lamartine. C'est Aimé-Martin qui lui procure le recueil[52]. Si, elle est à l'aise avec ceux qui appartiennent à sa génération, les sœurs Bellegarde, le portraitiste Robert Lefèvre, le peintre de fleurs Joseph Redouté, elle découvre avec curiosité la génération des trentenaires et quadragénaires des années 1820, nés durant les années révolutionnaires. C'est sans doute grâce aux poètes qu'elle comprend le mieux la littérature du nouveau siècle.

51

Mon cœur a de la mémoire

Le testament de 1825

Bien qu'elle ne soit absolument pas décidée à quitter ce monde, la portraitiste songe à mettre de l'ordre dans ses affaires. Quinze jours après avoir fêté son soixante-dixième anniversaire, elle s'installe devant le secrétaire de sa chambre et rédige son testament [1]. Ses dispositions sont simples. Caroline Rivière, la fille d'Étienne, seule héritière de son sang, sera sa légataire universelle, à charge pour elle d'exécuter ses dernières volontés.

Avant tout, Louise Élisabeth se préoccupe du sort de ceux qui la servent. À Adélaïde Landré, sa dame de compagnie, pour qui elle a de l'affection – ses lettres en témoignent –, elle laisse une rente de mille francs, qui sera augmentée de moitié en cas de veuvage. Lise, sa femme de chambre, Henri Janot le gardien de Louveciennes et Joseph, son plus ancien domestique, « malgré ses torts », recevront des rentes leur permettant d'avoir une vie décente. Elle dote également « quatre vieilles femmes » démunies ou infirmes de la paroisse de cent francs par an. En femme avisée, elle précise la façon dont les fonds devront être garantis et fixe les dates des termes.

La liste des objets qu'elle veut offrir reflète ses liens avec son entourage à ce moment de sa vie. Plusieurs personnes recevront des objets auxquels sont attachées des valeurs sentimentales. À Auguste Rivière, elle lègue la boîte d'or rectangulaire dont le couvercle contient une mèche de cheveux du comte de Vaudreuil, car Auguste, écrit-elle, était aussi son ami. À Lucie Garnier, fille de Mme Michaud [2], elle laisse une boîte d'or où sont peints des lys. À son cousin Noël Baudouin, qui fut présent lors de la mort de Julie, et dernier de ses parents du côté de sa mère, elle donne une boîte de laque doublée d'or. Elle réserve à sa nièce Caroline la boîte ovale émaillée bleue constellée de brillants qui contenait le cachet du portrait de M. de Calonne, en lui recommandant, à titre de preuve pour la postérité, de ne jamais s'en séparer.

Crespy Leprince, paysagiste, choisira trois de ses vues de Suisse et recevra sa précieuse poudre d'outremer. À l'homme de lettres, un clin d'œil littéraire : Aimé-Martin recevra le cachet orné d'une tête de Germanicus et un portefeuille en cuir vert tout neuf rapporté de Russie.

La coquette Mme Ducrest de Villeneuve pourra porter sa chaîne d'or et quelques jolis vêtements. Même son notaire, maître Bertinot, sera pourvu d'un lot : une pierre jaunâtre entourée de brillants, offerte par l'empereur de Russie.

L'artiste songe à sa renommée : elle prévoit le placement d'une somme afin de fonder un prix de « tête d'expression à l'huile » pour récompenser tous les ans un lauréat de l'Académie de Saint-Pétersbourg. Au musée royal du Louvre, elle laisse l'autoportrait exposé au Salon de 1787 avec Julie [3], les portraits d'Hubert Robert, de Paisiello et une copie d'après Raphaël. Les académies ne sont pas oubliées : à celle de Berlin le portrait d'une femme en turban, à Rouen, celui de Mme Catalani en Zaïre, et celui de Mme Grassini à Genève.

Enfin, elle prévoit d'établir sa dernière demeure. La vieille dame hésite. Elle souhaiterait reposer au Calvaire du mont Valérien, lieu de sépulture aristocratique devenu symbole du légitimisme. Elle y retrouverait son amie Anna Ivanovna Tolstaïa. Sur le testament olographe, entre les lignes, elle ajoute qu'une place proche de celle de son ami le poète Delille au Père-Lachaise lui conviendrait également : cette idée de partager l'éternité avec un poète lui sourit. Elle compose son épitaphe : « Ici, enfin je repose. » Ce n'est ni auprès de son époux ni de sa fille qu'elle souhaiterait être inhumée, mais dans l'enclos poétique où le chevalier de Boufflers a rejoint Delille en 1815 et, plus tard, Mme de Sabran [4]. À quelques pas, la tombe familiale des Rivière où repose Étienne.

Une fois le texte rédigé, elle en fait une copie qu'elle place dans son portefeuille de cuir rouge qui ferme à clef. Satisfaite du devoir accompli, elle scelle à trois reprises l'enveloppe à la cire rouge avec son cachet à la tête de Germanicus. Puis elle se fait conduire chez maître Bertinot, son notaire, et lui confie le testament qu'il range dans ses dossiers : « Le plus tard, le plus tard possible, conservez votre santé ! » dit-il à sa cliente en la raccompagnant à la porte [5].

Les chemins parcourus

Mme Le Brun a l'esprit plus léger. À soixante-dix ans, elle se sent jeune. Souriante et aimable, elle est soucieuse de son apparence. Elle entretient la fraîcheur de son teint avec de la pommade de concombre [6].

Si la ligne du menton et des joües s'est affaissée, elle conserve sa taille svelte et sa démarche souple. Élégante sans coquetterie, elle porte des robes blanches de cachemire ou de percale selon la saison, sur lesquelles elle agrafe un bijou. Lorsqu'elle sort, elle pose un mantelet garni de dentelle noire sur ses épaules. Elle parle avec animation, rythmant parfois ses phrases de son interjection préférée : « Vrai [7] ! » Ses yeux pétillent.

On recherche sa compagnie, et son entourage aime l'entendre raconter sa jeunesse. Elle a fini par mettre au point le récit de quelques anecdotes : les séances de pose avec la reine, le souper grec, les séjours à Moulin-Joli, sa présentation à Catherine II. Plusieurs personnes la pressent d'écrire ses souvenirs. La princesse Kourakina et Aimé-Martin se font persuasifs. Dans sa soixante et onzième année, elle commence à prendre cette demande au sérieux, mais le projet est loin d'être formé dans son esprit. Elle hésite. Elle préfère vivre, s'amuser, recevoir. Et dans des mémoires, il faudrait parler de soi, ce qu'elle n'aime pas faire. N'avait-elle pas retenu le poème composé par la marquise de Boufflers [8], dont elle a fait une maxime : « Il faut savoir trancher l'emploi, / Du moi, du moi […] L'ennui / Marche avec lui » ?

Surviennent d'autres réticences : elle ne sait pas écrire, dit-elle. Tenir un pinceau, oui, une plume, non.

Un ami obtient gain de cause en maniant l'argument susceptible de la convaincre [9]. Si elle ne surmonte pas ses réticences, quelqu'un d'autre composera ses mémoires à sa place, « et Dieu sait ce qu'on y écrira », dit-il. L'argument fait mouche. « J'ai compris cette raison, écrit-elle dans l'un de ses premiers brouillons, ayant été souvent si méconnue, si calomniée que je me suis décidée [10]… » Ce n'est donc pas pour entrer dans une dynamique de transmission que Mme Le Brun se décide à écrire, mais afin d'orchestrer elle-même le concert de sa réputation et contrôler son image. Elle réclame à Eugénie de lui acheter de grands cahiers de papier, comme elle en trouvait autrefois.

Mesurant le chemin parcouru de la chambre de la rue Saint-Honoré au séjour de Louveciennes, elle laisse aller son regard sur les coteaux de son jardin et se met au travail. Elle commence un brouillon qu'elle intitule « Lettre à l'ami Martin [11] ». Aimé-Martin est le gardien du temple de l'œuvre de Bernardin de Saint-Pierre, dont il a épousé la veuve. Il a la religion de l'amitié. « Je note à mesure, lui explique-t-elle, ce dont je me rappelle dans tous les temps, dans tous les lieux ».

Sur cette feuille raturée, elle ajoute [12] : « Je trace seulement les faits avec simplicité, et vérité, comme on écrit une lettre à son amie [13]. » Par là, l'artiste signifie qu'elle préfère la liberté du naturel et qu'elle n'entend rien aux effets de style. Si elle ne sait pas composer de livre, elle sait écrire des lettres. Au cours de ses voyages, n'est-elle pas restée en étroite relation avec sa famille et ses amis ? Progressivement la forme épistolaire s'impose à elle : il lui faut une adresse. Ce sera celle de l'amie qui, la première, lui a demandé le récit de sa vie, la princesse Natalia Kourakina. C'est décidé. Ses mémoires s'intituleront : *Lettres à la princesse Kourakine*.

Sans savoir combien de temps cette rédaction l'occupera, elle se met avec conscience à la tâche. Les souvenirs se pressent en foule. S'étonnant de la force de la mémoire, elle écrit à son ami Crespy Leprince : « C'est comme lorsqu'on touche les premiers chaînons d'une chaîne les autres correspondent [14]. » Elle ne sait pas qu'elle s'engage dans une entreprise qui l'occupera de manière plus ou moins intense, presque une douzaine d'années, de 1825 à 1837.

La fabrique des Souvenirs

Jusqu'à quel point peut-on faire confiance à sa mémoire pour écrire sa propre vie ? Louise Élisabeth ne prétend pas faire œuvre d'historienne, mais il lui faut vérifier les faits, la concordance des dates. L'apprentie mémorialiste n'a pas pris de notes sur le vif et le regrette [15] et, les premières années, n'a probablement pas établi de répertoire de son œuvre. Si elle n'a pas tenu de journal, elle a conservé ses carnets de croquis sur lesquels elle a parfois jeté des repères. Quelques lettres reçues ont été archivées par Étienne, Hubert Robert ou Brongniart [16].

Revivre sa vie par l'écriture devient une nouvelle aventure. Elle choisit pour exergue une phrase extraite des *Rêveries du promeneur solitaire* : « En écrivant mes *Souvenirs* je me rappellerai le temps passé qui doublera pour ainsi dire mon existence [17]. » Écrire sa vie, pour elle, c'est vivre deux fois. Peut-être la seconde vie, celle du souvenir, est-elle la plus belle.

Partir à la recherche d'un temps enchanté devient son occupation principale. Aussi, comme en un portrait où l'on corrige la forme d'un nez ou l'implantation d'une chevelure, elle gomme les aspects qui lui déplaisent. Elle ne veut se souvenir que du meilleur. Ce qui la peine ou ce qui la desservirait aux yeux de la postérité est mis de côté. Par exemple, elle ne nommera pas sa rivale Adélaïde Labille-Guiard et elle restera évasive sur les détails de sa propre élection à l'Académie royale.

Certains jours, elle souffre en se remémorant de mauvais moments, alors qu'elle préférerait l'oubli. Le comportement peu honorable d'Étienne, les écarts de conduite de Julie ne sont pas mentionnés. En outre, elle reste discrète sur sa vie sentimentale. Du jeune lord écossais qui lui faisait les yeux doux, Olgivie, et qu'elle a sans doute regretté, elle ne parle que sur ses brouillons. Sur ses espoirs de jeune mariée, elle se tait. Ses rencontres discrètes avec le comte de Vaudreuil à Paris ou à

Rome, elle ne les évoque pas, ne se trahissant que par des silences, des coïncidences. Il lui arrive de confondre des dates. Si elle ne dit pas tout, elle n'invente rien, et ne ment pas délibérément. Le pacte de sincérité, qu'elle a passé avec elle-même plus qu'avec d'éventuels lecteurs, est honoré.

Écrire ses mémoires, c'est plonger dans des eaux profondes. Grâce aux brouillons miraculeusement conservés, nous suivons les chemins de son retour vers le passé. L'anamnèse conduit la vieille dame sur les territoires de sa prime enfance : chez sa nourrice à Épernon, au couvent des Mathurines. Mais elle juge que certains détails prosaïques n'intéresseront pas ses lecteurs. Le récit qu'elle construit, s'il est varié et captivant, n'est pas contrasté. Bien au contraire, elle en lisse les aspérités, comme en un portrait à l'effet porcelainé. Elle retient tout ce qui peut embellir son image publique, tout ce qui, selon son expression préférée « lui fait honneur » : les attentions que les grands de ce monde lui ont accordées, tout ce qui scintille, tout ce qui la hisse sur les scènes royales ou impériales.

Écrire ses mémoires, elle le comprend peu à peu, c'est faire un choix dans les épisodes à mettre en lumière, laisser certains aspects dans l'ombre. Sans savoir si elle aura un jour des biographes, la portraitiste leur joue des tours en imposant dès lors une interprétation de sa vie. Tout ou presque est nimbé d'une lumière dorée et douce. Elle évite de mettre l'accent sur les sentiments intenses, les déceptions, les amours. Cependant, dans l'ombre portée des radieux personnages qui peuplent sa scène intime, elle laisse apparaître des rancunes. Elle conserve une aigreur vis-à-vis de son beau-père Le Sèvre, une rancœur vis-à-vis de Jean-Baptiste Pierre, une animosité à l'égard de la gouvernante de Brunette. Ce qui a fait obstacle à son bonheur, ce contre quoi elle a dû lutter, elle ne peut ni ne veut le dissimuler.

Simultanément, elle veut faire apparaître ce qu'elle estime être sa singularité : son extrême sensibilité. Une idée insolite qui avait germé durant ses voyages lui revient en mémoire : écrire sa vie à partir des bruits qu'elle a entendus. Louise Élisabeth s'amuse à faire l'inventaire des sons dont elle a supporté les nuisances au cours de sa vie. Ces sons, désagréables pour la plupart, furent liés aux logements occupés par le peintre à Paris et durant ses voyages. Cette énumération étonnante confirme l'élaboration du processus de la mémoire chez l'artiste, mémoire toute de sensations et d'impressions. La portraitiste donne, sans les élaborer, les éléments, d'une théorie de la synesthésie : « [...] ce qui m'a constamment tourmentée, ce sont les bruits divers qui m'ont poursuivie partout. J'en ai distingué de *ronds*, de *pointus* ; je pourrais même les tracer par des lignes. Les *anguleux* surtout m'ont cruellement attaqué les nerfs [18]. »

Elle envoie, ou elle remet, une version manuscrite de cet étrange récit à la princesse Kourakina [19]. Elle y fait, une première fois, le récit de sa visite au cabinet d'anatomie de Fontana, où la vision des moulages de l'intérieur des corps a réveillé cette angoisse de mort, qui l'accompagne partout, depuis sa première vision du cadavre de la religieuse au couvent. Avec naïveté, l'artiste confie le secret de sa personnalité, sa « mémoire par les yeux » et par l'oreille, elle laisse voir un désarroi qui confine à l'anxiété. Cette lettre est un énoncé inclassable, qui n'est pas destiné à être publié.

Avec le goût de la perfection qui la caractérise, Mme Le Brun cherche sa méthode. Elle crée un cadre chronologique qui lui sert de repère. Dans un cahier au format d'un livre de compte, elle remplit des feuilles numérotées de sa main, auxquelles elle donne un titre : « Ma première enfance », « Avant mon mariage, jeune encore », « Ma première jeunesse », « Les dîners en ville », « époque de mon mariage », « Après mon mariage ».

Ces pages sont remplies de sa main dans l'ordre de la remémoration [20]. Elle trace un trait pour diviser la feuille en longueur. Lors du premier jet, elle remplit le côté gauche de la feuille par paragraphes centrés autour d'un événement, d'une date. Elle laisse des blancs. Progressivement se mettent en place les temps forts du récit : le « souper grec », le séjour à Moulin-Joli, les soirées musicales à l'hôtel Le Brun avant la Révolution, la découverte de l'Italie.

La seconde étape est celle des détails. Sur le côté droit de la feuille, la mémorialiste nourrit le récit, par des anecdotes. Elle recopie un poème. Elle place des astérisques pour ajouter une précision. Aujourd'hui, le lecteur du manuscrit reconstitue le travail de sa mémoire : d'abord les événements marquants se présentent, puis, dans un ordre parfois en contradiction avec la chronologie, les faits secondaires les accompagnent.

Écrire ses souvenirs implique de choisir parfois entre l'ordre chronologique et l'ordre thématique. Racontera-t-elle l'histoire de ses relations avec Mme Du Barry lors du récit de leur première rencontre ou respectera-t-elle la stricte succession des faits ? Elle hésite. Elle explique ses choix en s'adressant à son lecteur. S'apercevant qu'elle a plus de matière qu'il ne faudrait – elle a rencontré tant de personnes au cours de sa vie –, elle ajoute une galerie de portraits à la fin du premier volume.

Ses amis la conseillent car elle ne fait pas un mystère de l'écriture de ses mémoires. Ses nièces recopient des parties du texte rédigé en corrigeant son orthographe parfois phonétique. Même si la caustique Julie Candeille se pense autorisée à noter sur une lettre reçue : « échantillon de l'orthographe de la bonne Vigée Le Brun », pour une femme de sa génération, cette méconnaissance des règles n'est pas significative. Bien des femmes de la noblesse, et même des femmes de lettres, ne savent pas orthographier [21].

Comme l'entreprise s'étire sur de nombreuses années, plusieurs personnes interviennent à des titres divers ; parfois un copiste appointé est
recruté. Aimé-Martin apporte une touche de son style à la Bernardin de
Saint-Pierre [22]. Mme de Bawr, romancière experte, relit attentivement le
manuscrit. Sans doute ces deux lecteurs sont-ils responsables d'un affa-
dissement du style qui apparaît plus vigoureux dans les manuscrits, de
certaines mièvreries qui tempèrent le ton artiste du premier jet et qu'un
esprit facétieux, comme celui de Colette, ne manquera pas de pasti-
cher [23]. Elle n'est pas du métier, mais garde la haute main sur le résultat :
ses annotations en marge à tous les niveaux de l'élaboration le prouvent.
Elle contrôle les passages les plus délicats, notamment ce qui concerne
son amitié avec Calonne, qui fait l'objet d'une *nota* particulière. Contrairement à la tradition répandue par l'affirmation d'Edmond de Goncourt
selon laquelle elle aurait eu, dans le jargon d'époque, « un teinturier [24] »,
Mme Le Brun est bien l'auteur de ses *Souvenirs*.

Le cadeau de Charles X et l'hôtel Le Coq

Comme sa plume, le pinceau de ces années est l'instrument de la
mémoire. Le duc de Rivière, l'un des compagnons les plus fidèles de
Charles X, quitte ce monde. Le roi venait de le choisir pour servir de
gouverneur au duc de Bordeaux. « Tout en lui était chevaleresque », se
souvient-elle [25]. Mme Le Brun réalise son portrait « de souvenir ».

Elle offre le portrait au roi. L'artiste a si bien exprimé le caractère doux
et humain du duc, son « expression de franchise et de bonté » que
Charles X en est touché. Dès le lendemain, un envoyé royal portant un
paquet enveloppé se fait annoncer chez elle. Elle raconte à sa nièce Eugénie sa surprise d'avoir reçu « un superbe cadeau que vient de m'envoyer
Sa Majesté. […] C'est un service pour un grand thé en vermeil magnifique et du meilleur goût, travaillé avec un soin extrême [26] ». La fidèle
royaliste est d'autant plus émue que sur le coffret quelques mots ont été
gravés à l'or fin, « donné par le roi », avec ses armes. Quelle fierté pour
une dévote en royauté que de servir un biscuit ou une tarte avec les four-
chettes à gâteaux de Charles X [27].

Au cours de l'année 1829, Louise Élisabeth entreprend un nouveau
déménagement. Se sentant vieillir, elle cherche pour passer les hivers à
Paris une demeure, où elle pourra accueillir facilement la famille de sa
nièce Caroline Rivière. Elle quitte la rue Neuve-des-Capucines et installe
ses meubles et ses tableaux à l'hôtel Le Coq, situé au numéro 75 rue Saint-
Lazare. Cette maison avait appartenu à un chevalier de l'ordre de Saint-
Jean de Jérusalem et on la désignait, avant la Révolution, comme le

« château Coq ». Fidèle à son goût pour les vues agréables, elle jouit, écrit-elle à un ami, d'une perspective sur des jardins, « une vraie féerie [28] ». À l'étage noble, elle se réserve une vaste chambre avec vue, qu'elle fait rénover [29]. Sur son secrétaire d'acajou à demi-colonne, elle écrit sa correspondance. Près d'elle, on a disposé sur une table théière, verre et flacons. Constante dans ses goûts, elle a fait surmonter son lit d'une couronne de cuivre, d'où tombent des rideaux verts. Un tapis de la même teinte, à fond jaspé, recouvre le parquet. Quelques portraits au pastel placés sous verre garnissent les murs [30]. La cheminée est entourée de paysages rapportés des voyages suisses : lac de Genève, vue de Stabach, Walestadt, château de Dorlach, bois, cascades et lacs, une vue de Lausanne, une montagne avec une procession. La vieille dame aime vagabonder dans ses souvenirs en regardant ses pastels. Parfois, installée sur sa bergère garnie de soie verte, elle lit quelque ouvrage nouveau qu'Aimé-Martin lui a recommandé. Lorsqu'un ami intime arrive et que les housses du salon ne sont pas enlevées, elle fait approcher l'un des fauteuils assortis à la bergère pour bavarder.

De plain-pied avec sa chambre s'ouvrent deux vastes pièces de réception en enfilade, largement éclairées par des croisées sur le jardin. En grimpant l'escalier, on découvre encore à l'étage supérieur quelques chambres joliment meublées. L'installation est parfaite, car la famille ne cesse de s'agrandir aussi bien du côté Rivière que du côté Le Brun.

Un neveu apprécié, Justin Tripier Le Franc

Dans son entourage, ou plutôt dans celui d'Eugénie Le Brun, gravite un nouveau venu : le jeune Justin Tripier Le Franc, épris d'Eugénie, a présenté sa demande en mariage à la famille.

Justin est fasciné par Mme Le Brun et par l'univers qu'elle représente. De son côté, la tante d'Eugénie est séduite par ce fiancé curieux, cultivé et s'intéressant à la peinture. De plus, les opinions de Justin se situent à ses yeux du *bon côté* : son père Claude François, chef de division au ministère de l'Intérieur, secrétaire général de l'Athénée des Arts [31], a été décoré par Louis XVIII de l'ordre de la Fleur de Lys. Que demander de plus ? Peut-être la fortune car, hélas, le promis n'est riche que de ses aptitudes, de « son caractère, son intelligence et son activité au travail [32] ». Qu'importe. Mme Le Brun l'aide à trouver un bon emploi. Elle obtient un rendez-vous au ministère en avril 1829 [33]. Le jeune homme commencera par un stage sans appointements fixes, mais il a « le pied dans l'étrier ». Bientôt, Justin deviendra le secrétaire attitré du lieutenant général de police, M. Delessert, dont il gagne la confiance.

Mme Le Brun décide de protéger le jeune couple : elle promet à sa belle-sœur, la mère d'Eugénie [34], douze cents francs par an, garantis par une rente, que Justin reçoive ou non un salaire. Elle certifie que cette rente sera versée par ses héritiers quoi qu'il arrive. Afin d'honorer ces engagements, elle prend rendez-vous chez son notaire[35]. La rente promise à Eugénie est fixée à mille cinq cents francs. De plus, elle recevra un camée offert par le roi de Pologne, un bracelet d'or orné d'une pierre entourée de brillants et une broche en forme de nœuds, qu'on nomme une *Sévigné*. Un service à thé en vermeil, gravé au chiffre de la famille d'Andlau, lui est attribué avec plusieurs pièces d'argenterie. Elle ajoute des meubles de sa chambre : un secrétaire et une encoignure. Les carnets, portefeuilles d'étude et ustensiles de peinture iront également à Eugénie, dont elle veut soutenir la vocation. Ces legs n'ont rien de disproportionné – la rente d'Eugénie est, en effet, à peine plus élevée que celle d'Adélaïde, sa dame de compagnie –, mais ils sont symboliques : elle lui donne ce qu'elle a de plus intime. Elle joint à ce nouveau testament une vignette à la plume représentant le simple monument qu'elle souhaite sur sa tombe : une demi-colonne ornée d'une palette et de pinceaux[36].

En s'inspirant de ses conversations avec sa nouvelle tante, Justin rédige une notice pour un dictionnaire de biographie[37]. Il saisit la personnalité de l'artiste : son amour de la solitude, le charme de sa conversation. Mais il met déjà en forme les événements de sa vie : l'anecdote concernant le roi de Pologne chassé de l'atelier, le séjour en Angleterre comme mouvement de liberté après le retour déçu dans une France bonapartiste. Le voyage en Suisse est présenté comme une consécration esthétique[38]. Tout est prétexte à chanter les louanges de Mme Le Brun. Justin est frappé par son parler artiste, ce qu'il appelle « sa langue spéciale ». Il loue sa simplicité, « son abord que sa réputation fait craindre [...] aimable et prévenant[39] ». À ce sujet, d'autres témoignages, notamment celui du peintre Jean Gigoux, confirment les impressions de Justin[40].

Le 23 décembre 1829, Justin Tripier Le Franc entre officiellement dans la famille. Non seulement, il devient le gardien du temple de la mémoire de sa tante, mais aussi de celui d'un de ses amis, le baron Gros, qu'il rencontre de temps en temps chez elle. Il composera une ample monographie qui fera longtemps autorité sur l'ami de sa tante.

Eugénie veut faire de la peinture son métier. Afin de la guider, Louise Élisabeth rédige quelques pages de *Conseils pour la peinture du portrait*[41]. Elle rassemble des recommandations pratiques qu'on ne trouve pas dans les livres, comme celui d'être prête au moins une demi-heure avant l'arrivée du modèle afin de se « recueillir », comment conduire une séance, essayer plusieurs attitudes. Sans entrer dans le secret de sa technique, elle explique comment représenter l'œil et la naissance de l'oreille, indiquer de façon imperceptible la naissance des cheveux. La transmission qui n'a pu s'effectuer avec Brunette se réalise avec Eugénie. Loin d'avoir l'intelligence picturale de sa tante, la jeune femme en a l'enthousiasme et le goût du travail. Avec elle, l'artiste sent des affinités, bien qu'aucun lien de sang ne la relie à la fille du frère de Jean-Baptiste Pierre.

1830

Au printemps 1830, alors que Mme Le Brun s'apprête à se rendre à Louveciennes, Charles X prononce son discours du trône. Sa politique autoritaire est vivement contestée par la presse et les députés, et le ministère de Villèle a augmenté le nombre des mécontents. Après avoir tenté de calmer le jeu par l'intermède du ministère Martignac, Charles X a appelé un *ultra* au pouvoir, Jules Auguste de Polignac. L'opposition se raidit, et le discours royal met le feu aux poudres, tandis que le parti orléaniste se soude autour du fils de Philippe Égalité.

Quatre nouvelles ordonnances brident la liberté de la presse et modifient le système électoral de façon à éloigner des urnes la bourgeoisie d'affaires. C'est un tollé : « Des ministres criminels ont violé la légalité, nous sommes dispensés d'obéir ! » s'écrie Thiers au nom des journalistes. Le gouvernement se jette « du haut des tours de Notre-Dame », selon l'expression de Chateaubriand [42].

Bien qu'elle soit plongée dans la rédaction de ses mémoires, la vieille dame ne voit pas sans appréhension gronder la révolte qui, à la suite des trois journées surnommées « Glorieuses », provoque un nouveau changement de régime. En effet, les 25, 26, 27 juillet les rues de Paris voient s'élever des centaines de barricades. On dépave la chaussée en criant : « Vive la liberté ! À bas les Bourbons ! » Charles X ordonne à ses troupes de « tenir bon ». Dans les rues tortueuses des quartiers insurgés, les charges de l'armée dirigée par le général Marmont sont inefficaces. Les soldats sont pris au piège dans des coupe-gorge. Les bataillons reculent vers le Louvre. Bientôt le drapeau tricolore est hissé sur l'Hôtel de Ville et sur Notre-Dame. On forme une commission municipale. La Fayette prend le commandement de la garde nationale.

Le 29 juillet, rien n'est calmé encore. Chateaubriand écrit à Juliette Récamier : « Je suis entré dans Paris au milieu de la canonnade, de la fusillade et du tocsin [43]. » Le roi, prudemment installé à Saint-Cloud, fait machine arrière, promet de retirer les ordonnances. Trop tard. L'émeute gronde. Charles X se réfugie avec sa famille à Rambouillet. Après quarante-huit heures de tractations, les députés prennent la décision de porter Louis-Philippe, duc d'Orléans, au pouvoir. Le surlendemain, le 31 juillet, ce dernier paraît sur le balcon de l'Hôtel de Ville en compagnie de La Fayette : les Parisiens l'acclament. En un éclair, le pouvoir a changé de mains.

Les amis *ultras* de Mme Le Brun conservent encore un espoir, car
Charles X abdique en faveur de son petit-fils Henri, duc de Bordeaux,
« l'enfant du miracle » [44]. Montrant solennellement qu'il souhaite éviter à
la France « bien des maux », le roi propose à Louis-Philippe d'Orléans,
dont il se dit l'« affectionné cousin » [45], le rôle de tuteur d'Henri V et la
place de lieutenant général du royaume. Louis-Philippe fait la sourde
oreille. Dès le 3 août, une foule se réunit aux Champs-Élysées et prend
la route en criant : « à Rambouillet ! à Rambouillet ! il ne faut pas qu'un
seul Bourbon en réchappe ! » Charles X, la duchesse d'Angoulême, leurs
proches montent une nouvelle fois dans le carrosse de l'exil.

Durant ces événements, Mme Le Brun est à Louveciennes où les nouvelles lui parviennent. Si tout allait recommencer… Elle prend peur. Ses
amis lui font le récit des combats de rue. Elle se bouche les oreilles.
Encore une révolution, des violences, un changement de régime, c'en est
trop pour elle. L'année suivante, en 1831, elle ne peut chasser ces souvenirs de sa mémoire. Elle écrit au baron de Crespy Leprince : « Vous savez
combien tout ce qui est malheur m'afflige, témoin le récit de nos malheurs dont je ne pouvais supporter les détails l'an passé ! Vous vous le
rappelez ? » Elle sent que ce nouveau monde la dépasse et elle prend ses
distances : « Je fais comme Jean-Jacques, je laisse aller ma barque au courant, ce qui n'est pas indifférence mais sage résignation [46]. »

Le départ de Charles X relâche les liens que Mme Le Brun avait conservés avec le trône. Certes, c'est à la mère de l'actuel roi, alors duchesse de
Chartres, qu'elle avait dû ses premiers succès de jeunesse [47], alors qu'elle
habitait face au Palais-Royal. Mais, avec la meilleure volonté du monde, la
portraitiste de Marie-Antoinette ne peut éprouver de sympathie pour le fils
de Philippe Égalité, ce « tuteur infidèle », selon l'expression de Chateaubriand qui, à ses yeux, a dépouillé Henri V, « l'enfant et l'orphelin » [48].

Pour Louise Élisabeth, comme pour nombre de ses amis nés au siècle
précédent, ce bouleversement est un bouleversement de trop. Bon gré,
mal gré, boutiquiers, fournisseurs, voituriers, grattent les fleurs de lys des
portières et des devantures. « Avec un peu d'eau, on efface aujourd'hui la
reconnaissance et les empires [49] », souligne ironiquement Chateaubriand.
Mais Mme Le Brun n'est pas de ceux qui repeignent leur loyauté.

Elle ne peut plus, écrit-elle, supporter des descriptions violentes,
même lorsqu'il s'agit de fiction. Alors qu'on lui propose de lire un
roman intitulé *Notre-Dame de Paris*, de cet auteur dont la réputation
monte, Victor Hugo, elle s'en effraie. « Je sais, dit-elle, que cet ouvrage
est plein de verve ; mais, d'après ce que l'on m'en a dit, il faudrait en
extraire les passages monstrueux qui sont trop forts pour moi. Je ne
suis pas de ce siècle et ne veux pas émousser mes sensations [50]. » Louise

Élisabeth entend se préserver et continuer à jouir des charmes de son imagination.

Et puis, selon elle, la vie suffit à procurer des sensations fortes, des deuils, des catastrophes. En cette année 1831, elle apprend que le choléra qui sévit en Europe vient de faire deux nouvelles victimes : sa chère Kourakina et le sémillant Langeron. « Morbus ! » s'exclame-t-elle.

L'inquiétude l'étreint : elle a souffert de douleurs digestives une partie du mois de juillet, aussi, en septembre, veut-elle ajouter un codicille à son testament. Désormais, elle souhaite qu'on installe sa dernière demeure au cimetière de Louveciennes, car les chapelles du Calvaire au mont Valérien ont été détruites en 1830 [51]. Elle apporte quelques menues modifications [52], ajoute une bénéficiaire à sa liste de legs. Sa nouvelle cuisinière, Louise Dehais, recevra des robes, des nappes et de l'argent comptant. Puis, comme à chaque fois qu'elle a mis des dispositions en ordre, elle retrouve la santé, prête à accueillir ses amis dans ce qui reste de l'été.

Un ami fidèle

Un artiste aime particulièrement rendre visite à celle qu'il surnomme tendrement la « Ninon de la peinture », ou sa « bonne fée » : c'est le baron Gros, qu'elle a connu enfant rue de Cléry. Le dimanche, il vient chercher le couple Le Franc dans sa calèche. On part à neuf heures du matin. Il faut plus de deux heures pour se rendre de Paris à Louveciennes. On bavarde. Sur le chemin, le peintre fait halte sur la place du village de Rueil, près de l'entrée de Malmaison. Sans explication, il disparaît. Ses compagnons de voyage intrigués l'attendent durant une demi-heure. « Je ne l'ai jamais oubliée ; je ne l'oublierai jamais… », chuchote le baron Gros en remontant dans sa calèche. Durant sa mystérieuse disparition, le peintre est allé se recueillir sur la tombe de l'impératrice Joséphine, sa protectrice [53].

Un autre dimanche, par une forte chaleur, le cheval de Gros peine à monter la côte du Cœur-Volant. Justin et Antoine Gros savent que la maîtresse de maison de Louveciennes est intransigeante sur la ponctualité : l'horaire fixé pour le repas est déjà dépassé de vingt minutes. À la campagne Mme Le Brun déjeune à onze heures précises. Les retardataires s'attendent à encourir ses foudres. En arrivant sur le seuil, le peintre, prenant la main de la vieille dame, désamorce d'une caresse les reproches qu'elle commence à leur faire. « Qui croirait, dit-il en s'adressant à la compagnie, que c'est la même femme qui charmante, si douce, si tendre, si bonne, qui, lorsque j'étais petit […], me comblait de tant de baisers et de tant de chatteries, qui remplissait ma bouche et mes poches de tartelettes [54]. » Aussitôt, la mauvaise humeur de l'hôtesse se dissipe : « Est-il câlin, est-il gentil ce mauvais sujet qui nous a fait attendre ? » s'écrie-t-elle en entraînant ses invités à table. La table est bien garnie : odorante volaille truffée, biscuits à la confiture [55].

Une affection réelle lie Louise Élisabeth au sentimental Gros. Un jour, alors qu'elle veut faire abattre un peuplier de son jardin afin d'ouvrir une percée sur la Seine, Gros plaide la cause de l'arbre vénérable : « Il est des grands arbres comme il est des grands hommes... Ils s'élèvent toujours trop lentement et meurent toujours trop vite [56] », dit-il de façon énigmatique. Louise Élisabeth lui cède. Cependant, elle ne songe pas toujours à ménager la susceptibilité du discret Antoine. Un dimanche, il est question à table de l'œuvre de David, dont Gros a été l'élève. On tombe d'accord sur la pureté de son dessin. Gros sait que la portraitiste admire sa manière de copier l'antique. Mais la conversation roulant sur les dernières émeutes de 1832, Mme Le Brun s'emporte à propos du rôle de David durant la Révolution : « Que lui avaient fait les nobles ? Du bien. Que lui avaient fait Louis XVI et la famille royale ? Du bien encore ; il était peintre du roi. Eh bien ! Il les tua tous. Et pourquoi ces persécutions exercées contre tant d'artistes ? Que lui avait fait Suvée ? Que lui avait fait Hubert Robert, pour le faire arrêter et jeter en prison ? Rien, rien, sa conduite a été atroce durant la Terreur ; aussi ses cruautés m'empêchent-elles de me rappeler son grand talent [57] ! »

Sans perdre son calme, Gros lui répond : « Laissons David à la Convention et sur la place publique et ne le voyons que dans son atelier. N'admirons que le grand peintre et ses chefs-d'œuvre. »

« Eh bien, dans son atelier, je vois encore le même homme. N'a-t-il pas fait jaillir sur moi la haine qu'il portait à mes amis ? Dans son atelier n'avait-il pas sur son tabouret, près de lui, je ne sais quel gros livre écrit contre M. de Calonne et toujours ouvert précisément à la page où il était question de moi d'une manière si injurieuse [58] ? »

Gros, peiné par cette diatribe, préfère esquiver la dispute. Embarrassés, les convives toussotent et semblent ne pas comprendre la profondeur du débat engagé par Mme Le Brun. L'Homme et l'Artiste, à ses yeux, sont inséparables. À la question posée par le « philosophe » dans *Le Neveu de Rameau*, demandant si un grand artiste peut être exonéré de sa mauvaise conduite, elle aurait répondu : Non, chacun est comptable de ses crimes. Véhémente, assertive, mais toujours droite et loyale, telle est restée Louise Élisabeth.

Heureusement avec Gros, la conversation peut rouler sur d'autres sujets. Un de leurs débats est celui du coloris et de la forme. Le peintre de *Bonaparte au pont d'Arcole* trouve qu'avec le temps les couleurs de ses tableaux tournent au sombre, alors que les portraits de Mme Le Brun conservent leur fraîcheur de coloris. Mme Le Brun explique à son ami les techniques qu'elle a employées pour conserver aux couleurs leur éclat. Gros insiste sur l'importance de la forme qui est l'absolu. Pour lui, la couleur n'est que la nuance. « Voyez, dit-il à son amie, on veut plaire au public et on ne fait plus que du *micmac* ; on met des couleurs bien tranchantes les unes à côté des autres, croyant faire plus d'effet… et l'on appelle cela un tableau [59]… » Louise Élisabeth opine, et tous deux tombent d'accord pour critiquer les belles lèvres roses de la *Jeanne Gray* de Delaroche.

Louise Élisabeth, qui souhaite favoriser les progrès d'Eugénie, demande à Gros de bien vouloir la corriger. Celui-ci se fait prier ; il redoute les larmes des jeunes filles à qui il dit franchement ce qu'il pense de leurs travaux. Cependant, il accepte de regarder un cheval qu'Eugénie a peint. Rapidement, Gros saisit pinceau et palette, ouvre « plus largement les narines » de l'animal, leur donne « le sang et la vie » qui leur manquent, puis passe aux yeux et « leur fait des prunelles radieuses » : « le point visuel devient lumineux et vivant ». En trois minutes, le tableau est transformé. Eugénie, époustouflée par cette ébouriffante leçon, est éperdue d'admiration [60].

Une soirée romantique

Louise Élisabeth a repris l'habitude de recevoir deux samedis par mois. Le plus souvent, elle réunit ses intimes : Auguste Rivière, Elzéar de Sabran, Aimé-Martin, le couple Tripier Le Franc. Durant l'hiver 1831, elle ouvre les portes de ses deux salons pour donner une soirée littéraire [61]. Vêtue d'une robe de satin gris pâle [62] qui sied à ses cheveux blancs, souriante, elle accueille ses hôtes. La pièce est savamment éclairée. Les lumières des flambeaux posés sur les tables tamisées par des écrans sur pied ne risquent pas de gâter le teint des dames. Les lampes bouillottes pourvues d'abat-jour vert jettent ici et là un cercle lumineux.

Sur les fauteuils bleus frangés d'orange et les bergères, trois générations se côtoient. Le noyau de fidèles est là : Joséphine Duchesnois déclame une scène de *Marie Stuart*, son dernier triomphe. La célébrissime Giuseppina Grassini, face à son portrait en costume oriental, chante un air de la *Didon abandonnée* [63] ou une romance à la mode, comme « Le départ du jeune marin », composé par le violoniste Lafont [64], qui l'accompagne avec Zimmermann au piano. Giuseppina a pris un peu d'embonpoint, mais sa vibrante voix émeut toujours Louise Élisabeth. Brifaut récite une fable. Mennechet [65], l'ancien lecteur de Charles X, déclame quelque tirade de Corneille. Le clou de la soirée est la performance d'une poétesse dont Lamartine a chanté la chevelure ondoyante aux reflets « d'un blond sévère » : la belle Delphine Gay [66] se place théâtralement dans le halo brillant des bras de lumière qui entourent la cheminée. Elle attend le silence, puis appuyée sur le marbre, déclame l'« Ode à sainte Geneviève », célébrant les héros de la coupole du Panthéon peints par Antoine Gros. Gros, assis sur une bergère, en a les larmes aux yeux. La mère de Delphine, la journaliste Sophie Gay, se rengorge devant le succès de sa fille. Lord Trimleston [67], le graveur Desnoyers, Louis Aimé-Martin, la romancière Mme de Bawr applaudissent. Un compositeur à la mode, Hippolyte Monpou [68], dont la chanson « L'Andalouse » est sur toutes les lèvres, attend qu'on lui demande de chanter.

Un peu à l'écart dans la pénombre, un homme de petite taille observe la scène. Malgré son air lointain, il semble apprécier la soirée. Cet hôte de marque n'est autre que le vicomte François René de Chateaubriand. Il a quitté le bureau de la rue d'Enfer où il rédige ses *Mémoires*, soucieux d'honorer la soirée d'une artiste aussi fidèle que Mme Le Brun au parti des Bourbons. Louise Élisabeth est infiniment touchée de sa présence.

Deux lauréates de l'Institut de France en robes bouffantes et claires, cheveux lissés en bandeaux, sont discrètement assises sur un canapé. Louise Colet [69], cousine et belle-sœur du peintre-troubadour Revoil, n'a que vingt et un ans, elle écoute des bribes de conversations. Elle a fait ses premières armes dans le cercle nîmois de Julie Candeille, qui a encouragé ses débuts. Le salon de la vieille artiste est un des premiers sanctuaires mondains où elle est admise à pénétrer. Elle laisse aller son regard sur les portraits accrochés aux murs du salon : le visage un peu fané de Mme Du Barry dans sa robe soyeuse, l'allure svelte d'Emma Hamilton agitant son tambour de basque devant le Vésuve, la pensive polonaise Mme Kinska enveloppée d'un voile à la broderie exquise, la Catalani chantant la *Nina* de Dalayrac. Plus loin, un homme au visage fin pose en habit de cour dans son cadre doré. Louise Colet ignore son nom ; on lui dit : « c'est le comte de Vaudreuil ». Élisa Mercœur [70], une poétesse de vingt-deux ans qu'on surnomme la « Muse armoricaine » est assise à ses côtés. Cette ambitieuse cherche à capter l'attention de Mlle Duchesnois, elle veut faire accepter sa dernière pièce à la Comédie-Française.

Les poétesses sont bienvenues chez Mme Le Brun. La fille d'un peintre d'armoiries de Douai a été priée pour la soirée. Ses poèmes brillent « comme un joli rayon d'avril » selon l'expression de Sainte-Beuve. C'est la mélancolique Marceline Desbordes-Valmore qui publie des vers dans les *keepsakes* à la mode. Eugénie Tripier Le Franc s'intéresse à la physionomie de cette femme singulière. Bientôt, elle lui demandera de lui servir de modèle et exposera son portrait au Salon de 1834 [71].

Adélaïde aide à servir du thé et de ces vins de dessert dont les placards sont remplis. Les invités restés debout cherchent un siège. Dans le second salon, ils se placent, selon leurs affinités, sur les fauteuils de gros grain de soie verte ou sur la causeuse à deux places, idéale pour les conversations particulières. Ceux qui ne sont pas familiers des appartements de Mme Le Brun sont intrigués par le portrait d'une femme inconnue coiffée à la mode du siècle de Louis XV dans un ovale, on leur apprend qu'il s'agit de la mère de l'artiste. Avec l'âge, Louise Élisabeth s'est mise à lui ressembler. Non loin, Julie adolescente joue de la guitare pour l'éternité. Dans cette vaste pièce proche de sa chambre à coucher, Louise Élisabeth a également placé les portraits de ses chers Stanislas Poniatowski et Hubert Robert. Leur regard familier luit doucement dans la pénombre. Lord Trimleston examine des vues de Naples avec son lorgnon. Un homme d'une trentaine d'années, de forte corpulence, les cheveux bouclés laissés libres, le regard vif et noir passe avec agilité d'un groupe à l'autre. Il observe l'ameublement et les tableaux. Mme Le Brun sait qu'il fréquente depuis peu le salon-atelier de son ami Gérard. On parle en ville de son dernier roman intitulé *La Peau de chagrin*. Curieux de tout, Honoré de Balzac vient respirer chez le peintre de Marie-Antoinette cette odeur légitimiste qui lui plaît depuis quelque temps. Mme Le Brun le félicite. Il est étonné de trouver dans ce salon désuet tant de vitalité. Du coin de l'œil, il lorgne l'auteur d'*Atala*, dont il pense intérieurement : « C'est le plus dangereux serviteur qu'aient eu les Bourbons. » Si Balzac admire l'œuvre de Chateaubriand, il n'apprécie pas l'homme [72]. Mais, il n'est pas question de parler de politique chez Mme Le Brun. Elle y veille. Bercée par le brouhaha des bavardages, « la bonne fée » sourit, heureuse que son salon soit rempli de cette romantique jeunesse.

On se sépare. Elle serre affectueusement des mains. Les pièces se vident. Sur son secrétaire ouvert sont agrafés les brouillons de ses mémoires en liasses ordonnées. Demain, je travaillerai, se dit-elle en soufflant sa chandelle.

Bien décidée à continuer à faire partie des animatrices de la vie parisienne, Louise Élisabeth, malgré ses soixante-dix-huit ans, a l'entrain nécessaire pour continuer à recevoir durant l'hiver. Pour plaire à ses nièces, petits-neveux et petites-nièces, elle se laisse même convaincre d'organiser un grand bal costumé à l'hôtel Le Coq [73]. Elle dresse la liste des invités. Eugénie et Justin l'aident dans les préparatifs. Ils se travestissent en marchands turcs. Seul Gros obtient l'autorisation de ne pas se déguiser. On se fait des farces. On rit. Pourquoi faudrait-il cultiver la mélancolie ?

Se survivre à soi-même

Au printemps 1835, l'éditeur Fournier envoie les premières épreuves des *Souvenirs* à Mme Le Brun [74]. Justin les lit avec elle. Un soir, Gros fait irruption au milieu d'une séance de correction. Il paraît découragé. Son amie organise l'un de ses derniers déjeuners parisiens de la saison d'hiver afin de le réconforter. Avec lui, sont conviés Elzéar de Sabran, Mennechet et Alissan de Chazet, un littérateur *ultra*, qu'on surnomme en cachette « l'inévitable ». Eugénie fait les honneurs du repas. On « parle peinture » : Louise Élisabeth vient d'admirer dans l'île Saint-Louis un tableau de Largillière qu'elle ne connaissait pas. Puis, on échange des nouvelles : on apprend le suicide de Léopold Robert, un jeune confrère. Ménéchet avoue qu'il ne comprend pas son geste. Gros lui explique que « les artistes ont des chagrins que n'ont pas les autres hommes ». Il ajoute, comme plongé en lui-même : « Et le plus grand de tous, c'est de sentir que votre talent vous échappe, c'est de se survivre à soi-même. » La vieille dame qui l'écoute comprend cette pensée. Depuis plusieurs années elle ne rivalise plus avec elle-même, ne se risque plus à exposer ses portraits et ne peint que ce qui lui fait plaisir.

Gros poursuit et laisse éclater son ressentiment : « Vous avez vu comment les journaux ont traité mes derniers tableaux, ils n'ont rappelé mes anciens ouvrages que pour mieux dénigrer mes derniers travaux. Ils ont dit : Gros est mort ! » Ce que Gros n'a dit qu'en cachette à la douce Eugénie, c'est qu'à ces déceptions publiques s'ajoutent des malheurs domestiques. Son épouse le tyrannise : elle le prive d'aller voir une enfant qu'il a adoptée et qu'il fait élever dans une pension au faubourg Saint-Honoré. Son foyer ne lui apporte aucun soutien durant ces épreuves.

Quinze jours plus tard [75], Louise Élisabeth apprend que Gros a mis fin à ses jours. Bouleversée, elle ne se sent pas la force de se rendre aux obsèques. Eugénie suivra le triste convoi à sa place.

Pendant ce temps, sa vieille amie pense à l'enfant qui venait dessiner des chevaux auprès d'elle, puis à celui qui connut la gloire comme peintre de l'Empereur. Pourquoi était-il si vulnérable ? se demande-t-elle. Trop de timidité, trop d'orgueil blessé. Elle aussi, se souvient d'avoir eu affaire à de rudes critiques de confrères, surtout en Angleterre. Mais, son exigence et surtout son sens de la répartie l'avaient protégée : « Vous auriez beau dénigrer mes tableaux, tout le mal que vous pourriez en dire serait inférieur à celui que j'en pense [76] ! » avait-elle répondu à l'insolent Hoppner. Être un juge sévère pour son propre travail, voilà qui cuirasse contre les critiques fondées ou infondées.

Les secondes épreuves des *Souvenirs* sont prêtes durant l'été 1835 et elle les relit à la campagne. Elle est si concentrée que parfois elle demande à ses voisines de ne pas venir lui rendre visite à l'improviste [77]: « J'ai les yeux si fatigués, écrit-elle encore à Eugénie, à force de lire mes souvenirs, vrai ! Je voudrais en avoir terminé pour me reposer la vue [78]. »

Ces « infinissables » Souvenirs

Après la préparation du premier volume, l'éditeur et les lecteurs attendent la suite ; il faut se remettre au travail : « Ma pauvre tête va reprendre ses écritures, j'en étouffe d'avance mais il faut en finir, mais vrai ! Je ne pense pas du tout aux jouissances que j'aurais s'ils avaient du succès, je suis trop vieille pour jouir d'un avenir, je remplis ma tâche et voilà tout [79]. »

À l'automne, elle en éprouve de la fièvre : « Je travaille à mes souvenirs tellement que ma tête est bouillante je n'en dors pas, il me tarde d'en finir, ha ! si j'avais prévu cette fatigue je ne l'aurais pas entreprise [80]. » Ce ne sont pas tant les séances d'écriture que l'afflux des émotions qui l'épuisent : « J'éprouve tant et tant de sensations qu'il m'est impossible de vous l'exprimer », écrit-elle à Eugénie. Il lui semble avoir vécu dans un tourbillon : « J'ai tant vu, tant couru, que le juif errant n'est qu'une momie stagnante à côté de moi [81]. » Au soir de sa vie, elle prend la mesure de son intensité.

L'infatigable Justin relit ses pages. Elle le remercie pour son indulgence [82]. Mais l'année 1836 est difficile, l'écriture prend le pas sur la peinture et accapare le temps précieux des pastels et des pinceaux. Alors elle se fait aider. Caroline Rivière recopie des notes oubliées sur Rome. Mme de Bawr accepte de relire le manuscrit [83]. La mémorialiste s'amuse à aviser ses proches lorsqu'elle les fait intervenir comme personnages dans le roman de sa propre vie : « Allez revoir le bon milord [Lord Trimleston], dit-elle à sa nièce, et dites-lui que je parle de lui dans mon voyage à Londres [84]. » Ce dernier vient d'acheter l'un des deux célèbres tableaux représentant les sultans de Tippo Sahib [85].

La parution est un succès. Les éloges des journaux ne se comptent plus. Les *Lettres parisiennes* saluent le succès croissant du troisième volume. « Pour elle, note le journaliste, la postérité a déjà commencé, elle sait déjà que le temps ne lui ôtera rien [86]. » Le fondateur du Musée des monuments français, Alexandre Lenoir, lui consacre une notice élogieuse dans un *Dictionnaire* [87].

Paradoxalement, la réussite de son ouvrage lui procure peu de plaisir. À quatre-vingt-deux ans, il n'est pas fort agréable de s'entendre dire que « la postérité a déjà commencé ». C'est comme si elle était morte de son vivant ! Les journalistes ne l'ont jamais comprise, pense-t-elle. Et, il est si difficile de survivre à ses contemporains et surtout aux derniers de ses proches. Natalia Kourakina en 1831, Auguste Rivière en 1833, Gros en 1835 et le 11 mars 1837, son amie d'enfance, Anne Catherine de Verdun. Les deux amies se fréquentaient moins ces derniers temps [88]. Mais elle n'en est pas moins affectée. Les yeux fermés, elle la revoit, se promenant en chapeau de paille fleuri dans les jardins de Colombes.

Que faire ? Elle a ses « tristes ». Elle se lamente : « J'ai des instants de tristesse que je ne puis vaincre », « j'ai des tristes continuels » [89].

52

MES SOUFFRANCES SONT DANS MA TÊTE

> « Cet art, grâce à sa parfaite imitation, nous console de la
> perte de nos parents, de nos amis les plus chers ; nous
> sommes encore avec eux pendant leur absence et après leur
> mort [1]. »
>
> Jean-Baptiste Pierre LE BRUN.

« *Des fleurs et des fruits pour toutes les saisons* »

Sa vie d'artiste n'est plus la même, elle portraiture sa petite-nièce,
Xavérine et sa voisine, Mme Hocquart, mais la grâce de son pinceau s'est
flétrie, de même que l'éclat de sa couleur. L'année 1838 est une année
difficile : des étourdissements succèdent à des palpitations qu'elle nomme
ses « battements ». En réalité, maintenant que ses *Souvenirs* sont publiés
elle n'a plus d'objectif. Elle ne supporte pas l'inaction.

Adélaïde l'assure avec bon sens que ce n'est rien, mais Louise Élisabeth
demande une consultation contradictoire avec deux médecins, qui pourront la tranquilliser, dit-elle [2]. Le moindre incident la rend irritable. Un
couple de domestiques a abusé de sa confiance. Elle a été volée. On lui a
pris sa montre. Elle reçoit ensuite une lettre anonyme qu'elle ne veut
faire lire qu'à Eugénie ; elle soupçonne ces « deux infâmes » qui vivaient
sous son toit [3].

Se concentrer sur des détails l'occupe. Elle réclame à Eugénie des
cahiers verts qui lui reposeraient la vue, ou de ce papier à lettres d'un
beau vert émeraude si difficile à trouver. Parfois, pour ses correspondances, elle utilise une feuille qui lui reste d'un papier d'Angleterre, de
couleur pistache, épais et légèrement glacé. Sur ce papier [4], la plume
glisse facilement. Elle aime orner ses feuilles d'un timbre en relief aux
armes de la ville de Bath qu'elle a rapporté d'Angleterre. Comme les

personnes de sa génération, elle continue à replier la feuille et se servir d'un cachet pour les fermer. Toujours avide de visites, elle supplie dans des billets rapidement rédigés [5] : « Je vous espère, je désire votre venue », dit-elle aux uns aux autres. Demander leur affection, prendre de leurs nouvelles de façon tendre est tout le sujet de ses lettres : « Croyez bien que vous n'avez pas affaire à une ingrate, écrit-elle à Mme Reiset, car mon cœur est comme toujours bien reconnaissant [6]. » Elle use de ce qui lui reste de crédit auprès des gens en place pour intercéder en faveur des uns ou des autres.

De temps à autre, elle sombre. Elle confie au papier ses idées noires, des lignes trop tristes pour être expédiées : « Lorsqu'on vit longtemps on se fatigue de vivre, on ne peut pourtant pas abréger ses jours, il faut donc avec peine soutenir cette existence qui devient un fardeau. La jeunesse a d'autres tourments, contrariée souvent dans ses goûts, dans ses affections... voilà la vie, c'était bien la peine de naître [7] !! »

Quels sont à ce moment-là les regrets qui l'assaillent ? « Il est bien vrai, songe-t-elle, que le bonheur a des ailes [8]. »

Après la période difficile qui succède à la parution de ses mémoires, Louise Élisabeth semble avoir balayé les fantômes du passé pour ne vivre qu'au jour le jour. Avec sagesse, elle s'adapte au grand âge. Voltaire, dans sa retraite de Ferney, avait forgé cette maxime simple et consolante : « Il est des fleurs et des fruits pour toutes les saisons. » Spontanément, Louise Élisabeth la comprend. Sa vie repose sur un rythme régulier. L'hiver, elle continue à recevoir le samedi, rue Saint-Lazare, tout en laissant à Caroline le soin de faire l'honneur de son salon où rêvent d'être reçus artistes et voyageurs [9]. Elle rend de rares visites à ses amis Mme de Bawr, au comte Auguste de Belisle [10], et accepte encore quelques invitations à des soirées.

L'été, à Louveciennes, elle revit. Au réveil, après avoir bu une tisane de fleurs d'oranger [11] de son jardin, elle s'active dans la maison. Lorsqu'elle souffre de son érésipèle et de douleurs au pied droit, qui la contraignent à l'immobilité, elle s'impatiente [12]. Le mouvement la guérit : « Je vais courir les environs de Versailles pour respirer l'air [13] », dit-elle. Son rhumatisme au côté, qui la tourmentait au retour de Russie, se fait parfois sentir. Mais elle reconnaît elle-même qu'hormis un mal de tête lancinant qui la contraint parfois à cesser toute activité, sa santé est bonne. Elle se voudrait active, gaie, comme elle l'était autrefois. Détestant l'oisiveté, elle s'amuse le soir à nourrir la volaille et les canards dans l'arrière-cour [14]. Elle respire les parfums des fleurs de son jardin, l'odeur du foin coupé l'enchante [15].

Sa fierté est de consommer les fruits de son verger, le raisin de sa treille, les fraises vermeilles de l'été. Elle en mange tant qu'elle en a une indigestion [16]. La maison sent bon les confitures d'abricot, dont Caroline surveille la cuisson. Celle-ci confectionne « du ratafia de fleurs d'oranger [17] », qui parfumera les biscuits de l'hiver. Il y a encore du bonheur à vivre entourée de toute cette jeunesse.

La présence de ses proches agit comme un baume qui la soulage instantanément. Un matin de découragement, elle commence à griffonner un billet à Eugénie : « La vie me fatigue à tel point que je désirerais qu'elle finisse. Si je n'avais pas mes deux nièces et quelque peu d'amis je voudrais aller dans l'autre monde [18]. » Puis la lettre s'interrompt. Une amie arrive, c'est la bonne Mme Leprince ! Vite, elle termine le message, ravie de la présence de cette jeune femme qui « a toujours le pinceau à la main » et qui, venue prendre les conseils de l'artiste, « fait des progrès » à vue d'œil.

L'énergie revient dès que la maison se remplit. Dans sa jeunesse, l'artiste aimait la compagnie mais, souvent excédée de rencontres, elle recherchait l'isolement. Dans le grand âge, c'est tout le contraire, la présence des amis lui est devenue aussi nécessaire que l'air qu'elle respire. Lorsqu'elle a ses « noirs », c'est ainsi qu'elle baptise encore ses moments de déprime, seule la présence de la jeunesse la console. Les grandes tablées ne lui font pas peur. Elle implore la présence d'Eugénie en disant modestement que les invités ne viendront pas pour elle seule [19]. Ce n'est pas un prétexte, elle craint d'être trop âgée ou que sa conversation n'intéresse plus ses hôtes, elle qu'on a accusée si souvent de vanité. Il faut cependant que la compagnie de l'hôtesse de Louveciennes soit plaisante pour que tant d'artistes et de littérateurs continuent à aller la voir.

L'été, elle porte une robe de toile blanche garnie de couleurs vives. Une vieille dame doit rester agréable à regarder. Joseph, son majordome, porte les billets d'invitation à ses voisines et attend la réponse qu'il rapporte griffonnée sur le billet. Elle envoie Lacroix accueillir ses hôtes en haut du chemin ; il porte les paquets [20] de ceux qui sont priés pour un séjour de plusieurs jours. La récente ligne de chemin de fer établie en 1837 de Paris à Saint-Germain-en-Laye a mis Chatou et Louveciennes aux portes de Paris. Cependant, les invités de Mme Le Brun ne semblent pas s'y risquer [21].

Parmi les hôtes les plus appréciés de ces dernières années, figure la famille Reiset : Hortense au visage encadré de bandeaux blonds et Bibiche, sa fille, qui joue avec les enfants d'Eugénie. Frédéric, son époux, l'accompagne volontiers [22]. Collectionneur passionné de dessin, Frédéric Reiset a fait la connaissance d'Ingres lors de son voyage de noces à Rome. Son goût sûr ne lui fait choisir que le meilleur : il s'est rendu acquéreur du magnifique autoportrait de Louise Élisabeth au *ruban cerise* [23].

Le dimanche, elle réunit autour d'un repas la ribambelle des enfants Rivière, Léonce, Léonie, Xavérine, Amélie et Alfred qui barbouille avec ses pinceaux [24]. Le couple Crespy Leprince, Alissan de Chazet et son épouse restent volontiers quelques jours. Louise Colet vient souvent pour une simple partie de campagne d'une journée. Elle commente avec le peintre Turpin de Crissé des vues d'Italie et des paysages suisses. Ce fervent légitimiste a représenté un office à la chapelle expiatoire, tableau sur lequel figure le groupe de Cortot [25], et a illustré *Les Adieux de René à sa sœur* [26], épisode du *Génie du christianisme*, placé sur un fond de ciel sombrement tourmenté. Un neveu de Mme Campan, Amédée de Beauplan, qui fait carrière de littérateur est aussi un fidèle de Louveciennes. La fille de la duchesse de Saulx-Tavannes, la comtesse de Kerkado, fait partie de la génération qui a grandi en émigration.

Lorsque Mme Rivière n'est pas auprès d'elle – « elle est parfaite pour moi », écrit-elle [27] –, c'est Eugénie qui prend sa place, car Adélaïde est moins disponible depuis qu'elle a épousé le receveur des rentes de Mme Le Brun, Louis Constant. Chacune de ses nièces dispose d'une suite personnelle dans la maison, mais la vieille dame les tyrannise doucement, ne supportant pas qu'on ne soit pas à sa disposition pleine et entière. Si Eugénie reste longtemps dans sa chambre à écrire à ses enfants ou à Justin resté à Paris, elle lui en fait reproche, parfois même devant ses invités, comme le rappelle Louise Colet témoin d'une de ces scènes.

Le grand enfant

Depuis la parution du premier volume des *Souvenirs*, le savant Joseph François Michaud [28], maître d'œuvre de la *Grande Biographie universelle*, est devenu un habitué de Louveciennes. Un lundi, elle a réuni autour de lui des gens de lettres : parmi eux, Mme de Bawr et François Poujoulat. Ce dernier est un méridional qui a préparé avec Michaud l'*Histoire des croisades*. Tous deux reviennent d'un périple au Moyen-Orient et Mme Le Brun aime les entendre décrire le site de Palmyre. Nostalgique d'Ancien Régime et farouche opposant à Louis-Philippe, François Poujoulat publie des articles dans *La Quotidienne*, journal ultraroyaliste fondé par son protecteur. Ce jeune homme a l'âge d'être le petit-fils de Louise Élisabeth : en 1835, il a vingt-sept ans [29]. Brillant, il travaille vite et beaucoup. Avec Michaud, il a commencé à rassembler des *Mémoires pour servir à l'histoire de France depuis le XIIIᵉ siècle*. En sa compagnie, elle ne s'ennuie jamais. Le jeune homme écoute les anecdotes sur la reine Marie-Antoinette et le récit des soirées d'artistes à l'hôtel Le Brun, que l'octogénaire évoque pour lui plaire. Elle admire l'esprit étincelant, l'accent chantant, les yeux vifs de « Fanfan », « le jeune ami », qui lui redonne sa jeunesse. Elle aime le voir, « je rabâche sur ce point [30] », écrit-elle à sa nièce. Il écrit des articles « parfaits ». Louise Élisabeth projette sur François ses sentiments grands-maternels inassouvis, puisqu'elle ne sera jamais grand-mère : il est « son grand enfant [31] ».

Elle, qui a si bien su représenter le regard pur des jeunes gens, celui d'Henry Lubomirski, celui du jeune Lily Tolstoï, est étourdie par la séduction de Poujoulat. Elle le traite comme un prince, lui réserve les plus savoureuses pêches de son verger [32], le laisse grimper dans son cerisier pour manger les fruits à même la branche. Louise Élisabeth n'a plus l'âge des héros de Rousseau, mais elle a assez de cœur pour aimer encore. Dans cet engouement de vieille dame, elle oublie parfois son âge et se confie à ses nièces : « Le jeune ami plaît aussi beaucoup à ma nièce Caroline », écrit-elle à Eugénie. « C'est le sort de mon sang de s'enflammer pour lui. » Et elle souligne cette phrase.

Dépitée comme une amoureuse de vingt ans, elle lui fait des reproches s'il ne s'assoit pas à côté d'elle et s'en ouvre à Eugénie : « Vous savez combien il s'éloigne de moi à la grande table. Je pense qu'il imagine que je reviens de Palerme, ce qui fait qu'il s'éloigne le plus possible, autrefois c'était le contraire. » Étrange aveu, et elle soupire : « Tant mieux car s'il était autrement je l'aimerais trop peut-être [33]... » Le temps a flétri l'éclat de son visage, mais n'éteint pas le besoin d'être aimée.

Le plus souvent François ne vient que pour la journée et repart comme « un éclair ». Tous les arguments sont bons pour le retenir : « Ma prairie et mes fruits vous auraient fait tant de bien », « Ne travaillez pas trop par ce temps de feu » [34]. Elle imagine d'arranger, pour François et son frère Baptistin, un appartement au rez-de-chaussée du pavillon réservé aux invités, afin que les jeunes gens soient libres le soir de converser entre eux [35].

Hélas, Fanfan ne semble pas assez sensible aux besoins de sa vieille amie. « Le coupable » ne répond pas à ses lettres. La vieille dame souffre comme une fiancée délaissée. Qu'espère-t-elle de ce bel ingrat ? De ces attentions qu'on donne à une grand-mère, un mot durant une absence, des visites. Elle en parle avec ses amies : « *Vous le gâtez par trop* [36] », lui disent-elles en chevrotant. La vieille dame au cœur sensible reproduit avec le jeune Poujoulat ce qu'elle a vécu avec Julie : trop d'affection, trop d'attentions, une trop grande espérance.

« L'indifférence des gens que l'on aime est un mal pour le cœur, je me reproche souvent ce malaise mais il existe toujours [37] », écrit-elle à Eugénie. Deux jours plus tard, elle se plaint encore : « L'extrême chaleur, jointe à des idées tristes que j'éprouve relativement à l'indifférence trop marquée de la personne que j'aime de si tendre et bonne amitié, mais qui est loin d'être partagée, me fait mal ! Enfin il faut se résigner [38]. » Elle passe par des hauts et des bas. Si, par miracle, elle reçoit une lettre « du voyageur [39] », elle retrouve le sourire.

Dans Paris, on s'y méprend. De méchantes langues colportent des bruits : elle se serait « amourachée » d'un jeune homme. Un fantôme surgi du passé, qui se fait appeler abbé de Geralde, et prétend avoir été secrétaire de Calonne, lui adresse une lettre terrible. Il la juge, et oppose le tableau idéalisé que l'artiste a fait de sa vie dans les *Souvenirs* à ce qu'il estime être son injustice vis-à-vis de sa fille. Il l'abreuve de conseils : établir un prix à la mémoire de Julie, donner de l'argent à ses nièces, créer de bonnes œuvres, et il ridiculise son engouement pour Fanfan. Cette lettre a dû faire souffrir la dame de Louveciennes [40]. Mais que sait cet homme injuste du comportement de Julie, de ce qu'il lui a fallu dissimuler pour sauvegarder à la jeune femme ce qui lui restait de réputation ?

Après la mort de Michaud en 1839, Fanfan la délaisse ; alors, comme une amante outragée, elle décide de rompre : « Monsieur Poujoulat m'a tout à fait oubliée, je dois en faire autant pour lui [41]. » Elle exige que ses nièces le reçoivent froidement s'il se représente [42]. Quel forfait a commis Fanfan pour que ce refrain revienne dans la correspondance : « c'est un homme bien peu digne » ? En réalité le *bel enfant* s'est marié. Il ose préférer son épouse : « Il est tout à sa femme [43]. » Ainsi, se comporte-t-elle dans ses dernières années, avec l'autorité affectueuse et tyrannique que ses proches appellent, par euphémisme, « naïve amabilité [44] ». François Poujoulat finit par céder aux instances de la vieille dame et dans ses dernières années lui rend visite à Paris aussi souvent qu'il le peut.

Une ténébreuse affaire de testaments

Eugénie paraît avoir la prédilection de Louise Élisabeth qui lui écrit : « Je suis, j'espère, votre meilleure amie après votre mère [45]. » Elle l'abreuve de recommandations : ne pas faire de grandes toiles. Cela fatigue. « Faites de petites têtes, soit d'après vos enfants, ou d'après de jeunes filles. Plus de grandes toiles, je ne le veux pas, c'est entendu [46]. » Elle lui prodigue des conseils maternels, s'inquiète de ses grossesses [47] : « Ménagez-vous bien, mangez peu, sortez pour prendre des forces [48]. » Des angoisses la traversent soudain. Et, si Eugénie allait, comme Brunette, n'en faire qu'à sa tête ou s'opposer à elle ? « Ne faites pas comme ma fille », supplie-t-elle. C'est dans les lettres de la vieille dame que se mesure le degré de souffrance éprouvé dans sa maternité. Julie, se souvient-elle, prenait systématiquement le contre-pied de ce que lui suggérait sa mère. Avec Eugénie, quelque chose de son affection inassouvie renaît. Elle finit par la tutoyer, comme elle tutoyait Brunette : « Soigne-toi bien chère amie que j'aime de tout cœur et de toute âme pour la vie. »

Son intérêt pour cette nièce devient obsessionnel. Certaines semaines, elle lui écrit chaque jour des billets presque illisibles : « J'écris comme

avec la patte d'un chat mais vous me devinerez, n'est-ce pas [49] ? » Et
encore : « Tout ce que je puis vous dire de plus vrai ma chère Eugénie,
c'est que je ne puis supporter votre absence, vous me manquez à tous les
instants. » Pour compenser la séparation, elle fait porter des paniers de
fruits aux enfants d'Eugénie par Hortense Reiset qui termine son séjour.
De temps à autre, elle glisse une somme d'argent pour aider le jeune
ménage à vivre [50].

La fille d'Étienne finit par prendre ombrage de l'engouement de sa
tante. Après les amabilités, des chamailleries éclatent. Pour des riens.
Louise Élisabeth a donné à Eugénie un paravent dont Caroline se servait
l'été. Celle-ci écrit sèchement à sa « cousine » pour la prier de le lui
rendre. Crespy Leprince, observateur, voit poindre les orages : « Je voudrais tant la voir entourée de gens qui l'aiment pour elle, écrit-il, il me
semble que si elle sait lire dans les cœurs, il lui faut de l'illusion pour être
heureuse [51]. »

Un des tristes avantages d'une grande longévité est de voir disparaître
avant soi nombre de ses proches. Les premiers testaments rédigés par
Louise Élisabeth avaient déjà été augmentés de plusieurs codicilles réat-
tribuant des dons. Pour son entourage, il ne fait aucun doute que sa fortune est considérable. Il ne fait aucun doute également que Caroline
Rivière sera sa principale héritière, même si Eugénie, l'héritière spirituelle, a été dotée de compensations.

M. de Gonville, un ami d'Eugénie, la met en garde contre la rapacité
de Caroline Rivière, qu'il a constatée lorsque la pension accordée par
Louis XVIII lui a été supprimée par Louis-Philippe [52]. Les faits vérifient
les craintes de Gonville. Au mois d'avril 1841, l'artiste, âgée de quatre-
vingt-six ans, est victime d'une série de malaises. Caroline et Louis
Rivière pensent que la fin de leur tante est proche, et parviennent à la
convaincre de se rendre chez son notaire, maître Bertinot. Ils la font
monter en voiture avec la complicité de l'époux d'Adélaïde, Louis
Constant [53]. On lui fait annuler tous les legs particuliers – tableaux,
bijoux, meubles, argenterie – à Eugénie. Sur le côté du document, la
vieille dame paraphe les suppressions d'une écriture tremblée. Seule la
rente inscrite sur le grand-livre ne peut être anéantie. Mais, Eugénie est
privée des objets de valeur et surtout des souvenirs personnels de sa tante.

Inquiète pour sa santé, Eugénie vient au chevet de Louise Élisabeth à Louveciennes. Elle éprouve alors un léger mieux. Par des propos confus, elle
exprime une crainte d'avoir fait du tort à Eugénie. Interrogée, la femme de
chambre révèle la visite chez maître Bertinot à Eugénie, qui consulte son
propre notaire [54]. Avec bon sens, celui-ci conseille de percer l'abcès et d'en
parler ouvertement avec Caroline Rivière et Mme Le Brun.

Quelques jours plus tard, rue Saint-Lazare, dans la pièce voisine de la chambre à coucher où la vieille dame se repose, une explication a lieu entre les nièces. Caroline, en colère, protestant qu'on prend « le pain de la bouche de ses enfants », refuse de revenir sur ses positions. Elle demande à Eugénie d'accepter une transaction limitant son legs à la rente précédemment allouée. Celle-ci refuse cette disposition qui la lèse. Le ton monte. Malgré les tapis et les tentures qui assourdissent les bruits, les éclats de voix inquiètent la malade, qui fait irruption dans le salon, exigeant des éclaircissements. On la rassure. Rien d'important. On baisse les yeux. Personne n'ose dire la vérité.

Malgré sa fatigue, Louise Élisabeth refuse de s'en laisser conter. Dans l'après-midi même, elle s'informe auprès de sa femme de chambre. Celle-ci révèle ce qu'elle sait de la querelle [55]. Comprenant la machination, Mme Le Brun adresse une lettre à Eugénie : « J'ai été trompée, lui avoue-t-elle, par Mme Rivière et Mr Bertinot ; je veux réparer les torts qu'ils vous ont causés en me faisant détruire un testament qui ajoutait à mes premiers bienfaits, je vous en envoie un autre par lequel je vous donne davantage. »

Le nouveau testament se résume à quelques lignes par lesquelles Eugénie recevra soixante-dix mille francs et six tableaux de son choix, à charge pour elle d'en offrir trois au Museum [56]. Dans la précipitation, aucune allusion n'est faite aux précédents legs ni à la pension.

Au printemps 1842, à l'hôtel Le Coq, la situation se crispe. Caroline garde sa tante sous étroite surveillance, ce dont elle se plaint. Enfin, à la demande de sa tante, la fille d'Étienne va passer quelques jours à Louveciennes où résident ses enfants [57].

Pendant son absence, Louise Élisabeth, entourée des images de ceux qu'elle avait aimés, sombre dans la léthargie qui précède l'inconscience. Durant trois jours, elle est entre les deux rives. Près d'elle, le portrait de Jeanne, sa mère, revêtue de son manteau de satin blanc au col de cygne, veille. En baissant les yeux, elle aperçoit encore l'image familière et gaie du petit tableau de Louis, son père qu'elle a si tendrement aimé. *La Jeune Mariée de village* est entrée dans une danse éternelle [58]. Eugénie et Fanfan, le « grand enfant », lui tiennent les mains, comme elle les avait tenues à son père [59]. Caroline est de retour, Justin veille auprès du lit. Louise Élisabeth Vigée Le Brun s'éteint doucement. À quatre-vingt-sept ans, la voyageuse a achevé sa traversée.

Enfin, je repose

Le lendemain, les tentures funéraires brodées à ses initiales signalent aux passants que l'artiste a quitté ce monde. Le 2 avril, les deux battants de la porte cochère de l'hôtel Le Coq laissent passer le convoi funèbre, qui se rend à l'église Saint-Louis-d'Antin. Après la cérémonie, il prend la route de Louveciennes, où celle qui a tant voyagé trouve sa dernière demeure. Bientôt, le monument orné de la palette et des pinceaux ornera la tombe, et une grille de fer forgé entourera la dalle [60].

La disparition de leur tante ne met pas fin à l'antagonisme qui s'est développé entre les deux nièces. Et la querelle de succession qui avait éclaté du vivant de l'artiste se prolonge en un procès après sa mort. Qui était légitime, en l'occurrence ? Caroline, qui vivait le plus clair de son temps avec sa tante et supportait ses manies, ou Eugénie qui la voyait à des moments choisis ? S'affrontent deux parties, la famille en droite ligne, héritiers privilégiés, et la famille alliée qui s'est érigée en gardienne du Temple de la mémoire.

Le nombre de témoignages écrits des proches de Louise Élisabeth réunis par le couple Le Franc montre à quel point Eugénie était appréciée des amis de l'artiste. Des personnalités aussi différentes que celle du comte de Belisle, Mme Hocquart, Mme Reiset, François et Baptistin Poujoulat, Mme de Bawr, le baron de Crespy Leprince, Elzéar de Sabran, la marquise de Baillet, Mme veuve Michaud, la cantatrice Elena Vigano acceptent de témoigner en faveur d'Eugénie et Justin, qui n'avaient assurément pas les moyens de les soudoyer. Ces témoignages cherchent à prouver que, d'une part, Louise Élisabeth était saine d'esprit au moment de la rédaction du dernier testament, et que d'autre part elle aimait tendrement Eugénie. De ces déclarations, un portrait assez peu flatté de Caroline se dégage. Était-ce la loi du genre ?

Eugénie et Justin ne se contentent pas de se défendre, ils contre-attaquent. Certaines des notes laissées par Justin à l'usage des hommes de loi font état de curieux raisonnements : Caroline serait une « étrangère » en raison de son mariage avec Louis, ministre de Saxe. Cette « nationalité » la rendrait juridiquement inapte à hériter de sa tante.

C'est une guerre de clan. Les Rivière tentent de faire entrer les derniers testaments en opposition. Le dernier legs à Eugénie annulerait les pensions promises. Les Le Franc parviennent à prouver qu'il n'y a pas contradiction entre legs et rente [61]. Déduction faite des dons particuliers, l'ensemble de la succession s'élève à trois cent cinquante mille francs. La propriété de Louveciennes, estimée à soixante mille francs, revient à Caroline, qui hérite en totalité de trois cent mille francs, à charge pour elle d'en céder quatre-vingt-seize mille à Eugénie.

De l'héritage artistique, Eugénie reçoit plusieurs tableaux, parmi lesquels elle transmet au Louvre les œuvres promises, les plus belles. Les autres portraits, les carnets, les dessins, qui constituent une valeur marchande importante pour la postérité, sont restés dans les mains des héritiers en droite ligne.

Tandis que Justin et Eugénie ont soigneusement conservé les lettres et les pièces d'état civil restées entre leurs mains, les héritiers en ligne directe vendront la « thébaïde » tant aimée de Louveciennes. Cette maison, qui aurait pu devenir un musée, sera entièrement détruite par son acquéreur [62]. Louise Élisabeth n'avait pas exprimé de volonté à cet égard, mais, durant ses voyages, elle avait souvent déploré que la mémoire des artistes ne fût pas mieux respectée. Monet, Zola, ses presque voisins, auront plus de chance. Les boiseries peintes, les meubles, les bijoux, les précieux carnets de voyages, les paysages au pastel et les dessins de Louise Élisabeth furent presque tous dispersés à mesure des successions, au point que certains ne sont ni localisés ni même identifiés.

Bien sûr, les portraits conservés dans les diverses collections royales ont reçu une place digne de leurs princiers modèles, ceux qui représentent l'aristocratie européenne circulent dans les collections privées. Leur valeur marchande ne cesse de croître à mesure que le talent de l'artiste est reconnu pour être l'un des plus grands de son siècle. Par des legs, par des acquisitions, ces portraits entrent peu à peu dans les collections des musées.

*
* *

L'artiste aimait entendre dire que ses paysages et ses portraits étaient vivants. Ce naïf compliment la touchait, car c'est de cela que s'occupait la portraitiste : transmettre des noms et des visages à la postérité. Cette capacité à restituer l'éclat et le battement de la vie, qui donne aux portraits une présence consolante et familière, avait été sentie par Jean-Baptiste Pierre qui écrivait : « Cet art, grâce à sa parfaite imitation, nous console de la perte de nos parents, de nos amis les plus chers ; nous sommes encore avec eux pendant leur absence et après leur mort [63]. »

La dame des Sources aurait pu demander qu'on lui construise un mausolée de marbre, à l'image de ceux qui ornent les allées du cimetière du Père-Lachaise. Sur sa tombe à Louveciennes, elle ne laisse qu'une inscription : « Ici, enfin je repose. » « Brunette grande » emporte, pour tout bagage vers l'éternité, une palette et des pinceaux. Ces instruments de pierre n'ont pas de valeur décorative, ils rappellent au passant que le centre de gravité de sa vie était la peinture. Au-dessous, la simple inscription de ses noms, dont l'appropriation lui fut si difficile, et de ses prénoms, dont elle avait infléchi l'ordre du baptême : Louise Élisabeth Vigée Le Brun. Cet assemblage avait fini par signifier son identité. Rêvant aux inscriptions laissées sur le marbre, Bernardin de Saint-Pierre avait écrit : « Notre nom est le premier et le dernier bien qui soit à notre disposition. Il détermine dès l'enfance nos inclinations ; il nous occupe pendant la vie et après la mort [64]. » Ces mots gravés sur la pierre sont la dernière signature de l'artiste.

Famille VIGÉE-MAISSIN

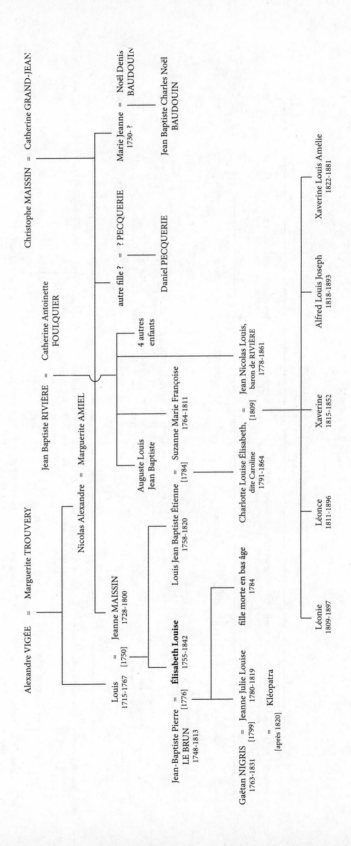

Famille LE BRUN

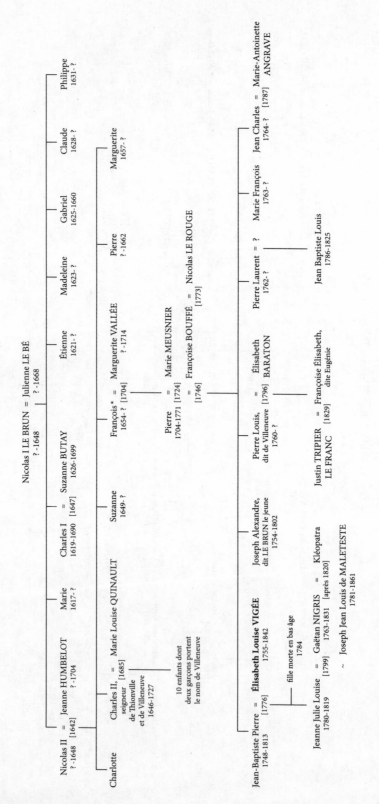

Nicolas I LE BRUN = Julienne LE BÉ
         ?-1648   ?-1668

Nicolas II Marie Charles I Suzanne BUTAY Étienne Madeleine Gabriel Claude Philippe
[1642] 1617-? 1619-1690 [1647] 1626-1699 1621-? 1623-? 1625-1660 1628-? 1631-?
?-1648
= Jeanne HUMBELOT
?-1704

Charlotte

Charles II, = Marie Louise QUINAULT Suzanne François* = Marguerite VALLÉE Marguerite
seigneur   [1685]   1649-?   1654-? [1704] ?-1714   1657-?
de Thionville
et de Villeneuve
1646-1727

10 enfants dont
deux garçons portent
le nom de Villeneuve

Pierre = Marie MEUSNIER Pierre
1704-1771 [1724]   ?-1662
= Françoise BOUFFÉ = Nicolas LE ROUGE
[1746]   [1773]

Jean-Baptiste Pierre Joseph Alexandre, Pierre Louis, Élisabeth Pierre Laurent = ? Marie François Jean Charles = Marie-Antoinette
1748-1813 [1776] dit LE BRUN le jeune dit de Villeneuve BARATON 1762-?   1763-?   1764-? [1787] ANGRAVE
= Élisabeth Louise VIGÉE 1754-1802   1760-? = [1796]
    1755-1842

fille morte en bas âge
1784

                Justin TRIPIER = Françoise Élisabeth, Jean Baptiste Louis
                LE FRANC [1829] dite Eugénie   1786-1825

Jeanne Julie Louise = Gaëtan NIGRIS = Kléopatra
1780-1819 [1799] 1763-1831 [après 1820]
~ Joseph Jean Louis de MALETESTE
          1781-1861

* Pour un complément sur les ascendants de François Le Brun, voir Henri Jouin, *Charles Le Brun et les arts sous Louis XIV*, Paris, Laurens, 1889, et Jacques Thuillier et al., *Charles Le Brun, 1619-1690 : peintre et dessinateur*, Paris, Ministère des Affaires culturelles, 1963.

Famille RIVIÈRE

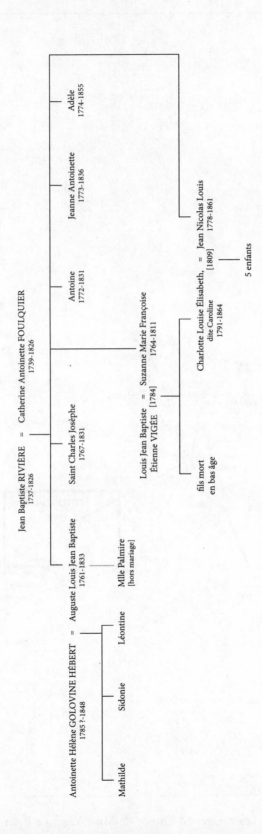

Jean Baptiste RIVIÈRE = Catherine Antoinette FOULQUIER
1737-1826   1739-1826

Saint Charles Josèphe
1767-1831

Antoine
1772-1831

Jeanne Antoinette
1773-1836

Adèle
1774-1855

Auguste Louis Jean Baptiste
1761-1833

Antoinette Hélène GOLOVINE HÉBERT =
1785 ?-1848

Mlle Palmire
[hors mariage]

Mathilde   Sidonie   Léontine

Louis Jean Baptiste = Suzanne Marie Françoise
Étienne VIGÉE [1784]   1764-1811

fils mort
en bas âge

Charlotte Louise Élisabeth, = Jean Nicolas Louis
dite Caroline   [1809]   1778-1861
1791-1864

5 enfants

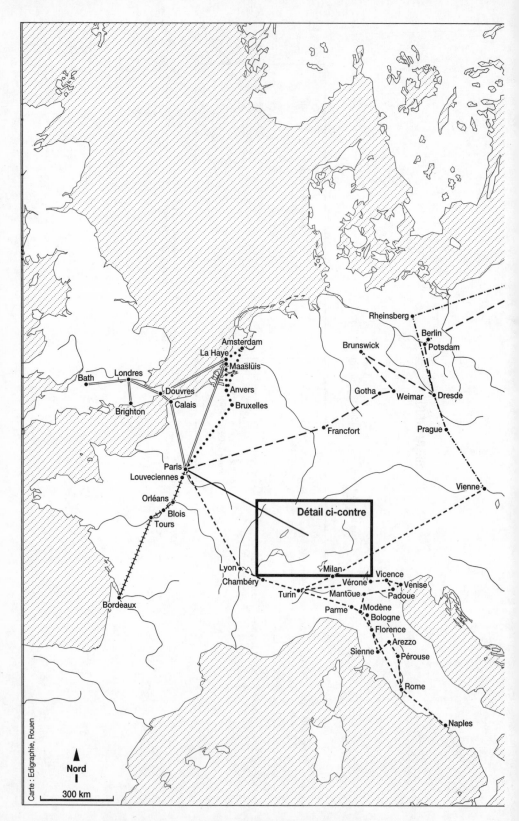

Les voyages en Europe de Mme Vigée Le Brun

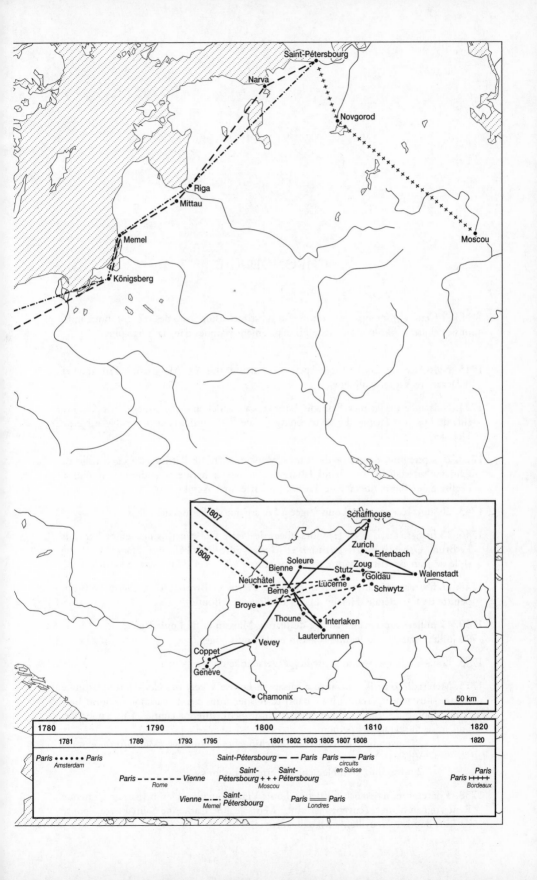

Saint-Pétersbourg

Narva

Novgorod

Riga

Mittau

Memel

Königsberg

Moscou

Schaffhouse

1807

1808

Zurich

Erlenbach

Soleure

Stutz

Zoug

Walenstadt

Bienne

Goldau

Neuchâtel

Lucerne

Berne

Schwytz

Broye

Thoune

Interlaken

Lauterbrunnen

Vevey

Coppet

Genève

Chamonix

50 km

1780	1790		1800	1810	1820

1781   1789   1793 1795   1801 1802 1803 1805 1807 1808   1820

Paris •••••• *Paris*
Amsterdam

Saint-Pétersbourg — — Paris   Paris —— Paris
circuits en Suisse

Paris — — — — *Vienne*
Rome

Saint-   Saint-
Pétersbourg + + + Pétersbourg
Moscou

Paris ++++ *Paris*
Bordeaux

Vienne —··— *Saint-
Pétersbourg*
Memel

Paris ══ Paris
Londres

CHRONOLOGIE

N.B. : Cette chronologie ne pouvant se substituer à une liste des œuvres, nous indi-quons quelques tableaux de l'artiste principalement évoqués dans la biographie.

1715. Naissance de Louis Vigée, père de l'artiste (fils de Marguerite Trouvery et d'Alexandre Vigée, sculpteur).

1724. Naissance de Jacques François Le Sèvre, à Seyssel-en-Bugey, diocèse de Genève (fils de François Jacques Le Sèvre, bourgeois de Paris, officier, et d'Anne Marguerite Deubler).

1728. 25 septembre, naissance de Jeanne Maissin, mère de l'artiste, à Orgeo (fille de Christophe Maissin, marchand laboureur, et de Catherine Grandjean, baptême à l'église Saint-Pierre, diocèse de Trêves, province du Luxembourg).

1743. 26 juin, réception de Louis Vigée à l'Académie de Saint-Luc.

1746. 13 février, mariage en secondes noces de Pierre Le Brun (fils du défunt François Le Brun [1704- ?], maître serrurier, et Marie Vallée [?-1714]) avec Françoise Bouffé (fille de Jean Baptiste Charles, maître ceinturier à Paris et d'Henriette Dourié).

1748. 16 février, naissance de Jean-Baptiste Pierre Le Brun (fils de Pierre Le Brun, peintre de l'Académie de Saint-Luc et de Françoise Bouffé).

1750. 17 juillet, contrat de mariage de Jeanne Maissin et de Louis Vigée.
20 juillet, mariage de Jeanne Maissin et de Louis Vigée.

1753. Louis Vigée est promu conseiller à l'Académie de Saint-Luc.

1755. Mercredi 16 avril, naissance d'Élisabeth Louise Vigée, rue Coq-Héron, baptisée à Saint-Eustache (parrain : Jean Baptiste Restier, musicien ; marraine : Louise Ber-trand, épouse de Jean Doublot, maître chirurgien). Elle est confiée à une nourrice, puis mise au sevrage à Épernon.
  1er novembre, naissance de l'archiduchesse Antonia (Marie-Antoinette) à Vienne.
  2 novembre, tremblement de terre de Lisbonne.

1758. 3 décembre, naissance d'Étienne Louis Vigée, rue Coq-Héron (parrain : Étienne René Aignan Saulot, écuyer ; marraine : Marie Jeanne Catherine Saint-Pierre, épouse de Jean Baptiste Neuville de Marcilly, écuyer).

1760. Entrée de Louise Élisabeth Vigée au couvent de La Trinité, faubourg Saint-Antoine.

16 juillet, naissance de Pierre Louis Le Brun, dit « Le Brun de Villeneuve » (troisième fils de la fratrie Le Brun qui comptera six garçons).

Entre 1758 et 1761, emménagement de la famille Vigée rue de Cléry.

1761. 8 août, achat par Louis Vigée d'une maison sise à Neuilly, au moyen d'une obligation, souscrite le 31 août 1761, auprès de Léger Bret.

1764. Louis Vigée expose le portrait de son fils Étienne à l'âge de trois ans à l'Académie de Saint-Luc.

1766. Première communion de Louise Élisabeth, puis **retour chez ses parents rue de Cléry.**

Jean-Baptiste Pierre Le Brun est élève de l'école du modèle à l'Académie royale de peinture et de sculpture.

1767. Étienne fréquente le collège Sainte-Barbe où il demeurera jusqu'en classe de rhétorique.

9 mai, décès de Louis Vigée. Alexandre Vigée, son frère, est nommé tuteur des enfants et Jeanne Maissin, tutrice.

24 décembre (et 19 janvier 1768), contrat de mariage de Jeanne Maissin avec Jacques François Le Sèvre (orfèvre joaillier).

1768. Emménagement de la famille Vigée Le Sèvre rue Saint-Honoré, face au Palais-Royal. Mlle Vigée dessine chez Mme Boquet, dans l'atelier de Briard, et aurait réalisé un portrait de sa mère *en sultane*.

1769. J.-B. P. Le Brun, élève de l'Académie royale de peinture et de sculpture, tente le grand prix de peinture.

Entre 1769 et 1775, Élisabeth Louise aurait peint un premier portrait de la duchesse de Chartres.

1770. J.-B. P. Le Brun tente une seconde fois le grand prix de peinture (échec à l'épreuve finale).

30 mai, fêtes pour les noces du dauphin (Louis XVI) et incendie de la place Louis-XV.

Élisabeth et sa famille s'y trouvent.

Entre 1770 et 1776, portrait de Jeanne Maissin *en pelisse blanche*.

1771. Décès de Pierre Le Brun, père de J.-B. P. Le Brun.

Avant 1771, Mlle Vigée est reçue chez Helvétius avec Anne Catherine Le Preudhomme de Chastenay, sa « plus ancienne amie ».

1772. Dessin à la pierre noire de sa mère brodant. Portrait dit *Les enfants de la baronne d'Esthal*. Vers 1772, portrait de Jacques François Le Sèvre, son beau-père.

1773. Portrait d'Étienne Vigée.

1774. 10 mai, avènement de Louis XVI et de Marie-Antoinette.

25 février, Mlle Vigée visite l'atelier du graveur Georg Wille. Dans le courant de l'année, son atelier est saisi, car elle n'est pas titulaire d'une licence de la corporation.

Le 25 octobre, Mlle Vigée est admise à l'Académie de Saint-Luc (elle expose, entre autres, à l'hôtel Jabach trois allégories à l'huile représentant *La Peinture*, *La Poésie* et *La Musique*, et des portraits).

1775. Portraits du prince de Rohan-Rochefort et de sa fille.

9 août, Mlle Vigée fait don à l'Académie française de copies de portraits de La Bruyère et du cardinal de Fleury. Étienne Vigée adresse ses premiers vers à Dorat.

1776. 8 janvier, liquidation de la communauté entre Louis Vigée et Jeanne Maissin. Nicolas de Courteilles, graveur des Écoles de dessin, apparaît comme tuteur d'Étienne et de Louise Élisabeth. La valeur de la maison de Neuilly est estimée à huit mille cinq cents livres.
10 janvier, contrat de mariage de Louise Élisabeth Vigée et de J.-B. P. Le Brun.
11 janvier, mariage avec dispense de fiançailles.
Période de productivité intense. Vers le mois de mai, Mme Le Brun réalise une commande pour le duc de Deux-Ponts, *Scène espagnole*.
Portrait de Monsieur, comte de Provence, et douze répliques de ce portrait.
Copies de portraits de la reine réalisés par d'autres peintres (entre 1776 et 1777).
Assiste à la lecture de La Harpe *Sur les talents des femmes* à l'Académie française.
Étienne publie l'*Épître aux membres de l'Académie française décriés dans le dix-huitième siècle*.

1777. Publication de la seconde édition de l'*Almanach* de l'abbé Le Brun ; Louise Élisabeth y est mentionnée comme Mlle Vigée (épouse Le Brun).
18 février, Anne Catherine Le Preudhomme de Chastenay épouse Jean Jacques de Verdun, sieur de Montchiroux, fermier général adjoint.

1778. Le 3 juillet, Jean-Baptiste Pierre signe l'acte d'achat de l'hôtel Lubert (règlement en plusieurs traites).
Premier portrait de Marie-Antoinette *en robe à paniers*, destiné à l'impératrice Marie-Thérèse.
Vers 1778, le peintre François Guillaume Ménageot s'installe dans un appartement de l'hôtel Lubert.
Étienne publie *Les Mœurs et la littérature*.
Portrait de Claude Joseph Vernet. Portrait de la duchesse de Chartres (vers 1778).
Portrait de l'acteur Lekain (vers 1778).

1779. Première grossesse de Mme Le Brun. Portraits du duc d'Orléans et de la marquise de Montesson et séjour au Raincy.
Période d'intense productivité.
Mme Le Brun expose une *Tête de femme de fantaisie* au Salon de la Correspondance.

1780. **12 février, naissance de Jeanne Julie Louise Le Brun**, placée le lendemain en nourrice à Neuilly.
Les époux Le Sèvre sont toujours locataires à l'hôtel Lubert.
Étienne rédige *Le Jeune homme corrigé*.
Réalisation de *La Paix ramenant l'Abondance*.

1781. Mai-juin, voyage en Hollande du couple Le Brun. Mme Le Brun réalise sur place le portrait de *Mme Le Brun par elle-même*, dit *au chapeau de paille*.
Premier portrait de Mme Du Barry (réplique en 1787). Au Salon de la Correspondance, elle expose *Une jeune fille respirant une rose*.

1782. Au Salon de la Correspondance, Mme Le Brun expose le *Portrait de Mme Le Brun par elle-même*, dit *au chapeau de paille*. Adélaïde Labille-Guiard expose son portrait par elle-même.
　　　Siège de Gibraltar.
Le comte de Vaudreuil correspond avec Mme Le Brun.
Portrait de Mme Du Barry *à la couronne de fleurs*. Portrait de Mme Le Brun par elle-même, dit *au ruban cerise*.
　　　Voyage en France du comte et de la comtesse du Nord (futur empereur Paul Ier).

1783. 24-25 février, représentation à Versailles des *Aveux difficiles* d'Étienne Vigée.

Mars, visite de Thomas Blaikie à Gennevilliers, qui affirme que Mme Le Brun est la maîtresse du comte de Vaudreuil.

Le 31 mai, admission de Mme Le Brun à l'Académie royale de peinture à l'issue d'une polémique.

Mme Du Barry *au chapeau de paille* ; la duchesse de Polignac *tenant une partition de musique et jouant du clavecin.*

Mme Le Brun participe pour la première fois au Salon de l'Académie royale, et expose trois tableaux d'histoire : *La Paix ramenant l'Abondance, Junon empruntant la ceinture de Vénus, Vénus liant les ailes de l'amour*, son autoportrait dit *au chapeau de paille* et les portraits de Marie-Antoinette *en gaulle* et *à la rose*, du comte et de la comtesse de Provence et de Mme Grand.

21 septembre, couplets vendus au Louvre attaquant Mmes Guiard, Coster et Le Brun.

1784. Janvier, Vaudreuil achète le domaine de Gennevilliers. Portrait du comte de Vaudreuil et d'*Une femme pliant une lettre.*

3 juillet, J.-B. P. Le Brun est promu « garde des tableaux » du comte d'Artois.

Naissance de la seconde fille de Mme Le Brun, qui vit trois mois.

19 octobre, Étienne Vigée épouse Suzanne Rivière (fille du chargé d'affaires de l'ambassade de Saxe).

6-16 novembre, représentation de la pièce d'Étienne Vigée, *La Fausse Coquette.*

1785.   Février, affaire du collier de la reine.

Salon de l'Académie royale de peinture et de sculpture : portrait de Madame Royale et du dauphin, portrait de M. de Calonne.

Travaux d'aménagement par l'architecte Raymond de l'hôtel Lubert et construction de l'hôtel Le Brun.

Septembre, allusion à une absence de trois semaines de Paris. Les Bâtiments du roi commandent le portrait de Marie-Antoinette et ses enfants.

Portrait de Grétry. Portrait de Suzanne Vigée. Deux portraits de bacchantes.

1786. 10 août, le peintre américain John Trumbull reçu chez le couple Le Brun, avec le comte de Vaudreuil, Ménageot et David.

15 août, John Trumbull dîne avec le comte de Vaudreuil, en compagnie de Mme Le Brun, l'abbé de Saint-Non, le comte de Paroy, François Guillaume Ménageot, Hubert Robert. Dîners chez le maréchal de Noailles, le duc de Nivernais.

Mme Le Brun achève son premier autoportrait avec sa fille.

L'été, séjour au Moulin-Joli. Hiver, séjour chez Mme Du Barry. Début d'une campagne de calomnie contre Mme Le Brun.

Portrait de la comédienne Mme Raymond, dite Mme Molé Raymond.

1787.   Achèvement du Hameau de la reine.

J.-B. P. Le Brun devient « garde et directeur général des tableaux du duc d'Orléans », le futur Philippe Égalité.

        Avril, chute de Calonne.

Départ du comte de Vaudreuil pour l'Angleterre avec les Polignac.

Comédie à Gennevilliers ; Mme Le Brun joue Rose dans *Rose et Colas*. Séjour chez le marquis de Villette à Pont-Sainte-Maxence. Réfection de son atelier à l'hôtel Le Brun.

Ménageot, nommé directeur de l'Académie de France à Rome. Elle achève le *Portrait de la reine Marie-Antoinette et ses enfants*, tableau exposé au Salon de l'Académie royale de peinture et de sculpture.

Deuxième semaine de novembre, présentation du *Portrait de la reine Marie-Antoinette et ses enfants.*

Portraits de Julie Le Brun *lisant la Bible* et *au miroir*, de la marquise de Pezay et de la marquise de Rougé et ses enfants.

1788. Janvier, déjeuner chez la comtesse d'Angiviller en l'honneur des arts. Épisode du « souper grec », dont le récit fait le tour de l'Europe.

Portraits de Marie-Antoinette *en robe de velours bleu*, d'Alexandrine Brongniart et du prince Henry Lubomirski *en Amour de la gloire*.

Vers juin, séjour de quinze jours à Malmaison chez Mme Le Couteulx du Molay.

Courant de l'été, séjour à Romainville puis au **Moulin-Joli**, et réalisation du portrait d'Hubert Robert.

1789. Courant de l'année, décès du fils d'Étienne et Suzanne Vigée.

Mars, publication d'une correspondance apocryphe calomnieuse entre Mme Le Brun et Calonne.

Portrait de Mme Perregaux. Portrait de l'artiste avec sa fille dit *à la grecque*.

Lecture par Ginguené de son *Ode sur les États généraux* chez Mme Le Brun.

Séjours chez Louis Le Pelletier à Mortfontaine et chez le marquis de Montesquiou à Maupertuis.

4 mai, ouverture des États généraux.

Avant le 12 juin, repas aux châteaux de Malmaison et de Romainville chez le marquis de Ségur et chez Mme Auguié à Marly.

Inscriptions injurieuses sur les murs de l'hôtel Le Brun.

Juin, Mme Le Brun se réfugie chez Brongniart.

Les bustes de Necker et du duc d'Orléans sont portés en triomphe.

Vers le 13 juillet, elle passe deux semaines chez Jean-Baptiste et Catherine Rivière, beaux-parents de son frère, rue de la Chaussée-d'Antin.

14 juillet, prise de la Bastille.

16-17 juillet, dans la nuit, départ du comte de Vaudreuil et du comte d'Artois (vers les Pays-Bas) et de la famille Polignac (vers la Suisse).

17-20 juillet, le tocsin sonne dans Paris.

Vraisemblablement mi-juillet, séjour à Louveciennes. Mme Le Brun commence un portrait de Mme Du Barry (achevé en 1814).

22 juillet, massacre de Foulon et de Bertier.

21 septembre, Mme Le Brun participe au « don patriotique » des femmes artistes à la Nation.

Journées des 5 et 6 octobre, marche des femmes de la Halle vers Versailles. La famille royale est escortée au palais des Tuileries.

Nuit du 6 octobre, départ de Mme Le Brun, de Julie et de sa gouvernante, Mme Charrot, vers l'Italie. Elles font étape à Lyon.

Fin octobre, arrivée de Mme Le Brun à Turin ; séjour à Parme, route vers Modène, arrivée à Bologne.

3 novembre, élection de Mme Le Brun à l'Académie de Bologne.

Mi-novembre, arrivée à Florence. Fin novembre, arrivée à Rome. Le 1er décembre 1789, lettre à Hubert Robert.

1790. Réalisation de l'autoportrait pour la galerie de Ferdinand III, au palais des Offices à Florence.

16 mars, excursion à Frascati.

Début avril, réception à l'Accademia di San Luca.

7 avril, départ pour Naples.

Excursion à Ischia. Excursion avec le peintre créole Guillaume Guillon Lethière.

Mai, départ du comte de Vaudreuil pour Florence, Venise.

Juin, arrivée de Girodet à Rome.

À Naples, portraits de la comtesse Skavronskaïa, portraits des enfants du roi et de la reine de Naples, et de Lady Hamilton *en Ariane*.

Début août, retour à Rome, mais à la demande de la reine Marie-Caroline, retour à Naples vers le 15 août.

Septembre, Mme Le Brun assiste aux fêtes de *Piedigrotta* et de la *Madonna dell'Arco*.

Décembre, portraits de la reine Marie-Caroline de Naples et d'une de ses filles.

24 décembre, déménagement en ville.

Entre décembre 1789 et 1790, l'artiste offre son autoportrait au pastel à Ménageot.

1791. Février, ascension du Vésuve.

Mars, à Rome.

16 avril, arrivée de Mesdames Adélaïde et Victoire de France. 20 juin, portraits de Mesdames.

    21 juin, arrestation de la famille royale à Varennes.

26 août, envoi du portrait des Offices à Florence.

Première dispersion de la collection de J.-B. P. Le Brun. 30 juin au 15 juillet, exposition des artistes libres, dans les salles de J.-B. P. Le Brun.

Portrait de Gabrielle Roland. Portrait de Paisiello et envoi au Salon de peinture.

Les Polignac sont à Vienne.

À Paris, réquisition de l'appartement de Mme Le Brun par des commissaires de l'Assemblée législative.

Naissance de la fille d'Étienne, Charlotte Louise Élisabeth, dite Caroline Vigée, future Mme Rivière.

1791-1792 : nouveau séjour à Naples.

1792. Portrait de Lady Hamilton *en Sibylle*.

14 avril, départ de Rome ; le 15, étape à Civita Castellana, par Narni ; le 16, étape à Terni ; le 17, départ pour Spolète ; vers le 18 avril, étape à Foligno. Départ pour Pérouse, déjeuner à Trasimène, séjour à Florence (visite au savant Fontana), séjour à Sienne.

Mai, à Parme, réception à l'Accademia et départ pour Mantoue.

    20 avril 1792, déclaration de guerre de la France à l'Autriche.

19 mai, arrivée à Venise, veille de l'Ascension. Entre mai et juin, réalisation du portrait d'Isabella Teotochi Marini.

Passage à Vicence et à Padoue, séjour d'une semaine à Vérone.

Juin-juillet, J.-B. P. Le Brun crée le Lombard des arts, société de prêt sur gage.

Arrivée à Turin. Inscription du nom de Mme Le Brun sur la liste des émigrés du département de Paris, perte de ses droits en août. Le Brun, afin de sauvegarder leurs biens, demande le divorce.

Vers la fin août, arrivée de Jean-Baptiste Rivière à Turin.

    2 septembre, massacres dans les prisons.

Auguste Rivière, Mme Le Brun et leur entourage se rendent à Milan.

Automne, départ vers Vienne avec le comte et la comtesse Romuald Joachim Bystry, **installation commune dans un faubourg de Vienne**. Octobre, Mme Le Brun est privée de la nationalité française. Vaudreuil séjourne à Vienne.

Début de la publication des trois tomes de la *Galerie des peintres flamands, hollandais, et allemands* de J.-B. P. Le Brun.

Fin de l'année, départ des Bystry et installation de Mme Le Brun dans la ville de Vienne.

Réalisation du portrait de Flore Kageneck.

1793. 14 janvier, J.-B. P. Le Brun publie ses *Réflexions sur le muséum national*.

    23 janvier, exécution de Louis XVI.

Au printemps, Mme Le Brun séjourne à Hietzing, près de la famille Polignac et de Vaudreuil, elle termine le portrait de la princesse de Liechtenstein.

Étienne Vigée compose un poème sur le décès de Louis XVI et échappe à un mandat d'arrêt.

Après juillet, J.-B. P. Le Brun publie le *Précis historique de la vie de la citoyenne Le Brun*.

10 août, ouverture du premier musée du Louvre.

16 octobre, exécution de Marie-Antoinette.

30 octobre, début des « visites domiciliaires » à Paris.

23 décembre (ou 14 octobre) 1793 à juillet 1794, incarcération de J.-B. P. Le Brun.

27 décembre, incarcération d'Étienne.

Terreur.

« Je crois que tout ce que nous connaissons de monde est arrêté », 26 novembre, Louise Degrémont à A. T. Brongniart.

5 décembre, décès de Mme de Polignac.

Portrait de la comtesse Kinska, de Mme de Polignac « de souvenir ».

1794. 13 février, le comte d'Artois envoie un passeport pour la Russie à Mme Le Brun.

10 mai, exécution de Madame Élisabeth, sœur de Louis XVI.

3 juin, prononcé du divorce entre J.-B. P. Le Brun et L. É. Vigée Le Brun.

24 juillet, exécution des « citoyennes Filleul et Chalgrin ».

25 juillet, Étienne Vigée est transféré de « Port-Libre » aux Carmes.

27 juillet (9 thermidor), chute de Robespierre.

6 août, libération de J.-B. P. Le Brun.

1795. À la fin de l'hiver, Mme Le Brun séjourne à Kahlenberg. Le 13 avril, elle reçoit un passeport de l'ambassadeur de l'Empire russe à Vienne. Le 19 avril, Mme Le Brun, Auguste Rivière et leur entourage quittent Vienne et arrivent le 23 avril à Prague, passent à Buda, séjournent à Dresde où la *Sibylle* est exposée à la Gemäldegalerie. Rencontre avec Grimm.

22-23 mai, arrivée à Berlin, étape de cinq jours, puis vers le 28 mai-1er juin **séjour à Rheinsberg chez le prince Henri de Prusse.**

Le 15-17 juin, étape à Königsberg ; le 18 juin, départ pour Memel.

Milieu de l'année, le comte de Vaudreuil demande la main de Marie Joséphine Hyacinthe Victoire de Rigaud de Vaudreuil, qu'il épousera en Angleterre.

Avant le 23 juillet, arrivée de Mme Le Brun et de son entourage à Saint-Pétersbourg.

24 juillet, présentation de l'artiste à l'impératrice Catherine II.

En juillet, le domestique allemand de Kalhenberg dérobe ses premiers gains.

Durant l'été, elle est reçue à Alexandrowski chez la princesse Dolgoroukaïa. Début des séances de pose des grandes-duchesses Alexandra et Elena Pavlovna.

5 octobre (13 vendémiaire), à Paris, Étienne participe à l'insurrection royaliste.

Septembre-octobre, J.-B. P. Le Brun expose son autoportrait au Salon de peinture.

1796. 11 avril, Pierre Louis Le Brun, dit de Villeneuve, marchand de tableaux, épouse à Paris Anne Élisabeth Baraton (fille de Jean Baptiste Baraton et d'Anne Élisabeth Caillou).

Juillet, Vivant Denon annonce à Isabella Teotochi Marini le prochain retour à Paris de Mme Le Brun.

Portrait de la comtesse Skavronskaïa.

27 octobre (5 brumaire), Directoire.

6-17 novembre, décès de l'impératrice Catherine II et avènement de Paul Ier.

1797. 22 août 1797, naissance à Paris de Françoise Élisabeth, dite Eugénie, Le Brun, fille de Pierre Louis Le Brun et d'Anne Élisabeth Baraton (parrain : J.-B. P. Le Brun).

Fin novembre, achèvement du portrait de la grande-duchesse Elizaveta Alekseevna pour sa mère, la margravine de Bade.

Faillite de la banque de Venise, diminution de la rente de l'artiste désormais servie par Milan.

Portrait de Stanislas Auguste Poniatowski. Portrait de la princesse Dolgoroukaïa. Portrait de la comtesse Golovina (vers 1797-1800).

1798. Janvier, décès à Saint-Pétersbourg de Stanislas Auguste Poniatowski.

Été, Mme Le Brun séjourne dans une datcha proche de celle de la comtesse Golovina, où logent la princesse de Tarente et la comtesse Tolstaïa.

L'artiste envoie deux peintures au Salon à Paris : portrait à mi-jambes de *Lady Hamilton en Sibylle* et *La Fille de l'artiste jouant de la guitare*. Bruit d'un prochain départ de Mme Le Brun pour l'Angleterre.

Novembre, lettre de Mme Tallien en faveur de la radiation du nom de Mme Le Brun de la liste des émigrés.

Décembre, Étienne Vigée fonde, à Paris, le Lycée des étrangers qui publie *Les Veillées des Muses* ; il enseigne dans le pensionnat de M. Lemoine.

1799. Une pétition demandant la radiation du nom de Mme Vigée Le Brun de la liste des émigrés, signée par deux cent cinquante-cinq personnalités des lettres, des arts et des sciences, à l'initiative de J.-B. P. Le Brun, est présentée au Directoire.

31 août, mariage de Julie Le Brun avec Gaëtan Nigris, à Saint-Pétersbourg (parmi les témoins, le comte Alexandre Stroganov, Jacques-Gabriel de La Ferté-Meung, le comte Grigori Ivanovitch Tchernichev et Auguste Rivière).

9 novembre (18 brumaire an VIII), coup d'État bonapartiste.

Hiver, Mme Le Brun soigne Julie, souffrant de la petite vérole.

Dans le courant de l'année, le comte de Vaudreuil s'établit à Twickenham.

Le bruit court que Mme Le Brun va partir pour la Suède.

1800. 9 avril, décès de Jeanne Maissin.

Avril, portrait de Marie-Antoinette « de souvenir ». Achèvement du portrait de Maria Fedorovna et de plusieurs répliques en buste.

5 juin, Mme Le Brun est rayée de la liste des émigrés. Le 16 juin, réception de l'artiste à l'Académie de Russie.

11 ou 15 octobre, Mme Le Brun et Auguste Rivière partent pour Moscou pour un séjour de cinq mois. Portrait de Varvara Ivanovna Ladomirskaïa.

1801. Janvier, Mme Le Brun écrit une lettre de reproche à J.-B. P. Le Brun.

11-12 mars, assassinat de Paul Ier.

Mars-avril, Mme Le Brun regagne Saint-Pétersbourg. Auguste Rivière reste quelques semaines de plus à Moscou.

Mai, Ménageot quitte l'Italie et rentre à Paris.

Peu avant son départ, Mme Le Brun dîne à Saint-Pétersbourg avec le général Duroc.

Juin, elle quitte Saint-Pétersbourg. Auguste Rivière l'accompagne dans une voiture séparée. Route suivie : Narva, Riga, Mittau, Memel, Königsberg.

Fin juillet, longue **étape à Berlin**. Mme Le Brun revoit à Potsdam la princesse Louise Radziwill (née Hohenzollern), et réalise des pastels préparatoires aux portraits de la reine de Prusse et de membres de sa famille. Elle est reçue à l'Académie de Berlin.

19 décembre, départ de Berlin. Arrêts à Dresde et à Brunswick. Auguste Rivière s'installe dans sa famille. Mme Le Brun part seule pour Weimar, Gotha, séjourne six jours à Francfort-sur-le-Main.

1802. 18 janvier, arrivée de Mme Le Brun à Paris, fête et concert à l'hôtel Le Brun.

6 mars, l'artiste aperçoit le Premier consul Bonaparte pour la première fois lors d'une parade.

11 mars, elle assiste à la représentation d'*Esther* chez Mme Campan à Saint-Germain.

27 mars, signature de la paix d'Amiens.

30 juillet, Mme Le Brun réside à Meudon.

27 septembre, Benjamin West reçoit le couple Le Brun et les principaux artistes parisiens.

1803. 7 janvier, concert rue de Cléry.

10 mars, représentation théâtrale et bal d'adieu à l'hôtel Le Brun. Auguste Rivière est de retour en France.

15 avril, **départ pour Londres** avec Marie Adélaïde Landré, entrée à son service. Elle loge à Leicester Square, à l'hôtel Brunet.

Mme Le Brun rend visite au comte de Vaudreuil et réalise les portraits de ses enfants. Envoi du portrait d'Aniela Radziwill à Varsovie. Séjour à Brighton.

Séjour à Gilwell et portrait de Mrs Chinnery.

Courant de l'année, visite à l'astronome F. W. Herschel avec le prince Ivan Ivanovitch Bariatinski.

Mai, rupture de la paix d'Amiens.

7 juin, 61 Baker Street, reçoit la visite du peintre John Opie.

20 octobre, recommande Julie dans une lettre au banquier Jean-Frédéric Perregaux.

1804. Début de l'année, elle séjourne à Knowles chez la duchesse de Dorset.

Hiver, Mme Le Brun passe une soirée avec Lady Hamilton.

Courant de l'année, **retour de Julie à Paris avec son époux Gaëtan Nigris.**

Février, séjour à Bath.

12 mai, elle reçoit la visite de Sir George Beaumont et du peintre Joseph Farington.

Été, elle séjourne chez la marquise de Buckingham à Stowe.

Automne, elle séjourne chez le comte de Moira à Donnington Park.

Septembre-octobre, elle réalise le portrait du prince de Galles.

2 décembre, sacre de Napoléon empereur.

24 décembre : le portraitiste John Hoppner attaque vivement la manière de Mme Le Brun et de l'école française dans sa préface à ses *Oriental Tales.*

1805. Retour de Londres par la Hollande et la Belgique.

Juillet, installation à l'hôtel Le Brun.

13 septembre, déjeuner chez Aurore et Adèle de Bellegarde en compagnie du poète Ducis.

25 décembre, naissance de Justin Tripier Le Franc.

1806. 15 mars, Mme Le Brun reçoit la commande impériale d'un portrait de la princesse Murat, Caroline Bonaparte, par l'intermédiaire de Dominique Vivant Denon.

Portrait de la cantatrice italienne Angelica Catalani. Durant l'été, réalisation du portrait de Caroline Bonaparte et de sa fille.

Mme Le Brun rembourse une série de quittances de son ex-époux.

Étienne publie *La Fin du monde,* poème.

1807. 12 janvier, Mme Le Brun devient **propriétaire de l'hôtel Lubert,** avec la salle de concert, par le rachat d'hypothèques et en ajoutant un complément. J.-B. P. Le Brun conserve la maison rue du Gros-Chenet avec le jardin. L'édification d'un mur mitoyen (ou d'une grille en fer) est prévue.

15 janvier, J.-B. P. Le Brun s'associe avec le banquier Bazin pour créer une société d'investissement.

16 janvier, Mme Le Brun fait un prêt à J.-B. P. Le Brun.

Vers le 24 janvier, départ de J.-B. P. Le Brun pour un long circuit.

Mai, Étienne remporte le prix de l'académie de Montauban avec un essai, *Combien la critique amère est nuisible au progrès des talents.*

Début juillet, **premier voyage en Suisse de Mme Le Brun.** Elle se rend à Chamonix.

Du 5-6 au 13 septembre, elle séjourne à Coppet chez Mme de Staël et commence son portrait. Elle rentre à Paris entre fin septembre et le 10 octobre.

Septembre, J.-B. P. Le Brun à Cadix, puis à Madrid.

Novembre, une **relation entre Julie Nigris et Jean Joseph Louis, marquis de Maleteste** (1781-1861) semble établie depuis quelque temps. Julie s'absente de Paris.

30 novembre, élection de Mme Le Brun à la Société des beaux-arts de Genève.

Décembre, J.-B. P. Le Brun se rend à Montpellier et à Marseille.

1808. 15 avril, décès d'Hubert Robert.
J.-B. P. Le Brun est à Florence. En mars, à Gênes.
Second voyage en Suisse de Mme Le Brun. Le 17 août, elle assiste à la fête des bergers avec Mme de Staël. De retour, Mme Le Brun, domiciliée rue du Gros-Chenet, loue une maison de campagne à Montgeron, près de Villeneuve-Saint-Georges.
Octobre, J.-B. P. Le Brun est à Venise, il est reçu à l'Académie de Florence. En novembre, il est à Milan.

1809. Dès janvier, J.-B. P. Le Brun à Paris commence à restaurer les tableaux acquis.
17 ou 19 avril, mariage de Caroline Vigée avec son oncle Louis Rivière.
En juillet, Mme Le Brun échappe à un accident de voiture.
27 juillet, maladie de Julie Le Brun Nigris.
21 décembre, adjudication d'une maison de campagne à Louveciennes à Mme Le Brun, pour la somme de 38 150 francs avec charges de rentes.
20 décembre, Jean François Le Sèvre, beau-père de Mme Le Brun, dépose son testament.

1810. 27 janvier, décès de Jean François Le Sèvre.
13 janvier à mai, Mme Le Brun souffre d'accès de goutte.
Février, signature de l'acte définitif de l'acquisition de la maison à Louveciennes.
20-24 mars, vente de la collection de Le Brun « pour cessation de commerce » dans la galerie Le Brun.
17 avril, Mme Le Brun signe un bail pour un appartement 15, rue des Mathurins.
J.-B. P. Le Brun expédie son autoportrait à Simon Denis.
Crise dans la liaison de Julie avec le marquis de Maleteste. Le 21 juin, Ménageot et Julie séjournent à Louveciennes.
Étienne Vigée publie l'*Épître à Jean-François Ducis sur les avantages de la médiocrité*.
Nouvelle tournée de J.-B. P. Le Brun à Bruxelles, Anvers, Rotterdam et Amsterdam.
Entre 1810 et 1813, brouille de Mme Le Brun avec son frère Étienne.

1811. 6 février, Mme Le Brun s'acquitte d'une somme de 6 022 francs aux héritiers de Rosset de Fleury.
8 juin, décès de Suzanne Vigée, 12, rue Sainte-Croix (chez sa fille).

1812. Campagne de Russie.
J.-B. P. Le Brun, en difficulté, déménage au second étage de l'hôtel Le Brun afin de pouvoir louer le premier. Étienne Vigée a emménagé au 27, rue du Mont-Blanc.
Vers 1812, Gaëtan Nigris est aperçu à Naples, Rome et Vienne ; il a des dettes vis-à-vis de J.-B. P. Le Brun.

1813. 21 mars, J.-B. P. Le Brun, souffrant depuis janvier, rédige son testament. Une clause prévoit le versement à sa nièce d'une rente de mille livres annuelles.
7 août, décès de Jean-Baptiste Pierre Le Brun à son domicile. Julie Nigris demeure 83, rue Saint-Lazare.
Avant 1814, réalisation de l'*Apothéose de la Reine* conservée chez elle.

1814. 6 avril, abdication de Napoléon.
31 mars, arrivée des Prussiens. Invasion de la France par la coalition européenne. Retour de Louis XVIII.
4 juin, signature de la Charte.
Étienne Vigée rédige un poème monarchiste, *Procès et décès de Louis XVI*. Il est nommé « lecteur de la chambre et du cabinet du roi ».
Retour du comte de Vaudreuil. Entre le 16 et le 23 juin, Gaëtan Nigris quitte Saint-Pétersbourg.

Novembre, congrès de Vienne et création de la Sainte-Alliance à l'initiative d'Alexandre Ier.

1815.   1er mars-18 juin : Cent-Jours ; nouvelle Restauration et retour de Louis XVIII. 30 juin-1er juillet, la maison de Neuilly où réside Étienne est pillée.
Mme Le Brun refuse de revoir David.

1816. 4 octobre, décès de François Guillaume Ménageot.
Avant l'automne, déménagement de Mme Le Brun rue d'Anjou.
26 octobre, retrouvailles à Paris avec la princesse Kourakina.
3 novembre, Mme Le Brun invitée à une soirée musicale chez la princesse Kourakina.
18 novembre, soirée chez l'artiste, rue d'Anjou (y assistent, entre autres, Aimé-Martin, Brifaut, Vaudreuil, Laffont et la princesse Kourakina).
Août 1816, Julie vit depuis quelque temps à la pension des Dames, allée des Veuves.

1817. Janvier, décès du comte de Vaudreuil. Il laisse un lourd passif.
Passion d'Étienne Vigée, domicilié 3, rue Louis-le-Grand, pour la tragédienne Mlle Treille.
27 janvier, soirée avec la princesse Kourakina.
11 février, réception chez Mme Le Brun.
18 février, visite avec la princesse Kourakina au Musée royal pour voir un tableau du comte de Forbin.
19 mai, soirée musicale chez Mme Le Brun.
Courant mai, l'artiste montre à François Gérard le tableau l'*Apothéose de la Reine*.
19 juin, la princesse Kourakina et Mme de Bawr rendent visite à Mme Le Brun à Louveciennes.
Mme Le Brun envoie *Amphion jouant de la lyre* au Salon.

1818. Courant de l'année, **Julie Nigris est soupçonnée d'avoir volé un couvert d'argent** à la pension des Dames où elle vit.
Janvier, Mme Le Brun loge 9, rue d'Anjou, où elle restera au moins jusqu'en 1822.
De l'hiver au printemps, nombreuses sorties avec la princesse Kourakina.
11 août, Étienne est en proie à des crises d'alcoolisme.

1819. Vente de *Lady Hamilton en Sibylle* au duc de Berry.
Julie Nigris est soignée par le docteur Trappe, spécialiste des maladies vénériennes.
8 décembre, décès de Julie Nigris, domiciliée 39, rue de Sèvres.
13 et 14 décembre, Mme Le Brun règle les frais de garde-malade et les dépenses liées au décès de sa fille.

1820.   13 février 1820, assassinat du duc de Berry.
7 août, décès d'Étienne Vigée. Mme Le Brun règle les frais d'obsèques.
Fin de l'été, début de l'automne, Mme Le Brun fait un **voyage à Bordeaux**, en compagnie de Marie Adélaïde Landré, en passant par Orléans, Blois, Tours.
Eugénie Le Brun, nièce de J.-B. P. Le Brun, est présentée à Mme Le Brun par Vivant Denon et J.-B. Regnault, lors d'une soirée rue d'Anjou.

1821. 8 avril, Mme Le Brun renonce officiellement à la succession de sa fille.
Courant 1821, elle réalise *Sainte Geneviève gardant ses moutons dans la plaine* (son visage est celui de Julie).

1822. 31 mars, don de la *Sainte Geneviève*, le dimanche des Rameaux, à l'église de Louveciennes.

1823. 24 août, visite de Mme Le Brun avec Brifaut chez la princesse Kourakina.
Don de l'*Apothéose de Marie-Antoinette* à la vicomtesse René de Chateaubriand afin d'orner la chapelle de l'infirmerie Marie-Thérèse, rue d'Enfer.

1824-1830, règne de Charles X.

1824. 14 janvier, Mme Le Brun se rend au Salon de peinture.
Elle reçoit ses amis plusieurs fois par mois.
11 mars, après-midi chez Natalia Kourakina avec, entre autres, le comte Alfred de Vigny, M. et Mme Ancelot, Robert Lefèvre, les dames de Bellegarde, Alexandrine Sophie de Bawr.
15 avril, soirée chez la princesse Kourakina où Alfred de Vigny lit *L'Ange déchu*.
Mme Le Brun revoit la comtesse Tolstaïa et réalise le portrait de son fils (Lily).
Septembre, Mme Le Brun expose au Salon de peinture les portraits de la duchesse de Berry, de la duchesse de Guiche et du jeune comte Tolstoï.

1825. Vers avril-mai, Mme Le Brun annonce son intention d'écrire ses *Souvenirs*, elle prend quelques notes.
1ᵉʳ mai, elle rédige un premier testament olographe.
23 novembre, elle s'installe 9, rue Neuve-des-Capucines.

1826. Désiré Raoul-Rochette, dont Vigée Le Brun fait le portrait, lui dédie le tome III de ses *Lettres sur la Suisse*.

1828. Déménagement à l'hôtel Le Coq, 99, rue Saint-Lazare.
Le 30 juin, en remerciement du don du portrait du duc de Rivière « de souvenir », Charles X offre à Mme Le Brun un service à thé en vermeil.
Parution dans le *Dictionnaire de biographie* d'une notice sur Mme Le Brun par Justin Tripier Le Franc.
1829-1837, rédaction des *Souvenirs*.

1829. 23 septembre, Mme Le Brun rédige un second testament, qui fonde le prix de la « tête d'expression » à Saint-Pétersbourg. Elle fait des legs à sa nièce Eugénie, née Le Brun (bijoux, meubles, rente).
4 décembre, rédige la lettre « sur les bruits » adressée à Natalia Kourakina.
23 décembre, mariage d'Eugénie Le Brun avec Justin Tripier Le Franc.

1830.   Révolution de Juillet.
Mme Vigée Le Brun vit dans la crainte.
       1830-1848, règne de Louis-Philippe.

1831. Début de l'année, Eugénie Tripier Le Franc est présentée au baron Antoine Jean Gros.
4 juillet, décès de la princesse Natalia Kourakina.
Mme Le Brun, fatiguée, redoute la lecture de *Notre-Dame de Paris* de Victor Hugo.
17 septembre, elle ajoute un codicille à son testament ; elle en ajoutera un nouveau le 11 décembre.
Septembre, visite de Gros à Louveciennes.
Hiver, grande soirée littéraire à l'hôtel Le Coq avec le baron Gros, Honoré de Balzac, Marceline Desbordes-Valmore, Delphine Gay et François René de Chateaubriand, etc.

1832. À Louveciennes, discussion animée avec le baron Gros sur David.

1833. Février, bal costumé à l'hôtel Le Coq.
Décès d'Auguste Rivière.

1835. 20 ou 29 février, signature d'un contrat chez Fournier accordant à ce dernier le « droit d'imprimer à quinze cents exemplaires » les *Souvenirs*.
10 juin, dernier déjeuner de Gros chez Mme Le Brun ; 25 juin, suicide de Gros.
Août, lecture des épreuves des *Souvenirs* et **parution du tome I.**

Vers 1835, **Jean Joseph François Poujoulat, le « jeune ami »,** fréquente Louveciennes avec Joseph Michaud.

1836. Reprise du travail des *Souvenirs*.

1837. Parution des tomes II et III des *Souvenirs*.
Eugénie Tripier Le Franc fait un voyage en Écosse.
11 mars, décès de Mme de Verdun.
Période dépressive : le 17 juillet, visite de Jean Joseph François Poujoulat ; 23 juillet, elle a « ses tristes ».
          1837, inauguration de la ligne de chemin de fer Paris - Saint-Germain.

1838. Mme Le Brun invite régulièrement la baronne de Crespy Leprince.
Septembre, consulte divers médecins, « mes souffrances sont dans ma tête ».
Été, visites du « jeune ami ». Visites de Louise Colet, de Vigny, de Musset et d'Abel Villemain.

1839. Mme Le Brun aide financièrement Eugénie Tripier Le Franc.
Le docteur Tournier soigne son rhumatisme.
Visites d'Elzéar de Sabran, qui prend des nouvelles plusieurs fois dans l'année.

1840. Se plaint de François Poujoulat, « tout à sa femme ».

1841. Juin, Mme Le Brun est atteinte d'une congestion cérébrale à Louveciennes. Sa nièce Caroline Rivière la conduit chez le notaire Bertinot et fait rayer sur le testament de sa tante ses legs à Eugénie, hormis la pension inscrite sur le grand-livre.

1842. 29 janvier, comprenant ce qu'on lui a fait signer, elle rédige un nouveau testament où elle donne à Eugénie des compensations.
30 mars, Louise Élisabeth Vigée Le Brun décède 99, rue Saint-Lazare, hôtel Le Coq, en présence d'Eugénie, de Caroline, de Justin et de François Poujoulat.
2 avril, les obsèques ont lieu à l'église Saint-Louis-d'Antin, l'enterrement à Louveciennes.

1872. Décès d'Eugénie Tripier Le Franc.

1883. Décès de Justin Tripier Le Franc.

ABRÉVIATIONS

A.A.F.	*Archives de l'Art français.*
B.A.A.	Bibliothèque d'Art et d'Archéologie.
Collection Deloynes	Bibliothèque nationale de France. Cabinet des estampes, collection Deloynes, suivi du numéro du tome.
B.n.F. manuscrits	Bibliothèque nationale de France. Cabinet des manuscrits.
B.n.F.	Bibliothèque nationale de France.
A.D.	Inventaire après décès.
L. F.	Lettres familiales et billets de Mme Le Brun.
M. A.	Manuscrit Arago.
M. R.	Manuscrit de Rochester.
M. L.	Manuscrit Lugt.
M. U.	Manuscrit Underwood.
M.C.	Minutier central des Archives nationales.
N.A.A.F.	*Nouvelles Archives de l'Art Français.*
O.C.	*Œuvres complètes.*
A.N.	Paris, Archives nationales.
INHA	Paris, Institut national d'histoire de l'art.

NOTES

AVANT-PROPOS

1. Louise Élisabeth Vigée Le Brun, Lettre dite « à l'Aimé Martin », Manuscrit Rochester, désigné ci-après par M. R. Nous corrigeons l'orthographe des manuscrits.

2. M. R. La phrase exacte est : « Il ne faut pas envier le sort de personne même de ceux que l'on croit le plus heureux. »

3. Voir le catalogue de cette exposition, M. de Lescure, *Les Palais de Trianon, histoire, description, catalogue des objets exposés sous les auspices de Sa majesté l'Impératrice*, Paris, Plon, 1867.

4. On ignore la date d'entrée des Papiers Tripier Le Franc dans la collection Doucet, plus tard collection de l'INHA.

5. Le conservateur du domaine de Versailles avait rencontré l'impératrice Eugénie qui lui avait reproché d'avoir flétri l'image de la reine, son idole. Il eût fallu s'en tenir à l'hagiographie.

6. Ed. de Goncourt, *La Maison d'un artiste*, Dijon, L'Échelle de Jacob, coll. « Textes et documents », 2003, p. 270.

7. A. Blum, *Madame Vigée Le Brun, peintre des grandes dames du XVIIIᵉ siècle*, Paris, H. Piazza, 1919, p. 5.

8. C'est le cas de l'édition de Cl. Hermann, qui ajoute des fautes à l'édition Charpentier, transformant par exemple le « pécille d'Athènes » en « piscine d'Athènes ». Didier Masseau reproduit les erreurs de l'édition Charpentier et celles de l'édition Des Femmes dans son édition Tallandier, 2010. Nous avons donné une édition critique se fondant sur le texte de 1835-1837, *Souvenirs*, Paris-Genève, Champion-Slatkine, 2008.

9. « Petite maligne », voir Fr. Pitt-Rivers, *Élisabeth Vigée Le Brun*, Paris, Gallimard, 2001, p. 29. Et plus loin : « madame Vigée Le Brun est snob, admettons-le », p. 182.

10. M. Sheriff, *The Exceptional Woman : Élisabeth Vigée Le Brun and the Cultural Politics of Art*, Chicago-Londres, University of Chicago Press, 1996.

11. A. Goodden, *The Sweetness of Life, a Biography of Elisabeth-Louise Vigée Le Brun*, Londres, André Deutsch, 1997. On citera également G. May, fondé sur une lecture des *Souvenirs*, *Élisabeth Vigée Le Brun, The Odyssey of an Artist in an Age of Revolution*, New Haven, Yale University Press, 2004.

12. « Social climber » A. Goodden, *The Sweetness of Life, a Biography of Elisabeth-Louise Vigée Le Brun, op. cit.*, p. 4.

13. Depuis notre édition des *Souvenirs* nous avons pu utiliser un troisième et un quatrième volet du manuscrit. La copie du troisième volet m'a été communiquée par J. Baillio. Anne Sohier a retrouvé un lot important de lettres inédites.

14. Voir la bibliographie.

15. Sur cette métaphore, voir le prologue au livre de Fr. Jacob, *La Statue intérieure*, Paris, Odile Jacob, 1987, p. 25.

16. De 1778 à 1789, pour ce qui est des faits, symboliquement par la suite.

1. FILLE DE PEINTRE

1. Girodet, *Œuvres posthumes*, cité par Justin Tripier Le Franc, *Histoire de la vie et de la mort du baron Gros*, Paris, Jules Martin, 1880, p. 27.

2. Cette scène est décrite dans M. R. et n'a pas été retenue dans l'édition définitive des *Souvenirs*.

3. F. Faÿ-Sallois, *Les Nourrices à Paris au XIXᵉ siècle*, Paris, Payot, p. 30.

4. « Je fus mis en sevrage à Épernon chez une bonne femme dont elle était sûre des soins », M. R.

5. M. R.

6. Louise Élisabeth Vigée est née le 16 avril 1755, rue Coq-Héron, et non rue Coquillière, qui était le domicile de ses parents avant sa naissance.

7. Ce portrait avait été exposé en 1751 pour le salon de l'Académie de Saint-Luc, voir N. Jeffares, *Dictionary of Pastellists before 1800*, Londres, Unicorn Press, 2006, p. 540. Il fait partie de l'inventaire après décès de Louis, Paris, A.N. M.C./ET/XXIV/835.

8. Voir N. Jeffares, *Dictionary of Pastellists before 1800*, *op. cit.*, p. 544.

9. Ce portrait dont le modèle n'est pas identifié est daté de 1760. Voir *ibid.*, p. 544.

10. Partie de l'actuelle rue Beaubourg située près de Saint-Nicolas-des-Champs.

11. J. Chatelus, *Peindre à Paris au XVIIIᵉ siècle*, Nîmes, Jacqueline Chambon, 1991, p. 318. Nicolas Alexandre a été recruté par le comte de Tessin en même temps que Guillaume Taraval vers les années 1740-1745.

12. Actuel croisement rue de l'Hôtel-de-Ville et rue des Barres.

13. Cette rue existe encore dans le Marais.

14. Note du Journal de J.-B. P. Le Brun, 9 avril 1800 dans « Madame Vigée Lebrun (1776-1811) », *N.A.A.F.*, 1872, p. 344.

15. Comme indiqué sur le contrat de mariage : A.N. M.C./ET/CXXI/347.

16. L'appellation « bourgeois de Paris » devait être demandée au magistrat de la cité. Elle permettait aux habitants vivant depuis plus d'une année dans la ville d'être exempts de la taille et de créer leurs armoiries. Le bourgeois devait payer les taxes urbaines, s'armer à ses frais et faire partie de la milice de la ville.

17. Noël Pecquerie est reçu à l'Académie de Saint-Luc, le 5 mai 1750 et Gaspard Pecquerie en 1777. Voir J. Guiffrey, *Histoire de l'Académie de Saint-Luc*, *A.A.F.* nouvelle période, t. IX, Paris, Champion, 1915. Louis Nicolas Pecquery est identifié comme peintre sur porcelaine A.N. M.C./ET/V/827.

18. A.N. M.C./ET/CXXI/347.

19. Plus tard elle orthographiera Maissin.

20. Une tradition véhiculée par le pseudo-Bachaumont affirme au sujet de l'artiste que « de fille de coiffeuse, elle est devenue peintre », 12 septembre 1775. *Les Salons des « Mémoires secrets », 1767-1787*, éd. B. Fort, Paris, École nationale des beaux-arts, 1999, v. 6. (année 1775). Le *Dictionnaire des Girouettes* reprend cette information au sujet d'Étienne Vigée. Une confusion avec la boutique de parfumerie d'un certain Vigier est possible. Aucun document (registre de métiers, pièces notariées) ne confirme à ce jour cette allégation.

21. Le 15 mai 1752, Louis Vigée expose le portait de Mme Vallée et en 1764 plusieurs des tableaux qu'il expose font partie du « cabinet » de M. Boucher, secrétaire du roi, qui a signé à son mariage.

22. Ou Gaullier.

23. On trouve plusieurs artistes de ce nom : un André Tramblin, son fils Charles-André. Pierre Robert Tramblin reçu en 1751, et Denis Charles Tramblin, voir J. Guiffrey, *Histoire de l'Académie de Saint-Luc, op. cit.*, p. 466.

24. Voir *ibid.*, 1915.

25. Voir Chr. Riffaut, *Louis Vigée portraitiste*, mémoire de fin d'étude sous la direction d'A. Schnapper, Paris, Paris-I, 1987, p. 20.

26. Maurice Quentin de La Tour (1704-1788) appartenait à l'atelier de Louis Boullogne, intégra l'Académie royale en 1744 et devint peintre du roi en 1750. Il fonda une école de dessin. On lui doit les portraits de Marie Leczinska, de Louis XV, de Voltaire, Diderot, de Mme de Pompadour. Voir X. Salmon, *Le Voleur d'âmes, Maurice Quentin de La Tour*, Versailles, Artlys, 2004.

27. N. Coquery, *L'Hôtel aristocratique, le marché du luxe à Paris au XVIIIᵉ siècle*, Paris, Publications de la Sorbonne, 1998, p. 29.

28. *Almanach Dauphin*, 1776.

29. Dans ses brouillons Louise Élisabeth situe le couvent des sœurs Trinitaires rue de Charonne ; en réalité ce couvent se trouvait rue Basse-de-Reuilly. Dans la version imprimée de ses mémoires, elle ne donne pas l'adresse du couvent.

30. Ces maisons ont été reçues en donation.

31. Les religieuses de La Croix gagnent de cent cinquante à deux cents sols par mois avec la vente des gimblettes. A.N. Série H⁵ 4109.

32. Voir Jèze, *État ou Tableau de la ville de Paris*, Paris, Prault père, 1765.

33. M. R.

34. Voir M. Sonnet, *L'Éducation des filles au temps des Lumières*, Paris, Cerf, 1987.

35. M. R.

36. Un plan du bâtiment de la chapelle des filles Trinitaires est en archives. On y retrouve un corridor à l'étage qui distribue le dortoir des pensionnaires. Il n'y a pas de cheminée dans le dortoir. A.N. Série S 4763.

37. Voir « la notice », document communiqué par S. L. Carrell.

38. P.-R. Chaperon, *Traité de la peinture au pastel*, Paris, Defer de Maisonneuve, 1788, p. 331.

39. *Almanach dauphin*, 1776.

40. *Souvenirs, op. cit.*, p. 126.

41. J. Guiffrey, *Livrets des expositions de l'Académie de Saint-Luc*, Paris, Baur et Détaille, 1872.

42. Voir Neil Jeffares, *Dictionary of Pastellists before 1800, op. cit.*, p. 544.

43. M. R. Dans les *Souvenirs, op. cit.*, une version plus élégante de cette phrase est produite : « Tu seras peintre mon enfant ou jamais il n'en sera. »

44. Papiers Tripier Le Franc, 27071.

45. Au verso le portrait du domestique de son père. Information transmise par J. Baillio. Collection particulière.

46. Voir *Almanach Dauphin*, 1776, et Menon, *La Cuisinière bourgeoise suivie de l'office à l'usage de tous ceux qui se mêlent de dépenses de maisons*, Paris, Guyllin, 1745 (reprint 1977). Ici nous supposons.

47. *Souvenirs, op. cit.*, p. 130.

48. Pierre Bertin Davesne, adjoint à professeur, expose en 1764 au salon de l'Académie de Saint-Luc : *Diane et Endymion* et les portraits de trois artistes de la Comédie-Italienne ; en 1774, le portrait du duc de Bouillon (pastel), ceux du comte et de la comtesse de La Tour d'Auvergne, de M. André Pujos, membre de l'Académie royale de peinture de Toulouse. Il serait l'auteur d'un pastel de la reine (de profil portant un collier de perle).

49. J. Guiffrey, *Livrets des expositions de l'Académie de Saint-Luc, op. cit.*, p. 131.

50. Jouée par les Comédiens-Italiens le 15 juillet 1771, publiée sous le nom de Davesne Bertin.

51. *Souvenirs, op. cit.*, p. 130.

52. Antoine Alexandre Henri Poinsinet (1735-1769) auteur d'un poème *sur l'Inoculation* (1765), d'une héroïde de *Gabrielle d'Estrées à Henri IV* (1767) et de parodies. *L'Écosseuse*, imitation de la comédie de Voltaire et *Le Cercle, ou la Soirée à la mode*, comédie en prose (Comédie-Française, 7 septembre 1764) de même que *Tom Jones*, comédie lyrique imitée du roman de Fielding (Versailles 1764, Comédie-Italienne, 1765) connaissent une vogue. *Alix et Alexis*, comédie mêlée d'ariettes représentée devant Louis XV, en juillet 1769.

53. *Ernelinde, princesse de Norvège*, opéra lyrique en trois actes, musique de Philidor, représenté le 24 novembre 1767. Mlle Vigée a donc connu des reprises, de même pour *Le Cercle* (1771) et *Tom Jones* (1765).

54. Gabriel François Doyen (1726-1806), élève de Carle Van Loo, obtint le prix de Rome en 1748. Reçu à l'Académie de peinture en 1759 (avec son morceau de réception fut : *Hébé versant à boire à Jupiter et à Junon*). Il fut le maître de Lethières. Voir M. Sandoz, *Gabriel François Doyen 1726-1806*, Paris, Editart, 1975.

55. *Souvenirs, op. cit.*, p. 134.

56. N. Jeffares, *Dictionary of Pastellists before 1800, op. cit.*, p. 541 et p. 542. Le modèle n'est pas clairement identifié.

57. Voir D. Beaurain, « Louis Vigée (1715-1767), maître-peintre de l'Académie de Saint-Luc », *Bulletin de la société d'histoire de Paris et de l'Île-de-France*, 2003, p. 110.

58. Manuscrit Underwood (désigné ci-après M. U.) et M. R.

59. Voir J. Guiffrey, *Histoire de l'Académie de Saint-Luc, op. cit.*, p. 478.

60. Cité par Chr. Riffaut, *Louis Vigée portraitiste, op. cit.*, p. 27.

61. M. R. Élisabeth évoque le domestique de son père.

62. Inventaire après décès de Louis Vigée, A.N. M.C./ET/XXIV/835.

63. Toutes les informations qui suivent proviennent de l'inventaire après décès de Louis Vigée.

64. On note la présence de quelques bronzes en pied, dont celui d'un homme écorché.

65. I.A.D., A.N. M.C./ET/XXIV/835.

66. Voir la description des marchandises des parfumeurs, *Almanach Dauphin*, 1772.

67. Une commode à tiroirs aux poignées de cuivre complète cet aménagement avec une cassette de bois blanc, l'équivalent d'une valise, peut-être celle que la pensionnaire a utilisée pour ranger ses effets.

68. M. R.

69. Voir D. Beaurain, « Louis Vigée (1715-1767), maître-peintre de l'Académie de Saint-Luc », art. cité, p. 113.

70. Acte de vente, A.N. M.C./ET/LXXVII/276.

71. « Énoncé de différents bruits importuns », 4 décembre 1829, *in* Th. Kourakine, *Souvenirs des voyages de la princesse Kourakine, publiées par le Prince Théodore Kourakine, suivis d'un extrait des souvenirs autobiographiques de madame Vigée-Lebrun*, Moscou, 1903, p. 472.

72. Au rez-de-chaussée la cuisine et son office, une petite cour, une belle salle de compagnie et, à l'étage, plusieurs vastes chambres donnent sur le jardin.

73. Abbé Le Brun, *Almanach historique et raisonné des architectes, peintres, sculpteurs, graveurs et ciseleurs*, 1776, Paris, Delalain-Duchesne, p. 138.

74. Il s'agit d'un ovale. Voir J. Guiffrey, *Histoire de l'Académie de Saint-Luc, op. cit.*, p. 244.

75. *Souvenirs, op. cit.*, p. 133-134.

76. Inventaire après décès Louis Vigée. A.N. M.C./ET/XXIV/835.

77. *Souvenirs, op. cit.*, p. 133-134.

78. M. R.

79. En dehors de l'emprunt sur la maison.

80. Voir contrat de mariage de Jeanne Maissin et Le Sèvre. A.N. M.C./ET/XXIV/837.

81. Sur cet homme, Henry Cain, voir *infra*, p. 42 et suiv.

2. Devenir peintre

1. M. U.

2. Le portraitiste Duplessis continue à rendre visite à Jeanne. Sa façon de conduire les séances est éloignée de l'esprit dans lequel veut travailler Mlle Vigée. « Comme il prenait 30 ou 40 séances et qu'il était fort ennuyeux, personne ne voulait se faire peindre par lui », M. R.

3. M. R.

4. « Ce prix est resté gravé dans sa mémoire et dans son cœur bien plus que les milliers de francs qu'on lui paya par la suite ses plus beaux portraits », Papiers Tripier Le Franc, 28065.

5. Ch. J. Fr. Lecarpentier, *Notice sur François Doyen par Lecarpentier son élève, professeur de l'académie de dessin et de peinture de Rouen*, Rouen, Imprimerie de V. Guilbert, 1809, p. 15.

6. A.-N. Dezallier d'Argenville, *Voyage pittoresque de Paris, ou Indication de tout ce qu'il y a de plus beau dans cette grande ville en peinture, sculpture et architecture*, Paris, De Bure l'aîné, 1765, p. 338.

7. Cette expression est empruntée à P. Lemoyne, *La Gallerie des femmes fortes*, 1647. Voir F. Cosandey, « Représenter une reine de France. Marie de Médicis et le cycle de Rubens au palais du Luxembourg », *Clio*, n° 19, 2004.

8. Le fermier et contrôleur général Pierre Louis Paul Randon de Boisset (1708-1776), bibliophile et collectionneur. La vente de 1777, après son décès, révèle l'étendue de sa collection. Voir Cl. de Ris, *Les Amateurs d'autrefois*, Paris, Plon, 1877, p. 359 et suiv. et Ch. Guichard, *Les Amateurs d'art à Paris au XVIIIᵉ siècle*, 2008, p. 128-129, p. 160-162.

9. Jan Brueghel l'Ancien.

10. *Souvenirs, op. cit.*, p. 136.

11. César Gabriel duc de Praslin (1712-1785), comte de Choiseul, secrétaire d'État aux Affaires étrangères sous le ministère de son cousin, puis ministre de la Marine.

12. François Gaston, marquis de Lévis, puis duc (1720-1787), servit au Canada, maréchal de France en 1783.

13. François Michel Harenc (Harens) de Presles était banquier. Un catalogue de vente de ses collections établi par J.-B. Le Brun est daté de 1795.

14. *Souvenirs, op. cit.*, p. 136.

15. M. R.

16. C'est-à-dire d'après une figure moulée.

17. Dessin intitulé « Ma bonne », J. Baillio, *Élisabeth Vigée Le Brun, 1755-1842*, catalogue de l'exposition, Fort Worth, Kimbell Art Museum, 1982, p. 36-37.

18. Anne Rosalie Boquet (1752-1794), épouse de Louis Filleul de Besne, portraitiste, admise à l'Académie de Saint-Luc, en 1773.

19. Marie-Rose Boquet, née Hallé, malgré l'homonymie, n'est pas la fille de Noël Hallé, contrairement à l'affirmation de L. Caron, *Deux Siècles d'histoire, les Boquet*, texte dactylographié, Besançon 1982 ; pour la généalogie des Hallé : voir N. Wilk-Brocard, *Une dynastie : les Hallé*, Paris, Arthéna, 1995, p. 561-585.

20. M. R.

21. J. Guiffrey attribue à Rosalie Boquet les tableaux de l'exposition de 1751, date à laquelle elle n'est pas née ; il s'agit vraisemblablement de sa mère. Voir J. Guiffrey, *Histoire de l'Académie de Saint-Luc, op. cit.*, p. 192.

22. Collection Cailleux. Voir J. Baillio, *Élisabeth Vigée Le Brun, 1755-1842, op. cit.*, p. 34-35. Collection particulière, voir *L'Enfant chéri au siècle des Lumières*, C. Kayser (dir.), catalogue de l'exposition du Musée-Promenade de Marly-le-Roy, Paris, L'Inventaire, 2003, notice de L. Hughes, p. 132-133.

23. Ensemble ils ont réalisé des copies de Domenichino de *L'Histoire de sainte Cécile* à l'église Saint-Louis-des-Français, M. Sandoz, *Gabriel Briard (1725-1777)*, Paris, Éditart, 1981, p. 104.

24. M. R.

25. *L'Enfant chéri au siècle des Lumières, op. cit.*, notice de L. Hughes, p. 48.

26. « Éloge de M. Briard, Nécrologue des artistes et des curieux de 1765 à 1782 », cité par M. Sandoz, *Gabriel Briard (1725-1777), op. cit.*, p. 92.

27. 1771. La décoration est une variation sur le thème du *Ruris amor*, l'amour de la campagne, voir l'aquarelle de Moreau le Jeune (musée du Louvre) gravée par Jeaninet.

28. « Éloge de M. Briard », cité par M. Sandoz, *Gabriel Briard (1725-1777), op. cit.*, p. 93.

29. *Ibid.*

30. The Saint Louis Art Museum.

31. François Hubert Drouais, localisation inconnue.

32. En 1751. Voir J. Guiffrey, *Histoire de l'Académie de Saint-Luc, op. cit.*, p. 478. Localisation inconnue.

33. L'artiste affirme avoir réalisé ce tableau dans sa quatorzième année, or il est daté signé de 1773. Sur les différentes versions de ce tableau, consulter la notice de J. Baillio, *Élisabeth Vigée Le Brun, 1755-1842, op. cit.*, p. 33.

34. M. R.

35. Paris, musée du Louvre. Le portrait de Claude-Joseph Vernet (1714-1789), peintre de marine et père de Mme Chalgrin, fut réalisé en 1778, J. Baillio, *Élisabeth Vigée Le Brun, 1755-1842, op. cit.*, p. 39. Vernet était connu pour son esprit et ses bons mots ; son fils Carle fut peintre de chevaux, et son petit-fils Horace fut également un peintre connu.

36. *Souvenirs, op. cit.*, p. 34. « [Les élèves] ne peuvent se défaire des uns et des autres qu'en copiant ou en examinant la nature, qui leur fera apercevoir des erreurs dans lesquelles l'habitude et la routine des ateliers les avaient fait tomber. Il faut absolument faire ce qu'on voit dans la nature ; si un objet se confond avec un autre, soit par sa forme, soit par sa couleur, il faut le faire tel qu'on le voit ; car s'il fait bien dans la nature, il fera bien dans la peinture », cité par M. Roland Michel, *Le Paysage en Europe du XVIe au XVIIIe siècle*, ouvrage dirigé par Catherine Legrand, Jean-François Méjanes, Emmanuel Starcky, Paris, RMN, 1994, p. 224.

37. H. de Lacombe-Prezel, *Dictionnaire iconologique de Lacombe-Prezel*, « Manière », Paris, T. de Hansy, 1756.

38. *Souvenirs, op. cit.*, p. 135.

39. M. R.

40. Diderot, « De la manière », in *Œuvres complètes*, éd. L. Versini, Paris, Laffont, coll. « Bouquins », 1996, t. IV, p. 815. A.-J. Dezallier d'Argenville établit une distinction : « Les plus habiles peintres ont leur manière, sans être néanmoins maniérés. La manière s'entend de la façon d'opérer, c'est le faire du peintre, c'est son style ; au lieu que manière veut dire qui s'écarte de la nature et du vrai ; ce qui ne tient que de la pratique et qui est un défaut, aussi, avoir une manière et être maniéré sont deux choses très différentes », *Abrégé de la vie des plus fameux peintres avec leurs portraits gravés, les indications de leurs principaux ouvrages*, Paris, De Bure, 1762, XL, t. I.

41. R. de Piles, *L'Idée du peintre parfait*, Paris, Muguet, 1699, p. 96.

42. J. Gigoux, *Causeries sur les artistes de mon temps*, Paris, Calmann-Lévy, 1885, p. 100.

43. Vers 1776. Voir P. Michel, *Le Commerce du tableau à Paris dans la seconde moitié du XVIIIe siècle*, Villeneuve-d'Ascq, Presses universitaires du Septentrion, 2007, p. 159, no 145.

44. A.N. M.C./ET/CXIV/46 et M.C/ET/CXV/519.

45. J.-J. Olivier, *Henry-Louis Lekain (1729-1778)*, Paris, Société française d'imprimerie et de librairie, 1911. Lekain fut baptisé le dimanche 3 avril, fils d'Henry Cain, marchand orfèvre et d'Anne Louise Le Tellier, sa femme, rue de la Fromagerie. Il quitta le collège Mazarin en 1743 et revint chez ses parents.

46. A.N. ET/CXV/519. Jacques François Le Sèvre, fils de Jacques Le Sèvre, bourgeois de Paris, demeurant rue Beauregard, paroisse Bonne-Nouvelle. De 1743 à 1746, Henry Louis (futur acteur) a côtoyé Le Sèvre rue de la Fromagerie. Mais Henry Cain (le père) disparaît en 1746.

47. Voir J. Baillio, « Quelques peintures réattribuées à Élisabeth Vigée Le Brun », *Gazette des beaux-arts*, n° 119, janvier 1982, p. 17.

48. « Lettre sur les bruits à la princesse Kourakine », *in* Th. Kourakine, *Souvenirs des voyages de la princesse Kourakine, op. cit.*, p. 472.

49. Voir A.N. M.C/ET/XL/97-98.

50. Aujourd'hui disparue, voir J. Baillio, « Quelques peintures réattribuées... », art. cité.

51. Le nom de Marie-Adélaïde de Bourbon-Penthièvre, duchesse de Chartres, ne figure dans les listes établies par l'artiste qu'à partir de 1778.

52. Voir J. Baillio, *Élisabeth Vigée Le Brun, 1755-1842, op. cit.*, p. 38.

53. Louis-Charles de Lorraine (1725-1761) avait épousé en troisièmes noces Marie Louise Julie Constance de Rohan, appelée Mme la comtesse de Brionne ; elle hérita avec ses enfants de la baronnie de Mont-Saint-Jean. Ses filles étaient Marie Josèphe Thérèse de Lorraine-Brionne, princesse d'Elbeuf (1753-1797), qui épousa Victor Emmanuel de Savoie-Carignano, et Anne Charlotte, la princesse de Lorraine-Brionne, évoquée par l'artiste, abbesse de Remiremont (1755-1786).

54. Voltaire, *L'Indiscret*, scène 1.

55. Collection particulière.

56. M. R.

57. *Souvenirs, op. cit.*, p. 142.

3. UNE VIE PARISIENNE

1. L.-A. de Carraccioli, *Dictionnaire critique, pittoresque et sentencieux*, Lyon, Duplais, 1768, t. II, p. 352, cité par Laurent Turcot, *Le Promeneur au XVIIIᵉ siècle*, Paris, Le Promeneur, 2007, p. 98.

2. Louis-Philippe Joseph (1747-1793), fils de Louis d'Orléans (1725-1785).

3. Joseph de Boulogne, dit le chevalier de Saint-Georges (1745-1799), né à Saint-Domingue, composa quelques concertos et plusieurs opéras appréciés (*Ernestine* fut donné en 1777 sur un livret de Choderlos de Laclos). Sa maîtrise de l'escrime était célèbre.

4. Rosalie Duthé (1752-1820) se lia également avec Potocki, le marquis de Genlis, le comte d'Artois. Voir la description de ce carrosse dans les *Souvenirs de la Marquise de Créquy, de 1710 à 1803*, Paris, Delloye, 1840, t. VI, chap. XI. Elle émigra avec sa fortune en Angleterre où Mme Le Brun la rencontre à nouveau. Rosalie Duthé ne revint en France qu'en 1815.

5. Baron R. Portalis, *Henry-Pierre Danloux, peintre de portraits et son journal durant l'émigration*, Paris, Société des bibliophiles français, 1910, p. 129.

6. *Souvenirs, op. cit.*, p. 141.

7. *Almanach du Palais-Royal*, 1785, p. 26.

8. Londres, The National Gallery, *Gabriel de Saint-Aubin*, C. Bailey *et alii* (sous la dir.), Paris, musée du Louvre éd., 2007-2008, cat. 43, 1760, cat. 44, 45, 1760.

9. Le Vauxhall désignait un jardin public de Londres, sur la rive droite de la Tamise. Par imitation, ce jardin fut nommé Vauxhall. Ce jardin était déjà le second Vauxhall d'été à Paris et était situé vers la place du Château-d'Eau.

10. M. R.

11. Pour les détails qui suivent voir Ferdinand de Federici, *Flagrants délits sur les Champs-Élysées : les dossiers de police du gardien Federici, 1777-1791*, éd. présentée et annotée par A. Farge, postface de L. Turcot, Paris, Mercure de France, 2008, p. 95.

12. L. V. Thiery, *Almanach du voyageur à Paris*, Paris, Hardouin, 1781, p. 45.

13. Ce bâtiment édifié en 1770 fut démoli en 1780 pour malfaçons.

14. Catherine Nicole Lemaure (1704-1783) célèbre par son interprétation « phrasée », quitta l'Opéra en 1744. Pis, à soixante-sept ans, elle se présenta au public du Colisée, dernier mais éphémère succès, auquel assista Mlle Vigée.

15. Charles Alexis Brûlart, marquis de Sillery, comte de Genlis (1737-1793), époux de Félicité Ducrest de Saint-Aubin, nièce de Mme de Montesson, qui devint gouvernante du futur Louis-Philippe.

16. *Souvenirs, op. cit.*, p. 147

17. M. R.

18. M. U.

19. R. L. d'Argenson, *Journal et mémoires du marquis d'Argenson*, Clermont-Ferrand, Paleo, 2005, t. VI, p. 274.

20. La maison est louée durant cette période.

21. *Almanach* de 1783.

22. Claude ou Charles Louis Suzanne, sculpteur et membre de l'Académie de Saint-Luc, vers 1749, professeur vers 1763, il a modelé des groupes d'après Boucher (ne pas le confondre avec F. M. Suzanne né vers 1750).

23. *Souvenirs, op. cit.*, p. 149.

24. Diderot, à Sophie Volland, 11 mai 1759, in *Correspondances, O.C., op. cit.*, t. V, p. 96.

25. « Énoncé de divers bruits importuns », *in* Th. Kourakine, *Souvenirs des voyages de la princesse Kourakine, op. cit.*, p. 472. Mme Suzanne désignée dans ce texte comme « une amie de ma mère ».

26. Louis Jean Marie de Bourbon, duc de Penthièvre, 1725-1793, amiral de France en 1734, gouverneur de Bretagne, fit construire les hôpitaux de Crécy et des Andelys.

27. Son nom figure parmi les créanciers de la comtesse Du Barry. A.N. M.C./ET/LXX/923. Voir J. Baillio, « Quelques peintures réattribuées… », art. cité.

28. Portrait dit « Les enfants de la baronne d'Esthal », 1772, collection Cailleux, voir J. Baillio, *Élisabeth Vigée Le Brun, 1755-1842, op. cit.*, p. 35.

29. Localisation inconnue.

30. Jean-Baptiste Lemoyne (1701-1778), sculpteur, travailla avec son père, puis dans l'atelier de Robert Le Lorrain. Sur la présentation du groupe *La Mort d'Hippolyte* (aujourd'hui au Louvre), il fut admis à l'Académie de peinture et de sculpture, en 1738. Parmi ses œuvres, les statues de *Saint Roch*, de *Saint Grégoire*, de *Sainte Thérèse* des Invalides.

31. A.N. M.C./ET/XXIV/835 ; 26 mai 1767.

32. Manuscrit Arago, désigné ci-après par M. A.

33. M. U. Son portrait par L. É. Vigée en 1774 correspond à cette description. Un mouchoir noué à la diable autour du cou, Lemoyne porte les cheveux courts et décoiffés. Localisation inconnue.

34. Marmontel, *Mémoires*, Paris, Firmin-Didot, 1857, p. 235.

35. Henry Louis Cain dit Lekain (1728-1778).

36. *Souvenirs, op. cit.*, p. 151.

37. Pierre Jean-Baptiste Gerbier (1725-1788), avocat breton connu pour avoir fait l'éloge de Maupeou.

38. Mlle Vigée aurait fait en 1773 trois portraits de Mme de Bonneuil, inspiratrice d'André Chénier. On a prêté à Mme de Bonneuil, née Sentuary, des activités d'agent secret. Voir O. Blanc, *Madame de Bonneuil, femme galante et agent secret (1748-1829)*, Paris, Paris, Robert Laffont, 1987.

39. Laure de Bonneuil (1775-1857) épousa Michel Louis Étienne, comte Regnaud Saint-Jean d'Angély (1762-1819). Gérard a réalisé son portrait en 1798 (musée du Louvre).

40. La Tour aurait légué ce portrait, qui figure sur son testament, peut-être une miniature, à la jeune femme. Voir A.-M. Passez, *Adélaïde Labille-Guiard*, Paris, Arts et Métiers graphiques, 1973, p. 11.

41. André Ernest Modeste Grétry (1741-1813) a créé le 20 août 1768 *Le Huron*, d'après *L'Ingénu* de Voltaire, à la Comédie-Italienne. Dès cette époque, il produit deux à trois opéras par an, donnés à la cour, puis à la Comédie-Italienne. *Zémire et Azor*, comédie-ballet, lui vaut une rente royale. En 1774, la reine Marie-Antoinette le rémunère comme son directeur de musique. Les opéras *L'Amant Jaloux* (1778) et *Richard, Cœur de Lion* (1784) font partie de ses succès. En 1797, Grétry publiera des *Mémoires*. Ses *Réflexions d'un solitaire* forment huit volumes. Il se retire à l'ermitage de Montmorency, acquis en l'an VI, vingt ans après la mort de son précédent locataire, Jean-Jacques Rousseau. Ses obsèques furent nationales. (Son portrait par Mme Le Brun en 1785, musée du Louvre.)

42. Mme de Bawr fait son éloge : « Grétry était un de ces hommes rêveurs, doués de tact et de finesse, qui par leur nature sont plus propres que d'autres à observer le cœur humain et à saisir l'accent des passions », Alexandrine de Bawr, *Mes souvenirs*, Paris, Passard, 1853, p. 22, p. 33.

43. Anne Catherine de Chastenay (1741 ?-1837), fille de Nicolas François, comte de Chastenay, marquis de Noviant, sieur de Champigneulles et de Charlotte Thérèse Marie Françoise Barbarat de Mazirot.

44. Aujourd'hui rue des Moulins.

45. Les amies se sont rencontrées entre 1766 et 1771. Anne Catherine de Chastenay était de trop bonne noblesse pour avoir fréquenté le couvent de la rue Basse-de-Reuilly, dont les listes des pensionnaires ont disparu.

46. La marraine de l'épouse d'Helvétius (Anne Catherine de Ligneville) se nomme Anne-Catherine de Protin, épouse de Louis de Barbarat, sieur de Mazirot. Voir *Correspondance générale d'Helvétius*, Toronto-Oxford, University of Toronto Press-The Voltaire Foundation, 1998, vol. 4, p. 241.

47. Louise Pauline Thiry d'Holbach a épousé Charles Léopold Gabriel Marie Le Preudhomme, comte de Chastenay.

48. M. U. Helvétius disparaît en 1771, la rencontre a eu lieu avant 1771.

49. Marmontel, *Mémoires, op. cit.*, p. 235.

50. *Notes sur l'art de peindre de Dufresnoy*, cité par J.F. Baillon, *in* Sir Joshua Reynolds, *Discours sur la peinture* (1769-1791), Paris, ENSB, 1991, p. 6.

51. Voir M. Espagne, « La diffusion de la culture allemande dans la France des Lumières : les amis de J. G. Wille et l'écho de Winckelmann », in *Winckelmann, la naissance de l'histoire de l'art à l'époque des lumières*, Paris, La Documentation française, 1991, p. 111. *L'Innocence* (copie au British Museum), *Le Plaisir* (collection particulière).

52. Localisation inconnue.

53. Il a pu entendre parler de la jeune artiste de dix-neuf ans par Greuze.

54. Abbé Le Brun, *Almanach historique et raisonné des architectes, peintres, graveurs, et ciseleurs, op. cit.*, 1776, p. 197.

55. 25 février 1774, *in* J. G. Wille, *Mémoires et journal de J.G. Wille*, Paris, Renouart, 1857.

56. Le dernier *Salon* de Diderot date de 1781, L. É. Vigée Le Brun expose à l'Académie royale en 1783.

4. L'Académie de Saint-Luc

1. Avec elles sont admises Élisabeth Savelle, Marie Lecomte, Angélique Rosalie de Boune (Bonne ?), Marie-Madelaine Masson, Marie Marguerite Millard. (Séries Y,

Châtelet de Paris et Prévôté d'Île-de-France, chambre de l'audience, chambre du conseil. [9332, pièce 6b].)

2. Voir J. Baillio, « Quelques peintures réattribuées… », art. cité., p. 20.

3. Collection particulière, vente 2003, J.- M. Delvaux, Paris.

4. *Mercure de France*, octobre 1774, p. 185, cité par A.-M. Passez, *Adélaïde Labille-Guiard*, *op. cit.*, 1971, p. 13.

5. A. Labille est déjà académicienne depuis cinq ans. Voir A.-M. Passez, *Adélaïde Labille-Guiard*, *op. cit.*, p. 11, p. 55.

6. Louveciennes, Musée-Promenade, voir N. Jeffares, *Dictionary of Pastellists before 1800*, *op. cit.*, p. 551.

7. Collection particulière, voir *ibid.*, p. 550.

8. Aleksei Grigorievitch Orlov (Novgorod, 1736-Moscou, 1808), aide de camp de Chouvalov, contribua, lors de la révolution de 1762, à renverser Pierre III, et sera exilé par le fils de Catherine la Grande, Paul Ier.

9. *Souvenirs*, *op. cit.*, p. 137.

10. Ivan Ivanovitch Chouvalov (1727-1797), favori de la tsarine Élisabeth, grand chambellan, il fonda l'université de Moscou (1755) et l'Académie des beaux-arts (1758).

11. Élisabeth Petrovna (1709-1762), fille de Pierre le Grand et de Catherine Ire, prit le pouvoir le 7 décembre 1741.

12. *Souvenirs*, *op. cit.*, p. 138.

13. Marie-Thérèse Rodet, dite Mme Geoffrin (1699-1777).

14. M. Fumaroli, « Chez les Bénédictines de la rue Saint-Antoine : retraite et repos annuels de madame Geoffrin, dans le miroir sensible d'Hubert Robert », in *Madame Geoffrin, une femme d'affaires et d'esprit*, Milan-Châtenay-Malabry, Silvana Editoriale-Maison de Chateaubriand, 2011, p. 75.

15. Marie-Henriette d'Orléans-Rothelin, née en 1744. Mlle Vigée a fait, en 1775, le portrait du prince de Rohan-Rochefort et de sa fille.

16. *Souvenirs*, *op. cit.*, p. 153.

17. Il peut s'agir de l'épouse de Charles Armand (1729-1811), cinquième prince de Rohan-Rochefort. Leur fille, Charlotte Louise Dorothée de Rohan-Rochefort (1767-1841), réfugiée chez son oncle le cardinal de Rohan à Strasbourg, fit la conquête du duc d'Enghien et l'épousa en 1804.

18. Louis René Édouard, dit prince Louis de Rohan, diplomate, cardinal, grand aumônier de France (1734-1803), membre de l'Académie française, il vivait sur un train fastueux. Il fut compromis dans l'affaire du Collier.

19. Armand Louis de Gontaut, duc de Biron, connu sous le nom de duc de Lauzun (1747-1793). Il prit part à la guerre de l'Indépendance américaine. Suspect pour ses anciennes liaisons orléanistes, il fut condamné à mort par le Tribunal révolutionnaire et exécuté.

20. Claude Carloman de Rulhière (1734-1791), protégé par Voltaire à ses débuts, qui inséra son poème *Les Disputes* dans le *Dictionnaire philosophique*. Il voyagea à Vienne, Stockholm, Saint-Pétersbourg en Russie, et avait assisté à la prise du pouvoir par Catherine II. Ses anecdotes sur la révolution de Russie paraîtront, après sa mort, en 1797.

21. *Souvenirs*, *op. cit.*, p. 154.

22. L'abbé François Arnaud (1720-1784) entre en 1762 à l'Académie des inscriptions et à l'Académie française en 1771, gluckiste passionné, il fit une guerre d'épigrammes à Marmontel.

23. Localisation inconnue. Voir J. Baillio, « Identification de quelques portraits d'anonymes de Vigée Le Brun aux États-Unis », *Gazette des beaux-arts*, vol. CXCVI, novembre 1980, p. 158.

24. Le cardinal Antoine Hercule de Fleury (1653-1743), aumônier de Louis XIV, précepteur de Louis XV, puis son ministre, gouverna de 1726 à sa mort. Il fut membre des trois Académies, protecteur des arts et des lettres.

25. Des copies des portraits du cardinal et du moraliste sont conservées à l'Académie française (MV 2940 et MV 2962), les originaux figurent dans l'inventaire du Musée du château de Versailles.

26. Jean Le Rond d'Alembert (1717-1783), fils illégitime de Mme de Tencin et du chevalier Destouches, mathématicien et encyclopédiste, habitué du salon de madame Geoffrin, entra à l'Académie française en 1754 et en fut nommé secrétaire perpétuel en 1772.

27. Cette scène prend place après 1776. La Harpe avait remporté un prix d'éloquence à l'Académie française en 1771 avec ce discours. Le texte original porte le nom de Favente au lieu de Favart. Dans J.-F. de La Harpe, « Discours sur les talents des femmes », in Œuvres, Paris, Verdière, 1820, t. III, p. 218-219. Mme Favart, née Marie Justine Benoîte du Ronceray (1727-1772), entre à l'Opéra-Comique de la foire Saint-Germain, sous le nom de Mlle Chantilly, puis participe au spectacle des Pantomimes de la foire Saint-Laurent avant d'intégrer la troupe des Italiens. Portrait par Quentin de La Tour, musée de Saint-Quentin.

28. Rosalba Carriera, souvent évoquée par l'artiste, était originaire de Venise (1675-1757), et la qualité des pastels qu'elle exécutait, sans dessin préalable, sur papier bleu, était immense. Son succès fut vif à Paris vers 1720. Elle y fut reçue par l'amateur Pierre Crozat ; puis, vers 1730, elle alla à Vienne. Excellente miniaturiste, sa technique de peinture sur ivoire fut célèbre.

29. Étienne Vigée, *Épître aux membres de l'Académie française*, 1776.

5. Un déménagement décisif

1. A.N. M.C./XXIV/914, cité par F. Camus, *Jean-Baptiste Pierre Le Brun, peintre et marchand de tableaux (1748-1813)*, thèse de doctorat dactylographiée, dirigée par A. Schnapper, Paris-IV, 2000, p. 100. La famille Le Sèvre sous-loue l'appartement.

2. Ce portrait résulte d'une rencontre bien plus tardive. Notice de Justin Tripier Le Franc. Papiers Tripier Le Franc, 27852. Voir son autoportrait réalisé en 1795 dans J. Baillio, *The Arts of France, from François Ier to Napoléon*, New York, Wildenstein, 2005-2006, cat. 148.

3. Musée du Louvre. Pajou (1730- 1809), élève de Lemoyne, dont il exposa un buste admiré par Diderot au Salon de 1759. Le buste de Mme Le Brun fut exposé au salon de 1783. Le critique du *Journal général de France* trouve qu'il « respire tout l'esprit de l'original », *in* « Observations sur le Salon de 1785 », collection Deloynes, XIV, 339, p. 28.

4. Marie Vallée, la sœur de Marguerite, épouse un gagne-deniers. Voir A.N. M.C./ET/LXV/126 (2 mars 1790) inventaire après décès de Charles II Le Brun. R.-A. Weigert, « Le testament de Charles Le Brun, 1690 », *A.A.F.*, t. XXI, XXI, 1949, p. 9-17. Le père de Pierre Le Brun se nomme François Le Brun (1704-1714) et sa mère Marguerite Vallée (?-1714). Les extraits d'état civil relevés par Justin Tripier Le Franc confirment la profession de serrurier. Voir F. Camus, *Jean-Baptiste Pierre Le Brun, peintre et marchand de tableaux, op. cit.*, p. 404.

5. H. Jouin, *Charles Le Brun et les arts sous Louis XIV*, Paris, Laurens, 1889, p. 665. Le nom « de Villeneuve » sera porté par deux des fils de Charles II Le Brun.

6. La Maison royale de Charenton recevait des aliénés et, sur demande familiale, des pensionnaires dont on souhaitait se débarrasser.

7. Une autre filiation serait possible en amont : Jean-Baptiste Pierre serait apparenté à un oncle du peintre du roi, l'un des deux frères évoqués par H. Jouin, Barthélémy, charron à Crouy et Mathieu, menuisier à Abbeville (H. Jouin, *Charles Le Brun et les arts, op. cit.*, p. 665). Et dans ce cas, il serait l'arrière-petit-cousin du grand peintre.

8. I.A.D. Papiers Tripier Le Franc 27415.

9. A.N. M.C./ET/LI/1133, quittances des ouvrages faits en l'hôtel Lubert.

10. 26 août 1778, *Journal de Paris*, copie manuscrite, Papiers Tripier Le Franc 51, 27863.

11. J. Baillio, *The Arts of France...*, *op. cit.*, p. 332. F. Camus signale qu'une confusion aurait pu se produire avec l'hôtel des Américains situé dans la même rue, *Jean-Baptiste Pierre Le Brun, peintre et marchand de tableaux*, *op. cit.*, p. 408.

12. I.A.D. P. Michel, *Le Commerce du tableau à Paris dans la seconde moitié du XVIIIe siècle*, *op. cit.*, p. 55.

13. Voir lettre à Hubert Robert et Brongniart, 16 mars 1790, Papiers Tripier Le Franc, 28618-28625.

14. Voir G. Émile-Mâle, « Jean-Baptiste Pierre Le Brun, 1748-1813, son rôle dans l'histoire de la restauration des tableaux du Louvre », *Mémoires de Paris et Île-de-France*, extrait du tome VIII, Paris, 1957, p. 371-417.

15. Voir H. Jouin, *Charles Le Brun et les arts*, *op. cit.*, p. 665-667. Une autre hypothèse formulée par J. Baillio, explique ce patronyme par le mariage de Pierre Louis avec Élisabeth Baraton, qui reçut par héritage un domaine à Villeneuve-sur-Yonne. Papiers Tripier Le Franc, C. 2 30 262-30 300. Notre hypothèse est confirmée par l'acte de tutelle du 18 août 1787, A.N. Y5156 A.

16. Le fils de Pierre Laurent, Jean-Baptiste Louis (1789-1825), deviendra peintre et s'installera près de ses oncles au faubourg Poissonnière. Papiers Tripier Le Franc 27291-27292.

17. En 1773. A.N./M.C./ET/XXIV/966.

18. Papiers Tripier Le Franc, 26 novembre 1808, à M. Boccolari, cité par P. Michel, *Le Commerce du tableau à Paris dans la seconde moitié du XVIIIe siècle*, *op. cit.*, p. 82.

19. École nationale des beaux-arts, manuscrit 45, « Liste alphabétique des élèves de l'Académie royale de peinture et de sculpture, depuis le 1er octobre 1758 jusqu'en 1776 », cité par F. Camus, *Jean-Baptiste Pierre Le Brun, peintre et marchand de tableaux*, *op. cit.*, p. 23. Il tentera par deux fois le prix de peinture sans succès.

20. Certificat déposé à Aix-en-Provence, musée Granet ; Inv. 860-1-264. Voir F. Camus, *Jean-Baptiste Pierre Le Brun, peintre et marchand de tableaux*, *op. cit.*, p. 36.

21. Frick Collection Reference Library. Dossier « Jean-Baptiste Pierre Le Brun ».

22. Signé daté 1782, collection particulière.

23. Il y est déclaré domicilié jusqu'en 1776.

24. *Almanach historique et raisonné des architectes, peintres, sculpteurs, graveurs et ciseleurs*, *op. cit.*, 1776, p. 220.

25. 16 septembre 1770 : « M. Le Brun fils m'a nettoyé et verni plusieurs tableaux entre autres mon superbe Brauwer. Il avait appris à l'école de son père à restaurer les tableaux », *Mémoires et journal de J.G. Wille*, *op. cit.*, t. I, p. 455.

26. Voir F. Camus, *Jean-Baptiste Pierre Le Brun, peintre et marchand de tableaux*, *op. cit.*, p. 29, et H. Jouin, *Charles Le Brun et les arts*, *op. cit.*, p. 492.

27. A.N. Série Q¹ : Domaines. Terrier du roi, t. VI, (Q¹ 1099).

28. A.N. M.C./ET /LI/1133.

29. Th. Kourakine, *Souvenirs des voyages de la princesse Kourakine*, *op. cit.*, 1903, p. 473.

30. À son sujet voir *infra*, p. 86.

31. A.N. M.C./XXIV/986, cité par F. Camus, *Jean-Baptiste Pierre Le Brun, peintre et marchand de tableaux*, *op. cit.*, p. 100.

32. M. U.

33. Cette phrase reviendra comme un refrain dans les lettres adressées à son protégé Simon Denis. Nous supposons ici que Le Brun la prononce dès sa jeunesse.

34. Cette phrase, que nous anticipons, est prononcée pour la fille de Simon Denis, Geneviève à qui Le Brun donne des conseils, 16 août 1808, C. Blumenfeld et É. Breton, *Technè*, n° 33, 2011, p. 25.

35. *Ibid.*, 11 juillet 1809, p. 29.

36. Abbé Le Brun, *Almanach historique et raisonné des architectes, peintres, sculpteurs, graveurs et ciseleurs*, op. cit., 1776, p. 139.

37. *Ibid.*, p. 140.

38. M. U.

39. Voir le dépôt de plainte par J.-B.-P. Le Brun. A.N. Y, liasse 3540, commissaire Girard, *N.A.A.F*, 1872, p. 342-343 [Le Brun, Jean-Baptiste Pierre, « Extraits des carnets de Jean-Baptiste Pierre Le Brun », *in* « Madame Vigée Le Brun 1776-1811 », Documents communiqués par M.M. Émile Campardon et Benjamin Fillon, *N.A.A.F.*, Paris, 1872]. Caze n'est pas identifié.

40. Notice de Justin Tripier Le Franc. Papiers Tripier Le Franc, 27852.

41. Collection particulière. Christian IV meurt le 5 novembre 1775, Mlle Vigée demande à Joseph Vernet d'intercéder pour elle auprès de l'héritier, elle demande cinquante louis pour ce tableau. Voir P. Michel, *Le Commerce du tableau à Paris dans la seconde moitié du XVIIIe siècle*, op. cit., p. 159, n. 144.

42. J. Baillio nous a signalé cette filiation. Voir J. Baillio, *The Arts of France...*, *op. cit.*, p. 333, et Fr. Pupil, *Le Style troubadour*, Nancy, Presses universitaires de Nancy, 1985, p. 294.

43. La fin de l'opéra *L'Amant jaloux* est heureuse. L'opéra fut créé en 1778, la scène espagnole est datée de 1777. Mais Grétry faisait entendre ses airs d'opéra dans des cercles privés avant de les livrer au public.

6. CHANGER DE NOM

1. *Souvenirs*, op. cit., p. 158.

2. Codicille de 1829, A.N. M.C./ET/CXVI/738.

3. *Souvenirs*, op. cit., p. 158.

4. *Ibid.*

5. A.N. M.C./ET/XXIV/0886 et Papiers Tripier Le Franc, 27257-27264.

6. Ange Joseph Aubert, joaillier de Marie-Antoinette.

7. « La duchesse était une Brancas-Lauragais, fille du comte de ce nom », *in* H.-L. d'Oberkirch, *Mémoires sur la cour de Louis XVI et la société française avant 1789*, éd. présentée et annotée par S. Burkard, Paris, Mercure de France, 2004, p. 629.

8. Mme de Canilhac, dame de compagnie de la duchesse de Bourbon, devint la maîtresse du duc. Voir *ibid.*, p. 394.

9. Épouse de Jose Maria Souza Botelho, marquis de Oporto (1758-1825). Ministre plénipotentiaire, ce dernier épousera en 1802 la veuve du comte de Flahaut, née Filleul. Il s'agit ici de la première femme du diplomate, née Noronha.

10. *Souvenirs*, op. cit., p. 158-159.

11. Voir E.-M. Benabou, *La Prostitution et la Police des mœurs au XVIIIe siècle*, Paris, Perrin, 1987, p. 390-393.

12. M. U.

13. Étienne Vigée, *La Fausse Coquette*, Paris, Prault, 1784, scène 14.

14. Charles Henri Nicolas Othon, prince de Nassau-Siegen (1745-1809).

15. Indianapolis Museum of Arts (60,5 × 53,5), *Le Prince de Nassau*, 1776. Voir J. Baillio, *Élisabeth Vigée Le Brun, 1755-1842*, op. cit., p. 35. *Souvenirs*, op. cit., p. 292. Ce tableau fut tout d'abord identifié comme celui de La Fayette.

16. A.N. M.C./ET/CVIII/674, contrat du 18 février 1777.

17. Verdun parviendra à rétablir l'équilibre des finances du comte d'Artois. Voir S. Bula, *L'Apanage du comte d'Artois (1773-1790)*, Paris, École des Chartes, 1993, p. 193. Je remercie M. Perrichet qui m'a indiqué ces références.

18. Ovale (71 × 59), signé daté 1779. Christies New York, 1979.

19. *Souvenirs*, op. cit., p. 173.

20. Localisation inconnue.

21. J. Tripier Le Franc, *Histoire de la vie et de la mort du baron Gros*, op. cit., p. 15-16.

22. *Souvenirs*, op. cit., p. 752.

23. Justin Tripier Le Franc date ce portrait de 1778. Il le reproduit dans sa biographie de Gros.

24. J. Tripier Le Franc, *Histoire de la vie et de la mort du baron Gros*, op. cit., p. 21-22.

25. Voir M. Percival, « The Expressive Heads of Élisabeth Vigée Le Brun », *Gazette des beaux-arts*, novembre 2001, p. 203-216.

26. « (Voyez les têtes de Greuze et observez bien l'habitude des cheveux du modèle que vous peignez, cela ajoute à la ressemblance et à la vérité.) Il faut bien observer les passages des cheveux qui se verront avec la chair, afin de les rendre aussi vrais que possible », « Conseils pour la peinture du portrait », in *Souvenirs*, op. cit., p. 774.

27. *Ibid.*, p. 160.

28. Marie Guilhelmine Le Roux de Laville (1768-1828) serait représentée, avec Mme Le Brun, sur un dessin à la pierre noire de la main de David. Elle fut aussi peintre d'histoire (*Les Adieux de Psyché à sa famille* ou *L'Innocence entre le Vice et la Vertu*) et représenta des scènes inspirées de Clarisse Harlowe. Voir M.-J. Ballot, *Une élève de David. La comtesse Benoist, l'Émilie de Demoustier, 1768-1826*, Paris, Plon, 1914.

29. Charles-Albert Demoustiers (1760-1801) publia en 1786 les *Lettres à Émilie sur la mythologie*. Cet ouvrage donna lieu à des compléments en 1788 et 1798.

30. Autoportrait, 1786. J. Baillio, *The Arts of France...*, op. cit., p. 309. Collection particulière. L'œuvre représentée sur le chevalet est *Le Bélisaire et son jeune guide*.

31. A.N. Série O¹ 1919, f° 162. Lettre de David au comte d'Angiviller, 26 juillet 1787, citée par A.-M. Passez, *Adélaïde Labille-Guiard*, op. cit., p. 28, n. 7.

32. Paris, musée du Louvre.

33. Voir J. Baillio, « Vie et œuvre de Marie-Victoire Lemoine (1754-1820) », *Gazette des beaux-arts*, avril 1996, p. 125-164.

34. New York, Metropolitan Museum of Arts.

35. *Souvenirs*, op. cit., p. 771-776.

36. Paris, musée du Louvre. Voir la notice de J. Baillio, *Élisabeth Vigée Le Brun, 1755-1842*, op. cit., p. 39.

37. Collection particulière, voir la notice de J. Baillio, *ibid.*, op. cit., p. 41.

7. PREMIER PORTRAIT DE LA REINE

1. *Journal de Paris*, 26 janvier 1778, cité par P. Michel, *Le Commerce du tableau à Paris dans la seconde moitié du XVIIIᵉ siècle*, op. cit., p. 280.

2. Riballier, avec la collaboration de Mlle Cosson, *De l'éducation physique et morale des femmes, avec une notice alphabétique de celles qui se sont distinguées dans les différentes carrières des sciences & des Beaux-Arts, ou par des talens & des actions mémorables*, Bruxelles-Paris, chez les frères Estienne, 1779, p. 332.

3. 16 novembre 1774, voir X. Salmon, *Marie-Antoinette*, catalogue de l'exposition des galeries nationales du Grand Palais, Paris, RMN, 2008, p. 136.

4. Voir X. Salmon, *ibid.*, p. 140.

5. Mme Beyer, née Gabrielle Bertrand. 30 novembre 1774, Marie-Thérèse d'Autriche, *Correspondance secrète entre Marie-Thérèse d'Autriche et le comte de Mercy-Argenteau*, Paris, Firmin Didot, t. II, p. 265.

6. 29 juin 1777, *ibid.*

7. Information transmise par X. Salmon.

8. En 1779. A.N. Série O¹ Maison du roi. O¹ 3054 : « Monsieur, Voilà près de deux ans écoulés depuis que j'ai fait quatre portraits de la reine, dans cet espace de temps j'ai été payée de deux... » D'une autre plume que celle de Mme Le Brun.

9. J. Baillio, *Élisabeth Vigée Le Brun, 1755-1842*, *op. cit.*, p. 38.

10. *Souvenirs*, *op. cit.*, p. 150.

11. *Ibid.*, p. 166.

12. J. L. H. Campan, *Mémoires de Madame Campan*, Mercure de France, 1988, p. 54.

13. Mme de La Tour du Pin, *Mémoires et correspondance*, Paris, Mercure de France, 2003, p. 43.

14. *Souvenirs*, *op. cit.*, p. 167.

15. *Marie-Antoinette en robe à paniers*, Vienne, Kunsthistorisches Museum, 1778.

16. Ce prix coïncide avec la grille publiée par J. Baillio, *Élisabeth Vigée Le Brun, 1755-1842*, *op. cit.*, p. 139.

17. Sur le registre des présents du roi, le tableau de Dagoty en buste est chiffré à trois cent soixante livres, celui de Mme Le Brun à mi-corps mille deux cents livres. Ces prix s'entendent bordure comprise.

18. Les autres ventes (anonymes) ont lieu en janvier, en novembre et en décembre. Voir J.-B. P. Le Brun, *Catalogue raisonné d'une très belle collection de tableaux...*, rue de Fleury, 1784.

19. Voir F. Camus, *Jean-Baptiste Pierre Le Brun, peintre et marchand de tableaux*, *op. cit.*, p. 60.

20. A.N. M.C./ET/LI/1134, le 3 juillet 1778.

21. J.-B. P. Le Brun, *Précis historique de la vie de la citoyenne Le Brun*, chez l'auteur, an II, p. 15.

22. *Souvenirs*, *op. cit.*, p. 199,

23. Voltaire, *Lettres philosophiques*, 1734, X.

24. Alexandre Marie Léonor de Saint-Maurice, prince de Montbarrey, (1732-1796). Versailles, Musée national du château. J. Baillio, « Propos sur un dessin de Madame Vigée Le Brun », *L'Œil*, n° 335-336, juin-juillet 1983 N. Jeffares, *Dictionary of Pastellists before 1800*, *op. cit.*, p. 550. L'artiste réalise le portrait de Mme de Montbarrey en 1776 et celui de son époux en 1779.

25. Voir J. Baillio, *Élisabeth Vigée Le Brun, 1755-1842*, *op. cit.*, p. 71.

26. M. R.

27. La pièce connut six représentations.

28. *Souvenirs*, *op. cit.*, p. 317.

29. Pierre Adolphe Hall (1739-1793) miniaturiste suédois, peintre du roi et des Enfants de France, proche de M. de Rivière et de Mlle Boquet. Cette miniature a disparu. Gabriel de Saint-Aubin en a laissé un dessin (information communiquée par J. Baillio).

30. *Souvenirs*, *op. cit.*, p. 317.

8. Une naissance désirée

1. Angers, musée des Beaux-Arts, Angers, J. Baillio, « Vigée Le Brun pastelliste et son portrait de la duchesse de Guiche », *L'Œil*, n° 452, juin 1993, p. 22.

2. Collection particulière. Une facture révèle que ces portraits, en pendant, s'inscrivent dans un ovale. M. L. J. Baillio, *Élisabeth Vigée Le Brun, 1755-1842*, *op. cit.*, p. 38.

3. *Souvenirs*, *op. cit.*, p. 223.

4. H.-L. d'Oberkirch, *Mémoires sur la cour de Louis XVI et la société française avant 1789*, *op. cit.*, 1989, p. 69-70.

5. *Souvenirs*, *op. cit.*, p. 164.

6. *Ibid.*

7. *Ibid.*, p. 163.

8. « Le lendemain je pleurais amèrement en envoyant mon enfant en nourrice à Neuilly », M. U.

9. Collection particulière.

10. Lettre à Hubert Robert et Brongniart, 16 mars 1790, Papiers Tripier Le Franc, 28618-28625.

11. M. R.

12. Ces quatre portraits sont celui de madame de Verdun, la comtesse de Chastenay, sa mère, Marie Anne Chesnard Verdun de Montrouge, sa belle-sœur, et Emmanuel Aimé Chesnard, sieur de Montrouge, lieutenant général au bailliage de Macon, son beau-frère.

13. Peut-être, l'épouse de Nicolas Lesould, un receveur de la terre du seigneur de Ravenel. Musée des Beaux-Arts d'Orléans.

14. Non identifiée.

9. AUTOPORTRAITS

1. Pour la somme de douze mille livres. P. F. Julliot et A. J. Paillet, catalogue de vente, Paris, 12 décembre 1782 (M. L. 2561), p. 20-21, n° 25. Cité par F. Camus, *Jean-Baptiste Pierre Le Brun, peintre et marchand de tableaux*, op. cit., p. 268. Cette coupe pourrait figurer dans les collections de la Wallace Collection.

2. A.N. M.C./ET/LXXXV/678.

3. Prince Charles Alexandre de Lorraine (1712-1780). Vers 1781-1782, eurent lieu plusieurs ventes de ses collections. Le palais Arenberg à Bruxelles se nomme aujourd'hui palais d'Egmont.

4. Pauline Louise Brancas Lauragais, duchesse d'Arenberg, voir *supra*, p. 75.

5. Charles Joseph, prince de Ligne (1735-1814), fils du prince Claude Lamoral de Ligne et d'Élisabeth de Salm-Salm.

6. *Souvenirs*, op. cit., p. 176.

7. Elle ne le mentionne pas dans les listes publiées à la suite des *Souvenirs*.

8. *Souvenirs*, op. cit., p. 178.

9. Musée historique d'Amsterdam. Bartholomeus Van der Helst, né à Haarlem (1613-1670). Reynolds admira également son *Banquet de la garde civile d'Amsterdam fêtant la Paix de* Münster, Amsterdam, Rijksmuseum.

10. *Souvenirs*, op. cit., p. 179.

11. Th. Kourakine, *Souvenirs des voyages de la princesse Kourakine...*, op. cit., p. 474.

12. Londres, National Gallery. Portrait de Suzanne Fourment (Lunden) vers 1625. Voir J. Baillio, « Vigée Le Brun and the classical practice of Imitation », *Papers in Art History from the Pennsylvania State University*, IV, 1988, p. 96. Cependant J.-B. Descamps signale le tableau dans la collection de l'Électeur Palatin encore en 1753-1764, J.-B. Descamps, *La Vie des peintres flamands, allemands et hollandais*, Paris, Jombert, 1753-1764, t. I, p. 317.

13. *Souvenirs*, op. cit., p. 179.

14. J.-B. Descamps, *La Vie des peintres flamands, allemands et hollandais*, op. cit., t. I, p. 311.

15. La technique de Rubens est commentée par J.-B. Descamps, *ibid.*, t. I, p. 311.

16. On évoque la « hardiesse de l'effet et la vérité du clair-obscur ». *La Critique est aisée mais l'Art est difficile*, collection Deloynes, XIII, 287.

17. *Loterie pittoresque pour le Salon de 1783*, B.n.F, collection Deloynes, XIII, 291.

18. *Messieurs, ami de tout le monde*, B.n.F., collection Deloynes, XIII, 295.

19. Sur la représentation des accessoires du peintre voir Nathalie Heinich, *Du peintre à l'artiste*, Paris, Minuit, 1993, p. 269.

20. *Correspondance littéraire, philosophique et critique par Grimm, Diderot, Raynal, Meister...*, Paris, Longchamp et Buisson, 1813, vol. 13, p. 441.

21. Il lui applique un quatrain satirique composé au siècle précédent : « En voyant le portrait, je crois voir la personne, / C'est Lisette elle-même ; elle sort du tableau ; /

Mais, si je l'ose dire, une chose m'étonne, / C'est que Lisette est laide, et son portrait est beau », « Malborough au salon du Louvre », B.n.F., collection Deloynes, XIII, 301.

22. Jean Godard de Müller, graveur allemand (1747-1830) suivit à Paris les leçons de Wille et fut nommé membre de l'Académie de peinture. Il grava le portrait de Louis XVI en 1785.

23. Suisse, collection particulière. Une réplique autographe figure à Londres, National Gallery.

24. Kimbell Art Museum, J. Baillio, *Élisabeth Vigée Le Brun, 1755-1842, op. cit.*, p. 44.

25. Collection particulière. *Madame Du Barry, de Versailles à Louveciennes*, Musée-Promenade de Marly-le-Roy, Paris, Flammarion, 1992, p. 140. J. Baillio signale (communication écrite) que le premier portrait *au chapeau de paille* a pu être réalisé entre 1781 et 1783. Le portrait de 1782, *à la couronne de fleurs*, probablement commandé en 1781 et réalisé en 1782.

26. *Souvenirs, op. cit.*, p. 234.

27. Washington, Corcoran Gallery, 1782. L'artiste insiste sur le fait que le visage de la favorite a été retouché et maquillé après elle.

28. Sous le nom d'Elmire. Choderlos de Laclos, *Galerie des dames françaises*, in *Œuvres complètes*, éd. L. Versini, Paris, Gallimard, « Bibliothèque de la Pléiade », 1979, p. 751.

10. L'ACADÉMIE

1. Liste reproduite dans J. Baillio, *Élisabeth Vigée Le Brun, 1755-1842, op. cit.*, p. 139.

2. Pour avoir des éléments de comparaison, la pension d'une fille au couvent coûtait entre trois cents et quatre cents livres par an et celle d'un garçon au collège cinq cents livres. Un portrait coûte donc environ l'équivalent de quatre années d'études.

3. Mme Le Brun a fait deux fois le portrait de Mme la comtesse de La Guiche : la première fois en 1783, et la seconde en 1788. Jeanne Marie Louise Philiberte de Clermont-Montoison (1757-1822) épousa Charles Amable, comte puis marquis de La Guiche. Mouffle d'Angerville signale en 1783 la présence du tableau de madame la marquise de La Guiche en jardinière et loue son « haut ton de couleur », Bachaumont, *Les Salons des « Mémoires secrets », 1767-1787, op. cit.*, 1783, p. 254.

4. Mille écus correspondent à la valeur de deux cents louis.

5. Il s'agit d'un brouillon. Papiers Tripier Le Franc, 27 246, n.d.

6. *Sur la peinture*, 1782, cité par Th. Crow, *La Peinture et son public à Paris au XVIIIe siècle*, Paris, Macula, 2000, p. 256.

7. Il disparaît en 1787.

8. J. Chatelus, *Peindre à Paris au XVIIIe siècle, op. cit.*, p. 146.

9. Professeur à l'Académie (1748), premier peintre du duc d'Orléans, surinspecteur de la manufacture des Gobelins (1755), nommé en 1770 premier peintre du roi à la mort de Boucher, élu en 1778 à la succession de Jean-Baptiste II Lemoyne à la direction de l'Académie. U. Van De Sandt, « Correspondance de Pierre avec les directeurs de l'Académie de France à Rome », *N.A.A.F.*, t. XXVIII, 1986, p. 99.

10. Voir Jean Chatelus, *Peindre à Paris au XVIIIe siècle, op. cit.* Ces privilèges sont au nombre de treize.

11. *L'Ami des artistes au salon*, 1787. B.n.F., collection Deloynes, 380 (supplément).

12. « Il ne faut que des yeux pour ça ; c'est comme quand je vais au spectacle, ou que je lis un roman, je n'ai pas besoin d'être savante pour savoir si je m'ennuie ou si j'ai du plaisir », *La Bourgeoise au salon*, Londres, 1787, collection Deloynes, 384.

13. Bachaumont, *Les Salons des « Mémoires secrets », 1767-1787, op. cit.*, 1783, p. 17.

14. Le même type de possibilité existe pour la littérature. L'*Encyclopédie* reconnaît que méritent l'appellation de gens de lettres des personnes qui, n'écrivant pas elles-mêmes, sont capables d'apprécier et de juger les ouvrages de l'esprit, les « connaisseurs ». Voir « Gens de lettres ».

15. Lettre du 28 janvier 1780. Souligné dans le texte. Cité par U. Van De Sandt, « Correspondance de Pierre avec les directeurs de l'Académie de France à Rome », art. cité, p. 102.

16. *Ibid.* Il ajoute : « Les chenilles sont à la fin inopportunes quand pour s'en débarrasser l'on ne peut pas envoyer par-dessus les ponts. »

17. *Souvenirs, op. cit.*, p. 181.

18. Il arrivera plusieurs fois à Mme Le Brun de jouer un rôle d'intermédiaire dans le commerce de son époux.

19. A.N. AP 392³, fᵒ 211 (vers le 16 mai 1783). Informations communiquées par Nicolas Lesur.

20. Mémoire du 14 mai 1783 à Louis XVI cité par P. de Nolhac, *Madame Vigée Le Brun, peintre de Marie-Antoinette*, Paris, Manzi, Joyant et Cie, 1912, p. 38.

21. Séance du 31 mai 1783. A. de Montaiglon, *Les Procès-Verbaux de l'Académie royale de peinture et de sculpture, d'après les registres orignaux, conservés à l'École des Beaux-Arts*, Paris, librairie Baur, 1889, t. IX, p. 154-156, p. 154-156.

22. *Ibid.*

23. A.N. AP 392⁴, fᵒ 14. Et U. Van De Sandt, « Correspondance de Pierre avec les directeurs de l'Académie de France à Rome », art. cité, p. 110. Lettre de Pierre à Ménageot.

24. A. de Montaiglon, *Les Procès-Verbaux de l'Académie royale de peinture et de sculpture, op. cit.*, p. 158, 7 juin 1783.

25. Pour consulter la liste des artistes anoblis, voir M. Warnke, *L'Artiste et la cour*, Paris, éd. de la Maison des sciences de l'homme, 1989, p. 210. Pierre Mignard, Hyacinthe Rigaud, Antoine Coypel, Carl Van Loo, Joseph Marie Vien figurent sur cette liste.

26. Bachaumont, *Les Salons des « Mémoires secrets », 1767-1787, op. cit.*, 1783, p. 252.

27. Paris, musée du Louvre, voir J. Baillio, *Élisabeth Vigée Le Brun, 1755-1842, op. cit.*, p. 41-43.

28. P. Rosenberg, « A Drawing by madame Vigée Le Brun », *Burlington Magazine*, nᵒ 123, décembre 1981, p. 739-741.

29. Dans la statuaire antique, le mouvement du cornet est plutôt orienté vers le haut.

30. Voir J. Baillio, *Élisabeth Vigée Le Brun, 1755-1842, op. cit.*, p. 41-44. Hiroo Yasui suggère que l'artiste avait pu voir une œuvre allégorique de Rubens, *L'Abondance et la Paix*, dans les collections de son époux, voir *Créer au féminin, femmes artistes du siècle de madame Vigée Le Brun*, catalogue, Tokyo, Mitsubishi Ichigokan Museum, 2011, p. 225.

31. *Allégorie de la Paix et de la Justice.*

32. « Les Peintres volants », collection Deloynes, XIII, 297.

33. Voir M. Percival, « The expressive Heads of Élisabeth Vigée Le Brun », art. cité, p. 203-216.

34. Bachaumont, *Les Salons des « Mémoires secrets », 1767-1787, op. cit.*, 1783, p. 18.

35. *La Critique est aisée mais l'Art est difficile*, collection Deloynes, XIII, 287.

36. *Loterie pittoresque pour le Salon de 1783*, collection Deloynes, XIII, 291.

37. Bachaumont, *Les Salons des « Mémoires secrets », 1767-1787, op. cit.*, p. 251-252.

38. Voir *infra*, p. 108.

39. Bachaumont, *Les Salons des « Mémoires secrets », 1767-1787, op. cit.*, 1783, p. 254.

40. *Souvenirs, op. cit.*, p. 290.

41. New York, Metropolitan Museum of Arts. Voir la notice de J. Baillio, *Élisabeth Vigée Le Brun, 1755-1842, op. cit.*, p. 48.

42. Bachaumont, *Les Salons des « Mémoires secrets »*, *1767-1787*, *op. cit.*, 1783, p. 251.

43. *Le Salon à l'encan*, collection Deloynes, XIII, 285.

44. *L'Impartialité au Sallon destiné à messieurs les critiques présents et à venir*, collection Deloynes, XIII, 303.

45. Voir A.-M. Passez, *Adélaïde Labille-Guiard*, *op. cit.*, p. 15.

46. Voir *ibid.*, lettre d'Angiviller, p. 301.

47. Surtout, lorsque Adélaïde exposera, au Salon de 1791, un buste de Robespierre. Voir *ibid.*, p. 247.

48. *Ibid.*, p. 25.

49. Le lieutenant de police Lenoir fait arrêter le libraire le 20 septembre. Voir *ibid.*

11. LES IMAGES DE LA REINE

1. *Souvenirs*, *op. cit.*, p. 248. Madame Rousseau eut un fils, Amédée Louis Joseph (1790-1853), musicien, auteur de romances. Familier du salon de Mme Le Brun à la Restauration, prendra le nom d'une terre qui appartenait à sa mère, de Beauplan, poursuivit une carrière administrative en se consacrant à la littérature et à la peinture.

2. Future maréchale Ney.

3. Postérieure à 1775, gouache, Versailles, Musée national du château.

4. Voir X. Salmon, *Marie-Antoinette*, *op. cit.*, cat. 187, p. 264.

5. *Souvenirs*, *op. cit.*, p. 771.

6. J. L. H. Campan, *Mémoires de Madame Campan*, *op. cit.*, 190.

7. Yolande Martine Gabrielle de Polastron (1749-1793) épouse en 1767 le comte Jules de Polignac. Ce dernier était colonel lorsque, grâce à la faveur dont sa femme jouissait auprès de Marie-Antoinette, il obtint la survivance de la charge de premier écuyer de la reine et, en 1780, le titre de duc, puis la surintendance des postes en 1782.

8. Versailles, Musée national du château. Voir la notice récapitulative de X. Salmon sur les portraits de Mme de Polignac et notamment sur celui daté de 1783 *solfiant au piano-forte*, « À propos de l'acquisition d'un portrait de la duchesse de Polignac », *Revue du Louvre*, 3, 1998, p. 14.

9. « [Mme de Polignac] était très jolie, mais elle avait peu d'esprit. Sa belle-sœur, la comtesse Diane de Polignac, plus âgée, femme très intrigante, la conseillait dans les moyens de parvenir à la faveur », Mme de La Tour du Pin, *Mémoires et correspondance*, *op. cit.*, p. 44.

10. 17 septembre 1776, *Correspondance secrète entre Marie-Thérèse d'Autriche et le comte de Mercy-Argenteau*, *op. cit.*, p. 190

11. Réplique, Versailles, Musée national du château. *Souvenirs*, *op. cit.*, p. 173.

12. *Ibid.*, p. 160

13. Bachaumont, *Les Salons des « Mémoires secrets »*, *1767-1787*, *op. cit.*, 1783, p. 253.

14. Voir X. Salmon, *Marie-Antoinette*, *op. cit.*, cat. 229.

15. Le prix du tableau envoyé en mai 1783 au congrès est de cinq mille livres (trois mille pour Mme Le Brun et deux mille pour la bordure), archives des Affaires étrangères, *Mémoires et documents*, 1783, 2088, p. 29. Copie, bibliothèque du Wildenstein Institute.

16. Archives des Affaires étrangères, *Mémoires et documents*, 1784, 2089, p. 45.

17. J. Baillio, *Élisabeth Vigée Le Brun, 1755-1842*, *op. cit.*, p. 63.

18. *Souvenirs*, *op. cit.*, p. 171.

19. Ce portrait figure dans la liste des entrées au dépôt des Affaires étrangères en 1785, il porte la date de 1778 vraisemblablement ajoutée, de façon erronée, par l'artiste elle-même au retour d'émigration. J. Baillio, *Élisabeth Vigée Le Brun, 1755-1842*, *op. cit.*, p. 61.

20. *Souvenirs*, *op. cit.*, p. 170.

21. Alexis Nicolas Perrignon, Drouot, avril 2010, *circa* 1859. Collection particulière.

22. L. Hautecœur, *Madame Vigée-Lebrun*, Paris, Renouard, 1914, p. 48.

23. Félibien, *Entretien sur les vies et sur les ouvrages des plus excellens peintres anciens et modernes*, Paris, Trévoux, 1725, t. III, p. 62.

24. Voir E. Panofsky, *Le Titien. Questions d'iconologie*, Paris, Hazan, 1989, p. 21-22.

12. Frère et sœur

1. *Souvenirs, op. cit.*, p. 169.

2. Répertoriés dans les listes publiées à la fin des *Souvenirs*.

3. *Souvenirs, op. cit.*, p. 182.

4. M. U. et M. A.

5. L. J.-B. É. Vigée, *Manuel de littérature à l'usage des deux sexes*, seconde éd. revue par Mme d'Hautpoul, Paris, Roret, 1828.

6. *Ibid.*, p. 233.

7. É. Vigée, *Poésies de L.-J.-B.-É. Vigée*, 5ᵉ édition corrigée et augmentée de pièces inédites, Paris, Delaunay, 1813, p. 270.

8. *Ibid.*, p. 325.

9. Le privilège de *La Fausse Coquette* date du 18 décembre 1783.

10. Un rapport de police du 26 août 1763 signale qu'elle avait été enceinte des œuvres de l'ambassadeur des états généraux et que Carlin avait fermé les yeux. *Journal des inspecteurs de M. de Sartine*, éd. Lorédan-Larchey, Paris, Dentu, 1863, p. 511.

11. On ne sait si cette double fonction est antérieure ou postérieure au mariage.

12. A.N. M.C./ET/LIII/596. Cet acte a été retrouvé par Anne Sohier.

13. Voir X. Salmon, *Le Voleur d'âmes, Maurice Quentin de La Tour, op. cit.*, p. 160.

14. *Anecdotes secrètes du XVIIIᵉ siècle...*, cité par J. Baillio, *Élisabeth Vigée Le Brun, 1755-1842, op. cit.*, p. 60.

15. L'*Almanach Royal* de 1784 indique cette adresse, p. 134.

16. Notice biographique de J. C. F. de La Doucette, in *Bibliothèque dramatique ou Répertoire universel du théâtre français*, 4ᵉ série, Paris, Dabo-Butschert, 1824, p. 233.

17. Vers repris dans « Les mœurs et la littérature », 1778.

18. Respectivement les 6 et 16 novembre et le 28 décembre 1783.

19. Goldoni, *Mémoires* (1787), Paris, Mercure de France, 1988, p. 393.

20. En 1784, *ex aequo* avec Bernard Duvivier, Tripier Le Franc, 1880, p. 42.

21. Voir J. Baillio, *Élisabeth Vigée Le Brun, 1755-1842, op. cit.*, p. 60. Collection particulière.

22. Goldoni, *Mémoires, op. cit.*, p. 393.

13. L'Enchanteur et la Fée

1. É. Vigée, *Mes Conventions, épître suivie de vers et de prose*, Paris, Louis, an IX, 1800, p. 135.

2. Joseph François de Paule de Rigaud, comte de Vaudreuil (1740-1817), lieutenant général.

3. P.-D. Écouchard Le Brun, *Œuvres*, éd. P.-L. Ginguené, Paris, Warée, 1811, t. III, p. 379.

4. La mère de Jean Philippe Guy Le Gentil, comte de Paroy (1750-1834), était née Louise Élisabeth de Rigaud de Vaudreuil (1725-1806). Paroy a épousé en 1783 une demoiselle Taillepied de Bondy.

5. C. Bailey, « The comte de Vaudreuil, Aristocratic collection on the Eve of Revolution », *Apollo*, juillet 1989, p. 170. Contrairement à la tradition établie, le père de Vaudreuil, Joseph Hyacinthe de Rigaud (1706-1764) n'était pas gouverneur général de Saint-Domingue. Son oncle Pierre (1698-1778) était gouverneur de la Louisiane et du Canada.

6. Mme de Genlis, *Souvenirs de Félicie*, cité par L. Pingaud dans *Correspondance intime du comte d'Artois et du comte de Vaudreuil pendant l'émigration : 1789-1815*, Paris, Plon, 1889, introduction, p. VII.

7. 1758, Londres, National Gallery.

8. Baptisée sous le nom de Fierval, Marie Hyacinthe Albertine (1766-*ante* 1842) deviendra Mme de Noiseville. Voir la traduction russe par Vera Miltchina de *La Russie en 1839 par le marquis de Custine* (1996), où celle-ci indique cette filiation, confirmée par Philippe Martinet, qui effectue des recherches sur Mme de Noiseville. Nous ignorons à ce jour le nom de la mère de Marie Hyacinthe.

9. 1er avril 1780, *Correspondance secrète entre Marie-Thérèse d'Autriche et le comte de Mercy-Argenteau*, op. cit., t. III, p. 415.

10. *Ibid.*, 17 avril 1780, p. 418.

11. L'expression désigne un élégant de la cour, par référence à une anecdote survenue sous le règne de Louis XIV. Monsieur, frère du roi, étant allé à l'aube au marché des Innocents, près des abattoirs, revint avec les talons teints de sang. La mode fut adoptée par les courtisans. Sur le portrait de Drouais, Vaudreuil porte des talons rouges. Voir Poinssinet, *Le Cercle*, scène 1.

12. B.n.F. Ms Fr. 11358, p. 374, cité par G. Capon, *Les Maisons closes au XVIIIe siècle*, Paris, Daragon, 1903, p. 166. Vaudreuil et sa bande fréquentent chez Brissault ou chez la Hecquet.

13. Comtesse de Boigne, *Récits d'une tante. Mémoires de la comtesse de Boigne*, Paris, Mercure de France, 1999, t. I, p. 45.

14. *Ibid.*, t. I, p. 148.

15. Selon le témoignage de l'abbé Morellet cité par L. Pingaud, *Correspondance intime du comte de Vaudreuil et du comte d'Artois...*, op. cit., introduction, p. XX.

16. M. A.

17. *Souvenirs*, op. cit., p. 268. Quelques vers de Vaudreuil figurent à la suite de sa correspondance réunie par L. Pingaud, *Correspondance intime du comte de Vaudreuil et du comte d'Artois...*, op. cit.

18. *Souvenirs*, op. cit., p. 269-270.

19. Personnage de la comédie de Molière, *Le Misanthrope*.

20. Lettre inédite du comte de Vaudreuil (destinataire inconnu, Vienne, 1793), Archives d'État de la Fédération de Russie (GARF, Moscou) n° 288 (transcription Elena Gretchanaïa).

21. Propos de Vaudreuil rapportés par Brifaut, voir L. Pingaud, *Correspondance intime du comte de Vaudreuil et du comte d'Artois...*, p. XXVI.

22. Voici un extrait des cahiers de doléances : « Le gibier ne détruit pas seulement les légumes, mais il détruit les vignes et les jeunes arbres. [...] dans le temps de la maturité, les faisans et perdrix en font un dégât considérable, ce qui est cause que tous les hivers, trois cents familles sont à la mendicité et qu'une partie des autres mangent en avance la récolte qu'ils ne sont pas assurés de faire », M. Poletti *Colombes historique*, Colombes, musée municipal d'Art et d'Histoire, 1995, p. 57.

23. *Souvenirs*, op. cit., p. 223.

24. Alexandre-Louis Étable de La Brière avait travaillé pour le comte d'Artois à Bagatelle.

25. Th. Blaikie, *Sur les terres d'un jardinier, Journal de voyage 1775-1792* (trad. Janine Barrier), Paris, L'Imprimeur, 1997, p. 228.

26. Mme de Staël, *Correspondance générale*, Genève, Champion-Slatkine, 2008-2009, t. I, 9 août 1786, p. 105.

27. *Lettres secrètes*, Genève, Droz, 1997, p. 317.

28. Grétry et d'Hèle, *Les Fausses Apparences ou l'Amant jaloux*. Paris, Vve Duchesne, 1779, p. 64 : « Tout français est volage. »

29. Voir N. Wilk-Brocard, *François Guillaume Ménageot, 1744-1816*, Paris, Arthena, 1978, p. 22.

30. P.-D. Écouchard Le Brun, *Œuvres, op. cit.*, p. 379.

31. Laclos, « Portrait d'Elmire », in *O.C.*, *op. cit.*, p. 753

32. J. L. H. Campan, *Mémoires de Madame Campan, op. cit.*, p. 233.

33. L'hôtel appartenait au fermier général Gaillard de Beaumanoir.

34. J.-B. P. Le Brun, *Catalogue raisonné d'une très belle collection de tableaux...*, *op. cit.*

35. Un Sébastien Bourdon et huit paysages de Vernet formant une unité sont adjoints à la vente mais ne proviennent pas de la collection Vaudreuil : ces tableaux avaient été commandés pour la galerie du château de M. de Laborde de Méréville. Note manuscrite sur le catalogue raisonné, 1784.

36. Avertissement au catalogue.

37. C. Bailey, « The comte de Vaudreuil, Aristocratic Collection on the Eve of Revolution », art. cité, p. 21 ; et F. Camus, *Jean-Baptiste Pierre Le Brun, peintre et marchand de tableaux, op. cit.*, p. 266.

38. Somme notée [manuscrite] sur l'exemplaire du catalogue que nous avons consulté.

39. C. Bailey, *Patriotic Taste, Collecting Modern At in pre Revolutionary Paris*, New Haven-Londres, Yale University Press, 2002, p. 294, n. 105.

40. Jean Simon Berthélemy (1742-1811), élève de Noël Hallé, peintre de plafonds, avait obtenu le prix de Rome en 1767.

41. 1785, Malibu, Paul Getty Museum.

42. Paris, musée Nissim-de-Camondo.

43. En 1786, voir J. Trumbull, *John Trumbull autobiography*, éd. de Th. Sizer, New Haven, Yale University Press, 1953, p. 97.

44. Trumbull réalise une rapide esquisse d'après le portrait de Mme Le Brun et sa fille, voir *infra*, p. 149. University of Yale, Art Gallery.

45. Voir C. Bailey, « The comte de Vaudreuil, Aristocratic Collection on the Eve of Revolution », art. cité, p. 19-26.

46. Virginia Museum of Arts. Baillio, *Élisabeth Louise Vigée Le Brun, 1755-1842*, *op. cit.*, p. 51. Une des versions en buste, Paris, collection particulière, voir *Créer au féminin, femmes artistes du siècle de madame Vigée Le Brun, op. cit.*, cat. 62.

14. « LES ARTS FRATERNISANT ENSEMBLE »

1. Indépendamment du fait qu'il s'agit là d'un terme utilisé à contresens : un salonnier étant un journaliste qui rend compte des salons.

2. En est témoin une lettre où Brongniart rapporte un dialogue à son épouse. Archives privées.

3. *Souvenirs, op. cit.*, p. 187.

4. *Almanach royal*, 1786, p. 561.

5. P.-D. Écouchard Le Brun, *Œuvres choisies*, Paris, André, 1829, livre II, p. 138.

6. M. U. L'artiste anticipe sur l'avis de Grimod de La Reynière : « Nous ne conseillons à personne de parler politique à table », cité par A. Lilti, *Le Monde des salons. Sociabilité et mondanité à Paris au XVIIIe siècle*, Paris, Fayard, 2005, p. 357.

7. B. Craveri, *L'Âge de la conversation*, Paris, Gallimard, 2002, p. 538.

8. Marie-Françoise Todi (1748-1792) se rendit en Angleterre puis à Paris en 1781. Elle fut princièrement accueillie en 1784 à Saint-Pétersbourg, puis revint à Lisbonne.

9. *Souvenirs, op. cit.*, p. 183, p. 188.

10. « Madame de Grollier sachant toutes les langues savantes », M. A. Elle vient rue de Cléry presque tous les soirs et les deux jeunes femmes bavardent jusqu'à neuf heures et demie.

11. J.-B. P. Le Brun, *Précis historique de la vie de la citoyenne Le Brun, op. cit.*, p. 12.

12. Nicolas Joseph Hulmandel (1756-1823), pianiste d'origine alsacienne.

13. Mme de Montgeroult (1764-1836), Hélène de Nervo, comtesse de Charnay, fut l'élève de Hulmandel ; elle émigra à Berlin et est l'auteur d'un cours complet de *piano-forte* (1788-1810). *Voir* J. Dorival, *Hélène de Montgeroult. La marquise et la Marseillaise*, Lyon, Symétrie, 2006, ainsi que le livret du même nom (Hortus)

14. Giovani Mane Giornovichi, dit Jarnovic (1745-1804), séjourne à Paris en 1770, chef d'orchestre du prince héritier de Prusse.

15. Nicolas Mestrino (1748-1790), compositeur, d'abord attaché au prince Esterhazy en Hongrie, il dirige l'orchestre de Monsieur et en 1789 celui de l'Opéra italien.

16. Giovanni Battista Viotti, directeur de l'Opéra de Paris (1755-1824), après avoir visité les cours d'Europe, Pétersbourg, Berlin, Varsovie, se rend à Paris en 1782 et se lia avec Cherubini ; à la Révolution, il part à Londres où il retrouvera Mme Le Brun.

17. Lors de son séjour à Londres en 1802, voir *infra*, p. 409.

18. Salentin, premier hautbois à l'Opéra, jusqu'en 1814, faisait partie de l'école de Viotti.

19. Johann Baptist Cramer (1711-1858), pianiste prodige, donna des concerts dans toute l'Europe avant de se fixer définitivement à Kensington.

20. Antoine Marie Gaspard Sacchini (1734 ou 1735-1786), napolitain, Marie-Antoinette le nomma son maître de chapelle. Son plus grand succès à Paris fut *Œdipe à Colonne*.

21. Pierre-Jean Garat (1764-1823) fut présenté à la reine par Artois. Taxé parfois de « muscadinisme » excessif, il excellait dans le cadre mélodique de la romance.

22. Louis Augustin Richer (1740-1819), haute-contre, débute dès l'âge de onze ans au Concert spirituel. Il s'y produit régulièrement entre 1763 et 1780, notamment dans le *Stabat Mater* de Pergolèse. Il sera le beau-frère de Philidor.

23. Asevedo chanta dans *Le Roi Théodore à Venise*, musique de Paisiello, 11 septembre 1787.

24. Livret de Framey, 1775.

25. Livret de Hèle, 1779.

26. *Nina* de Dalayrac sur un livret de Marsollier, 1786. *Souvenirs*, *op. cit.*, p. 219.

27. Actuelle rue Boissy-d'Anglas. L'hôtel fut achevé vers 1780.

28. Charles Louis Clérisseau (1721-1820), peintre paysagiste et architecte, travailla à Saint-Pétersbourg.

29. Jean François Pierre Peyron (1744-1814), élève de Lagrenée, administrateur des Gobelins.

30. P. Rosenberg, U. Van De Sandt, *Pierre Peyron, (1744-1814)*, Neuilly-sur-Seine, Arthena, 1983, p. 76.

31. Suzanne de Jarente de Senas (1736-1815), voir son portrait dans B. Sibille, *Giovan Battista Nini, 1717-1786*, catalogue de l'exposition *Portraits sculptés des Lumières au romantisme, autour de Jean-Baptiste Nini*, Milan, Motta, 2011, p. 12, terre cuite du Musée du château de Blois.

32. *Souvenirs*, *op. cit.*, p. 294.

33. L'avocat Alexandre Balthazar Laurent Grimod de La Reynière (1758-1838), célèbre pour ses excentricités et sa vie sentimentale.

34. Le salon de madame de La Reynière est également le point de rencontre de Jean Balthazar d'Adhémar, (1731 ou 1736-1791), du baron de Bezenval (1721-1791) et du maréchal de Ségur et sa belle-fille, Antoinette Élisabeth Marie d'Aguesseau ; voir *Souvenirs*, *op. cit.*, p. 294-298.

35. Charles De Wailly ou Dewailly (1729 ou 1730-1798), peintre et architecte, élève de Blondel et de Lejay.

36. Voir J. de Cayeux, *Hubert Robert et les jardins*, Paris, Herscher, 1987, p. 3, p. 35.

37. Simon Charles Boutin (1720 ?-1794), riche financier.

38. En 1782, voir H.-L. d'Oberkirch, *Mémoires sur la cour de Louis XVI et la société française avant 1789*, *op. cit.*, p. 257.

39. Nicolas Beaujon (1718-1786), banquier de la cour et philanthrope. Sur les versions du portrait de Beaujon, voir N. Jeffares [18 octobre 2010] sur le site pastellists.com.

40. *Souvenirs, op. cit.*, p. 301.

41. *Ibid.*, p. 302.

42. Notre traduction. J. Trumbull, *John Trumbull autobiography, op. cit.*, 1953 p. 110.

43. *Ibid.*

44. Ce portrait n'est pas noté dans les listes de l'artiste. Elle indique qu'il a été réalisé dans sa première jeunesse. Alexandre Sergueïevitch Stroganoff quitte Paris en 1778.

45. Apparenté probablement à Christian IV de Deux-Ponts, déjà commanditaire de l'artiste.

46. Collection particulière. Sur la liste de 1782.

47. Sur la liste de 1783.

48. Voir P.-A. Guerretta, *Pierre-Louis De La Rive ou la Belle Nature*, Genève, Georg, 2003, p. 120. Et J. de Cayeux, *Hubert Robert*, Paris, Fayard, 1989, p. 123.

49. Mary Cosway, née Hadfield (v. 1759-1838), peintre de genre et miniaturiste.

15. LES ANNÉES TRIOMPHANTES

1. *Mémoires et correspondances du prince de Talleyrand*, éd. d'E. de Waresquiel, Paris, Laffont, 2007, p. 180 et R. Lacour-Gayet, *Calonne, financier, réformateur, contre-révolutionnaire, 1734-1802*, Paris, Hachette, 1963, p. 63.

2. « Minos au Salon », collection Deloynes, 345.

3. *Mémoires et correspondances du prince de Talleyrand, op. cit.*, p. 180.

4. Charles Alexandre de Calonne (1734-1802) tenta d'abolir les privilèges lors de l'assemblée des notables, il fut alors la cible de nombreux pamphlets dont certains éclaboussèrent sa portraitiste. Voir J. Baillio, *Élisabeth Vigée Le Brun, 1755-1842, op. cit.*, p. 55, fig. 10.

5. Calonne est veuf d'Anne Joséphine Marquet, riche héritière morte en couches un an après son mariage. Voir R. Lacour-Gayet, *Calonne…, op. cit.*, p. 33.

6. Windsor Castle, collection de S. M. la Reine d'Angleterre.

7. Madeleine Sophie Arnould, artiste lyrique (1744-1803), débuta à l'Opéra grâce à Mme de Pompadour. Sa réputation de cantatrice a été presque surpassée par sa réputation de femme d'esprit et par ses bons mots. M. Deville les a réunis en un volume in-12, intitulé *Arnoldiana*.

8. *Avis important d'une femme sur le salon de 1785*, par madame E.A.V. R.T.L.A.D.C.S., collection Deloynes, XIV, 344.

9. 24 décembre 1785, M. de Bombelles, *Journal*, Genève, Droz, 1977-2005, t. II, p. 97.

10. H. Lüthy, *La Banque protestante en France…*, cité par O. Livoaïsky, *La Disgrâce de Calonne*, Paris, Comité pour l'histoire économique et financière de la France, 2008, p. 11.

11. En 1788.

12. Cette boîte est décrite dans le premier testament de Mme Le Brun en 1825. Voir *infra*, p. 488-489.

13. Voir *infra*, p. 157.

14. Bachaumont, *Les Salons des « Mémoires secrets », 1767-1787, op. cit.*, 1785, p. 299.

15. Marie-Gabrielle de Grammont, née de Sinéty, duchesse de Caderousse (collection de Sinéty, château de Misy). Une miniature sur ivoire de ce portrait a été réalisée par Augustin Jean Baptiste (1759-1832), musée du Louvre.

16. *Figaro au salon de peinture*, 1785, collection Deloynes. XIV, 330.

17. Toulouse, musée des Augustins.

18. Porto Rico, Museo de Arte de Ponce. Voir ces hypothèses dans la notice J. Baillio, *Élisabeth Vigée Le Brun, 1755-1842, op. cit.*, p. 58. En outre, il faut ajouter à cette liste les portraits des dames de la famille de Verdun.

19. Bachaumont, *Les Salons des « Mémoires secrets », 1767-1787, op. cit.*, 1785, p. 300.

20. *Le Peintre anglais au Salon de peinture*, 1785, collection Deloynes, XIV, 327.

21. *Observations critiques sur les tableaux du Salon de 1785*, collection Deloynes, XIV, 326.

22. *Promenades de Crites au Salon*, 1785, collection Deloynes, XIV. 333.

23. *Jugement d'un musicien sur le Sallon de peinture de 1785*, Amsterdam, collection Deloynes, XIV, 341.

24. Williamstown, Sterling and Francis Clark Art Institute, Massachusetts, J. Baillio, *Élisabeth Vigée Le Brun, 1755-1842, op. cit.*, p. 64.

25. Paris, musée Nissim-de-Camondo.

26. *Jugement d'un musicien sur le Sallon de peinture de 1785*, Amsterdam, collection Deloynes, XIV, 341.

27. *Le Peintre anglais au Salon de peinture*, 1785, collection Deloynes. XIV, 327.

28. *Observations sur le salon de 1785*, collection Deloynes, XIV, 326.

29. *Discours sur l'origine, les progrès et l'état actuel de la peinture en France*, 1785.

30. Dans ses *Souvenirs*, Mme Le Brun confond le titre avec la *Réunion des arts*, voir *Souvenirs, op. cit.*, p. 168.

31. *Ibid.*, p. 169.

16. L'IMAGE DES JOURS HEUREUX

1. *Ibid.*, p. 226.

2. Claude Henri Watelet (1718-1786).

3. C. Louis-Mayeul, *Dictionnaire historique*, Paris, Ménard, 1823, t. XXVII, p. 176.

4. Nous devons cette information à Nicolas Lesur.

5. J. de Cayeux, *Hubert Robert, op. cit.*, p. 65.

6. Musée du Louvre.

7. Catalogue de tableaux chez A. J. Paillet, rue Plâtrière, 1786. Je remercie Christine Dessemme qui m'a communiqué sa documentation concernant les collections de Watelet.

8. *Souvenirs, op. cit.*, p. 226.

9. J. Delille, *Les Jardins ou l'art d'embellir les paysages*, 1782.

10. Antoine Gaudran, écuyer, acheta le domaine le 5 août 1786 à M. Le Comte. Malgré un paiement échelonné, Gaudran ne pourra s'acquitter du prix d'achat. Il vend le domaine à son frère Joseph, docteur en médecine, qui en sera exproprié.

11. Orléans, musée des Beaux-Arts et Sceaux, musée de l'Île-de-France.

12. Sur le portrait de Robert par Marguerite Gérard, le poignet gauche est dissimulé. Voir *Marguerite Gérard, artiste en 1789 dans l'atelier de Fragonard*, catalogue rédigé par C. Blumenfeld et J. de Los Llanos, Paris, Paris musées, 2009, p. 109.

13. Paris, musée du Louvre. Le tableau est daté de 1788, l'année suivant le dernier séjour à Moulin-Joli. M. de Laborde verse un acompte de douze mille francs N'ayant pas versé le solde, son fils le rendra à Mme Le Brun après en avoir fait faire une copie. Papiers Tripier Le Franc, 28422. L'œuvre entre dans les collections nationales en 1843.

14. *Journal de Paris*, 23 août 1786, p. 971.

15. En 1801, l'adjudication est à François-Joseph Chevalier. Voir *Moulin joly, un jardin enchanté au siècle des Lumières*, dir. Chr. Dessemme, Colombes, musée municipal d'Art et d'Histoire, 2007, p. 26.

16. La fille d'Henri IV, veuve de Charles Ier, roi d'Angleterre, s'y était réfugiée après l'assassinat de son époux.

17. *Souvenirs, op. cit.,* p. 282.

18. Lebrun-Pindare, « Le Brun, je vous cherchais, je volais sur vos pas, / Quand mille rossignols dans leur tendre ramage Dirent / Nous l'avons vue errer sur ce rivage, / Et l'embellir par ses appas / D'un seul de ses regards / Dans ce petit bocage / Mille amours sont nés à la fois / Nous étions déjà nés des accents de sa voix », Papiers Tripier Le Franc, 27983-27984.

19. J. de Cayeux, *Hubert Robert,* p. 154.

20. Villette est bien connu des services du lieutenant de police, M. de Sartine. *Journal des inspecteurs de M. de Sartine, op. cit.*

21. Le peintre note dans ses listes qu'elle a réalisé un portrait en pied de la comtesse durant cette année 1786. Il n'est pas clairement identifié. Localisation inconnue.

22. En réalité, lors de l'inauguration en présence du roi, tout n'était pas encore parfaitement achevé.

23. New York, Frick Collection.

24. *Souvenirs, op. cit.,* p. 235.

25. Choderlos de Laclos, *Galerie des dames françaises, op. cit.,* p. 753.

26. Jeanne Françoise Émilie de Pérusse des Cars, marquise de Brunoy.

27. François Nicolas Henri Racine de Monville (1734-1797). Modèle de l'homme de goût, il aménage un vallon sur lequel il construit dix-sept fabriques.

17. L'HÔTEL LE BRUN

1. Voir M. Gallet, « La Maison de madame Vigée Le Brun, rue du Gros-Chenet », *Gazette des beaux-arts,* novembre 1960, 275-282.

2. Une seconde salle de ventes plus petite se situe au même étage.

3. La maison existante avait été abattue.

4. Il comprend une antichambre, un salon à deux fenêtres, pourvu d'une cheminée et de placards ; un cabinet équipé d'armoires qui conduit à la chambre à coucher où l'alcôve est encadrée de deux portes vitrées ; une cuisine de plain-pied, une chambre de domestique au cinquième étage, plusieurs caves complètent cet appartement. Papiers Tripier Le Franc, 29 372-29 377

5. Commandées à Étienne Levasseur dans le style de Boulle, voir F. Camus, *Jean-Baptiste Pierre Le Brun, peintre et marchand de tableaux, op. cit.,* p. 120.

6. I.A.D., A.N. M.C./ET/IX/982.

7. L. V. Thiery, *Almanach du voyageur à Paris, op. cit.*

8. *Ibid.*

9. M. L. Pujalte, « L'hôtel des Lebrun ou l'interprétation singulière d'une maison d'artiste », in *La Maison de l'artiste,* Rennes, Presses universitaires de Rennes, 2007, p. 43-52.

10. Peut-être parente du journaliste Marie Elie Guillaume (1763-1806).

11. Le comte d'Angiviller avait déjà refusé à Adélaïde Labille-Guiard un logement au Louvre pour cette raison.

12. Voir J. Guiffrey, « Écoles de demoiselles dans les ateliers de David et de Suvée au Louvre », in *N.A.A.F.,* 1875, p. 397-400.

13. Catalogue de vente du chevalier Lambert, p. 4, 27 mars 1787. Et Ch. Guichard, *Les Amateurs d'art à Paris au XVIIIe siècle, op. cit.,* p. 133.

14. Notre traduction. J. Trumbull, *John Trumbull autobiography, op. cit.,* p. 110.

15. *Ibid.*

16. Voir J. Hedley, « Madame Perregaux par Élisabeth Louise Vigée Le Brun », *L'Estampille, l'objet d'art,* décembre 2003.

17. L. P. Bachaumont, *Les Salons de Bachaumont, Chroniques esthétiques du XVIIIe siècle,* introduction et analyse par Fabrice Faré, Nogent-le-Roi, Jacques Laget, 1995, p. 142.

18. Observations contenues dans *L'Année Littéraire*, 1787, collection Deloynes, XV, 397, 869.

19. *Mercure de France*, 1787, collection Deloynes, XV, 396, 835.

20. *Avis important d'une femme sur le Salon de 1785*, par madame E.A.V. R.T.L.A.D.C.S., collection Deloynes, XIV, 344, 643.

21. *L'Ami des artistes au salon*, par M. l'A.R. (Robin), collection Deloynes, XV, 379, 35. Le groupe représentant la marquise de Pezay et la marquise de Rougé entourée de ses fils, présenté en 1787, est également identifié comme une glorification de l'amour maternel. Voir J. Baillio, *Élisabeth Louise Vigée Le Brun, 1755-1842, op. cit.*, p. 70-71.

22. Collection particulière. X. Salmon, in *L'Enfant chéri au siècle des Lumières*, *op. cit.*, , p. 57.

23. J. Baillio évoque une filiation possible avec *Le Philosophe au miroir* de Ribera. Voir J. Baillio, *Élisabeth Vigée Le Brun, 1755-1842, op. cit.*, p. 74.

24. Le comte de Paroy réalise également une gravure de l'autoportrait de Mme Le Brun.

25. Collection particulière, *Julie lisant la Bible*.

26. J. Silvestre de Sacy, *Alexandre-Théodore Brongniart*, Paris, Plon, 1940, p. 79.

27. 1788, Londres, National Gallery. Brongniart et Louise Degrémont firent souvent représenter leurs enfants. Alexandre, futur directeur de la manufacture de Sèvres, Louise et Alexandrine Émilie. Voir X. Salmon, in *L'Enfant chéri au siècle des Lumières, op. cit.*, p. 65.

28. *Souvenirs, op. cit.*, p. 146.

18. MARIE-ANTOINETTE ET SES ENFANTS

1. *Réflexions importantes sur les progrès de l'art en France... et Mémoires secrets*, cité par J. Baillio, « Marie-Antoinette et ses enfants, I », *L'œil*, n° 308, mars 1981, p. 40.

2. Nous devons ces analyses à l'excellent article de J. Baillio, « Marie-Antoinette et ses enfants » I et II, *L'œil*, n° 308, mars 1981, p. 34-41 et *L œil*, n° 310, mai 1981, p. 56-60.

3. « C'est avec un vrai plaisir que je vous fais part des intentions de S.M. à cet égard. J'ai du reste chargé M. Pierre de vous expliquer ce qu'il est nécessaire de faire pour remplir de la manière la plus propre à vous satisfaire », 12 septembre 1785, Maison du roi : série O¹ 1918, f° 330, p. 352. Pierre à Angivillers, cité par J. Baillio, « Marie-Antoinette et ses enfants, I », art. cité, p. 75, n. 35.

4. M. A.

5. Miette de Villars, *Mémoires de David*, Paris, 1850, p. 87.

6. Voir J. Baillio, « Marie-Antoinette et ses enfants, II », art. cité, p. 55.

7. *Souvenirs, op. cit.*, p. 171.

8. On se souvient que Pezay avait logé à l'hôtel Lubert. Th. d'Espinchal, *Journal d'émigration*, p. 42, cité par J. Baillio, *Élisabeth Vigée Le Brun, 1755-1842, op. cit.*, p. 71.

9. *Merlin au salon*, 1787, collection Deloynes, XV, 385, p. 15.

10. Washington, National Gallery of Arts, voir J. Baillio, *Élisabeth Vigée Le Brun, 1755-1842, op. cit.*, p. 71.

11. Xavier Salmon révèle qu'une radiographie récente de l'œuvre n'indique pas de repentir à cet endroit. X. Salmon, *Marie-Antoinette, op. cit.*, p. 317. La fille nouveau-née n'aurait pu figurer que sur des esquisses.

12. Il a aujourd'hui disparu.

13. Voir N. Wilk-Brocard, *Une dynastie : les Hallé, op. cit.*, p. 448.

14. Voir B. Craveri, *Marie-Antoinette et le scandale du collier*, Paris, Gallimard, 2008, p. 53.

15. Bachaumont, *Les Salons des « Mémoires secrets », 1767-1787, op. cit.*, 1787, p. 319.

16. Antoine Joseph Gorsas, conventionnel girondin (1751-1793), auteur de *L'Âne promeneur ou Critès promené par son âne*, 1780. Il ne vota pas la mort du roi et fut guillotiné le 7 octobre 1793.

17. « Au dernier voyage de Choisy, Sa Majesté a passé sa journée dans un pavillon qui donne sur le bac à voir passer les bateliers de vin et de poisson, à les interroger et à causer familièrement avec eux, comme faisait Henri IV », *Journal et mémoires du marquis d'Argenson, op. cit.*, 2003, t. III, p. 138.

18. *Souvenirs, op. cit.*, p. 171.

19. *L'Ami des artistes au Salon*, collection Deloynes, 1787, XV, 379.

20. *Lanlaire au salon*, 1787, collection Deloynes, XV, 375.

21. Bachaumont, *Les Salons des « Mémoires secrets », 1767-1787, op. cit.*, 1787, p. 320.

22. *Ibid.*, p. 320.

23. *L'Ami des artistes au Salon*, 1787, collection Deloynes, XV, 379.

24. Bachaumont, *Les Salons des « Mémoires secrets », 1767-1787, op. cit.*, 1787, p. 321.

25. *Ibid.*

26. *L'Ami des artistes au Salon*, 1787, collection Deloynes, XV, 379, p. 34.

27. A.N., série 0^1 1919, cahier 5, p. 221.

28. À Ménageot, 18 novembre 1787, U. Van De Sandt, « Correspondance de Pierre avec les directeurs de l'Académie de France à Rome », art. cité, p. 109.

29. Versailles, Musée national du château.

19. UN STYLE DE VIE

1. Information communiquée par Michèle Sapori que nous remercions.

2. *Loterie pittoresque pour le Salon de 1783*, collection Deloynes, XIII, 291.

3. *Souvenirs, op. cit.*, p. 199.

4. En 1786 exposé au Salon de 1787.

5. *Journal de Paris*, 12 septembre 1781, cité par É. Campardon, *Les Comédiens du roi de la troupe italienne*, Paris, Berger-Levrault, 1880, p. 71.

6. Paris, musée du Louvre.

7. Mme de Staël, *Corinne ou l'Italie*, Paris, Gallimard, coll. « Folio », 1985, p. 52.

8. *Ibid.*, p. 73.

9. Sur la filiation avec le tableau du Dominiquin, voir J. Baillio, *Élisabeth Vigée Le Brun, 1755-1842, op. cit.*, p. 101.

10. New York, Metropolitan Museum.

11. Vers 1802. *Souvenirs, op. cit.*, p. 694.

12. *Ibid.*, p. 416.

13. J.-J. Winckelmann, *Réflexions sur l'imitation des artistes grecs dans la peinture et la sculpture* [Dresde, 1755], trad. 1785, Paris, Barrois, p. 1.

14. Voir la notice de Justin Tripier Le Franc, 1828. La date est attestée par la parution de l'ouvrage de Barthélémy et le portrait d'Henry Lubomirski. Voir *infra*, p. 182.

15. L'abbé Jean-Jacques Barthélémy (1716-1795), savant et « antiquaire » fit paraître, en 1788, le *Voyage du jeune Anacharsis en Grèce* (4 vol in-4, avec atlas) : un scythe, Anacharsis, visite la Grèce quelques années après la mort d'Alexandre et voyage en étudiant les mœurs et les gouvernements. Bientôt dans toutes les mains, cette fiction très érudite fut traduite dans plusieurs langues et valut l'Académie à son auteur (1789).

16. Voir *Voyage du jeune Anacharsis en Grèce vers le milieu du quatrième siècle avant l'ère vulgaire*, Paris, Ledoux, 1925, vol. II, p 456, p. 470.

17. Cette collection sera cachée durant la Révolution et sauvée des perquisitions de David.

18. Chœur provenant *d'Écho et Narcisse*.

19. *Souvenirs, op. cit.*, p. 194.

20. Louise Élisabeth emploie elle-même ce terme, *ibid.*, p. 77.

21. *Mémoires secrets*, t. XXII, p. 103.

22. Un conflit naquit entre partisans du goût à la grecque et partisans du goût à la romaine. Voir M.-L. de Rochebrune : « Le triomphe du goût à la grecque dans les arts décoratifs français (1750-1775) », *L'Objet d'art*, n° 432, février 2008, p. 66-79.

23. Strasbourg, musée des Beaux-Arts.

24. *Souvenirs, op. cit.*, p. 165.

25. *Ibid.*, p. 166.

26. Collection Marnier-Lapostolle.

20. DES FINANCIERS AIMABLES

1. Malmaison fut acquise en 1771 par Jacques Jean Le Couteulx du Molay, puis, le 21 avril 1799, par la future impératrice Joséphine.

2. Voir Baron de Frénilly, *Souvenirs du baron de Frénilly, Pair de France* (1768-1828) avec int. et notes d'A. Chuquet, Paris, Plon, 1909, p. 213, et G. Daridan, *MM. Le Couteulx et Cie, banquiers à Paris, un clan familial dans la crise du XVIII* siècle*, Paris, Loysel, 1994, p. 81-87.

3. Voir *supra*, p. 127.

4. François Félix Dorothée, duc de Crillon (1748-1820), lieutenant général, constituant, pair de France, fut élu aux États généraux par la noblesse de Beauvaisis et, rejoignit, parmi les premiers, le tiers état, puis les monarchistes constitutionnels.

5. Paris, musée Nissim-de-Camondo.

6. J. Bouchary, *Les Manieurs d'argent à Paris à la fin du XVIII* siècle*, Paris, Rivière, 1939, p. 13.

7. Dans notre édition (2008) nous avons indiqué par erreur qu'Adélaïde Perregaux était née de Presles, son nom est de Praël (1758-1794).

8. *Souvenirs, op. cit.*, p. 772. Sur cette œuvre voir Joe Hedley : « Madame Perregaux par Élisabeth Louise Vigée Le Brun », art. cité.

9. Londres, Wallace Collection.

21. L'AIR DE LA CALOMNIE

1. *Lettre de madame Le Brun à M. de Calonne*, Paris, mars 1789.

2. *Réponse de M. de Calonne à la dernière lettre de madame Le Brun, publiée par M. l'abbé de Calonne et se trouve chez Laurent, libraire, Paris,* avril 1789.

3. Cité par L. Hautecœur, *Madame Vigée-Lebrun, op. cit.*, p. 67.

4. Poitevin de Maisseng fut en poste du 19 octobre 1788 à juillet 1789. Lettre conservée dans Papiers Tripier Le Franc, 28655-28657.

5. Née Anne Marie Thérèse de Rabaudy Montoussin.

6. Toledo, Museum of Art, voir J. Baillio, *Élisabeth Vigée Le Brun, 1755-1842, op. cit.*, p. 54-55.

7. Ce tableau a figuré dans le cabinet de M. de Bec-de-Lièvre et fut gravé par Dennel. Papiers Tripier Le Franc, 28430.

8. *Souvenirs, op. cit.*, p. 200.

9. Voir J. Baillio, *Élisabeth Vigée Le Brun, 1755-1842, op. cit.*, p. 141. Transcription d'un manuscrit rédigé par Jean-Jacques Lequeu (après 1818), qui dépeint des orgies mettant en scène Mme Le Brun, Calonne et ses maîtresses.

10. M. U.

11. Papiers Tripier Le Franc, 27490 et 27491. Lettre du 1er mars 1789.

12. R. Lacour-Gayet, *Calonne, op. cit.*, p. 94.

13. M. R.

22. LE MONDE SENS DESSUS DESSOUS

1. *Souvenirs, op. cit.*, p. 251.

2. M. U.

3. *Souvenirs, op. cit.*, p. 252.

4. *Ibid.*, p. 197.

5. Emmanuel Joseph, futur comte Sieyès (1748-1836), chanoine à Tréguier en 1775, il suivit son évêque à Chartres, où il officia à la chambre supérieure du clergé (1787). S'abstenant de prêcher, il partageait les idées des philosophes. Appelé en 1787 à présider la commission intermédiaire des états d'Orléans, il fut remarqué pour l'énergie de ses vues politiques. Sieyès publia trois brochures : *Vues sur les moyens d'exécution dont les représentants de la France pourront disposer* (1788) ; *Essai sur les privilèges* et *Qu'est-ce que le tiers état ?* (1789). En quelques mois, Sieyès devint un homme en vue et fut élu député du tiers état.

6. Lettre au roi du 9 février 1789, cité par P.-J. de Valmigère, *Enquête sur la Révolution*, Paris, Nouvelles éditions latines, 1956, p. 61.

7. Le 4 juin. Il semble qu'on ait fait savoir, peu de temps auparavant à Mme Le Brun de ne plus paraître à la cour sans y avoir été invitée.

8. *Souvenirs, op. cit.*, p. 245.

9. J. Silvestre de Sacy, *Alexandre-Théodore Brongniart, op. cit.*, p. 16.

10. *Souvenirs, op. cit.*, p. 252.

11. Actuelle rue Oudinot.

12. M. R.

13. Notre traduction, J. Farington, *The Farington Diary*, Londres, Hutchinson & co, 1923, t. I-IV, p. 35.

14. *Souvenirs, op. cit.*, p. 254.

15. M. U.

16. Plus probablement fille illégitime de William de Birxey et de Mary Sims. Elle fut élevée avec les enfants d'Orléans. Voir J. Baillio, *The Winds of Revolution*, New York, Wildenstein, 1989, p. 61.

17. *Souvenirs, op. cit.*, p. 255.

18. Catherine Foulquier était connue de Goldoni comme actrice de la troupe italienne. « Une mère de neuf enfants dont il n'y en a pas un qui ne réponde aux soins de sa vigilance et ne promette la consolation de ses parents », Goldoni, *Mémoires, op. cit.*, p. 393.

19. Curtius est peintre et sculpteur du duc d'Orléans.

20. J.-Ph.-G. Le Gentil Paroy, *Mémoires du comte de Paroy (1750-1824)*, Paris, Plon, 1895, p. 59.

21. Information transmise par J. Baillio.

22. « Entretien entre un amateur et un admirateur », collection Deloynes, XVI, 412.

23. J. Baillio, « Vigée Le Brun and the classical practice of Imitation », art. cité, p. 101.

24. Paris, musée du Louvre.

25. Berlin, Gemäldegalerie.

26. Lemberg, Staatliche Gemäldegalerie. Voir H. Bock, « Ein Bildnis von Prinz Heinrich Lubomirski als Genius des Ruhms von Elisabeth Vigée Le Brun », *Niederdeutsche beiträge zur Kunstgeschichte*, vol. XVI, Deutsche Kunstverlag, München Berlin, 1977.

27. *Ibid.*

28. « Observations sur le Salon » tirés du *Journal de Paris*, collection Deloynes, XVI, 410.

29. « Vérités agréables sur le salon vu en beau », 1789, collection Deloynes, XVI, 415. Voir J. Baillio, « Vigée Le Brun and the classical practice of Imitation », art. cité.

30. J. Baillio, *Élisabeth Vigée Le Brun, 1755-1842, op. cit.*, p. 139.

31. *Les Élèves au Salon ou l'Amphigouri*, Paris, Lecomte, 1789, collection Deloynes, XVI, 416.

32. *Mercure de France*, 24 octobre 1789, p. 84. Cité par A.-M. Passez, *Adélaïde Labille-Guiard, op. cit.*, p. 31.

33. Paris, musée du Louvre. Mme Le Brun, dans ses *Souvenirs*, évoque la présence de cette œuvre au Salon de 1789. Deux copies manuscrites de la collection Deloynes semblent en faire état. Cependant le tableau n'est pas répertorié dans le catalogue du Salon de 1789.

34. Lettre du 2 juillet 1790. A.N. D.B. W. 16. 1.

35. *Souvenirs, op. cit.*, p. 238.

36. Collection particulière. Mme Tripier Le Franc en a fait une pâle copie (Versailles, musée Lambinet).

37. J. et E. de Goncourt, *Histoire de la société française pendant la Révolution*, Paris, Quentin, 1889, p. 56.

38. Le 21 septembre 1789. B.n.F., département des manuscrits, N.A.F. 20 157. Une bouillote, une jatte, une cuillère d'argent.

39. *Souvenirs, op. cit.*, p. 257.

40. *Almanach Dauphin*, 1779, n.p.

41. M. U.

42. M. U.

43. Tiré de *Richard, Cœur de Lion*, voir *Mémoires du comte de Paroy (1750-1824), op. cit.*, p. 103.

44. Voir J.-Chr. Petitfils, *Louis XVI*, Paris, Perrin, 2005, p. 722-731.

45. *Souvenirs, op. cit.*, p. 258.

46. M. A. Ces propos sur Louis XVI ont été expurgés du texte définitif des *Souvenirs*.

47. Ce poème a probablement été composé *a posteriori*. É. Vigée, « Épître à Mme ** », in *Poésies de L.-J.-B.-É. Vigée, op. cit.*, p. 154.

48. *Souvenirs, op. cit.*, p. 259.

49. Lettre reçue à Rome, M. U.

50. Sur la question de l'exposition de ce tableau, voir *supra*, p. 183.

51. Le patronyme Artaut est répandu à Lyon. Il peut s'agit d'un client de Jean-Baptiste Pierre.

52. *Souvenirs, op. cit.*, p. 261.

23. VERS ROME

1. *Mémoires d'outre-tombe*, éd. Jean-Claude Berchet, Paris, Garnier, 1989-1998, t. II, livre 29, chap. XX, p. 220.

2. New York, The Metropolitan Museum of Art. J. Baillio, *Élisabeth Vigée Le Brun, 1755-1842, op. cit.*, p. 78.

3. Lettre à Mme Du Barry, A.N. W. 16.1 [7].

4. Ch. N. Cochin, *Voyage d'Italie, ou Recueil de notes sur les ouvrages de peinture & sculpture, qu'on voit dans les principales villes d'Italie*, Paris, Jombert, 1758, 3 vol ; J. de Lalande, *Voyage d'Italie* (1769), Paris, Desaint, 1786.

5. De ces carnets, un seul nous est connu. Les carnets dits de la période russe ne sont pas de sa main et ont été récemment réattribués par J. Baillio.

6. Carlo Antonio Porporati (1741-1816) grava *La Suzanne* de Santerre et *la Jeune fille au chien*. En 1777, Porporati avait gravé une *Mort d'Abel* ornée d'une belle inscription de Rousseau. Bachaumont, *Les Salons des « Mémoires secrets », 1767-1787, op. cit.*, 1777, p. 189.

7. Porporati espérait exécuter l'ouvrage pour le compte des Bâtiments du roi. D'Angiviller refuse, Porporati travaille donc pour son compte. Voir D. Beaurain, « La fabrique du portrait royal », in *L'Art et les Normes sociales au XVIIIᵉ siècle*, sous la dir. de Th. Gaehtgens *et alii*, Paris, Maison des sciences de l'homme, 2001, p. 241-260., p. 251, n. 47.

8. *Souvenirs, op. cit.*, p. 346.

9. Tableau non identifié. Il pourrait s'agir du tableau des enfants de Charles Iᵉʳ roi d'Angleterre, dont les figures étaient à taille humaine. Le terme « bourgmestre » peut avoir fait l'objet d'une erreur.

10. *Souvenirs, op. cit.*, p. 346.

11. Théâtre royal commandé par Charles Emmanuel III à Filippo Juvarra en 1730 et achevé en 1738.

12. Louis Antoine Henri de Bourbon, duc d'Enghien (1772-1804), dont il sera question plus loin, p. 414.

13. *Souvenirs, op. cit.*, p. 347.

14. Le voyage de Watelet et de Marguerite Le Comte s'effectua entre le 30 septembre 1763 et le 31 octobre 1764. Voir Fr. Arquié-Bruley, « Watelet, Marguerite Le Comte et le Moulin-Joli d'après les Archives nationales », *Bulletin de la Société de l'histoire de l'art français*, 1998, p. 133.

15. Environ deux cent quarante kilomètres.

16. Louis Agathon de Flavigny, capitaine des gendarmes d'Anjou et brigadier des armées du roi, né en 1721, marié le 11 février 1759 avec Marguerite-Félicité Bernard de Montigny, et décédé à Parme sans postérité, le 12 février 1793.

17. *La Madone de San Girolamo* du Corrège (1489-1543) est désignée comme le « Jour », pendant de la « Nuit » de Dresde.

18. Vers 1520, le Corrège commença à peindre les fresques de la coupole de l'église Saint-Jean-l'Évangéliste par *L'Ascension du Christ*.

19. *Souvenirs, op. cit.*, p. 348.

20. La bibliothèque de Parme fut fondée en 1762 à l'initiative de Philippe de Bourbon-Parme, inaugurée en 1769.

21. Gauvignon, vicomte de Lespinière, chargé de mission en Italie par Louis XVI.

22. Non documenté.

23. Soixante-deux kilomètres.

24. *Souvenirs, op. cit.*, p. 350.

25. Doyen en aurait réalisé une copie. [Notice de l'œuvre, base Joconde].

26. La sainte Agnès du Dominiquin (Domenico Sampieri, 1581-1641), admirée également par Lalande, se trouve à la pinacothèque de Bologne.

27. *Iphigénie en Tauride* de Gluck (1779) Ce dernier opéra (sur un livret de François Guillard) fut dédié à la reine. Au moment où Mme Le Brun admire le tableau du Dominiquin, Marie-Antoinette est vivante, mais, au moment de la rédaction de ses mémoires, son souvenir s'associe mélancoliquement à celui des deux jeunes victimes Iphigénie et Agnès.

28. M. U.

29. M. U.

30. En Italie, nom des gardiens des monuments et des musées.

31. Eneas-Sylvius, comte de Caprara, né à Bologne (1631-1701), général, fit de nombreuses campagnes au service de l'empereur d'Autriche. Son frère, Albert, comte de Caprara, entra également au service de l'Autriche. Le palais fut édifié en 1603.

32. Giovanni Francisco Barbieri, dit le Guerchin (1591-1666). La *Sibylle de Cumes* se trouve actuellement à Londres. (collection Mahon).

33. Carlo Dolci (1616-1686), peintre florentin, portraitiste à la cour des Médicis.

34. Au palais Caprara. Annibal Carrache (1560-1619) fonde à Bologne, avec son frère Augustin (1557-1602) et son cousin Ludovic (1555-1619), en 1585, l'Accademia degli Incamminati (acheminés). Les Carrache ont réalisé des tableaux d'autel, décoré

le palais Fava (1584), le palais Magnani (vers 1590) et le palais Sampieri (1593-1594) visité par Mme Le Brun. Ils ont imposé une manière de peindre, en réaction au maniérisme, sans abandonner le modèle antique.

35. Francisco Albani (1578-1660), dit l'Albane, surnommé « le peintre des grâces » et « l'Anacréon de la peinture », apprécié pour ses représentations de scènes mythologiques de l'Antiquité.

36. *Hercule et Antée* (1631). Le Guerchin prendra la succession de Guido Reni comme peintre de la cité de Bologne.

37. Il peut s'agir d'une copie du tableau d'Annibal Carrache *La Pietà* (1600), où sont créés d'intenses effets de nuit.

38. Ludovic Carrache, signalé par le Ch. de Brosses, *Lettres d'Italie du Président de Brosses*, Paris, Mercure de France, t. I, p. 307.

39. L'œuvre est aujourd'hui à Milan, pinacothèque de Brera. Voir J-F. Méjanès, *Les Collections du Comte d'Orsay : dessins du musée du Louvre*, catalogue d'exposition, Paris, RMN, 1983. Cochin l'évoque : « C'est le plus admirable tableau qu'on connaisse du Guido ; toutes les parties de l'art y sont au plus haut degré ; il est d'une manière forte et de grand caractère et avec les vérités de détail les plus finement rendues », Ch. N. Cochin, *Voyage d'Italie, op. cit.*, t. II, p. 172.

40. *Souvenirs, op. cit.*, p. 353.

41. Voir Ch. de Brosses, *Lettres d'Italie du Président de Brosses, op. cit.*, t. I, p. 307.

42. Voir J. Richard, *Description historique et critique de l'Italie*, Dijon, Lambert, 1766, t. II, p. 145-147.

43. L'Académie clémentine, créée par Clément XI à Bologne, comptait quarante membres, et proposait des concours à partir de 1727. En 1602, Ludovic Carrache se rendit à Rome afin d'obtenir que la « compagnie des Peintres et Sculpteurs » de Bologne soit transformée en académie. Voir N. Pevsner, *Les Académies d'art*, Paris, Monfort, 1999, p. 84.

44. Giuseppe Becchetti (1724-1794), né à Bologne, élève de Graziani et de V. Bigari, peintre de *vedute*, se rendit à Venise où il reçut l'enseignement d'Amiconi.

45. Entre 1770 à 1830. Voir N. Pevsner, *Les Académies d'art, op. cit.*, p. 143.

46. Bologne, Pinacothèque nationale.

47. Cent dix-sept kilomètres.

48. « Quand j'arrive dans une ville, je vais toujours sur le plus haut clocher ou la plus haute tour, pour voir le tout ensemble. » Montesquieu, *Journal de voyage*, cité par Jean Starobinski, *Montesquieu*, Paris, Seuil, [1953] 1989, p. 30.

49. *Souvenirs, op. cit.*, p. 354.

50. Les Médicis ont élevé à Giotto, né à Florence, un monument sur lequel est placé son portrait.

51. Mme Le Brun avait pu entendre parler de cette statue signalée par Ch. Nicolas Cochin.

52. *La Niobé*, groupe anonyme acquis par le cardinal Ferdinand de Médicis vers 1770.

53. La *Vénus d'Urbino* du Titien (1538-1539), commandée par Guidubaldo della Rovere, arrivera à Florence en 1631, avec le legs du mécène.

54. Dessiné par Filippo Brunelleschi vers 1440 pour le marchand Luca Pitti, ami puis rival de Cosme le Grand.

55. Le portrait du Titien intitulé *La Bella* est daté de 1536.

56. Jacopo Negretti (1480-1528), dit Palma l'Ancien.

57. *La Madonna della seggiola* (à la chaise) (1513-1514) Dans l'inventaire après décès de Julie Le Brun dans ses *Souvenirs*, subsiste une gravure de cette madone de Raphaël.

58. J. de Lalande, *Voyage en Italie, op. cit.*, t. II, p. 557.

59. La statue de Neptune n'est pas de Jean de Bologne, comme l'indique Mme Le Brun dans ses *Souvenirs*, mais de Stoldo Lorenzi. En revanche la fontaine centrale de l'île représentant l'océan est bien de Jean de Bologne.

60. Élève de Bartolo di Michelo, et alors inconnu, Ghiberti (1380-1455), remporta, en 1401, le concours de la seconde porte en bronze du baptistère de Florence, face à Brunelleschi et Jacopo della Quercia. Il compte parmi les premiers sculpteurs-orfèvres du Quattrocento qui associent étroitement la sculpture et la peinture.

61. Santa Croce a été parfois nommée le Panthéon des gloires italiennes, car l'église accueille les sépultures de personnages illustres : Machiavel, Galilée, Rossini, Giorgio Vasari, Ghiberti, Vittorio Alfieri, Ugo Foscolo.

62. *Souvenirs, op. cit.*, p. 357.

63. Dans l'église Santissima Annunziata, la *Vierge au sac* (1525), placée au-dessus de la porte, par laquelle on accède au cloître des morts.

64. *Souvenirs, op. cit.*, p. 358. Vivant Denon connaissait la prédilection de Mme Le Brun pour ce portrait ; il le reproduit dans *L'Original et le Portrait*, 1792.

65. *Souvenirs, op. cit.*, p. 358. L'autoportrait d'Angelica avait été accroché en 1787.

66. J. Richard, *Description historique et critique de l'Italie, op. cit.*, t. III. p. 248.

67. *Souvenirs, op. cit.*, p. 359.

68. Marianne Testard (1752-1802). Voir V. Denon, *Lettres à Bettine*, Arles, Actes Sud, 1999, p. 156.

69. Cent dix-sept kilomètres.

24. LE RÊVE ROMAIN

1. *Souvenirs, op. cit.*, p. 361.

2. Datée du 1er décembre 1789.

3. Anne-Louis Girodet-Trioson, élève de David, n'arrivera à Rome que le 30 mai 1790, malgré ce que l'artiste écrit dans ses *Souvenirs, op. cit.*, p. 363.

4. Simon Denis (1755-1813), paysagiste, académicien honoraire de San Luca, vers 1807, deviendra peintre de la cour de Joseph Bonaparte à Naples, et sera proche de Lord Bristol.

5. Un lot de lettres de Jean-Baptiste Pierre adressées à Simon Denis a disparu avant sa vente à Monaco. Une publication en a été réalisée, d'après les photocopies des autographes, par C. Blumenfeld et É. Breton, *Technè*, n° 33, *op. cit.*, p. 18-32.

6. A. Villari, *Viaggio in Italia di una donna artista. I « Souvenirs » di Élisabeth Vigée Le Brun (1789-1792)*, Electa, Milano, 2004, p. 87. Il s'agit de sa première épouse. Simon Denis épousera en seconde noces, Antoinette dont le patronyme nous est inconnu.

7. « Énoncé de différents bruits importuns », *in* Th. Kourakine, *Souvenirs des voyages de la princesse Kourakine, op. cit.*, p. 475.

8. *Souvenirs, op. cit.*, p. 369.

9. *Ibid.*, p. 365.

10. *Souvenirs, op. cit.*, p. 376. Le tableau de Raphaël met en scène l'apparition du Christ sur le mont Thabor aux apôtres Pierre, Paul et Jacques (1520) (pinacothèque du Vatican).

11. L'identification de cette toile est problématique. Il pourrait s'agir d'une toile vue en Ombrie, dans le monastère de Saint-Pierre de Pérouse, *L'Adoration des mages*. Cette huile sur bois a été attribuée au Pérugin avec la collaboration de Raphaël (musée des Beaux-Arts de Rouen).

12. *Thérèse en extase* du Bernin (v.1644-1651). J. de Lalande, *Voyage d'Italie, op. cit.*, t. III, p. 528-529.

13. *Souvenirs, op. cit.*, p. 376.

14. *Ibid.*, p. 365.

15. Bien qu'il n'ait pas eu de poste officiel à l'Académie de France, Hubert Robert accompagna le comte de Stainville, futur duc de Choiseul, à qui était attachée sa famille, et passa onze ans en Italie.

16. *Souvenirs, op. cit.*, p. 373.

17. Ch. Du Paty, *Lettres sur l'Italie en 1785*, Paris, Duprat Duverger, 1808, t. 2, p. 124.

18. Diderot, « Salon de 1767 », in *O.C.*, *op. cit.*, t. IV, p. 701.

19. *Souvenirs*, *op. cit.*, p. 391.

20. J. Silvestre de Sacy, *Alexandre-Théodore Brongniart*, *op. cit.*, p. 72.

21. *Souvenirs*, *op. cit.*, p. 376.

22. 12 janvier 1790, à Brongniart, *in* J. Silvestre de Sacy, *Alexandre-Théodore Brongniart*, *op. cit.*, p. 73.

23. Lettre à Hubert Robert et Brongniart, 16 mars 1790, Papiers Tripier Le Franc, 28618-28625.

24. Voir l'autoportrait offert à Ménageot, collection particulière.

25. 12 janvier 1790, à Brongniart, *in* J. Silvestre de Sacy, *Alexandre-Théodore Brongniart*, *op. cit.*, p. 73.

26. 12 janvier 1790, à Brongniart, in *ibid.*, p. 74.

27. *Ibid.*, p. 73.

28. Jean-Baptiste Louis Georges Séroux d'Agincourt (1730-1814), auteur d'un *Recueil de fragments de sculpture antique, en terre cuite* (Paris, 1814) et de *L'Histoire de l'art par les monuments, depuis sa décadence au quatrième siècle jusqu'à son renouvellement au sixième siècle* (1823).

29. Le prince Camille de Rohan-Rochefort (1737-1816), grand commandeur de l'ordre de Malte.

30. Jacques Charles de Fitz-James (1743-1805), quatrième duc de Fitz-James, la duchesse, née Marie Claudine Sylvie de Thiard de Bissy (1752-1812), leur fils Edouard, cinquième duc de Fitz-James (1776-1838).

31. Marie-Thérèse de Choiseul (1767-1794), fille de Jacques Philippe de Choiseul, comte de Stainville (1727-1789) et de Thérèse de Clermont d'Amboise (1746-1789), a épousé en 1782 le prince Joseph de Monaco, sera exécutée le 9 thermidor an II (27 juillet 1794) à vingt-sept ans.

32. Anne Françoise Aimée de Franquetot, de Coigny, duchesse de Fleury (1769-1820), auteur de souvenirs (*Mémoires de Aimée de Coigny*, Paris, Calman-Lévy, 1906) et d'un roman *Alvar*, tiré à vingt-cinq exemplaires. Après son divorce d'avec Philippe François Casimir Montrond (1769-1843), elle reprit son nom de jeune fille.

33. *Souvenirs*, *op. cit.*, p. 384.

34. M. R.

35. *Correspondance intime du comte de Vaudreuil et du comte d'Artois...*, *op. cit.*, 13 mars 1790, p. 138.

36. *Ibid.*, 12 novembre 1789, p. 39.

37. *Ibid.*, 19 décembre 1789, p. 66.

38. *Ibid.*

39. « Je m'abstins néanmoins de fréquenter cette famille dans la crainte d'exciter la calomnie ; car on n'aurait pas manqué de dire que je complotais avec elle, et je crus devoir éviter, leur rencontre en considération des parents et des amis que j'avais laissés en France », *Souvenirs*, *op. cit.*, p. 382.

40. *Correspondance intime du comte de Vaudreuil et du comte d'Artois...*, *op. cit.*, 1er avril 1790, p. 158.

25. UNE ÉMULATION ARTISTIQUE

1. Lettre à Hubert Robert et Brongniart, 16 mars 1790, Papiers Tripier Le Franc, 28618-28625.

2. Angelica Kaufmann (1741-1807).

3. Ickworth House, Suffolk.

4. M. U.

5. M. U.

6. Lettre inédite à la famille Brongniart, 12 janvier 1790, archives privées.

7. 1792, Moscou, musée Pouchkine.

8. *Jules César en Égypte, opera seria*, créé le 20 février 1724, au King's Theatre, Londres, par la Royal Academy of Music (Nicola Francesco Haym, d'après un livret de Giacomo Francesco Bussani) connut une popularité exceptionnelle.

9. Lettre inédite, 12 janvier 1790, archives privées.

10. G. Gh. De Rossi, *Vita di Angelica Kaufmann, Pittrice*, Florence, Molini, 1810.

11. Cadet d'une lignée du Vivarais, François Joachim de Pierre de Bernis (1715-1794), abbé sans bénéfice, et poète (le surnom « Babet la bouquetière » attribué par Voltaire lui est resté), est protégé par Mme de Pompadour. Ambassadeur à Venise en 1752, puis à Rome, Bernis devient l'âme du parti hostile à la Révolution. Il incitera le pape à condamner la Constitution civile du clergé.

12. Lettre à Hubert Robert et Brongniart, 16 mars 1790, Papiers Tripier Le Franc, 28618-28625.

13. Lettre à Brongniart, archives privées. Bien que l'artiste dise, en embellissant ses *Souvenirs*, avoir apprécié la musique à Rome, ce ne fut pas la réalité.

14. Brigitte Georgi-Banti (1757-1806).

15. Monte Cavallo désignait également le Quirinal en raison d'une statue des Dioscures à cheval, qui ornait les thermes de Constantin ; ces Dioscures furent déplacés sur le Quirinal par Sixte Quint.

16. Florence, galerie des Offices.

17. Lettre du 16 mars 1790, Papiers Tripier Le Franc, 28618-28625.

18. Par Louis Audouin, 1804, Papiers Tripier Le Franc, 28421.

19. Lettre du 16 mars 1790, Papiers Tripier Le Franc, 28618-28625.

20. Voir S. Bellenger, « "Trop savant pour nous", le destin d'un peintre poète », in *Girodet, 1767-1824*, 2005, p. 15-51.

21. Rome, 30 juin 1790, *Lettres adressées au baron François Gérard, peintre d'histoire, par les artistes et les personnages célèbres de son temps*, Paris, A. Quantin, 1886, p. 142. Nous ignorons à quel portrait Girodet fait allusion.

22. Ickworth, Suffolk, the Bristol Collection. Voir la notice de X. Salmon, *Créer au féminin, femmes artistes du siècle de Madame Vigée Le Brun, op. cit.*, p. 251-252.

23. Anne Pitt (1772-1864), fille de Thomas Pitt, Lord Camelford (1737-1793), épousera le baron William Wyndham Grenvile (1759-1834). Une réplique de ce portrait figure au musée de l'Ermitage (Saint-Pétersbourg). Voir J. Baillio, « Identification de quelques portraits d'anonymes de Vigée Le Brun aux États-Unis », *Gazette*, art. cité, p. 165-166. Et A. Villari, *Viaggio in Italia di una donna* artista, *op. cit.*, p. 127.

24. Londres, The Iveagh Request, Kenwood, 1785.

25. Forth Worth, Kimbell Art Museum. Anna Potocka (1758-1814), née Cetner, fille d'un propriétaire philosophe et botaniste des environs de Cracovie, devint, par son premier mariage, princesse Sanguszko. Après son veuvage, elle épousa le prince Casimir Nestor Sapieha, dont elle divorça trois ans plus tard. Son troisième mariage avec le comte Kajetan Potocki sera dissous six ans plus tard. Son père la conduit à l'autel une quatrième fois à Vienne, où elle épousa Charles Eugène, prince de Lorraine. Contrairement à ce qui est dit dans les *Souvenirs*, à l'époque du portrait de Rome, elle est l'épouse de Potocki, c'est donc bien son second et non son premier mari qu'elle veut reprendre. Voir J. Baillio, *Élisabeth Vigée Le Brun, 1755-1842, op. cit.*, cat. 34.

26. San Francisco, Fine Arts Museum, Hyacinthe Gabrielle Roland (1766-1816). Voir J. Baillio, « Vigée Le Brun and the classical practice of Imitation », art. cité, p. 94-125, p. 102.

27. Le comte de Mornington officialisera leur union en Angleterre, sans parvenir à légitimer leurs cinq enfants. Un portrait au pastel réalisé sensiblement à la même époque

par le peintre irlandais Hugh Douglas Hamilton représente la maîtresse de Richard Wellesley, avec moins de joliesse, mais autant de douceur, N. Jeffares, *Dictionary of Pastellists before 1800*, *op. cit.*, p. 231.

28. Rome, Accademia di San Luca.

26. LES ALENTOURS DE ROME, DES SITES PITTORESQUES

1. Lettre à Hubert Robert et Brongniart, 16 mars 1790, Papiers Tripier Le Franc, 28618-28625.

2. *Ibid.*

3. « Plusieurs études de paysage, à l'huile et au pastel, des environs de Rome. » Elle l'indique dans sa liste, *Souvenirs*, *op. cit.*, p. 563.

4. Lettre à Hubert Robert et Brongniart, 16 mars 1790. Papiers Tripier Le Franc, 28618-28625.

5. *Ibid.*.

6. Ch. Du Paty, *Lettres sur l'Italie en 1785*, *op. cit.*, t. LVI, p. 25.

7. Œuvre sur papier : 28,9 × 22, localisation inconnue, voir C. Blumenfeld, E. Breton, *Technè*, n° 33, *op. cit.*, p. 20.

8. Ch. Du Paty, *Lettres sur l'Italie en 1785*, *op. cit.*, t. II, p. 25.

9. M. U.

10. La villa de Mario Mellini fut édifiée sur le Clivus Cinnae (Monte Mario).

11. M. U.

12. P. D.É. Le Brun, chant III, « Le génie », in *La Nature*, *op. cit.*, t. II, 1811, p. 314.

13. M. U.

14. 1790 ou 1791.

15. Carlo Maratta, dit *Carlo delle Madonne* ou Maratti (1625-1713), peintre spécialisé dans les sujets religieux, élabora un style « mixte » entre celui des Carrache et de Guido Reni. Mme Le Brun, dont l'époux était accoutumé au travail de restaurateur, n'avait pu qu'être sensible au travail de Maratta.

16. *Souvenirs*, *op. cit.*, p. 394.

17. « Habet enim praeteriti doloris secura recordatio delectationem », Cicéron, À Lucceius, *Ad familiares*, V, 12, 4.

18. *Récits d'une tante. Mémoires de la comtesse de Boigne*, *op. cit.*, t. I, p. 117.

19. M. U.

20. Lettre à Brongniart, fragment inédit, archives privées.

27. NAPLES

1. M. U.

2. Lettre à Brongniart et à Hubert Robert. 16 mars 1790, Papiers Tripier Le Franc, 28618-28625.

3. Marie-Louise Mignot (1712-1790), nièce préférée de Voltaire, épousa M. Denis en mars 1738. Veuve en 1744, elle séjourna chez son oncle, dont elle fut la gouvernante et la maîtresse. Après la mort de celui-ci en 1778, elle se remaria en 1779 avec François Duvivier, attaché d'ambassade à Rome.

4. *Souvenirs*, *op. cit.*, p. 396.

5. *Ibid.*

6. J. Richard, *Description historique et critique de l'Italie*, *op. cit.*, t. IV, p. 272.

7. Voir S. della Gatta d'après Pietro Fabris, *Posilipana venditrice di pesce et Mangiatori di maccheroni. Les Itinéraires de Vivant Denon, Naples et Pompéi*, Marseille, Le Bec en l'air, 2009, p. 44-45.

8. M. U.

9. Le comte Pavel Martynovitch Skavronski, (1757-1793), ambassadeur de Russie à Naples à partir de 1784, et Ekaterina Vassilievna, comtesse Skavronskaïa, née Engelhardt (1761-1829), l'une des nièces de Potemkine. De ce mariage naquirent Ekaterina (princesse Bagration) et Marie (comtesse Pahlen). Ekaterina Vassilievna Skavronskaïa épousera le comte Jules Litta (1763-1839) en 1798.

10. Grand-duc N. M. Romanov, *Portraits russes des XVIIIe et XIXe siècles*, Saint-Pétersbourg, s. n., 1905-1909.

11. Voir l'esquisse, A. Goodden, *The Sweetness of Life, a Biography of Elisabeth-Louise Vigée Le Brun, op. cit.*, p. 281. L'histoire des différentes versions des portraits de la comtesse Skavronskaïa est complexe, voir Cl. Constans, « Un portrait de Catherine Vassilievna Skavronskaïa par madame Vigée Le Brun », *Revue du Louvre et des musées de France*, n° 4-5, 1967.

12. Paris, musée Jacquemart-André.

13. Nous ignorons s'il s'agit de répliques.

14. L'abbé Antoine Madeleine Bertrand (1745- ?) employé par Turgot au contrôle général, puis au bureau des consulats en 1796, devient consul à Trieste, puis à Naples, grâce à la protection de Bernis. Refusant de prêter serment, il démissionna le 5 octobre 1792, voir A. Mézin, *Les Consuls de France au siècle des Lumières, 1715-1792*, Paris, ministère des Affaires étrangères, Direction des archives et de la documentation, 1977, p. 143.

15. *Souvenirs, op. cit.*, p. 398.

16. Air n° 144 de *La Clef du Caveau*, n.d.

17. William Hamilton (1730-1803), diplomate et collectionneur, correspondant de la Royal Society de Londres, publie en 1772 les *Observations sur le Vésuve, l'Etna et autres volcans*. En 1776, il publie *Observations sur les volcans des Deux-Siciles* avec cinquante-quatre aquarelles de Pierre Fabris. C'est seulement en 1791 qu'il épouse Emma Hart, sa maîtresse depuis 1786. Voir *supra*, p. 215.

18. Lord Frédéric William Hervey, marquis de Bristol, pair d'Angleterre (1769-1859), membre de la Chambre des communes de 1796 à 1803, sous le nom de baron Hervey, remplaça ensuite son père à la Chambre des lords. De 1801 à 1803, il est secrétaire d'État aux Affaires étrangères. Voir *supra*, p. 215.

19. Sur la vie d'Emma, voir A. et A. Pons, *Lady Hamilton*, Paris, Nil, 2002.

20. *Souvenirs, op. cit.*, p. 402.

21. Charles Greville, second fils de Francis Greville, comte Warwick depuis 1759, et d'Élisabeth Hamilton, né en 1749, tenta sous l'influence de son oncle, de profiter de l'émergence du marché de l'art. Il est le frère cadet du Lord Warwick que Mme Le Brun connaîtra plus tard.

22. *Souvenirs, op. cit.*, p. 403.

23. A. et A. Pons, *Lady Hamilton, op. cit.*, p. 136.

24. *Souvenirs, op. cit.*, p. 402.

25. « Pour satisfaire au goût de son mari, elle était habituellement vêtue d'une tunique blanche ceinte autour de la taille ; ses cheveux flottaient ou étaient relevés par un peigne, mais sans avoir la forme d'une coiffure quelconque », *Mémoires de la comtesse de Boigne, op. cit.*, t. I, p. 122.

26. Collection particulière. Une copie sur cuivre figure à la Wallace Collection. Le portrait fut revendu à Lord Nelson en 1801. Une lettre à Mme Du Barry signale également qu'elle peint Lady Hamilton en Ariane, A.N. W. 16. Voir J. Baillio, *Élisabeth Vigée Le Brun, 1755-1842, op. cit.*, cat. 31, p. 89. Notice complète de J. Baillio, *The Arts of France…, op. cit.*, p. 328.

27. « Avant et pendant la révolution le louis d'or valait 24 livres, c'est donc pour 2 400 francs que Mme Vigée Le Brun fit ce portrait tant marchandé, et c'est 8 010 francs que le chevalier Hamilton vendit ce même portrait, la guinée valant vers cette époque 26 francs 70 centimes », note du premier éditeur des *Souvenirs*.

28. *Souvenirs, op. cit.*, p. 400.

29. Sur la filiation avec le tableau du Dominiquin, voir J. Baillio, *Élisabeth Vigée Le Brun, 1755-1842, op. cit.*, p. 101.

30. Voir J. Baillio, *Élisabeth Vigée Le Brun, 1755-1842, op. cit.*, cat. 36, p. 100. Nous ignorons comment le duc de Brissac a passé commande pour cette toile.

31. Collection particulière. L'artiste offre une réplique du buste d'Emma *en bacchante* à Lord Hamilton, qui la revend. Mme Le Brun enverra le tableau en pied (ou sa réplique) au Salon de 1798. Ménageot possédait une version en buste (non localisée). Il aurait pu exister jusqu'à quatre répliques en pied, et en buste, de la *Sibylle*. Voir J. Baillio, *Élisabeth Vigée Le Brun, 1755-1842, op. cit.*, p. 101 et *The Arts of France…, op. cit.*, p. 325-327.

32. Voir A. et A. Pons, *Lady Hamilton, op. cit.*, p. 73.

33. *Ibid.*, p. 80.

34. M. U.

35. A. et A. Pons, *Lady Hamilton, op. cit.*, p. 103.

36. La plupart des originaux sont conservés au British Museum.

37. Dona Anna Felicia Coutinho Pereira De Souza Freire, née vers 1765, épouse de Seabra e Silva (1732-1813), secrétaire du marquis de Pombal. C'est, semble-t-il, pendant son séjour à Naples que Mme Vigée Le Brun fit le portrait de Mme Silva, alors qu'il est signalé à Rome. Celui de Sebastião José de Carvalho e Melo, comte d'Oeiras, marquis de Pombal, pourrait être celui noté en 1777 sur sa liste, comme « baron de Vombal ».

38. *Souvenirs, op. cit.*, p. 409.

39. Le spectacle des éruptions est souvent associé au sublime. Voir l'évocation de Du Paty : « Puis tout à coup il s'ouvre, et vomit encore un autre incendie : cependant la lave s'élève sur les bords du cratère ; elle se gonfle, elle bouillonne, coule… et sillonne en longs ruisseaux de feu, les flancs noirs de la montagne. J'étais vraiment comme en extase. Ce désert ! Cette hauteur ! Cette nuit, ce mont enflammé ! Et j'étais là ! », *Lettres sur l'Italie, op. cit.*, t. III, p. 61.

40. Allusion au faisceau de fusées partant du château Saint-Ange.

41. Du Paty confie des impressions comparables : « À six heures du matin je me réveillai, en retrouvant le sommet du Vésuve, et son cratère, et son incendie, et sa lave devant mon imagination. Mon âme frémissait encore de toutes les émotions qu'elle avait éprouvées la veille », *Lettres sur l'Italie en 1785, op. cit.*, t. III, p. 63.

42. Guillaume Guillon Lethière, né à Sainte-Anne en Guadeloupe (1760-1832), fils d'un gouverneur et d'une servante mulâtre, entra dans l'atelier de Doyen. En 1784, il remporta le second prix de peinture, après Drouais. Bien qu'il n'ait pas droit au voyage de Rome, il partit grâce à la protection du comte de Montmorin. Après quatre ans à Rome, il revint à Paris et obtint un succès, au salon de 1795, grâce au tableau *La Mort de Virginie* (Louvre). En 1807, Lethière remplacera Suvée à la direction de l'Académie de France à Rome.

43. Artistes non identifiés.

44. Localisation inconnue.

45. A.N. W. 16. Dossier 7.

46. Rodolphe Antoine Hubert, baron de Salis, officier suisse (1732-1806), appelé à Naples par le ministre Acton, y organise l'armée, c'est à cette époque qu'il rencontre l'artiste pour la première fois. Il revint en Suisse et il fut accusé d'être un espion établi à Constance par les émigrés français. En 1799, Salis lèvera un régiment à la suite de l'Angleterre et prendra part à plusieurs campagnes contre la France.

47. *Souvenirs, op. cit.*, p. 414.

48. *Ibid.*

49. Lettre à madame Du Barry. A.N. W. 16.1 [7].

50. Note autographe, M. L.

51. Louise de Saint-Eugène Montigny.

52. Amaury Pineux-Duval (1760-1838), secrétaire de l'ambassade de France à Naples de 1785 à 1789, il y revint comme secrétaire attaché à la légation de la République française à Rome. Trois fois lauréat de l'Institut, chef du bureau des Beaux-Arts, membre de l'Académie des inscriptions (1816), il fondera avec Ginguené et Chamfort, *La Décade philosophique*, et collaborera à l'*Almanach des Muses* dirigé par Étienne Vigée.

53. François Cacault (1742-1805), chargé d'affaires à Naples de 1789 à 1792. Durant son séjour italien, François Cacault constitue une collection de peintures et d'estampes, avec les conseils du peintre Jean-Baptiste Joseph Wicar. (Mme Le Brun ne mentionne pas cet artiste). Avec son frère Pierre, peintre à la faïencerie familiale, il fondera un musée à Clisson afin d'abriter cette collection (acquise par le musée de Nantes).

54. *Souvenirs, op. cit.*, p. 424.

55. M. U.

56. Fille de l'empereur François Ier et de Marie-Thérèse, l'archiduchesse Marie-Caroline (1752-1814), sœur aînée de Marie-Antoinette, avait dû accepter la main de Ferdinand Ier des Deux-Siciles, à la place de sa sœur Marie-Josèphe, morte de la variole en 1768. Parmi leurs enfants, François Ier des Deux-Siciles et Marie-Amélie, future reine de France. Le soutien de Joseph Acton et de Lord Hamilton permit à Marie-Caroline d'engager les hostilités contre les armées de la France révolutionnaire. Elle trouva refuge en Sicile sous la protection de la marine britannique, mais se brouilla avec l'ambassadeur d'Angleterre et mourut à Vienne.

57. Marie-Thérèse de Bourbon-Siciles (1772-1807).

58. Naples, Musée et galerie nationale de Capodimonte.

59. Naples, Musée et galerie nationale de Capodimonte. Amélie disparaîtra à vingt-neuf ans.

60. La fille aînée de François, Marie-Caroline, épousera Charles Ferdinand d'Artois, duc de Berry, fils cadet de Charles X. Voir *infra*, p. 482.

61. Naples, Musée et galerie nationale de Capodimonte.

62. A.N. W. 16 [7]. Mme Le Brun écrit sa « lettre d'Italie », dont la mise en forme soignée laisse supposer l'existence d'un brouillon, à la favorite qui aimait les récits de voyage.

63. *Souvenirs, op. cit.*, p. 425.

64. En 1770. Voir A. et A. Pons, *Lady Hamilton, op. cit.*, p. 63.

65. *Correspondance intime du comte de Vaudreuil et du comte d'Artois...*, *op. cit.*, 17 janvier 1790, p. 90.

66. *Ibid.*, 13 février 1790, p. 101-102.

67. Marie-Amélie, épouse du duc de Chartres, puis roi Louis-Philippe.

68. Caserte était une résidence royale située à trente kilomètres de Naples, où fut édifiée à partir de 1752, la Reggia, palais royal et son parc par Charles III de Bourbon. Des manufactures de soie, exemples d'architecture industrielle, y furent fondées.

69. On se rappelle que l'expression est empruntée à Pierre Lemoyne.

70. Il est connu aujourd'hui par la copie qui figure au musée de Chantilly, l'original ayant été détruit en 1940.

71. Le « chiffre de la reine de Naples » figure dans l'inventaire après décès de Mme Le Brun. Ce bijou n'est pas localisé.

72. Les guirlandes de statuettes imaginées par le sculpteur Filippo Tagliolini semblent rendre compte de la vision de l'artiste. *Guirlande de l'Aurore*, 1807, Musée et galerie nationale de Capodimonte.

73. La fête de la *Madonna de Piedigrotta* se tient les 5, 6, 7 septembre.

74. Le guide de Lalande confirme cette coutume, *Voyage d'Italie, op. cit.*, t. V, p. 303.

75. *Nina, ou la Folle par amour*, de Dalayrac, sur un livret de Marsollier créé à Choisy, chez le comte de Coigny, et le 15 mai 1786 au théâtre Italien à Paris. Mme Le Brun pouvait faire la comparaison avec l'opéra de Paisiello donné à Caserte.

76. Édifié en 1737, sous le règne de Charles de Bourbon, le théâtre San Carlo est un des plus vastes d'Europe à cette époque.

77. Diderot, *O.C.*, *op. cit.*, t. IV, p. 684.

78. Versailles, Musée national du château. Les chemins des deux artistes ne se croiseront plus. Paisiello composera un *Te Deum* pour la messe du couronnement à la demande de l'Empereur en 1804, à un moment où Mme Le Brun voyagera en Angleterre. La carrière du compositeur connaîtra des hauts et des bas, en fonction des changements de dynastie à Naples.

79. J. Baillio, *Élisabeth Vigée Le Brun, 1755-1842*, *op. cit.*, p. 92.

80. *La Béquille de Voltaire au Salon*, an III de la Liberté (1791), p. 772, collection Deloynes, XVII.

81. *Souvenirs*, *op. cit.*, p. 299.

82. Il semble que l'artiste réalise une réplique au pastel de ce portrait, voir J. Baillio, *Élisabeth Vigée Le Brun, 1755-1842*, *op. cit.*, p. 95.

83. Ou peut-être l'hiver suivant, à supposer que l'artiste ait fait un autre voyage à Naples, dont nous n'avons pas la preuve.

84. « Méditation », in *Encyclopédie ou Dictionnaire raisonné des Sciences et des arts*, vol. XXI.

85. Carlo Castone della Torre di Rezzonico (1742-1796). Luxembourg, musée national d'Histoire de l'Art.

86. Le 16 avril 1791.

87. Et non la première comme elle l'indique dans les *Souvenirs*.

88. Jean-Siffrein Maury (1746-1817), auteur d'un *Essai sur l'éloquence de la chaire* (1777), élu en 1789 député du bailliage de Péronne, défenseur de la noblesse et du clergé, tint tête à Mirabeau. Maury serait à l'origine de l'appellation de « sans-culotte ». Réfugié en Italie, il fut distingué par le pape, qui le fit archevêque *in partibus* de Nicée et nonce extraordinaire à la Diète de Francfort. Il devint en 1794 évêque de Monteliascone et de Corneto, puis, revenu en France, se rallia à Napoléon, qui le nomma cardinal.

89. Il est possible que Mme Le Brun ait effectué un dernier aller-retour à Naples, dont nous n'avons pas la trace. Voir J. Baillio, *Élisabeth Vigée Le Brun, 1755-1842*, *op. cit.*, p. 14.

90. Collection particulière. Voir J. Baillio, *The Winds of Revolution*, *op. cit.*, p. 54.

91. Montpellier, musée Fabre.

92. *Souvenirs*, *op. cit.*, p. 433.

28. De Rome à Venise : la voix de la nature

1. *Corinne*, *op. cit.*, p. 230, 231.

2. Ville située sur un ancien site étrusque (*Falerii Veteres*) détruit en 242 puis rebâti par les Romains aux VIIIe et IXe siècles.

3. Corot, *Le Pont de Narni*, esquisse, 1826 (musée du Louvre). La toile exposée en 1827 est à Ottawa, Galerie nationale du Canada.

4. *Souvenirs*, *op. cit.*, p. 434.

5. *Ibid.*, p. 435.

6. La Vierge de Foligno, transportée en 1565 à l'église Sainte-Anne du monastère des Comtesses à Foligno, sera transférée en France en 1797, suite au traité de Tolentino, et entrera en 1816 à la pinacothèque du Vatican.

7. Louise Élisabeth Vigée Le Brun pense avoir vu cette œuvre à Spolète alors que cette huile sur bois, attribuée au Pérugin avec la collaboration de Raphaël, était placée dans le monastère de Saint-Pierre de Pérouse. *L'Adoration des mages*, Rouen, musée des Beaux-Arts.

8. Pietro Vannucci, dit le Pérugin.

9. *Souvenirs, op. cit.*, p. 436. On se souvient qu'il s'agit, en réalité, de celui de Bindo Altovitti.

10. *Ibid.*, p. 437.

11. *Ibid.*, p. 437.

12. L'abbé Félix Fontana (1730-1803) avait composé deux traités : *Expérience sur les parties irritables et sensibles* (1755), *Des lois de l'irritabilité* (1763).

13. *Souvenirs, op. cit.*, p. 437.

14. *Ibid.*, p. 438.

15. *Ibid.*, p. 438.

16. Sainte Catherine (1347-1389), fille d'un teinturier siennois, entra dans l'ordre des dominicaines à treize ans.

17. La *Maesta* de Martini date de 1315, et la chapelle des fresques de Taddeo di Bartolo de 1408.

18. Ces statues sont actuellement conservées dans le Musée de la cathédrale.

19. Créée le 1ᵉʳ mai 1752, l'Académie de Parme ne fut inaugurée que le 2 décembre 1757. Voir H. Bédarida, *Parme et la France, 1748-1789*, Paris, Champion, 1928, p. 380.

20. Parme, Galerie nationale.

21. *Souvenirs, op. cit.*, p. 440.

22. Et non à son premier passage comme elle le note par erreur dans ses *Souvenirs*.

23. Marie-Amélie de Habsbourg-Lorraine (1746-1804), septième fille de Marie-Thérèse d'Autriche, avait épousé Ferdinand de Bourbon, duc de Parme. L'empereur d'Allemagne Joseph II né en 1741 meurt en 1790, le souvenir rapporté par l'artiste ne peut donc appartenir qu'à son second séjour à Parme. Toutefois, ce deuil aurait pu prolonger celui d'un enfant mort en 1789.

24. M. U.

25. Giulio Pippi, dit Jules Romain (1492-1546), collaborateur de Raphaël entre 1515 et 1520, mit au point un système décoratif qui mêlait stuc et peinture.

26. Jules Romain réalise, tant pour la peinture que l'architecture, le palais du Te, de 1526 à 1534, qui devint un modèle du genre pour l'art maniériste. Les façades extérieures jouent sur l'emploi d'un ordre rustique, avec des effets bosselés. À l'intérieur, Jules Romain et son atelier peignent à fresque des motifs illusionnistes souvent antiquisants. Francesco Primaticcio, dit le Primatice (1504-1570), élève de Romain, fut également peintre, architecte et sculpteur. À l'instigation de son maître, il se rendra, en 1732, en France auprès de François Iᵉʳ.

29. VENISE

1. *Mémoires d'outre-tombe, op. cit.*, 1989-1998, livre 39, chap. IV, p. 829.

2. *Souvenirs, op. cit.*, p. 443.

3. Th. d'Espinchal, *Journal d'émigration*, Paris, Perrin, 1912, p. 117.

4. J. Richard, *Description historique et critique de l'Italie, op. cit.*, t. II, 446.

5. Th. d'Espinchal, *Journal d'émigration, op. cit.*, p. 120.

6. Le baron Dominique Vivant Denon (1747-1825), auteur de *L'Originale e il Rittrato* (L'original et le portrait), Bassano, 1792. Cet opuscule (quarante pages) contient les portraits d'Isabelle Teotochi Marini et de Mme Vigée Le Brun, gravés à l'eau-forte, par Denon lui-même. Voir *Dominique Vivant Denon. L'œil de Napoléon*, catalogue, Paris, RMN, 1999.

7. Lettres de Pietro Zaguri, mars 1792, *in* G. Casanova, « *Mon cher Casanova* », Paris, Champion, 2008, p. 524.

8. *Ibid.*

9. Auguste Frédéric (1773-1843), duc de Sussex, prendra place, à son retour à Londres, parmi les membres de l'opposition de la Chambre haute. Ce prince bibliophile

sera président de la Royal Society de Londres, de la Société des arts, vice-président de la Société de géographie, conservateur du Musée britannique.

10. J. Richard, *Description historique et critique de l'Italie, op. cit.*, t. II, p. 471-472.

11. E. Gretchanaïa, C. Viollet, « *Si tu lis jamais ce journal...* » *Diaristes russes francophones, 1780-1854*, Paris, CNRS éditions, 2008, p. 103.

12. Voir N. Jonard, *La Vie quotidienne à Venise, au XVIIIᵉ siècle*, Paris, Hachette, 1978, p. 109.

13. Isabella Marini née Teotochi (1760-1836).

14. La correspondance qui lui fut adressée par Vivant Denon a été publiée, *Lettres à Isabella Teotochi, 1788-1816*, Paris, Paris-Méditerranée, 1998. La situation étant sans issue, sur les conseils de Denon, Isabella épousera le comte Albrizzi.

15. *Souvenirs, op. cit.*, p. 446.

16. Voir Th. d'Espinchal, *Journal d'Émigration, op. cit.*, p. 131

17. Jacopo Robusti, dit Tintoretto (1518-1594), le Tintoret fut pendant peu de temps l'élève du Titien. Sa passion était celle des effets de lumière. Il fut chargé de la décoration de cette « confrérie » (d'anciennes écoles, Scuole, étaient transformées en confréries de bienfaisance).

18. *Le Martyr de saint Pierre* du Titien, admiré par Mme Le Brun, fut réquisitionné par les Français, puis rendu et exposé à la chapelle du Rosaire, et détruit lors d'un incendie en 1867. Voir A. Villari, *Viaggio in Italia di una donna artista..., op. cit.*, p. 172, n. 242.

19. Les chevaux de bronze, rapportés de Constantinople par le doge Dandolo en 1204, furent transportés à Paris en 1797 et restitués à la chute de l'Empire.

20. Pour Frédéric II de Mantoue, le Corrège peint une série inspirée des *Métamorphoses* d'Ovide, dont fait partie la Danaé, Rome, galerie Borghese.

21. Gasparo Pacchierotti ou Pacchiarotti (1740 ou 1744-1821) se rendit à Londres où il remporta un tel succès qu'il arrivait qu'on raccourcît une séance du Parlement afin d'assister à l'un de ses concerts.

22. « Il débitait si vite, outre cela, que ma fille, qui parlait fort bien l'italien, ne comprenait pas un mot de ce qu'il disait », *Souvenirs, op. cit.*, p. 448.

23. *Ibid.*, p. 447.

24. Fêtes non jeûnées.

25. Th. d'Espinchal, *Journal d'Émigration, op. cit.*, p. 125.

26. *Ibid.*, p. 120.

27. Voir *infra*, p. 270.

28. Voir *infra*, p. 270 et 363.

29. *Souvenirs, op. cit.*, p. 448.

30. Vivant Denon réalise une eau-forte représentant Mme Le Brun réalisant le portrait d'Isabella. U. Van De Sandt. Voir *Dominique Vivant Denon. L'œil de Napoléon, op. cit.*, cat. 46, p. 92.

31. Toledo Museum of Arts; Vivant Denon, lettre du 8 sepembre 1793, in *Lettres à Bettine, op. cit.*, p. 207

32. juin 1792, in *ibid.*, p. 116.

33. Dans le catalogue intitulé, *Description des objets d'art qui composent le cabinet de feu M. le baron V. Denon*, – Tableaux, dessins et miniatures, on trouve, à la page 207, sous le titre : Dessins et croquis de M. le baron Denon (Dominique Vivant) et sous le n° 910 : « Un croquis à la plume d'une Sibylle faite par madame Lebrun » (note de l'édition de 1867 des *Souvenirs*).

30. L'ESPOIR DU RETOUR

1. Andrea Pietro della Gondola, dit Palladio (1508-1580), de modeste naissance, débuta comme sculpteur. Le comte Giangiorgio Trissino, mécène et poète, lui attribua le nom de Palladio, symbole de Minerve, protectrice de la ville de Venise. Bien que

l'œuvre de l'architecte n'ait pas toujours été terminée de son vivant, la fascination exercée par Palladio tient à son rôle de théoricien, à la diffusion de ses dessins et à son grand œuvre : les *Quattro Libri dell'architettura*, Venise, 1570.

2. *Souvenirs, op. cit.*, p. 431.

3. La basilique de Monte Berico de style baroque abritait la fresque du *Repas donné par saint Grégoire à des pauvres* de Paulo Caliari dit le Véronèse. Véronèse, qui avait peint nombre de cènes évangéliques, avait réalisé cette toile qui fut déplacée dans le palais Chiericati.

4. Dans la chapelle Ovetari de l'église des Eremiti, construite de 1264 à 1276 se trouvent des fragments de fresques de Mantegna, représentant des épisodes de la vie de saint Jacques.

5. La chapelle de l'Arena, dite Scrovegni, est ornée de trente-huit fresques de Giotto, représentant des épisodes de la vie de la Vierge et du Christ, et des allégories.

6. Érasme de Narni, connu sous le nom de Gatamelata, la « chatte tachetée » en raison de sa souplesse, défenseur de Venise. Sa statue par Donatello est édifiée sur la Piazza del Santo.

7. Mme Le Brun voit un *Saint Georges qui refuse d'adorer les idoles* de Véronèse (Ch. N. Cochin, *Voyage d'Italie...*, *op. cit.*, t. III, p. 191) et le *Miracle de saint Barnabé* (saint Barnabé donnant sa bénédiction aux malades). Le tableau *Une Madone, un saint et des anges* est de Girolamo dai Libri (1474-1555), qu'elle nomme « Chieralino ».

8. *Souvenirs, op. cit.*, p. 454.

9. Marceline Desbordes-Valmore, *Les Yeux pleins d'églises. Le voyage d'Italie*, Paris, La Bibliothèque, 2010.

10. Il s'agit de la comtesse Clementina Corsini épouse de Marco Marioni (1782) et de sa sœur (voir A. Villari, *Viaggio in Italia di una donna artista...*, *op. cit.*, p. 179). Et également la marquise Strozzi, issue d'une famille patricienne florentine. On ignore par qui l'artiste leur a été présentée.

11. Marie-Clotilde de Bourbon (1559-1802), sœur de Louis XVI, épouse du prince Charles Emmanuel, roi de Sardaigne de 1796 à 1802, n'eut pas de descendance.

12. Marie-Joséphine de Savoie (1753-1810), fille de Victor-Amédée III de Savoie (1726-1796), roi de Sardaigne, et de Marie-Antoinette, infante d'Espagne (1729-1785), comtesse de Provence par son mariage en 1771 avec Louis (1755-1824), comte de Provence, peu appréciée à la cour de Versailles. En 1774, à l'avènement de Louis XVI, elle prit le titre de « Madame ». Après 1789, avec Mme de Gourbillon, elle parcourt l'Europe. Mme Le Brun ne relaie pas les propos colportés sur son compte. Marie-Joséphine Louise de Savoie mourut en 1810, en Angleterre, quatre ans avant l'avènement de son époux. Voir Ch. Dupechez, *La Reine velue. Marie-Joséphine Louise de Savoie (1713-1810)*, Paris, Grasset, 1993.

13. Marguerite de Gourbillon, née Gallois (1737- ?), lectrice de Madame, épousa en 1763, le directeur des postes de Lille, et aurait ajouté une particule à son nom. Lors de son séjour à Mittau, le comte de Provence demanda à Marguerite de Gourbillon de s'éloigner, il ne fut pas obéi et la fit enfermer quelque temps au couvent de Vilnà.

14. F. Camus, *Jean-Baptiste Pierre Le Brun, peintre et marchand de tableaux*, *op. cit.*, p. 396.

15. *Souvenirs, op. cit.*, *p.* 457.

16. *Ibid.*, p. 158.

17. Jeanne Louise Constance d'Aumont de Villequier, duchesse de Villeroy, auteur de libelles royalistes et d'une traduction de *L'Histoire de la Grèce* de Gillies.

18. Place des Conquêtes (actuelle place Vendôme). Voir *Mémoires du comte de Paroy (1750-1824)*, *op. cit.*, p. 349.

19. É. Vigée, *Poésies de L.-J.-B.-É. Vigée*, *op. cit.*, p. 160.

20. *Souvenirs, op. cit.*, p. 159.

21. Le prince Nikolaï Borissovitch Ioussoupov (1751-1831), époux d'une des nièces de Potemkine, Tatiana Vassilievna, avait réuni dans son domaine près de Moscou des collections considérables. Un catalogue en a été publié. Collection particulière.

22. 1792, Turin, Galleria Sabauda, voir A. Villari, *Viaggio in Italia di una donna artista*, *op. cit.*, p. 163.

23. N. Jonard, *Milan au siècle des Lumières*, Dijon, Presses universitaires, 1974, p. 148.

24. J. Richard, *Description historique et critique de l'Italie*, *op. cit.*, t. I, p. 281.

25. L'église Santa Maria delle Grazie, bâtie par les Dominicains de 1465 à 1490, la Cène fut peinte dans le réfectoire à la demande de Ludovic le More.

26. *Souvenirs*, *op. cit.*, p. 461.

27. La bibliothèque Ambroisiana, située dans un palais édifié en 1609 par le cardinal Borromée.

28. *Souvenirs*, *op. cit.*, p. 463.

29. La Scala avait été inaugurée le 3 août 1778.

30. Johann Joseph, comte de Wilczeck (1738-1819), gouverneur de Toscane puis de Lombardie autrichienne.

31. G. Carpani, *Lettere di Giuseppe Carpani all'Egregio Pittore Signor C.T. Romano*, Milan, Marelli, 1792.

32. Mentionné par G. Carpani, *ibid.*

33. Comtesse Anna Bystra, née Rakowska (1770-1828). Voir A. Ryszkiewicz, « Les portraits polonais de Madame Vigée-Lebrun. Nouvelles données pour servir à leur histoire », *Bulletin du Musée national de Varsovie*, vol. XX, 979, n° 1.

31. INSTALLATION À VIENNE

1. Comtesse Marie Wilhelmine Thun (1738-1800), née Uhlfeld, épouse de Joseph, septième comte de Hohenstein.

2. *Souvenirs*, *op. cit.*, p. 466.

3. Elisabeth Thun-Hohenstein (1764-1806), première épouse du comte (en 1788) Andrei Kirillovitch Razoumovski (1752-1836), ambassadeur de Russie à la cour des Habsbourg. Localisation inconnue (voir gravure J. Baillio, « Identification de quelques portraits d'anonymes de Vigée Le Brun aux États-Unis », art. cité, p. 164).

4. Maria Christiane Thun-Hohenstein (1765-1841), princesse Lichnowska, épouse du prince Karl Aloïs Lichnowsky (1761-1814), protecteur de Beethoven, était une excellente pianiste.

5. La troisième des filles de Mme de Thun, Lady Marie Caroline Guilford (1769-1800), épousa Richard Meade, Lord Guilford, deuxième comte Clanwilliam (1766-1805) (Varsovie, Muzeum Narodove).

6. Comtesse Maria-Teresa Kinska, née Dietrichstein (1768-1822), épousa en premières noces le comte Philippe-Joseph Kinsky von Wchinitz und Tettau, gouverneur de Vienne (1770-1827) et, en secondes noces le comte Maximilien von Merveldt, peut-être une nièce de la comtesse de Thun.

7. Pasadena, Norton Simon Museum. La version en buste est conservée dans une collection privée aux États-Unis.

8. *Souvenirs*, *op. cit.*, p. 468.

9. *Ibid.*, p. 486.

10. É. Vigée, « *Ma journée* ». *Poème par L.-J.-B.-É. Vigée*, Paris, Louis, an VII (1799).

11. Fondée en 1718.

12. Voir Ph. Mansel, *Le Charmeur de l'Europe. Charles-Joseph de Ligne, 1735-1814*, Paris, Stock, 1992, p. 174.

13. C'est ainsi qu'est nommée la poste *intra muros*.

14. A. Ryszkiewicz, « Les portraits polonais de madame Vigée Le Brun », art. cité, p. 20.

15. Flora Kageneck (1779-1857), fille du comte Frederik Kageneck et de la comtesse Maria-Theresa Salm Reiffersheidt, représentée à l'âge de treize ans, et non seize comme le note l'artiste, épouse le comte Eugène Wrbna en 1798. Cousine du prince Clemens von Metternich (1773-1859), elle jouera le rôle d'hôtesse lors du congrès de Vienne, de septembre 1814 à juin 1815. Voir J. Baillio, « Vigée Le Brun à la cour des Romanov », in *Catherine la Grande, un art pour l'Empire*, Montréal, musée des Beaux-Arts de Montréal, Snoeck, 2005, fig. 993, p. 133 (fondation Bemberg, Toulouse).

16. Baron Grigori Alexandrovitch Stroganov, 1793 (Saint-Pétersbourg, musée de l'Ermitage). Voir *Les Stroganoff. Une dynastie de mécènes*, sous la dir. de Br. de Montclos, catalogue d'exposition, musée Carnavalet, Paris, Paris musées, 2002, p. 93. Mme Le Brun réalisera un autre portrait de la baronne Anna Sergeevna Stroganova, née Troubetskaïa.

17. Après la dissolution du Saint-Empire romain germanique, il est désigné comme François Ier d'Autriche (1768-1835) ; il succéda en 1792 à son père Léopold II (1747-1790), frère du précédent empereur et de Marie-Antoinette. François Ier, neveu de Marie-Antoinette, est le père de Marie-Louise, future épouse de Napoléon.

18. Armand Du Plessis, comte de Chinon, puis duc de Richelieu (1766-1828), petit-fils du maréchal. Agent diplomatique de Louis XVI, il séjourna à la cour de Joseph II, puis combattit contre les Turcs aux côtés du prince de Ligne. Mme de Boigne en fait le portrait en 1815 : « Grand homme d'une belle figure ; ses cheveux gris contrastaient avec un visage encore assez jeune. [...] Il était en bottes et mal tenu avec une sorte d'affectation, mais, sous ce costume, conservait l'air très grand seigneur », *Récits d'une tante. Mémoires de la comtesse de Boigne*, op. cit., t. I, p. 514.

19. Lettres du comte de Calonne à la duchesse de Polignac, voir Er. Daudet, *Histoire de l'émigration. Cobenzl, 1789-1793*, Paris, E. Kolb, 1889, p. 329.

20. Cité par Gh. de Diesbach, *Histoire de l'émigration (1789-1814)*, Paris, Perrin, coll. « Tempus », 2007, p. 455.

21. J. Baillio, « Auguste Louis Jean-Baptiste Rivière (1761-1833) », in *Old Master Paintings and Drawings*, Londres, Colnaghi, 2003, p. 26.

22. Louise Julie Constance de Rohan, comtesse de Brionne (1734-1815).

23. Abbé J.-F. Georgel, *Voyage à Saint-Pétersbourg*, Paris, Eymery, 1818, p. 79.

24. Localisation inconnue.

25. Mme de Rombeck, la sœur du tout-puissant chancelier comte Louis de Cobenzl était surnommée Mme de Caquet-bon-bec par le prince de Ligne.

26. Lettre inédite d'Elzéar de Sabran au duc de Polignac du 13 février 1793 (transcription par Sue Carrell).

27. Clément Wenceslas, comte, puis prince de Metternich-Winneburg (1773-1859). Le jeune Metternich a étudié à l'université de Strasbourg, où il a pour condisciple Benjamin Constant. Il achève sa philosophie en 1790. Après avoir visité l'Angleterre et la Hollande, il vient habiter Vienne, où il épouse, à vingt et un ans, la fille du prince de Kaunitz-Rietberg en 1795. C'est avant ce mariage que Mme Vigée Le Brun le rencontre.

28. *Lettres du prince de Ligne à la marquise de Coigny pendant l'année 1787*, Lescure. *Le Voyage de Crimée. Lettres à la marquise de Coigny*, Toulouse, Ombres, 1997, p. 33.

29. *Souvenirs*, op. cit., p. 287.

30. Voir Ph. Mansel, *Le Charmeur de l'Europe...*, op. cit., p. 159-162.

31. Le comte Jules de Polignac avait épousé, en 1767, Yolande de Polastron, et grâce à la faveur dont sa femme jouissait auprès de Marie-Antoinette, il obtint la charge de premier écuyer de la reine et en 1780, le titre de duc. Ayant émigré en 1789, il joue le rôle d'agent des frères du roi à la cour de Vienne. Veuf, en 1793, il passera en Russie, recevra de Catherine II une terre en Ukraine et mourra à Saint-Pétersbourg sans avoir revu la France.

32. Marie Hyacinthe Albertine (1766-*ante* 1842) a épousé Charles Davrange de Noiseville, avec qui elle a eu en 1789 une fille, Marie Anastasie. Le nom de sa mère est ignoré à ce jour.

33. Auguste Armand et Camille Henri Melchior. Voir *L'Enfant chéri au siècle des Lumières*, *op. cit.*, p. 122.

34. Diane de Polignac, dame d'honneur de Madame Élisabeth, n'est pas mariée. Bien qu'elle porte les insignes d'un chapitre de Lorraine, elle n'a pas le titre de chanoinesse. H.-L. d'Oberkirch, *Mémoires sur la cour de Louis XVI et la société française avant 1789*, *op. cit.*, p. 237. Son fils est nommé Villerot.

35. Non localisé. *Souvenirs*, *op. cit.*, p. 340-341.

36. Francesco Casanova (1727-1802). *Souvenirs*, *op. cit.*, p. 469.

37. *Ibid.*, p. 469.

38. Musée des Beaux-Arts de Rouen.

39. Charles Henri Nicolas Othon, prince de Nassau-Siegen (1745-1805), fils de Maximilien Guillaume Adolphe, lui-même fils adultérin de Charlotte de Mailly, épouse séparée d'Emmanuel Ignace de Nassau-Siegen. Othon, légitimé par le parlement de Paris en 1756, ne put pas se faire reconnaître par le conseil aulique, accompagna Bougainville dans son voyage autour du monde (1766-1769). Il se rendit en Afrique ; le combat qu'il livra, corps à corps, avec un tigre lui valut en Europe une grande réputation. Le second portrait du prince de Nassau-Siegen a été identifié par J. Baillio, *The Winds of Revolution*, *op. cit.*, cat. 34.

40. M. U.

41. *Souvenirs*, *op. cit.*, p. 469.

42. Antoine Wenceslas, prince de Kaunitz (1711-1794), nommé par Marie-Thérèse, ambassadeur à Rome et à Turin, gouverneur des Pays-Bas par intérim (1744), représenta l'Autriche au congrès d'Aix-la-Chapelle (1748). Placé au poste de chancelier d'État, il conserva la direction des affaires pendant tout le règne de Marie-Thérèse, mais vit diminuer son crédit à l'avènement de Joseph II. Il revint aux affaires sous Léopold II.

43. Le *Geheime Hofkanzlei* réaménagé par Nicolo Pacassi.

44. *Souvenirs*, *op. cit.*, p. 470. Façon de monter « dans une position droite et libre, soit pour se tenir et s'affirmer à cheval quand il le faut, soit pour se relâcher à propos... » Fr. R. de La Guérinière, *À la française. Pages choisies par Georges de Lagarenne*, Paris, Jean-Michel Place, 1987, p. 1.

45. Philips Wouwerman (1619-1668), peintre hollandais, a représenté des scènes de bataille et de chasse.

46. Collection privée. *Créer au féminin, femmes artistes du siècle de Madame Vigée Le Brun*, *op. cit.*, cat. 75.

32. 1793, ANNÉE FUNESTE

1. *Correspondance intime du comte de Vaudreuil et du comte d'Artois...*, *op. cit.*, p. 173.

2. *Souvenirs*, *op. cit.*, p. 481. Nicolas Esterhazy de Galantha (1765-1833) reçut en 1797 le commandement de l'armée hongroise, chargée de repousser les Français qui envahissaient les États héréditaires de l'Autriche. Il remplit à partir de 1814 les fonctions de ministre plénipotentiaire à Naples, auprès de Murat, puis de Ferdinand. Amateur et protecteur des arts, il installa Haydn dans sa résidence d'Esterhaz, et réunit à Vienne une collection de tableaux et de dessins.

3. *Souvenirs*, *op. cit.*, p. 484.

4. Lettre d'Elzéar au duc de Polignac du 13 février 1793 (communiquée par Sue L. Carrell).

5. Princesse Caroline de Liechtenstein (1768-1831), née comtesse de Manderscheidt, épouse du prince Alois Ier. (Pour la version en buste, Vienne, palais Liechtenstein).

6. *Souvenirs*, *op. cit.*, p. 485.

7. Prince de Ligne, *Le Voyage de Crimée, op. cit.*, lettre IV.

8. F. G. Golovkine, *La Cour et le Règne de Paul Ier*, Paris, Plon, 1905, p. 250-251.

9. Château royal de Varsovie. *Semper Polonia. L'art en Pologne des Lumières au romantisme*, catalogue d'exposition, Paris-Dijon, Somogy-musée des Beaux-Arts de Dijon, 2004, p. 220. J. Baillio, *Élisabeth Vigée Le Brun, 1755-1842, op. cit.*, p. 105. J. Baillio suggère que ce portrait a été inspiré par celui de Jean Laurent Mosnier par Lagrenée que l'artiste avait pu voir à Paris.

10. Princesse Marie Czartoryski (1768-1854), épouse de Ludwig von Würtemberg. Localisation inconnue.

11. Vienne, Gemäldegalerie.

12. La lyre représentée comporte quatre cordes, et non les trois cordes de la lyre d'Hermès. Cet instrument au son magique permettait de construire des murailles sans avoir à soulever les pierres.

13. Voir J. Baillio, « Vigée Le Brun pastelliste et son portrait de la duchesse de Guiche », art. cité, p. 20-29.

14. *Correspondance intime du comte de Vaudreuil et du comte d'Artois..., op. cit.*, 6 décembre 1793, p. 163.

15. *Ibid.*, 6 décembre 1793, p. 165.

16. « Je veux que tu arranges avec madame Le Brun que ce soit moi qui paie son ouvrage », *Correspondance intime du comte de Vaudreuil et du comte d'Artois..., op. cit.*, t. II, 25 décembre 1793, p. 173. Ce portrait sera gravé par Fischer l'année suivante.

17. Ce pastel de 1784 faisait partie de la collection de Vaudreuil. Le portrait à l'huile de 1794 est dans une collection privée.

18. 15 septembre 1793, archives privées.

19. 26 novembre 1793, archives privées.

20. Antoine Chrysostome Quatremère de Quincy (1755-1850), élu à l'Assemblée législative en 1791, emprisonné treize mois durant la Terreur, député de 1820 à 1822, auteur de *Considérations sur l'art du dessin* en France (1791).

21. Le 10 brumaire an II (31 octobre 1793) les délégués de quarante-trois sections formant une sorte de comité central décidèrent de faire effectuer des « visites domiciliaires ». Er. Mellié, *Les Sections de Paris durant la Révolution*, Paris, Société d'histoire de la Révolution française, 1898, p. 215.

22. 14 octobre 1793, archives privées.

23. Papiers J.-B. Le Brun, B.n.F., N.A.F. 20157.

24. Maria Teresia Paar (1746-1818), fille du prince Johann Joseph Paar (1719-1792) et de la comtesse Antonia Esterhazy (1719-1771), épouse du comte Josef Bucquoï. Minneapolis Institute of Arts. Voir J. Baillio, *Élisabeth Vigée Le Brun, 1755-1842, op. cit.*, p. 104.

25. *Souvenirs, op. cit.*, p. 478.

26. Née Schönborn-Heussenstamm, épouse Czernin (1758-1842).

27. Pelagia Roza Sapieha, née Potocka (1775-1846), épouse du prince Franciszek Sapieha (1772-1826).

28. 1782, Londres, Kenwood collection.

29. Varsovie, château royal. Voir *Semper Polonia. L'art en Pologne des Lumières au romantisme, op. cit.*, p. 206.

30. *Souvenirs, op. cit.*, p. 471.

31. Anne von Escherny, épouse du comte et trésorier Johann von Fries, mère de Sophie von Fries, de la comtesse von Schönfeld représentée par l'artiste avec sa fille, et de Moritz Christian von Fries, qui devint banquier lui aussi (1777-1826).

32. *Sophie von Fries jouant de la lyre* (musée national Jaromerice, République tchèque). Sophie von Fries (1769- ?) épousa le comte William von Haugwitz (1770-1840).

33. Ursula Margaretha Victoria, comtesse von Schönfeld (1767-1805), épouse de l'ambassadeur de Saxe à la cour des Habsbourg. J. Baillio, *Élisabeth Vigée Le Brun, 1755-1842, op. cit.*, cat. 40, p. 106. (University of Arizona Museum of Art).

34. Gaspard-Louis Andrault, comte de Langeron (1763-1831), émigre en 1790, se rend en Russie, où Catherine II lui accorde un grade. Dans l'armée des princes, il fait la campagne de Champagne, puis, en 1793 et 1794, participe, dans l'armée autrichienne, à la plupart des batailles contre la France. De retour en Russie en 1799, est nommé lieutenant général. Il épousera Natalia Petrovna Kachintseva, née princesse Troubetskaïa, puis veuf, Elizaveta Adolphovna Brimmer. Avant la Révolution, Langeron avait composé une comédie intitulée, *Le Duel supposé* (Paris, 1789). Il a laissé des mémoires.

35. La pièce *Les Châteaux en Espagne* de Jean-François Collin d'Harleville (1755-1806) créée le 20 février 1789.

36. Joseph Alexandre, vicomte de Ségur (1756-1805), frère cadet du comte Louis-Philippe de Ségur, ambassadeur auprès de Catherine II, colonel des régiments de Noailles et maréchal de camp.

37. Louis, comte de Narbonne (1755-1813), fils d'une dame d'honneur d'Élisabeth de France, Narbonne arrive à cinq ans à Versailles, où sa mère devient dame d'honneur de Mme Adélaïde. La famille royale le traite avec bonté. Louis XV aurait été son père. Colonel à trente ans du régiment d'Angoumois puis de Piémont, Narbonne adopte les idées constitutionnelles. Il aide Mesdames à quitter la France pour Rome. Louis XVI l'appelle au ministère de la Guerre, mais il ne conserve ce portefeuille que jusqu'en mars 1792. Il parvient à s'enfuir à Londres, grâce à Mme de Staël, puis s'exile en Suisse et en Allemagne.

38. Ch. Brifaut, *Souvenirs d'un académicien sur la Révolution, le Premier Empire et la Restauration*, Paris, Albin Michel, 1920, t. I, p. 322, cité par L. Pingaud, *Correspondance intime du comte de Vaudreuil et du comte d'Artois...*, *op. cit.*, p. XXVI.

33. Une décision difficile

1. *Ibid.*, À Lady Foster, 19 décembre 1793, p. 171.

2. *Ibid.*, 1er mars 1794, p. 191.

3. Roslin était arrivé à Saint-Pétersbourg en septembre 1775. *Alexandre Roslin. Un portraitiste pour l'Europe*, catalogue d'exposition, Paris, RMN 2008, p. 45.

4. Le comte Andrei Kirillovitch Razoumovski (1752-1836) fut ambassadeur à Naples (1777), Stockholm (1790), Vienne où il secondait Golitzyne. Camarade d'enfance du grand-duc Paul, il aurait entretenu une correspondance secrète avec la première épouse de Paul, Natalia Alexeevna. D'après le grand-duc Romanov, il était dénué de tous principes.

5. Cité par P. de Nolhac, *Madame Vigée Le Brun, peintre de Marie-Antoinette, op. cit.*, p. 108.

6. Cité in *ibid.*, p. 169.

7. X. Salmon, *Marie-Antoinette, op. cit.*, p. 285-286.

8. Actuelle place de la Nation.

9. Filleul de Besne. À la Muette, les Enfants de France séjournaient avec leur gouvernante, Mme de Polignac.

10. D. et G. Wildenstein, *Louis David, Documents complémentaires au catalogue de l'œuvre de Jacques-Louis David*, Paris, fondation Wildenstein-Bibliothèque des arts, 1973, p. 111, n° 1107 (d'après un article moderne) : O. Merson dans la *Revue contemporaine*, 15 février 1863.

11. É. Vigée, « *Ma journée* ». *Poème, op. cit.*, p. 14.

12. Voir H.-L. d'Oberkirch, *Mémoires sur la cour de Louis XVI et la société française avant 1789, op. cit.*, p. 397.

13. « Jamais plus de quatre personnes à notre service, dont un seul domestique pour nous deux », J.-B. P. Le Brun, *Précis historique de la vie de la citoyenne Le Brun, op. cit.*, p. 15.

14. *Ibid.*, p. 9.

15. *Ibid.*, p. 12.

16. Ce don figure également à la date du 21 septembre 1789 dans les Papiers Le Brun. B.n.F., NAF 20157, f° 175.

17. J.-B. P. Le Brun, *Précis historique de la vie de la citoyenne Le Brun, op. cit.*, p. 18.

18. *Ibid.*, p. 8.

19. Par des commissaires de l'Assemblée législative.

20. Papiers Tripier Le Franc, 27246-27247. Voir *supra*, p. 97.

21. Voir Ph. Mansel, *Le Charmeur de l'Europe…, op. cit.*, p 162.

22. Sur une hauteur plantée de vignes, Ligne avait acheté les bâtiments d'un ancien couvent de moines camaldules, et, en 1790, il avait acquis, sur une éminence boisée, le Leopoldsberg, un second monastère abandonné. Les deux bâtisses étaient situées à un quart d'heure de marche l'une de l'autre. Ligne louait aussi dans le village de Nussdorf une maisonnette qu'il surnommait « la maison du pêcheur ». Voir *ibid.*

23. Voir *ibid.*, p. 198.

24. *Souvenirs, op. cit.*, p. 488.

25. *Ibid.*, p. 487.

26. Baronne Katherine von Mayern-Faber (1775-1802). Collection privée.

27. Cette abréviation signifie : « votre très humble serviteur ». M. A.

28. Nous supposons que la tabatière a été remise à ce moment comme cadeau d'adieu. Sur un état du testament de Mme Le Brun, Auguste Rivière sera le légataire de cet objet.

29. Le mariage a lieu le 8 septembre 1795 à Londres.

30. *Correspondance intime du comte de Vaudreuil et du comte d'Artois…, op. cit.*, Vienne, 13 juillet 1795, p. 235.

31. Cité par L. Pingaud, *ibid.*, annexe IV, p. 342.

34. VERS SAINT-PÉTERSBOURG

1. Une copie figure aujourd'hui dans l'église, tandis que l'original est conservé au palais Sternberg.

2. L'église est édifiée vers 1723-1731. Les tableaux originaux ne furent déplacés qu'en 1896. Voir A. Ottino della Chiesa, *Tout l'œuvre peint du Caravage*, Paris, Flammarion, 1988, p. 106.

3. Dimensions moindres à l'époque que depuis son achèvement au XIX⁰ siècle.

4. Gerrit Van Honthorst (1590-1656), peintre flamand d'histoire et portraitiste, séjourne en Italie où il reçut son surnom pour son aptitude à restituer les effets de nuit.

5. *Souvenirs, op. cit.*, p. 491.

6. Gérard de Lairesse (1641-1711), né à Liège, s'installe en 1665 à Amsterdam où, apprécié des collectionneurs, il devient le peintre préféré du Stathouder Guillaume III. Atteint de cécité en 1690, il passe ses dernières années à dicter ses idées sur l'art, réunies en un ouvrage, *Principes du dessin* (1701), et le *Grand Livre des peintres* (1707).

7. L'archiduchesse Marie-Anne, sœur aînée de Marie-Antoinette et seconde fille de Marie-Thérèse et François I⁰ʳ (1738-1789).

8. Cette académie est fondée en 1763.

9. Auguste Rivière a exposé deux tableaux à sujets bibliques à l'Académie. Voir J. Baillio, « Auguste Louis Jean-Baptiste Rivière », art. cité, p. 26.

10. *Souvenirs, op. cit.*, p. 493.

11. Anton Raphaël Mengs (1728-1779), lors de l'inauguration de l'église catholique de la ville, en 1751, fut chargé des peintures du grand autel, qu'il exécuta à Rome. Mengs est l'auteur d'une théorie de l'art « éclectique », qui peut avoir frappé

Mme Le Brun. Selon lui, la perfection peut être atteinte par une combinaison de diverses conceptions qui mêlent la pureté de l'Antiquité grecque avec l'expression de Raphaël, le clair-obscur du Corrège et la couleur de Titien. Il fut lié avec Winckelmann. *L'Ascension* (1751-1766), église catholique de Dresde.

12. *Souvenirs, op. cit.*, p. 493.

13. *Ibid.*, p. 494.

14. *Ibid.*

15. Un saint Jérôme incliné (1615).

16. *Souvenirs, op. cit.*, p. 494.

17. On remarquera que trois œuvres ne figurent pas encore sur les cimaises de la Galerie : une *Vestale*, une *Ariane* et une *Sibylle* d'Angelica Kaufmann. Louise Élisabeth ne semble pas avoir vu ces acquisitions récentes de la collection.

18. Frédéric Auguste III le Juste (1750-1827) devint roi de Saxe sous le nom de Frédéric Auguste Ier.

19. J. A. Lehninger, *Description de la ville de Dresde*, 1782, p. 354.

20. *Correspondance artistique de Grimm avec Catherine II*, éd. Louis Réau, *A.A.F.* nouvelle période, t. XVII, Paris, Colin, 1932, 12 août 1795, p. 197.

21. Königstein a été construit au XIIe siècle, à l'époque de l'empereur Barberousse. Le château et la petite agglomération construite à ses pieds se trouvaient sur la voie commerciale très fréquentée reliant Francfort à Cologne.

22. *Souvenirs, op. cit.*, p. 495.

23. Symbole de la ville de Berlin, la porte de Brandebourg, fut érigée pour le roi Frédéric-Guillaume II de Prusse de 1788 à 1791.

24. Le prince électeur de Prusse Frédéric III fit construire le palais de Charlottenbourg entre 1695 et 1699 pour son épouse Sophie Charlotte.

25. Le tableau de Charles Le Brun est mentionné à Charlottenbourg à partir de 1769 dans la description de Friedrich Nicolai, *Beschreibung des Königlichen Residenzstadt Berlin*, 1786. En 1829, le roi l'offrit au Musée de Berlin, mais il n'a pas été retenu pour la collection. On perd la trace de ce tableau après 1829. Toutefois sa trace subsiste dans l'inventaire.

26. Quatre-vingt-dix-huit kilomètres.

27. Le château du Grienericksee à Rheinsberg avait été acquis par Guillaume Ier en 1730, puis en 1734, le domaine devint la résidence de Frédéric II et de la princesse Élisabeth Christine son épouse. La conception du nouveau château, sur les bases de l'ancienne construction Renaissance, fut confiée à Johann Gottfried Kemmeter.

28. « Le Temple de l'Amitié ».

29. Chrétien Guillaume de Lamoignon de Malesherbes (1721-1794).

30. *Souvenirs, op. cit.*, p. 599.

31. Prince de Ligne, *Coup d'œil sur Belœil et sur une grande partie des jardins de l'Europe*, éd. par le comte E. de Ganay, Paris, Bossard, 1922, p. 116-117.

32. L'excellent violoniste Johan Peter Salomon en fait partie. Voir *L'Opéra-Comique en France au XVIIIe siècle*, sous la dir. de Ph. Vendrix, Liège, Mardaga, 1992, p. 295.

33. Louise de Prusse, princesse Radziwill rédigera des Mémoires en français : *Quarante-Cinq Années de ma vie*, Paris, Plon, 1912.

34. *Souvenirs, op. cit.*, p. 500.

35. Le couple demeura en Prusse jusqu'en 1797 environ. Voir J. Turquan, *Les Femmes de l'émigration*, Paris, Émile-Paul, 1911, p. 285.

36. « [...] et le séjour que nous ferons ici nous aura bientôt remis en état de poursuivre notre immense trajet. » Je remercie Sue L. Carrell pour la communication de cet inédit daté du 16 juin 1795. Archives privées.

37. Document non localisé à ce jour.

38. Lettre du 16 juin 1795.

39. C'est le cas de la duchesse de Saulx-Tavannes, *Sur les routes de l'émigration. Mémoires de la duchesse de Saulx-Tavannes*, Paris, Calmann-Lévy, 1934, p. 61. Les

bateaux à vapeur qui permettront d'accéder plus confortablement à la ville de Pierre le Grand ne seront en service que vingt ans plus tard.

35. SAINT-PÉTERSBOURG

1. En 1812. Madame de Staël, *Dix années d'exil*, chap. XVI, *in* Cl. De Grève, *Le Voyage en Russie. Anthologie des voyageurs français en Russie aux XVIIIᵉ et XIXᵉ siècles*, Paris, Laffont, coll. « Bouquins », 1990, p. 225.

2. Voir Abbé J.-F. Georgel, *Voyage à Saint-Pétersbourg, op. cit.*, p. 216.

3. *Ibid.*, p. 180.

4. *Ibid.*, p. 180.

5. Une lettre de la grande-duchesse Elizaveta évoque sa première entrevue avec l'artiste le 13 juillet 1795 (calendrier julien, donc le 24 juillet, le surlendemain de l'arrivée de l'artiste).

6. Lettre de Catherine II à Grimm, 9 mai 1792, *Correspondance artistique de Grimm avec Catherine II, op. cit.*, p. 188.

7. Catherine II était l'ennemie de la politique qu'il avait soutenue. Voir Duchesse de Saulx-Tavannes, *Sur les routes de l'émigration…, op. cit.*, p. 4.

8. *Souvenirs, op. cit.*, p. 505.

9. C.-F.-P. Masson, *Mémoires secrets sur la Russie sur les règnes de Catherine II, de Paul Iᵉʳ et sur les mœurs de Saint-Pétersbourg à la fin du XVIIIᵉ siècle*, Paris, Pougens, an VIII (1800), t. I, p. 75.

10. Voltaire à Catherine II, 21 juin 1766, *Voltaire, Catherine II. Correspondance (1763-1778)*, Paris, Non Lieu, 2006, p. 52.

11. La comtesse Ekaterina Petrovna Chouvalova, née princesse Saltykova (1743-1816), dame d'atours (1792).

12. La princesse Louise Marie Auguste de Bade (1779-1826) prit le nom d'Elizaveta Alekseevna afin d'épouser le grand-duc Alexandre Pavlovitch, alors âgé de seize ans (1793). Elizaveta Alekseevna fait elle-même le récit de cette entrevue dans une lettre à sa mère le 14 juillet 1795. Voir J. Baillio, « Vigée Le Brun à la cour des Romanov », art. cité, p. 237. Trois portraits d'Elizaveta Alekseevna sont mentionnés par l'artiste. Une réplique de l'un d'eux, en buste, se trouve aujourd'hui à Montpellier (musée Fabre). Voir L. Nikolenko, « The Russian Portraits of madame Vigée-Lebrun », *Gazette des beaux-arts*, vol. LXX, 109ᵉ année, 6ᵉ période, juillet-août 1967, p. 91-120, cat. 32.

13. Voici ce qu'en dit la comtesse Golovina dans ses *Mémoires* : « La princesse Louise joignait à un charme et une grâce inexprimable dans sa figure une contenance et une mesure bien rares à l'âge de quatorze ans », *Souvenirs de la comtesse Golovine, née princesse Galitzine (1766-1821)*, Paris, Plon, 1910, p. 45.

14. Saint-Pétersbourg, musée de l'Ermitage, vers 1762-1764.

15. Saint-Pétersbourg, musée de l'Ermitage, fin 1766-1777.

16. Saint-Pétersbourg, musée de l'Ermitage.

17. *Souvenirs, op. cit.*, p. 507.

18. C.-F.-P. Masson, *Mémoires secrets sur la Russie…, op. cit.*, t. I, p. 73.

19. *Ibid.*, t. I, p. 75.

20. Le Baron A. Nicolaï écrivait à l'ambassadeur de Russie en Angleterre S. R. Vorontsov que Louise Emmanuelle, princesse de Tarente (1763-1814), décorée de l'ordre de Sainte-Catherine, s'était autorisé des libertés avec l'étiquette et que c'est la raison de sa défaveur subite. Voir E. Gretchanaïa, « Deux lettres de la princesse de Tarente à la comtesse Golovina », *XVIIIᵉ siècle*, n° 31, 1999, p. 332.

21. I. de Madariaga, *La Russie au temps de la Grande Catherine*, Paris, Fayard, 1987, p. 616.

22. *Mémoires de l'impératrice Catherine II*, Londres, Trübner and co, 1859, p. 331.

23. Ch. J. Fr. Lecarpentier, *Notice sur François Doyen par Lecarpentier son élève, professeur de l'académie de dessin et de peinture de Rouen, op. cit.*, p. 15.

24. Cette crainte est encore formulée à propos de la princesse de Tarente, ancienne dame du palais de la reine de France. Nicolaï évoque « l'assurance que lui ont donnée toutes ces faveurs pour se croire en droit d'être sur le pied où elle a été avec la reine de France ». Voir E. Gretchanaïa, « Deux lettres de la princesse de Tarente à la comtesse Golovina », art. cité.

36. Un premier été en Russie

1. Le portrait du comte Stroganov n'est pas mentionné dans la liste de ses portraits et tableaux. Alexandre Sergueevitch Stroganov (1733-1811) a commencé à acheter des tableaux en Italie vers 1750. Sur le mécénat des Stroganov, voir I. Deriabina, « L'artiste et le mécène », in *Les Stroganoff. Une dynastie de mécènes, op. cit.*, p. 91-101. L'artiste avait représenté son cousin, le baron Grigori, fils d'Alexandre Nikolaevitch Stroganov et sa jeune femme. Voir *ibid.*, p. 92-93.

2. Voir *ibid.*, p. 36.

3. Andreï Voronikhine fit en 1797 un tableau à l'huile de la datcha, *ibid.*, p. 123.

4. G. R. Derjavine, « À un ami », in *Chants anacréontiques*, Moscou, Nauka, 1986, p. 49.

5. Le fils d'Alexandre Sergueevitch, Pavel Alexandrovitch participait, avec le futur Alexandre Ier, à des réunions secrètes qui avaient lieu dans cette île. Pavel militait en faveur de l'émancipation des serfs.

6. Elle traduisit en russe *L'Enfer* de Dante.

7. Grand-duc N. M. Romanov, *Portraits russes des XVIIIe et XIXe siècles, op. cit.*, t. V, p. 27. Moscou, musée Pouchkine. Son fils Alexandre Pavlovitch mourut prématurément. Sans héritier masculin, au décès de son mari, Sofia obtiendra que les collections des Stroganov ne soient pas dispersées, mais, par exception, aillent à sa fille aînée Natalia Pavlovna. Celle-ci avait épousé Sergueï Grigorievitch, le fils de Grigori, cousin de Pavel Alexandrovitch. Les trésors des Stroganov restèrent ainsi dans la famille. Voir *Les Stroganoff. Une dynastie de mécènes, op. cit.*

8. Alexandrovsk est signalé par Johann Gottlieb Georgi comme un plaisant village sur la rive de la Neva. *Versuch einer Beschreibung der Russisch Kayserlichen Residenzstadt St. Petersburg*, Riga, 1793, p. 381 et 414.

9. Le comte de Cobenzl (1753-1808) accompagna Catherine II dans le voyage organisé par Potemkine, en 1787. À Kiev, sa réputation de sociabilité était telle que son palais fut surnommé le « Café de l'Europe ». Il fut ambassadeur à Pétersbourg de 1779 à 1797.

10. La princesse Ekaterina Fedorovna Dolgoroukaïa (1769-1849), fille de Fedor Sergueevitch Bariatinski, l'un des assassins de Pierre III, épouse du lieutenant-général prince Vassili Vassilievitch Dolgorouki (1752-1812). Mme Le Brun la reverra à Paris et à Dresde. Voir J. Baillio, « Vigée Le Brun à la cour des Romanov », art. cité, fig. 94, p. 233 et L. Nikolenko, « The Russian Portraits of madame Vigée-Lebrun », art. cité, cat. 18.

11. Voir E. Gretchanaïa, « Deux lettres de la princesse de Tarente à la comtesse Golovina », art. cité, jeudi 17 juin 1798, vendredi 18 juin 1798.

12. *Souvenirs, op. cit.*, p. 512.

13. E. R. Dachkova, *Mémoires*, Paris, Mercure de France, 1966, p. 229.

14. Vassilii, Nikolaï et Ekaterina âgés de huit, six et quatre ans.

15. Voir E. Gretchanaïa, « Deux lettres de la princesse de Tarente à la comtesse Golovina », art. cité.

16. La princesse Natalia Kourakina, née princesse Golovina (1768-1831). Le portrait de la princesse par l'artiste fut gravé par Émilie Benoist en 1818. L. Nikolenko, « The Russian Portraits of madame Vigée-Lebrun », art. cité, cat. 16.

17. Grand-duc N. M. Romanov, *Portraits russes des XVIIIe et XIXe siècles, op. cit.*, t. I, p. 147. Une miniature de Ritt l'a représentée avec son instrument favori.

18. *Camille ou le Souterrain*, opéra en trois actes, paroles de Marsollier, créé à la Comédie-Italienne le 19 mars 1791.

19. Sur la carrière en Russie d'Auguste Rivière, voir J. Baillio, « Auguste Louis Jean-Baptiste Rivière (1761-1833) », art. cité, p. 26.

20. *Les Français en Russie au siècle des Lumières. Dictionnaire biographique des Français, Suisses et autres francophones en Russie au XVIIIe siècle*, dir. Anne Mézin et Vladislav Rjéoutski, Ferney, Centre international d'étude du XVIIIe siècle, 2011, vol. II, p. 630.

21. Cité par J. Baillio, « Vigée Le Brun à la cour des Romanov », art. cité, p. 232.

22. M. U.

23. « Deux dames qui voulaient être peintes avec leur enfant, [Mme Le Brun] les a peintes en *madone* », Grand-duc N. M. Romanov, *L'Impératrice Elisabeth, épouse d'Alexandre Ier*, Saint-Pétersbourg, Manufacture des papiers d'État, 1908, t. I, p. 211. Palais Taurique, ce 17-28 août 1795.

24. Anna Sergueevna Stroganova (1765-1824), née princesse Troubetskaïa, baronne, puis comtesse Grigori, sœur de la comtesse Samoïlova. Grand-duc N. M. Romanov, *Portraits russes des XVIIIe et XIXe siècles, op. cit.*, t. V, p. 31. Musée de l'Ermitage, Saint-Pétersbourg.

25. Note du M. L. Grigori Stroganov finira par épouser sa dernière maîtresse, une Portugaise, Juliana da Almeida, comtesse da Ega, après la mort d'Anna Sergueevna en 1824.

26. Alexandra Petrovna Golitzyna née Protassova (1774-1842), musée Pouchkine, Moscou. Voir Grand-duc N. M. Romanov, *Portraits russes des XVIIIe et XIXe siècles, op. cit.*, t. I, p. 75, t. II, p. 24, t. V, p. 8.

27. Ekaterina Nikolaevna (1764-1832), fille du prince Nikolaï Mikhaïlovitch Golitzyne (1727-1786), grand maréchal de la cour, et épouse du prince Serguei Alexandrovitch Menchikov, conseiller privé, sénateur et chambellan. Voir Grand-duc N. M. Romanov, *Portraits russes des XVIIIe et XIXe siècles, op. cit.*, t. III, p. 46.

28. « Une autre, qu'elle voulait peindre en sauvage (et elle ne pouvait mieux choisir le costume), mais ses amis s'y sont opposés », *ibid.*, t. I, p. 211. Palais Taurique, ce 17/28 août 1795. La comtesse Zoubova (1773-1810), fille du prince Gaspard Lubomirski, épousa le comte Petr Potocki, puis le comte Valerian Alexandrovitch Zoubov. Voir *ibid.*, t. I, p. 114.

29. Il existe, toutefois une scène de genre, *La Vertu irrésolue* (gravée par Antoine François Dennel en 1780), où l'artiste choisit cette posture. Voir *Aimer en France, 1780-1800*, catalogue d'exposition, Clermont-Ferrand, bibliothèque municipale et interuniversitaire, 1977.p. 7.

30. Au tout début de son séjour, une note sur un feuillet du M. Lugt indique : « 2 jours après mon arrivée ».

31. La princesse Ekaterina Nikolaevna Menchikova, née Golitzyna (1764-1832), très célèbre pour sa beauté. Louise É. Vigée Le Brun la représente tenant sur les genoux son enfant. L. Nikolenko, « The Russian Portraits of madame Vigée-Lebrun », art. cit., cat. 10.

32. Sous le nom de Naundorf. L'hypothèse est peu plausible, car les informations communiquées par Cléry ne parviendront à l'artiste qu'après octobre 1796, bien après le vol, qui est attesté durant l'été 1795. Sur cet épisode, voir H. Royet, *Autour de madame Vigée Le Brun*, Saint-Jean-d'Aulps, Les Anciens jours, 2000, p. 58-59.

33. *Souvenirs, op. cit.*, p. 521.

34. 6/17 juillet 1772. *Voltaire, Catherine II. Correspondance (1763-1778), op. cit.*, 2006, p. 251.

37. LES PORTRAITS DE COUR

1. Alexandra (1784-1803) et Elena (1783-1801).

2. *Correspondance artistique de Grimm avec Catherine II, op. cit.*, p. 199.

3. Des « tuniques gros-rouge et violette ».

4. À Falconet, 16 juillet 1768, *Correspondance de Falconet avec Catherine de Russie, 1767-1778*, éd. Louis Réau, Paris, Champion, 1921, p. 60.

5. À Grimm, 7 décembre 1782, *Correspondance artistique de Grimm avec Catherine II, op. cit.*, p. 145.

6. Connu également sous le nom de Johan Baptist Lamp, car à Vienne il a germanisé son nom. Lampi est invité par Catherine sur la recommandation du général Popov. Le peintre arriva vraisemblablement mi-janvier 1792, et non 1791, comme on le dit habituellement.

7. C.-F.-P. Masson, *Mémoires secrets sur la Russie, op. cit.*, t. I., p. 76.

8. Alexandre Pavlovitch (1777-1825) prend le pouvoir en 1801, après l'assassinat de son père, auquel on le soupçonna, sans preuve réelle, d'être mêlé. Voir N. Brian-Chaninov, *Alexandre Ier*, Paris, Grasset, 1934 et M.-P. Rey, *Alexandre Ier*, Paris, Flammarion, 2009.

9. Le grand-duc Konstantine (Constantin) Pavlovitch (1779-1831), second fils de Paul Ier, chargé en 1815 du gouvernement de Pologne, s'aliéna l'armée polonaise. Marié à Anna Fedorovna, née Juliana Henriette Ulrike, princesse de Saxe-Cobourg (1780-1860), qui le quitta en raison de sa violence, il obtint le divorce du synode.

10. *Correspondance inédite du prince de Ligne*, édition en cours par A. Stroev.

11. Lampi a reçu une lettre de rappel de l'Académie de Vienne qu'il rejoint en 1797.

12. Duchesse de Saulx-Tavannes, *Sur les routes de l'émigration..., op. cit.*, 1934, p. 67.

13. Cité par L. Pingaud, *Les Français en Russie et les Russes en France*, Paris, Perrin, 1886, p. 60.

14. Augustin Ritt (1765-1799) est l'auteur de nombreuses miniatures, et notamment celle de Daria Petrovna Saltykova.

15. Les deux portraits de l'artiste identifiés comme représentant Charlotte Ritt doivent être rendus à la princesse Maria Grigorievna Golitzyna, née Viazemskaïa. J. Baillio est revenu sur l'identification établie dans « Identification de quelques portraits d'anonymes de Vigée Le Brun aux États-Unis », art. cité, p. 166. (Communication écrite.)

16. Grand-duc N. M. Romanov, *L'Impératrice Élisabeth, épouse d'Alexandre Ier*, Saint-Pétersbourg, Manufacture des papiers d'État, 1908, t. I, lettre 106, vendredi 5-16 octobre 1795, p. 218.

17. *Souvenirs, op. cit.*, p. 526.

18. E. Deriabina, in *Catherine la Grande, un art pour l'Empire, op. cit.*, p. 132.

19. Madame Vigée Le Brun exécuta deux copies à mi-corps du grand portrait officiel. Si une partie de ce tableau fut payé du vivant de Catherine, l'artiste dût réclamer pour obtenir son dû auprès du comte Tolstoï, trois ans plus tard. *Archives de l'Est et la France des lumières. Guide des archives et inédits*, dir. G. Dulac et R. Mortier, Ferney, 2007, t. I, n° 3889, p. 217. Note de la main de Catherine II sur un paiement en espèces fait à madame Élisabeth Louise Vigée Le Brun pour un portrait de la grande-duchesse Elizaveta Alekseevna. Bordereau de dépenses, 1796.

20. *Souvenirs, op. cit.*, p. 526.

21. V. Golovine, *Souvenirs de la comtesse Golovine, née princesse Galitzine (1766-1821), op. cit.*, p. 111.

22. Natalia, première épouse de Paul Ier était née Wilhelmine de Hesse-Darmstadt.

23. *Journal* de Protassov, cité par Grand-duc N. M. Romanov, *L'Impératrice Élisabeth, épouse d'Alexandre Ier, op. cit.*, t. I, p. 26.

24. *Mémoires*, cité par *ibid.*, t. I, p. 35.

25. *Journal* de Protassov, cité par *ibid.*, t. I, p. 26.

26. E. Gretchanaïa, « Fonctions des citations littéraires dans les albums féminins russes », in *Lectrices d'Ancien régime*, Rennes, Presses universitaires de Rennes, 2003, p. 434.

27. Une réplique de ce tableau se trouve au musée Fabre de Montpellier, l'original est conservé au château de Wolfsgarten. Le portrait ne parviendra qu'en 1799 à la margravin Amalia : « [...] malheureusement mon portrait par Mad. Le Brun n'a pas été fait, à cause que je ne me portais pas bien et qu'ici je n'avais pas de place pour me faire peindre de sorte qu'à mon grand chagrin vous ne l'aurez que dans un mois ou deux. » Grand-duc N. M. Romanov, *L'Impératrice Élisabeth, épouse d'Alexandre Ier*, *op. cit.*, t. I, lettre 132, 30 juin-17 juillet 1797, p. 298.

28. V. Golovine, *Souvenirs de la comtesse Golovine, née princesse Galitzine (1766-1821)*, *op. cit.*, p. 206.

29. « Le lendemain, l'impératrice dit au comte Saltykov qu'elle avait été mécontente de la toilette de la grande-duchesse Élisabeth et la traita encore froidement pendant deux ou trois jours », V. Golovine, *Souvenirs de la comtesse Golovine, née princesse Galitzine (1766-1821)*, *op. cit.*, p. 106-107.

30. Duchesse de Saulx-Tavannes, *Sur les routes de l'émigration...*, *op. cit.*, p. 66.

31. Cité par L. Pingaud, *Catherine II et l'émigration française*, extrait de la *Revue des études historiques*, octobre 1880, p. 43.

32. « Toute la cour avait lutté pour obtenir quelques modifications au costume imposé par l'impératrice à ses petites-filles », Duchesse de Saulx-Tavannes, *Sur les routes de l'émigration...*, *op. cit.*, p. 86-87.

33. Le salon d'Elizaveta Divova, née Boutourlina (1762-1813), était ainsi surnommé, car Coblenz était devenu le centre d'une opposition antirévolutionnaire.

34. Sophie, épouse de Charles-Louis, marquis Ducrest de Villeneuve (1747-1824), frère de Mme de Genlis, colonel commandant des grenadiers royaux en 1779, en 1785 chancelier du duc d'Orléans. Mme de Genlis avait été la gouvernante du futur Louis-Philippe.

35. Lettres des 28 septembre 1792, 28 mai 1794, décembre 1798, archives Woronzov, t. VIII et XXIV. Voir L. Pingaud, *Les Français en Russie, op. cit.*, p. 205.

36. N. V. Gogol, *Les Âmes mortes*, Paris, Hachette, 1912, chant XII.

37. Voir L. Pingaud, *Les Français en Russie, op. cit.*, p. 205.

38. À Grimm, 3 septembre 1794.

39. C.-F.-P. Masson, *Mémoires secrets sur la Russie, op. cit.*, cité par L. Pingaud, *Les Français en Russie, op. cit.*, p. 110.

40. Duchesse de Saulx-Tavannes, *Sur les routes de l'émigration...*, *op. cit.*, p. 65.

41. *Ibid.*, p. 82

42. *Souvenirs, op. cit.*, p. 541.

43. Sur les soirs d'Ermitage, voir W. Berelowitch, « La vie mondaine sous Catherine II », in *Catherine II et L'Europe*, Paris, Institut d'études slaves, 1997, p. 99-106.

44. G. Casanova, *Histoire de ma vie*, Paris, Laffont, 2000, chap. VI, p. 411.

45. *Souvenirs, op. cit.*, p. 529.

46. Alexandre écrit à Victor Kotchubey : « Il est amoureux de ma femme depuis le premier jour de mon mariage. [...] Jugez dans quelle position embarrassante cela doit mettre ma femme qui réellement se conduit comme un ange », Grand-duc N. M. Romanov, *L'Impératrice Élisabeth, épouse d'Alexandre Ier*, *op. cit.*, t. I, p. 45.

47. L. Fusil, *Souvenirs d'une actrice. Louise Fusil*, Paris, Champion, 2006, p. 288.

48. C.-F.-P. Masson, *Mémoires secrets sur la Russie, op. cit.*, p. 338.

49. Lettre à Henri de Prusse, Rheinsberg, 4 décembre 1795, B.n.F., fichier Charavay.

50. Voir Cl. De Grèves, *Le Voyage en Russie, op. cit.*, p. 351.

51. *Souvenirs, op. cit.*, p. 530.

52. Lord Whitworth finit par la délaisser pour épouser la riche Araballa Cope. Nikolaï Mikhaïlovitch Romanov note qu'elle eut un fils de George III, prénommé Egor, voir *Portraits russes des XVIIIe et XIXe siècles, op. cit.*, t. I, p. 115.

53. *Souvenirs, op. cit.*, p. 600.

54. Mme Le Brun réalise le portrait d'Anna Grigorievna Belosselskaïa [Belozerskaïa] (1773-1846) à l'âge de vingt-quatre ans, Grand-duc N. M. Romanov, *Portraits russes*

des XVIIIe et XIXe siècles, op. cit., t. IV, p. 213. Voir L. Nikolenko, « The Russian Portraits of madame Vigée-Lebrun », art. cité.

55. Le général Pietr Ivanovitch Melissino, né à Céphalonie, une des îles Ioniennes, (v.1730-v.1804), joignait à la connaissance du grec moderne, du russe, de l'allemand, du français, de l'italien, celle des mathématiques et des arts et métiers. Il avait fait carrière à la cour d'Élisabeth.

56. *Souvenirs, op. cit.*, p. 547.

57. Alexandre Mikhaïlovitch Belosselski, manuscrit Bibliothèque nationale de Russie, fonds 537 (Augard), n° 7. Transcription par E. Gretchanaïa.

58. Jean-Baptiste Cant Hanet Cléry (1759-1809), valet de chambre de Louis XVI, fut célèbre par son dévouement. Il obtint de servir le roi dans la prison du Temple, fut incarcéré jusqu'au 9 thermidor, puis alla rejoindre la famille royale émigrée.

59. L'original de cette lettre, daté du 27 octobre 1796, était encore classé dans les archives de la famille Tripier Le Franc en 1869, mais ne figure plus dans ce fonds aujourd'hui. Il est passé en vente à Drouot le 13 novembre 1933.

60. Voir *supra*, p. 301.

61. Le comte Romain (ou Raymond) De Sèze (ou de Sèze) (1748-1828) fut appelé comme conseil dans l'affaire du Collier. Louis XVI le choisit pour adjoint à ses défenseurs, Tronchet et Malesherbes, De Sèze soutint en Louis XVI le citoyen, et invoqua pour le citoyen les garanties accordées aux accusés ordinaires par les lois promulguées selon les principes de la Révolution. Arrêté le 20 octobre 1793, en raison de la loi des suspects, il fut remis en liberté.

62. François-Denis Tronchet (1726-1806), en 1789 bâtonnier de l'ordre, élu par la ville de Paris député aux États généraux, il siégea avec les royalistes constitutionnels. En juin 1791, l'Assemblée le chargea de recevoir les déclarations de Louis XVI, et il tenta d'adoucir cet interrogatoire. Louis XVI l'appela dans le conseil de ses défenseurs : Tronchet prépara les arguments de la plaidoirie de Malesherbes.

63. Philippe Antoine Grouvelle (1758-1806), proche de Chamfort, secrétaire des commandements du prince de Condé en 1789, sympathisa avec la Révolution, devint secrétaire du conseil exécutif après le 10 août 1792, et lut à Louis XVI le décret de condamnation de la Convention.

64. *Souvenirs, op. cit.*, p. 550.

65. *Ibid.*, p. 549.

66. Le comte de Cossé-Brissac, fidèle de la famille d'Artois, est dépeint par Mme de Boigne comme « très dévot et rigide dans ses mœurs », *Récits d'une tante. Mémoires de la comtesse de Boigne, op. cit.*, t. II, p. 439.

67. Voir sur ce portrait J. Baillio, *The Winds of Revolution*, 1989, cat. 106, p. 104.

68. Cette dernière écrit une lettre de remerciement, conservée par l'artiste. Alors que la date inscrite sur le tableau est le 8 juillet 1800, la lettre est datée du 15 avril 1800. L'original de la lettre est passé en vente en mars 1977 à Versailles. *Souvenirs, op. cit.*, p. 554.

69. On le suppose exécuté dans l'année 1797. J. Baillio, *Élisabeth Vigée Le Brun, 1755-1842, op. cit.*, p. 118.

70. « Ne vous attendez pas à ce qu'une vieille Madame de Polignac du Palais-Royal appelait le bouillon du cœur. C'était un billet qu'elle a reçu pendant quarante ans de Monsieur de Maillebois », communication d'Alexandre Stroev.

71. Paolo Mandini (1757-1842) débuta à vingt ans à Brescia avec un tel succès que le grand théâtre de Milan l'engagea. En 1788, il se trouvait à Venise, quand Viotti l'engagea pour le théâtre de Monsieur à Paris, où il fit fureur pendant trois années consécutives.

72. Duchesse de Saulx-Tavannes, *Sur les routes de l'émigration..., op. cit.*, p. 66.

73. *Ibid.*, p. 66.

74. Andrei Kirillovitch Razoumovski, 13 avril 1795, M. A.

75. Louise Emmanuelle de Tarente, née Gaucher de Chatillon (1763-1814), dame du palais de Marie-Antoinette, émigra à Londres. Invitée par Paul et Maria Fedorovna,

dont elle avait fait la connaissance lors de leur séjour en France, elle arriva à Pétersbourg en 1797. Elle resta proche de la famille Golovine. Voir E. Gretchanaïa : « Deux lettres de la princesse de Tarente à la comtesse Golovina », art. cité, p. 331-343, et *Récits d'une tante. Mémoires de la comtesse de Boigne*, op. cit., t. I, p. 97.

76. *Souvenirs*, op. cit., p. 548.

77. J. Baillio, *Élisabeth Vigée Le Brun, 1755-1842*, op. cit., p. 104, p. 113-114.

78. Sous l'influence de la princesse de Tarente, Varvara Nikolaevna se convertit au catholicisme. Discréditée lors de l'avènement de Paul, elle dut s'exiler.

79. Voir notre article, « Billets inédits d'Élisabeth Louise Vigée Le Brun à la comtesse Tolstaïa », *Épistolaire*, n° 34, Paris, Champion, 2008, p. 215-224.

80. La mère de la comtesse Tolstaïa est la princesse Bariatinskaïa. V. Golovine, *Souvenirs de la comtesse Golovine, née princesse Galitzine (1766-1821)*, op. cit., p. 178.

81. *Ibid.*, p. 179.

82. L'artiste exécuta un premier portrait en 1790. Voir J. Baillio, *Élisabeth Vigée Le Brun, 1755-1842*, op. cit., p. 85-86.

83. Paris, musée du Louvre. Voir l'article de Cl. Constans, « Un portrait de Catherine Vassilievna Skavronskaïa par madame Vigée Le Brun », art. cité.

84. Le mariage eut lieu le 31 octobre 1798.

85. Madame Le Brun avait fait son portrait en uniforme de chevalier à Naples. Grand-duc N. M. Romanov, *Portraits russes des XVIIIᵉ et XIXᵉ siècles*, op. cit., t. I, p. 29. Comte Litta (1763-1839), Saint-Pétersbourg, Palais Taurique.

86. Après le décès de son premier époux, Mikhaïl Sergueevitch Potemkine, Tatiana Vassilievna s'était remariée avec le prince Nikolaï Borisovitch Ioussoupov, autrefois ambassadeur à Turin. Grand-duc N. M. Romanov, *Portraits russes des XVIIIᵉ et XIXᵉ siècles*, op. cit., t. I, n° 10, t. IV, p. 206. J. Baillio, *Élisabeth Vigée Le Brun, 1755-1842*, op. cit., p. 110. Elle commande à l'artiste le portrait de sa fille, future comtesse Ribeaupierre.

87. Ekaterina Vladimirovna Apraxina, sœur de Dimitri Golitzyne (1768-1854). Épouse de Stepan Stepanovitch Apraxine. Localisation inconnue, Grand-duc N. M. Romanov, *Portraits russes des XVIIIᵉ et XIXᵉ siècles*, op. cit., t. I, 155. Ekaterina Vladimirovna « s'habillait toujours bien et d'une manière seyante, s'efforçant surtout de plaire à son mari, qui avait pourtant bien des péchés conjugaux sur la conscience. »

88. Information transmise par J. Baillio.

89. Anna Alexandrovna, née princesse Grouzinskaïa (1763-1842). J. Baillio, *Élisabeth Vigée Le Brun, 1755-1842*, op. cit., p. 118.

90. Alexandre Alexandrovitch Litzyne (1760-1789) était le fils naturel d'Alexandre Mikhaïlovitch Golitzyne et de la baronne von Klüppfel.

91. Baltimore Museum of Art.

92. Princesse Eudoxia Ivanovna Golitzyna, née Ismaïlovna (1780-1850), Utah Museum of Fine Arts.

93. Le second en 1796.

94. Le duc Charles de Sudermanie (1748-1818), oncle du roi de Suède Gustave IV (1778-1837), qui accéda au trône en 1792.

95. Il peut s'agir ici du double portrait des filles de Paul. L'artiste ne mentionne pas, dans sa liste, de portrait d'Alexandrine seule.

96. *Souvenirs*, op. cit., p. 559.

97. V. Golovine, *Souvenirs de la comtesse Golovine, née princesse Galitzine (1766-1821)*, op. cit., p. 138.

98. Ce testament aurait été détruit par Alexandre Bezborodko. Voir *infra*, p. 359.

99. R. E. McGrew, *Paul I of Russia*, Oxford, Clarendon, 1992, p. 189.

100. *Souvenirs*, op. cit., p. 561.

101. *Ibid.*

102. C.-F.-P. Masson, *Mémoires secrets sur la Russie*, op. cit., t. I, p. 117.

103. Grand-duc N. M. Romanov, *L'Impératrice Élisabeth, épouse d'Alexandre Ier*, *op. cit.*, t. I, lettre d'Elizaveta à sa mère, p. 240.

104. Le nouveau souverain exprime sa légitimité car, malgré sa terrible ressemblance avec Pierre III, des bruits couraient sur sa naissance. Paul aurait pu être le fils de Sergueï Saltykov, amant de sa mère alors qu'elle ne régnait pas encore.

38. LE RÈGNE DE PAUL IER

1. M. Martin, *Maria Féodorovna*, Paris, L'Harmattan, 2003, p. 115.

2. C.-F.-P. Masson, *Mémoires secrets sur la Russie, op. cit.*, p. 111.

3. F. G. Golovkine, *La Cour et le Règne de Paul Ier, op. cit.*, p. 105.

4. V. Golovine, *Souvenirs de la comtesse Golovine, née princesse Galitzine (1766-1821)*, *op. cit.*, p. 143.

5. Grand-duc N. M. Romanov, *L'Impératrice Élisabeth, épouse d'Alexandre Ier, op. cit.*, t. I, p. 250.

6. F. G. Golovkine, *La Cour et le Règne de Paul Ier, op. cit.*, p. 157.

7. Jean-Baptiste Edme Aubert, dit Frogères (1753-1832), acteur du théâtre des Variétés au Palais-Royal en 1790, puis au théâtre de la Cité, qu'il quitta pour aller en Russie. Il partit de Russie en 1812. Voir R.-A. Mooser, *L'Opéra-comique français en Russie au XVIIIe siècle*, Genève, Kister, 1954, p. 204.

8. F. G. Golovkine, *La Cour et le Règne de Paul Ier, op. cit.*, p. 134.

9. *Souvenirs, op. cit.*, p. 570.

10. Ivan Ivanovitch Bariatinski (1772-1825), fils d'Ivan Sergueevitch Bariatinski et d'Ekaterina Petrovna de Holstein-Beck. Voir L. Nikolenko, « The Russian Portraits of madame Vigée-Lebrun », art. cité, fig. 57. L'artiste a représenté trois fois Ivan Ivanovitch (musée Pouchkine), pour qui elle avait de l'amitié. Capitaine volontaire à l'armée de Pologne, il fut commandeur de l'ordre de Malte. Ses démêlés avec Rostopchine l'éloignèrent de la cour. Alexandre le fit alors chambellan et l'attacha à sa mission de Londres. Grand-duc N. M. Romanov, *Portraits russes des XVIIIe et XIXe siècles, op. cit.*, t. IV, 16.

11. *Souvenirs, op. cit.*, p. 570.

12. G. Chesne Dauphiné, « Journal de la mode et du goût », *Les Annales de l'art de F.M.R.*, t. I, p. 78.

13. À Rubelles.

14. Ch. J. Fr. Lecarpentier, *Notice sur François Doyen par Lecarpentier, son élève, professeur de l'académie de dessin et de peinture de Rouen, op. cit.*, p. 19.

15. Ce tableau est connu par des reproductions. Au moment où nous écrivons, il n'est pas exposé à Saint-Pétersbourg.

16. *Souvenirs, op. cit.*, p. 579.

17. *Ibid.*, p. 580.

18. *Ibid.*, p. 580.

19. Voir J. Baillio, « Vigée Le Brun à la cour des Romanov », art. cité, p. 236.

20. Trois cent six enfants sont élevés sur sa cassette personnelle. L'impératrice patronne de nombreuses œuvres de bienfaisance parmi lesquelles la Maison des enfants trouvés et les Enfants aveugles à Gatchina.

21. Il sera achevé en 1800.

22. V. Golovine, *Souvenirs de la comtesse Golovine, née princesse Galitzine (1766-1821), op. cit.*, p. 157.

23. F. G. Golovkine, *La Cour et le Règne de Paul Ier, op. cit.*, p. 147.

24. Grand-duc N. M. Romanov, *L'Impératrice Élisabeth, épouse d'Alexandre Ier, op. cit.*, t. I, lettre 109, p. 221.

25. *Ibid.*

26. L'expression provient d'une lettre d'Elizaveta à sa mère. Juillet 1797, voir *ibid.*, t. I, p. 294.

27. Stanislas Auguste, roi de Pologne (1732-1798), en 1797, à l'invitation de Paul Ier, revint à Saint-Pétersbourg, et vécut d'une pension que lui firent les trois puissances qui l'avaient dépossédé.

28. Charles François de Riffardeau, marquis puis duc de Rivière (1763-1828), aide de camp du comte d'Artois durant l'émigration, prendra part au complot de Cadoudal, sera condamné à mort et sa peine commuée en incarcération, au fort de Joux, pair de France en 1815.

29. J. Fabre, *Stanislas-Auguste Poniatowski et l'Europe des Lumières*, Paris, Ophrys, 1952, p. 552.

30. *Souvenirs, op. cit.*, p. 584.

31. « Je me sentais enlevé à la vue d'un Rubens ou d'un Van Dyck. [...] Malgré toute son économie [mon mentor] me permit à Bruxelles de faire ma première emplette en ce genre, je crus posséder un trésor en achetant un petit tableau », *Mémoires du roi Stanislas-Auguste Poniatowski*, Saint-Pétersbourg, 1914, t. I, p. 11, cité par Z. Libera, « Stanislas-Auguste Poniatowski », *XVIIIe siècle*, no 25,1993, p. 239-250.

32. 20 octobre et 26 novembre 1796 (archives Jablonna), cité par Jean Fabre, *Stanislas-Auguste Poniatowski et l'Europe des Lumières, op. cit.*, p. 682, n. 31.

33. Lettre à Desenfans citée par J. Fabre, *Stanislas-Auguste Poniatowski et l'Europe des Lumières*, Paris, Ophrys, 1952, p. 549.

34. *Souvenirs, op. cit.*, p. 585.

35. J. Baillio, *Élisabeth Vigée Le Brun, 1755-1842, op. cit.*, p. 116.

36. Musée de Kiev et Musée national du château de Versailles. J. Baillio, *Élisabeth Vigée Le Brun, 1755-1842, op. cit.*, p. 115-117.

37. *Souvenirs, op. cit.*, p. 586.

38. C'est par une lettre d'Elizaveta à sa mère que nous avons connaissance de ce projet : « À propos, vous me demandez il y a longtemps si mad. Le Brun compte aller en Suède ? Il ne semble pas qu'elle ait envie de quitter Pétersbourg ; l'année passée elle voulait aller en Angleterre, mais il ne s'en agit plus », Grand-duc N. M. Romanov, *L'Impératrice Élisabeth, épouse d'Alexandre Ier, op. cit.*, t. I, lettre 160, 18 février-1er mars 1799, p. 339.

39. JULIE LE BRUN

1. *Souvenirs, op. cit.*, p. 590.

2. Voir J. Baillio, « Identification de quelques portraits d'anonymes de Vigée Le Brun aux États-Unis », art. cité, n. 30.

3. J. Baillio, *Élisabeth Vigée Le Brun, 1755-1842, op. cit.*, p. 19-20.

4. Neil Jeffares signale deux pastels de la main de Julie, un portrait de la czarine Élisabeth, épouse d'Alexandre (château de la Fasanerie, Allemagne) et un portrait de Suzanne Rivière (collection privée), Neil Jeffares, *Dictionary of Pastellists before 1800, op. cit.*, p. 324.

5. Choderlos de Laclos, *Les Liaisons dangereuses*, préface du rédacteur, in *Œuvre complètes, op. cit.*, p. 7.

6. *Souvenirs, op. cit.*, p. 590.

7. Pierre Narcisse Guérin (1774-1833).

8. Selon l'information transmise par M. Mehdi Korchane.

9. L. Fusil, *Souvenirs d'une actrice. Louise Fusil, op. cit.*, p. 288.

10. Gaëtan Bernard Nigris (1766 ?-1831 ?). Voir la notice dans *Les Français en Ru au siècle des Lumières, op. cit.*

11. « Je n'ai vu qu'un seul de ses tableaux qu'on dit être le moins bien, c'est c d'un Cte Czernichoff : il est ressemblant mais fort embelli ; il est peint en Véni un masque à la main et tout échevelé », (17/28 août 1795), Grand-duc N. M. R nov, *L'Impératrice Élisabeth, épouse d'Alexandre Ier, op. cit.*, t. I, lettre 102, p. 212.

12. Grigori Ivanovitch, comte Tchernichev (1762-1831), hérite du majorat de son Zakhare et de tous les biens de la famille. Fait en 1776 gentilhomme de la cham

devient conseiller privé. Voir Grand-duc N. M. Romanov, *Portraits russes des XVIIIe et XIXe siècles*, *op. cit.*, t. II, 153. Dans son parc, il fait construire une maisonnette appelée « aux bons gourmands » où, déguisé en garçon, il régale ses hôtes de mets raffinés.

13. L'ambassadeur en titre était Antonio Maresca, duc de Serracapriola de 1783 à 1822 (avec une vacance de 1808 à 1815), le marquis Mastrilli di Gallo Marzio reçut une mission spéciale en 1799 et Antonio Pignatelli, prince de Belmonte, une mission en 1800.

14. « Madame Vigée Lebrun (1776-1811) », art. cité, p. 344.

15. La Bruyère, *Caractères*, « Du cœur », maxime 62.

16. Le 20 janvier 1766. Pendant près de dix ans jusqu'en 1780, date à laquelle Choubine est admis à faire le portrait de l'impératrice, Marie Collot était restée premier et seul sculpteur portraitiste de Catherine.

17. *Souvenirs*, *op. cit.*, p. 589.

18. La date de sa réception n'est pas connue.

19. Musée de l'Ermitage. Voir J. Baillio, « Vigée Le Brun à la cour des Romanov », art. cité, p. 230.

20. Cité par H. Royet, *Autour de madame Vigée Le Brun*, *op. cit.*, lettre du 1er juillet 1799, p. 11.

21. Ces mots sont de la plume de Cl. de Duras, *Réflexions et prières inédites*, Debécourt, 1839, cité par B. Craveri, introduction, *Ourika. Madame de Duras*, Paris, Flammarion, coll. « G.-F. », 2010, p. 48.

22. La solidarité d'Auguste Rivière est prouvée par la lettre de Tchernichev. Voir *Souvenirs*, *op. cit.*, p. 594.

23. Notice Nigris, *Les Français en Russie au siècle des Lumières*, *op. cit.*, et informations communiquées par A. Stroev (MAE Nantes, Saint-Pétersbourg, consulat, état civil, 1*, mar., an XI, p. 44-46 ; TsGIA Saint-Pétersbourg, fonds 347, inv. 1, dos. 29, 31-8-1799).

24. La provenance de cette miniature non localisée est inconnue.

25. Le banquier Étienne Livio, originaire de Strasbourg, en activité en Russie entre 1797 et 1811, répertorié sous le nom de « Livio frères, banquiers à Saint-Pétersbourg », in l'*Almanach du commerce* de 1805, p. 653.

26. *Souvenirs*, *op. cit.*, p. 593.

27. *Ibid.*, p. 593.

28. Née Hitrova (1774-1803). Collection privée.

29. *Souvenirs*, *op. cit.*, p. 594.

30. *Mémoires*, *in* Cl. De Grève, *Le Voyage en Russie*, *op. cit.*, p. 387.

40. DIRECTION MOSCOU

1. Environ cent quatre-vingt-seize kilomètres.

2. *Souvenirs*, *op. cit.*, p. 598.

3. Les quatre enfants illégitimes de la comtesse avaient reçu de l'empereur le droit de porter le nom noble de Ladomirsky, nom polonais tombé en déshérence.

4. J. Baillio, *Élisabeth Vigée Le Brun, 1755-1842*, *op. cit.*, cat. 51, p. 122. Ohio, musée de Colombus.

5. La comtesse Anna Ivanovna (1777-1824) Orlova, née Saltykova, épouse de Grigori Orlov (fils de Vladimir, 1777-1826 et petit-fils du favori de Catherine II), tint un salon littéraire à Paris en 1815.

6. La princesse Ekaterina Ossipovna Tufiakina, née Horvat (1777-1802) avait épousé le prince Petr Ivanovitch Tufiakine-Obolensky en 1799 ; elle mourut l'année suivante. L. Nikolenko, « The Russian Portraits of madame Vigée-Lebrun », art. cité, fig. 28. Non localisé.

7. Charles Louis Ducrest de Villeneuve (1747-1824), nommé par le crédit de sa sœur chancelier du duc d'Orléans.

8. Alexandre Borissovitch Kourakine (1752-1818), ancien compagnon d'étude de Paul Ier, démissionna après l'assassinat du czar en 1801. Alexandre le fit ambassadeur à Paris. Son portrait est à l'Ermitage. Voir L. Nikolenko, « The Russian Portraits of madame Vigée-Lebrun », art. cité, fig. 50.

9. Voir T. Bakounine, *Le domaine des Princes Kourakine dans le gouvernement de Saratov*, Paris, Presses Modernes, 1929, p. 23-25.

10. *Souvenirs, op. cit.*, p. 605.

11. Le comte Alexandre Bezborodko (1747-1799), d'abord ministre de l'Intérieur, eut à lutter contre l'influence des favoris de Catherine II. Paul Ier le fit prince. Voir C. de Grunwald, *L'Assassinat de Paul Ier, tsar de Russie*, Paris, Hachette, 1960, p. 93.

12. Dominique Daguerre, souvent désigné comme ébéniste, était un marchand-mercier qui commercialisait les meubles d'ébéniste de qualité. Il fournissait le garde-meuble royal, mais aussi la cour de Russie et le duc de Northumberland, ainsi que le riche amant d'Emma Hart, Sir Harry Fetherstonhaugh. Il se retira des affaires vers 1793.

13. A. Goodden, *The Sweetness of Life, a Biography of Elisabeth-Louise Vigée Le Brun*, *op. cit.*, p. 200.

14. Le comte Petr Alexandrovitch Boutourline (1734-1787), proche de Lev Alexandrovitch Narychkine, familier de Catherine II. Le goût des livres était affaire de famille chez les Boutourline, car son fils, Dmitri Petrovitch Boutourline (1790-1850), général et homme de lettres, fut directeur de la Bibliothèque impériale de Saint-Pétersbourg.

15. *Souvenirs, op. cit.*, p. 607.

16. Au sujet du portrait du maréchal comte Ivan Petrovitch Saltykov, peint en 1801 et aujourd'hui non localisé, voir L. Nikolenko, « The Russian Portraits of madame Vigée-Lebrun », art. cité, fig. 47.

17. Grigori Vladimirovitch Orlov (1777-1826).

18. Papiers Tripier Le Franc, 28643-28650.

19. *Souvenirs, op. cit.*, p. 608-609.

20. R. E. McGrew, *Paul I of Russia, op. cit.*, p. 324.

21. Grand-duc N. M. Romanov, *L'Impératrice Élisabeth, épouse d'Alexandre Ier*, *op. cit.*, t. I, p. 266.

22. V. Golovine, *Souvenirs de la comtesse Golovine, née princesse Galitzine (1766-1821)*, *op. cit.*, p. 262.

23. Le 25 mars 1801, Grand-duc N. M. Romanov, *L'Impératrice Élisabeth, épouse d'Alexandre Ier*, *op. cit.*, t. I, p. 270.

24. *Ibid.*, p. 271.

25. *Souvenirs, op. cit.*, p. 617.

26. L'histoire de ce tableau, qui ne figure pas dans les listes de l'artiste, est mal connue.

27. Gérard Christophe Michel Duroc (1772-1813), duc de Frioul, grand maréchal du palais, sorti sous-lieutenant de l'école de Brienne en 1792, se lia avec Bonaparte au siège de Toulon, devint son aide de camp pendant la campagne d'Italie, le suivit en Égypte. Il mena une carrière diplomatique de front avec celle des armes. Il remplit des missions à Vienne, à Pétersbourg, à Stockholm et à Copenhague et meurt au combat. Il fut inhumé aux Invalides.

28. René Hippolyte Leprestre de Châteaugiron (1774-1848), diplomate et bibliophile.

29. *Souvenirs, op. cit.*, p. 627-628.

30. François Jean, marquis de Chastellux (1734-1788), se distingua durant la guerre de Sept Ans et servit comme major général de l'armée de Rochambeau lors de la guerre d'Indépendance américaine. Il se lia avec Washington. Il est l'auteur de *De la félicité publique* (1772) et de *Voyages dans l'Amérique septentrionale* (1786).

31. *Souvenirs, op. cit.*, p. 535.

41. Sur la route du retour

1. À l'adresse de M. de Châteaurouge. Carnet vert, collection privée. La première vente de Le Brun chez Christie date de 1774. Voir C. Bailey, « Lebrun et le commerce d'art pendant le Blocus continental », *Revue de l'Art*, n° 63, 1984, n. 15.

2. Emmanuel de la Selle, chevalier de Châteaubourg (1762-1806) ou plus probablement son frère, Charles-Joseph de la Selle de Châteaubourg (1758-1837), actif en Russie de 1800 à 1805, qui mourut à Nantes en 1837.

3. Carnet vert, collection privée.

4. *Ibid.*

5. *Souvenirs, op. cit.*, p. 619.

6. *Ibid.*, p. 620.

7. *Ibid.*, p. 621.

8. Elle compose une note non datée sur le sujet des sensations, sur papier libre. M.L.

9. Diderot à Sophie Volland (31 juillet 1759), in *Correspondance, op. cit.*, t. III, p. 124.

10. M. L.

11. Diderot, *Recherches philosophiques sur le Beau, O.C., op. cit.*, t. II.

12. *Carnet vert.*

13. Au 122, rue de Berlin, *Guide de Berlin, Potsdam et ses environs*, Berlin, Nicolaï, 1802, p. 250.

14. *Ibid.*, p. 229.

15. Elle achète des pièces de lingerie. *Carnet vert.*

16. *Souvenirs, op. cit.*, p. 626.

17. Louise Auguste Wilhelmine Amélie de Mecklembourg-Strelitz, reine de Prusse (1776-1810), fille du duc Charles de Mecklembourg et de la princesse Frédérique Caroline de Hesse, épouse en 1793 le prince de Prusse, qui devient roi quatre ans plus tard, sous le nom de Frédéric-Guillaume III. Louise, aimée du peuple, était farouchement antinapoléonienne. Lorsque Napoléon Ier refusa d'accorder Magdebourg à la Prusse lors du traité de Tilsit, Louise se retira à Memel avec le roi.

18. Berlin, Alte Nationalgalerie, 1797.

19. *Souvenirs, op. cit.*, p. 623.

20. Louise écrit en français à Frédéric-Guillaume, qu'elle appelle : « mon ami, le meilleur de mes amis », *Briefe und Tagebücher der Königin Luise*, BPH, rep ; 49, König Friedrich Wilhelm III (1770-, reg, 1797-1840), *Briefe und Tagebücher der Königin Luise* (Geheimes Staatsarchiv Preußischer Kulturbesitz).

21. Salomé de Gélieu.

22. Schloss Charlottenburg.

23. Coll. Georg Friedrich, prince de Prusse. *Luise, Leben und Mythos der Königin*, Postdam, Stiftung Preussiche Schlösser und Gärten Berlin-Brandenburg, 2010, p. 32, ABB 18.

24. Collection Friedrich, prince d'Hohenzollern, château d'Hohenzollern.

25. *Luise, Leben und Mythos der Königin, op. cit.*, p. 31.

26. Frédérique Louise Charlotte Wilhelmine deviendra impératrice de Russie, sous le nom d'Alexandra Fedorovna.

27. Dans le testament olographe rédigé le 23 septembre 1829, l'artiste lègue ces bijoux à Léonie, sa petite-nièce, fille de Caroline Rivière.

28. Seuls quelques documents subsistent. M. Lodyňska-Kosińska, « Nieborowski Portret Elzbiety Vigee Lebrun », *Biuletyn Historyi Sztuki*, 18, 1956, p. 271-280. Archiwum Glowne Akt Dawnych (Archives principales des actes anciens) à Varsovie, fonds Radziwill, division V, dossier 418.

29. L'attitude de Barbe Julie de Wietinghoff, baronne de Krüdener (1764-1824), inquiétera la police des petits États allemands, elle se réfugie à la cour de la grande-duchesse Stéphanie de Bade. Certaines de ses prédictions s'étant réalisées, elle éveillera l'intérêt d'Alexandre Ier, qui la rencontre à Heilbronn en mai 1815.

30. Adélaïde Marie Émilie Filleul (1761-1836), fille d'un payeur des rentes et d'une maîtresse de Louis XV (Irène du Buisson de Longpré).

31. Grâce à sa sœur, la marquise de Marigny.

32. Adélaïde Labille-Guiard avait représenté Mme de Flahaut et son enfant unis en une étreinte affectueuse.

33. *Souvenirs, op. cit.*, p. 322.

34. Lettre à Brongniart, *in* J. Silvestre de Sacy, *Alexandre-Théodore Brongniart, op. cit.*, p. 73.

35. M. L. 8996.

36. *Souvenirs, op. cit.*, p. 630.

37. *Ibid.*

38. Lettre de la princesse de Tarente à la comtesse Golovina (16-18 mars 1802). Transcription Elena Gretchanaïa. Archives d'état de la Fédération de Russie, fonds 706, inv. 1, n° 16 ; f° 29. Les portraits arriveront chez le comte Tolstoï dont l'artiste soupçonne la malveillance.

39. En 1788.

40. Frédéric Melchior, baron de Grimm (1723-1807), rédacteur, à la suite de l'abbé Raynal, de *La Correspondance littéraire*, journal où écrivaient les philosophes. Parmi ses abonnés, Grimm avait compté parmi les têtes couronnées la duchesse de Saxe-Gotha, Catherine II, la reine de Suède, le duc de Brunswick, Stanislas-Auguste Poniatowski.

41. Elizaveta Petrovna Divova, née comtesse Boutourlina (1762-1813), était l'épouse d'Adrian Petrovitch Divov, sénateur et conseiller privé. Voici la note succincte au sujet de cette rencontre dans son *Journal* (publié en 1929) qui contredit les dires de Mme Le Brun : « Madame LeBrun et son beau-frère avec lesquels nous voyagions étaient tous deux très aimables », p. 34. Ses souvenirs diffèrent de ceux de Mme Le Brun qui affirme qu'Auguste Rivière est resté à Brunswick.

42. Et non 1801, comme je l'ai indiqué par erreur dans mon édition des *Souvenirs*.

42. PARIS

1. Alfred de Musset, *Confession d'un enfant du siècle*, Paris, Charpentier, 1840, p. 3.

2. A.N. Sixième tome du Terrier du roi, Q¹ 1099⁸, f° 70.

3. *Souvenirs, op. cit.*, p. 637.

4. Charlotte Vigée, dite Caroline, est née vers 1791.

5. Le portrait qu'il a fait de lui-même en 1795 révèle son souci des apparences (collection privée). Voir l'excellente notice de J. Baillio dans *The Arts of France, op. cit.*, p. 332. Notre description suit cet autoportrait.

6. Sur le portrait de 1795, ce camée représente Neptune.

7. Achat du 4 décembre 1800. La glace est l'objet le plus coûteux de ce mobilier. A.N. ET/M.C./ET/XIII/515.

8. Le 27 brumaire an VII Thérésa Cabarrus intervient en faveur de l'artiste.

9. « Madame Vigée Lebrun (1776-1811) », art. cité, p. 345.

10. A. Tuetey, « L'émigration de Madame Vigée-Lebrun », *Bulletin de la Société d'histoire de l'art français*, 1911, p. 182, cité par F. Camus, *Jean-Baptiste Pierre Le Brun, peintre et marchand de tableaux, op. cit.*, p. 187.

11. 29 nivôse an X. Voir A. Aulard, *Paris sous le Consulat*, Paris, Cerf-Noblet-Quantin, 1904, t. II, p. 707.

12. *Souvenirs, op. cit.*, p. 638.

13. Marseille, musée des Beaux-Arts.

14. Lettre à Lucien Bonaparte du 28 pluviose an IX (1800), citée par Ed. Munhall, *Jean-Baptiste Greuze, 1725-1805*, trad. E. Mornat, Dijon, musée des Beaux-Arts, 1977, p. 234.

15. D'après le témoignage de Maurice Descombes cité par Louis Hautecœur, *Greuze*, Alcan, 1913, p. 142.

16. M. U.

17. Au mois de mai suivant, Louise Degrémont s'embarquera sur le vaisseau *Herkimer*, gouverné par le capitaine Levy-Joy, afin de soigner sa fille Émilie, partie aux Amériques. *Correspondance*, archives privées.

18. N. Wilk-Brocard, *François Guillaume Ménageot, 1744-1816*, *op. cit.*, p. 43.

19. Cité in *ibid.*, p. 39.

20. En janvier 1793. Ménageot demande à recevoir le montant de son voyage de retour le 11 janvier de la même année.

21. Le 10 mai 1796.

22. *Souvenirs, op. cit.*, p. 639. C'est le baron Jean François Le Jeune, peintre et futur général, qui réalisera le tableau de cet assaut.

23. Que cette visite ait été tenue secrète ou non, Mme Le Brun ne mentionne pas de rencontre avec Michelle de Bonneuil en Russie.

24. *Souvenirs, op. cit.*, p. 638.

25. Aujourd'hui rue Sainte-Anne.

26. J. F. Reichardt, *Un hiver à Paris sous le Consulat*, présenté et annoté par Thierry Lentz, Paris, Tallandier, 2003, p. 62.

27. Ses enfants la laissent sans ressources. Voir V. Denon, « Madame Grollier, toujours excessivement aimable, est absorbée à la poursuite de son procès, qui est excellent mais peut-être encore bien long, et pendant ce temps la pauvre femme meurt de faim », *Lettres à Bettine, op. cit.*, 24 octobre 1802, p. 507.

28. M. U.

29. *Souvenirs, op. cit.*, p. 651.

30. Lettre reçue de l'abbé Delille en 1790, *Souvenirs, op. cit.*, p. 280.

31. A. de Musset, *Confession d'un enfant du siècle, op. cit.*, p. 11.

32. Étienne est nommé, en 1794, directeur de cette revue annuelle.

33. L'ode « Les Dames romaines au général Bonaparte » a été écrite en 1796, et publiée dans l'*Almanach des Muses*, 1797, p. 39.

34. Nous n'avons pu localiser aucun exemplaire de cette édition.

35. An VII, 1798-1799.

36. « J'aime son vers facile et sa grâce naïve / On croit, pour l'imiter qu'il suffit qu'on le suive » dans « *Ma journée* ». *Poème, op. cit.*

37. É. Vigée, *Mes conventions, épître suivie de vers et de prose*, dédiée à madame Lebrun, ma sœur, *op. cit.*

38. *Ibid.*, p. 10.

39. *Discours prononcé le jour de la distribution des prix de l'institution polytechnique dirigée par M. E. M. J. Lemoine d'Essoies* (n.d.)

40. *Les Veillées des Muses* ou *Recueil périodique des ouvrages en vers et en prose, lus dans les séances du Lycée des étrangers*, publié par les citoyens Arnaud, Laya, Legouvé et Vigée, n° 1, chez Bertrander, 1798, nivose an VI.

41. Miss Williams a publié un livre de voyage en Suisse en 1798 et traduit en anglais l'œuvre de Bernardin de Saint-Pierre.

42. J. F. Reichardt, *Un hiver à Paris sous le Consulat, op. cit.*, p. 119.

43. J. Tripier Le Franc, *Histoire de la vie et de la mort du baron Gros, op. cit.*, p. 125.

44. Adèle de Boigne avait procuré à Joséphine – à sa demande – de coûteuses plumes de héron des Indes pour sa coiffure. Éperdue de reconnaissante, Joséphine annonce qu'elle fait monter des camées en collier pour les offrir à Adèle. Mais, elle finit par conserver la parure, qui lui plaît beaucoup. *Récits d'une tante. Mémoires de la comtesse de Boigne, op. cit.*, t. I, p. 231.

45. F. Camus, *Jean-Baptiste Pierre Le Brun, peintre et marchand de tableaux, op. cit.*, p. 276.

46. François Félix Dorothée, duc de Crillon, lieutenant général, constituant, pair de France (1748-1820), qui avait formé le premier noyau du club des Feuillants. Considéré comme suspect, il passa en Espagne, revint en France sous le Directoire et siégea à la Chambre des pairs après la seconde Restauration.

47. J. Tulard, L. Garros, *Itinéraire de Napoléon au jour le jour (1769-1821)*, Paris, Tallandier, 1992, p. 179.

48. M. Berry, *Voyages de Miss Berry, 1782-1836*, trad. par Mme la duchesse de Broglie, Paris, A. Roblot, 1905, p. 95.

49. Aglaé Louise Auguié de Lascans, nièce de Mme Campan, duchesse d'Elchingen, a épousé le maréchal Ney en 1802.

50. Michel Louis Félix (1769-1815), maréchal Ney, duc d'Elchingen, prince de la Moscowa.

51. Caroline Marie Annonciade, troisième sœur de Napoléon (1782-1839), épousa Joachim Murat, futur roi de Naples en 1800.

52. H. Ramé, *Revue du Souvenir Napoléonien*, n° 356, décembre 1987, p. 24-33.

53. *Souvenirs, op. cit.*, p. 652.

54. V. Golovine, *Souvenirs de la comtesse Golovine, née princesse Galitzine (1766-1821), op. cit.*, p. 293.

55. É. Vigée, « *Ma journée* ». *Poème, op. cit.*, p. 14.

56. Mme de Genlis, *Mémoires* (extraits), Paris, Mercure de France, 2004, p. 361.

57. Inventaire après décès Le Sèvre. M.C. ET/CXIV/46-47.

58. *Souvenirs, op. cit.*, p. 640.

59. Et non quatre-vingt-deux comme le dit Mme Le Brun, *ibid.*, p. 645.

60. Lettre à Hoppner, *ibid.*, p. 669.

61. François Gérard (1770-1836) élève de Pajou, Brenet, et surtout de David. Lors de l'exposition de 1795, il expose son *Bélisaire*, que la gravure rend populaire. La *Bataille d'Austerlitz*, (Salon de 1810) est appréciée par Napoléon. Gérard devint le portraitiste de l'Empire, puis de la Restauration. Sur la commande de Louis XVIII, Gérard compose *L'Entrée d'Henri IV à Paris* (1815-1817). Son neveu, Henri Alexandre Gérard a rédigé trois volumes de catalogue de son œuvre en 1852.

62. Voir J. F. Reichardt, *Un hiver à Paris sous le Consulat, op. cit.*, p. 216 : « Gérard a le bonheur d'être sympathique comme homme et comme artiste. »

63. Et non le portrait de Letizia Bonaparte comme nous l'avions indiqué par erreur dans notre édition.

64. Alexandrine de Bawr, *Mes souvenirs, op. cit.*, p. 104.

65. *Mémoires du comte de Paroy (1750-1824), op. cit.*

66. J. F. Reichardt, *Un hiver à Paris sous le Consulat, op. cit.*, p. 216. 28 décembre 1802.

67. Lettre à la comtesse Golovina. Archives d'État de la Fédération de Russie, fonds 706, inv. 1, n° 16 ; f° 29 v. 11/23 février. Datée [1802] mais une datation en 1803 paraît plausible.

68. *Ibid.* Le 6/18 mars [1802].

69. Victorine de Chastenay, *Mémoires, 1771-1815*, édités par A. Roserot, Paris, Plon, 1896-1897, t. I, p. 449.

70. Vivant Denon écrit à I. Teotochi, 30 juillet 1802 : « Mad. Lebrun est à la campagne où elle termine des tableaux qu'elle avait commission de faire. Je la verrai à son retour », *Lettres à Bettine*, éd. Fausta Gavarini, Paris, Actes Sud, 1999, p. 504.

71. Le prince Ferdinand, Louise Radziwill et son frère Auguste Ferdinand. Le portrait de la fille de Ferdinand, Louise, princesse Radziwill, particulièrement réussi, sera transposé à l'huile à son retour d'Angleterre. Le visage encadré de boucles légères, elle est vêtue d'une robe à collerette qui évoque une mode *Renaissance*. Musée national de Varsovie. Sur l'histoire de ce portrait dont la signature porte la date de 1805, voir A. Ryszkiewicz, « Les Portraits polonais de Madame Vigée-Lebrun », art. cité, p. 37.

72. *Souvenirs, op. cit.*, p. 652.

73. La duchesse de Fleury s'était remariée en 1795 avec Philippe François Casimir de Montrond (1769-1844), comte de Mouret, officier servant dans le régiment de son ex-époux, duc de Fleury. L'actuel amant de la duchesse de Fleury était Jacques Joseph Garat, dit Mailla-Garat (1763-1837), frère du chanteur Pierre Garat, amant de Sophie de Condorcet et neveu de Dominique Joseph Garat (1749-1833), ministre de la Justice, chargé de lire la sentence de mort à Louis XVI.

74. *Souvenirs, op. cit.*, p. 652.

75. *Ibid.*, p. 385.

76. Benjamin West (1733-1820), peintre d'histoire, né en Pennsylvanie, voyagea en Italie et arriva à Londres vers 1763. *La Mort de Nelson* est un de ses tableaux les plus célèbres. Il entreprit pour le château de Windsor une série de toiles retraçant les principaux événements du règne d'Édouard III.

77. Le 27 septembre 1802.

78. J. Farington, *The Farington Diary, op. cit.*, t. IV, p. 33-34.

79. Julien David Le Roy (1724-1803), fils du célèbre horloger Julien Le Roy.

80. Nield, personnalité non identifiée et Jacob Stone, peintre d'animaux.

81. François Masson, (1745-1807), élève de Coustou, sculpteur officiel des Tuileries.

82. V. Denon, *Lettres à Bettine, op. cit.*, 24 octobre 1802, p. 507.

83. J. F. Reichardt, *Un hiver à Paris sous le Consulat, op. cit.*, p. 418.

84. Nous ignorons quel portrait Reichardt a identifié comme « Sainte Cécile ».

85. L'artiste donne aussi une soirée pour des diplomates. Parmi eux, le jeune M. de Metternich, connu à Vienne chez Mme de Rombeck et qui passe à Paris, entre son ambassade de Dresde et celle de Berlin.

86. Lettre du 27 thermidor an X (15 août 1802), J. Silvestre de Sacy, *Alexandre-Théodore Brongniart, op. cit.*, p. 128.

87. Dans la politique de limitation du nombre des théâtres en œuvre sous le Consulat, les acteurs devaient recevoir un ordre avant d'être engagés par l'un des théâtres bénéficiant d'autorisation. D'après Brongniart, c'est lui qui demande à Mme de Montesson d'auditionner la débutante dans son salon, sorte d'antichambre du Français. Louise Élisabeth affirme qu'elle a intercédé auprès de Mme de Montesson et donné des conseils à la jeune fille afin de mettre sa personnalité en valeur.

88. *Souvenirs, op. cit.*, p. 650.

89. Anne-Marie de Montgeroult de Coutances, comtesse de Beaufort par son premier mariage, puis marquise d'Hautpoul.

90. Alexandrine de Bawr, née Coury de Champgran (1773-1860), alors comtesse de Saint-Simon, elle épousera le comte de Bawr en 1806, et a laissé des *Souvenirs*, 1853.

91. J. F. Reichardt, *Un hiver à Paris sous le Consulat, op. cit.*, p. 242.

92. *Ibid.*, p. 217.

93. *Souvenirs et correspondance, tirés des papiers de Madame Récamier*, Paris, Lévy, 1860, p. 35.

94. Lyon, musée des Beaux-Arts.

95. Voir St. Guégan, « Une beauté "fashionable" », in *Juliette Récamier. Muse et mécène*, textes réunis par S. Ramond et St. Paccoud, Paris-Lyon, Hazan-musée des Beaux-Arts de Lyon, 2009, p. 59.

96. J. Farington, *The Farington Diary, op. cit.*, t. II, p. 42.

97. *Juliette Récamier. Muse et mécène, op. cit.*, p. 186.

98. Probablement exécuté par Jacob sur des dessins de Berthault.

99. *Souvenirs, op. cit.*, p. 646.

100. J. F. Reichardt, *Un hiver à Paris sous le Consulat, op. cit.*, p. 218.

101. *Ibid.*, p. 451.

102. Charles Du Paty (1771-1825), fils de Charles-Marguerite Du Paty, peintre à mortier, devint sculpteur et partit à l'école de Rome en 1803. M. de Trénitz est un célèbre danseur qui donna son nom à une figure du quadrille.

103. J. F. Reichardt, *Un hiver à Paris sous le Consulat, op. cit.*, note de Thierry Lentz, p. 248.

104. Mme Tallien (1770-1835), née Thérésa de Cabarrus, en premières noces, épouse d'un conseiller au parlement de Paris, Davin de Fontenay, puis en secondes noces, de Tallien. En 1803, elle obtint un arrêt de divorce et, peu de temps après, épousa le comte de Caraman, futur prince de Chimay. Le baron Gérard a réalisé un portrait en pied de Mme Tallien (musée Carnavalet). Voir *Mémoires du comte de Paroy (1750-1824), op. cit.*, p. 379, et *Souvenirs, op. cit.*, p. 646.

105. Mme de La Tour du Pin, *Mémoires et correspondance, op. cit.*, p. 308.

106. Mme de Genlis, *Mémoires, op. cit.*, p. 24, 376.

107. Voir *Mémoires du comte de Paroy, op. cit.*, 1895, p. 379.

108. J. F. Reichardt, *Un hiver à Paris sous le Consulat, op. cit.*, p. 201, décembre 1802.

109. Lettre citée par G. Walczack, *Élisabeth Vigée Le Brun : eine Künstlerin in der Emigration, 1789-1802*, Munich, Deutscher Kunstverlag, 2004, p. 94 : « Je veux voyager encore 2 ans d'abord à Londres ».

110. Le 10 mars 1803.

111. Pièce d'Étienne Vigée créée en 1788. Elle est retenue avec *Les Aveux difficiles* dans le *Répertoire universel du théâtre français* (notice par de La Doucette) paru en 1824.

112. En décembre 1802. La créance totale s'élève à soixante-dix-huit mille francs, car elle comprend la dot de Mme Le Brun exigible depuis le divorce. Mais le prêt est sans intérêts en cas de remboursement dans les trois ans, avec un nantissement sur les biens de Le Brun. A.N. M.C/ET/CXVI/663. Et rectification à l'acte A.N./ET/CXVI/634.

113. J. F. Reichardt, *Un hiver à Paris sous le Consulat, op. cit.*, p. 409-410.

114. Jean-François de La Harpe décède en février 1803.

115. Il s'agit probablement de l'épouse du riche banquier Demidov, née baronne Elizaveta Alexandrovna Stroganova. De son portrait réalisé entre 1795 et 1801 (localisation inconnue), seule subsiste aujourd'hui une miniature (L. Nikolenko, « The Russian Portraits of madame Vigée-Lebrun », art. cité, 33).

116. J.-B. Descamps, *La Vie des peintres flamands, allemands et hollandais, op. cit.*, t. II, p. 21.

43. Les années anglaises

1. *Souvenirs, op. cit.*, p. 659.

2. G. de Lévis, *L'Angleterre au commencement du XIXᵉ siècle*, Paris, Renouard, 1914, p. 1.

3. Voir A.N. M.C./ET/CXVI/739. Papiers Tripier Le Franc, 27993. Adélaïde restera fidèle à Mme Le Brun durant une trentaine d'années.

4. *Souvenirs, op. cit.*, p. 656.

5. Joshua Reynolds (16 juillet 1723-23 février 1792), auteur du *Discours sur la peinture*, avait été président de la Royal Academy.

6. François Auguste Parseval-Grandmaison (1759-1834), fils d'un fermier général.

7. Mme Le Brun y séjourne encore en juin 1803 comme en témoigne la visite d'Opie, J. Farington, *The Farington Diary, op. cit.*, t. II, p. 106.

8. *Souvenirs, op. cit.*, p. 675.

9. Voir G. de Lévis, *L'Angleterre au commencement du XIXᵉ siècle, op. cit.*, p. 51.

10. *Ibid.*, p. 45.

11. *Ibid.*, p. 59.

12. Le capitaine James Cook (1728-1779), découvreur de territoires, était un navigateur né dans le Yorkshire, il reçut le commandement d'une expédition scientifique par la Royal Society.

13. *Souvenirs, op. cit.*, p. 658.

14. G. de Lévis, *L'Angleterre au commencement du XIXᵉ siècle, op. cit.*, p. 57.

15. *Ibid.* p. 62.

16. *Reynolds felt that the job of principal painter was of « not so much profit and of near equal dignity with his majesty's rat catcher »*, cité par D. Shawe-Taylor, *The Georgians*, Londres, Barrie and Jenkins, 1990, p. 9.

17. Lettres à son fils, cité in *ibid.*, p. 8.

18. J. Farington, *The Farington Diary, op. cit.*, t. III, p. 297.

19. Cité par D. Shawe-Taylor, *The Georgians, op. cit.*, p. 10.

20. Lettre de 1801, cité in *ibid.*, p. 7.

21. *Ibid.*

22. Lettre du 20 octobre 1803, B.n.F. NAF, fichier Charavay.

23. Le 15 mai 1803, J. Farington, *The Farington Diary, op. cit.*, t. II, chap. XXVIII, p. 99.

24. *Ibid.*, p. 104.

25. Sept cents guinées pour la famille du duc de Marlborough. Mais Reynolds avait touché 1 500 guinées pour *Hercule étranglant les serpents* acheté par Catherine II. Voir James Northcote, *Memoirs of Sir Joshua Reynolds*, Londres, 1813, liste n.p.

26. J. Farington, *The Farington Diary, op. cit.*, t. II, p. 106.

27. Charles James Fox (1743-1806) était le troisième fils de Lord Holland, homme d'État whig, grand orateur surnommé « le Démosthène anglais ». Son goût pour l'élégance et le jeu lui fit une réputation de dandy. Il parcourut l'Europe et fit la visite de Ferney.

28. S. Tillyard, *Quatre Aristocrates anglaises. Les sœurs Lennox*, Paris, Seuil, 1998, p. 145.

29. National Trust, Seven Oaks Knole, Kent, U.K.

30. Voir K. Frey, « Le jardin, cabinet de l'amateur éclairé ? », *Collections et pratique de la collection en Suisse au XVIIIᵉ siècle*, Slatkine, Genève, 2007, p. 161.

31. Giovanni Batista Viotti (1755-1824) fit une tournée en Europe en 1780-1781, fonda à Paris le théâtre de Monsieur, comte de Provence et rencontra Cherubini en 1785. En 1792, il émigre à Londres et devient le professeur et le mentor de Casimir Baecker (le « fils adoptif » de Mme de Genlis) durant son séjour. Sur la relation entre les Chinnery et Viotti, voir D. Yim, *Viotti and the Chinnerys : a Relationship Charted trough Letters*, Aldershot, Ashgate, 2004.

32. Robert Chinnery obtient un prix de poésie à Oxford en 1810.

33. Romance, [WVII : 6, 1802]et l'aria, *Gli Zingarelli*, [WVII : 2l. 1802]. *Catalogo delle opere di Chapell White*, 1985.

34. L'artiste ne mentionne que deux des trois enfants de Margaret Chinnery, Caroline (1791-1812) et George Robert (1791-1825). Les portraits des enfants Chinnery ne sont pas localisés, celui de leur mère figure dans les collections de l'Indiana University Art Museum, Bloomington. Voir J. Baillio, *Élisabeth Vigée Le Brun, 1755-1842, op. cit.*, p. 124.

35. Un portrait gravé de l'artiste est dédié à Mistress Chinnery en 1819. Voir J. Baillio, *Élisabeth Vigée Le Brun, 1755-1842, op. cit.*, p. 124.

36. La margravine Elisabeth Craven, née Berkeley (1750-1828).

37. À Hammersmith. Voir A. Goodden, *The Sweetness of Life, a Biography of Elisabeth-Louise Vigée Le Brun, op. cit.*, p. 252.

38. Lady Craven, *Mémoires*, Paris, Mercure de France, 2008, p. 51.

39. *Souvenirs, op. cit.*, p. 679.

40. Anne Albe Cornélie de Beaurepaire, comtesse Charles d'Hautefeuille, dédicataire des vers de Gouverneur Morris : « Eh, bon jour, belle faiseuse / De romans et de bonnets ; / Parfois vive et paresseuse, / Bonne et douce et sans apprêt », amie de Mme de Flahaut et auteur d'un roman (*L'âme exilée*, 1837). *Journal de Gouverneur Morris, 1789-1792*, Paris, Mercure de France, 2002, chap. XXX.

41. Ou Tunbridge-Well, ville balnéaire rivale de Bath avec des éléments d'architecture géorgienne.

42. G. de Lévis, *L'Angleterre au commencement du XIXe siècle, op. cit.*, p. 46-47.

43. Lord Francis Randon Hastings, deuxième comte de Moira et premier marquis d'Hastings (1754-1829). Il s'embarqua pour les Amériques parmi les favoris du prince de Galles et participa à l'expédition de Quiberon en compagnie du comte de Puisaye. Il fut représenté, portant l'ordre de la Jarretière, par George Chinnery.

44. La marquise de Buckingham, épouse de Richard Grenville (1776-1839), deuxième marquis de Buckingham ; celui-ci entretint une amitié avec George IV qui le fit duc en 1822. Comme tous les Grenville, le marquis avait le goût des objets d'art, il y consacrait des sommes considérables au point de fragiliser sa fortune. Le palais de Stowe était la principale résidence de campagne de sa famille.

45. Armand-Louis, duc de Sérent (1736-1822), suivit Artois en exil.

46. *Souvenirs, op. cit.*, p. 684.

47. *Ibid.*, p. 695.

48. Par madame de Noiseville, fille de Vaudreuil.

49. *Souvenirs, op. cit.*, p. 682.

50. *Récits d'une tante. Mémoires de la comtesse de Boigne, op. cit.*, t. I, p. 148.

51. A. N. Marine, C7 340, lettre autographe signée Victoire de Vaudreuil. Je remercie M. Marc Perrichet de m'avoir indiqué cette référence. Le couple songe à se rendre à Saint-Domingue afin de libérer les terres de leur séquestre et remettre en fonctionnement les deux sucreries. Ils renonceront à ce voyage.

52. Le duc d'Orléans, futur Louis-Philippe (1773-1850), le duc de Montpensier (1775-1807), le comte de Beaujolais (1779-1808).

53. Trois frères Wouwerman furent peintres : Philips (1620-1668), Pierre (1626-1683), Jean (1629-1699).

54. Lady Georgiana (1737-1814), mère de la célèbre duchesse de Devonshire.

55. François, baron de Roll ; Louis, comte de Mesnard (1769-1842), premier écuyer de la duchesse de Berry en 1816.

56. Charles Ferdinand de Bourbon, duc de Berry (1778-1820), et Louis Henri Joseph de Bourbon-Condé (1736-1818), père du duc d'Enghien.

57. Frédéric Rehberg, peintre et lithographe allemand (1758-1835), avait édité, avec l'aide de Piroli, en 1794, une série intitulée : « Différentes dispositions de l'âme, représentées par les poses pantomimiques de Lady Hamilton, gravées en 15 feuilles », publié sous le titre *Drawings fairhfully copied from Nature at Naples*.

58. *Souvenirs, op. cit.*, p. 404.

59. William Anderson (1757-1837) exposa à la Royal Academy entre 1787 et 1834.

60. Lord Thomas Barnewall, quinzième baron de Trimleston (1773-1839). Voir *infra*, p. 603.

61. Ivan Ivanovitch, prince Bariatinski (1769 ou 1772-1825), frère de la comtesse Tolstaïa, époux de Frances Mary Dutton (1777-1807). Il semble qu'Ivan Bariatinski soit reparti en 1804. La rencontre et la visite à Herschel ont probablement lieu en 1803.

62. Le musée Pouchkine possède un tableau à l'huile et un pastel représentant le prince Bariatinski.

63. Friedrich Wilhelm Herschel (1738-1822).

64. Sir Francis Burdett (1770-1844), originaire du Derbyshire, suivit les débats en France durant la Révolution, et en revint avec des opinions libérales.

65. *Souvenirs, op. cit.*, p. 665.

66. Caroline Lennox, épouse de Henry Fox. Cité par S. Tillyard, *Quatre Aristocrates anglaises...*, *op. cit.*, p. 156.

67. Lady Ann Ingram Shepherd, épouse depuis 1776 de Francis Seymour, marquis de Hertford (1743-1822). Très fortunée, elle était, selon Madame de Boigne « la reine des pensées » du prince de Galles, et eut sur lui une influence amicale. *Récits d'une tante. Mémoires de la comtesse de Boigne*, *op. cit.*, t. I, p. 558-559. Voir le portrait de Lady Hertford par E. A. Smith, *George IV*, 1999, fig. 15.

68. Lady Louise Elisabeth Araminta Gore (v. 1770- ?), fille du second comte d'Arran, épouse d'Henry Monck et mère de Louise Élisabeth Araminta (née en 1790) et de Catherine Anne Isabella (née en 1796). Les « galanteries » de Lady Monck étaient, d'après J. Farington, bien connues (*The Farington Diary*, *op. cit.*, t. III, p. 67).

69. Lord John III Parker, comte de Morley (1772-1840), baron (1784), puis vicomte (1815) Boringdon, avait fait le Grand Tour et possédait la demeure de Saltram House à Plymouth, de style géorgien et magnifiquement décorée par son père, ami de Reynolds.

70. Georgiana Cavendish, duchesse de Devonshire (1757-1806), née Lady Spencer, première femme de William Cavendish, sixième duc de Devonshire, favorisa l'élection de Sir Francis Burdett et celle de Charles James Fox. Gainsborough réalisa son portrait en 1783.

71. Voir baron R. Portalis, *Henry-Pierre Danloux, peintre de portraits, son journal durant l'émigration*, *op. cit.*, p. 129.

72. Londres, Dulwich Picture Gallery.

73. Madame Siddons habitait Upper Baker Street. A. Goodden, *The Sweetness of Life, a Biography of Elisabeth-Louise Vigée Le Brun*, *op. cit.*, p. 237.

74. Elisabeth Billington (1765-1818), veuve d'un contrebassiste, épousa un fournisseur aux armées. Après avoir étudié avec Morelli, elle travailla à Paris avec Sacchini. À son retour à Londres, elle se partagea entre Drury Lane et Covent-Garden. Reynolds l'a représentée en *sainte Cécile* ; elle est l'auteur de mémoires traduits en français, *Mémoires of Elisabeth Billington*, Paris, 1822.

75. Joséphine Grassini (1773-1850) débuta en 1794 à la Scala de Milan. Le rôle de Didon fut composé pour elle par Ferdinando Paër.

76. J. Farington, *The Farington Diary*, *op. cit.*, t. IV, p. 237. Et G. de Lévis, *L'Angleterre au commencement du XIXᵉ siècle*, *op. cit.*, p. 191.

77. A. Pougin, *Giuseppina Grassini 1773-1850, une cantatrice amie de Napoléon*, Paris, Fischbacher, 1920.

78. Lord Mount Edgecumbe, *Réminiscences musicales d'un vieil amateur*, Londres, W. Clarke, 1823, p. 35-36.

79. J. Farington, *The Farington Diary*, *op. cit.*, t. IV, p. 86.

80. Billington chante Cérès et Grassini, Proserpine dans l'opéra de Winter.

81. *Souvenirs*, *op. cit.*, p. 663.

82. Une version est conservée au musée des Beaux-Arts de Rouen. Mme Le Brun signale deux portraits *en sultane*, plus un autre buste.

83. John Hoppner (1759-1810).

84. À Rome, Louise Élisabeth Le Brun avait confié à Brongniart que son seul Sigisbée était cet Apollon. J. Silvestre de Sacy, *Alexandre-Théodore Brongniart*, *op. cit.*, p. 74.

85. Lettre à Perregaux, 20 octobre 1803, fichier Charavay.

86. *Souvenirs*, *op. cit.*, p. 668.

87. Maria Fitz-Herbert (1756-1837), veuve de Thomas Fitz-Herbert de Stafford en 1781.

88. *Souvenirs*, *op. cit.*, p. 668.

89. « The head very indifferent indeed », 9 octobre 1804, J. Farington, *The Farington Diary*, *op. cit.*, t. III, p. 10.

90. *Ibid.*, t. III, p. 219 et 234.

91. William Beechey (1753-1839), élève de Reynolds, portraitura George III et le prince de Galles.

92. J. Farington, *The Farington Diary, op. cit.*, t. III. p. 16.

93. *Ibid.*, t. III, p. 297.

94. *Ibid.*, t. III, p. 35.

95. Joseph Nollekens (1737-1823), sculpteur, fils d'un peintre hollandais installé en Angleterre, auteur des bustes de Sterne et de Garrick.

96. J. Farington, *The Farington Diary, op. cit.*, t. III, p. 61.

97. Cette lettre est reproduite dans ses *Souvenirs*, p. 669-671.

98. *Ibid.*, p. 670.

99. Voir ses lettres à Robert et à Brongniart.

100. *Souvenirs, op. cit.*, p. 430.

101. *Ibid.*, p. 670.

102. Il était d'usage à Londres de faire payer pour entrer dans un atelier.

103. *Souvenirs, op. cit.*, p. 678.

104. *Ibid.*, p. 690 : « [...] l'on m'écrivait en secret que son père lui faisait former différentes liaisons qui me semblaient peu convenables pour une jeune femme. »

105. 2 juin 1803, 20 octobre 1803, fichier Charavay.

106. François de Beauharnais, frère d'Alexandre, premier époux de Joséphine, (1756-1846) émigra en 1792, servit dans l'armée de Condé, écrivit à la Convention une défense de Louis XVI. Plus tard, il se rallie à Napoléon et est nommé à diverses ambassades.

107. Charles-Nicolas Oudinot (1767-1847) entre à dix-sept ans dans le régiment de Médoc-Infanterie. Promu colonel, il contribue à la victoire d'Austerlitz et reçoit le titre de comte puis, en 1808, deviendra gouverneur d'Erfurt. À la suite de la bataille de Wagram, il reçoit le bâton de maréchal de France et le titre de duc de Reggio.

108. Ce diplomate non identifié pourrait être le marquis d'Almodovar. Toutefois, l'abbé Georgel signale qu'en 1799-1800 Madrid n'a qu'un chargé d'affaire à Pétersbourg, *Voyage à Saint-Pétersbourg, op. cit.*, p. 194. Dans le *Repertorium des Diplomatischen Vertreter aller länder*, aucun diplomate commun n'apparaît en Russie et en Hollande pour la période considérée.

44. DE L'ANGLETERRE À LA SUISSE

1. *Souvenirs, op. cit.*, p. 692.

2. Le prince Alexandre Lvovitch Narychkine (1760-1826, Paris), chambellan (1785), grand maréchal de la cour (1797), directeur des Théâtres impériaux (1799-1819).

3. Geoffroy, *Journal des débats*, 28 floréal an XII, cité par L. de Lansac de Laborie, *Paris sous Napoléon*, Paris, Plon-Nourrit, 1905-1913, t. VII, p. 98.

4. Voir N. Jeffares, *Dictionary of Pastellists before 1800, op. cit.*, château de la Fasanerie, p. 324.

5. Lettre de Ducis à sa nièce, *in* V. Babois, *Élégies et poésies diverses de Mme Victoire Babois*, Paris, Nepveu, 1828, vol. II, p. 216. Jean-François Ducis (1733-1816), connu pour ses transpositions de Shakespeare, *Hamlet, Roméo et Juliette* bien accueillies du public, après le succès d'*Œdipe chez Admète* (1778), succéda au fauteuil de Voltaire à l'Académie.

6. *Souvenirs, op. cit.*, p. 648.

7. À Isabey sur un portrait de Bonaparte : « Je crois le voir, je crois l'entendre / Ce héros redoutable et cher aux nations, / Bienfaiteur d'un pays que son bras sut défendre ; / Oui c'est lui-même, il pense, il vit sous tes crayons. / Immortel par plus d'un ouvrage, / Cher Isabey, rends grâce à ton heureux talent ; / Des siècles à venir et du siècle présent / Il t'assure le juste hommage / Quand tu peins Bonaparte et le peins ressemblant », *Almanach des Muses*, 1804, p. 17.

8. Lettre d'amour autographe attestée en 1806, fichier Charavay.

9. Lettre du 15 mars 1806, V. Denon, *Vivant Denon, directeur des musées sous le Consulat et l'Empire. Correspondance (1802-1815)*, Paris, RMN, 1999, t. I, p. 328.

10. *Souvenirs, op. cit.*, p. 696.

11. Dans les *Souvenirs*, elle affirmera n'avoir touché que mille huit cents francs, soit la moitié de la somme annoncée.

12. *Catalogue d'objets rares et précieux, provenant du cabinet et fond de marchandise de M. Le Brun*, Paris, 1806.

13. À cette liste s'ajoutent, parmi d'autres, les œuvres de Carlo Marate et de Giampolo Panini, Gérard de Lairesse, Herman Van Swanevelt, de La Fosse, Lemoine et Roland de Laporte. Voir *Catalogue d'objets rares et précieux, provenant du cabinet et fond de marchandise de M. Le Brun*, 1806.

14. Prix : 147 000 livres. M.C. ET/CXVI, 648.

15. M.C. ET/CXVI/648.

16. Lettre du 20 floréal an XIII (vers le 25 avril 1805). Voici le *post scriptum* à cette lettre : « Je n'ai point laissé ignorer à M. Vigée mon beau-frère la faveur que je viens d'obtenir à la société d'émulation de Rouen et il m'a semblé qu'il se regarderait comme très honoré de la partager avec moi, il est connu pour des succès au théâtre français et dans différents autres genres. Il professe la littérature à l'Athénée de Paris comme successeur à M. Laharpe, et il est membre des académies ou sociétés littéraires de Lyon, Toulouse, Abbeville, Colmar, Gap etc. Je vous avoue que je serais enchanté de pouvoir, en lui annonçant que son vœu et le mien ont été accueillis, lui ménager une surprise agréable et exciter sa reconnaissance pour la société », N.A.F., 20 157, f° 46.

17. Mars 1807, Papiers Tripier Le Franc 29372-29379.

18. Voir C. Bailey, « Lebrun et le commerce d'art pendant le Blocus continental », art. cité, p. 38.

19. F. Camus, *Jean-Baptiste Pierre Le Brun, peintre et marchand de tableaux, op. cit.*, p. 66.

20. Fichier Charavay, 110 N.A.F. 28061, 111/183.

21. À Denis, le 3 septembre 1808, « Tu m'apprends donc que l'amitié est un sentiment plus fort et plus durable », *Technè*, n° 33, *op. cit.*

22. À Denis, le 19 juin 1808, *ibid.*

23. Jean-Joseph Louis de Maleteste (1781-1861).

24. « Lui [Maleteste] qui passe pour fol dans le monde me reprochait de n'être pas raisonnable », lettre du 15 mai 1808.

25. Lettre du 8 avril 1806, *Lettres de Claude Ignace Brugière de Barante à son fils Prosper sur madame de Staël, de madame de Staël à Claude Ignace Brugière de Barante, de Prosper de Barante, (Par son arrière-belle fille et belle-petite-fille baronne de Barante)*, Clermont-Ferrand, Imprimerie moderne, 1929.

26. Félicie de la Rochejacquelein avait épousé un *ultra* malgré l'avis de sa mère Mme de Duras, l'auteur d'*Ourika*.

27. Grâce à son père qui réside à Genève, Prosper est entré en relation avec les habitués de Coppet.

28. Lettre du 25 avril 1808, *Lettres de Claude Ignace Brugière de Barante à son fils Prosper, op. cit.*

45. PÈLERINAGES EN SUISSE

1. *Souvenirs, op. cit.*, p. 711.

2. *Ibid.*, p. 703.

3. Aucun autographe de ces lettres à la comtesse Potocka n'a été retrouvé à ce jour. L. É. Le Brun aurait pu utiliser des copies pour rédiger sous forme épistolaire le voyage en Suisse.

4. Hélène de Ligne, née Massalska, veuve de Charles de Ligne, épousa le comte Vincent Potocki puis, après une brouille, renoua avec son beau-père, Ligne, en 1807. Voir L. Perey, *Histoire d'une grande dame au XVIIIe siècle, la princesse Hélène de Ligne*, Paris, Calmann-Lévy, 1887. Madame Le Brun signale son portrait en 1776 dans ses listes.

5. *Souvenirs, op. cit.*, p. 712.

6. Christoph Ehinger, répertorié sur la liste des banquiers et commis de Bâle en 1805, *Almanach du commerce*, an XIII (1805), p. 632.

7. Papiers Tripier Le Franc, 29068.

8. *Souvenirs, op. cit.*, p. 499.

9. *Ibid.*, p. 499.

10. *Ibid.*, p. 700.

11. *Ibid.*, p. 700.

12. *Ibid.*, p. 701.

13. *Ibid.*, p. 722.

14. *Ibid.*, p. 716.

15. *Ibid.*, p. 709.

16. « Ici l'habitant des montagnes avec un peu de travail, s'approprie les richesses simples qui l'environnent ; il ne connaît point ces convulsions de l'âme qu'enfantent les désirs trop vifs et les espérances trompées », L. S. Mercier, *Tableau de Paris*, Paris, Mercure de France, 1994, t. II, p. 497.

17. *Souvenirs, op. cit.*, p. 716.

18. 1824. Vente P. Bergé, 2005.

19. *Souvenirs, op. cit.*, p. 712.

20. *Ibid.*, p. 703.

21. *Ibid.*, p. 708.

22. *Ibid.*, p. 708. Salomon Gessner (1730-1788) célèbre pour ses *Idylles* et son poème *Daphnis*.

23. S. Gessner, « Lettre à M. Fueslin sur le paysage », in *Œuvres complètes*, Lausanne, Mourer, n.d., t. III, p. 459.

24. H. F. Amiel, *Journal*, Lausanne, L'Âge d'homme, t. II, 31 août 1852, p. 295.

25. *Souvenirs, op. cit.*, p. 705.

26. *Ibid.*, p. 701.

27. *Ibid.*, p. 700.

28. R.-L. de Girardin, *De la composition des paysages* (1777), IV, in *Jardins et paysages*, textes rassemblés par Jean-Pierre Le Dantec, Paris, Larousse, 1996, p. 217.

29. *Souvenirs, op. cit.*, p. 735.

30. S. Gessner : « Mon œil exercé ne voyait plus d'objets sans y démêler des formes qui me plaisaient, ou des caractères qui fixaient mon attention ; je n'apercevais plus d'ombre qui n'eût quelque branche bien jetée, quelque masse de feuillage agréablement disposée, quelque partie du tronc dont la singularité fut piquante. Les masses et les formes principales se développaient à mes yeux ; des effets que je n'aurais point vus me frappaient », « Lettre à M. Fueslin sur le paysage », in *O.C., op. cit.*, p. 441.

31. *Souvenirs, op. cit.*, p. 713.

32. Préface de Raoul-Rochette, *Lettres sur la Suisse, écrites en 1824 et 1825*, Paris, Froment, 1826, p. 4.

33. Fr. R. de Chateaubriand, *Lettre sur le paysage en peinture*, La Rochelle, La Rumeur des âges, 1993, p. 12.

34. Nous en connaissons trois (voir Neil Jeffares, *Dictionary of Pastellists before 1800*, *op. cit.*, p. 553, et Éric Coatalem, *Œuvres sur papier et grisaille*, Paris, 2007). Vue du lac de Thoune où les ressources des tons bleutés sont utilisées.

35. W. Gilpin, *Trois Essais sur le beau pittoresque* (1792), Paris, Le Moniteur, 1982, p. 29.

36. Dès 1712. Littéralement « à la manière d'un peintre ».

37. Gilpin, dans ses *Trois Essais* montre que le *pittoresque* traduit l'émotion procurée par la vision et l'ambiguïté qui se glisse entre la parole et l'image. Sur l'évolution de la notion et la querelle du *pittoresque* voir l'excellente mise au point de M. Conan à la suite des *Essais* de Gilpin.

38. Nicolas-Rodolphe de Watteville (1760-1832) est *landamman* avoyer de la ville et république de Berne.

39. Honoré Vial (1766-1813), baron et général. Ambassadeur en Suisse de 1803 à 1808, il avait fait carrière dans la marine puis tomba à la bataille de Leipzig.

40. Papiers Tripier Le Franc, 27524.

41. M. Van Brackel, signalé comme chargé de mission spéciale (au sujet des gardes suisses) à Berne en 1807. O. F. Winter, *Repertorium der diplomatischen Vertreter aller Länder*, III, 1764-1815, Graz-Cologne, Hermann Böhlaus Nachf, 1965, p. 269.

42. *Souvenirs, op. cit.*, p. 723.

43. Acquis en 1977 par le musée de Chambéry.

44. H.-B. Saussure, *Voyage dans les Alpes*, Paris, Georg, 2002, p. 132.

45. *Ibid.*, p. 111.

46. Deux monstres sacrés

1. À Meister, 7 août [1807], *in* Mme de Staël, *Correspondance générale, op. cit.*, t. V, p. 289.

2. G. de Staël, *Corinne, op. cit.*, p. 334.

3. *Réflexions sur le procès de la reine*, 1793, p. 6.

4. Citée dans l'édition des *Souvenirs* de 1837, p. 264 et *Souvenirs, op. cit.*, p. 719-721.

5. Berlin, Alte Nationalgalerie.

6. August Wilhelm Schlegel (1767-1845), gouverneur depuis 1804 des enfants de l'auteur de *Corinne*, composa à Coppet ses *Considérations sur la civilisation en général et sur l'origine de la décadence des religions* (1805). Il sera anobli par Guillaume III.

7. Respectivement Auguste (né en 1790), Albert (né en 1792), Albertine (née en 1797).

8. *Souvenirs, op. cit.*, p. 722.

9. Tragédie de Voltaire (Théâtre-Français, 1748).

10. Se fondant sur le répertoire du théâtre de Coppet, B. W. Jasinski suppose que Mme Le Brun a confondu et qu'elle aurait vu *Andromaque*. Une telle confusion est peu vraisemblable, d'autant que Mme Le Brun en donne les détails. Voir G. de Staël, *Correspondance générale, op. cit.*, t. VI. p. 301.

11. À Meister, *ibid.*, t. V, 7 août (1807), p. 289.

12. G. de Staël, *Corinne, op. cit.*, p. 273.

13. *Souvenirs, op. cit.*, p. 721-722.

14. Lettre de Morin de Serret à Justin Tripier Le Franc, 7 décembre 1842, Papiers Tripier Le Franc 27525.

15. Lettre n.d. à Mme de Staël, archives du château de Coppet [1807], citée par Y. Bézard, *Madame de Staël d'après ses portraits*, Paris-Neuchâtel, Victor Attinger, 1938, p. 17.

16. La future mémorialiste Mme de Boigne.

17. G. de Staël, *Correspondance générale, op. cit.*, t. VI, p. 329.

18. *Ibid.*

19. À madame de Staël, n.d. Archives du château de Coppet, cité par Y. Bézard, *Madame de Staël d'après ses portraits, op. cit.*, p. 17.

20. On a remarqué que les reliefs pourraient ressembler également à des paysages suisses. Voir M. Sandoz, « Une portraitiste du XVIIIe siècle se découvre une vocation de

peintre de montagne... », *La Revue savoisienne*, 1979, p. 18-19. Genève, musée d'Art et d'Histoire.

21. V. Denon, *Vivant Denon, directeur des musées sous le Consulat et l'Empire. Correspondance (1802-1815)*, t. II, p. 445.

22. *Journal des hommes libres*, 18 nivôse 1802, cité par Y. Bézard, *Madame de Staël d'après ses portraits, op. cit.*, p. 13.

23. Lettres du 29 octobre 1807 : « Elle prétend que vous lui payiez trois mille six cents francs ce qui est vraiment absurde » et 12 novembre 1807, in *Lettres de Claude Ignace Brugière de Barante à son fils Prosper, op. cit.*

24. *Souvenirs, op. cit.*, p. 283.

25. *Ibid.*, p. 281.

26. Mai 1808, *in* le *Magasin encyclopédique* et le *Mercure*. Nous remercions J. Baillio de nous avoir signalé ce texte.

27. Pour l'histoire de ce tableau, voir *supra*, p. 143.

28. Papiers Tripier Le Franc, 28668-28670.

29. Lettre à Simon Denis, 16 août 1808, *Technè*, n° 33, *op. cit.*, p. 25.

30. A.N. M.C. ET/VIII/1359. Procuration à maître Lemaire.

31. Durant ce laps de temps, Mme Le Brun confie au banquier Bazin, rue Saint-Marc, le soin de percevoir les loyers des appartements qu'elle loue dans l'hôtel Lubert. 1er février 1807, A.N. M.C. ET/XV/1211.

47. La fête des bergers

1. Lettre de Sigmund Wagner à Niklaus Friedrich von Mülinen, 13 juillet 1808, cité par S. Kuthy, « Élisabeth Louise Vigée-Lebrun und das Alphirtenfest in Unspunnen », *Zeitschrift für Schweizerische Archäologie und Kunstgeschichte*, vol. 33, 1976, p. 161.

2. Matthieu Félicité de Montmorency-Laval (1766-1826) avait participé à l'expédition de La Fayette et partageait l'exil de Mme de Staël à Coppet.

3. Franz Niklaus König (1765-1832), peintre et graveur bernois.

4. Mme de Staël, *De l'Allemagne*, Paris, Flammarion, coll. « G.F. », 1968, p. 153.

5. *Ibid.*

6. *Souvenirs, op. cit.*, p. 734.

7. Mme de Staël, *De l'Allemagne, op. cit.*, p. 154.

8. *Souvenirs, op. cit.*, p. 736.

9. Mme de Staël, *De l'Allemagne*, p. 154.

10. *Souvenirs, op. cit.*, p. 736.

11. Voir S. Kuthy, « Élisabeth Louise Vigée-Lebrun und das Alphirtenfest in Unspunnen », art. cité.

12. L'inventaire après décès de l'artiste fait état d'un carton « contenant un lot de croquis, dessins et costumes de la Suisse », A.N. M.C./ET/CXVI/739.

13. Voir la lettre de Sigmund Wagner à Niklaus F. von Mülinen, avoyer de Berne, du 13 juillet 1808, et la reproduction du tableau, *in* M. Sandoz, « Une portraitiste du XVIIIe siècle se découvre une vocation de peintre de montagne », art. cité, p. 18.

14. Collection privée.

15. Lettre de Barante, 28 septembre 1808, *Lettres de Claude Ignace Brugière de Barante à son fils Prosper, op. cit.*, p. 299.

16. Barante à madame de Staël, 28 sepembre 1808 : « Madame Lebrun ne finira pas votre portrait et n'y a pas touché depuis Coppet. Vous saurez qu'elle s'est prise d'une belle passion de jalousie pour vous et que votre bon accueil n'a rien fait sur cette mauvaise femme. J'irai voir cette ébauche ; au reste j'étais fâché de vous voir entre les mains d'un si médiocre peintre », *Lettres de Claude Ignace Brugière de Barante à son fils Prosper, op. cit.*, p. 299-300.

17. Lettre de Barante, 5 avril 1809, *ibid.*, p. 328.

18. G. de Staël, *Correspondance générale*, *op. cit.*, t. VI, p. 579.

19. M. A.

20. Lettre de Julie Nigris, archives de Coppet, 4 février 1809.

21. « Une négociation qui me serait bien douce aussi, écrit Germaine, c'est celle qui vous amènerait en Suisse cet été. Prosper dit qu'il y viendra. M. de Maleteste ne se laisserait-il pas séduire par cette réunion de tous ses amis ? », Mme de Staël, *Correspondance générale*, *op. cit.*, t. VI, 26 octobre 1807, p. 323.

22. Cousine de la virtuose madame de Montgeroult, et nièce du librettiste Marsollier.

23. Lettre à Maleteste, 27 juillet 1809, G. de Staël, *Correspondance générale*, *op. cit.*, t. VII. p. 34.

24. Voir *Corinne au cap Misène*, in *Juliette Récamier. Muse et mécène*, *op. cit.*, p. 232-233.

25. Coppet, 14 juillet [1809], G. de Staël, *Correspondance générale*, *op. cit.*, t. VII. p. 34.

26. Ce tableau sera légué par Mme Récamier au duc de Broglie.

27. G. de Staël, *Correspondance générale*, *op. cit.*, t. VII. p. 80. Louis Ami Arlaud-Jurine (1751-1829), élève de Liotard et de Vien.

28. *Souvenirs*, *op. cit.*, p. 715.

29. Papiers Tripier Le Franc, 29121.

48. Premiers adieux

1. 11 juillet 1809, Papiers Simon Denis, *Technè*, n° 33, *op. cit.*, p. 28-29.

2. 11 juillet 1809, Papiers Simon Denis, *ibid.*, p 28-29. Voir C. Bailey, « Lebrun et le commerce d'art pendant le Blocus continental », art. cité, p. 39.

3. Papiers Tripier Le Franc, 29395-29559.

4. Lettre au général Premier consul, non datée, figure avec sa minute : les deux sont de la main d'un secrétaire ; sur l'une, signature autographe. B.n.F., NAF, 20157, f° 42. Papiers J.-B. Le Brun (collection Benjamin Fillon).

5. *Réflexions [sur le muséum national]* [1793], Paris, RMN, 1992, p. 11. Cité par F. Camus, *Jean-Baptiste Pierre Le Brun, peintre et marchand de tableaux*, *op. cit.*

6. *Vente et ordre de la rare et précieuse collection de M. Lebrun dans sa galerie les 20, 21, 22, 23, 24 mars prochains*, 1810.

7. Pour ce détail et les suivants : voir C. Bailey, « Lebrun et le commerce d'art pendant le Blocus continental », art. cité, p. 40.

8. Pour cent trente livres un Frédéric Zucharo (*La Résurrection*), et un Grisolfi pour trois cents (*Deux Anses de mer à travers des rochers enrichis de figures d'animaux*).

9. « Elle a été fort malade », Lettre de Barante à Mme de Staël, 27 juillet 1809, p. 345. Et Lettre de J.-B. P. Le Brun à S. Denis, 11 juillet 1809, *Technè*, n° 33, *op. cit.*, p. 28-29.

10. « Madame Nigris a peu [d'esprit] », 22 mars 1810, *Lettres de Claude Ignace Brugière de Barante à son fils Prosper*, *op. cit.*, p. 386.

11. La date exacte de son départ est inconnue à ce jour.

12. Note de Julie Candeille (vers 1825) sur l'affaire du prétendu vol de Mme Nigris (1818).

13. *Souvenirs*, *op. cit.*, p. 692.

14. Elle règle les créanciers courant février. A.N. M.C./ET/CXVI/658.

15. Rue de la Croix-Rouge, Grand-Rue, rue de Voisins et ruelle du Regard.

16. Elle figure sur la carte de l'intendance de la généralité de Paris de 1785 et sera rasée en 1868.

17. Inventaire après décès, A.N. M.C. ET/CXVI/739.

18. Voir Justin Tripier Le Franc, *Histoire de la vie et de la mort du baron Gros*, *op. cit.*, p. 478.

19. D'après Charles Pillet, à cette époque, la Seine était visible de son jardin, le remblai destiné à installer la voie de chemin de fer de Louveciennes n'a privé la propriété de cette vue qu'après la vente du domaine par les héritiers. Ch Pillet, 1890, p. 49.

20. À Simon Denis, 8 juillet 1810 : « C'est un lieu agreste qui te plaira beaucoup », *Technè*, n° 33, *op. cit.*, p. 30.

21. À Simon Denis, 11 décembre 1812, *ibid.*, p. 31.

22. Le château sera rasé par le comte Hocquart qui fait édifier une demeure moderne en 1820. Jacques et Monique Laÿ, *Louveciennes, mon village*, Argenton-sur-Creuse, Imprimerie de l'Indre, 1989, p. 132.

23. *Souvenirs*, *op. cit.*, p. 737.

24. Le prix du loyer est de mille cinq cents francs par an. A.N. M.C. ET/CXVI/656.

25. J. B. P. Le Brun à Simon Denis, 8 juillet 1810, *Technè*, n° 33, *op. cit.*

26. A.N. M.C./ET/CXIX/46-47.

27. En 1815, Étienne passe l'été à Neuilly dans « sa maison ». Aucun document retrouvé n'indique que la demeure a été revendue. Il s'agit donc de la maison de Louis Vigée. À Jean-Louis Laÿa, collection particulière.

28. A.N. M.C./ET/XCI/1492. Cette pièce et la date du décès de Suzanne (24 juin 1811) ont été retrouvées par Anne Sohier que je remercie. Caroline a épousé le plus jeune de ses oncles, frère cadet de Suzanne, Jean Nicolas Louis, voir *supra*, p. 481.

29. Chez M. Morin.

30. É. Vigée, *Épître à Jean-François Ducis sur les avantages de la médiocrité*, Paris, Delaunay, 1810, p. 7 et 9.

31. Témoin ce dizain, publié dans *L'Almanach des Muses*, (1809, p. 55) adressé à l'Académie : « Mais d'un refus qu'advienne à vous le cas, / À tel on dit : « par quel hasard en êtes ; / Et vaut bien mieux, vos preuves étant faites ; / Qu'à vous soit dit : "Pourquoi n'en êtes pas ?" »

32. É. Vigée, *Poésies de L.-J.-B.-É. Vigée, op. cit.*, p. 103.

33. Ce voyage, signalé dans M. A., n'est évoqué dans aucun autre document connu.

34. *Souvenirs*, *op. cit.*, p. 738.

35. Voir C. Bailey, « Lebrun et le commerce d'art pendant le Blocus continental », art. cité, p. 40.

36. En avril 1811. « J'ai donc fait des emplettes considérables, 187 tableaux dans la Hollande et me dirige vers Messe, Nancy, Basle et Genève et de là je retourne à Paris », 3 septembre 1810, cité par F. Camus, *Jean-Baptiste Pierre Le Brun, peintre et marchand de tableaux, op. cit.*, p. 69.

37. 16 avril 1811. C. Bailey, « Lebrun et le commerce d'art pendant le Blocus continental », art. cité, p. 43 et F. Camus, *Jean-Baptiste Pierre Le Brun, peintre et marchand de tableaux, op. cit.*, p. 386.

38. 4 octobre 1811, *Vente après le décès de feu M. Raymond, Architecte des maisons de S.M. l'Empereur et Roi, membre de l'ancienne Académie d'architecture de l'Institut impérial*, Imprimerie Didot jeune, 1811.

39. *L. F.* (Lettres familiales et billets de Mme Le Brun).

40. Une lettre [juin-décembre 1812] à Simon Denis évoque le séjour de Nigris avec un comte Stroganov, il s'agit plus probablement de Pavel Alexandrovitch et non de Grigori comme indiqué dans *Technè, op. cit.*, n° 33.

41. « Et par cet arrangement, j'aurai 5 000 à 6 000 francs de rente de plus », lettre à Simon Denis [juin-décembre 1812], *ibid.*, p. 31.

42. Selon la description faite à Simon Denis du 11 juillet 1809 de la décoration de sa précédente chambre, *ibid.*, p. 29.

43. Papiers Tripier Le Franc, I.A.D., 27342-27488.

44. Du printemps à l'automne les théâtres vaquent.

45. J.B.P. Le Brun à Simon Denis, 8 juillet 1810, *Technè*, n° 33, *op. cit.*, p. 30.

46. Gambetta espère lui rendre de la vigueur, en lui envoyant des paniers de fromage de Meaux. Papiers Tripier Le Franc, 29112-29117.

47. Cette pièce ne figure pas aux minutes du notaire concerné à la date indiquée, ni avec l'inventaire après décès. La source de l'information est un document de la main de Le Brun, dit de Villeneuve. Papiers Tripier Le Franc, 27630-27658.

48. Denis Geuffron A.N. M.C. ET/IX/982.

49. Sa sépulture a été détruite.

50. 12 juin 1813, Papiers Tripier Le Franc.

51. *Souvenirs, op. cit.*, p. 755.

52. *Ibid.*, p. 755.

53. Ces conseils sont adressés à Denis. Nous supposons qu'ils faisaient partie des phrases que Le Brun aimait répéter. « Les talan sont la seule vrai richesse. Rien dans tout le court de la vie ne peut vous les autez », à Simon Denis, 16 septembre 1808, *Technè*, n° 33, *op. cit.*, p. 26.

54. 27 mars 1805.

55. « Tout le reste est futilité et agrement mais le talan reel est la vray richesse puisquon est indépendant », 11 juillet 1809, *Technè*, n° 33, *op. cit.*, p. 29.

56. 11 juillet 1809, *ibid.*, p. 29.

57. L'épouse d'un frère de Le Brun, Catherine Jarreton, bénéficie également d'une inscription.

58. Voici ce que l'artiste note au sujet de ce tableau : « Après la mort de M. Lebrun, qui s'était emparé de tous mes ouvrages, ils ont été vendus, et j'ignore qui les possède aujourd'hui. »

59. Le tout évalué six cents francs.

60. C. Bailey, « Lebrun et le commerce d'art pendant le Blocus continental », art. cité, p. 45.

61. Pierre Marie Charles Picot.

62. Papiers Tripier Le Franc, 27475-27481.

63. Papiers Tripier Le Franc, 27481.

64. Lettre du mardi 19 juin 1810, cachet du 20, n° 8253. Collection Lugt.

65. Notice du *Dictionnaire des parlementaires français de 1789 à 1889* de Robert et Cougny, 1889-1891.

66. Au 42, rue du Mont-Blanc. *La Tendresse filiale* et *Mes Conventions* sont ornés de gravure d'après cette artiste. Adèle de Romany (pseudonyme de Romanée, 1769-1846) a réalisé un portrait d'Étienne (1800, collection Oetker, ex-Colnaghi).

67. É. Vigée, *Poésies de L.-J.-B.-É. Vigée, op. cit.*, p. 325-327.

68. *Ibid.*

69. *Dictionnaire des Girouettes ou nos contemporains peints d'après eux-mêmes*, Paris, Eymery, 1815.

70. É. Vigée, *Poésies de L.-J.-B.-É. Vigée, op. cit.*, p. 327. Parution en 1809 dans *L'Almanach des Muses*.

71. Localisation inconnue : voir Geneviève Haroche Bouzinac, « *L'Apothéose de la Reine* d'Élisabeth Vigée Le Brun : une mystérieuse disparition », *Dossiers de l'Art*, n° 150, Dijon, 2008, p. 40-42.

49. Le retour des Bourbons

1. Jacques et Monique Laÿ, *op. cit.*, p. 300.

2. *Souvenirs, op. cit.*, p. 740.

3. *Récits d'une tante. Mémoires de la comtesse de Boigne, op. cit.*, t. I., p. 357.

4. Le 3 mai 1814.

5. *Souvenirs, op. cit.*, p. 741.

6. *Ibid.*, p. 741.

7. *Ibid.*, p. 742.

8. É. Vigée, *Procès et mort de Louis XVI*, Paris, Delaunay, 1814.

9. Ce manuel sera réédité et augmenté en 1828 par Mme de Beautfort d'Hautpoul.

10. À Laÿa [juillet 1815].

11. *Dictionnaire des Girouettes ou nos contemporains peints d'après eux-mêmes, op. cit.*

12. B. Constant, *Mémoire sur les Cent-Jours en forme de lettres* (1819), Paris, Pichon et Didier, 1829, p. 140.

13. Elle y restera neuf années.

14. Inscription au dos de l'œuvre, J. Baillio, *The Winds of Revolution, op. cit.*, p. 55.

15. I.A.D., A.N. M.C./ET/CXVI/739.

16. Les séjours de Natalia Kourakina seront entrecoupés de voyages en Suisse de 1816 à 1818, puis en 1823 et 1829.

17. Th. Kourakine, *Souvenirs des voyages de la princesse Kourakine, op. cit.*, 26 octobre 1816, p. 44.

18. « Madame Le Brun adore la Russie, affirmait la princesse de Tarente, et je suis convaincue qu'après quelques jours elle y retournera, Rivière en meurt d'envie », archives d'État de la Fédération de Russie, fonds 706, inv. 1, n° 16, f° 29v. Lettre de la princesse de Tarente à la comtesse Golovina communiquée par Elena Gretchanaïa.

19. Auguste a épousé la fille naturelle d'un comte Stroganov.

20. *Souvenirs des voyages de la princesse Kourakine, op. cit.*, 26 octobre 1816, 28 avril 1817, p. 101.

21. Nous connaissons le visage la princesse à divers âges de sa vie. Un dessin attribué à Xavier de Maistre la montre jeune délaissant un instant sa lecture. Un portrait de Borovikovski la place dans une pose mélancolique devant un décor végétal qui pourrait être celui de la propriété familiale de Kourakino (vers 1795).

22. *Souvenirs des voyages de la princesse Kourakine, op. cit.*, 15 novembre, p. 51.

23. *Ibid.*, 30 novembre, p. 56.

24. *Ibid.*, 14 avril 1817, p. 97

25. *Ibid.*, 28 avril 1817, rue de Seine, p. 101.

26. Cette anecdote appartient à son voyage de 1823, le 30 janvier. « [Mme Benoist] poussa l'attention jusqu'à me faire préparer une grande tasse, se rappelant de mes habitudes. Quelle attention amicale ! quel cœur ! », Prince Th. Kourakine, *Souvenirs des voyages de la princesse Kourakine, op. cit.*, p. 394.

27. Charles Brifaut (1781-1857), auteur prolixe, élu à l'Académie française en 1826 et auteur de *Ninus II* (1813), dont le succès fut considérable, fut un habitué des salons monarchistes.

28. Louis Aimé-Martin (1781-1847), auteur des *Lettres à Sophie sur la physique, la chimie et l'histoire naturelle, De l'Éducation des mères de famille*, ami de Bernardin de Saint-Pierre, professeur de littérature française à l'École polytechnique, sera conservateur à la bibliothèque Sainte-Geneviève.

29. *Souvenirs des voyages de la princesse Kourakine, op. cit.*, 24 octobre 1817, p. 170.

30. *Ibid.*, 16 juin 1817, p. 117.

31. *Ibid.*, 5 octobre 1817, p. 165.

32. *Ibid.*, 27 février 1817, « J'ai enlevé à Mme Le Brun un croquis qu'elle a fait de l'abbé Delille ; c'est une chose précieuse à posséder », p. 85.

33. M. de Charbonnières, neveu de Delille. Voir *Mémoires* de Mme de Genlis, Paris, Ladvocat, 1825, t. VI, p. 6.

34. Jacques François Ancelot (1794-1854). *Warbeck*, lue devant les Comédiens-Français le 19 mars 1816, ne fut jamais représentée.

35. *Souvenirs des voyages de la princesse Kourakine, op. cit.*, 23 février, p. 84.

36. *Ibid.*, 12 avril 1817, p. 97.

37. *Ibid.*, 19 juin 1817, p. 117.

38. *Ibid.*, 24 juin 1818, p. 288.

39. *Ibid.*, 18 novembre 1816, p. 52.

40. *Nouveau recueil de lettres du Feld-Maréchal Prince de Ligne*, Weimar, 1812, vol. I, p. 212.

41. *Souvenirs des voyages de la princesse Kourakine, op. cit.*, 18 novembre 1816, p. 52.

42. Cléon et Javotte sont les personnages d'une comédie en un acte de Marc Antoine Le Grand, v. 1724. L. Perey, *Histoire d'une grande dame au XVIIIᵉ siècle, la princesse Hélène de Ligne, op. cit.*, p. 452.

43. *Souvenirs des voyages de la princesse Kourakine, op. cit.*, Florence, le 26 septembre 1818, p. 245 : « À la vue de celui de Mme Lebrun mon cœur s'est réjoui ; qu'elle a dû être jolie ! et jusqu'à présent elle ressemble encore à ce portrait. »

44. Au point qu'il aurait emprunté par l'intermédiaire de Mme de Noiseville, sa fille naturelle, dix mille roubles à la princesse Ioussoupova (sœur de Sofia Poltoratskaia) qui lui donna cette somme. Le prince Viazemski, ami de Pouchkine, écrit dans son *Carnet de notes* que Mme de Noiseville demanda un jour dix mille roubles pour M. de Vaudreuil qui était à court d'argent et que c'est la princesse Ioussoupova qui les lui prêta. (Je remercie Elena Gretchanaïa qui m'a transmis ces informations.)

45. Voir É. Lever, *Louis XVIII*, Paris, Fayard, 1988, p. 438-439.

46. L'aîné, Victor Louis Alfred, commence à dix-neuf ans une carrière diplomatique à Naples ; le second, Charles Philippe, n'a que onze ans.

47. Ses documents de famille et ses titres de propriété ont été perdus lorsqu'il a fui Paris lors des Cent-Jours. Selon le témoignage de Mme de Vaudreuil, les caisses auraient été ouvertes au Havre. A.N. M.C./ET/CVIII/948, 24 février 1817. Des documents ont été conservés puisque que le fonds Lobanov (Moscou) possède certains des papiers de Vaudreuil, en partie étudiés par L. Pingaud.

48. *Souvenirs des voyages de la princesse Kourakine, op. cit.*, 23 février, p. 84.

49. Y compris dans la partie non publiée du *Journal* [transcription Elena Gretchanaïa] qui figure au département des manuscrits du Musée historique d'État (OPI GIM, Moscou), fonds 3 (Kourakiny), *staraya opis'* [vieil inventaire], n° 632-637.

50. *Souvenirs, op. cit.*, p. 595.

51. Future avenue Montaigne.

52. Voir J. Hillairet, *Connaissance du Vieux Paris*, Paris, Le Club français du Livre, 1959, p. 406.

53. Note de Julie Candeille vers 1825.

54. I.A.D. de Julie Nigris, Papiers Tripier Le Franc, 27630-27458.

55. Les premiers dépôts au mont-de-piété datent de 1816. Papiers Tripier Le Franc, 27696.

56. Papiers Tripier Le Franc, 27700.

57. Au moment de quitter la Russie, obligation était faite de publier un avis afin que les créanciers puissent se manifester. Journal *Messager de Saint-Pétersbourg (Sankt-Petersbourgskie vedomosti)* n° 48-50, 16 juin 1814, 19 juin 1814, 23 juin 1814. « Gaetano Nigri, originaire de Venise, avec Kafala en bas âge », il demeurait dans le quartier de l'Amirauté. Je remercie de cette information E. Gretchanaïa.

58. Plusieurs documents nous ont permis d'établir ce fait : [*Annotation tardive de Julie Candeille* :] madame Nigris « fille de Madᵐᵉ Le Brun ; dégradée comme femme, par suite des légèretés et de la cupidité de sa mère ». Note de Julie Candeille [vers 1825] sur l'affaire du prétendu vol de Mme Nigris [1818] *Ensemble mis en ordre, daté, complété, corrigé et relu sur les originaux par Bruno Chenique, complété par les trente et une lettres de Girodet à Julie Candeille (conservées à Orléans).* Transcriptions et datations par B. Chenique. Je remercie Sylvain Bellenger de m'avoir indiqué cette source inédite.

59. *Ibid.*

60. D'après Julie Candeille qui la qualifie de peu « régulière ».

61. Au second étage, dans un immeuble (aujourd'hui détruit) proche de la chapelle Saint-Ignace.

62. Parmi ses livres : *Le Discours de l'histoire universelle* par Bossuet, *Promenade au jardin des plantes, Dictionnaire de botanique abrégé* de Grétry.

63. Papiers Tripier Le Franc, 27713. On ignore si le portrait de Le Brun par lui-même y figurait vraiment. J. Baillio ne le signale pas dans la collection de Julie, *The Arts of France...*, op. cit., p. 334. F. Camus l'indique, *Jean-Baptiste Pierre Le Brun, peintre et marchand de tableaux, op. cit.*, p. 427. Il faut ajouter à cette description une gravure d'Endymion déjà évoquée.

64. Créance des bains de Tivoli dans l'inventaire après décès.

65. Créances dans l'inventaire après décès.

66. L'information provient d'une note informée de Julie Candeille. Elle-même recevait une pension de deux mille francs par an (A.N., F/4/2696). Nous n'avons pas localisé à ce jour le nom de Julie Le Brun dans les listes.

67. Les dates des reconnaissances prouvent que Julie passe les étés 1818 et 1819 à Paris. Les bijoux sont engagés au mois d'août.

68. L'inventaire après décès de Mme Le Brun révèle qu'elle avait encore des relations avec la famille Baudouin.

69. Héros du roman de Mme de Staël, ne pouvant se résoudre à épouser Corinne.

70. Voir son mémoire dans *Recueil périodique de la Société de médecine de Paris*, éd. par la Société de médecine de Paris, juin 1802, 6e année, t. XIV, p. 339. Le docteur Trappe consulte quai de la Tournelle et visite Julie à domicile. La présence de ce médecin corrobore les dires de Julie Candeille affirmant que Julie était morte « en 1819 – des suites de nouvelles débauches. » Fonds Julie Simons-Candeille, transcription citée. Dans notre édition des *Souvenirs* (p. 754) nous avions indiqué que Julie avait été emportée par une pneumonie. Ces nouveaux éléments paraissent plus concluants.

71. C'est lui qui a avancé l'argent des derniers frais de Julie. Il a signé l'acte de notoriété avec François Charles César Leluyaux, ouvrier.

72. À Simon Denis, 27 mars 1805, à l'occasion du décès de l'épouse de Simon, Altarima Gavarini, *Technè*, n° 33, *op. cit.*, p. 23.

73. *Souvenirs, op. cit.*, p. 755.

74. La description de ses nuits d'insomnie correspond aux mois qui suivent la mort de Julie dans sa lettre « sur les bruits », *Souvenirs des voyages de la princesse Kourakine, op. cit.*, p. 482.

75. Aujourd'hui placé au Musée-Promenade de Louveciennes, ce tableau, offert le dimanche des Rameaux 1821, se trouvait dans la chapelle consacrée à la sainte dans l'église de Louveciennes.

76. L.A.S. Charavay, NAF 28061, 177/183.

77. Cité par L. Pingaud, *Correspondance intime du comte de Vaudreuil et du comte d'Artois...*, op. cit., appendice IV, p. 344.

78. Étienne loue un appartement au 3 rue Louis-le-Grand.

79. J. P. G. Viennet, *Mémoires et Journal*, Paris, Champion, 2006, p. 423.

80. A.N. M.C./ET/LVIII/686.

81. Il s'agit d'une somme importante. À la même date, les gages pour quatre mois de la cuisinière sont de trente-huit francs vingt. Quinze visites médicales ordinaires coûtent cinquante et un francs.

82. J. P. G. Viennet, *Mémoires et Journal, op. cit.*, p. 423.

83. « Le chagrin de s'être fermé les portes de l'Académie, une passion pour une demoiselle Treille qui a fit un malheureux début à la Comédie-Française, une passion encore plus fatale pour le vin, telles sont les causes qui ont dérangé la cervelle de ce disciple des Dorat et des Pezai », *ibid.*, p. 350.

84. Alors situé dans l'actuelle rue Bonaparte.

85. J. P. G. Viennet, *Mémoires et Journal, op. cit.*, p. 350.

86. « La médiocrité vint me tendre les bras, / Je m'y réfugiais, charmé de ses appas », E. Vigée, *Épître à Jean-François Ducis sur les avantages de la médiocrité*, 1813, p. 94.

87. Papiers Tripier Le Franc, 28053.

88. Déjà la critique déplore ce gâchis : « Cet auteur avait un caractère plus solide que ne le feraient supposer ses ouvrages », *Revue encyclopédique : liberté, égalité, association*, par M.-A. Jullien, A. Jullien, H. Carnot, nécrologie, vol. VII, p. 408.

89. Lettre citée du 1er mars 1789.

50. UNE NOUVELLE JEUNESSE

1. Alexandre Louis Joseph, comte de Laborde (1774-1842), visita la Hollande, l'Angleterre et l'Italie, et est auteur de la *Description des plus beaux jardins pittoresques de France, d'Angleterre et d'Allemagne* (Paris, Delance, 1808) et d'un *Voyage pittoresque et historique en Espagne* (1807-1818). Ses *Monuments de la France classés chronologiquement* (1816-1826) ont fait date. Son père, Jean Joseph, marquis de Laborde (1724-1794), banquier de Louis XV, avait aménagé le domaine. Arrêté en 1793 à Méréville, il fut condamné à mort par le Tribunal révolutionnaire.

2. Jean Joseph de Laborde avait possédé le portrait d'Hubert Robert, qui l'avait conseillé pour ce parc. Après le décès de son père, son fils Alexandre ne pouvant honorer le reste de la créance, l'œuvre fut restituée à l'artiste avec *La Tendresse maternelle*, autoportrait avec sa fille (1786, Louvre, inv. 3069).

3. Le 13 juillet 1786, lors de l'expédition de La Pérouse, les enseignes de vaisseau Laborde-Boutervilliers et Laborde-Marchainville.

4. Le château de Méréville avait été bâti sous le règne de Louis XIV par la famille de La Tour du Pin, et réaménagé par l'architecte Belanger. Certaines des fabriques ont été transportées dans le parc de Jeurre.

5. En 1823.

6. Victor Hugo, note « Sur la destruction des monuments en France » v. 1825. Cet article connaîtra plusieurs états.

7. *Souvenirs, op. cit.*, p. 762.

8. *Ibid.*, p. 761.

9. Récit-Journal d'Eugénie, Papiers Tripier Le Franc, 27989.

10. Nous ignorons si Eugénie avait assisté aux obsèques de Julie en décembre 1819.

11. Brooklyn Museum, 1820. J. Baillio nous a signalé ce dessin.

12. Louis Nicolas, connu comme Louis Rivière (1778-1861), en 1809.

13. Le couple habite 12, rue Sainte-Croix en 1811, puis, lorsque Louis Rivière succède à son père dans ses fonctions diplomatiques 22, rue Joubert. Léonie est née en 1809, Léonce en 1811, Xavérine en 1815, Alfred en 1818, et Amélie en 1822.

14. On ignore si l'ajout de ce patronyme est antérieur à son mariage ou non. Certains membres de la famille de son épouse se faisaient appeler Baraton de Villeneuve, mais les fils de Nicolas II Le Brun avaient aussi utilisé ce nom. Nous penchons pour la seconde hypothèse. Voir *supra*, p. 63.

15. Entre 1822 et 1832.

16. Joachim François Philibert Julien Feisthamel (1791-1881), maréchal de camp et peintre à ses heures.

17. *Souvenirs, op. cit.*, p. 749.

18. Charles Édouard Leprince de Crespy (1784- ?) ; sa *Promenade de Julie et de Saint-Preux sur le lac de Genève* (1824) est évoquée *supra*, p. 434.

19. Billet, n.d. *L. F.*

20. Daté 1827. Localisation inconnue. Drouot, juin 1985.

21. J. Baillio, *Élisabeth Vigée Le Brun, 1755-1842, op. cit.*, p. 128, et F. Tétard-Vittu, « La Duchesse de Berry et ses fournisseurs de mode », in *Entre cour et jardin. Marie*

Caroline, duchesse de Berry, catalogue d'exposition, Sceaux, musée de l'Île-de-France, 2007, p. 181.

22. Marie Caroline Ferdinande Louise de Bourbon, princesse des Deux-Siciles, duchesse de Berry (1798-1870) épouse de Charles Ferdinand d'Artois, fils puîné de Charles X. Le duc et la duchesse de Berry eurent deux enfants, Louise d'Artois (1819-1864), puis Henri d'Artois (1820-1883), duc de Bordeaux.

23. *Récits d'une tante. Mémoires de la comtesse de Boigne, op. cit.*, t. II, p. 37-39.

24. J. P. G. Viennet, *Mémoires et Journal, op. cit.*, p. 402.

25. Le 29 septembre 1820.

26. En 1819. *Souvenirs, op. cit.*, p. 753.

27. Cette statuette signalée dans l'inventaire après décès est de provenance ignorée.

28. *Souvenirs, op. cit.*, p. 754.

29. *Entre cour et jardin. Marie Caroline, duchesse de Berry, op. cit.*, p. 169. Le tableau, exposé à Sceaux en 2007, a souffert de restaurations.

30. Versailles, Musée national du château. *Ibid.*, p. 60.

31. Versailles, Musée national du château, 1825.

32. Nous n'avons pu voir ce tableau.

33. Musée du Louvre, présenté au salon de 1827.

34. Un critique signale quelques portraits de Mme Le Brun « qui a de la réputation, mais dont les productions ne me paraissent d'ailleurs que fort peu remarquables », *Revue critique des productions de peinture, sculpture, gravure, exposées au Salon de 1824*, Par M.***, Paris, J. G. Dentu, 1825, p. 203.

35. Testament de 1825. A.N. M.C./ET/CXVI/739.

36. Fils de la comtesse Tolstaïa. Fedor Golovkine note en 1816 : « Elle est encore fort belle et son fils âgé de treize ans est à peindre », *La Cour et le Règne de Paul Ier, op. cit.*, p. 333. Emmanuel, dit Lily (né en 1802, donc dans sa quatorzième année), pourrait être l'enfant représenté par l'artiste.

37. Le 9 mai 1817. Papiers Tripier Le Franc, 28629.

38. Papiers Tripier Le Franc, 28658.

39. Actuel n° 92 de la rue Denfert-Rochereau. Voir G. Haroche Bouzinac, « *L'Apothéose de la Reine* d'Élisabeth Vigée Le Brun : une mystérieuse disparition », art. cité, p. 40-42.

40. Il prête un *Saint Jean baisant les pieds de l'Enfant Jésus* de l'école de Van Dyck et une *Trinité prenant sous sa protection saint Ignace et la congrégation des Ursulines* d'un maître inconnu.

41. On ignore la date à laquelle elle y entre. En 1860 encore, ce tableau était signalé dans un inventaire manuscrit. Le chanoine Baurit déplore deux disparitions : « Que sont devenus le Christ en Croix et la Vierge de Guérin ? », *Maison Marie-Thérèse* (texte dactylographié), Archives diocésaines de Paris.

42. On devine cette *Annonciation* peinte vers 1823 placée sur le mur de droite sur des cartes postales anciennes. Archives diocésaines de Paris.

43. Voir J. Bottineau et É. Foucart-Walter, *L'Inventaire après décès de Pierre Narcisse Guérin, A.A.F.* nouvelle période, t. XXXVII, Troyes, Le Trait d'Union, p. 139. Le don de ce tableau est daté de 1821 par les auteurs, or la chapelle n'est édifiée qu'en 1822. Guérin quitte Paris pour l'Académie de Rome où il est nommé directeur le 15 octobre 1822. La remise du tableau a eu lieu vraisemblablement dans le premier semestre de 1822.

44. Voir J. Bottineau et É. Foucart-Walter, *L'Inventaire après décès de Pierre Narcisse Guérin, op. cit.*, p. 81.

45. Lettre à M. Roger, secrétaire général de la direction des Postes, 30 décembre 1821, in *ibid.*, p. 81. Nous remercions M. Mehdi Korchane qui nous a donné cette référence.

46. Dans l'état actuel de la chapelle, elle est sur le mur de droite dans le chœur.

47. Fr. Rousseau, « Monsieur et madame de Chateaubriand à l'infirmerie Marie-Thérèse, *Revue des études historiques*, Paris, Picard, août-juin 1927.

48. L'autel provient d'un oratoire de l'ancien appartement des Chateaubriand, rue du Bac.

49. Le projet de ce groupe, installé entre 1834 et 1835, remonte à 1826-1827, date de l'esquisse plâtre du musée du Louvre.

50. Son dernier séjour datera de 1829.

51. Th. Kourakine, *Souvenirs des voyages de la princesse Kourakine, op. cit.*, p. 400. La princesse avait attiré Vigny dans son salon par l'intermédiaire de Parseval-Grandmaison. Voir A. de Vigny, *Correspondance, 1816-1830*, Paris, PUF, 1989, t. I., p. 192, L. 24-34.

52. Collection particulière.

51. Mon cœur a de la mémoire

1. A.N. M.C./ET/CXVI/739.

2. L'épouse de Joseph François Michaud, directeur de la *Grande Biographie universelle*.

3. Musée du Louvre, inv. 3065.

4. En 1829.

5. Ce propos est supposé.

6. Lettre à Eugénie, 26 ou 27 août 1835, *L. F.*

7. Ce style oral se retrouve dans les lettres de cette période.

8. Marie-Françoise-Catherine de Beauvau-Craon (1711-1786), épouse de Louis François de Boufflers (1714-1752), marquis d'Amestranges.

9. M. Agénor ou Mme Valérie de Gasparini, personne non identifiée.

10. M. R., f° 1.

11. Le laps de temps évoqué (six mois) laisse supposer qu'une grande partie de ce manuscrit est égarée puisqu'il ne reste que vingt et une pages.

12. Pierre de Nolhac connaissait cette page, dont il donne une version modernisée dans son édition de 1910 des *Souvenirs* (Paris, Fayard) en la datant (p. 15). Cette date ne figure pas sur le manuscrit dont nous disposons. Mme Le Brun n'ayant pas coutume d'écrire de brouillons de lettres, le doute subsiste.

13. M. R., f° 1.

14. Fichier Charavay. 110 N.A.F., 28061, 111/183.

15. « J'ai toujour regreté depuis de n'avoir pas ecris un journal de tous ce que j'avais entendu », M. A., f° 14.

16. Sans doute les lettres à Étienne et à Suzanne étaient-elles en possession de Caroline Rivière. Nous ignorons comment l'artiste a pu relire les autres documents.

17. « …leur lecture me rappellera la douceur que je goûte à les écrire, et faisant renaître ainsi pour moi le temps passé doublera pour ainsi dire mon existence », J.-J. Rousseau, *Rêveries du Promeneur solitaire*, in *Œuvres complètes*, Paris, Gallimard, « Bibliothèque de la Pléiade », 1959, p. 1001.

18. « Énoncé de différents bruits importuns », *in* Th. Kourakine, *Souvenirs des voyages de la princesse Kourakine, op. cit.*, p. 472.

19. Cette lettre sur les bruits est datée du 4 décembre 1829, soit six ans avant la parution du premier tome des *Souvenirs des voyages de la princesse Kourakine*.

20. Pour preuve : l'une de ces feuilles, préparée à l'avance et titrée, est restée vide. M. R.

21. Les exemples sont légion : Voltaire grondait Mme Denis pour son orthographe. Les lettres de Mme de Graffigny contiennent de nombreuses fautes. Voir également les lettres de la comtesse de Laric : Chr. Roux, *La Comtesse de Laric en sa correspondance*, Paris, Champion, 2011.

22. Proche de l'auteur de *Paul et Virginie*, il avait publié sa correspondance. Voir *supra*, p. 596, n° 28.

23. « Pages oubliées des mémoires de Mme Vigée-Lebrun », in Colette, *Œuvres*, Paris, Gallimard, « Bibliothèque de la Pléiade », 1986, t. II, p. 938-940.

24. Voir Ed. de Goncourt, *La Maison d'un artiste, op. cit.*, p. 270.

25. *Souvenirs, op. cit.*, p. 300.

26. Lettre du 30 juillet 1828, *L. F.*

27. Le coffret n'est pas localisé, les couverts appartiennent à une collection particulière.

28. Collection particulière.

29. « J'irai à Paris aux premiers jours pour faire arranger ma chambre à coucher », n.d., *L. F.*

30. Non identifiés.

31. Le 6 juillet 1798 et en décembre 1810, Papiers Tripier Le Franc, 30190 à 30192.

32. Lettre du 26 août 1829 à madame Le Brun, mère d'Eugénie, *L. F.*

33. Lettre du 16 avril 1829 à Eugénie Le Brun, *L. F.*

34. Élisabeth Baraton, épouse de Le Brun, dit Villeneuve.

35. Lettre à la mère d'Eugénie du 26 août 1829 et modification du testament le 23 septembre 1829.

36. A.N. M.C./CXVI/738.

37. Une version de ce document figure dans le dossier familial, « Notice », Papiers Tripier Le Franc, 28096-20101.

38. « Malgré la fatigue de ses voyages et les chagrins que madame Lebrun a ressentis, les charmes de sa figure, comme les agréments de son esprit semblent ne le céder en rien à ceux du bel âge ; en l'écoutant on s'instruit toujours, en la voyant, on veut la voir encore. Toujours aimante et toujours aimée, Madame Lebrun, depuis son retour en France, voit sa maison redevenir le séjour des Arts et de l'Amitié », « Notice », p. 165.

39. « Notice », p. 163 et 165.

40. J. Gigoux, *Causeries sur les artistes de mon temps, op. cit.*

41. Voir ce texte dans *Souvenirs, op. cit.*, p. 771.

42. *Mémoires d'outre-tombe*, éd. établie par M. Levaillant et G. Moulinier, Paris, Gallimard, « Bibliothèque de la Pléiade », 1951, t. II, p. 392.

43. Lettre du 29 juillet 1830, *Lettres à madame Récamier*, Paris, Flammarion, 1951, p. 335.

44. Le 2 août.

45. Cité dans *Mémoires d'outre-tombe, op. cit.*, 1951, t. II, p. 451.

46. Lettre du 1er août 1831, non localisée.

47. Marie-Adélaïde de Bourbon-Penthièvre, décédée en 1821.

48. *Mémoires d'outre-tombe, op. cit.*, 1951, t. II, p. 450.

49. *Ibid.*, t. II, p. 404.

50. À Crespy Leprince, n.d., collection particulière.

51. Codicille du 17 septembre 1831, A.N. M.C. ET/CXVI/738. Une ordonnance de Louis-Philippe du 25 décembre 1830, prise sous le rapport du ministre des Cultes, dissout la société des Missions de France, réunit le mont Valérien au domaine de l'État et dispose qu'aucune inhumation nouvelle ne sera faite dans les terrains concédés. *Bulletin des lois du royaume de France*, 9e série, t. II, Imprimerie nationale, août 1831, p. 39. Une exception sera faite pour Mme de Genlis.

52. Et elle ôte son legs symbolique à Aimé-Martin ; elle pourrait lui avoir fait don de ces objets de son vivant.

53. J. Tripier Le Franc, *Histoire de la vie et de la mort du baron Gros, op. cit.*, p. 453.

54. *Ibid.*, p. 487.

55. Ces plats sont évoqués par l'entourage de Mme Le Brun.

56. J. Tripier Le Franc, *Histoire de la vie et de la mort du baron Gros, op. cit.*, p. 479.

57. *Ibid.*, p. 463-464.

58. *Ibid.*, p. 463-464.

59. *Ibid.*, p. 602.

60. *Ibid.*, p. 574.

61. La liste des invités à cette soirée est donnée *ibid.*, p. 486-487.

62. Nous supposons d'après l'inventaire après décès.

63. Fernandino Paër. Le portrait de Joséphine Grassini fut déposé au musée d'Avignon.

64. Charles Philippe Lafont (1781-1839), violon solo de l'empereur de Russie, fit sa rentrée en 1815. Louis XVIII le nomma premier violon de sa musique de chambre, et accompagnateur de la duchesse de Berry. Eugénie Tripier Le Franc a fait un portrait de Lafont et cherche à faire celui de Gros.

65. É. Mennechet, auteur de *Seize Ans sous les Bourbons*, 1832-1834.

66. Delphine Gay (1804-1855) vient d'épouser le journaliste et patron de presse Émile de Girardin en 1831.

67. John Thomas Barnewall, quinzième baron Trimleston (1773-1839), acquéreur du portrait de Dervisch Khan, l'un des émissaires de Tippoo Sahib (1788).

68. Hippolyte Monpou (1804-1841).

69. Louise Colet (1810-1876), sœur de Pierre Henri Revoil (1776-1842). Elle n'a pas encore épousé le musicien Hippolyte Colet.

70. Élisa Mercœur (1809-1855), auteur de *Boabdil*.

71. Marceline Desbordes-Valmore (1785-1859) dont le portrait fut remarqué par Balzac : « Je me rapproche de vous par le sentiment avec lequel je vous admire, et qui m'a fait rester une heure de dix minutes devant votre portrait au salon », lettre 772, fin avril 1834. H. de Balzac, *Correspondance*, Paris, Garnier, 1962, t. II, p. 492.

72. M.-J. Dury, *La Vieillesse de Chateaubriand, 1830-1848*, Paris, Le Divan, 1933, t. II, p. 334.

73. En janvier-février 1833.

74. J. Tripier Le Franc, *Histoire de la vie et de la mort du baron Gros, op. cit.*, p. 509.

75. Le 25 juin 1835.

76. *Souvenirs, op. cit.*, p. 670.

77. Lettre du 29 août, s. d. à M. Leprince, fichier Charavay, 110 N.A.F. 28061, 111/183.

78. Lettre à Eugénie, 26 ou 27 août 1835, *L. F.*

79. Lettre à Eugénie, 19 septembre 1836, *L. F.*

80. Lettre à Eugénie, n.d., *L. F.*

81. Lettre à Eugénie, n.d. entre 1835 et 1837, *L. F.*

82. « Je remercie Justin de son indulgence pour mes *Souvenirs* », lettre n.d. à Eugénie qui concerne probablement la seconde partie.

83. « Mme de Rivière vient de la copier, il sera envoyé directement à Mme de Bawr », 4 octobre [après 1835].

84. *L. F.*, n.d.

85. Lettre à Eugénie, 11 septembre [sans millésime, 1836], *L. F.*

86. Vicomte de Launay, *Lettres parisiennes*, Paris, Mercure de France, coll. « Le temps retrouvé », 1986, t. I p. 182.

87. Al. Lenoir, *Dictionnaire de la conversation et de la lecture*, Paris, Belin, 1837, vol. 34, p. 454.

88. Nous n'avons pu retrouver la correspondance adressée à Mme de Verdun, peut-être détruite lors de la vente des châteaux de Charbonnières et de la Goguerie appartenant à ses descendants.

89. Lettre à Eugénie, 23 juillet 1837.

52. Mes souffrances sont dans ma tête

1. *Vente et ordre de la rare et précieuse collection de M. Lebrun dans sa galerie les 20, 21, 22, 23, 24 mars prochains*, 1810.

2. Lettre à Eugénie, 7 septembre 1838, *L. F.*

3. Lettre à Eugénie, n.d., *L. F.*

4. Papier filigrané au nom de Wattman.

5. Elle se sert aussi de papier doré sur tranche.

6. À madame Reiset, septembre 1837, collection particulière.

7. Fragment non daté, *L. F.*

8. Lettre à Eugénie, n.d., *L. F.*

9. La cantatrice Elena Vigano notamment.

10. Auteur de *Contes* (publiés sous l'anonymat en 1824) et des *Heures de loisir*, Paris, Didot, 1837.

11. Lettre à Monsieur Poujoulat, 12 juillet 1836, Papiers Tripier Le Franc, 28635.

12. « Cette stagnation m'ennuie fortement », lettre à Eugénie, n.d., *L. F.*

13. À madame Le Franc, 9 [octobre] 1840.

14. L'inventaire après décès signale : vingt-quatre poules, un canard et une canne. « Je suis entourée de toutes mes poules à qui je donne à manger, c'est pour moi une compagnie qui me plaît, venez donc partager mes innocents plaisirs », lettre à Eugénie, 20 juin 1839.

15. Billet à Eugénie, n.d., *L. F.*

16. Billet à Eugénie, été, n.d., *L. F.*

17. Lettre à Eugénie, 17 (noté par erreur 27, cachet du 18) juillet 1838, *L. F.*

18. Billet n.d. à Eugénie, *L. F.*

19. Billet à Eugénie, n. d., *L. F.*

20. Lettre à Eugénie, lundi 24 juin 1839, *L. F.*

21. Louveciennes n'a pas encore de gare et aucune lettre retrouvée à ce jour ne fait allusion à un voyage en train.

22. 4 novembre 1835, *L. F.*

23. Frédéric Reiset est en outre, ami proche du collectionneur His de La Salle, fils de Mme de Montgeroult, et neveu de la femme de lettres Mme d'Hautpoul.

24. Alfred Rivière (1818-1893) exposera quelques œuvres au Salon de 1839, puis fera une carrière administrative. J. Baillio, « La famille Rivière et sa descendance », inédit.

25. Figurant *Marie-Antoinette soutenue par la Religion*.

26. Lancelot-Théodore Turpin de Crissé (1782-1859). Chatenay-Malabry, Maison de Chateaubriand. Voir D. Ryckner, « Lancelot-Théodore Turpin de Crissé », *La Tribune de l'art*, 6 mars 2007.

27. Lettre à Eugénie, mercredi, cachet du 17 juillet 1838, *L. F.*

28. Joseph François Michaud (1767-1839).

29. Son nom n'est pas évoqué dans les *Souvenirs*. Né en 1808. Son portrait gravé en député est conservé au château de Compiègne.

30. Lettre, 29 mai [1831 ?], *L. F.*

31. 19 septembre 1836, *L. F.*

32. Lettre à Eugénie, 2 septembre 1838, *L. F.*

33. Lettre à Eugénie, n.d., *L. F.*

34. À monsieur Poujoulat, Papiers Tripier Le Franc, 12 juillet 1836, 28634.

35. Parfois en fin de saison, lorsqu'on a placé la récolte de pommes pour l'hiver dans les pièces du bas du pavillon et qu'il fait plus frais, on installe une chambre pour Fanfan et M. Michaud dans le corps de logis principal.

36. Souligné dans le texte.

37. Lettre à Eugénie, mercredi, cachet du 17 juillet 1838, *L. F.*

38. Lettre à Eugénie, mercredi, cachet du 19 juillet 1838, *L. F.*

39. Lettre à Eugénie, n.d., *L. F.*

40. Papiers Tripier Le Franc, [27511] 27492 bis, n.d., probablement postérieure à 1837.

41. Vers 1840.

42. « Si mr P* allais vous voir receves le froidement, Car vrai cest un homme digne de mépris...sous tous les rapports. »

43. Poujoulat, invité à un bal dans les environs de Louveciennes, ne rend pas visite à sa vieille amie, qui se sent abandonnée. À madame Le Franc, 4 septembre 1840.

44. Hervé de Joinville, Papiers Tripier Le Franc, 27504

45. Élisabeth Baraton. Lettre à Eugénie, n.d.

46. Lettre à Eugénie, dimanche 11 octobre [sans millésime], *L. F.*

47. Dimanche 12, n.d., *L. F.*

48. Lettre à Eugénie, 9 août 1738, *L. F.*

49. Lettre à Eugénie, 11 septembre [sans millésime, 1836] *L. F.*

50. Cinq cents francs, le 14 juin 1839.

51. Papiers Tripier Le Franc, 28868 ter.

52. Papiers Tripier Le Franc, 27497.

53. Il semble qu'une promesse faite par Mme Le Brun à Adélaïde Constant n'ait pas été honorée. Il s'agissait de lui donner un capital producteur d'intérêt. Caroline Rivière avait promis réparation à ce sujet, se faisant d'Adélaïde une alliée. Papiers Tripier Le Franc, 28775.

54. Maître Wasselin.

55. Ces éléments proviennent du journal des faits reconstitués par Eugénie. Papiers Tripier Le Franc, 27922 et suiv.

56. En 1843, Eugénie donnera le portrait d'Hubert Robert, celui de madame Le Brun et de sa fille (*La tendresse maternelle*), celui de Paisiello (Versailles). Après le décès d'Eugénie, Justin offre le portrait de Stanislas Auguste Poniatowski.

57. «Je n'ai pas besoin de toi, retourne à Louveciennes », lui aurait dit Mme Le Brun. Papiers Tripier Le Franc, 28802.

58. Voir l'article d'Alexandre Lenoir qui indique l'emplacement de ce tableau dans *Dictionnaire de la conversation et de la lecture*, *op. cit.*, p. 454. Et M. R. :« Avant son mariage, il [mon père] peignit à l'huile dans le genre de Watteau. J'en ai un chez moi plein de finesse et d'une charmante couleur. »

59. Papiers Tripier Le Franc, 27933.

60. Pour la suite de l'histoire de sa tombe, voir Jacques et Monique Laÿ, *op. cit.*, p. 136-138.

61. La rente d'Eugénie est de 2 500 francs et le legs de 70 000 francs. Le ministère des Finances assure Eugénie qu'elle est titulaire de trois rentes inaliénables. Papiers Tripier Le Franc, 27529. Pour le compte définitif de la succession voir : Papiers Tripier Le Franc, 28269. Rente de Naples 6050 F sur un capital de 128,784 – Rente de France de 4296 sur un capital de 108,981 – 6000 F dans le secrétaire. Transaction 28980-28981-28982.

62. Dix ans après la mort de Mme Le Brun en 1852, la demeure est vendue au baron Eugène Grillon Deschappelles, qui la cède au banquier Auguste Barthélémy Thélier en 1860. Celui-ci rase la maison et reconstruit un édifice à la Mansart. Voir Jacques et Monique Laÿ, *op. cit.*, fig. 103.

63. *Vente et ordre de la rare et précieuse collection de M. Lebrun dans sa galerie les 20, 21, 22, 23, 24 mars prochains*, 1810.

64. Bernardin de Saint-Pierre, *O.C.*, *Études de la nature*, mises en ordre par Aimé-Martin, Paris, Méquignon, 1818, t. III, p. 325.

BIBLIOGRAPHIE SÉLECTIVE

SOURCES MANUSCRITES

Brouillons autographes des Souvenirs

Fragments préparatoires aux manuscrits des *Souvenirs* (bibliothèque de l'université de Rochester, USA), Manuscrit Rochester.

Notes préparatoires fragmentaires en vue de la rédaction de ses *Souvenirs, ayant fait partie de la collection Arago* (Charavay, Paris, Hôtel Drouot 1975) mis en ordre par Anne-Marie Passez, 1977, M.S. 113 (Manuscrit Arago).

Notes préparatoires fragmentaires ayant appartenu à la « famille de Drouais », contenant deux autographes de Julie Le Brun. Collection privée, USA (Manuscrit Underwood).

Brouillons pour ses mémoires de Rome et ses environnements, sur Saint-Pétersbourg, (Charavay, Paris, 1967), collection Lugt (Manuscrit Lugt).

Brouillons et copies appartenant aux papiers Tripier Le Franc (bibliothèque d'Art et d'Archéologie).

Lettres de Mme Le Brun

Lettres de madame Le Brun à divers destinataires (collection U. privée).

Lettre de madame Le Brun à madame Du Barry, A.N. D.B. W. 16.[7].

Lettre de madame Le Brun à Brongniart (collection privée).

Lettres de madame Le Brun à la famille Tolstoï, Moscou, Bibliothèque d'État Russe, fonds 301 (Tolstoï).

Lettre de madame Le Brun (destinataire inconnu), n. d., Département des manuscrits de la Bibliothèque nationale de Russie (Saint-Pétersbourg), fonds 9654 (Vaksel), inv. 1, n° 2794.

Lettres de madame Le Brun à madame Reiset (collection privée).

Lettres de madame Le Brun à Louise et Antoine Radziwill, Archiwum Glowne Akt Dawnych (Archives principales des actes anciens), Varsovie, Archiwum Nieborowskie.

Lettres familiales et billets de madame Le Brun [78 lettres et billets, principalement à Eugénie Le Brun, billets à J.-B. P. Le Brun et à Julie Nigris].

Lettres de madame Le Brun à divers destinataires, B. West, M. Beaujouan, Le Roux de Laville, Perregaux (collection Lugt).

Lettres de madame Le Brun résumées ou citées dans le fichier Charavay, B.n.F. : 110 N.A.F. 28061 ; 111/183.

Carnet de voyage de madame Le Brun

Carnet du retour de Russie (collection privée).

Lettres autographes des contemporains de madame Le Brun

Lettre d'Auguste Rivière à madame de Sabran, 16 juin 1795 (collection privée).
Lettres de Jean-Baptiste Pierre Le Brun à Simon Denis (collection privée non localisée) [1].
Correspondances de Jean-Baptiste Pierre Le Brun, Papiers Tripier Le Franc.
Lettres de Julie Candeille à Girodet, fonds Julie Simons-Candeille (musée Girodet, Montargis [2]). Transcriptions initiales par Catherine Leclerc et l'université de Grenoble, sous la direction de Barthélemy Jobert. Fonds mis en ordre, daté, complété, corrigé et relu sur les originaux par Bruno Chenique, complété par les 31 lettres de Girodet à Julie Candeille (conservées à la médiathèque d'Orléans). Transcriptions et datations par B. Chenique.
Lettre de la princesse de Tarente à la comtesse Golovina, Archives d'État de la Fédération de Russie, fonds 706, inv. 1, n° 16, f° 29 v. (transcription par Elena Gretchanaia).
Lettre de Victoire de Vaudreuil au Général Premier consul et note pour son Excellence le ministre de la Marine, A.N. Marine, C7 340, dossier Joseph-Hyacinthe François de Paule Rigaud de Vaudreuil [3].
Lettre du comte de Vaudreuil, Archives d'État de Fédération de Russie (GARF, Moscou).
Fonds 728 (collection des documents du palais d'Hiver), inv. 2 (Émigration française), n° 288, lettres du comte de Vaudreuil, t. 2, 1790-1805.

Autres documents dans divers fonds

Papiers Tripier Le Franc, INHA, bibliothèque d'Art et d'Archéologie. A. A., cartons 51, 52.1, 52.2 [4].
Papiers Brongniart : cartons de lettres et journaux personnels de la famille Brongniart et Silvestre de Sacy, archives privées.
Papiers Jean-Baptiste Le Brun : B.n.F. Manuscrits N.a.F 20 157.
Souvenirs inédits et anonymes d'une femme peintre élève de Robert Lefevre (copie), documentation des peintures du musée du Louvre.
Lettres et journaux de la reine Louise [de Prusse], *Briefe und Tagebücher der Königin Luise*, Berlin, Geheimes Staatsarchiv Preußischer Kulturbesitz BPH, rep ; 49, König Friedrich Wilhelm III, (1770-, reg, 1797-1840).
Documents concernant l'histoire et la décoration de l'infirmerie Marie-Thérèse, archives diocésaines de Paris : 2 cartons.
Collection des documents du palais d'Hiver, inv. 2, émigration française Archives d'état de la Fédération de Russie (GARF. Moscou) fonds 728. Particulièrement n° 287 et n° 307 [5].

---

1. Publiées par C. Blumenfeld et É. Breton, *Technè*, n° 33, *op. cit.*, p. 18-32.
2. Je remercie Sylvain Bellenger de m'avoir procuré la transcription de ces lettres.
3. Je remercie M. Marc Perrichet de m'avoir indiqué ce document.
4. Pour les Papiers Tripier Le Franc, nous donnons la référence du feuillet. La localisation dans les cartons est indiquée dans l'inventaire d'Aude de Miscault, disponible sur le site de l'INHA, septembre 2005.
5. Je remercie Elena Gretchanaïa de m'avoir signalé ces documents.

Journal de Natalia Kourakina (1816-1830), département des manuscrits du Musée historique d'État (OPI GIM, Moscou), fonds 3 (Kourakiny) [vieil inventaire], n° 632-637 (6 cahiers reliés) [transcription Elena Gretchanaïa].

Documents conservés aux Archives nationales[1]

Pièces notariées du minutier central

3/01/1740 : contrat d'apprentissage de Jacques François Le Sèvre (Doyen, ET/CXV/519).

17/07/1750 : contrat de mariage de Louis Vigée et de Jeanne Maissin (Gesnon, ET/CXXI/347).

08/08/1761 : acte de vente de la maison de Neuilly à Louis Vigée (Le Boeuf de Bret, ET/LXXVII/276).

20/05/1767 : inventaire après décès de Louis Vigée (Dosfant, ET/XXIV/835).

26/12/1767 : contrat de mariage de Jeanne Maissin et de Jacques François Le Sèvre (Dosfant, ET/XXIV/837).

08/01/1776 : liquidation et partage de la communauté des biens entre Jeanne Maissin et Louis Vigée (Dosfant, ET/XXIV/886).

10/01/1776 : contrat de mariage Jean-Baptiste Pierre Le Brun et Élisabeth Louise Vigée (Dosfant, ET/XXIV/0886)[2].

18/02/1777 : contrat de mariage d'Anne Catherine Le Preudhomme de Chastenay et Jean Jacques de Verdun (ET/CVIII/674 et A.N. Y 448 f° 259 v°, n° 322, insinuation du contrat de mariage).

23/06/1778 : quittances des ouvrages faits en l'hôtel de Lubert (Arnaud, ET/LI/1133).

03/07/1778 : conventions entre Marie Madeleine de Lubert, Louis Pierre de Lubert et Jean-Baptiste Pierre Le Brun (Arnaud, ET/LI/1134).

03/07/1778, 10/07/1779, 07/10/1780, 17/03/1781 : acte de vente de l'hôtel de Lubert par Delle Delubert (Arnaud, ET/LI/1134).

12/07/1781 : obligation de Jean-Baptiste Pierre Le Brun envers Geneviève Desplactz (Le Cointre, ET/LXXXV/678).

11/10/1784 : contrat de mariage L. J.-B. Étienne Vigée et Suzanne Marie Françoise Rivière (Griveau, ET/LIII/596).

27/01/1786 : succession de Louise Maissin (Dosfant, ET/XXIV/947).

01/12/1790 : obligation de Jean-Baptiste Pierre Le Brun envers Pierre Audebert-Malay (Pezet de Corval, ET/VII/500).

03/03/1791 : notoriété après le décès de M. Pecquery et dépôt de sa succession (Minguet, ET/V/827).

07/01/1792 : constitution Jean-Baptiste Pierre Le Brun envers Gaspard Garandeau et son épouse Marie Angélique Guesnon (Morin, ET/VI/874).

08/06/1793 : L. J.-B. Étienne Vigée déclaration (Brelut de La Grange, ET/XIII/477).

02/12/1794 (12 frimaire an III) : sommation faite à Jean-Baptiste Pierre Lebrun par Alexandre Pierre La Miché et son épouse Charlotte Élisabeth de Lubert pour obtenir la grosse en forme exécutoire de l'acte de vente du... (Arnauld, ET/LI/1223 dans le dossier 1134).

05/09/1796 (19 fructidor an IV) : Élisabeth Louise Vigée Le Brun notoriété (Brelut de La Grange, ET/XIII/497).

14/10/1799 (22 vendémiaire an VIII) : Jean-Baptiste Pierre Le Brun obligation Léon Fould (Silly, ET/IX/856).

---

1. Je remercie Anne Sohier de son efficace collaboration.
2. Les prénoms de Mme Le Brun seront indiqués en fonction du texte de l'acte.

20/06/1800 (1er messidor an VIII) : liquidation et partage de la succession de Jeanne Maissin (pièce 1185 disparue du dossier - Alexandre Petit ET/CXIV/28-29 [1]).

18/07/1800 (29 messidor an VIII) : L. J.-B. Étienne Vigée délibération Barthélemy Lemaitre (Langlois, XVII/1090).

05/12/1801 (14 frimaire an X) : vente mobiliaire de D^{lle} Amable Rose Félicité Louise Nicolay à Jean-Baptiste Pierre Le Brun (Brelut de la Grange, ET/XIII/515).

03/01/1802 (13 nivôse an X) : L. J.-B. Étienne Vigée mainlevée Denis Thoret (Léger, ET/XVII/1094).

3/12/1802 (12 frimaire an XI) : renonciation par L. É. Vigée Le Brun divorcée de J.-B. P. Le Brun, demeurant rue du Gros-Chenet n° 488, à la communauté d'entre elle et son mari (Mignard, ET/CXVI/633).

31/12/1802 (10 nivôse an XI) : obligation souscrite par Jean-Baptiste Pierre Le Brun et son épouse (Mignard, ET/CXVI/634).

11/08/1804 (23 thermidor an XII) : mainlevée de deux inscriptions formées à la requête de Berr Léon Fould, banquier, contre Jean-Baptiste Pierre Le Brun (Silly, ET/IX/882).

6/11/1806 : quittance A. A. J. Delamare à Bayeux et Guillaume Le Bourgeois à É. L. Vigée Le Brun (Mignard, ET/CXVI/647).

9/12/1806 : copie collationnée d'une cédule sur l'ancienne banque de Venise concernant Mme Vigée divorcée Le Brun (Mignard, ET/CXVI/647).

12/01/1807 : quittance d'André Joseph Arsène Rosset de Fleury, demeurant rue des Saints-Pères n° 54 et autres à L. É. Vigée divorcée Le Brun, demeurant rue du Gros-Chenet n° 4 (Mignard, ET/CXVI/648).

14/01/1807 : dépôt d'acte de vente sous seing privé d'une maison rue de Cléry de Jean-Baptiste Pierre Le Brun à Louise Élisabeth Vigée (Mignard, ET/CXVI/648).

14/01/1807 : L. J.-B. Étienne Vigée procuration (Tissandier, ET/XXI/R 696).

15/01/1807 : dépôt de vente Jean-Baptiste Pierre Le Brun et É. L. Vigée (Mignard, ET/CXVI/648).

16/01/1807 : obligation de Jean-Baptiste Pierre Le Brun envers Louise Élisabeth Vigée demeurant rue du Gros-Chenet n° 4 (Mignard, ET/CXVI/648).

19/06/1807 : procuration L. É. Vigée Le Brun, demeurant rue du Gros-Chenet (Mignard, ET/CXVI/649).

23/10/1807 : révocation et décharge de Louise Élisabeth Vigée, demeurant à Paris rue du Gros-Chenet n° 4, envers MM. Gabion et Deluchi (Mignard, ET/CXVI/650).

01/07/1808 : Élisabeth Louise Vigée Le Brun procuration Aimé Henry Lemaire avocat (De Faucompret, ET/VIII/1359).

01-02/07/1808 : procurations par Élisabeth Louise Vigée à Charles Bazin (Chodron, ET/XV/1211).

27/01/1810 : dépôt du testament de Jacques François Le Sèvre daté du 20/12/1809 et extrait du registre des actes de décès du 28/01/1810 (Bourget, ET/XL/61).

27/01/1810 : ouverture du testament J. F. Le Sèvre (Guibert, CXIV/46-47).

03/02/1810 : inventaire après décès de Jacques François Le Sèvre (Bourget, ET/XL/98).

6/02/1810 : procuration É. L. Vigée, épouse de Jean-Baptiste Pierre Le Brun demeurant rue du Gros-Chenet n° 4 (Mignard, ET/CXVI/656).

06 et 09/02/1810 : procurations d'É. L. Vigée à son frère (Mignard, ET/XCVI/656).

08/02/1810: quittance et mainlevée de Charles Georges Louis Clausse, avocat à Versailles et Marie Rosalie Coiffet épouse de Jean Muller envers Mme Le Brun, concernant l'achat par adjudication de la propriété de Louveciennes (Mignard, ET/CXVI/656).

13/02/1810 : quittance donnée à Mme Le Brun par Jean-Baptiste Vigen, avoué près de la cour d'appel de Paris, demeurant rue de Savoie n° 11 (Mignard, ET/CXVI/656). Cousu au précédent document.

---

1. Une copie se trouve dans le dossier Tripier Le Franc.

23/02/1810 : quittance donnée à Mme Le Brun par Reine Gabrielle Coiffet, veuve de Charles Louis Gaillot, rentier (Mignard, ET/CXVI/656). Cousu au précédent document.

26/02/1810 : quittance Pierre Barthélemy Chatillon, rentier, demeurant rue de Lille n° 73, à Louise Élisabeth Vigée, femme divorcée de Jean-Baptiste Pierre Le Brun, demeurant rue du Gros-Chenet n° 4 (Mignard, ET/CXVI/656). Cousu au précédent document.

07/03/1810 : quittance donnée à Mme Le Brun par Alexandre Éléonore Marie Dieudonné Levesque, procureur de Nicolas Firmin Coiffet (Mignard, ET/CXVI/656). Cousu au précédent document.

17/04/1810 : bail par Pierre Germain Thélesson demeurant rue Neuve-des-Mathurins n° 15, à Louise Élisabeth Vigée, demeurant rue du Gros-Chenet n° 4, d'un appartement au deuxième étage et autres lieux susdits rue des Mathurins n° 15 moyennant 1 500 francs par an.

23/06/1810 : Jean Louis Aubé, marchand boucher demeurant rue des Boucheries-Saint-Germain-des-Prés n° 6, à Louise Élisabeth Vigée, femme divorcée de Jean-Baptiste Pierre Le Brun, demeurant rue du Gros-Chenet n° 4 (Mignard, ET/CXVI/657). Résumé (voir dossier du 13/02/1810).

27/11/1810 : procuration par Louise Élisabeth Vigée, épouse divorcée de Jean-Baptiste Pierre Le Brun, demeurant rue Neuve-des-Mathurins n° 15, à Casimir Félix Devina et Auguste Henri Devina demeurant rue Jean-Jacques-Rousseau n° 18 (Mignard, ET/CXVI/658).

13/02/1811 : quittance Jean Louis Maury demeurant rue Cassette n° 16, comme mandataire des héritiers Fleury, à Louise Élisabeth Vigée, femme divorcée Le Brun, demeurant rue des Mathurins n° 15 (Mignard, ET/CXVI/659).

24/06/1811 : inventaire après décès de Mme Vigée, n° 12 rue Sainte-Croix (Péan de Saint-Gilles, ET/XCI/1492).

21/05/1813 : testament olographe de Jean-Baptiste Pierre Le Brun [1].

24-27/07/1813 : mainlevée des inscriptions requises au profit de Mme Vigée, demeurante rue Neuve-des-Mathurins n° 15 contre M. Le Brun (Mignard, ET/CXVI/664).

23-24/08/1813 : inventaire après décès de Jean-Baptiste Pierre Le Brun (ET/IX/982).

10/08/1813 : Jeanne Julie Le Brun, procuration à Pierre Ignace Charles Picot avoué rue Saint-Lazare n° 89 (ET/IX/982).

23-24/08/1813 : Jean-Baptiste Pierre Le Brun A.D. (ET/IX/982).

26/07/1814 : L. J.-B. Étienne Vigée, quittance d'une vente à Gabriel Moprin chef de division à la régie de l'enregistrement (Colin, ET/IV/1033).

12/02/1816 : dépôt par Élisabeth Louise Vigée, demeurante rue Neuve-des-Mathurins n° 15, de la copie de son acte de divorce du 15 prairial an II (3 juin 1794) (Mignard, ET/CXVI/669).

5/09/1816 : procuration par Élisabeth Vigée, femme divorcée de Jean-Baptiste Le Brun, demeurant rue d'Anjou n° 9 (Mignard, ET/CXVI/670).

24/02/1817 : Joseph Hyacinthe François de Paule Rigaud de Vaudreuil. Inventaire après décès (ET/CVIII/948).

01/07/1818 : procuration par É. L. Vigée à Aimé Henry Lemaître, avocat (De Faucompret, ET/VIII/1359).

14/01/1819 : constitution d'une rente de Jean-Baptiste Jean et femme Marie Geneviève Finet, en faveur de Mme Vigée Le Brun (Mignard, ET/CXVI/678).

25/01/1820 : inventaire après décès de Jean-Baptiste Pierre Le Brun (Bertrand, ET/IX/1049).

---

1. Nous connaissons la date de ce testament par une note de Le Brun, dit de Villeneuve, conservée dans les dossiers Tripier Le Franc. Il ne se trouve pas à la date indiquée dans les dossiers des divers notaires de la famille Le Brun.

28/02/1820 : dépôt du testament d'Étienne Vigée[1].

22/08/1820 : inventaire après décès d'Étienne Vigée à la requête de Péan de Saint-Gilles (Fourchy, ET/LVIII/686).

01/05/1825 : testament olographe d'É. L. Vigée Le Brun, voir plus loin (ET/CXVI/739).

31/03/1842 : dépôt du testament olographe d'É. L. Vigée Le Brun du 29 janvier 1842 suivi de l'extrait des minutes du greffe du tribunal civil de première instance du département de la Seine décrivant celui-ci et ses codicilles (Gossart, ET/CXVI/738).

31/03/1842 : testaments olographes de Mme Le Brun née Vigée (Gossart, ET/CXVI/738) contenant : 23/09/1829 : testament olographe et copies – 17/09/1831 : codicille –12/05/1838 : codicille sous forme d'approbation du testament olographe du 23/09/1829 –14/08/1835 : lettre d'É. L. Vigée Le Brun au maire de Louveciennes lui faisant part de son souhait d'être enterrée dans le cimetière de cette commune et lui demandant d'en informer ses futurs héritiers le moment venu – 17/12/1841 : dépôt par E. L. Vigée Le Brun de son testament à Mᵉ Gossart [dessins de la colonne de son tombeau] – 31/03/1842 : extrait des minutes du greffe du tribunal civil de première instance du département de la Seine qui relate la remise par Mᵉ Gossart d'une enveloppe remise par É. L. Vigée le 17 décembre 1841. Pièce décrivant le testament du 29/01/1842 – Copie conforme de l'extrait du registre des actes de décès du Iᵉʳ arrondissement de la préfecture du département de la Seine concernant le décès d'É. L. Vigée Le Brun le 31/03/1842 (Gossart, ET/CXVI/739).

05/04/1842 : Acte de notoriété de Louis Constant et Antoine Jacques Nicolas Bertinot (Gossart, ET/CXVI/739).

12/04/1842 : testament olographe d'É. L. Vigée Le Brun du 1ᵉʳ mai 1825 et extrait des minutes du greffe du tribunal civil de première instance du département de la Seine décrivant le testament d'É. L. Vigée Le Brun du 01/05/1825 déposé par Mᵉ Gossart (Gossart, ET/CXVI/739).

14/04/1842 : extrait des minutes du greffe du tribunal civil de première instance du département de la Seine décrivant l'acte de dispositions testamentaires d'É. L. Vigée Le Brun du 29/01/1842 remises par M. Tripier Le Franc par l'intermédiaire de Mᵉ Glandaz (Gossart, ET/CXVI/738).

14-28/04/1842 : inventaire après décès au terme du testament olographe d'É. L. Vigée Le Brun du 23/09/1829 + cote huitième (Gossart, ET/CXVI/739).

Vers 26/04/1842 : note relative aux dispositions caduques des testaments et codicilles du testament olographe du 29/01/1842 enregistré le 06/04/1842, faisant partie de l'inventaire après décès (cote absente).

s. d. : procuration de L. É. Vigée, demeurant rue d'Anjou n° 9 (Mignard, ET/CXVI/670).

Série O¹, Maison du roi sous l'Ancien Régime

O¹ 3798 et 3799, Maison des Enfants de France, fils et filles de Louis XVI, 1778-1792.

O1 3704 à 3711, Correspondance et mémoires concernant des affaires de police (étrangers, mendiants, marchands, voitures, chasses) et de voirie (demandes en autorisations d'enclore et de bâtir). Journal d'écrous et signalement des étrangers à Versailles, XVIIIᵉ siècle.

O¹ 3079, Argenterie et Menus Plaisirs, Affaires de la Chambre, manufactures royales : 1776, portrait de la reine.

O¹ 3054, Argenterie et Menus Plaisirs, Affaires de la Chambre : lettres de madame Le Brun, factures, Mémoires 1776-1778 au sujet du portrait de la reine.

O¹ 1926, Direction générale des Bâtiments, jardins, arts, académies et manufactures royales : Académie de peinture et de sculpture : correspondances entre Pierre, Vergennes, le comte d'Angiviller, 1783.

---

1. Ce testament ne figure pas à la place indiquée dans les répertoires, ni avec les inventaires après décès.

O^1 1214, Direction générale des Bâtiments, jardins, arts, académies et manufactures royales : Académie de peinture et de sculpture : extraits des journaux, 1783.

O^1 1918, Direction générale des Bâtiments, jardins, arts, académies et manufactures royales : Académie de peinture et de sculpture : correspondances Pierre, comte d'Angiviller, J.-B. P. Le Brun 1785.

O^1 1919, Direction générale des Bâtiments, jardins, arts, académies et manufactures royales : Académie de peinture et de sculpture : correspondances 1786-1788.

O^1 1920, Direction générale des Bâtiments, jardins, arts, académies et manufactures royales : Académie de peinture et de sculpture : correspondances 1786-1788 : ordre à M. Durameau 20/02/1788.

O^1 1181, lettres de madame Le Brun, ordres du D^r général, 1788.

Série O^2, Archives de la couronne, Premier Empire
O^2 489, Portrait du dauphin.

Série Q^1, Titres domaniaux
Q^1 1099^8, f° 70, 73, 96. Terrier du Roy : arrêt du conseil du 14/12/1700.

Série S, Biens des établissements religieux supprimés
S 4763, Plan de la chapelle et actes de fondation des Filles de la Trinité, dites Mathurines de la Trinité.

Série H, Établissements religieux, comptabilité et titres de fondation de rentes
A.N.H^5 4109, Livres de comptes des religieuses de La Croix.

Série Y, Châtelet de Paris et prévôté d'Île-de-France
Y, liasse 3530, Commissaire Girard : plainte de Jean-Baptiste Pierre Le Brun contre le comte de Brie[1].

Pensions accordées aux gens de lettres et artistes
F/4/2696, état affecté sur les fonds des journaux.
O/3/692, répertoire alphabétique des noms des demandeurs.

SOURCES IMPRIMÉES

Éditions des Souvenirs

Vigée Le Brun, Élisabeth, *Souvenirs*, Paris, Fournier, 1835-1837, 3 vol.

–, *Souvenirs*, Paris, Charpentier, 1869.

–, *Souvenirs*, introduction de Pierre de Nolhac, Paris, Fayard, [1910].

–, *Viaggio in Italia di una donna artista. « Souvenirs » di Élisabeth Vigée Le Brun (1789-1792)*, sous la dir. de Fernando Mazzoca, note critiques d'Anna Villari, Milan, Electa, 2004.

---

1. Version imprimée *in* « Madame Vigée Le Brun 1776-1811 », Documents communiqués par M.M. Émile Campardon et Benjamin Fillon, art. cité, p. 342-343.

–, *Memorie di una ritrattista, Élisabeth Vigée Le Brun*, trad. de Giovanna Parodi, avec un écrit de Benedetta Craveri, Milan, Abscondita, 2ᵉ édition, 2006.

–, *Souvenirs*, introduction et annotation de Geneviève Haroche Bouzinac, Paris, Champion, 2008.

Textes et œuvres liés à la vie de Mme Le Brun et à celle de son entourage

« Cahier manuscrit de la main de madame Vigée Le Brun », *in* Auguste Molinier, *L'Art*, 1905, t. 64, p. 130 et suiv.

Lettre de madame Le Brun à madame Beaujouan, *in* « Madame Vigée Le Brun 1776-1811 », documents communiqués par M.M. Émile Campardon et Benjamin Fillon, *N.A.A.F*, Paris, 1872, p. 345.

Catalogue des livres de feu M. de Verdun, Paris, De Bure, 1822.

Carpani, Giuseppe, *Lettere di Giuseppe Carpani all'Egregio Pittore Signor C.T. Romano*, Milan, Marelli, 1792.

Lettre de madame Le Brun à M. de Calonne, Paris, mars 1789 [correspondances apocryphes de Mme Le Brun avec Calonne].

Réponse de M. de Calonne à la dernière lettre de madame Le Brun, publiée par M. l'abbé de Calonne et se trouve chez Laurent, libraire, Paris, avril 1789 [correspondances apocryphes de Mme Le Brun avec Calonne].

La Harpe, Jean-François de, « Discours sur les talents des femmes » [1765], dans *Œuvres*, Paris, Verdière, t. III, 1820.

Le Brun [abbé], *Almanach historique et raisonné des architectes, peintres, sculpteurs, graveurs et ciseleurs, contenant des notions sur les cabinets des curieux du royaume, sur les marchands de tableaux, sur les maîtres à dessiner de Paris, et autres renseignements utiles relativement au dessin, dédié aux amateurs des arts*, Paris, Delalain-Duchesne, 1776 et 1777, 2 vol.

Le Brun, Jean-Baptiste Pierre[1], *Catalogue raisonné d'une très belle collection de tableaux des écoles d'Italie, de Flandre, et de Hollande qui composaient le cabinet de M. de Vaudreuil, grand fauconnier de France*, Paris, rue de Cléry, 1784.

–, *Précis historique de la vie de la citoyenne Le Brun*, chez l'auteur, an II.

–, *Catalogue d'objets rares et précieux, provenant du cabinet et fonds de marchandise de M. Le Brun*, Paris, 1806.

–, *Vente et ordre de la rare et précieuse collection de M. Lebrun dans sa galerie les 20, 21, 22, 23, 24 mars prochains*, 1810.

–, *Vente après le décès de feu M. Raymond, architecte des maisons de S.M. l'Empereur et Roi, membre de l'ancienne Académie d'architecture de l'Institut impérial*, Imprimerie Didot jeune, 1811.

–, « Extraits des carnets de Jean-Baptiste Pierre Le Brun », *in* « Madame Vigée Le Brun 1776-1811 », documents communiqués par M.M. Émile Campardon et Benjamin Fillon, *N.A.A.F.*, Paris, 1872, p. 344-345.

–, *Réflexions sur le muséum national*, 14 janvier 1793, édition et postface d'Édouard Pommier, Paris, RMN, 1992.

Vigée, Louis Jean Baptiste Étienne, « Stances sur la mort de Colardeau, suivies de son Ombre aux Champs Élysées », Paris, Lesclapart, 1776.

–, *Épître aux membres de l'Académie française décriés dans le dix-huitième siècle*, par M. Vigée, À Londres et à Paris, 1776.

–, « Les mœurs et la littérature, satire, à M. D*** », s. l., 1778.

---

1. Dans l'espace imparti à cette bibliographie, on ne saurait donner la liste exhaustive des catalogues de vente établis par J.-B. P. Le Brun. Se reporter à la liste établie jusqu'en 1810 par P. Michel, *Le Commerce du Tableau à Paris, op. cit.*

–, « Pièces échappées aux XVI premiers Almanachs des muses », Paris, Vve Duchêne, 1781.

–, *Les Aveux difficiles*, comédie en un acte et en vers [Paris, Théâtre-Français, 24 février 1783], Paris, Vve Duchesne, 1783.

–, *La Belle-mère ou les Dangers d'un second mariage*, Paris, Prault, 1784.

–, *La Fausse Coquette*, comédie en 3 actes, Paris, Prault, 1784.

–, *L'Entrevue*, comédie en un acte et en vers, par M. Vigée [Paris, Théâtre-Français, 6 décembre 1788], Paris, Prault, 1788.

–, *La Matinée d'une jolie femme*, comédie en un acte et en prose, Paris, Prault, 1793.

–, *La Nouvelle Chartreuse, ou Ma détention à Port-Libre*, par le citoyen Vigée, Paris, impr. de Franklin, an II, 1794.

–, *Ode à la liberté*, par le citoyen Vigée, 5 nivôse, an II, s. l., s. d.

–, *Ninon de Lenclos*, comédie en un acte et en vers, suivie de *Poésies fugitives*, par L.-J.-B.-É. Vigée, Paris, Éverat, an V, 1797.

–, « *Ma journée* ». *Poème par L.-J.-B.-É. Vigée*, Paris, Louis, an VII, 1799.

–, *Mes conventions, épître suivie de vers et de prose*, par L.-J.-B.-É. Vigée, Paris, Louis, an IX, 1800.

–, *Combien la critique amère est nuisible au progrès des talents*, par L.-J.-B.-É. Vigée, discours qui a remporté le prix décerné par la Société des sciences et des arts du Lot dans sa séance du 15 mai 1807, Paris, Capelle et Renand, 1807.

–, *Épître à Jean-François Ducis sur les avantages de la médiocrité*, Paris, Delaunay, 1810.

–, *Manuel de littérature à l'usage des deux sexes*, Paris, Louis, 1809 (seconde éd. revue par Mme d'Hautpoul, Paris, Roret, 1828).

–, *Poésies de L. J.-B. É. Vigée*, Paris, Delaunay, 1813.

–, *Procès et mort de Louis XVI*, fragment d'un poème sur la Révolution française, par M. Vigée, Paris, Delaunay, 1814.

–, *La Tendresse filiale* [roman], Paris, Le Fuel, s. d.

–, *Lucie, La Tendresse maternelle* [roman], Paris, s. d.

–, « Hymne pour la fête de la jeunesse », s. l. n. d.

–, « La Fin du monde », poème, s. l. n. d.

–, « Discours au Roi de Rome », s. l. n. d.

–, « Discours prononcé par M. Vigée le jour de la distribution des prix de l'Institution polytechnique », Gratiot, s. d.

–, « Discours prononcé par M. Vigée, le jour de la distribution des prix de l'Institution polytechnique », Paris, Belin, s. d.

–, « Discours prononcé par M. Vigée, le jour de la distribution des prix de l'Institution polytechnique dirigée par M. E.-M.-J. Lemoine », Paris, J. Gratiot, s. d.

– et alii, *Veillées des Muses, ou Recueil périodique des ouvrages en vers et en prose lus dans les séances du Lycée des étrangers*, publié par les citoyens Arnaud, Laya, Legouvé et Vigée, n° 1 [3ᵉ année, n° XII], nivôse an VI [-ventôse an IX], Paris.

Mémoires, récits de voyage, correspondances, rapports de police

Anthologies et ouvrages collectifs

Journal des inspecteurs de M. de Sartine, éd. par Lorédan-Larchey, Paris, Dentu, 1863.

Mémoires secrets pour servir à l'histoire de la République des Lettres en France, depuis MDCCLXII, ou Journal d'un observateur, [par L. Petit de Bachaumont, M.-F. Pidansat de Mairobert et Moufle d'Angerville], Londres, Adamson, 1783-1789.

Paris le jour, Paris la nuit : Louis Sébastien Mercier, *Tableau de Paris, Le Nouveau Paris*, présenté par Michel Delon ; Restif de la Bretonne, *Les Nuits de Paris*, présenté par Daniel Baruch, Paris, Laffont, « Bouquins », 1990.

Revue encyclopédique : liberté, égalité, association, par Marc-Antoine Jullien, Auguste Jullien, Hippolyte Carnot [Nécrologie d'Étienne Vigée], vol. VII, p. 408.

« *Si tu lis jamais ce journal...* ». *Diaristes russes francophones, 1780-1854*, textes présentés, transcrits et annotés par Elena Gretchanaïa et Catherine Viollet, Paris, CNRS Éditions, 2008.

*

* *

Abrantes, Laure Junot, duchesse d', *Des femmes célèbres dans tous les pays*, Paris, Lachevardière, 1834.

–, *Mémoires complets et authentiques de Laure Junot, duchesse d'Abrantes*, Paris, J. L'Henry, 1835-1836.

Ancelot, Virginie, *Salons de Paris*, Paris, Tardieu, 1858 (2ᵉ éd.).

Argenson, René Louis d', *Journal et mémoires du marquis d'Argenson*, Clermont-Ferrand, Paleo, 2002-2006.

Arnault, Vincent-Antoine, *Les Souvenirs et les regrets du vieil amateur dramatique*, Paris, Charles Froment, 1823.

Babois, Marguerite Victoire, *Élégies et poésies diverses de Mme Victoire Babois* [lettres], Paris, Nepveu, 1828.

Balzac, Honoré de, *Correspondance (1809-juin 1832)*, éditée et annotée par Roger Pierrot, Paris, Garnier, 1960, t. I, 1962, t. II.

Barante, Prosper de, *Souvenirs du baron de Barante, de l'Académie française, 1782-1866*, publiés par son petit-fils Claude de Barante, Paris, Calmann-Lévy, 1890-1897.

Bawr, Alexandrine de, comtesse de Saint-Simon, *Mes souvenirs*, Paris, Passard, 1853.

Beauharnais, Hortense de, *Mémoires de la reine Hortense*, éd. par Christophe Pincemaille, Paris, Mercure de France, 2006.

Beauveau, princesse de, née Rohan-Chabot, *Souvenirs*, Paris, Techeuer, 1872.

Bernis, cardinal de, *Mémoires*, notes de Philippe Bonnet, préface de J.-M. Rouart, Paris, Mercure de France, 1986.

Blaikie, Thomas, *Diary of a Scotch Gardiner*, éd. Francis Birelle, Londres, Routledge and Sons, 1931 ; *Sur les terres d'un jardinier, Journal de voyage 1775-1792*, trad. Janine Barrier, Paris, L'Imprimeur, 1997.

Boigne, Adèle d'Osmond, comtesse de, *Récits d'une tante. Mémoires de la comtesse de Boigne*, int. et notes de Jean-Claude Berchet, Paris, Mercure de France, 1999.

Bombelles, Marc, marquis de, *Journal*, Genève, Droz, 1977-2005, t. I-VI.

Brifaut, Charles, *Souvenirs d'un académicien sur la Révolution, le Premier Empire et la Restauration*, Paris, Albin Michel, 1920.

Campan, Jeanne Louise Henriette, *Mémoires de Madame Campan*, int. de Jean Chalon, notes de Carlos de Angulo, Paris, Mercure de France, 1988.

Carraccioli, Louis-Antoine de, *Dictionnaire critique, pittoresque et sentencieux*, Lyon, Duplais, 1768.

Carriera, Rosalba, *Journal pendant son séjour à Paris en 1720 et 1721*, publié en italien par Vianelli ; traduit, annoté et augmenté d'une biographie et de documents inédits sur les artistes et les amateurs du temps par Alfred Sensier, Paris, Techener, 1865.

–, *Journal pendant mon séjour à Paris en 1720 et 1721*, [1793], Paris, Les Presses du réel, 1997.

Casanova, Giacomo, *Histoire de ma vie*, éd. établie par Francis Lacassin, Paris, Laffont, 2000.

–, *Venise à G. Casanova*, édition, présentation et notes de Marco Leeflang, Gérard Luciani et Marie-Françoise Luna, avec la collab. de F. Luccichenti et H. Watzlawick, Paris, Champion, 2008.

Chastenay, Victorine de, *Mémoires, 1771-1815*, éd. A. Raserot, Paris, Plon, 1896-1897, 2 vol.

Chateaubriand, François René de, *Lettres à madame Récamier*, éd. Maurice Levaillant et Beau de Loménie, Paris, Flammarion, 1951.

–, *Mémoires d'outre-tombe*, éd. établie par M. Levaillant et G. Moulinier, Paris, Gallimard, « Bibliothèque de la Pléiade », 1951, 2 vol.

–, *Mémoires d'outre-tombe*, éd. Jean-Claude Berchet, Paris, Garnier, « Classiques Garnier », 1989-1998.

Choderlos de Laclos, *Correspondance*, dans *Œuvres complètes*, éd. Laurent Versini, Paris, Gallimard, « Bibliothèque de la Pléiade », 1979.

Coigny, Aimée de, *Mémoires de Aimée de Coigny*, int. et notes d'Étienne Lamy, Paris, Calmann-Lévy, 1906.

Colet, Louise, *Lettres inédites de Louise Colet à Honoré Clair (1839-1871)*, éd. Annalisa Aruta Stampacchia, Clermont-Ferrand, Presses de l'université Blaise-Pascal, 1999.

Constant, Benjamin, *Mémoire sur les Cent-Jours en forme de lettres* [1819], Paris, Pichon et Didier, 1829.

Créquy, marquise de, *Souvenirs de la marquise de Créquy, de 1710 à 1803*, Paris, Delloye, 1840.

Dachkova, Ekaterina Romanova (princesse), *Mémoires*, éd. présentée et annotée par Pascal Pontremoli, Paris, Mercure de France, 1966.

David, Jacques-Louis, *Mémoires manuscrits*, dans Daniel et Guy Wildenstein, *Documents complémentaires au catalogue de l'œuvre de Jacques-Louis David*, Paris, Fondation Wildenstein-Bibliothèque des arts, 1973.

Delécluze, Étienne-Jean, *Journal de Delécluze, 1824-1828*, Paris, Grasset, 1948.

Denon, Dominique Vivant, *Lettres à Isabella Teotochi, 1788-1816*, Paris, Paris-Méditerranée, 1998.

–, *Vivant Denon, directeur des musées sous le Consulat et l'Empire. Correspondance (1802-1815)*, éd. établie par Marie-Anne Dupuy, Isabelle Le Masne de Charmont et Elaine Williamson, Paris, RMN, 1999, 2 vol.

–, *Lettres à Bettine*, éd. dirigée par Fausta Garavini, Arles, Actes Sud, 1999.

Diderot, *Correspondances*, dans *Œuvres complètes*, éd. Louis Versini, Laffont, « Bouquins », 1997, t. III.

Divoff, Élisabeth Petrovna, *Souvenirs*, introduction et notes par S. Kaznakoff, Paris, Tallandier, 1929.

Edgeworth, Maria, *Lettres intimes de Marie Edgeworth pendant ses voyages en Belgique, en France, en Suisse et en Angleterre en 1802, 1820 et 1821*, traduit par Mlle P. G., préface de Mme W. O'Brien, Paris, Guillaumin, 1896.

Espinchal, Joseph Thomas Anne, comte d', *Journal d'émigration*, Paris, Perrin, 1912.

Farington, Joseph, *The Farington Diary*, Londres, Hutchinson & Co, 1923, t. I-IV.

Federici, Ferdinand de, *Flagrants délits sur les Champs-Élysées : les dossiers de police du gardien Federici, 1777-1791*, éd. présentée et annotée par Arlette Farge, postface de Laurent Turcot, Paris, Mercure de France, 2008.

Frénilly, baron de, *Souvenirs du baron de Frénilly, pair de France (1768-1828)*, introduction et notes d'André Chuquet, Paris, Plon, 1909.

Genlis, Stéphanie Félicité de, *Mémoires inédits*, Paris, Ladvocat, 1825 ; [extraits] Paris, Mercure de France, 2004.

–, *The Unpublished Correspondence of Madame de Genlis and Margaret Chinnery, and Related Documents in the Chinnery Family Papers*, éd. par Denise Yim, Oxford, *Studies on Voltaire and the Eighteenth Century*, The Voltaire Foundation, 2003.

Georgel, abbé Jean-François, *Voyage à Saint-Pétersbourg*, Paris, Eymery, 1818.

Georgi, Johann Gottlieb, *Versuch einer Beschreibung der Russisch Kayserlichen Residenzstadt St Petersburg*, Riga, 1793.

Gérard, François, *Lettres adressées au baron François Gérard, peintre d'histoire, par les artistes et les personnages célèbres de son temps*, publiées par le baron Gérard, son neveu, et précédées d'une notice sur la vie et les œuvres de François Gérard, et d'un récit d'Alexandre Gérard, son frère, Paris, A. Quantin, 1886.

Gigoux, Jean, *Causeries sur les artistes de mon temps*, Paris, Calmann-Lévy, 1885.

Goldoni, Carlo, *Mémoires* [1787], Paris, Mercure de France, 1988.

Golovine, comtesse Varvara, *Souvenirs de la comtesse Golovine, née princesse Galitzine (1766-1821)*, introduction et notes de K. Waliszewski, Paris, Plon, 1910.

Golovkine, Fedor Gavrilovitch, *La Cour et le Règne de Paul Ier*, Paris, Plon, 1905.

Grimm, Friedrich Melchior, *Correspondance artistique de Grimm avec Catherine II*, éd. Louis Réau, A.A.F nouvelle période, t. XVII, Paris, Colin, 1932.

Helvétius, *Correspondance générale*, Toronto-Oxford, University of Toronto Press-The Voltaire Foundation, 1998.

Hennequin, Philippe-Auguste, *1763-1833. Un peintre sous la Révolution et sous le Premier Empire, Mémoires de Philippe-Auguste Hennequin*, écrits par lui-même et mis en ordre par Jenny Hennequin, Paris, Calmann-Lévy, 1933.

Kourakine, Théodore, *Souvenirs des voyages de la princesse Kourakine, publiées par le prince Théodore Kourakine, suivis d'un extrait des souvenirs autobiographiques de madame Vigée-Lebrun*, Moscou, 1903.

Lamballe, princesse de, *Mémoires relatifs à la famille royale de France pendant la Révolution*, Paris, Treuttel et Würtz, 1826.

Lameth, Théodore de, *Mémoires*, Paris, Fontemoing, 1913.

Launay, vicomte de, *Lettres parisiennes*, Paris, Mercure de France, « Le temps retrouvé », 1986.

Ligne, prince Charles Joseph de, *Mémoires, Lettres et pensées*, éd. dirigée par A. Payne, Paris, François Bourin, 1989.

–, *Le Voyage de Crimée. Lettres à la marquise de Coigny*, par René Bonnette, Toulouse, Ombres, 1997.

–, *Fragments de l'histoire de ma vie*, texte établi par Jeroom Vercruysse, Paris, Champion, 2000, t. I, et 2001, t. II.

–, *Caractères et portraits*, sous la dir. de Daniel Acke, Paris, Champion, 2003.

Louise de Prusse (Königin Luise), *Briefe und Aufzeichnungen, 1786-1810*, Berlin-Munich, Deutscher Kunstverlag, 2010.

Marie-Thérèse d'Autriche, *Correspondance secrète entre Marie-Thérèse d'Autriche et le comte de Mercy-Argenteau*, Paris, Firmin Didot, 1874.

Masson, C.-F.-P., *Mémoires secrets sur la Russie pendant les règnes de Catherine II, de Paul Ier et sur les mœurs de Saint-Pétersbourg à la fin du XVIIIe siècle*, Paris, Pougens, an VIII (1800).

Mercier, Louis Sébastien, *Tableau de Paris*, éd. établie sous la dir. de Jean-Claude Bonnet, Paris, Mercure de France, 1994.

Miette de Villars, *Mémoires de David*, Paris, 1850.

Molé, Louis-Mathieu, *Souvenirs de jeunesse, 1793-1803*, avec une préface de la marquise de Noailles, éd. présentée et annotée par Jean-Claude Berchet, Paris, Mercure de France, 2005.

Moreau, Jacob-Nicolas, *Mes souvenirs*, Paris, Hermelin, 1901.

Morris, Gouverneur, *Journal de Gouverneur Morris, 1789-1792*, éd. d'Anne Cary-Morris, trad. de l'anglais par Ernest Pariset, Paris, Mercure de France, 2002.

Oberkirch, Henriette-Louise, baronne d', *Mémoires sur la cour de Louis XVI et la société française avant 1789*, éd. présentée et annotée par Suzanne Burkard, Paris, Mercure de France, 2004.

Paroy, Jean-Philippe-Gui Le Gentil, *Mémoires du comte de Paroy (1750-1824)*, Paris, Plon, 1895.

Pierre, Jean-Baptiste Marie, « Correspondance de Pierre avec les directeurs de l'Académie de France à Rome », par Udolpho Van De Sandt, *N.A.A.F.*, t. XXVIII, 1986.

Polignac, comtesse Diane de, *Journal d'Italie et de Prusse* (adressé à la comtesse de Sabran) [1789], éd. par R. Bonnet, Paris, L'Amateur d'autographes, 1899.

Portalis, Roger, baron, *Henry-Pierre Danloux, peintre de portraits et son journal durant l'émigration*, Paris, Société des bibliophiles français, 1910.

Potocka, Anna, *Mémoires de la comtesse Potocka, 1794-1820*, publiés par Casimir Stryienski, Paris, Plon, 1897.

–, *Voyage d'Italie : 1826-1827, comtesse anna Potocka. Lettres inédites de Caroline, reine de Naples, de Catherine, reine de Westphalie*, publié par Casimir Stryienski, Paris, Plon, 1899.

–, *Mémoires, 1794-1820*, Paris, L'Harmattan, 2005.

Potocka Massalska, Héléna, *L'Abbaye-aux-Bois, mémoires d'une petite fille de dix ans au XVIIIᵉ siècle*, Paris, Sang de la Terre, 1987.

Radziwill, Louise de Prusse, *Quarante-Cinq années de ma vie*, éd. par la princesse Radziwill née Castellane, Paris, Plon, 1912.

Raoul-Rochette, Désiré, *Lettres sur la Suisse, écrites en 1824 et 1825*, Paris Froment, 1826.

– et Engelmann Godefroy, *Lettres sur la Suisse, écrites de 1819 à 1824, accompagnées de vues dessinées d'après nature et lithographiées par M. Villeneuve*, Paris, Engelmann, 1823-1825.

Reichardt, Johan Friedrich, *Un hiver à Paris sous le Consulat (1752-1814)*, d'après des Lettres (1896), éd. Thierry Lentz, Paris, Tallandier, 2003.

Reynolds, Joshua, *Memoirs of Sir Joshua Reynolds*, par James Northcote, Londres, 1813.

Richard, Jerôme, *Description historique et critique de l'Italie*, Dijon, Lambert, 1766, 6 vol.

Sabran, comtesse Éléonore de, et Boufflers, chevalier de, *Correspondance*, texte établi et annoté par Sue L. Carrell, t. I : *Le Lit bleu (1777-1785)*, Paris, Tallandier, 2009 ; t. II : *La Promesse (1786-1787)*, 2010.

Saulx-Tavannes, duchesse de, *Sur les routes de l'émigration. Mémoires de la duchesse de Saulx-Tavanes (1791-1806)*, publiés par le marquis de Valous, Paris, Calmann-Lévy, 1934.

Saussure, Horace-Bénédict de, *Voyages dans les Alpes*, présenté et édité par Julie Boch, Genève, Georg, 2002.

Staël, Germaine de, *Lettres à Henri Meister*, éd. Paul Ustéri et Eugène Ritter, Paris, Hachette, 1903.

–, *Correspondance générale*, texte établi et présenté par B. W. Jasinski, puis par O. d'Haussonville, Genève, Champion-Slatkine, 2008-2009, 7 vol.

Talleyrand, *Mémoires et correspondances du prince de Talleyrand*, éd. Emmanuel de Waresquiel, Paris, Laffont, 2007.

Tripier Le Franc, Justin, *Notice sur la vie et les ouvrages de Madame Le Brun* [extrait du *Journal de biographie moderne*], Paris, 1828.

Trumbull, John, *John Trumbull autobiography (1756-1743)*, éd. Th. Sizer, New Haven, Yale University Press, 1953.

Vaudreuil, Hyacinthe Joseph François de Paule, *Correspondance intime du comte de Vaudreuil et du comte d'Artois pendant l'émigration : 1789-1815*, texte établi par Léonce Pingaud, Paris, Plon, 1889.

Vernet, Joseph, *Livre de Raison*, in Léon Lagrange, *Joseph Vernet, sa vie, sa famille, son siècle, d'après des documents inédits*, Bruxelles, Labrosse, 1858.

Viennet, Jean Pons Guillaume, *Mémoires et Journal (1777-1867)*, texte établi, présenté et annoté par Raymond Trousson, Paris, Champion, 2006.

Vigny, Alfred de, *Correspondance, 1816-1830*, éd. établie par Madeleine Ambrière *et alii*, Paris, PUF, 1989, t. I.

Voltaire, *Voltaire, Catherine II. Correspondance (1763-1778)*, éd. annotée et présentée par Alexandre Stroev, Paris, Non Lieu, 2006.

Wille, Johann Georg, *Mémoires et journal de J. G. Wille*, graveur du roi, publié d'après les manuscrits autographes de la bibliothèque impériale par Georges Duplessis, avec une préface par E. et J. de Goncourt, Paris, Renouart, 1857.

Ouvrages concernant la vie de l'art

Catalogue de la collection des pièces sur les beaux-arts imprimées et manuscrites, recueillie par Pierre-Jean Mariette, Charles Nicolas Cochin et M. Deloynes, auditeur des comptes, 1673-1808, 65 vol. [Les références aux différentes pièces sont données en note.]

Sur la peinture. Ouvrage succinct qui peut éclairer les artistes sur la fin originelle de l'art et aider les citoyens à l'idée qu'ils doivent se faire de son état actuel en France, avec une réplique à la réfutation insérée dans le Journal de Paris, n° 263, La Haye, 1782 (Deloynes, n° 276).

Revue critique des productions de peinture, sculpture, gravure, exposées au Salon de 1824. par M.***, Paris, J. G. Dentu, 1825.

*
* *

Bachaumont, dit de, *Les Salons des « Mémoires secrets », 1767-1787*, éd. Bernadette Fort, Paris, École nationale des beaux-arts, 1999.

Bachaumont, Louis Petit de, *Les Salons de Bachaumont. Chroniques esthétiques du XVIIIe siècle*, introduction et analyse par Fabrice Faré, Nogent-le-Roi, Jacques Laget, 1995.

Brosses, Charles de, dit le président de, *Lettres d'Italie du Président de Brosses*, éd. de F. d'Agay, Paris, Mercure de France, 1986, 2 vol.

Chaperon, Paul-Romain, *Traité de la peinture au pastel*, Paris, Defer de Maisonneuve, 1788.

Chateaubriand, François René de, *Lettre sur le paysage en peinture*, La Rochelle, La Rumeur des âges, 1993.

Cochin, Charles Nicolas, *Voyage d'Italie, ou Recueil de notes sur les ouvrages de peinture & sculpture qu'on voit dans les principales villes d'Italie*, Paris, Jombert, 1758, 3 vol.

Descamps, Jean-Baptiste, *La Vie des peintres flamands, allemands et hollandais*, Paris, Jombert, 1753-1764.

Dezallier d'Argenville, Antoine-Joseph, *Abrégé de la vie des plus fameux peintres avec leurs portraits gravés, les indications de leurs principaux ouvrages*, Paris, De Bure, 1762, 6 vol.

Diderot, Denis, *Salons. Pensées détachées sur la peinture, la sculpture et la poésie, Œuvres esthétiques*, dans *Œuvres complètes*, éd. Laurent Versini, Paris, Laffont, « Bouquins », 1996, t. IV.

Du Paty, Charles, dit le président, *Lettres sur l'Italie en 1785*, Paris, Duprat Duverger, 1808, 3 vol.

Félibien, André, *Entretien sur les vies et sur les ouvrages des plus excellents peintres anciens et modernes,* Paris, Trévoux, [1685-1688] 1725, 6 vol.

Fréart de Chanteloup, Sieur de Chambray, Roland, *Idée de la perfection de la peinture*, Le Mans, Jacques Ysambart, 1662.

Gessner, Salomon, « Lettre à M. Fueslin, sur le paysage », dans *Œuvres complètes*, Lausanne, Mourer, n.d., t. III.

Gilpin, William, *Trois essais sur le Beau pittoresque* [1792], trad. de l'anglais par le baron de Blumenstein en 1799, Paris, Le Moniteur, 1982.

Girardin, René-Louis de, *De la composition des paysages* [1777], éd. Michel Conan, Seyssel, Champ Vallon, 1992.

Lacombe, Jacques, *Dictionnaire portatif des beaux-arts*, Paris, J.-T. Hérissant et les frères Étienne, 1759.

La Font de Saint-Yenne, *Réflexions sur quelques causes de l'état présent de la peinture en France avec un examen des principaux ouvrages exposés au Louvre durant le mois d'août 1746* [La Haye, 1747], Genève, Slatkine, 1970.

Lalande, Jérôme de, *Voyage d'Italie* [1769], Paris, Desaint, 1786, 9 vol.

Le Brun, Charles, *L'Expression des passions* [1678], Paris, Maisonneuve et Larose, 1994.

Piles, Roger de, *Abrégé de la vie des peintres*, Paris, Muguet, 1699, reprint Darmstadt, 1969.

–, *Cours de peinture par principes* [1673], préface de Jacques Thuillier, Paris, Gallimard, 1989.

-, *L'Idée du peintre parfait*, Paris, Muguet, 1699.

–, *L'Idée du peintre parfait*, préfacé et annoté par Xavier Carrère, Paris, Le Promeneur, 1993.

Reynolds, Sir Joshua, *Discours sur la peinture (1769-1791)*, Paris, ENSB, 1991.

Toqué, Louis, *Le Discours de Tocqué sur le genre du portrait*, lu pour la première fois à l'Académie de peinture et de sculpture le 7 mars 1750, avec la réponse de Charles-Antoine Coypel ; avant-propos et notes par le comte Arnauld Doria, Paris, J. Schemit, 1930.

Vasari, Giorgio, *Les Vies des plus excellents architectes, peintres et sculpteurs italiens*, trad. et éd. critique sous la direction d'André Chastel, Paris, Berger-Levrault, 1981-1989, 12 vol.

Winckelmann, Johann-Joachim, *Réflexions sur l'imitation des artistes grecs dans la peinture et la sculpture* [Dresde, 1755], Paris, Barrois, 1785.

Autres imprimés utilisés

Ouvrages anonymes

Almanach Dauphin ou Tablettes royales du vrai mérite des artistes célèbres et d'indication générale des principaux marchands..., 1772, 1776, 1777, 1779.

Almanach du commerce, an VIII, Paris, Duverneuil, Dela Tynna, Valade, Capelle et Renand.

Almanach du Palais-Royal, 1786.

Catalogue des livres de la bibliothèque de M. Aimé-Martin, Paris, Silvestre, 1824.

Guide de Berlin, Potsdam et ses environs, Berlin, Nicolaï, 1802.

Lettres secrètes (Guillaume Imbert de Boudeaux ?), éd. par Paule Adamy, Genève, Droz, 1997.

*
* *

Brice, Germain, *Description de Paris, et de tout ce qu'elle contient*, Paris, Libraires associés, 1752, 4 vol.

Chaudon, Louis-Mayeul, *Dictionnaire historique*, Paris, Ménard, 1823, t. XXVII.

Dezallier d'Argenville, Antoine-Nicolas, *Voyage pittoresque de Paris, ou Indication de tout ce qu'il y a de plus beau dans cette grande ville en peinture, sculpture et architecture*, Paris, De Bure l'aîné, 1749 et 1765.

–, *Voyage pittoresque des environs de Paris, ou Description des maisons royales, châteaux & autres lieux de plaisance, situés à quinze lieues aux environs de cette ville*, par M. D*** [Dezallier d'Argenville fils], 4ᵉ éd. corr. et augm, Paris, Debure l'aîné, 1779.

Eymery, A., Proisy d'Eppe *et alii*, *Dictionnaire des girouettes ou Nos contemporains peints d'après eux-mêmes*, Paris, Eymery, 1815.

Hurtaut et Magny, *Dictionnaire historique de la ville de Paris et de ses environs*, Paris, Moutard, 1757, 4 vol. ; reprint Minkoff, Genève, 1973.

Jèze, *État ou Tableau de la ville de Paris, considéré relativement au nécessaire, à l'utile, à l'agréable et à l'administration* [1757], Paris, Prault père, 1765.

Lehninger, Johann August, *Description de la ville de Dresde*, Dresde, Les frères Walther, 1782.

Menon, *La Cuisinière bourgeoise, suivie de l'Office à l'usage de tous ceux qui se mêlent de dépenses de maisons*, Paris, Guyllin, 1745 ; reprint Luzarches, Morcrette, 1977.

Noble de Kurbeck, J., *Nouveau Guide par Vienne pour les étrangers*, Vienne, 1792.

Thiery, *Guide des amateurs*, table par Marc Furcy-Raynaud, Paris, Picard, 1928.

Thiery, Luc Vincent, *Almanach du voyageur à Paris*, Paris, Hardouin, 1780-1787.

–, *Guide des amateurs et des étrangers voyageurs à Paris, ou Description raisonnée de cette ville, de sa banlieue et de tout ce qu'elles contiennent de remarquable*, Paris, Hardouin et Gattey, 1786-1787.

–, *Le Voyageur à Paris*, Paris, Hardouin et Gattey, 1788, 2 vol.

Poésie, théâtre, fiction

Choderlos de Laclos, Pierre, *Les Liaisons dangereuses*, dans *Œuvres complètes*, texte établi, présenté et annoté par Laurent Versini, Paris, Gallimard, « Bibliothèque de la Pléiade », 1979.

Collin d'Harleville, Jean-François, *Les Châteaux en Espagne* (20 février 1789), 1818, dans *Répertoire du Théâtre français*, Paris, Édition Petitot, t. XVII.

Davesne, Pierre Bertin, *Les Jardiniers*, comédie mêlée d'ariettes, Paris, Vve Duchesne, 1771.

Delille, Jacques, *Œuvres*, Paris, Lefèvre, 1844.

Diderot, Denis, *Le Neveu de Rameau*, éd. établie par Jean Fabre, Genève, Droz, 1977.

Duras, Claire de, *Ourika*, éd. présentée par Benedetta Craveri, Paris, Flammarion, « G.F. », 2010.

Gogol, Nikolaï Vassilievitch, *Les Âmes mortes* [1842], trad. Ernest Charrière, Paris, Hachette, 1812.

Le Brun, Ponce-Denis Écouchard, *Œuvres*, éd. Ginguené, Paris, Warée, t. III, 1811.

Sénac de Meilhan, Gabriel, *L'Émigré*, édition établie par Michel Delon, Paris, Gallimard, « Folio », 2004.

Staël, Germaine de, *Corinne ou l'Italie*, éd. établie par Simone Balayé, Paris, Gallimard, « Folio », 1985.

BIBLIOGRAPHIE SECONDAIRE

SUR LES MÉMOIRES, L'AUTOBIOGRAPHIE, LE PORTRAIT

Ouvrage collectif

Le Récit d'enfance et ses modèles, textes réunis par A. Chevalier et C. Dornier, Caen, Presses universitaires de Caen, 2003.

Articles et études

Beaurain, David, « La fabrique du portrait royal », in *L'Art et les Normes sociales au XVIIIᵉ siècle*, sous la dir. de Th. Gaehtgens *et alii*, Paris, Maison des sciences de l'homme, 2001, p. 241-260.

Bonafoux, Pascal, *Les Peintres et l'Autoportrait*, Genève, Skira, 1984 (*Le Métier de l'artiste*, vol. 3).

Bonnet, Marie-Jo, « Femmes peintres à leur travail : de l'autoportrait comme manifeste politique (XVIIIᵉ-XIXᵉ siècles) », *Revue d'histoire moderne et contemporaine*, 49-3, juillet-septembre 2002, p. 140 et suiv.

Boyer-Weinmann, Martine, *La Relation biographique, enjeux contemporains*, Seyssel, Champ Vallon, 2005.

Briot, Frédéric, *Usages du monde, usages de soi, enquête sur les mémorialistes d'Ancien Régime*, Paris, Seuil, 1994.

Fumaroli, Marc, « Des *Vies* à la biographie », *Diogène*, n° 139, juillet-septembre 1987, p. 3-30.

Gusdorf, Georges, *Les Écritures du moi*, Paris, Odile Jacob, 1990.

Lejeune, Philippe, *L'Autobiographie en France*, Paris, Colin, 1971.

–, *Le Pacte autobiographique*, Paris, Seuil, 1975.

Lesné, Emmanuelle, *La Poétique des Mémoires, 1650-1685*, Paris, Champion, 1996.

Locquin, Jean, « La lutte des critiques d'art contre les portraitistes au XVIIIᵉ siècle », in *Mélanges offerts à Henri Lemonnier*, Paris, Champion, 1913.

Martin, Sylvie, « Le portrait d'artiste au XVIIIᵉ siècle et la critique de son temps », *Histoire de l'art*, n° 5-6, 1989, p. 63-74.

Pommier, Édouard, *Théories du portrait de la Renaissance aux Lumières*, Paris, Gallimard, 1998.

Sur Mme Vigée Le Brun et les femmes peintres

Ouvrages collectifs et catalogues

Anne Vallayer-Coster, peintre à la cour de Marie-Antoinette, catalogue d'exposition, sous la dir. de Eik Kahng et Marianne Roland Michel *et alii*, Paris, Somogy, 2003.

Femmes peintres, 1550-1950, catalogue par Harris Ann Sutherland et Linda Nochlin, trad. par C. Bonguignon *et alii*, Paris, Éditions des Femmes, 1981.

Marguerite Gérard, artiste en 1789 dans l'atelier de Fragonard, catalogue rédigé par Carole Blumenfeld et José de Los Llanos, Paris, Paris musées, 2009.

Articles et études

Baillio, Joseph, « Identification de quelques portraits d'anonymes de Vigée Le Brun aux États-Unis », *Gazette des beaux-arts*, vol. CXCVI, novembre 1980, p. 165-166.

–, « Marie-Antoinette et ses enfants, », *L'Œil*, n° 308, mars 1981, p. 34-41.

–, « Marie-Antoinette et ses enfants, II », *L'Œil*, n° 310, mai 1981, p. 56-60.

–, « Quelques peintures réattribuées à Élisabeth Vigée Le Brun », *Gazette des beaux-arts*, n° 119, janvier 1982, p. 13-26.

–, *Élisabeth Louise Vigée Le Brun, 1755-1842*, catalogue de l'exposition, Fort Worth, Kimbell Art Museum, 1982.

–, « Propos sur un dessin de Madame Vigée Le Brun », *L'Œil*, n° 335-336, juin-juillet 1983, p. 29-35.

–, « Vigée Le Brun and the classical practice of Imitation », *Papers in Art History from the Pennsylvania State University*, IV, 1988, p. 94-135.

–, « Vigée Le Brun pastelliste et son portrait de la duchesse de Guiche », *L'Œil*, n° 452, juin 1993, p. 20-29.

–, « Vie et œuvre de Marie-Victoire Lemoine (1754-1820) », *Gazette des beaux-arts*, avril 1996, p. 125-164.

–, *The Arts of France, from François Ier to Napoléon*, New York, Wildenstein, 2005-2006.

Ballot, Marie-Juliette, *Une élève de David. La Comtesse Benoist, l'Émilie de Demoustier, 1768-1826*, Paris, Plon, 1914.

Blum, André, *Madame Vigée Le Brun, peintre des grandes dames du XVIIIe siècle*, Paris, H. Piazza, 1919.

Bock, Hening, « Ein Bildnis von Prinz Heinrich Lubormirski als Genius des Ruhms von Élisabeth Vigée Le Brun », *Niederdeutsche Beiträge zur Kunstgeschichte*, Munich-Berlin, Deutsche Kunstverlag, 1977, vol. XVI.

Bonnet, Marie-Jo, « La Révolution d'Adélaïde Labille-Guiard et Élisabeth Vigée Le Brun », in *Les Femmes et la Révolution française*, Toulouse, Presses universitaires du Mirail, 1988, t. II, p. 337-344.

Bordes, Philippe, « Compte rendu de *The Exceptional woman*, par M. Sheriff », *The Burlington Magazine*, août 1799, p. 483-485.

Caron, Laurent, *Deux siècles d'histoire, les Boquet*, texte dactylographié, Besançon, 1982.

Dumont, Fabienne (éd.), *La Rébellion du deuxième sexe : l'histoire de l'art au crible des théories féministes anglo-américaines (1970-2000)*, Dijon, Les Presses du réel, 2011.

Gallet, Michel, « La maison de madame Vigée Le Brun, rue du Gros-Chenet », *Gazette des beaux-arts*, Paris, novembre 1960, p. 276 et suiv.

Goncourt, Jules et Edmond, *Histoire de la société française pendant la Révolution*, Paris, Quantin, 1889.

Goodden, Angelica, *The Sweetness of Life, a Biography of Élisabeth Louise Vigée Le Brun*, Londres, André Deutsch, 1997.

Goulinat, Jean-Gabriel, « Les femmes peintres au XVIIIᵉ siècle », *L'Art et les artistes*, XIII, 1926.

Haroche-Bouzinac, Geneviève, « Élisabeth Louise Vigée Le Brun et sa fille, le témoignage des *Souvenirs* », in C. Kayser (dir.), *L'Enfant chéri au siècle des Lumières*, catalogue de l'exposition du musée de Marly-le-Roy, Paris, L'Inventaire, 2003, p. 56-73.

–, « Mémoire et vérité dans les *Souvenirs* d'Élisabeth Vigée Le Brun », *in* Jean Garapon (dir.), *L'Idée de vérité dans les Mémoires d'Ancien Régime*, Université de Tours, « Cahiers d'histoire culturelle », n° 14, 2004, p. 81-87.

–, « Élisabeth Vigée Le Brun épistolière », *in* Brigitte Diaz et Jurgen Siess (éd.), *L'Épistolaire au féminin, correspondances de femmes, XVIII-XXᵉ siècles*, actes du colloque de Cerisy, octobre 2003, Caen, Presses universitaires de Caen, 2006, p. 49-62.

–, « *L'Apothéose de la reine* d'Élisabeth Vigée Le Brun : une mystérieuse disparition », *Dossiers de l'art*, n° 150, Dijon, 2008, p. 40-42.

–, « Billets inédits d'Élisabeth Louise Vigée Le Brun à la comtesse Tolstaïa », *Épistolaire*, n° 34, Paris, Champion, 2008, p. 215-224.

–, « La lettre, matériau autobiographique dans les manuscrits d'Élisabeth Louise Vigée Le Brun », *Épistolaire*, n° 35, Paris, Champion, 2009, p. 93-102.

–, « Élisabeth Louise Vigée Le Brun et sa clientèle russe », *in* Alexandre Stroev (dir.), *L'Image de l'étranger*, Paris, Institut d'études slaves, 2010, p. 127-149.

–, « Élisabeth Louise Vigée Le Brun sur les routes de l'émigration en Italie du Nord », *in* V. Meyer et M.-L. Pujalte Fraysse (dir.), *Voyages d'artistes en Italie du Nord, XVIᵉ-XIXᵉ siècle*, Rennes, Presses universitaires de Rennes, 2010, p. 191-206.

–, « La formation artistique d'Élisabeth Louise Vigée Le Brun », in *Créer au féminin, femmes artistes du siècle de madame Vigée Le Brun*, catalogue, Tokyo, Mitsubishi Ichigokan Museum, 2011, p. 212-214.

Hautecœur, Louis, *Madame Vigée-Lebrun*, Paris, Renouard, 1914.

Hedley, Joe, « Madame Perregaux par Élisabeth Louise Vigée Le Brun », *L'Estampille, l'objet d'art* [fiche], décembre 2003.

Lenoir, Alexandre, Notice « Vigée Le Brun », in *Dictionnaire de la conversation et de la lecture*, Paris, Belin, 1837.

May, Gita, « Élisabeth Vigée-Le Brun, a court painter in an age of revolution », in *Femmes savantes, femmes d'esprit*, textes réunis par Roland Bonnel et Cath Rubinger, New York-Berne-Paris, Peter Lang, « Eighteenth Century », 1994, p. 391-399.

–, *Élisabeth Vigée Le Brun, The Odyssey of an Artist in an Age of Revolution*, New Haven, Yale University Press, 2004.

Moisin-Déon, « Madame Le Brun », *Revue universelle des arts*, 1855, t. II, p. 353-359.

Mosser, Monique, « Le souper grec de madame Vigée Le Brun », *XVIIIᵉ siècle*, n° 15, 1983, p. 155 et suiv.

Nolhac, Pierre de, *Madame Vigée Le Brun, peintre de Marie-Antoinette* [1908], Paris, Manzi, Joyant et Cie, 1912.

–, « Le Voyage de madame Vigée Le Brun », in *Peintres français en Italie*, Paris, Plon, 1934.

Oliver, Bette Wyn, B. J., *Élisabeth Vigée Le Brun, Jean-Baptiste Pierre Le Brun, Marguerite Gérard and their Roles in the French Artistic Legacy, 1775-1825*, The Universtiy Press of Austin, 1997 (thèse dactylographiée).

Oulmont, Charles, *Les Femmes peintres du XVIIIᵉ siècle*, Paris, Rieder, 1928.

Passez, Anne-Marie, *Adélaïde Labille-Guiard*, Paris, Arts et Métiers graphiques, 1973.

Percival, Melissa, « The Expressive Heads of Élisabeth Vigée Le Brun », *Gazette des beaux-arts*, novembre 2001, p. 203-216.

–, « Sentimental Poses in the *Souvenirs* of Élisabeth Vigée Le Brun », *French Studies*, n° 57, 2003, p. 149-165.

Pitt-Rivers, Françoise, *Madame Vigée Le Brun*, Paris, Gallimard, 2001.

Pujalte, Marie-Luce, « L'hôtel des Lebrun ou l'interprétation singulière d'une maison d'artiste », in *La Maison de l'artiste*, Rennes, Presses universitaires de Rennes, 2007, p. 43-52.

Roland Michel, Marianne, « Un portrait de madame Du Barry », *Revue de l'art*, n° 46, 1979, p. 39-46.

Rosenberg, Pierre, « A Drawing by madame Vigée Le Brun », *Burlington Magazine*, n° 123, décembre 1981, p. 739-741.

Rossi, Giovanni Gherardo de, *Vita di Angelica Kaufmann, pittrice*, Florence, Molini, 1810.

Royet, Hubert, *Autour de madame Vigée-Lebrun*, Saint-Jean-d'Aulps, Les Anciens Jours, 2000.

Ryszkiewicz, Andrej, « Les portraits polonais de Madame Vigée-Lebrun. Nouvelles données pour servir à leur identification et histoire », *Bulletin du Musée national de Varsovie*, vol. XX, n° 1, 1979, p. 16-42.

Salmon, Xavier, « À propos de l'acquisition d'un portrait de la duchesse de Polignac », *Revue du Louvre*, 3, 1998, p. 14.

Sheriff, Mary, *The Exceptional Woman : Élisabeth Vigée Le Brun and the Cultural Politics of Art*, Chicago-Londres, University of Chicago Press, 1996.

Walczack, Gerrit, *Vigée Le Brun, Élisabeth : eine Künstlerin in der Emigration, 1789-1802*, Munich, Deutscher Kunstverlag, 2004.

SUR L'ACCÈS DES FEMMES À LA CULTURE

Craveri, Benedetta, *Madame Du Deffand et son monde*, Paris, Seuil, 1999.

Heinich, Nathalie, *États de femme. L'identité féminine dans la fiction occidentale*, Paris, Gallimard, 1996.

Nochlin, Linda, *Femmes, arts, pouvoir et autres essais*, trad. de l'anglais par A. Bois, Nîmes, Jacqueline Chambon, 1993.

Ozouf, Mona, *Les Mots des femmes, essai sur la singularité française*, Paris, Gallimard, « Tel », 1995.

Sonnet, Martine, *L'Éducation des filles au temps des Lumières*, Paris, Cerf, 1987.

Timmermans, Linda, *L'Accès des femmes à la culture (1798-1715)*, Paris, Champion, 1993.

SUR LA FAMILLE DE MME LE BRUN, LES ARTISTES DE SON TEMPS

Ouvrages collectifs et catalogues

Alexandre Roslin. Un portraitiste pour l'Europe, catalogue d'exposition par Magnus Olausson et Xavier Salmon, Paris, RMN, 2008.

Collections et marché de l'art en France 1789-1848, sous la dir. de Philippe Sénéchal et Monica Preti-Hamard, Rennes, Presses universitaires de Rennes, 2005.

La Circulation des œuvres d'art 1789-1848 (The Circulation of Works of Art in the Revolutionary Era), sous la dir. de Roberta Panzanelli et Monica Preti-Hamard, Rennes, Presses universitaires de Rennes, 2007.

David, Jacques-Louis, 1748-1825, catalogue de l'exposition du musée du Louvre, textes d'Antoine Schnapper et Arlette Sérullaz, Paris, RMN, 1989.

David, *Jacques-Louis David, 1748-1825*, musée Jacquemart-André, préface de Jean-Pierre Babelon, 2005.

De David à Delacroix, la peinture française de 1774 à 1830, textes de F. Cummings, R. Rosenblum *et alii*, catalogue de l'exposition du Grand Palais, Paris, Éditions des musées nationaux, 1974.

De soie et de poudre. Portraits de cour dans l'Europe des Lumières, Xavier Salmon (éd.), Versailles-Arles, Château de Versailles-Actes Sud, 2003.

Diderot et l'art, de Boucher à David, textes de Jacques Chouillet, Jean Starobinski *et alii*, catalogue de l'exposition du musée de la Monnaie, Paris, RMN, 1984-1985.

Gabriel de Saint-Aubin, 1724-1780, Colin B. Bailey *et alii* (dir.), Paris, Musée du Louvre, 2007-2008.

Girodet, 1767-1824, sous la dir. de Sylvain Bellenger, musée du Louvre, Paris, Gallimard, 2005.

Graveurs français de la seconde moitié du XVIIIᵉ siècle, catalogue par Pierrette Jean-Richard, treizième exposition de la collection Edmond de Rothschild, musée du Louvre, Paris, RMN, 1985.

Jean-Baptiste Isabey, portraitiste de l'Europe, 1761-1855, catalogue de l'exposition du domaine de Malmaison et du musée des Beaux-Arts de Nancy, rédigé par François Pupil *et alii*, Paris, RMN, 2005.

Pajou, sculpteur du roi (1730-1809), James Draper et Guilhem Scherf, Paris, RMN, 1997.

Portraits publics, portraits privés, 1770-1830, sous la dir. de Sébastien Allard et Guilhem Scherf, Paris, RMN, 2006.

Articles et études

Aaron, Olivier et Lesur, Nicolas, *Jean-Baptiste-Marie Pierre, (1714-1789), premier peintre du roi*, Paris, Arthena, 2009.

Allard, Sébastien et Chardonneret, Marie-Claude, *Le Suicide de Gros. Les peintres de l'Empire et la génération romantique*, Montreuil, Gourcuff Gradenico, 2011.

Bailey, Colin, « Lebrun et le commerce d'art pendant le Blocus continental », *Revue de l'art*, nº 63, 1984, p. 35-47.

–, « The Comte de Vaudreuil, Aristocratic Collection on the Eve of Revolution », *Apollo*, juillet 1989, p. 19-26.

–, *Patriotic Taste, Collecting Modern Art in Pre-Revolutionary Paris*, New Haven-Londres, Yale University Press, 2002.

Baillio, Joseph, « Auguste Louis Jean-Baptiste Rivière (1761-1833) », in *Old Master Paintings and Drawings*, Londres, Colnaghi, 2003, 26.

–, « La famille Rivière et sa descendance » [texte dact. inédit].

Beaurain, David, « Louis Vigée (1715-1767), maître-peintre de l'Académie de Saint-Luc », *Bulletin de la société d'histoire de Paris et de l'Île-de-France*, 2003, p. 109-34.

Beurdeley, Michel, « Le Brun, l'expert marchand aventurier », *Connaissance des arts*, numéro spécial, janvier 1989, p. 27-31.

Camus, Fabienne, *Jean-Baptiste Pierre Le Brun, peintre et marchand de tableaux (1748-1813)*, thèse de doctorat dactylographiée, dir. par A. Schnapper, Paris-IV, 2000.

Cayeux, Jean de, *Hubert Robert*, Paris, Fayard, 1989.

Chatelus, Jean, *Peindre à Paris au XVIIIᵉ siècle*, Nîmes, Jacqueline Chambon, 1991.

Crow, Thomas, *L'Atelier de David, émulation et révolution*, trad. de l'anglais par Roger Stuveras (1995), Paris, Gallimard, 1997.

–, *La Peinture et son public à Paris au XVIIIᵉ siècle*, trad. de l'anglais par André Jacquesson, 1985, Paris, Macula, 2000.

Demoris, René, « Représentation de l'artiste au siècle des Lumières, le peintre pris au piège », in *L'Artiste en représentation*, Paris, Desjonquères, 1993, p. 21-40.

Émile-Mâle, Gilberte, « Jean-Baptiste Pierre Le Brun, 1748-1813, son rôle dans l'histoire de la restauration des tableaux du Louvre », *Mémoires de Paris et Île-de-France*, Paris, 1957, extrait du t. VIII, p. 371-417.

Goncourt, Edmond de, *La Maison d'un artiste*, Dijon, L'Échelle de Jacob, « Textes et documents », 2003.

Guichard, Charlotte, « Arts libéraux et arts libres à Paris au XVIIIe siècle : peintres et sculpteurs entre corporation et académie royale », *Revue d'histoire moderne et contemporaine*, 49-3, juillet-septembre 2002, p. 55 et suiv.

–, *Les Amateurs d'art à Paris au XVIIIe siècle*, Seyssel, Champ Vallon, 2008.

Guicharnaud, Hélène, « De Louis XVI à Catherine II, G.-F. Doyne peintre d'histoire », *L'Objet d'art*, n° 355, février 2001.

Guiffrey, Jules, « Écoles de demoiselles dans les ateliers de David et de Suvée au Louvre », *N.A.A.F.*, 1875, p. 394-397.

–, *Histoire de l'Académie de Saint-Luc*, *A.A.F.* nouvelle période, t. IX, Paris, Champion, 1915.

–, *Livrets des expositions de l'Académie de Saint-Luc*, Paris, Baur et Détaille, 1872.

Hautecœur, Louis, *Greuze*, Paris, Alcan, 1913.

Heim, Jean-François, Béraud, Claire et Heim, Philippe, préface de Jean Tulard, *Les Salons de peinture de la Révolution Française, 1789-1799*, Paris, CAC éditions, 1989.

Heinich, Nathalie, *Du peintre à l'artiste*, Paris, Minuit, 1993.

–, *Être artiste, les transformations du statut des peintres et des sculpteurs*, Paris, Klincksieck, 1996.

Jeffares, Neil, *Dictionary of Pastellists before 1800*, Londres, Unicorn Press, 2006.

Jouin, Henri, *Charles Le Brun et les arts sous Louis XIV*, Paris, Laurens, 1889, p. 665-667.

Klinka-Ballesteros, Isabelle, *Les Pastels du musée d'Orléans*, Orléans, Amis des musées d'Orléans, 2005.

Kris, Ernst, *Psychanalyse de l'art* [1952], Paris, PUF, 1978.

– et Kurz, Otto, *L'Image de l'artiste : légende, mythe et magie*, Paris, Rivages, 1987.

Lagrange, Léon, *Joseph Vernet et la peinture au XVIIIe siècle*, Paris, Didier, 1864.

Levey, Michael, *L'Art du XVIIIe siècle, peinture et sculpture en France : 1700-1789*, trad. de l'anglais par Jean-François Allain, Paris, Flammarion, 1993.

Levey, Michael, *Painting at Court*, New York, New York University Press, 1971.

Mantion, Jean-Rémi, « Le peintre dissipé : les ateliers d'Hubert Robert », in *L'Artiste en représentation*, Paris, Desjonquères, 1993, p. 57-68.

Michel, Patrick, *Le Commerce du tableau à Paris dans la seconde moitié du XVIIIe siècle*, Villeneuve-d'Ascq, Presses du Septentrion, 2007.

–, *Peinture et plaisir, les goûts picturaux des collectionneurs parisiens au XVIIIe siècle*, Villeneuve-d'Ascq, Presses du Septentrion, 2011.

Michel, Régis, *Le Beau idéal, ou l'Art du concept*, Paris, RMN, 1989.

Mirimonde, Albert Pomme de, « Les opinions de M. Lebrun sur la peinture hollandaise », *Revue des arts*, 4, 1956, p. 207-214.

Montaiglon, Anatole de, *Les Procès-Verbaux de l'Académie royale de peinture et de sculpture, d'après les registres originaux conservés à l'école des Beaux-Arts*, Paris, Librairie Baur, 1889, t. IX, p. 154-156.

Nolhac, Pierre de, *Hubert Robert*, Paris, Goupil, 1910.

Panofsky, Erwin, *Le Titien. Questions d'iconologie* [1969], Paris, Hazan, 1989.

Pevsner, Nikolaus, *Les Académies d'art* [1940], trad. de l'anglais par Jean-Jacques Bretou, présentation d'Antonio Pinelli, Paris, G. Monfort, 1999.

Plinval de Guillebon, Régine de, *Pierre Adolphe Hall, 1739-1793*, Paris, Léonce Laget, 2000.

Rank, Otto, *L'Art et l'Artiste* [1930], trad. de l'anglais par Claude-Louis Combet, Paris, Payot, 1998.

Ratouis de Limais, P., *Les Artistes écrivains*, Paris, Alcan, 1921.

Riffaut, Christine, *Louis Vigée portraitiste*, mémoire de fin d'étude, sous la dir. d'Antoine Schnapper, Paris, Paris-I, 1987.

Ris, Clément de, *Les Amateurs d'autrefois*, Paris, Plon, 1877.

Roy, Georges, *La Famille de Rigaud de Vaudreuil*, Lévis (Québec), 1938.

Salmon, Xavier, *Le Voleur d'âmes, Maurice Quentin de La Tour*, Versailles, Artlys, 2004.

Sandoz, Marc, *Gabriel François Doyen 1726-1806*, Paris, Editart, 1975.

Schnapper, Antoine, « La fortune de Charles Le Brun », *Revue de l'art*, n° 114, 1994-4, p. 17-22.

Silvestre de Sacy, Jacques, *Alexandre-Théodore Brongniart*, Paris, Plon, 1940.

Tripier Le Franc, Justin, *Histoire de la vie et de la mort du baron Gros*, Paris, Jules Martin, 1880.

Warnke, Martin, *L'Artiste et la Cour : aux origines de l'artiste moderne*, trad. de l'allemand par Sabine Bollak, Paris, Éditions de la Maison des sciences de l'homme, 1989.

Weigert, Roger-Armand « Le testament de Charles Le Brun, 1690 », *A.A.F.*, t. XXI, 1949, p. 9-17.

–, « L'inventaire après décès de Charles Le Brun, premier peintre de Louis XIV (1690) », *Gazette des beaux-arts*, 1954, p. 339-354.

Wilk-Brocard, Nicole, *Une dynastie : les Hallé*, Paris, Arthéna, 1995.

–, « Augustin Ménageot (ca 1700-1784), marchand de tableaux. Quelques jalons », *Gazette des beaux-arts*, avril 1998, 140ᵉ année, p. 161-182.

–, *François Guillaume Ménageot, 1744-1816*, Paris, Arthéna, 1978.

Wine, Humprey, « Les peintres de l'Académie et leur famille », *XVIIIᵉ siècle*, n° 28, Paris, PUF, 1996, p. 483-522.

Pour chacune des rubriques qui suivent : voir également la bibliographie primaire, les monographies et mémoires d'époque.

PAYSAGE ET JARDINS

Ouvrages collectifs

Cent jardins à Paris et en Île-de-France, textes réunis par Béatrice de Andia, Gabrielle Joudiou, Pierre Wittmer, Paris, Délégation à l'action artistique de la Ville de Paris, 1992.

Les Enjeux du paysage, dir. Michel Collot, Ousier, Bruxelles, 1997.

Moulin joly, un jardin enchanté au siècle des Lumières, dir. Christine Dessemme, Colombes, musée municipal d'Art et d'Histoire, 2007.

Le Paysage en Europe du XVIᵉ au XVIIIᵉ siècle, sous la dir. de Catherine Legrand, Jean-François Méjanes, Emmanuel Starcky, Paris, RMN, 1994.

Articles et études

Arquié-Bruley, Françoise, « Watelet, Marguerite Le Comte et le Moulin Joli d'après les Archives nationales », *Bulletin de la Société de l'histoire de l'art français*, 1998.

Cayeux, Jean de, *Hubert Robert et les jardins*, Paris, Herscher, 1987.

Dohna, Ursula Gräfin zu, *Die Gärten Friedrichs des grossen und seiner Geschwister*, Berlin, Stapp Verlag, 2000.

Frey, Katia, « Le jardin cabinet de l'amateur éclairé », in *Collections et pratique de la collection en Suisse au XVIIIᵉ siècle*, Slatkine, Genève, 2007.

Joudiou, Gabrielle, *La Folie de M. de Sainte-James. Une demeure, un jardin pittoresque*, Neuilly, Spiralinthe, 2001.

Le Dantec, Jean-Pierre, *Jardins et paysages*, Paris, Larousse, 1996.

Le Ménahèze, Sophie, *L'Invention du jardin romantique en France (1761-1808)*, préface de Michel Baridon, Neuilly, Spiralinthe, 2001.

Michel, Roland et J. Cailleux, *Des Mots et des eaux, paysages de 1715 à 1850*, catalogue, Paris, galerie Cailleux, 1980.

SUR L'ITALIE

Ouvrages collectifs

Naples et Pompéi. Les itinéraires de Vivant Denon, Châlon-sur-Saône-Manosque, musée Denon-Le Bec en l'air, 2009.

Voyage d'artistes en Italie du Nord, XVIᵉ-XIXᵉ siècles, dir. Véronique Meyer et Marie-Luce Pujalte-Fraysse, Presses universitaires de Rennes, 2010.

Articles et études

Andrea del Sarto, 1486-1530. Dipinti e disegni a Firenze, catalogue de l'exposition du Palazzo Pitti à Florence du 8 novembre 1986 au 1ᵉʳ mars 1987, Milan, Centro Di, 1986.

Bédarida, Henri, *Parme et la France, 1748-1789*, Paris, Champion, 1928.

Hersant, Yves, *Italies, Anthologie des voyageurs français aux XVIIIᵉ et XIXᵉ siècles*, Paris, Laffont, « Bouquins », 1988.

Jonard, Norbert, *Milan au siècle des Lumières*, Dijon, Presses universitaires, 1974.

–, *La Vie quotidienne à Venise au XVIIIᵉ siècle*, Paris, Hachette, 1978.

Lecomte, Jules, *Venise, ou coup d'œil littéraire, artistique, historique et poétique*, Paris, H. Souverain, 1844.

Mortier, Roland, « Un magistrat *âme sensible*, le président Dupaty », dans *Le Cœur et la Raison*, Oxford-Bruxelles, The Voltaire Foundation, 1990.

Thuillier, Jacques, « "Il se rendit en Italie…" Notes sur le voyage à Rome des artistes français au XVIIᵉ siècle », in *Études offertes à André Chastel*, Rome-Paris, Edizioni dell'Elefante-Flammarion, 1987, p. 321-336.

Valéry, Antoine Claude Pasquin, *Voyages historiques et littéraires en Italie pendant les années 1826-1828 ou l'Indicateur italien*, Paris, Le Normant, 1833, 3 vol.

SUR LE SÉJOUR RUSSE

Ouvrages collectifs

Catherine II et l'Europe, dir. Anita Davidenkoff, Paris, Institut d'études slaves, 1997.

Catherine la Grande, un art pour l'Empire, Montréal, musée des Beaux-Arts de Montréal, Snoeck, 2005.

Cent cinquante ans de peinture de portraits russes (1700-1850), catalogue, Saint-Pétersbourg, Éditions de la Croix Bleue, 1902.

Hubert Robert et Saint-Pétersbourg, catalogue de l'exposition, musée de Valence, Paris, RMN, 1999.

Impérial Saint-Pétersbourg, de Pierre le Grand à Catherine II, catalogue, Milan-Monaco, Skira-Grimaldi forum, 2004.

L'Image de l'étranger, dir. Alexandre Stroev, Paris, Institut d'études slaves, 2010.

Les Français en Russie au siècle des Lumières. Dictionnaire biographique des Français, Suisses et autres francophones en Russie au XVIII siècle, dir. Anne Mézin et Vladislav Rjéoutski, Ferney, Centre international d'étude du XVIIIe siècle, 2011, 2 vol.

Les Stroganoff. Une dynastie de mécènes, dir. Brigitte de Montclos, catalogue d'exposition, musée Carnavalet, Paris, Paris musées, 2002.

L'Influence française en Russie au XVIII siècle, actes du colloque tenu à la fondation Singer-Polignac et en Sorbonne, les 14 et 15 mars 2003, publié sous la dir. de Jean-Pierre Poussou, Anne Mézin et Yves Perret-Gentil, Paris, Institut d'études slaves, Presses de l'université de Paris-Sorbonne, 2004.

Saint-Pétersbourg, histoire, promenades, anthologie et dictionnaire, dir. Lorraine de Maux, Paris, Laffont, « Bouquins », 2003.

Articles et études

Baillio, Joseph, « Vigée Le Brun à la cour des Romanov », in *Catherine la Grande, un art pour l'Empire*, Montréal, musée des Beaux-Arts de Montréal, Snoeck, 2005.

Bakounine, Tatiana, *Le Domaine des princes Kourakine dans le gouvernement de Saratov*, Paris, Presses modernes, 1929.

Becker, Marie-Louise, « Marie Collot à Pétersbourg », in *La Culture française et les archives russes, une image de l'Europe au XVIII* siècle, dir. Georges Dulac, Ferney-Voltaire, Centre international d'étude du XVIIIe siècle, 2004, p. 133-172.

Berelowitch, Waldimir, « La vie mondaine sous Catherine II », in *Catherine II et L'Europe*, Paris, Institut d'études slaves, 1997, p. 99-106.

Brian-Chaninov, Nicolas, *Alexandre Ier*, Paris, Grasset, 1934.

Carrère d'Encausse, Hélène, *Catherine II*, Paris, Fayard, 2002.

Casagrande, Alessandro, « La grande stagione russa di Giovanni Battista Lampi », in *Giovanni Battista Lampi : un ritrattista nell'europa delle Corti*, Mazzocca Fernando, Trente, 2001, p. 65-94.

Chudinova, Irina, « Les amies des Muses, la musique dans les salons privés des impératrices et des dames de l'aristocratie russe », trad. par C. Zeytounian-Belöus, Livret, Opus III, Paris, 2001.

Constans, Claire, « Un portrait de Catherine Vassilievna Skavronskaïa par madame Vigée Le Brun », *Revue du Louvre et des musées de France*, n° 4-5, 1967, p. 265-272.

De Grève, Claude, *Le Voyage en Russie. Anthologie des voyageurs français en Russie aux XVIII* et XIXe siècles, Paris, Laffont, « Bouquins », 1990.

Ermerin, Roman Ivanovitch, *Annuaire de la noblesse de Russie...*, Saint-Pétersbourg, H. Schmitzdorff, Imprimerie de l'Académie impériale des sciences, 1889-1900.

Gretchanaïa, Elena, « Deux lettres de la princesse de Tarente à la comtesse Golovina », *XVIII* siècle, n° 31, 1999, p. 332 et suiv.

–, « Fonctions des citations littéraires dans les albums féminins russes », in *Lectrices d'Ancien Régime*, Rennes, Presses universitaires de Rennes, 2003.

–, « Les écrits autobiographiques des femmes russes rédigés en français », *XVIII* siècle, n° 36, Paris, PUF, 2004, p. 131-154.

Grunwald, Constantin de, *L'Assassinat de Paul Ier, tsar de Russie*, Paris, Hachette, 1960.

Hautecœur, Louis, *L'Architecture classique à Saint-Pétersbourg à la fin du XVIII* siècle, Paris, Champion, 1912.

Ikonnikov, Nicolas, *La Noblesse de Russie* (copie des livres généalogiques de l'« Union de la noblesse Russe »), Paris, 1933-1952, Paris, Bibliothèque d'études slaves, texte dactylographié.

Madariaga, Isabel de, *La Russie au temps de la Grande Catherine*, Paris, Fayard, 1987.

Mansel, Philip, *Le Charmeur de l'Europe. Charles-Joseph de Ligne, 1735-1814*, Paris, Stock, 1992.

Martin, Marie, *Maria Féodorovna en son temps (1759-1828)*, Paris, L'Harmattan, 2003.

Mason, André, *Deux Russes écrivains français. Alexandre Mikhaïlovitch Belosselski (1752-1809). Le prince Elim (1808-1844)*, Paris, Didier, 1964.

McGrew, Roderick E., *Paul Ier of Russia*, Oxford, Clarendon Press, 1992.

Mooser, Robert-Aloys, *L'Opéra-comique français en Russie au XVIIIe siècle*, Genève, Kister, 1954.

Nikolenko, Lada, « The Russian Portraits of madame Vigée-Lebrun », *Gazette des beaux-arts*, vol. LXX, 109e année, 6e période, juillet-août 1967, p. 91-120.

Oldenbourg, Zoë, *Catherine de Russie. Essai*, Paris, Gallimard, 1966.

Paul Ier, *Album du comte du Nord*, préface de Jean Babelon, Paris, Monelle Ayo, 2001.

Pingaud, Léonce, *Catherine II et l'émigration française*, Paris, Palmé, 1880.

–, *Les Français en Russie et les Russes en France*, Paris, Perrin, 1886.

Rey, Marie-Pierre, *Alexandre Ier*, Paris, Flammarion, 2009.

Robert, Michel, *Potemkine, 1736-1791*, Paris, Payot, 1936.

Romanov, grand-duc Nikolaï Mikhaïlovitch, *Portraits russes des XVIIIe et XIXe siècles*, Saint-Pétersbourg, 1905-1909.

–, *L'Impératrice Élisabeth, épouse d'Alexandre Ier*, Saint-Pétersbourg, Manufacture des papiers d'État, 1908-1909, 3 vol.

Royet, Hubert, *Autour de madame Vigée Le Brun*, Saint-Jean-d'Aulps, Les Anciens Jours, 2000.

Thiébaud, Jean-Marie, *Les Français et les Suisses francophones en Russie et en U.R.S.S. du Moyen Âge à nos jours*, Meylan, Généaguide, 2002.

SUR VIENNE, DRESDE, BERLIN

Dresde ou le Rêve des Lumières, la galerie de peinture au XVIIIe siècle, Paris-Dijon, RMN-musée des Beaux-Arts, 2001.

Link, Dorothea, « Vienna's Private Theatrical and Musical Life, 1783-92, as Reported by Count Karl Zinzendorf », *Journal of the Royal Musical Association*, vol. 122, n° 2, 1997, p. 205-257.

Lodyńska-Kosińska, Maria, « Nieborowski Portret Elzbiety Vigee Lebrun », *Biuletyn Historyi Sztuki*, 18, 1956, p. 271-280.

SUR LE SÉJOUR ANGLAIS

Foreman, Amanda, *Georgiana, duchesse de Devonshire*, Paris, Flammarion, 2008.

Hadley, Jo, « L'influence française sur l'art du portrait anglais au XVIIIe siècle français », in *De soie et de poudre. Portraits de cour dans l'Europe des Lumières*, Xavier Salmon (éd.), Versailles-Arles, Château de Versailles-Actes Sud, 2003.

Kidson, Alex, *George Romney, 1764-1802*, Londres, National Portrait Gallery of London, 2002.

Lévis, Gaston, duc de, *L'Angleterre au commencement du XIXe siècle*, Paris, Renouard, 1814.

Northcote, James, *Memoirs of Sir Joshua Reynolds*, suivi de : *Advice to a Young Artist*, Londres, Colburn, 1813.

Postle, Martin, *Sir Joshua Reynolds, the Subject Picture*, Cambridge, Cambridge University Press, 1995.

Shawe-Taylor, Desmond, *The Georgians*, Londres, Barrie and Jenkins, 1990.

Smith, Ernest Anthony, *George IV*, New Haven-Londres, Yale University Press, 1999.

Tillyard, Stella, *Quatre aristocrates anglaises. Les sœurs Lennox*, Paris, Seuil, 1998.

Yim Denise, *Viotti and the Chinnerys : a Relationship Charted through Letters*, Aldershot, Ashgate, 2004.

SUR LES LETTRES DE SUISSE

Ouvrage collectif

Les Voyageurs étrangers et le val d'Aoste, Actes réunis par Emmanuelle Kanceff, Genève, Slatkine, « Bibliothèque du voyage en Italie », 1983.

Articles et études

Bézard, Yvonne, *Madame de Staël d'après ses portraits*, Paris-Neuchâtel, Victor Attinger, 1938.

Boerlin-Brodbeck, Yvonne, « La France et la découverte de la Suisse », in *Le Paysage en Europe du XVIe au XVIIIe siècle*, Paris, RMN, 1994.

Coatalem, Éric, *Œuvres sur papier et grisaille*, catalogue, Paris, 2007.

Guillon, Édouard, *Napoléon et la Suisse, 1803-1815*, Paris, Plon, 1910.

Kuthy, Sandor, « Élisabeth Louise Vigée-Lebrun und das Alphirtenfest in Unspunnen », *Zeitschrift für Archäologie und Kunstgeschichte*, vol. 33, 1976, p. 158-171.

Lacoste-Veysseyre, Claudine, *Les Alpes romantiques, le thème des Alpes dans la littérature française de 1800 à 1850*, Genève, Slatkine, « Bibliothèque du voyage en Italie », 1981.

Reichler, Claude et Ruffieux, Roland (éd.), *Le Voyage en Suisse. Anthologie des voyageurs français et européens de la Renaissance au XXe siècle*, Paris, Laffont, « Bouquins », 1998.

Reichler, Claude, *La Découverte des Alpes et la question du paysage*, Chêne-Bourg (Suisse), Georg, 2002.

Sandoz, Marc, « Une portraitiste du XVIIIe siècle se découvre une vocation de peintre de montagne : Madame Vigée-LeBrun – À propos d'un pastel entré récemment au musée des Beaux-Arts de Chambéry… », *La Revue savoisienne*, 1979.

AUTRES OUVRAGES CONSULTÉS

Ouvrages collectifs et catalogues

Aimer en France, 1780-1800, catalogue de l'exposition de Clermont-Ferrand accompagnant le colloque *Aimer en France*, éd. Jean-Paul Bouillon, Antoinette Ehrard, Michel Melot, Clermont-Ferrand, bibliothèque municipale et interuniversitaire, 1977.

Entre cour et jardin. Marie Caroline, duchesse de Berry, catalogue d'exposition, Sceaux, musée de l'Île-de-France, 2007.

Juliette Récamier. Muse et mécène, textes réunis par Sylvie Ramond et Stéphane Paccoud, Paris-Lyon, Hazan-musée des Beaux-Arts, 2009.

Luise, Leben und Mythos der Königin, Potsdam, Stiftung Preussiche Schlösser und Gärten Berlin-Brandenburg, 2010.

Madame Du Barry, de Versailles à Louveciennes, contient catalogue de l'exposition au Musée Promenade de Marly-le-Roy, Paris, Flammarion, 1992.

Madame Geoffrin, une femme d'affaires et d'esprit, Milan-Châtenay-Malabry, Silvana Editoriale-Maison de Chateaubriand, 2011.

Marie-Antoinette, femme réelle, femme mythique, catalogue de l'exposition de la bibliothèque de Versailles, réuni par E. Maisonnier et Catriona Seth, Paris, Magellan, 2006.

Marie-Antoinette, catalogue de l'exposition des galeries nationales du Grand Palais, études réunies par Pierre Arizzoli-Clementel et Xavier Salmon, Paris, RMN, 2008.

The Odyssey Continues, Masterworks from the New Orleans Museum of Arts and form Private New Orleans Collections, Joseph Baillio et Eliot Rowlands (dir.), New York, Wildenstein, 2006.

Joseph Baillio, *The Winds of Revolution*, New York, Wildenstein, 1989.

Articles et études

Baldensperger, Fernand, *Le Mouvement des idées dans l'émigration française*, Paris, Plon, 1924.

Becq, Annie, *Genèse de l'esthétique française moderne. De la raison classique à l'imagination créatrice, 1680-1814*, Paris, Albin Michel, 1994.

Benabou, Erica-Marie, *La Prostitution et la Police des mœurs au XVIIIᵉ siècle*, Paris, Perrin, 1987.

Bertières, Simone, *Marie-Antoinette, l'insoumise*, Paris, De Fallois, 2002.

Bonnet, Jean-Claude, *Naissance du Panthéon, essai sur le culte des grands hommes*, Paris, Fayard, 1998.

Bouchary, Jean, *Les Manieurs d'argent à Paris à la fin du XVIIIᵉ siècle*, Paris, Rivière, 1939, 2 vol.

Bruguière, Michel, *Gestionnaires et profiteurs de la Révolution. L'administration des finances françaises de Louis XVI à Bonaparte*, Paris, O. Orban, 1986.

Bula, Sandrine, *L'Apanage du comte d'Artois (1773-1790)*, Paris, École des chartes, 1993.

Burney, Charles, *Voyage musical dans l'Europe des Lumières (1771-1773)*, Paris, Flammarion, 1992, p. 243-244.

Capelle, Pierre, *La Clé du Caveau, à l'usage des chansonniers français et étrangers*, Paris, Cotelle, n. d.

Chenal, Vincent, « La collection de François Duval à Saint-Pétersbourg... », in *Collections et pratique de la collection en Suisse au XVIIIᵉ siècle*, Genève, Slatkine, 2007.

Claeys, Thierry, *Dictionnaire biographique des financiers en France au XVIIIᵉ siècle*, Paris, SPM, 2ᵉ éd., 2009.

Cooper, Helen Q. A., *John Trumbull. The Hand and the spirit of a painter*, New Haven, Yale University Art Gallery, 1983.

Coquery, Natacha, *L'Hôtel aristocratique, le marché du luxe à Paris au XVIIIᵉ siècle*, Paris, Publications de la Sorbonne, 1998.

Cosandey, Fanny, « Représenter une reine de France. Marie de Médicis et le cycle de Rubens au palais du Luxembourg », *Clio*, n° 19, 2004.

Craveri, Benedetta, *L'Âge de la conversation*, Paris, Gallimard, 2002.

Cuénin, Micheline, *M. Desfriches d'Orléans*, Orléans, Amis des musées d'Orléans, 1997.

Daridan, Geneviève, *MM. Le Couteulx et Cie, banquiers à Paris, un clan familial dans la crise du XVIIIᵉ siècle*, Paris, Loysel, 1994.

Daudet, Ernest, *Histoire de l'émigration. Coblenz, 1789-1793*, Paris, E. Kolb, 1889.

Dauphin, Claude, *La Musique au temps des Encyclopédistes*, Ferney-Voltaire, Centre des études sur le XVIIIᵉ siècle, 2001

Diesbach, Ghislain de, *Histoire de l'émigration (1789-1814)*, Paris, Perrin, « Tempus », 2007.

Dorival, Jérôme, *Hélène de Montgeroult. La marquise et la Marseillaise*, Lyon, Symétrie, 2006.

Dupland, Edmond, *Marie Caroline, duchesse de Berry*, Paris, France-Empire, 1996.

Durand, Yves, *Les Fermiers généraux au XVIIIᵉ siècle*, Paris, Maisonneuve et Larose, 1996.

Dury, Marie-Jeanne, *La Vieillesse de Chateaubriand, 1830-1848*, Paris, Le Divan, 1933, 2 vol.

Edelin-Badie, Béatrice, *La Collection de tableaux de Lucien Bonaparte, prince de Canino*, Paris, RMN, 1997.

Fabre, Jean, *Stanislas-Auguste Poniatowski et l'Europe des Lumières. Étude de cosmopolitisme*, Paris, Ophrys, 1952.

Fay-Sallois, Fanny, *Les Nourrices à Paris au XIXᵉ siècle*, Paris, Payot, 1980.

Franklin, Alfred, *Dictionnaire historique des arts, métiers et professions exercés dans Paris depuis le treizième siècle*, Paris, Welter, 1906 (article : coiffure).

Fuchs, Max, *Lexique des comédiens du XVIIIᵉ siècle*, t. XIX de la *Bibliothèque des historiens du théâtre*, Paris, 1939.

Fumaroli, Marc, *Trois institutions littéraires*, Paris, Gallimard, « Folio », 1994.

–, « Chez les Bénédictines de la rue Saint-Antoine : retraite et repos annuels de madame Geoffrin, dans le miroir sensible d'Hubert Robert », in *Madame Geoffrin, une femme d'affaires et d'esprit*, Milan-Châtenay-Malabry, Silvana Editoriale-Maison de Chateaubriand, 2011, p. 69-75.

Granger, Catherine, *L'Empereur et les arts : la liste civile de Napoléon III*, Paris, École des chartes, 2005.

Gueniffey, Patrice, *La Politique de la Terreur*, Paris, Gallimard, « Tel », 2000.

Guerretta, Patrick-André, *Pierre-Louis de La Rive, ou la Belle Nature*, Genève, Georg, 2003.

Huertas, Monique de, *La Duchesse de Berry*, Paris, Pygmalion, 2001.

La Guérinière, François Robichon de, *À la française. Pages choisies par Georges de Lagarenne*, Paris, Jean-Michel Place, 1987.

Lacour-Gayet, Robert, *Calonne, financier, réformateur, contre-révolutionnaire, 1734-1802*, Paris, Hachette, 1963.

Laffon, Juliette, *Peintures du musée du Petit Palais*, Paris, Ville de Paris, 1981-1982, 2 vol.

Lansac de Laborie, Léon de, *Paris sous Napoléon*, Paris, Plon-Nourrit, 1905-1913, 8 vol.

Lassère, Madeleine, *Le Portrait double, Julie Candeille et Girodet*, Paris, L'Harmattan, 2005.

Laÿ, Jacques et Monique, *Louveciennes, mon village*, Argenton-sur-Creuse, Imprimerie de l'Indre, 1989.

Lepeintre-Desroches, Pierre, *Suite du répertoire du Théâtre-Français. Opéras comiques*, Paris, 1822.

Lecarpentier, Charles Jacques François, *Notice sur François Doyen par Lecarpentier son élève, professeur de l'académie de dessin et de peinture de Rouen*, Rouen, Imprimerie de V. Guilbert, 1809.

Lever, Évelyne, *Louis XVIII*, Paris, Fayard, 1988.

Libera, Zdzislaw, « Stanislas-Auguste Poniatowski », *XVIIIᵉ siècle*, n° 25, 1993, p. 239-250.

Lilti, Antoine, *Le Monde des salons. Sociabilité et mondanité à Paris au XVIIIᵉ siècle*, Paris, Fayard, 2005.

Los Llanos, José-luis de, *Fragonard et le dessin français au XVIIIᵉ siècle dans les collections du Petit Palais*, 1992.

Manne, Edmond-Denis, *Nouveau dictionnaire des ouvrages anonymes*, 1868, 3ᵉ éd., p. 104.

Mellié, Ernest, *Les Sections de Paris durant la Révolution*, Paris, Société d'histoire de la Révolution française, 1898.

Mézin, Anne, *Les Consuls de France au siècle des Lumières, 1715-1792*, Paris, Ministère des Affaires étrangères, Direction des archives et de la documentation, 1997.

Ozanam, Denise, *Claude Baudard de Sainte-James, Trésorier général de la Marine et brasseur d'affaires (1738-1787)*, Paris, Droz, 1969.

Perey, Lucien, *Histoire d'une grande dame au XVIIIᵉ siècle, la princesse Hélène de Ligne*, Paris, Calmann-Lévy, 1887, t. I, 1888, t. II.

Peskov, Alexeï, *Paul Iᵉʳ empereur de Russie ou le 3 novembre*, Paris, Fayard, 1996.

Poletti, Matteo, *Colombes historique*, Colombes, Musée municipal d'art et d'histoire, 1995.

Pons, Anne et Alain, *Lady Hamilton*, Paris, Nil, 2002.

Pougin, Arthur, *Giuseppina Grassini 1773-1850, une cantatrice amie de Napoléon*, Paris, Fischbacher, 1920.

Pupil, François, *Le Style Troubadour*, Nancy, Presses universitaires de Nancy, 1985.

Rochebrune, Marie-Laure de, « Le triomphe du goût à la grecque dans les arts décoratifs français (1750-1775) », *L'Objet d'art*, n° 432, février 2008, p. 66-79.

Rosenberg, Pierre et Van de Sandt, Udolpho, *Pierre Peyron (1744-1814)*, Neuilly-sur-Seine, Arthena, 1983.

Roux-Devillas, Francis, « Le couvent des Capucins de Meudon », *Bulletin de la Socité des amis de Meudon-Bellevue*, n° 68, décembre 1953, p. 1133 et suiv.

Royer, Bertrand, *L'Enfant et la Femme sous l'Ancien Régime, la vie quotidienne avant la révolution en Berry et en Poitou*, Poitiers, 1984.

Sapori, Michelle, *Rose Bertin, ministre des modes de Marie-Antoinette*, Paris, Institut français de la mode, Regard, 2003.

Serna, Pierre, *La République des Girouettes, 1789-1815*, Seyssel, Champ Vallon, 2005.

Seth, Catriona, *Marie-Antoinette. Anthologie et dictionnaire*, Paris, Laffont, « Bouquins », 2006.

Starobinski, Jean, *1789. Les Emblèmes de la raison*, Paris, Flammarion, « Champs », 1979.

Tétard-Vittu, Françoise, « La duchesse de Berry et ses fournisseurs de mode », in *Entre cour et jardin. Marie Caroline, duchesse de Berry*, catalogue d'exposition, Sceaux, musée d'Île-de-France, 2007, p. 60-68.

Tulard, Jean et Garros, Louis, *Itinéraire de Napoléon au jour le jour (1769-1821)*, Paris, Tallandier, 1992.

Turcot, Laurent, *Le Promeneur au XVIIIᵉ siècle*, Paris, Le Promeneur, 2007.

Valmigère, Pierre-Joël de, *Enquête sur la Révolution*, Paris, Nouvelles Éditions latines, 1956.

Villot, Frédéric, *Hall, célèbre miniaturiste du XVIIIᵉ siècle*, Paris, Librairie française et étrangère, 1867.

Wagener, Françoise, *Madame Récamier, 1777-1849*, Paris, Lattès, 1986.

Winter, O. E., *Repertorium der Diplomatischen Vertreter aller Länder, 1764-1815*, Graz-Cologne, Hermann Böhlaus Nachf, t. III, 1965.

Zingel, Hans Joachim, « Zur Bibliographie der Schulwerke fur Harfe », *Acta Musicologica*, vol. 7, fasc. 4 (octobre-décembre 1935), p. 162-167.

Zweig, Stefan, *Marie-Antoinette* [1933], trad. Alzir Hella, Paris, Grasset, 1999.

REMERCIEMENTS

Les conservateurs de la fondation Napoléon, Christine Dessemme, conservateur du musée d'Art et d'Histoire de Colombes, Chantal Fernex de Mongex, conservateur des musées d'Art et d'Histoire de Chambéry, Guy Lemout, directeur des archives et centre culturel Arenberg, Françoise Tétard-Vittu, conservateur au musée Galliera, Marie-Josée Viladier, conservateur du musée d'Art et d'Histoire de la ville de Meudon, Christine Lecuyer, conservateur du Père-Lachaise, la bibliothèque de Rochester University, la conservation des Archives diocésaines de Paris, des Archives nationales, de la bibliothèque de l'Académie française, de la bibliothèque d'Art et d'Archéologie, les conservateurs de la documentation des peintures du musée du Louvre, de la bibliothèque de l'école du Louvre, m'ont guidée dans leurs collections. La fondation Marianne Roland Michel m'a permis de consulter sa documentation sur l'artiste. Sarah van Ooteghem, à la fondation Custodia, m'a facilité la consultation de précieux dossiers.

Sylvain Bellenger, Giovanni Careri, Jean-Loup Champion, Didier Lefur, Marike Gauthier, Linda Nochlin, Xavier Salmon, m'ont aimablement accordé de leur temps.

M. Tim Warner Johnson (Colnaghi and Co), M. Hiroo Yasui, conservateur au Mitsubishi Ichikogan Museum (Tokyo), Mme Isabelle Klinka-Ballesteros, directrice du musée des Beaux-Arts d'Orléans, M. le baron Benjamin de Rothschild m'ont facilité l'obtention de clichés.

M. Paul Underwood, dont la générosité n'a d'égale que la gentillesse, m'a permis de consulter ses collections. M. le Baron et Mme Jean-François de Sacy m'ont très aimablement reçue et ouvert leurs archives, M. Alain de Parceveaux, Mme Patricia Roy de Masclary, ont accepté de me recevoir.

M. Guy Wildenstein a facilité mon travail à New York. Au Wildenstein Institute (Paris), l'accueil de Marie-Christine Maufus, la collaboration souriante de Sophie Pietri et l'aide efficace d'Anne Sohier méritent une gratitude particulière.

Je remercie également MM. et Mmes Jean-Pierre Bonnet, Carole Blumenfeld, Christophe Cave, Ysolde Cunningham, Sophie Join-Lambert, Sophie Lefay, Corinne Legoy, Nicolas Lesur, Philippe Martinet, Bernard Minoret, Marc Perrichet, Marie-Luce Pujalte, Vladislav Rjeoutski, Michelle Sapori, Alexandre Stroev pour les informations qu'ils m'ont transmises, et Wiesław Malinowski, Anna Krwawicz, pour m'avoir facilité les contacts avec les archives polonaises.

Sue L. Carrell et Elena Gretchanaïa m'ont généreusement communiqué leurs transcriptions de plusieurs manuscrits inédits. Marie-Christine Natta, toujours à l'écoute, a pris de son temps pour me conseiller.

À l'université d'Orléans, Matthieu Lee (laboratoire Cedete) m'a aidée à confectionner des cartes. Jean-Benoît Puech m'a parlé de la biographie, et Bernard Ribemont m'a accordé le soutien de l'équipe de recherche META.

Aux éditions Flammarion, Teresa Cremisi a accueilli favorablement ce projet d'ouvrage. Hélène Fiamma a suivi le début de sa réalisation, tandis que Sophie Berlin a veillé sur son achèvement avec Cécile Dutheil de La Rochère, Sophie Suberbère et Pauline Kipfer.

Je dois beaucoup aux conversations stimulantes et aux amicaux conseils de Benedetta Craveri. Quant à Joseph Baillio, il a répondu à mes questions avec son inépuisable gentillesse et m'a permis de consulter de nombreux documents, dans une amicale complicité. Je le remercie infiniment de ses conseils.

Célia, Élise, Émilie, Jérôme, Joseph et Juliette m'ont prodigué, chacun à leur façon, leurs encouragements. Jean-François Feuillette, en m'assurant de son soutien, a partagé son temps et sa vie et a suivi les pas, en France et en Europe, de Louise Élisabeth Vigée Le Brun durant plusieurs années.

Que tous soient ici sincèrement remerciés.

CRÉDITS PHOTOGRAPHIQUES

Nous remercions les collectionneurs nous ayant autorisé à reproduire leurs clichés privés.

COUVERTURE

Louise Élisabeth Vigée le Brun, *Autoportrait dit « au chapeau de paille »*, vers 1782, Londres, National Gallery. © 2011 National Gallery, London.

PREMIER CAHIER

1. Louise Élisabeth Vigée Le Brun, *Autoportrait dit « au ruban cerise »*, vers 1782, Kimbell Art Museum. © Kimbell Art Museum, Fort Worth, Texas / Art Resource, NY / Scala, Florence.
2. Louise Élisabeth Vigée Le Brun, *Portrait de Jeanne Maissin*, n.d., collection particulière.
3. Louise Élisabeth Vigée Le Brun, *Portrait d'Étienne Vigée*, vers 1773, Saint Louis Art Museum. © 2011 Saint Louis Art Museum.
4. Gabriel de Saint-Aubin, *La Parade du Boulevard*, 1760, Londres, National Gallery. © 2011 National Gallery, London.
5. Louise Élisabeth Vigée Le Brun, *Portrait de Jean-François Le Sèvre*, n.d., collection particulière.
6. Louise Élisabeth Vigée Le Brun, *Portrait de gentilhomme*, 1772-1776, collection particulière.
7. Louise Élisabeth Vigée Le Brun, *Portrait de madame de Verdun*, vers 1782, collection particulière.
8. Louise Élisabeth Vigée Le Brun, *Portrait de mademoiselle de Rohan-Rochefort en Diane*, vers 1775, collection particulière.
9. Louise Élisabeth Vigée Le Brun, *Portrait de madame Lesould*, 1780, Musée des beaux-arts d'Orléans. © Orléans, Musée des beaux-arts, cliché François Lauginie.
10. Jean-Baptiste Pierre Le Brun, *Autoportrait*, New York, collection particulière.
11. Bartholomeus Van der Helst, *Les Chefs de la corporation de Saint Sébastien à Amsterdam*, Amsterdam, Musée historique. © Amsterdam Museum.
12. Louise Élisabeth Vigée Le Brun, *Étude de la tête d'une petite fille*, trois crayons, vers 1782, collection particulière.

13. François Hubert Drouais, *Portrait du comte de Vaudreuil*, 1758, Londres, National Gallery. © 2011 National Gallery, London.

14. Augustin Pajou, *Buste de madame Le Brun*, 1783, Paris, Musée du Louvre. © Photo R.M.N. René-Gabriel Ojéda.

15. Louise Élisabeth Vigée Le Brun, *La Reine Marie-Antoinette « en gaulle »*, 1783, collection de la princesse de Hesse-Darmstadt, Château de Wolfsgarten. © Hessische Hausstiftung.

16. Louise Élisabeth Vigée Le Brun, *Portrait de la duchesse de Guiche*, 1784, collection particulière.

17. Louise Élisabeth Vigée Le Brun, *La Paix ramenant l'Abondance*, 1780, Paris, Musée du Louvre. © Photo R.M.N. Daniel Arnaudet.

18. Louise Élisabeth Vigée Le Brun, *Portrait de Suzanne Vigée*, 1785, collection particulière.

19. Louise Élisabeth Vigée Le Brun, *Portrait de Joseph Hyacinthe François de Paule, comte de Vaudreuil*, vers 1784, collection particulière.

20. Louise Élisabeth Vigée Le Brun, *Portrait de la baronne de Crussol*, 1785, Toulouse, Musée des Augustins. © Photo Josse / Leemage.

21. Louise Élisabeth Vigée Le Brun, *Portrait de madame Molé-Raymond*, 1786, Paris, Musée du Louvre. © Photo RMN / Hervé Lewandowski.

22. Louise Élisabeth Vigée Le Brun, *Madame Vigée Le Brun et sa fille, dit La Tendresse maternelle*, 1786, Paris, Musée du Louvre. © RMN / Gérard Blot.

23. Louise Élisabeth Vigée Le Brun, *Madame Vigée Le Brun et sa fille, autoportrait dit « à la grecque »*, 1789, Paris, Musée du Louvre. © RMN / Jean-Gilles Berizzi.

24. Louise Élisabeth Vigée Le Brun, *La Reine Marie-Antoinette et ses enfants*, 1787, Musée national des châteaux de Versailles et de Trianon. © Musée National des Châteaux de Versailles et de Trianon / RMN.

25. Louise Élisabeth Vigée Le Brun, *La Marquise de Pezay et la marquise de Rougé avec ses enfants*, 1787, Washington, National Gallery of Arts. © 2011 Washington, National Gallery of Arts.

SECOND CAHIER

26. Louise Élisabeth Vigée Le Brun, *Portrait d'Hubert Robert*, 1788, Paris, Musée du Louvre. © Photo RMN / Jean-Gilles Berizzi.

27. Hubert Robert, *La Roue du Moulin Joly*, avant 1787, Orléans, Musée des beaux-arts. © Orléans, Musée des beaux-arts, cliché François Lauginie.

28. Coupe de l'hôtel Le Brun, 1784-1787, cliché privé.

29. Louise Élisabeth Vigée Le Brun, *Portrait d'Alexandrine Émilie Brongniart*, 1788, Londres, The National Gallery. © 2011 National Gallery, London.

30. Louise Élisabeth Vigée Le Brun, *Portrait de Geneviève Sophie Le Couteulx du Molay*, 1788, Paris, Musée Nissim de Camondo. © Les Arts Décoratifs, Paris, Jean Tholance.

31. Louise Élisabeth Vigée Le Brun, *Portrait de madame Adélaïde Perregaux*, 1789, Londres, The Wallace Collection. © Wallace Collection, London / The Bridgeman Art Library.

32. Domenico Zampieri, dit le Dominiquin, *Sainte Agnès*, vers 1620, Windsor Castle, Royal Collection. © Windsor Castle / Royal Collection.

33. *La Niobé*, Musée des Offices, Florence. Photo G.B.

34. Louise Élisabeth Vigée Le Brun, *Portrait de sa fille Julie*, 1792, Bologne, Archivio Pinacoteca Nazionale. © Pinacoteca Nazionale di Bologna.

35. Louise Élisabeth Vigée Le Brun, *Portrait de la comtesse Skavronskaïa*, 1790, Paris, Musée Jacquemart-André. © Photo Josse / Leemage.

36. Louise Élisabeth Vigée Le Brun, *Portrait de la duchesse de Polignac*, vers 1790, collection particulière.
37. Louise Élisabeth Vigée Le Brun, *Madame Le Brun par elle-même*, 1790, Rome, Accademia di San Luca. © Accademia di San Luca.
38. Louise Élisabeth Vigée Le Brun, *Portrait de François de Bourbon-Naples, duc de Calabre*, 1790, Naples, Museo e Gallerie Nazionali di Capodimonte. © Photo De Agostini / Leemage.
39. Louise Élisabeth Vigée Le Brun, *Portrait de Marie-Christine de Bourbon-Naples*, 1790, Naples, Museo e Gallerie Nazionali di Capodimonte, Naples. © Photo Giraudon / The Bridgeman Art Library.
40. Louise Élisabeth Vigée Le Brun, *Autoportrait au pastel*, 1789, collection particulière.
41. François-Guillaume Ménageot, *Autoportrait*, vers 1790, Montpellier, Musée Fabre. © Musée Fabre - Montpellier Agglomération / cliché F. Jaulmes.
42. Louise Élisabeth Vigée Le Brun, *Portrait de Lady Hamilton en Sybille*, 1791-1792, collection particulière.
43. Domenico Zampieri, dit le Dominiquin, *Sybille, vers 1616-1617*, Rome, Pinacoteca Capitolina. © Pinacoteca Capitolina, Roma.
44. Louise Élisabeth Vigée Le Brun, *Portrait d'Isabella Teotochi Marini*, 1792, Toledo Museum of Art. © 2011 The Toledo Museum of Arts.
45. Louise Élisabeth Vigée Le Brun, *Portrait de Flore Kageneck*, 1792, Toulouse, Fondation Bemberg. © Fondation Bemberg, Toulouse.
46. Louise Élisabeth Vigée Le Brun, *Madame Le Brun par elle-même*, 1794, collection particulière.
47. Auguste Rivière, *Autoportrait*, n.d., by courtesy of Colnaghi and co.
48. Louise Élisabeth Vigée Le Brun, *Portrait de la princesse Caroline de Liechtenstein en Iris*, 1793, Sammlungen des Fürsten von und zu Liechtenstein, Liechtenstein Museum, Vaduz. © Sammlungen des Fürsten von und zu Liechtenstein, Liechtenstein Museum, Vaduz.
49. Louise Élisabeth Vigée Le Brun, *Portrait de la princesse Anna Ivanovna Tolstaïa*, 1796, collection particulière.
50. Louise Élisabeth Vigée Le Brun, *Portrait de la princesse Kourakina*, entre 1795 et 1801, collection particulière.
51. Louise Élisabeth Vigée Le Brun, *Portrait de Varvara Ivanovna Ladomirskaïa*, 1800, Columbus, Museum of Arts. © 2011 Columbus Museum of Arts.
52. Louise Élisabeth Vigée Le Brun, *Madame de Staël en Corinne au cap Misène*, 1808-1809, Genève, collection des musées d'art et d'histoire de la ville. © Musée d'art et d'histoire, Genève / The Bridgeman Art Library.
53. Louise Élisabeth Vigée Le Brun, *Portrait de Louise, reine de Prusse*, vers 1801, pastel, Musée du château de Charlottenburg. © Christie's Images / The Bridgeman Art Library.
54. Louise Élisabeth Vigée Le Brun, *Vue du lac de Chelles au Mont-Blanc*, entre 1807 et 1809, collection particulière.
55. Eugénie Tripier Le Franc, *Portrait d'Eugénie Tripier Le Franc par elle-même*, vers 1820, New York, Brooklyn Museum. © 2011 Brooklyn Museum, New York.
56. Louise Élisabeth Vigée Le Brun, *L'Apothéose de la reine*, n.d., œuvre disparue, cliché privé.
57. Charles-Louis Bazin, *Portrait de Jean Joseph François Poujoulat*, vers 1825-1850, Compiègne, musée national du château de Compiègne. © Musée national du château de Compiègne. Photo RMN.

INDEX DES NOMS DE PERSONNES

TABLE

Table   685

TABLE 687

LES CONSOLATIONS

Cet ouvrage a été achevé d'imprimer en janvier 2012
sur les presses de Normandie Roto Impression s.a.s.
61250 Lonrai
N° d'imprimeur : 120027
N° d'éditeur : L.01EHBN000263.A002
dépôt légal : octobre 2011

Imprimé en France